HEINRICH AUGUST WINKLER

Der lange Weg nach Westen

ZWEITER BAND

HEINRICH AUGUST WINKLER

Der lange Weg nach Westen

ZWEITER BAND

Deutsche Geschichte
vom «Dritten Reich» bis zur
Wiedervereinigung

VERLAG C.H. BECK MÜNCHEN

Erste Auflage. 2000
Zweite Auflage. 2001
Dritte Auflage. 2001
Vierte, durchgesehene Auflage. 2002
Fünfte, durchgesehene Auflage. 2002

ISBN 3 406 49524 9 (Band II)
ISBN 3 406 49527 3 (2 Bände in Kassette)

Sechste, durchgesehene Auflage. 2005
© Verlag C.H. Beck oHG, München 2000
Satz: Fotosatz Otto Gutfreund GmbH, Darmstadt
Druck und Bindearbeiten: Ebner & Spiegel, Ulm
Gedruckt auf säurefreiem, alterungsbeständigem Papier
(hergestellt aus chlorfrei gebleichtem Zellstoff)
Printed in Germany

www.beck.de

FÜR DÖRTE

Inhalt

Einleitung IX

1. Die deutsche Katastrophe: 1933–1945 1

2. Demokratie und Diktatur: 1945–1961 116

3. Zwei Staaten, eine Nation: 1961–1973 206

4. Annäherung und Entfremdung: 1973–1989 315

5. Einheit in Freiheit: 1989/90 489

Abschied von den Sonderwegen:
Rückblick und Ausblick 640

Anhang

Abkürzungsverzeichnis 661

Anmerkungen 665

Personenregister 726

Einleitung

Der erste Band dieser deutschen Geschichte des 19. und 20. Jahrhunderts hat die Entwicklung Deutschlands vom Ende des Alten Reiches bis zum Untergang der Weimarer Republik verfolgt. Der zweite Band setzt mit der Machtübertragung an Hitler ein und endet mit der Wiedervereinigung und ihren Wirkungen. Wie der erste Band will auch der zweite keine «Totalgeschichte», sondern eine Problemgeschichte sein: Im Mittelpunkt steht das Verhältnis von Demokratie und Nation in Deutschland.

Von der Zeit des Nationalsozialismus handelt nicht nur das erste Kapitel. Die Jahre 1933 bis 1945 haben die nachfolgenden Jahrzehnte so sehr geprägt, daß die Geschichte des geteilten Deutschland auf weiten Strecken eine Geschichte der Auseinandersetzung mit der «deutschen Katastrophe» ist. Das Buch befaßt sich nicht ausschließlich, aber doch vorrangig mit Politik und politischer Kultur. Darum spielt im folgenden das Nachdenken über Deutschland und die Deutschen eine große Rolle. Wie der erste Band ist auch der zweite mindestens ebenso sehr Diskursgeschichte wie Geschichte der Abläufe, die der weiteren Entwicklung ihren Stempel aufdrückten.

Bei den Diskursen rückt, soweit es um die alte Bundesrepublik geht, seit den siebziger Jahren immer mehr die Linke in den Vordergrund. Sie verfügte seit dem ersten Bonner Machtwechsel von 1969 über die intellektuelle Hegemonie, und das zunehmend unangefochten. Der Geist weht, wo er will, aber von rechts wollte er offenbar nicht mehr wehen. Der einzige Glanz, den die intellektuelle Rechte verbreitete, war der ihrer Abwesenheit. Infolgedessen richtet sich auch meine Kritik in der Spätphase der alten Bundesrepublik vor allem an die Adresse der Linken. Die Kritik ist gelegentlich auch Selbstkritik: Der Autor war an einigen Diskursen, von denen in diesem Buch die Rede ist, beteiligt.

Die Wertmaßstäbe, von denen ich ausgehe, sind die der westlichen Demokratie. Mein Freiheitsbegriff ist nicht der relativistische, der die Auslegung der Weimarer Reichsverfassung bestimmt hat und seit einiger Zeit mancherorts seine Wiederauferstehung in Gestalt einer postmodernen, scheinliberalen Beliebigkeit erlebt, sondern der wertbetonte des Grundgesetzes – der deutschen Verfassung, in der die Erfahrungen der politischen und der Verfassungsgeschichte Deutschlands im Hegelschen Sinne «aufgehoben», also aufbewahrt und überwunden sind. Was in der DDR geschah, beurteile ich folglich nicht «systemimmanent», was auf gehobenen Positivismus hinausliefe. Aber daraus folgt nicht, daß der Historiker die Menschen, die in der DDR lebten und sich mit ihr arrangieren mußten, so beurteilen dürfte, als hätten sie unter den gleichen freiheitlichen Bedingungen gedacht und gehandelt wie die Deutschen in der Bundesrepublik.

Die Deutschen müssen sich ihre *gesamte* Geschichte kritisch aneignen: Das war eine Prämisse und das ist eine Folgerung aus dieser zweibändigen deutschen Geschichte der letzten zweihundert Jahre. Die Deutschen haben sich durch die Tatsache, daß es für sie so etwas wie westliche Normalität vor 1990 nicht gegeben hat, keinen Anspruch auf fortdauernde Anomalie erworben. Sie kommen nicht darum herum, über das nachzudenken, was sie zum Projekt Europa beitragen können. Ohne Klärung ihrer nationalen Identität ist dieses Ziel nicht zu erreichen.

Je näher das Buch der Gegenwart kommt, desto schwerer fällt die Grenzziehung zwischen historischen und politischen Urteilen. Auf Urteile zu verzichten konnte aber keine Alternative sein. Ich hoffe deshalb auf Leserinnen und Leser, die der Widerspruch zu manchen meiner Wertungen nicht davon abhält, weiterzulesen. Sie können ja zu anderen Schlußfolgerungen gelangen als der Autor.

Am Ende der Arbeit am zweiten und letzten Band dieser deutschen Geschichte des 19. und 20. Jahrhunderts habe ich zu danken: an erster Stelle meiner Frau, der Mitdenkerin aller Schlüsselabschnitte; dann Ernst-Peter Wieckenberg, dem ehemaligen Cheflektor des Verlages C. H. Beck, der die einzelnen Kapitel fortlaufend und mit gleichbleibender Gründlichkeit gegengelesen hat. Frau Gretchen Klein, die den größten Teil der handschriftlichen Vorlage in ein druckfertiges Manuskript verwandelt hat, danke ich ebenso wie Frau Monika Roßteuscher, die die Druckvorlage von Teilen des letzten Kapitels angefertigt hat. Meine studentischen Mitarbeiterinnen und Mitarbeiter haben mir über Jahre hinweg geholfen: durch Quellen- und Literaturbeschaffung, durch Vorschläge für die Kolumnentitel, durch Korrekturlesen und die Erstellung des Personenregisters. Ich danke Daniel Bussenius, Teresa Löwe, Sebastian Ullrich und Stephanie Zloch für alles, was sie zu diesem Band beigetragen haben.

Berlin, im Juli 2000   Heinrich August Winkler

1.
Die deutsche Katastrophe:
1933–1945

Der Mann, der seit dem 30. Januar 1933 an der Spitze der Reichsregierung stand, betrachtete sich als den von der Vorsehung auserwählten Erlöser der Deutschen und damit zugleich der germanischen Rasse. Erlösen wollte er die Deutschen nicht nur von der Schmach des Versailler Vertrags, von Marxismus, Liberalismus und Parlamentarismus, sondern vom Bösen schlechthin, das sich der unterschiedlichsten Masken bediente, um sein Zersetzungswerk zu tarnen: dem internationalen Judentum. Der Marxismus war aus Hitlers Sicht nur eine, aber die bislang erfolgreichste Verkleidung des Juden: Sie hatte ihm zur Beherrschung der Arbeiterschaft verholfen. Die Arbeiter dem Einfluß des internationalistischen Marxismus zu entreißen und für die Sache der Nation zu gewinnen konnte folglich nur einer Bewegung und einem Führer gelingen, die zum rücksichtslosen Kampf gegen das Judentum entschlossen waren.

Hitler wußte sich als Führer einer solchen Bewegung. In «Mein Kampf» hatte er während seiner Landsberger Festungshaft 1924 den Glauben an seine Sendung in Worte gefaßt, die so apokalyptisch gemeint waren, wie sie klangen: «Siegt der Jude mit Hilfe seines marxistischen Glaubensbekenntnisses über die Völker dieser Welt, dann wird seine Krone der Totentanz der Menschheit sein, dann wird dieser Planet wieder wie einst vor Jahrmillionen menschenleer durch den Äther ziehen. Die ewige Natur rächt unerbittlich die Übertretung ihrer Gebote. So glaube ich heute im Sinne des allmächtigen Schöpfers zu handeln: *Indem ich mich des Juden erwehre, kämpfe ich für das Werk des Herrn.*»

Die sakrale Wendung machte deutlich, was der Nationalsozialismus nach dem Willen seines Führers sein sollte: eine innerweltliche «ecclesia militans», außerhalb deren es kein Heil gab – eine totalitäre politische Religion. Als «totalitär» hatten liberale, demokratische und sozialistische Kritiker des italienischen Faschismus das Regime Mussolinis charakterisiert, bevor der Duce selbst erstmals im Juni 1925 vom «wilden, totalitären Willen» («feroce volontà totalitaria») seiner Bewegung sprach. Als «totalitär» galt spätestens seit den dreißiger Jahren ein Regime, für das Politik im Kern der Kampf zwischen Freund und Feind war, das jede Opposition gewaltsam unterdrückte und alle Andersdenkenden durch die Allgegenwart seiner Geheimpolizei einschüchterte, das jede Art von Gewaltenteilung zugunsten des Machtmonopols *einer* Partei ausschaltete und mit Hilfe von Ideologie, Propaganda und Terror jene akklamatorische Zustimmung der Massen erzeugte, die es zur Legitimation seiner Herrschaft nach innen und außen benötigte. In diesem Sinn war nicht nur das faschistische Italien, sondern auch die Sowjetunion ein totalitäres Regime – eine Diktatur neuen Typs, die sich von autoritären Systemen, europäischen oder lateinamerikanischen Militärdiktaturen etwa, deutlich unterschied. Neu waren gegenüber den herkömmlichen Diktaturen vor allem die Mobilisierung der Massen und der Anspruch auf den ganzen Menschen, der zu einem «neuen Menschen» erzogen werden sollte. Ein solches System gab es in Deutschland am 30. Januar 1933 und in den ersten Wochen danach noch nicht. Aber wer Hitlers öffentliche Bekundungen aus der «Kampfzeit» ernst nahm, wußte, daß es ihm um die Errichtung eines Regimes ging, das mindestens so «totalitär» sein würde wie das Mussolinis.

Mit dem italienischen Faschismus hatte der deutsche Nationalsozialismus vieles gemein: radikalen Nationalismus, Antimarxismus und Antiliberalismus, die Militarisierung des innenpolitischen Kampfes, den Kult von Jugendlichkeit, Männlichkeit und Gewalt, die zentrale Rolle des charismatischen Führers. Beide Bewegungen hatten ihren Ursprung in der traumatischen Erfahrung der Ergebnisse des Ersten Weltkriegs: So wie die Nationalsozialisten die deutsche Niederlage auf den «Dolchstoß» der «Novemberverbrecher» zurückführten, so lasteten die italienischen Faschisten den «verstümmelten Sieg», die Durchkreuzung ehrgeiziger Annexionspläne durch die westlichen Verbündeten, der Schwächlichkeit der Liberalen und dem Internationalismus der Linken an. Beide Parteien verstanden es, eine verbreitete Angst für sich wirken zu lassen: die Angst vor einer «roten» Revolution nach dem Vorbild der russischen Bolschewiki. Beide zogen Nutzen aus der Spaltung der marxistischen Arbeiterbewegung im Gefolge von Weltkrieg und Oktoberrevolution.

Die Gemeinsamkeiten zwischen den Bewegungen Mussolinis und Hitlers waren so ausgeprägt, daß viele Zeitgenossen, vor allem auf der Linken, im Nationalsozialismus von Anfang an nur die deutsche Erscheinungsform des «Faschismus» zu erkennen vermochten. Das war er *auch*, sofern man den Begriff «Faschismus» zur Kennzeichnung eines neuen Typs von militanter Massenbewegung der extremen Rechten verwendet, wie es sie vor dem Ersten Weltkrieg noch nirgendwo in Europa gegeben hatte. Doch der Nationalsozialismus war *nicht nur* der «deutsche Faschismus». Er war in viel höherem Maß als der italienische Faschismus eine den ganzen Menschen beanspruchende politische Religion (und insofern eher seinem Antipoden, dem Bolschewismus, ähnlich). Er war in jeder Hinsicht extremer und totalitärer als das römische Vorbild, und er verfügte über ein mythologisches Feindbild, das Mussolini, seine Bewegung und sein Regime nicht besaßen: Der italienische Faschismus kannte nicht den tödlichen Haß auf die Juden, der im Mittelpunkt von Hitlers «Weltanschauung» stand.[1]

Hitler will während seiner «Wiener Lehr- und Leidensjahre» zwischen 1908 und 1913 zum überzeugten Antisemiten geworden sein: So stellt er es

in «Mein Kampf» dar. In der Hauptstadt des österreichischen Vielvölker-
staates war eine scharfe Abgrenzung gegenüber den Juden der kleinste gemeinsame Nenner aller Nichtjuden, wenn sie denn einen solchen Nenner
suchten. Der Antisemitismus war im späten Habsburgerreich sehr viel weiter verbreitet und «volkstümlicher» als im wilhelminischen Deutschland.
Das war nicht zuletzt das Werk des Führers der Christlichsozialen Partei
und langjährigen Wiener Bürgermeisters Karl Lueger, zu dessen Bewunde-
rern der junge Hitler gehörte.

Hitler las in der Zeit, in der er als Bewohner eines Männerheims in Wien-
Brigittenau sein Geld durch das Anfertigen von Bildkopien verdiente, die
Schriften zahlreicher obskurer antisemitischer Autoren, unter ihnen des
ehemaligen Priesters Josef Adolf Lanz, der sich als Schriftsteller Jörg Lanz
von Liebenfels nannte. Zum «praktizierenden» Antisemiten aber wurde
Hitler in seinen Wiener Jahren noch nicht. Er war zu jener Zeit bereits ein
«Großdeutscher» im Sinne des Parteiführers Georg von Schönerer, ein
Gegner des Habsburgerreiches und Befürworter der Vereinigung von
Deutschland und Österreich mithin; er ließ auch schon seinem Haß auf die
Sozialdemokratie freien Lauf, womit er sich vom Proletariat abheben
konnte, in das der verarmte Beamtensohn aus Braunau am Inn auf keinen
Fall absinken wollte. Aber er pflegte noch persönlichen Umgang mit Juden.
Falls er, was möglich ist, schon in seiner Wiener Zeit antisemitische Vorur-
teile entwickelt hat, fielen diese nicht durch besondere Radikalität auf.

Auch aus seiner frühen Münchner Zeit, die im Mai 1913 begann, sind
keine judenfeindlichen Äußerungen überliefert. Dasselbe gilt für die Jahre
des Weltkriegs, in denen er als Freiwilliger in einem bayerischen Infanterieregiment an der Westfront kämpfte. Die frühesten Belege seines Antisemitismus stammen aus dem Jahr 1919. Hitlers Wandlung zum unerbittlichen Judenfeind fällt zeitlich offenbar zusammen mit seinem Entschluß,
Politiker zu werden: Er brauchte einen Feind, um eine Rolle für sich zu finden und damit seinem Leben im Nachkriegsdeutschland einen Sinn zu geben. Daß Deutschland den Weltkrieg verloren hatte, war die Schuld des
Marxismus und damit der Juden: Seit er dies «erkannt» hatte, wußte Hitler
auch, warum die «Vorsehung» ihn, den «unbekannten Gefreiten», den
Krieg hatte überleben lassen.

Im September 1919, Hitler arbeitete damals als «Vertrauensmann» des
Bayerischen Reichswehrgruppenkommandos in München und war gerade
in eine kleine rechtsextreme Gruppierung, die acht Monate zuvor gegründete Deutsche Arbeiterpartei, eingetreten, lag sein antisemitisches Weltbild
fest: «Alles, was Menschen zu Höherem streben läßt, sei es Religion, Sozialismus, Demokratie, es ist ihm (dem Juden, H. A. W.) alles nur Mittel
zum Zweck, Geld- und Herrschgier zu befriedigen. Sein Wirken wird in
seinen Folgen zur Rassentuberkulose der Völker, und daraus ergibt sich
folgendes: Der Antisemitismus aus rein gefühlsmäßigen Gründen wird seinen letzten Ausdruck finden in der Form von Progromen (sic!). Der Anti-

semitismus der Vernunft jedoch muß führen zur planmäßigen gesetzlichen
Bekämpfung und Beseitigung der Vorrechte der Juden, die er zum Unter-
schied der anderen zwischen uns lebenden Fremden besitzt (Fremdenge-
setzgebung). Sein letztes Ziel aber muß unverrückbar die Entfernung der
Juden überhaupt sein. Zu beidem ist nur fähig eine Regierung nationaler
Kraft und niemals eine Regierung nationaler Ohnmacht.»

Die «positive» Kehrseite des Kampfes gegen die Juden war der Kampf
für das rassisch reine deutsche Großreich der Zukunft, hinter dem die
früheren deutschen Reiche, das mittelalterliche wie das Bismarcksche, verblassen mußten. «Die Grenzen des Jahres 1914 bedeuten für die Zukunft
der deutschen Nation gar nichts. In ihnen lag weder ein Schutz der Vergangenheit, noch läge in ihnen eine Stärke für die Zukunft», heißt es in
«Mein Kampf». «Deutschland wird entweder Weltmacht oder überhaupt
nicht sein. Zur Weltmacht aber braucht es jene Größe, die ihm in der heutigen Zeit die notwendige Bedeutung und seinen Bürgern das Leben gibt.
Damit ziehen wir Nationalsozialisten bewußt einen Strich unter die außenpolitische Richtung unserer Vorkriegszeit. Wir setzen dort an, wo man vor
sechs Jahrhunderten endete. Wir stoppen den ewigen Germanenzug nach
dem Süden und Westen Europas und weisen den Blick nach dem Land im
Osten. Wir schließen endlich ab die Kolonial- und Handelspolitik der Vorkriegszeit und gehen über zur Bodenpolitik der Zukunft.»

Der Osten: das hieß «Rußland und die ihm untertanen Randstaaten». Es
war das Schicksal selbst, das nach Hitlers Überzeugung Deutschland diesen Fingerzeig hatte geben wollen, indem es Rußland dem Bolschewismus
überantwortete. Die Machtübernahme der Bolschewiken bedeutete aus
seiner Sicht die Ersetzung der bisherigen, ursprünglich germanischen
Führungsschicht durch die Juden, die aber das mächtige Reich auf die
Dauer nicht zusammenhalten konnten. «Das Riesenreich im Osten ist reif
zum Zusammenbruch. Und das Ende der Judenherrschaft in Rußland wird
auch das Ende Rußlands als Staat sein. Wir sind vom Schicksal ausersehen,
Zeugen einer Katastrophe zu werden, die die gewaltigste Bestätigung für
die Richtigkeit der völkischen Rassentheorie sein wird.»

Als Führer der Nationalsozialistischen Deutschen Arbeiterpartei (die
Umbenennung der Deutschen Arbeiterpartei im Februar 1920 wurde bereits von ihm bekanntgegeben) war Hitler zunächst vor allem eines: ein
antisemitischer Agitator. Was in München zu seinem Erfolg beitrug, verbürgte diesen aber noch nicht in ganz Deutschland. Als die NSDAP sich
nach 1929 anschickte, die Macht im Reich auf «legalem» Weg zu erobern,
traten die Ausfälle gegen die Juden zurück hinter Kampfansagen gegen das
«System» von Weimar, gegen Marxismus, Bolschewismus und die «Ver-
sklavung» des deutschen Volkes durch den Young-Plan und die internationale «Zinsknechtschaft». Mit nationalistischen Parolen ließen sich breitere
Schichten gewinnen als mit antisemitischen, und die radikalen Judenfeinde
standen ohnehin schon im Lager des Nationalsozialismus. In den großen

Wahlreden der letzten Weimarer Jahre hütete sich Hitler auch, das außenpolitische Programm in den Vordergrund zu rücken, das er in «Mein Kampf» (und in seinem unveröffentlichten «Zweiten Buch» von 1928) dargelegt hatte: Das Bekenntnis zum Krieg um «Lebensraum» im Osten Europas, auf dem Territorium des bolschewistischen Erzfeindes, wäre nicht dazu angetan gewesen, der NSDAP neue Wähler zuzuführen. Was Hitler zwischen 1930 und 1933 öffentlich verkündete, ließ den Kern seiner Überzeugungen kaum erkennen – und das war einer der Gründe des Massenzulaufs zu den Nationalsozialisten.

Die Verbindung von Nationalismus und Sozialismus unterschied Hitlers Bewegung von den rechten Sammlungsbewegungen des Kaiserreichs, bis hin zur Deutschen Vaterlandspartei von 1917. Die NSDAP war keine Parteigründung von Honoratioren; sie verdankte ihre Wahlerfolge mehr den demagogischen Fähigkeiten ihres Führers und dem Einsatz seiner Anhänger als der finanziellen Unterstützung durch rechtsstehende Industrielle und Bankiers. Der «Sozialismus» der Nationalsozialisten verschreckte lange Zeit viele bürgerliche Wähler, namentlich solche in den selbständigen Mittelschichten. Noch im Dezember 1932 hielt es die zuständige Parteigliederung, der neugegründete Kampfbund des gewerblichen Mittelstandes, für notwendig, den kleinen Gewerbetreibenden zu versichern, das Ziel der nationalsozialistischen Wirtschafts- und Sozialpolitik sei die «Entproletarisierung» des deutschen Arbeiters: «Sinn der sozialistischen Idee ist die Beeignung der Besitzlosen. Damit steht der Sozialismus Adolf Hitlers in schärfstem Gegensatz zu dem verlogenen Schein-Sozialismus der Marxisten, der sich die Enteignung der Besitzenden zum Ziel gesetzt hat.» Für «nationale» Arbeiter und Angestellte, für Studenten und jüngere Akademiker aber bedeutete der «nationale Sozialismus» ein Angebot: Sie konnten sich unter diesem Panier sowohl vom internationalistischen Marxismus als auch von der nationalistischen «Reaktion» absetzen und eine «dritte» Position beziehen – eine, wie es schien, zukunftsweisende Position jenseits von proletarischem Klassenkampf und bürgerlicher Besitzstandswahrung.

Der Nationalismus der NSDAP war das, was sie mit dem bürgerlichen Deutschland verband – oder doch zu verbinden schien. Es gab keine Partei, die Versailles rechtfertigte oder das Streben nach Großdeutschland ablehnte. Die Nationalsozialisten verlangten die Gleichberechtigung Deutschlands und die Vereinigung mit Österreich in einer radikaleren Tonlage als irgend jemand sonst. Aber in der Sache selbst, der Revision der Nachkriegsordnung, bestand, vordergründig jedenfalls, ein breiter nationaler Konsens. Es kam Hitler zugute, daß er, der von Schönerer geprägte Großdeutsche aus Österreich, keinerlei Schwierigkeiten hatte, die Forderung nach dem Anschluß seiner Heimat an das Deutsche Reich mit dem Bekenntnis zur preußischen Tradition, zu Friedrich dem Großen und Bismarck, zu verbinden. Es schadete ihm auch nicht, daß er von Hause aus Katholik war. Die jüngeren Deutschen, soweit sie weder Marxisten noch «kirchlich» waren, hielten den konfessionellen Gegensatz für historisch ebenso überholt wie den Klassenkampf. Hitlers Chance lag darin, daß ihm viele zutrauten, er werde miteinander versöhnen, was ehedem unvereinbar schien: nicht nur Nationalismus und Sozialismus, sondern auch das evangelische und das katholische Deutschland.

Die Zauberworte der großen Synthese waren die «Volksgemeinschaft» und das «Reich». Das Wort «Volksgemeinschaft» hat als erster wohl Schleiermacher in Randnotizen zu einem Manuskript aus dem Jahr 1809 verwendet. Durch den Juristen Friedrich Carl von Savigny fand der Begriff in den folgenden Jahrzehnten Eingang in die Rechtswissenschaft, durch den Soziologen Ferdinand Tönnies (in seinem Buch «Gemeinschaft und Gesellschaft») 1887 in die Soziologie. Seit dem Ersten Weltkrieg sprachen dann alle politischen Richtungen mit Ausnahme der erklärten Marxisten von «Volksgemeinschaft»: Konservative und Liberale bedienten sich des Wortes ebenso wie Gewerkschaftsführer und sozialdemokratische Reformisten.

Je nachdem, wer den Begriff verwendete, konnte er höchst Unterschiedliches meinen: ein Bekenntnis zum friedlichen Ausgleich sozialer Gegensätze im freien Volksstaat etwa oder den Ruf nach einer autoritären Ordnung, in der von «oben» bestimmt wurde, was dem Gemeinwohl diente und was ihm abträglich war. Die Nationalsozialisten aber waren die radikalsten Vertreter dieser Parole: Sie kündigten die Zerschlagung des Marxismus an, weil der Aufruf zum Klassenkampf die Verneinung der «Volksgemeinschaft» in sich schließe. Außerdem deuteten sie, und das unterschied sie von allen anderen Parteien der Weimarer Republik, die «Volksgemeinschaft» im Sinne ihrer rassischen Vorstellungen: In der nationalsozialistischen Volksgemeinschaft hatten nur «arische» Deutsche einen Platz, nicht aber Juden, Zigeuner und Angehörige anderer, als minderwertig erachteter Rassen.

Das «Reich» war in den Jahren vor 1933 immer mehr zum rechten Kampfbegriff gegen die Republik geworden. Zugleich aber wies die Reichsidee in Vergangenheit und Zukunft. Das «Reich» war von alters her mit Heilserwartungen verknüpft. Sie traten besonders deutlich zutage, wenn im Deutschland der Weimarer Republik vom «Dritten Reich» die Rede war. Zum politischen Schlagwort wurde diese Formel im Jahre 1923, als Arthur Moeller van den Bruck, einer der Vorkämpfer der «Konservativen Revolution», sein Buch «Das dritte Reich» veröffentlichte. Nach dem ersten, dem Heiligen Römischen Reich Deutscher Nation und dem zweiten, von Bismarck geschaffenen kleindeutschen Reich, das der Verfasser als unvollkommenes «Zwischenreich» einstufte, sollte das «Dritte Reich» der Deutschen wieder großdeutsch sein, also Österreich mit einschließen. Moeller bezeichnete den deutschen Nationalismus als «Streiter für das Endreich»: «Es ist immer verheißen. Und es wird niemals erfüllt. Es ist das Vollkommene, das nur im Unvollkommenen erreicht wird... Es gibt nur

Ein Reich, wie es nur Eine Kirche gibt. Was sonst diesen Namen beansprucht, das ist Staat, oder das ist Gemeinde oder Sekte. Es gibt nur Das Reich.»

Obwohl er an anderer Stelle seines Buches ausdrücklich feststellte, daß es kein «tausendjähriges Reich», sondern nur das «Wirklichkeitsreich» gebe, das eine Nation in ihrem Lande verwirkliche, setzte Moeller auf die eschatologische Aura seines Buchtitels. Die Idee eines «Dritten Reiches» läßt sich bis zu dem italienischen Theologen Joachim von Fiore zurückverfolgen, der im 12. Jahrhundert prophezeit hatte, auf die ersten beiden Zeitalter, die Ordnungen von Gott Vater und seinem Sohn Jesus Christus, werde ein drittes, vom Heiligen Geist geprägtes, tausendjähriges Zeitalter der Vergeistigung und Vervollkommnung folgen. Die Vision eines tausendjährigen Reiches hatte ihren Ursprung im 20. Kapitel der Offenbarung des Johannes. Als Joachim von Fiore die Vorhersage aufgriff, gab er den Chiliasten der folgenden Jahrhunderte das Stichwort: Der Traum von den tausend Jahren zwischen dem Sieg über den Antichrist und dem Jüngsten Gericht, in denen der Teufel keine Macht mehr über die Menschen haben würde, beflügelte die Geißler des 13. und 14. Jahrhunderts, die böhmischen Taboriten im 15. und die Täuferbewegung im 16. Jahrhundert. Noch in Hegels Geschichtsphilosophie hat Joachims Lehre von den drei Reichen des Vaters, des Sohnes und des Geistes ihre Spuren hinterlassen (wobei die Germanen im römischen Reich für das erste, das christliche Mittelalter für das zweite und die Zeit seit der Reformation für das dritte Reich oder die dritte Epoche der germanischen Welt stehen).

Die Nationalsozialisten begannen schon bald nach dem Erscheinen von Moellers Buch sich des Schlagworts vom «Dritten Reich» zu bedienen, das ihre Bestrebungen einprägsam zu bündeln schien. Zum Führer der NSDAP gelangte der Begriff durch die Vermittlung von Gregor Strassers Bruder Otto, der im Juli 1930 mit Hitler brach, weil dieser, so lautete der Vorwurf, den «Sozialismus» des Parteiprogramms von 1920 preisgegeben habe. Erst sehr viel später kamen Hitler Bedenken. Der Begriff «Drittes Reich» konnte leicht zu Spekulationen über ein weiteres, ein viertes Reich verführen und war überdies geeignet, die Kontinuität des Reiches der Deutschen in Frage zu stellen. Im Juni 1939 teilte die Parteikanzlei den Willen des Führers mit, die Bezeichnung «Drittes Reich» nicht mehr zu verwenden. Doch zu diesem Zeitpunkt hatte der Begriff längst seine Wirkung getan: Er trug mit dazu bei, daß viele Deutschen in Hitler ihren Erlöser sahen.

Den Mythos der «tausend Jahre» hat Hitler mehr als einmal in den Dienst seiner Herrschaft zu stellen versucht. «So wie die Welt nicht von Kriegen lebt, so leben die Völker nicht von Revolutionen», erklärte er etwa am 4. September 1934, nach der blutigen Ausschaltung der SA-Führung auf dem Reichsparteitag der Nationalsozialisten in Nürnberg. «In beiden Fällen können höchstens Voraussetzungen für ein neues Leben geschaffen werden. Wehe aber, wenn der Akt der Zerstörung nicht im Dienste einer besseren und damit höheren Idee erfolgt, sondern ausschließlich nur den nihilistischen Trieben der Vernichtung gehorcht und damit an Stelle eines besseren Neuaufbaus ewigen Haß zur Folge hat... Wahrhafte Revolutionen sind nur denkbar als Vollzug einer neuen Berufung, der der Volkswille auf diese Art seinen geschichtlichen Auftrag erteilt... Wir alle wissen, wen die Nation beauftragt hat! Wehe dem, der dies nicht weiß oder der es vergißt! Im deutschen Volk sind Revolutionen stets selten gewesen. Das nervöse Zeitalter des 19. Jahrhunderts hat bei uns endgültig seinen Abschluß gefunden. In den nächsten tausend Jahren findet in Deutschland keine Revolution mehr statt.»

Am 10. Februar 1933 eröffnete Hitler den Reichstagswahlkampf mit einer Rede im Berliner Sportpalast. Seinen Anklagen gegen die «Parteien des Zerfalls, des Novembers, der Revolution», die vierzehn Jahre lang das deutsche Volk zerstört, zersetzt und aufgelöst hätten, folgte der Aufruf an die Deutschen, der neuen Regierung vier Jahre Zeit zu geben und dann über sie zu richten. Die letzten Worte waren der Bibel und der evangelischen Fassung des Vaterunsers nachempfunden. Hitler versuchte auf diese Weise, den eigenen Willen zur Macht als Dienst am «Reich» und als Erfüllung eines göttlichen Auftrags erscheinen zu lassen: «Denn ich kann mich nicht lösen von dem Glauben an mein Volk, kann mich nicht lossagen von der Überzeugung, daß diese Nation wieder einst auferstehen wird, kann mich nicht entfernen von der Liebe zu diesem meinem Volk und hege felsenfest die Überzeugung, daß eben doch einmal die Stunde kommt, in der die Millionen, die uns heute hassen, hinter uns stehen und mit uns dann begrüßen werden das gemeinsam geschaffene, mühsam erkämpfte, bitter erworbene neue deutsche Reich der Größe und der Ehre und der Kraft und der Herrlichkeit und der Gerechtigkeit. Amen!»

Was er zu tun gedachte, wenn die Deutschen seinem Appell folgten, hatte Hitler eine Woche zuvor, am 3. Februar 1933, in einer geheimen Rede vor den Befehlshabern des Heeres und der Marine in der Wohnung des Chefs der Heeresleitung, General von Hammerstein-Equord, umfassend, wenn auch nicht vollständig dargelegt: «Ausrottung des Marxismus mit Stumpf und Stiel... Straffste autoritäre Staatsführung. Beseitigung des Krebsschadens der Demokratie!... Aufbau der Wehrmacht wichtigste Voraussetzung für Erreichung des Ziels: Wiedererringung der politischen Macht. Allgemeine Wehrpflicht muß wieder kommen... Wie soll politische Macht, wenn sie gewonnen ist, gebraucht werden? Jetzt noch nicht zu sagen. Vielleicht Erkämpfung neuer Exportmöglichkeiten, vielleicht – und wohl besser – Eroberung neuen Lebensraumes im Osten und dessen rücksichtslose Germanisierung.»[2]

Der Wahlkampf im Zeichen der «nationalen Erhebung» war überschattet von zahllosen nationalsozialistischen Terrorakten, denen vor allem

Kommunisten und Sozialdemokraten zum Opfer fielen. Hermann Göring, der kommissarische preußische Innenminister, forderte am 17. Februar die Polizeibeamten auf, im Zweifelsfall rücksichtslos von der Schußwaffe Gebrauch zu machen. Fünf Tage später setzte er SA, SS und Stahlhelm als freiwillige Hilfspolizei ein, um die angeblich zunehmende Gewalt von links wirksamer als bisher bekämpfen zu können. Abermals fünf Tage später, am 27. Februar, ging das Reichstagsgebäude in Flammen auf.

Ob die Brandstiftung das alleinige Werk des holländischen Anarchosyndikalisten Marinus van der Lubbe war oder ob es Mittäter aus den Reihen der Nationalsozialisten gab, ist in der Forschung bis heute umstritten; der vorherrschenden Meinung nach ist die erste Lesart richtig. Hitler, Göring und Joseph Goebbels, der Reichspropagandaleiter der NSDAP, erklärten jedoch sofort wahrheitswidrig die Kommunisten zu den Urhebern des Verbrechens und behaupteten, der Reichstagsbrand sei als «Fanal zum blutigen Aufruhr und zum Bürgerkrieg» gedacht. Noch in der Nacht zum 28. Februar ordnete Göring das Verbot der kommunistischen und, auf zwei Wochen befristet, der sozialdemokratischen Presse, die Schließung der Parteibüros der KPD und «Schutzhaft» für alle Abgeordneten und Funktionäre dieser Partei an. Am 28. Februar verabschiedete das Reichskabinett die «Notverordnung zum Schutz von Volk und Staat», die die wichtigsten Grundrechte «bis auf weiteres» außer Kraft setzte, neue Handhaben zum Vorgehen gegen die Länder schuf und für eine Reihe von Terrordelikten, darunter Brandstiftung, die Todesstrafe einführte. Die Verordnung nach Artikel 48 bedeutete nichts Geringeres als die Liquidation des Rechtsstaates in Deutschland.

Zu den ersten Opfern der Entwicklung gehörten, neben kommunistischen Funktionären, bekannte Intellektuelle. In «Schutzhaft» genommen wurden noch am 28. Februar neben anderen der Herausgeber der «Weltbühne», Carl von Ossietzky, die Schriftsteller Erich Mühsam und Ludwig Renn, der «rasende Reporter» Egon Erwin Kisch, der Sexualforscher Max Hodann und der Rechtsanwalt Hans Litten. Drei Tage später gelang der Polizei der Schlag gegen die oberste Spitze der KPD: In einem illegalen Quartier in Berlin-Charlottenburg verhaftete sie am 3. März, auf Grund einer Denunziation, den Parteivorsitzenden Ernst Thälmann und einige seiner engsten Mitarbeiter, darunter den Schriftleiter der «Roten Fahne», Werner Hirsch.

Terror und Propaganda verfehlten nicht ihre Wirkung: Aus der Reichstagswahl vom 5. März 1933 ging die Regierung Hitler als Siegerin hervor. 51,9 % entfielen auf die beiden Formationen, die das neue Kabinett trugen: Die NSDAP, im Wahlkampf erstmals von der gesamten Großindustrie massiv gefördert, erzielte 43,9 %, die Kampffront Schwarz-Weiß-Rot, ein Zusammenschluß von DNVP, Stahlhelm und parteimäßig nicht gebundenen konservativen Politikern, darunter Papen, 8 %. Die Kommunisten, von der Verfolgung durch die Nationalsozialisten härter betroffen als alle anderen Parteien, erlitten starke, die Sozialdemokraten vergleichsweise bescheidene Verluste (4,6 beziehungsweise 2,1 %). Die beiden katholischen Parteien konnten sich dagegen gut behaupten: Auf das Zentrum entfielen 11,2, auf die Bayerische Volkspartei 2,7 %. Die beiden liberalen Parteien blieben Splittergruppen, wobei die «linkere» von ihnen noch schlechter abschnitt als die rechte: Die Deutsche Volkspartei verbuchte 1,1, die Deutsche Staatspartei 0,9 %. Dramatisch war, neben dem Stimmenzuwachs der NSDAP (+ 10,8 %), die Zunahme der Wahlbeteiligung (+ 10,2 %). Der Zusammenhang beider Entwicklungen war offenkundig: Die Nationalsozialisten konnten aus dem Anstieg der Wahlbeteiligung den bei weitem größten Nutzen ziehen.

Hitlers Wahlsieg folgte, was die Nationalsozialisten die «nationale Revolution» nannten. Eines ihrer wichtigsten Ergebnisse war die «Gleichschaltung» der Länder: die Ersetzung rein bürgerlicher oder von den Sozialdemokraten mitgetragener Landesregierungen durch nationalsozialistisch geführte Kabinette. Die Gleichschaltung war ein Produkt kombinierten Drucks von «oben», dem Reichsinnenminister Frick, und «unten», den Sturmkolonnen der SA und SS. Am längsten dauerte der Machtwechsel in Bayern, der Hochburg des deutschen Föderalismus. Am 16. März regierten auch in München die Nationalsozialisten.

Parallel zur Gleichschaltung der Länder vollzog sich die Eroberung der Macht in Städten und Gemeinden. SA und SS besetzten die Rathäuser, nahmen vielerorts «marxistische», das heißt: sozialdemokratische Gemeinderäte fest und zwangen Bürgermeister und Oberbürgermeister, die ihnen nicht genehm waren, zum Rücktritt. Denselben Übergriffen waren Arbeitsämter und Ortskrankenhäuser ausgesetzt.

Von den festgenommenen politischen Gegnern wurden viele, aber längst nicht alle der Polizei überstellt. Häufig nahmen SA und SS den «Strafvollzug» in eigene Regie. In Berlin und Umgebung entstanden kurz nach der Reichstagswahl die ersten «wilden» Konzentrationslager, in denen gnadenlos mit den «Bolschewisten» abgerechnet wurde. Noch im März 1933 folgten, beginnend mit dem bayerischen Dachau, die ersten offiziellen Konzentrationslager. In diese, von SA und SS kontrollierten Lager wurden nicht nur Kommunisten, sondern zunehmend auch Sozialdemokraten und andere Gegner des Regimes eingeliefert. Die Zahl der Kommunisten, die im Verlauf des März in «Schutzhaft» genommen und in ein «KZ» eingewiesen wurden, bezifferte der damalige Chef der Berliner politischen Polizei, Rudolf Diels, allein für Preußen mit 20 000. Ende Juli 1933, als der Terror der SA bereits abgeflaut war, gab es nach amtlichen Angaben im ganzen Reich knapp 27 000 «Schutzhäftlinge»; in Preußen waren es noch rund 15 000. Die Zahl der Insassen «wilder» Lager, von denen auch um diese Zeit noch einige bestanden, war darin allerdings nicht enthalten. Die Zahl derer, die in den ersten Monaten des «Dritten Reiches» in den Folterkellern von SA und SS ermordet wurden, hat ebenfalls keine Statistik vermerkt.

Zur «nationalen Revolution» gehörten auch zahllose Pogrome. In Breslau veranstaltete die SA einen Putsch gegen jüdische Anwälte und Richter; vielerorts wurden beamtete jüdische Ärzte für abgesetzt erklärt sowie jüdische Theater, Kabaretts, Juweliergeschäfte, Kleiderläden, Banken und Warenhäuser gestürmt. Am 10. März sah sich Hitler auf Grund deutschnationaler Proteste genötigt, seinen Anhängern «Belästigungen einzelner Personen, Behinderungen von Autos oder Störungen des Geschäftslebens» zu untersagen. «Ihr müßt, meine Kameraden», hieß es in dem Aufruf, «dafür sorgen, daß die nationale Revolution nicht in der Geschichte verglichen werden kann mit der Revolution der Rucksack-Spartakisten im Jahre 1918. Im übrigen, laßt euch in keiner Sekunde von unserer Parole wegbringen. Sie heißt: Vernichtung des Marxismus.»

In der zweiten Märzhälfte ebbten die «wilden» Aktivitäten von SA, SS und Kampfbund des gewerblichen Mittelstandes allmählich ab. Im konservativen Bürgertum, das besorgt auf die Übergriffe reagiert hatte, kehrte wieder Ruhe ein. Dazu trug auch eine verfassungswidrige Maßnahme des Reichspräsidenten bei, die Hitler am 12. März über den Rundfunk verkündete: Vom folgenden Tag ab waren «bis zur endgültigen Regelung der Reichsfarben die schwarz-weiß-rote Fahne und die Hakenkreuzfahne gemeinsam zu hissen». Die Begründung war Balsam für die Deutschnationalen und alle, die in ihrem Herzen Monarchisten geblieben waren: «Diese Flaggen verbinden die ruhmreiche Vergangenheit des Deutschen Reiches und die kraftvolle Wiedergeburt der deutschen Nation. Vereint sollen sie die Macht des Staates und die innere Verbundenheit aller nationalen Kreise des deutschen Volkes verkörpern.»

Hindenburgs Flaggenerlaß war das Vorspiel zum «Tag von Potsdam». In der Garnisonskirche der heimlichen Hauptstadt Preußens fand am 21. März die feierliche Eröffnung des neugewählten Reichstags statt. «Marxisten» nahmen daran nicht teil: Die kommunistischen Abgeordneten waren verhaftet oder untergetaucht; die sozialdemokratische Fraktion hatte tags zuvor in Abwesenheit von neun Mitgliedern, die sich in «Schutzhaft» befanden, beschlossen, der Zeremonie fernzubleiben.

Die Feierlichkeiten waren darauf angelegt, Hitlers Bekenntnis zur Verbindung von «alter Größe» und «junger Kraft» zu unterstreichen. Unter lebhafter Beteiligung der beiden großen christlichen Kirchen wurde Weimar endgültig zu Grabe getragen. Beim evangelischen Gottesdienst in der Nikolaikirche predigte der Generalsuperintendent der Kurmark, Otto Dibelius, über dasselbe Wort aus dem Römerbrief, das der Hofprediger Ernst von Dryander am 4. August 1914 seiner Ansprache im Berliner Dom zugrunde gelegt hatte: «Ist Gott für uns, wer mag wider uns sein?» Als Reichspräsident von Hindenburg in der Garnisonskirche allein in die Gruft zum Sarg Friedrichs des Großen hinunterstieg, um stumme Zwiesprache mit dem König zu halten, trat bei vielen Deutschen die gleiche patriotische Rührung ein, die seit Jahren die Fridericus-Filme aus Alfred Hugenbergs

«Ufa» hervorriefen. Doch das alte Preußen erlebte am 21. März 1933 keine
Auferstehung. Die neuen Machthaber nahmen nur seinen Mythos in
Dienst, um ihrer Herrschaft den Schein einer noch höheren Legitimation
zu verschaffen als jener, die sie am 5. März durch die Wähler empfangen
hatten.

Am 23. März trat der Reichstag an seinem neuen Tagungsort, der Kroll-
oper am Platz der Republik in Berlin, zusammen, um über den (nominell
von NSDAP und DNVP vorgelegten) Entwurf eines Gesetzes zur Behe-
bung der Not von Volk und Reich zu beraten. Das Ermächtigungsgesetz
gab der Reichsregierung für die Dauer von vier Jahren pauschal das Recht,
Gesetze zu beschließen, die von der Reichsverfassung abwichen. Die einzigen «Schranken» bestanden darin, daß die Gesetze nicht die Einrichtung
des Reichstags und des Reichsrats als solche zum Gegenstand haben und
nicht die Rechte des Reichspräsidenten berühren durften. Reichstag und
Reichsrat hatten fortan keinen Anspruch mehr darauf, an der Gesetzgebung beteiligt zu werden. Das galt ausdrücklich auch für Verträge mit fremden Staaten. Für das Inkrafttreten der von der Reichsregierung beschlossenen Gesetze genügte nunmehr die Ausfertigung durch den Reichskanzler
und die Verkündigung im Reichsgesetzblatt.

Um die notwendige verfassungsändernde Mehrheit sicherzustellen,
brach die Reichsregierung bereits vor der Verabschiedung des Gesetzes
die Verfassung: Sie behandelte die kommunistischen Mandate als nicht
existent, wodurch sich die «gesetzliche Mitgliederzahl» des Reichstags um
81 Mandate verminderte. Sodann änderte der Reichstag am 23. März seine
Geschäftsordnung: Unentschuldigt fehlende Abgeordnete durften vom
Reichstagspräsidenten bis zu sechzig Sitzungstagen von den Verhandlungen ausgeschlossen werden; die ausgeschlossenen Abgeordneten galten
aber dennoch als «anwesend». Die SPD hätte also, selbst wenn sie geschlossen der Sitzung ferngeblieben wäre, nicht die beiden Voraussetzungen einer Verfassungsänderung verhindern können: Zwei Drittel der «gesetzlichen Mitglieder» mußten anwesend sein, und zwei Drittel der
Anwesenden mußten zustimmen.

Die Zustimmung des Zentrums (und der Bayerischen Volkspartei) zum
Ermächtigungsgesetz gewann Hitler dadurch, daß er einige Formulierungen des Zentrumsvorsitzenden, des Prälaten Kaas, zum Verhältnis von
Staat und Kirche in seine Regierungserklärung aufnahm und den Unterhändlern der katholischen Partei zusätzliche mündliche Versprechungen
machte (auf deren schriftliche Bestätigung das Zentrum am 23. März dann
vergeblich wartete). Das Nein der 93 anwesenden Sozialdemokraten, das
Otto Wels in einer eindrucksvollen Rede begründete, war einkalkuliert. Die
kleineren bürgerlichen Parteien stimmten der Vorlage zu, darunter auch
die fünf Abgeordneten der Deutschen Staatspartei, Hermann Dietrich,
Reinhold Maier, Theodor Heuss, Ernst Lemmer und Heinrich Landahl.
Mit 444 Ja- gegen 94 Nein-Stimmen wurde die verfassungsändernde Mehr-

heit bequem erreicht. Es hätte nicht einmal der verfassungswidrigen Manipulation der gesetzlichen Mitgliederzahl bedurft, um diese Hürde zu nehmen. Die Zustimmung der bürgerlichen Parteien war das Ergebnis von Täuschung, Selbsttäuschung und Erpressung. Das Ja des Zentrums lag auf der Linie jener Entwicklung nach rechts, die die Partei seit der Wahl des Prälaten Kaas zu ihrem Vorsitzenden im Dezember 1928 eingeschlagen hatte. Wichtiger als die Rechte des Parlaments waren Kaas die Rechte der katholischen Kirche; mit dieser Haltung setzte er sich am 23. März 1933 gegenüber der widerstrebenden Minderheit um Brüning durch, die sich bei der Abstimmung im Plenum dem Gebot der Parteidisziplin beugte. Die Abgeordneten der Deutschen Staatspartei gaben rechtsstaatliche Prinzipien in der Annahme preis, die von der Mehrheit gewünschte legale Diktatur sei immer noch ein kleineres Übel als die illegale Diktatur, die bei Ablehnung des Gesetzes drohte. Allein die Sozialdemokraten hielten dem massiven Druck stand und retteten so nicht nur die eigene Ehre, sondern auch die Ehre der ersten deutschen Republik. Daß nicht ein einziger Abgeordneter aus den Reihen der katholischen und der liberalen Parlamentarier mit ihnen stimmte, machte nochmals deutlich, woran Weimar gescheitert war: Der Staatsgründungspartei von 1918 waren die bürgerlichen Partner abhanden gekommen, ohne die die Demokratie sich nicht gegen ihre Gegner behaupten konnte.

Die Nationalsozialisten hätten die Macht auch dann nicht mehr aus der Hand gegeben, wenn das Ermächtigungsgesetz an der Barriere der verfassungsändernden Mehrheit gescheitert wäre. Die Verabschiedung des Gesetzes aber erleichterte die Errichtung der Diktatur außerordentlich. Der Schein der Legalität förderte den Schein der Legitimität und sicherte dem Regime die Loyalität der Mehrheit, darunter, was besonders wichtig war, der Beamten. Die Legalitätstaktik, eine wesentliche Vorbedingung der Machtübertragung an Hitler, hatte ihren Zweck am 30. Januar 1933 noch nicht zur Gänze erfüllt. Sie bewährte sich ein weiteres Mal am 23. März 1933, als sie zur faktischen Abschaffung der Weimarer Reichsverfassung herangezogen wurde. Hitler konnte fortan die Ausschaltung des Reichstags als Erfüllung eines Auftrags erscheinen lassen, der ihm vom Reichstag selbst erteilt worden war.[3]

Die erste große Aktion des Regimes nach dem Ermächtigungsgesetz war der Boykott jüdischer Geschäfte am 1. April 1933. Die nationalsozialistische Führung wollte damit zum einen ein Ventil für den Druck von «unten», aus den Reihen der eigenen Anhänger, öffnen, zum anderen auf die scharfe Kritik reagieren, die jüdische Organisationen sowie liberale und sozialistische Zeitungen in aller Welt an den deutschen Märzpogromen übten. Mit der Leitung der Aktionen gegen die «Weltgreuelhetze» wurde Julius Streicher, fränkischer Gauleiter der NSDAP und Herausgeber des antisemitischen Kampfblattes «Der Stürmer», beauftragt; eigentlicher Regisseur aber war Joseph Goebbels, der am 14. März die Leitung des neuen Reichsministeriums für Volksaufklärung und Propaganda übernommen hatte. Mit dem Ablauf des eintägigen reichsweiten Boykotts unter dem Motto «Deutsche! Wehrt Euch! Kauft nicht bei Juden!» war Goebbels zufrieden. «Die Auswirkungen unseres Boykotts sind schon deutlich zu verspüren», schrieb er unter dem Datum des 2. April in sein Tagebuch. «Das Ausland kommt allmählich zur Vernunft. Die Welt wird einsehen lernen, daß es nicht gut tut, sich von den jüdischen Emigranten über Deutschland aufklären zu lassen.»

Das Urteil des Propagandaministers war voreilig. Am 22. April notierte der deutsche Gesandte in Norwegen, Ernst von Weizsäcker, ein in vielem typischer Repräsentant der «alten Eliten»: «Die anti-jüdische Aktion zu begreifen, fällt dem Ausland besonders schwer, denn es hat diese Judenüberschwemmung eben nicht am eigenen Leibe verspürt. Das Faktum besteht, daß unsere Position in der Welt darunter gelitten hat und daß die Folgen sich schon zeigen und in politische und andere Münze umsetzen.» In Deutschland selbst wurde auch nach der Boykottaktion bei Juden gekauft. Aber die Warnung an die Juden war unüberhörbar: Die Verdrängung aus dem deutschen Wirtschaftsleben schwebte fortan wie ein Damoklesschwert über ihnen. Das Regime behielt sich vor, über Zeitpunkt und Reichweite der nächsten Schritte gegen den wirtschaftlichen Einfluß des Judentums zu bestimmen: Das war die Botschaft des 1. April 1933.[4]

Der Ausschaltung der Juden aus der Wirtschaft ging ihre Verdrängung aus dem öffentlichen Dienst voraus. Am 7. April 1933 erließ die Reichsregierung das Gesetz zur Wiederherstellung des Berufsbeamtentums. Es richtete sich gegen alle Beamten, die den regierenden Nationalsozialisten als nicht zuverlässig galten: gegen sogenannte «Parteibuchbeamte» der Weimarer Republik und namentlich solche, die einer Linkspartei angehört oder nahegestanden hatten, aber auch gegen die «nichtarischen» Beamten. Sie waren in den Ruhestand zu versetzen, soweit sie nicht Frontkämpfer, Väter oder Söhne von Kriegsgefallenen oder schon vor dem 1. August 1914 verbeamtet gewesen waren. Die Ausnahmeregelungen gingen auf den Reichspräsidenten von Hindenburg zurück, der seinerseits vom Reichsbund jüdischer Frontsoldaten um einen entsprechenden Vorstoß bei Hitler gebeten worden war.

Das Gesetz vom 7. April beendete die Phase der «wilden Säuberungen» des öffentlichen Dienstes durch örtliche Aktivisten der NSDAP und leitete eine «geordnete» und umfassende Säuberung von Staats wegen ein. Zu den Betroffenen gehörten Hunderte von Hochschullehrern: Die Berliner und die Frankfurter Universität verloren fast ein Drittel des Lehrkörpers, Heidelberg ein Viertel und Breslau mehr als ein Fünftel. Unter denen, die aus dem Amt gedrängt wurden, waren mehrere Nobelpreisträger, darunter die Physiker Albert Einstein und Gustav Hertz und der Chemiker Fritz

Haber. Ihre Stellung verloren, aus rassischen oder politischen Gründen oder weil beides zusammentraf, die Philosophen Theodor Adorno, Max Horkheimer und Helmuth Plessner, die Juristen Hermann Heller, Hans Kelsen und Hugo Sinzheimer, die Soziologen Karl Mannheim und Emil Lederer, die Wirtschaftswissenschaftler Moritz Julius Bonn und Wilhelm Röpke, der Psychologe Erich Fromm, der Theologe Paul Tillich und zahllose andere. Die meisten Entlassenen emigrierten; ganze Forschungsstätten wie das Frankfurter Institut für Sozialforschung und Fachrichtungen wie die Psychoanalyse Freudscher Prägung wurden ausgelöscht.

Zur Säuberung des Lehrkörpers kam die Säuberung der Studentenschaft. Am 28. April 1933 wurde im Zuge eines allgemeinen Numerus clausus der Anteil «nichtarischer» Studenten in etwa dem jüdischen Anteil an der Bevölkerung angepaßt und auf 1,5 % gedrückt. Studierende, die der KPD angehört hatten oder als ihre Sympathisanten galten, mußten ihr Studium abbrechen. Mißliebige Rektoren wurden durch neue ersetzt, die dem Regime freundlich gegenüberstanden. In Freiburg wurde am 20. April 1933, dem 44. Geburtstag Adolf Hitlers, Martin Heidegger zum Rektor gewählt. Am 1. Mai trat er der NSDAP bei. Am 27. Mai schwor er Lehrende und Lernende in seiner Rektoratsrede auf den Dreiklang der Bindungen von Arbeitsdienst, Wehrdienst und Wissensdienst ein.

Der Kampf gegen alles, was die Nationalsozialisten als «undeutsch», «dekadent» und «zersetzend» empfanden, richtete sich gegen Lebende und Tote. Am 10. Mai 1933 fanden in den deutschen Haupt- und Universitätsstädten öffentliche Bücherverbrennungen statt. Mitglieder des Nationalsozialistischen Deutschen Studentenbundes warfen Schriften linker, pazifistischer, liberaler und jüdischer Autoren in die Flammen, darunter Werke von Heinrich Heine, Karl Marx, Karl Kautsky, Sigmund Freud, Alfred Kerr, Heinrich Mann, Erich Kästner, Lion Feuchtwanger, Erich Maria Remarque, Arnold Zweig, Theodor Wolff, Bertolt Brecht, Kurt Tucholsky und Carl von Ossietzky. Die meisten lebenden Opfer der Aktion hatten Deutschland bereits verlassen; einer, Carl von Ossietzky, war am 28. Februar verhaftet worden; ein anderer, Erich Kästner, wohnte in Berlin unerkannt der nächtlichen Zeremonie auf dem Platz vor der Friedrich-Wilhelms-Universität bei.

Die Bücherverbrennung war der Auftakt zu Kampagnen gegen alle Formen «entarteter Kunst» in Literatur und Musik, Malerei und Architektur. Rundfunk, Film, Theater und Presse wurden 1933 binnen weniger Monate gesäubert und gleichgeschaltet, wobei das Regime bei den Zeitungen einen gewissen Sinn für Nuancen zeigte. Daß ein international angesehenes Blatt wie die «Frankfurter Zeitung» in Berichterstattung und Kommentierung einen sachlicheren Stil pflegte als der «Völkische Beobachter», ja in engen Grenzen sich sogar kritisch äußerte, lag im wohlverstandenen Interesse des «Dritten Reiches». Eine Fassade von professioneller Gediegenheit und dosierter Vielfalt im Pressewesen war aus außenpolitischen, einstweilen aber

auch aus innenpolitischen Gründen zweckmäßig. Entscheidend war, daß,
wo immer es um wichtige Dinge ging, die Sprachregelungen des Propagandaministeriums beachtet und so umgesetzt wurden, wie Goebbels es
wünschte.

Am gleichen 7. April 1933, an dem die Reichsregierung das Gesetz zur
Wiederherstellung des Berufsbeamtentums verabschiedete, stellte sie auch
das Verhältnis von Reich und Ländern auf eine neue gesetzliche Grundlage.
Ein erstes Gleichschaltungsgesetz vom 31. März hatte die Zusammensetzung der Landtage dem Ergebnis der Reichstagswahl vom 5. März im
jeweiligen Land (natürlich ohne Berücksichtigung der kommunistischen
Stimmen) angepaßt und die Landesregierungen ermächtigt, ohne Beschlußfassung der Landtage Gesetze, auch solche mit verfassungsändern-
dem Charakter, zu erlassen. Das Zweite Gesetz zur Gleichschaltung der
Länder mit dem Reich vom 7. April schuf die Institution des Reichsstatt-
halters, der fortan die höchste Gewalt im Land verkörperte. In den meisten
Fällen betraute Hitler die Gauleiter der NSDAP mit diesem Amt. Reichsstatthalter in Preußen, wo am 5. März ein neuer Landtag gewählt worden
war, wurde Hitler selbst. Am 11. April ernannte er einen neuen preußischen
Ministerpräsidenten: Es war Hermann Göring, in Personalunion Reichstagspräsident und Reichsminister ohne Geschäftsbereich.[5]

Der wichtigste politische Gegner des Nationalsozialismus, der «Marxismus», war durch die Verabschiedung des Ermächtigungsgesetzes nachhaltig geschwächt worden, aber er war noch keineswegs zur Gänze ausgeschaltet. Von Ausschaltung konnte man nur im Fall der Kommunisten
sprechen: Da die Mitglieder der KPD sich seit dem Reichstagsbrand nicht
mehr legal betätigen konnten und die Funktionäre verhaftet, ins Ausland
geflüchtet oder in den politischen Untergrund gegangen waren, hatte die
Kassierung der kommunistischen Mandate am 31. März fast nur noch symbolische Bedeutung.

Die SPD aber bestand als Organisation fort. Zwar hatten drei sozialdemokratische Politiker, die von Nationalsozialisten den «Novemberverbre-
chern» zugerechnet wurden – Philipp Scheidemann, Wilhelm Dittmann,
Arthur Crispien –, auf Weisung des Parteivorstands Deutschland bereits
vor dem Reichstagsbrand verlassen. Im März folgten ihnen neben anderen
Otto Braun, der frühere preußische Innenminister Albert Grzesinski und
Rudolf Hilferding. Andere, unter ihnen der Lübecker Reichstagsabgeordnete Julius Leber, befanden sich, als der Reichstag zur Verabschiedung des
Ermächtigungsgesetzes zusammentrat, in Haft oder, wie der Kölner Abge-
ordnete und frühere Reichsinnenminister Wilhelm Sollmann nach einem
Überfall von SA- und SS-Männern, in einem Gefängnislazarett.

Die Parteiführung unter Otto Wels aber gab sich nach dem 23. März
gleichwohl eine Zeitlang der Erwartung hin, das Regime werde sozialdemokratische Mäßigung honorieren und das von Göring nach dem Reichs-

tagsbrand erlassene Verbot aller sozialdemokratischen Zeitungen wieder aufheben, wenn sich die SPD nur deutlich von der «antideutschen Hetze» des Auslands distanzierte. Tatsächlich fuhren Ende März namhafte deutsche Sozialdemokraten, darunter Wels, in Absprache mit Göring in die europäischen Nachbarländer, um ihre politischen Freunde über die Entwicklung in Deutschland zu informieren und einige Falschmeldungen zu korrigieren. Am 30. März trat Wels sogar aus dem «Büro», dem Leitungsgremium der Sozialistischen Arbeiter-Internationale, aus. Er protestierte damit gegen einen Aufruf vom 27. März, in dem die Zweite Internationale, ohne sich vorher mit der SPD abgestimmt zu haben, Terror und Antisemitismus im Deutschland Adolf Hitlers angeprangert hatte. Die sozialdemokratische Presse aber blieb, ungeachtet solchen Wohlverhaltens, verboten.

Während die SPD mit großer Vorsicht taktierte, paßte sich der Allgemeine Deutsche Gewerkschaftsbund seit Februar 1933 Schritt für Schritt den neuen Verhältnissen an. Die Freien Gewerkschaften hatten schon in den letzten Jahren der Weimarer Republik und verstärkt seit dem Herbst 1932 ihre «nationale» Ausrichtung betont und auf Abstand zur Sozialdemokratischen Partei geachtet. Im Frühjahr 1933 setzte der ADGB diesen Kurs verstärkt fort, bis er am Ende von opportunistischer Anbiederung an den Nationalsozialismus nicht mehr zu unterscheiden war. Am 13. April trat die Führung der Freien Gewerkschaften erstmals mit den leitenden Funktionären der Nationalsozialistischen Betriebszellen-Organisation (NSBO) zusammen, um über die Bildung einer Einheitsgewerkschaft zu beraten, die nach Lage der Dinge nur eine nationalsozialistische oder zumindest regimefreundliche Spitze haben konnte. Zwei Tage später begrüßte der Bundesvorstand des ADGB in einer öffentlichen Erklärung die Entscheidung der Reichsregierung, den 1. Mai fortan als gesetzlichen «Feiertag der nationalen Arbeit» zu begehen. Am 19. April folgte, obwohl der Bundesvorsitzende Theodor Leipart dem Vorsitzenden der SPD, Otto Wels, das Gegenteil versprochen hatte, der Aufruf des Bundesausschusses an die Mitglieder der Gewerkschaften, «im vollen Bewußtsein ihrer Pionierdienste für den Maigedanken, für die Ehrung der schaffenden Arbeit und für die gleichberechtigte Eingliederung der Arbeiterschaft in den Staat sich allerorts an der von der Regierung veranlaßten Feier festlich zu beteiligen».

Der «Tag der nationalen Arbeit» verlief so, wie Hitler und Goebbels es geplant hatten. Die Häuser der Freien Gewerkschaften waren, einem Beschluß des Bundesausschusses entsprechend, schwarz-weiß-rot beflaggt. Bei der zentralen Kundgebung auf dem Tempelhofer Feld sah man sogar einen Gewerkschaftsführer, den Vorsitzenden des Textilarbeiterverbandes, Karl Schrader, zusammen mit Mitgliedern seines Verbandes unter einer Hakenkreuzfahne aufmarschieren. Hitlers Rede wurde über alle deutschen Sender übertragen. Sie war ein geschickter Appell an das Selbstwertgefühl der Arbeiter und entsprach dem Motto «Ehret die Arbeit und achtet den Arbeiter!» Die Nationalsozialisten wollten das «entsetzliche Vorurteil» ausrotten, daß Handarbeit minderwertig sei, sagte der Reichskanzler. Die Arbeitsdienstpflicht werde das deutsche Volk zu der Erkenntnis erziehen, daß Handarbeit nicht schände. «Wir denken nicht daran, den Marxismus nur äußerlich zu beseitigen. Wir sind entschlossen, ihm die Voraussetzungen zu entziehen... Kopf- und Handarbeiter dürfen niemals gegeneinander stehen.» Hitler versprach Maßnahmen zur Arbeitsbeschaffung, darunter die «gigantische Aufgabe» des Straßenbaus; er beteuerte seinen Willen zum Frieden und schloß, wie so oft, mit einer Wendung ins Sakrale: «Herr, wir lassen nicht von Dir! Nun segne unseren Kampf um unsere Freiheit und damit unser deutsches Volk und Vaterland!»

Dem «Tag der nationalen Arbeit» folgte der 2. Mai: der Tag, an dem, seit längerem generalstabsmäßig geplant, das Regime zum Schlag gegen die Freien Gewerkschaften ausholte. SA und SS besetzten überall im Reich die Gewerkschaftshäuser, die Redaktionen der Gewerkschaftszeitungen, die Bank der Arbeiter, Angestellten und Beamten mit ihren Filialen. Leipart und andere Gewerkschaftsführer wurden in «Schutzhaft» genommen, die in den meisten Fällen etwa zwei Wochen dauerte; Leipart und sein Stellvertreter Peter Grassmann wurden erst im Juni entlassen. An weniger prominente Funktionäre erging die Aufforderung, unter neuer Führung, nämlich der Nationalsozialistischen Betriebszellen-Organisation, weiterzuarbeiten.

Die anderen beiden Richtungsgewerkschaften, die christlich-nationalen und die liberalen, unterstellten sich, das Schicksal der Freien Gewerkschaften vor Augen, am 4. Mai bedingungslos der Führung Hitlers. Zwei Tage später kündigte Robert Ley, Gregor Strassers Nachfolger als Reichsorganisationsleiter der NSDAP, die Gründung der Deutschen Arbeitsfront (DAF) an. Ihr erster Kongreß fand am 10. Mai in Berlin unter der Schirmherrschaft Hitlers statt, der sich bei dieser Gelegenheit als «ehrlicher Makler» zwischen den verschiedenen Schichten des deutschen Volkes bezeichnete. Ley wurde zum Führer der DAF ernannt; die Führung der Arbeiterverbände übernahm der Leiter der NSBO, Walter Schuhmann. Das «Dritte Reich» hatte damit seine Organisation der Arbeit. Unabhängige Organisationen der Arbeiter aber gab es seit dem 4. Mai 1933 nicht mehr. Tarifliche Lohnvereinbarungen gehörten ebenfalls der Vergangenheit an: Die Bedingungen für den Abschluß von Arbeitsverträgen rechtsverbindlich zu regeln oblag auf Grund eines Gesetzes vom 19. Mai 1933 Treuhändern der Arbeit, die vom Reichskanzler ernannt wurden.

Anders als die Gewerkschaften konnten die Unternehmerverbände ihre organisatorische Selbständigkeit behaupten. Sie mußten sich zwar von ihren jüdischen und, in den Augen der Nationalsozialisten, politisch belasteten Spitzenfunktionären trennen, sicherten sich dadurch aber ein hohes Maß an korporativer Kontinuität. Im Juni 1933 schlossen sich der Reichsverband der Deutschen Industrie und die Vereinigung der Deutschen Arbeitgeberverbände zum Reichsstand der deutschen Industrie zusammen. Der Begriff «Stand» kam der Sprache der nationalsozialistischen Mittelstandsideologen entgegen. In der Sache aber erlitten diese im Sommer 1933 schwere Niederlagen: Es gelang ihnen nicht, die Großwirtschaft ihrer Kontrolle zu unterwerfen; sie mußten auf Weisung des Stellvertreters des Führers, Rudolf Heß, ihre Kampagnen gegen die «jüdischen» Warenhäuser und die «marxistischen» Konsumvereine einstellen. Wichtig waren der nationalsozialistischen Führung Erfolge in der «Arbeitsschlacht». Eine Zerschlagung von Warenhäusern und Konsumgenossenschaften hätte die Entlassung zahlreicher Arbeiter und Angestellten zur Folge gehabt, kam also nicht in Frage. Mochten die Mittelstandsfunktionäre der NSDAP auf Aussagen des Parteiprogramms von 1920 und Wahlversprechungen pochen: Nachdem die Partei an der Macht war, hatten andere Gesichtspunkte Vorrang.

Ganz anders verlief die Entwicklung im Bereich der landwirtschaftlichen Organisationen. Der Reichslandbund, der im Januar 1933 viel dazu beigetragen hatte, daß Hitler Reichskanzler werden konnte, ging im Juli 1933 im neugeschaffenen Reichsnährstand auf. An seine Spitze trat Richard Walther Darré, der Führer des Agrarpolitischen Apparates der NSDAP, der im Monat zuvor auch die Nachfolge Hugenbergs als Reichsminister für Ernährung und Landwirtschaft übernommen hatte. Der Machtzuwachs des nationalsozialistischen Landwirtschaftspolitikers ging mit einer Machtminderung des ostelbischen Rittergutsbesitzes einher, der über Jahre hinweg der Politik des Reichslandbundes und der Deutschnationalen Volkspartei seinen Stempel aufgedrückt hatte. Die Verlagerung der Gewichte von den Großagrariern zur bäuerlichen Landwirtschaft entsprach einer strategischen Zielsetzung Hitlers: der Herstellung größtmöglicher Autarkie als Voraussetzung eines Lebensraumkrieges, der Deutschland vollständige Autarkie in allen Bereichen der Wirtschaft verschaffen sollte. Die Neuordnung der landwirtschaftlichen Interessenorganisation war, so gesehen, ebenso «logisch» wie der Verzicht auf radikale Veränderungen im industriellen Verbandswesen.[6]

Die Zerschlagung der Freien Gewerkschaften hatte unmittelbare Auswirkungen auf die Sozialdemokratische Partei. Unter dem Eindruck der Ereignisse vom 2. Mai beschloß der Parteivorstand der SPD zwei Tage später, daß die drei hauptamtlichen Vorstandsmitglieder – der Parteivorsitzende Otto Wels, der frühere Chefredakteur des «Vorwärts», Friedrich Stampfer, und der Hauptkassierer Siegfried Crummenerl – sich außer Landes begeben sollten, um den Kampf gegen Hitler von draußen weiterzuführen. Unmittelbar danach traten die drei Parteiführer die Reise zur ersten Station des Exils an: nach Saarbrücken. Damit bahnte sich eine politische Teilung der Partei an: hier der Exil-Vorstand unter Wels, dort die Reichs-SPD, die in dem ehemaligen Reichstagspräsidenten Paul Löbe ihren, wenn auch nur inoffiziellen Sprecher fand.

Am 17. Mai kam es zum offenen Konflikt zwischen den beiden «Lagern» der Sozialdemokratie. Auf diesen Tag war der Reichstag zu einer Sitzung einberufen worden, auf der Hitler eine Regierungserklärung zur Genfer Abrüstungskonferenz abgeben wollte. Um der außenpolitischen Isolierung Deutschlands entgegenzuwirken, lag dem Kanzler an einer Demonstration nationaler Geschlossenheit. Der Parteivorstand in Saarbrücken empfahl der sozialdemokratischen Reichstagsfraktion eine andere Demonstration: die Nichtbeteiligung. In der Fraktion vertrat nur eine Minderheit unter Führung des Abgeordneten Kurt Schumacher diese Position. Die Mehrheit fügte sich einer Erpressung des Reichsinnenministers Frick: Dieser hatte im Ältestenrat den Sozialdemokraten unverhohlen mit der Ermordung internierter Genossen gedroht, wenn die Fraktion nicht der gemeinsamen Erklärung zustimmen sollte, in der der Reichstag die Regierungserklärung billigte.

Hitlers Rede vom 17. Mai 1933 war die maßvollste und friedfertigste, die er je gehalten hat. Juden und Marxisten kamen in ihr mit keinem Wort vor; er sprach nicht vom «Diktat», sondern vom «Friedensvertrag» von Versailles, äußerte Verständnis für die Sicherheitsbedürfnisse der Nachbarvölker, zumal der Franzosen und Polen, und legte ein Bekenntnis zum Frieden ab, wie es eindringlicher keiner seiner Vorgänger hätte tun können. «Kein neuer europäischer Krieg wäre in der Lage, an Stelle der unbefriedigenden Zustände heute etwa bessere zu setzen», sagte der Kanzler. Nur gleiches Recht für Deutschland forderte Hitler, nicht mehr und nicht weniger. Selbst eine versteckte Drohung klang defensiv: «Als dauernd diffamiertes Volk würde es uns schwer fallen, noch weiterhin dem Völkerbunde anzugehören», erklärte der Kanzler unter stürmischem Beifall bei den Nationalsozialisten, den Deutschnationalen und der Bayerischen Volkspartei.

Im Anschluß an die Regierungserklärung verlas Reichstagspräsident Göring die gemeinsam von den Fraktionen der NSDAP, der DNVP, des Zentrums und der BVP eingebrachte Billigungsresolution und bat die Abgeordneten, die der Entschließung zustimmen wollten, sich von den Plätzen zu erheben. Die Antwort des Plenums hielt das Protokoll fest: «Alle Mitglieder des Reichstags erheben sich. – Die Versammlung singt das Deutschlandlied.» Göring würdigte das Abstimmungsergebnis als Beweis, daß das deutsche Volk einig sei, wenn es um sein Schicksal gehe. Dann stellte er, «damit es im Protokoll vermerkt wird», ausdrücklich fest, «daß die Annahme einstimmig durch sämtliche Parteien erfolgt ist» – ein Satz, der mit stürmischem Beifall quittiert wurde.

Der Applaus galt vor allem den Sozialdemokraten, denen man auf der Rechten so viel «Patriotismus» gar nicht zugetraut hatte. Ein Hauch der historischen Reichstagssitzung vom 4. August 1914 lag in der Luft: Einen Augenblick lang schien die Sozialdemokratie in die «Volksgemeinschaft» aufgenommen, und es mochte Abgeordnete der SPD geben, die wirklich glaubten, das Ja zu Hitlers «Friedensrede» werde das Ende der Unterdrückung einleiten und der Partei das legale Überleben im «Dritten Reich» erlauben.

Aber der Staat Hitlers war nicht der wilhelminische Obrigkeitsstaat. Der totale Staat konnte, anders als der autoritäre, eine selbständige Arbeiterbewegung und eine parlamentarische Opposition nicht dulden. Die SPD hatte Hitler außenpolitisch aufgewertet: Das war der einzige Nutzen, den ihre Legalität für das Regime noch besaß. Nachdem der gewünschte Effekt sich eingestellt hatte, war auch das Ende der Atempause abzusehen, die den Sozialdemokraten am 17. Mai nochmals gewährt wurde.

Das Votum für Hitler hatte den Bruch zwischen der «Reichs-SPD» und der Zweiten Internationale zur Folge. Am 18. Mai mißbilligte das Büro der SAI das Abstimmungsverhalten der sozialdemokratischen Reichstagsabgeordneten, weil es nicht die wahre Überzeugung der deutschen Arbeiterklasse ausdrücke und den Prinzipien der Internationale widerspreche. Otto Wels widerrief noch am 17. Mai seinen am 30. März erklärten Austritt aus dem Büro. Für den Parteivorsitzenden gab es nach dem 17. Mai keinen Zweifel mehr, daß mit der Reichstagssitzung ein Kampf um die Partei begonnen hatte, den der Vorstand nur mit Hilfe der Internationale gewinnen konnte. Am 21. Mai beschloß der Parteivorstand, seinen Sitz von Saarbrücken nach Prag zu verlegen. Für die Wahl der tschechoslowakischen Hauptstadt sprach ein strategisches Argument: Über die dichtbewaldeten Gebirge im Westen und Norden konnte man leicht die Grenze nach Bayern, Sachsen und Schlesien passieren – eine wichtige Voraussetzung jener illegalen Arbeit, zu der die emigrierten Parteiführer nun keine Alternative mehr sahen.

Ein paar Verständigungsversuche zwischen Berlin und Prag wurden noch unternommen, aber der Gegensatz erwies sich als unüberbrückbar. Am 18. Juni erschien in Karlsbad die erste Ausgabe des «Neuen Vorwärts» mit einem Aufruf des Exil-Vorstands unter der Überschrift «Zerbrecht die Ketten!» Es war die schärfste Kampfansage, die bisher von Sozialdemokraten gegen das Regime Hitler gerichtet worden war. «Die Geschlagenen von heute werden die Sieger von morgen sein», hieß es darin. «Der Welt die Wahrheit zu sagen und dieser Wahrheit auch noch Deutschland zu öffnen, ist unsere Aufgabe... Wir rufen zum Kampf, der dem deutschen Volk seine Ehre und seine *Freiheit*, der *Arbeiterklasse* ihre schwer errungenen und nur vorübergehend verlorengegangenen Rechte wiederbringen wird... *Auf neuen Wegen zum alten sozialistischen Ziel! Zerbrecht die Ketten! Vorwärts!*»

Tags darauf trat die «Löbe-SPD» im preußischen Landtag zu einer Reichskonferenz zusammen. Löbe warf dem Exil-Vorstand vor, dieser habe das Angebot zur loyalen Mitarbeit zurückgezogen, das in Wels' Rede zum Ermächtigungsgesetz enthalten gewesen sei. Ernst Heilmann, der ehemalige Vorsitzende der preußischen Landtagsfraktion, brachte die Linie der Mehrheit auf die klassische Formel: «Wir müssen den Faden der Lega-

lität weiterspinnen, solange er weitergesponnen werden kann.» Mit der
Führung der Parteigeschäfte wurde ein sechsköpfiges Direktorium beauftragt, das rein «arisch» zusammengesetzt war. Der neue Vorstand, dem auch
Löbe angehörte, stellte sogleich klar, daß nur er für die Partei sprechen
könne. «Deutsche Parteigenossen, die ins Ausland gegangen sind, können
keinerlei Erklärungen für die Partei abgeben. Für alle ihre Äußerungen
lehnt die Partei jede Verantwortung ausdrücklich ab.»

Doch die Absage an die «Prager» half der SPD nichts mehr. Am 21. Juni
ordnete Reichsinnenminister Frick unter Hinweis auf «hoch- und landes-
verräterische Unternehmungen gegen Deutschland», die vom Exil-Vorstand ausgingen, ein umfassendes politisches Betätigungsverbot für die
SPD an. Am 22. Juni trat der Erlaß in Kraft. Am gleichen Tag wurden im
Rahmen einer großangelegten Welle von Verhaftungen neben zahlreichen
Funktionären, Reichstags- und Landtagsabgeordneten der SPD auch vier
Mitglieder des neuen Direktoriums, darunter Löbe, festgenommen. Ein
Mitglied, Erich Rinner, entkam den Häschern, weil er schon auf dem Weg
nach Prag war. Das sechste Mitglied überlebte den 22. Juni nicht: SA-Leute
brachten den früheren Ministerpräsidenten von Mecklenburg-Strelitz,
Johannes Stelling, im Zuge der «Köpenicker Blutwoche» auf bestialische
Weise um. Am 6. Juli nahm die Geheime Staatspolizei einen scharfen
Kritiker des «Löbe-Kurses», den Reichstagsabgeordneten Kurt Schuma-
cher, in Berlin fest. Im August folgte die Einlieferung in sein erstes KZ, das
Konzentrationslager auf dem Heuberg bei Stuttgart. Es sollte zehn Jahre
dauern, bis Schumacher wieder freikam.[7]

Die Ausschaltung der Sozialdemokratie bildete den Auftakt zur Zerschlagung des Parteiwesens überhaupt. Am gleichen 21. Juni, an dem er der SPD
ein politisches Betätigungsverbot auferlegte, ordnete der Reichsinnenminister ein Verbot der Deutschnationalen Kampfringe an. Die Kampfringe
waren die paramilitärische Organisation der Deutschnationalen Front, wie
sich die DNVP seit Mitte Mai nannte. Die amtliche Begründung, es gebe
dort eine Unterwanderung durch «kommunistische und sonstige staatsfeindliche Elemente in größtem Umfang», klang abenteuerlich. Alfred
Hugenberg, der Vorsitzende der Deutschnationalen Front, hoffte zunächst
auf eine Intervention Hindenburgs. Als diese ausblieb, bat er den Reichspräsidenten am 26. Juni um die Entlassung aus seinen Ämtern als Reichsminister für Wirtschaft und für Landwirtschaft. Hitler versuchte, seinem
«Partner» vom 30. Januar den Rücktritt auszureden, bestand aber auf einer
Auflösung der Deutschnationalen Front. Am 27. Juni trat Hugenberg als
Wirtschafts- und Landwirtschaftsminister im Reich und in Preußen
zurück. Die Selbstauflösung der Deutschnationalen Front wurde am gleichen Tag von seinen beiden Stellvertretern in Gestalt eines «Freundschafts-
abkommens» mit der NSDAP vollzogen, das den deutschnationalen
Mandatsträgern die Aufnahme in die nationalsozialistischen Fraktionen

zusicherte. Der deutsche Konservativismus verlor damit seinen politischen Arm – durch Kapitulation vor der revolutionären Bewegung, die zu zähmen er sich vorgenommen hatte.

Einen Tag nach dem organisierten Konservativismus trat der linke Flügel des Liberalismus von der politischen Bühne ab: Die Deutsche Staatspartei löste sich am 28. Juni auf, um einer Auflösung von Staats wegen zuvorzukommen. Den letzten Anstoß zu diesem Schritt gab die Kassierung der preußischen Landtagsmandate, die damit begründet wurde, die Abgeordneten der Staatspartei seien auf Grund einer technischen Listenverbindung mit der SPD ins Parlament gelangt und unterlägen damit dem über die Sozialdemokratie verhängten Betätigungsverbot.

Noch weniger heroisch war das Ende des rechten Flügels des Liberalismus. Am 1. April erklärten Parteivorstand und Reichsausschuß der Deutschen Volkspartei, die DVP habe «den Kampf gegen Weimar als eine der Quellen des Niedergangs... länger als ein Jahrzehnt unter großen Opfern geführt»; jetzt sei es einer «gewaltigen nationalen Volksbewegung gelungen, dieses Hindernis deutscher Wiedergenesung hinwegzuräumen». Am 23. April forderte der Vorsitzende der DVP, Eduard Dingeldey, die Mitglieder seiner Partei zur «tätigen Mithilfe am Werk des nationalen Aufbaus auf, das unter der Führung Adolf Hitlers begonnen hat». In den Wochen darauf brach die einstige Partei Gustav Stresemanns organisatorisch zusammen. Am 4. Juli ordnete Dingeldey die Auflösung der gesamten DVP an. Seine Begründung, daß «mit dem Wesen des jetzigen nationalsozialistischen Staates Parteien im alten Sinne nicht vereinbar» seien, traf ins Schwarze. Hitlers Dank bestand darin, daß er Dingeldey am 12. Juli versprach, die Mitglieder und Wähler der DVP würden wegen ihrer Betätigung in dieser Partei «keinerlei berufliche und staatsbürgerliche Zurücksetzung erfahren».

Über das Ende des politischen Katholizismus wurde in Rom entschieden – während der Verhandlungen über ein Konkordat, die Vizekanzler von Papen seit April 1933 führte, wobei der (seit Anfang Mai nur noch nominelle) Zentrumsvorsitzende Kaas als päpstlicher Hausprälat auf kirchlicher Seite eine wichtige Rolle spielte. Gegen die Zusicherung eines kirchlichen Entfaltungsspielraums gab die Kurie die politischen, sozialen und berufsständischen Organisationen des deutschen Katholizismus preis. Am 5. Juli, drei Tage vor der Paraphierung des Konkordats, löste sich das Zentrum auf. Die Bayerische Volkspartei hatte denselben Schritt am Tag zuvor getan.

Die bewußte Rekatholisierung, mit der das Zentrum seit Ende der zwanziger Jahre auf die schleichende Erosion des katholischen Milieus geantwortet hatte, fand ihren Abschluß in der Unterwerfung unter die kirchliche «Realpolitik» des Jahres 1933. Doch daneben vollzog sich seit den Märzwahlen auch eine bewußte Hinwendung zum Nationalsozialismus. Das Bekenntnis zum Christentum, die Hochschätzung von Ordnung und Autorität, die entschiedene Gegnerschaft zum atheistischen Marxismus, die

Reichsidee: Zwischen Nationalsozialismus und Katholizismus gab es in den Augen vieler Katholiken, gleichviel ob Kleriker oder Laien, mehr Gemeinsamkeiten, als sie vorher hatten wahrhaben wollen.

Der junge Publizist Oskar Köhler, ein Wortführer des Jugendbundes «Neudeutschland», sprach nicht für *die* deutschen Katholiken, aber doch für eine starke Strömung unter ihnen, als er im Sommer 1934 das Reich Adolf Hitlers positiv von der Weimarer Demokratie abhob: «Deutschland als Republik war undenkbar als Träger des Reiches... Das deutsche Volk muß als Autorität unter den abendländischen Nationen die Reichsaufgabe erfüllen – und diese Autorität ist nur personell denkbar. Eine vom parlamentarischen Vertrauen abhängige und stürzbare Regierung kann niemals Reichsautorität sein... Dem einen umfassenden Ziel muß auch der eine Daraufhin-Führende entsprechen. Das natürliche Prinzip des Einen ist eine Spiegelung des Übernatürlichen. Dem einen Gott entspricht der eine höchste Führer...»

Am 14. Juli 1933 – dem Jahrestag des Sturms auf die Bastille – erließ die Regierung Hitler ein Gesetz, wonach in Deutschland nur noch eine einzige politische Partei bestand, die NSDAP, und jeder mit Gefängnis- oder Zuchthausstrafen bedroht wurde, der es unternahm, «den organisatorischen Zusammenhalt einer anderen politischen Partei aufrechtzuerhalten oder eine neue politische Partei zu bilden». Weniger als ein halbes Jahr hatten die Nationalsozialisten benötigt, um sich als Monopolpartei durchzusetzen. Noch gab es andere Teilhaber der Macht wie die Reichswehr, das hohe Beamtentum und die Großindustrie. Aber im Prozeß der «Machtergreifung», der am Tag der Ernennung Hitlers zum Reichskanzler begonnen hatte, war die Ausschaltung der anderen Parteien eine wichtige Zäsur.[8]

Als totalitäre politische Religion konnte der Nationalsozialismus grundsätzlich keine Religion neben sich dulden, die seinen Heilslehren widersprach. In der Praxis aber mußte er auf absehbare Zeit der Tatsache Rechnung tragen, daß die große Mehrheit der Deutschen einer christlichen Kirche angehörte und zumindest eine starke Minderheit aus «praktizierenden» Christen bestand. Eine kirchliche Opposition gegen das Regime nicht aufkommen zu lassen, war daher das nächstliegende Interesse der nationalsozialistischen Führung. Das Reichskonkordat, das am 20. Juli 1933 im Vatikan unterzeichnet wurde und am 10. September 1933 in Kraft trat, war ein Mittel zu diesem Zweck. Die katholische Kirche durfte ihre inneren Angelegenheiten selbständig ordnen; sie erhielt staatliche Zusicherungen im Hinblick auf die Bekenntnisschulen, den Religionsunterricht und das kirchliche Vereinswesen, darunter die Jugendbünde. Die wichtigste Gegenleistung der Kurie war der Verzicht des Klerus auf politische Betätigung. Damit hatte das «Dritte Reich» einen Prestigeerfolg und einen Etappensieg errungen: Die politische Neutralisierung des Katholizismus war die Grundlage, die der Nationalsozialismus benötigte, um den weltanschaulichen Einfluß der katholischen Kirche zurückzudrängen.

Im evangelischen Deutschland hatte der Nationalsozialismus schon vor dem 30. Januar 1933 starke Bastionen erobert – freilich mehr unter den Kirchenmitgliedern als in den überwiegend deutschnational gesinnten Kirchenleitungen. Der nationalsozialistischen «Glaubensbewegung Deutsche Christen», die sich zu einem «bejahenden artgemäßigen Christus-Glauben» bekannte, für Jesus den «Ariernachweis» zu erbringen trachtete und sich selbst gelegentlich als «SA Jesu Christi» oder «SA der Kirche» bezeichnete, war bei den preußischen Kirchenwahlen vom November 1932 bereits ein Drittel der Sitze zugefallen. Vor den allgemeinen evangelischen Kirchenwahlen im Juli 1933 rief Hitler, nominell immer noch Katholik, von Bayreuth aus, wo er gerade an den Wagnerfestspielen teilnahm, über den Rundfunk zur Wahl der «Deutschen Christen» auf. Der Appell verfehlte nicht seine Wirkung: Die «DC» errangen eine Zweidrittelmehrheit. Es folgte der Versuch der Machtergreifung in der evangelischen Kirche, der zunächst auch auf Anhieb zu gelingen schien: Ende September wurde auf der Deutschen Nationalsynode zu Wittenberg der ostpreußische Wehrkreispfarrer Ludwig Müller, ein «Deutscher Christ» und Hitlers persönlicher Berater in Kirchenfragen, in das Amt des Reichsbischofs der neugeschaffenen Deutschen Evangelischen Kirche gewählt.

In Wittenberg trat aber erstmals auch eine Gegenbewegung in Erscheinung: der Pfarrernotbund um den Dahlemer Pastor Martin Niemöller, einen ehemaligen U-Boot-Kommandanten und Freikorpskämpfer, den Berliner Privatdozenten der Theologie Dietrich Bonhoeffer und Otto Dibelius, den die Deutschen Christen im Juni 1933 aus seinem Amt als Superintendent der Kurmark entfernt hatten. Aus dem Pfarrernotbund erwuchs binnen weniger Wochen die Bekennende Kirche, der sich bis Ende 1933 etwa ein Drittel der deutschen Pfarrer anschloß.

Die «BK» verstand sich nicht als politische Opposition. Sie tat dies auch nicht, als sie im Mai 1934 auf der Barmer Bekenntnissynode den von den «DC» beherrschten Kirchenleitungen den Gehorsam aufkündigte. Die Bekennende Kirche wandte sich lediglich gegen die Politisierung des Evangeliums, gegen politischen Zwang innerhalb der Kirche und gegen den von den Deutschen Christen geforderten Arierparagraphen, der darauf abzielte, Judenchristen aus allen kirchlichen Ämtern zu entfernen. Eine Kampfansage gegen die allgemeine Politik der nationalsozialistischen Führung aber bedeutete das ebensowenig wie eine Solidarisierung mit den Juden, die nicht zum Christentum übergetreten waren.

Aus der Sicht der Deutschen Christen war allerdings auch dieser begrenzte Widerstand politisch, weil er dem Anspruch des Nationalsozialismus auf den ganzen Menschen widersprach. Hitler sah das im Prinzip nicht anders. Aber er war auch «Realpolitiker». Als solchem erschienen ihm andere Ziele vordringlicher als die Eroberung der evangelischen Kirche von innen. Die unerwartete Stärke der Gegenkräfte veranlaßte ihn im Herbst 1934 zu einer Art «Frontbegradigung». Bischöfe, die von den DC abgesetzt worden waren, konnten in ihre Ämter zurückkehren. Der «Reichsbischof» behielt seinen Titel, hatte aber keinen tatsächlichen Einfluß mehr auf die Kirche.

Der Kampf um die weltanschauliche Gesinnung von Protestanten und Katholiken wurde nach dem Abbruch des Kirchenkampfs von «außen» und gegen die Kirchen fortgesetzt. Die Leitung übernahm der Schriftleiter des «Völkischen Beobachters», Alfred Rosenberg, seit Januar 1934 offiziell der «Beauftragte des Führers für die gesamte geistige und weltanschauliche Erziehung der NSDAP». Rosenberg galt frommen Lutheranern und gläubigen Katholiken als *der* Vertreter des nationalsozialistischen «Neuheidentums»; sein Buch «Der Mythus des 20. Jahrhunderts» wurde im Februar 1934 durch päpstliches Dekret auf den Index der verbotenen Bücher gesetzt. Hitler selbst war am wichtigsten, daß die Jugend dem Einfluß der Kirche und kirchlich gebundener Elternhäuser entzogen wurde. Auf diesem Gebiet war der Kirchenkampf *kein* Fehlschlag gewesen: Ende Dezember 1933 wurden die 1,2 Millionen Mitglieder der evangelischen Jugendbünde in die Hitler-Jugend eingegliedert. Ihre Erziehung zu Nationalsozialisten konnte beginnen.

Daß Hitler persönlich sich aus dem Kirchenkampf zurückgezogen zu haben schien, kam seinem Ansehen in kirchlichen Kreisen zugute. Er durfte darüber hinaus auch weiterhin mit den Sympathien aller jener rechnen, die den Fanatismus der Deutschen Christen ablehnten, das Streben nach einer, die konfessionelle Spaltung überwindenden deutschen Nationalkirche aber unterstützten. Einer der beredtesten Befürworter dieses Ziels auf evangelischer Seite war Wilhelm Stapel, einer der meistgelesenen Autoren der «Konservativen Revolution». Sein Bekenntnis zum «Dritten Reich» war anders motiviert als das der katholischen Reichsideologen, traf sich mit diesem aber in der erhofften Wirkung: der ideologischen Überhöhung von Hitlers Herrschaft.

«Ein echter Staat und also auch der Hitler-Staat will den ‹einheitlichen Geist der Nation›», schrieb Stapel 1933 in seinem Buch «Die Kirche Christi und der Staat Hitlers», «das heißt nichts anderes als: die geschlossene moralische Macht und Wucht des Volkes und Staates. Zu einem rechten Volk und Staat gehört, mit Ernst Moritz Arndt zu reden, ein ‹Gemeingeist›. Dieser *moralische* Gemeingeist will sich als der ‹Wille Gottes› wissen, er neigt daher einer Nationalreligion und einer Nationalkirche zu. Der Hitler-Staat wäre vollkommen, wenn ihm zur Seite eine positiv-christliche Nationalkirche stünde... Die Reformation ist solange nicht vollendet, wie sie nicht zu einem echten und rechten reformatorischen Bekenntnis für alle führt. Es wird, ob man will oder nicht, aus der einheitlichen evangelischen Kirche der Wille zur Einheitskirche erwachsen. Diese Einheit aber kann nur *Glaubenseinheit* sein. Also muß *ein* Bekenntnis gefunden werden für die *eine* Kirche.»

Konservative wie Stapel gab es auch an den Universitäten in großer Zahl. Sie brauchten nach dem 30. Januar 1933 weder Forschung noch Lehre grundlegend zu ändern: Wer vorher «national» gewesen war, blieb unbehelligt, solange er auf Kritik am Nationalsozialismus und an der Führung des Reiches verzichtete. Den Professoren wurde auch kein Bekenntnis zum Antisemitismus abverlangt. Dennoch taten viele freiwillig, was vor 1933 vom Katheder aus verpönt gewesen war: Sie machten aus ihrer Abneigung gegen die Juden keinen Hehl mehr. Der Münchner Historiker Karl Alexander von Müller, ein früher Parteigänger Hitlers, initiierte 1936 als Präsident der Bayerischen Akademie der Wissenschaften «Forschungen zur Judenfrage», an denen sich angesehene Wissenschaftler und Publizisten beteiligten: Wilhelm Stapel widmete sich der «Literarischen Vorherrschaft der Juden in Deutschland 1918–1933»; der Tübinger Philosoph Max Wundt behandelte das Thema «Nathan der Weise oder Aufklärung und Judentum»; der evangelische Theologe Gerhard Kittel, auch er Professor in Tübingen, erörterte die «Entstehung des Judentums und die Entstehung der Judenfrage»; der Münchner Staats- und Kirchenrechtler Johannes Heckel, der im letzten Jahr der Weimarer Republik die Machtübertragung an Hitler noch durch die Proklamation des Staatsnotstands hatte verhindern wollen, befaßte sich mit dem «Einbruch des jüdischen Geistes in das deutsche Staats- und Kirchenrecht durch Friedrich Julius Stahl».

Carl Schmitt, wie Heckel vor dem 30. Januar 1933 ein Verfechter des Staatsnotstands und Gegner des Nationalsozialismus, beriet kurz darauf die neue Reichsregierung beim Reichsstatthaltergesetz vom 7. April 1933, das er anschließend kommentierte; unter dem Datum vom 1. Mai 1933 trat er in die NSDAP ein. Im gleichen Jahr noch übernahm er, inzwischen Ordinarius der Berliner Friedrich-Wilhelms-Universität, die Leitung der Reichsgruppe Hochschullehrer im NS-Rechtswahrerbund. Im Oktober 1936 veranstaltete Schmitt eine Tagung über das Thema «Das Judentum in der Rechtswissenschaft». In seinem Schlußwort berief er sich auf Hitlers Wort «Indem ich mich des Juden erwehre, kämpfe ich für das Werk des Herrn». Schmitt verlangte bei jedem Zitat aus der Schrift eines Juden, wenn es denn überhaupt angeführt werden müsse, die jüdische Herkunft des Autors zu vermerken, und gab seiner Hoffnung Ausdruck, daß «schon von der bloßen Nennung des Wortes ›jüdisch‹ ... ein heilsamer Exorzismus ausgehen» werde.

Ähnlich wie in den beiden Kirchen war es auch im Lehrkörper der Universitäten die junge Generation, aus der sich das Gros der überzeugten Nationalsozialisten rekrutierte. Die meisten von ihnen waren durch die bündische Jugendbewegung und die Ideen der «Konservativen Revolution» geprägt. Wer von dort kam, mußte nicht Nationalsozialist werden. Aber nachdem der Nationalsozialismus an der Macht war, bedurfte es starker Überzeugungen, um sich ihm nicht anzuschließen. Nur eine Minderheit der jungen Akademiker verfügte 1933 über solche geistigen und moralischen Ressourcen.

Was von der Wissenschaft galt, traf auch für alle Bereiche der Kultur zu. Die Vertreibung der Juden und Linken aller Schattierungen ging mit zunehmender Selbstgleichschaltung einher. Im September 1933 konnte Goebbels die Reichskulturkammer errichten: eine Mammutbehörde, unter deren Dach die «Kulturschaffenden» aller Sparten in zahlreichen für sie zuständigen Spezialkammern organisatorisch und damit politisch und weltanschaulich erfaßt wurden. Die Mitgliedschaft in einer Kammer, sei es für Schrifttum, Presse, Rundfunk, Theater, Musik oder bildende Künste, war erforderlich, um weiter am deutschen Kulturleben teilnehmen zu können. Der Erfassung der Erwünschten entsprach die Ausgrenzung der Unerwünschten. Sie waren mittlerweile nicht nur aus den Akademien verdrängt, sondern verloren auch, soweit sie sich ins Ausland begeben und von dort aus Kritik an den Zuständen in Deutschland geübt hatten, am 23. August 1933 die deutsche Staatsbürgerschaft. Ihr Vermögen wurde eingezogen. Betroffen waren, neben zahlreichen Politikern der Linken, der Theaterkritiker Alfred Kerr, der Schriftsteller Lion Feuchtwanger und die Publizisten Kurt Tucholsky und Leopold Schwarzschild.[9]

Den absoluten Gegenpol zur urbanen Intelligenz, die im Herbst 1933 zu einem großen Teil bereits aus Deutschland vertrieben worden war, bildete, den nationalsozialistischen Ideologen zufolge, das bodenständige Bauerntum. Dieses zu erhalten und zu festigen, war der Zweck des Reichserbhofgesetzes vom 29. September 1933. Es trug die Handschrift des maßgeblichen Vertreters des Mythos von «Blut und Boden», des Führers des Reichsnährstands und Reichslandwirtschaftsministers Richard Walther Darré. Das Gesetz galt für etwa ein Drittel der landwirtschaftlichen Betriebe – weder die ganz großen noch die ganz kleinen, sondern für die mittleren bäuerlichen Familienbetriebe. Der Hoferbe, in der Regel der jüngste Sohn, *mußte* Bauer werden; sein Besitz war nur noch bedingt hypothekarisch belastbar und durfte nicht mehr, wie etwa im Südwesten Deutschlands üblich, zwischen den Familienmitgliedern aufgeteilt werden.

Die unausweichliche Folge war verstärkte Landflucht. Diese widersprach zwar den agrarromantischen Parolen der NSDAP, diente aber einem übergeordneten Ziel der Führung. Die neue industrielle Reservearmee lieferte Arbeitskräfte für die Rüstungsindustrie, bei der die Löhne sehr viel höher waren als in der Landwirtschaft. Dem dadurch hervorgerufenen Mangel an landwirtschaftlichen Arbeitskräften sollte der (1931 eingeführte) Freiwillige Arbeitsdienst abhelfen – die Vorstufe des Reichsarbeitsdienstes, in dem, im Prinzip jedenfalls, vom Juni 1935 ab alle Deutschen, Männer wie Frauen, zwischen 18 und 25 Jahren ein halbes Jahr lang Dienst tun mußten. Der Arbeitsdienst wiederum bot die Gelegenheit, ein Versprechen einzulösen, das Hitler in seiner Rede vom 1. Mai 1933 gegeben hatte: Auch Kopfarbeiter mußten mindestens einmal in ihrem Leben körperliche Arbeit kennenlernen.

Die psychologische Aufwertung der Arbeit war das Gegenstück zur tatsächlichen Entrechtung der Arbeiter. Am 20. Januar 1934 erließ die Reichsregierung das Gesetz zur Ordnung der nationalen Arbeit, die «Magna Charta» der Betriebsverfassung im «Dritten Reich». Das Gesetz übertrug dem «Führer des Betriebs» die Aufgabe, für das Wohl der «Gefolgschaft» zu sorgen und ihr gegenüber in allen betrieblichen Angelegenheiten zu entscheiden. Dem Betriebsführer trat ein «Vertrauensrat» mit beratender Kompetenz zur Seite. Er wurde in einer Listenwahl gewählt, wobei der Betriebsführer und der Obmann der Deutschen Arbeitsfront sich im voraus über die Kandidaten verständigten. Mit den Betriebsräten der Weimarer Republik hatten die Vertrauensräte nichts mehr gemein. Die Nutznießer der Neuordnung waren die Unternehmer, die sich wieder als «Herren im Hause» fühlen konnten – sofern sie nicht mit der DAF in Konflikt gerieten. Von Unzufriedenheit bei den Arbeitern war dennoch wenig zu spüren. Der Rückgang der Arbeitslosigkeit wurde vielfach dem «Dritten Reich» und seinem «Führer» zugute gehalten. Für den Verlust an politischer und gewerkschaftlicher Freiheit gab es eine Entschädigung: Die Angst vor dem Verlust des Arbeitsplatzes begann zu schwinden.

Das galt auch für die meisten weiblichen Arbeitskräfte. Die Nationalsozialisten hatten zwar vor dem 30. Januar 1933 dem «Doppelverdienertum» den Kampf angesagt und taten dies auch danach – doch nur in Worten. Auf die Praxis hatte die Devise, die Frau gehöre ins Heim und an den Herd, habe sich, mit anderen Worten, vorrangig Mann und Kindern zu widmen, kaum Auswirkungen. Die Erwerbsarbeit verheirateter Frauen ging im «Dritten Reich» nicht nur nicht zurück, sondern stieg an. Lediglich Beamtinnen in leitender Stellung, also Akademikerinnen, wurden systematisch aus dem Berufsleben verdrängt, wobei die Nationalsozialisten an das Gesetz zur Rechtsstellung von weiblichen Beamten vom 30. Mai 1932 anknüpfen konnten. Außerdem senkte das Regime, gestützt auf das Reichsgesetz gegen die Überfüllung von deutschen Schulen und Hochschulen vom 25. April 1933, den Anteil der Studentinnen an der Gesamtheit der Studierenden bis zum historischen Tiefststand von 11,2 % im Sommer 1939. Was Deutschland an rechtlicher und tatsächlicher Gleichstellung der Frauen erreicht hatte, wurde nach 1933 weitgehend rückgängig gemacht. Der Nationalsozialismus *war* radikal antiemanzipatorisch: ein Befund, der sich ganz und gar nicht mit der These mancher Historiker und Soziologen verträgt, das «Dritte Reich» habe, gleichviel ob gewollt oder ungewollt, zu einer umfassenden Modernisierung der deutschen Gesellschaft beigetragen.

Die «Volksgemeinschaft» des Nationalsozialismus begann ein Jahr nach der sogenannten «Machtergreifung» Konturen anzunehmen. Die «Volksgemeinschaft» wollte die Unterschiede im Bewußtsein von Protestanten und Katholiken, Stadt- und Landbewohnern, «Arbeitern der Stirn und der Faust» einebnen; sie war männlich dominiert, in Ständen, Kammern und in

der Deutschen Arbeitsfront erfaßt und dem «Führerprinzip» unterworfen.
Der Unternehmer hatte sich in den Betriebsführer, die Belegschaft in die
Gefolgschaft verwandelt; an die Stelle von gewählten Vertretern landwirt-
schaftlicher Organisationen waren die vom Reichsnährstand ernannten
Orts- und Kreisbauernführer getreten; an den Universitäten fiel dem vom
Kultusministerium ernannten Rektor die Rolle des Führers zu; bei Zeitungen und Zeitschriften übernahm auf Grund eines Gesetzes vom 4. Oktober
1933 der Schriftleiter die Verantwortung für alle Äußerungen seiner Mitarbeiter. Und es gab die riesige Zahl kleiner und mittlerer Führer der NSDAP
vom Blockwart über den Zellenleiter, den Ortsgruppenleiter und den
Kreisleiter bis zum Gauleiter, wozu noch die Funktionäre der Gliederungen und angeschlossenen Verbände der Partei, der NS-Frauenschaft etwa,
der NS-Volkswohlfahrt und des Nationalsozialistischen Kraftfahrerkorps,
kamen. Sie alle waren vom Willen des *einen* Führers abhängig – und konnten sich doch gleichzeitig als Teilhaber seiner Herrschaft fühlen.

Äußerte sich jemand kritisch über die Führung oder gar über Hitler selbst,
mußte er mit Denunziationen und, je nach der Schwere des Falles, mit der
Einlieferung in ein Konzentrationslager rechnen. Um die Deutschen zu
kontrollieren, war das Regime nicht ausschließlich auf die bezahlten Spitzel
und vergleichsweise wenigen Beamten der Geheimen Staatspolizei angewiesen (von denen es, um nur vier Beispiele zu nennen, 1937 in Essen und
Wuppertal jeweils 43, in Duisburg 28 und in Würzburg 22 gab). Die Nationalsozialisten konnten sich vielmehr auf unzählige «Volksgenossinnen» und
«Volksgenossen» verlassen, die dem «Führer» zu helfen glaubten, wenn sie
vermeintliche Volksschädlinge den Behörden meldeten.

Der Glaube an Hitler und seine geschichtliche Sendung war schon im ersten Jahr der nationalsozialistischen Herrschaft zur wichtigsten Klammer
der Volksgemeinschaft geworden. Der Führermythos *durfte* seine Wir-
kungskraft nicht verlieren, weil das «Dritte Reich» ohne ihn nicht denkbar
war. Auf dieser, durchaus zutreffenden Einsicht beruhte die tagtägliche,
von Goebbels koordinierte Propaganda, der sich auf die Dauer kaum ein
Deutscher zu entziehen vermochte.[10]

Nichts festigte den Glauben an Hitler im Jahre 1933 so sehr wie die Erfolge
des Kanzlers – und die stellten sich schnell und auf vielen Gebieten ein.
Wirtschaftlich hatte es in Deutschland schon im Spätsommer 1932 erste
Anzeichen einer Erholung gegeben. Im Jahr 1933 schlug sich der Wieder-
aufschwung erstmals in sinkenden Arbeitslosenzahlen nieder, was sich das
Regime als Erfolg in der «Arbeitsschlacht» anrechnete. Innenpolitisch galten auch, in den Augen einer Mehrheit der Deutschen, die Ausschaltung der
Parteien und vor allem die Vernichtung von «Marxismus» und «Bolschewismus» als Erfolg. Der Nationalsozialismus hatte binnen weniger Monate
ein totales Propagandamonopol durchgesetzt und seinen politischen Gegnern die Möglichkeit der legalen Artikulation genommen.

Außenpolitisch aber konnte im Herbst 1933 von einer Erfolgsbilanz des «Dritten Reiches» keine Rede sein. Deutschland hatte sich, seit Hitler das Amt des Reichskanzlers innehatte, isoliert. Das zeigte sich vor allem auf der Genfer Abrüstungskonferenz: Die militärische Gleichberechtigung, die Deutschland im Dezember 1932 grundsätzlich zugestanden worden war, rückte in immer weitere Ferne. Als England Anfang Oktober 1933 ein Kontrollsystem vorschlug, das der geheimen Aufrüstung Deutschlands einen Riegel vorzuschieben drohte, entschied sich Hitler für den Abbruch der Abrüstungsverhandlungen und den Austritt Deutschlands aus dem Völkerbund.

Die demonstrative Kampfansage an das System von Versailles war außerordentlich populär, und weil dem so war, gelang es Hitler, eine außenpolitische Niederlage in einen innenpolitischen Sieg zu verwandeln. Am 12. November 1933 hatten die Deutschen Gelegenheit, ihr Votum zum Austritt aus dem Völkerbund abzugeben und gleichzeitig einen neuen Reichstag zu wählen. 95,1 % der abgegebenen gültigen Stimmen bei der Volksabstimmung waren Ja-Stimmen, was eine Zustimmung von 89,9 % der Stimmberechtigten bedeutete. Bei der Reichstagswahl entfielen 92,1 % der abgegebenen gültigen Stimmen auf die Einheitsliste der NSDAP. Das entsprach einem Anteil von 87,8 % der Stimmberechtigten.

Die Akklamation war bei der Volksabstimmung also noch größer als bei der Reichstagswahl. Das Regime hatte Grund, beide Resultate als eindrucksvolle Bestätigung seiner Politik zu interpretieren. Denn so einschüchternd Terror und Propaganda wirkten: Es war noch möglich, ohne großes persönliches Risiko mit Nein oder ungültig zu stimmen oder, in Großstädten jedenfalls, den Urnen fernzubleiben. In ehemaligen Hochburgen der Linksparteien und in Wohnbezirken mit starkem jüdischen Bevölkerungsanteil erreichten die Nein-Stimmen beim Plebiszit und die ungültigen Stimmen bei der Wahl häufig eine zweistellige Höhe: Spitzenreiter der Verweigerung war Lübeck mit 22,1 beziehungsweise 21,8 %. Für die nationalsozialistische Führung waren die Daten, die auf Ablehnung hinwiesen, kein Anlaß zur Besorgnis. Hätten die Reichsregierung und die NSDAP noch wesentlich besser abgeschnitten, wäre das Ergebnis in aller Welt als unglaubwürdig empfunden worden.

Zwei Monate nach Volksabstimmung und Reichstagswahl konnte Deutschland seine außenpolitische Isolierung mit Hilfe eines überraschenden Partners mildern: Am 26. Januar 1934 schloß das Deutsche Reich einen Nichtangriffspakt mit Polen ab. Der östliche Nachbarstaat war in den Jahren der Weimarer Republik fast einhellig als Bedrohung wahrgenommen worden; seine Grenzen, ja seine bloße staatliche Existenz galten weithin als unvereinbar mit den Interessen Deutschlands. Nun verpflichteten sich beide Seiten darauf, unter keinen Umständen Gewalt gegeneinander anzuwenden. Dem gebürtigen Österreicher Hitler fiel die Kehrtwendung leichter als dem preußisch geprägten, traditionell antipolnischen Auswärtigen

Amt. Dem Kanzler war eine andere Gegnerschaft sehr viel wichtiger: die zur Sowjetunion. Aus seiner Sicht konnte das antikommunistische und antirussische Polen zeitweilig durchaus die Rolle eines Juniorpartners einer gegen Moskau gerichteten deutschen Politik übernehmen: eine Perspektive, die vor 1933 ganz undenkbar gewesen wäre.

Vier Tage nach dem Abschluß des deutsch-polnischen Vertrags jährte sich zum ersten Mal die sogenannte «Machtergreifung». Die Reichsregierung nahm den 30. Januar 1934 zum Anlaß, vom neugewählten Reichstag das verfassungsändernde Gesetz über den Neuaufbau des Reiches beschließen zu lassen. Er hob die Volksvertretungen der Länder auf und übertrug ihre Hoheitsrechte dem Reich. Die Länderregierungen unterstanden fortan der Reichsregierung und die Reichsstatthalter der Dienstaufsicht des Reichsministers des Innern. Das schien einen epochalen Einschnitt zu bedeuten: den endgültigen Sieg der unitarischen über die partikularistischen Kräfte. So jedenfalls sollten es die Deutschen nach dem Willen von Reichsinnenminister Wilhelm Frick sehen: «Der Traum von Jahrhunderten ist erfüllt. Deutschland ist kein schwacher Bundesstaat mehr, sondern ein starker nationaler Einheitsstaat.»

Doch Frick triumphierte zu früh. Die mächtigeren unter den Reichsstatthaltern dachten gar nicht daran, sich Berliner Ministerien unterzuordnen, und ihre Opposition war keineswegs wirkungslos. Denn wenn Hitler seinem Innenminister auch «im Prinzip» recht gab, mochte er doch andererseits nicht seine «alten Kämpfer» verprellen. Infolgedessen sahen sich die Mitglieder der Reichsregierung immer wieder durch den Kanzler bloßgestellt und von ihm in Stich gelassen. Im April 1934 protestierte Frick in einem Brief an die Reichskanzlei: Im Sinne einer «zentralen und einheitlichen Führung des Reiches durch den Herrn Reichskanzler und die ihm zur Seite stehenden Fachminister» sei es nicht möglich, «Meinungsverschiedenheiten zwischen einem Reichsfachminister einerseits und einem Reichsstatthalter andererseits zu unterbreiten».

Hitlers Antwort war das Gegenteil einer Entscheidung. Über den Staatssekretär der Reichskanzlei, Heinrich Lammers, ließ er Frick am 27. Juni 1934 mitteilen, daß es auch nach seiner Auffassung im allgemeinen nicht möglich sei, Meinungsverschiedenheiten zwischen einem Reichsfachminister und einem Reichsstatthalter über die Recht- oder Zweckmäßigkeit eines Landesgesetzes seiner, Hitlers, Entscheidung zu unterbreiten. «Eine Ausnahme muß jedoch nach Auffassung des Herrn Reichskanzlers für die Fälle gelten, in denen es sich um Fragen von besonderer politischer Bedeutung handelt. Eine derartige Regelung entspricht nach der Auffassung des Reichskanzlers seiner Führerstellung.»

Der Vorgang war nicht nur für Hitler typisch, sondern auch für die Struktur seines Regimes. Hitler war auf seine Endziele fixiert; in Fragen der inneren Staatsordnung hatte er keine klare Konzeption und wich Entscheidungen am liebsten aus. Damit durchkreuzte er wiederholt Tendenzen, die an sich in der «Logik» des Nationalsozialismus lagen – wie etwa die von Frick geforderte systematische Zentralisierung im Sinne des Führerprinzips. Aber in gewisser Weise hatte auch die Inkonsequenz System: Hitlers Politik war mehr auf «Bewegung» als auf «Ordnung» angelegt, und ständige Dynamik war mit der Herausbildung stabiler Strukturen nicht vereinbar. Im übrigen hatten Rivalitäten zwischen seinen Gefolgsleuten auch ihr Gutes: *Er* mußte als Schiedsrichter angerufen werden, und auch wenn er nicht entschied, blieb er doch der Meister des Spiels.

Die vielzitierte «Polykratie» des Nationalsozialismus beschränkte sich nicht auf die Gegensätze zwischen Reichsministerien und Reichsstatthaltern. Im Streit lagen häufig auch das Reichswirtschaftsministerium und die Deutsche Arbeitsfront, das Reichswirtschaftsministerium und der Reichsnährstand, der Reichsnährstand und die Deutsche Arbeitsfront, das Auswärtige Amt und das Außenpolitische Amt der NSDAP unter Alfred Rosenberg (wozu, seit 1936, noch ein weiterer Konkurrent, die «Dienststelle Ribbentrop», kam). Die Grundfrage, ob die Partei dem Staat oder der Staat der Partei übergeordnet war, ist im «Dritten Reich» nie definitiv entschieden worden – auch nicht durch das Gesetz zur Sicherung der Einheit von Partei und Staat vom 1. Dezember 1933, in dessen Gefolge der Stellvertreter des Führers, Rudolf Heß, und der Stabschef der SA, Ernst Röhm, zu Mitgliedern der Reichsregierung ernannt wurden. Die fortdauernde Schwebelage im Verhältnis von Partei und Staat hatte dem Historiker Martin Broszat zufolge ihre tiefere Ursache darin, daß beide, Staat und Partei, «keine souveräne, sondern nur abgeleitete, dem charismatischen Führer unterworfene Macht besaßen». Broszats Begründung ist triftig: «Da sich der absolute Führer gleichwohl nur auf dem Wege der Partei- oder der Staatsmacht durchsetzen konnte und insoweit selbst von beiden abhängig blieb, könnte man von einem Trialismus Partei-Staat-Führerabsolutismus als der Grundfigur des NS-Systems sprechen.»[11]

Im Juni 1933 erschien in den «Nationalsozialistischen Monatsheften» ein Grundsatzartikel des Stabschefs der SA, Ernst Röhm, der an den politischen Vorstellungen und Erwartungen des paramilitärischen Arms der NSDAP keinen Zweifel ließ. Die Kernsätze lauteten: «Wenn die Spießerseelen meinen, daß es genüge, wenn der Staatsapparat ein anderes Vorzeichen erhalten hat, daß die ‹nationale› Revolution schon zu lange dauert, so pflichten wir ihnen hierin ausnahmsweise gern bei. Es ist in der Tat hohe Zeit, daß die nationale Revolution aufhört und daß daraus die nationalsozialistische wird! Ob es ihnen paßt oder nicht – wir werden unseren Kampf weiterführen. Wenn sie endlich begreifen, um was es geht: *mit* ihnen. Wenn sie nicht wollen: *ohne* sie! Und wenn es sein muß: *gegen* sie!»

Röhm stand, seit der Stahlhelm Anfang Juli der SA eingegliedert worden war, an der Spitze einer Organisation mit mindestens 1,5 Millionen Mitgliedern. Aber er sprach nach wie vor für die «alten Kämpfer», die es als ihr

Verdienst betrachteten, daß Hitler seit dem 30. Januar 1933 Reichskanzler war. Sie waren unzufrieden mit dem, was sich bisher in Deutschland geändert hatte, und forderten eine zweite Revolution, die sie, die «braunen Bataillone», an die Schalthebel von Staat und Gesellschaft bringen sollte. Hitler dagegen wußte sehr wohl, daß seine langfristigen Ziele nicht gegen Reichswehr, Beamtenschaft und Unternehmertum durchzusetzen waren. Am 6. Juli 1933 antwortete der Reichskanzler vor den in Berlin versammelten Reichsstatthaltern auf Röhms Herausforderung: «Die Revolution ist kein permanenter Zustand, sie darf sich nicht zu einem Dauerzustand ausbilden. Man muß den freigewordenen Strom der Revolution in das sichere Bett der Evolution hinüberleiten... Die Partei ist jetzt der Staat geworden. Alle Macht liegt bei der Reichsgewalt. Es muß verhindert werden, daß das Schwergewicht des deutschen Lebens wieder in einzelne Gebiete oder gar Organisationen verlagert wird.»

Die öffentliche Belehrung des Stabschefs blieb ebenso wirkungslos wie seine Ernennung zum Reichsminister ohne Geschäftsbereich am 4. Dezember 1933 – eine Maßnahme, von der Hitler sich eine Zähmung der SA erhoffte. Röhm forderte nunmehr, daß die SA auch bei der «Wiederwehrhaftmachung» Deutschlands die Schlüsselrolle spielen und den Kern einer künftigen Miliz bilden sollte. Am 1. Februar 1934 sandte er Reichswehrminister von Blomberg ein Memorandum, in dem die Reichswehr auf die Funktion eines reinen Ausbildungsheeres herabgedrückt wurde. Röhms Absicht war klar: Reichswehr und SA sollten einen militärpolitischen Rollentausch vornehmen.

Blomberg fiel es leicht, Hitler auf die Seite des Militärs zu ziehen. Am 28. Februar erteilte der Kanzler vor den Spitzen von Reichswehr, SA und SS den Milizplänen Röhms eine klare Absage. Er sei entschlossen, sagte er, «ein Volksheer, aufgebaut auf der Reichswehr, gründlich ausgebildet und mit den modernsten Waffen ausgerüstet, aufzustellen». Nach fünf Jahren müsse diese neue Armee für jede Verteidigung, nach acht Jahren auch für den Angriff geeignet sein. Von der SA verlangte Hitler, daß sie sich seinen Anweisungen füge. Für die Übergangszeit werde sie für Aufgaben des Grenzschutzes und der vormilitärischen Ausbildung herangezogen werden. «Im übrigen müsse die Wehrmacht der einzige Waffenträger der Nation sein.» Die Reichswehr honorierte Hitlers Entgegenkommen auf eine Weise, die dem Führer der NSDAP gefallen mußte: Am nämlichen 28. Februar 1934 veröffentlichte Blomberg einen Erlaß, der die Reichswehr zur Anwendung des Arierparagraphen des Gesetzes zur Wiederherstellung des Berufsbeamtentums verpflichtete.

Röhm stellte in den folgenden Wochen die neuen Richtlinien seines Führers nach außen nicht in Frage. Aber die Reden des Stabschefs, darunter eine vor dem Diplomatischen Korps am 18. April, blieben so «revolutionär» wie eh und je, und die Zwischenfälle zwischen SA und Reichswehr mehrten sich. In der Bevölkerung breitete sich erstmals seit dem Beginn von Hitlers Kanzlerschaft der Eindruck von Führungsschwäche aus – eine Mißstimmung, gegen die Goebbels im Mai 1934 mit einer Kampagne gegen «Miesmacher und Kritikaster» anzugehen versuchte. Die fortdauernde Unruhe veranlaßte konservative Kreise in der Umgebung des Vizekanzlers Franz von Papen, auf eine Klärung der Machtfrage in ihrem Sinne hinzuarbeiten. Ein geeignetes Mittel hierzu erschien ihnen die Wiederherstellung der Monarchie nach dem Tode Hindenburgs – einem Ereignis, mit dem für die nächste Zukunft gerechnet werden mußte, da sich der Gesundheitszustand des greisen Staatsoberhaupts im Frühjahr 1934 deutlich verschlechterte.

Das Signal zur konservativen Sammlung gegen die radikalen Kräfte im Nationalsozialismus sollte ein Rede bilden, die Papen am 17. Juni 1934 an der Universität Marburg hielt. Den Text hatte einer seiner engsten Mitarbeiter, der Publizist Edgar Jung, verfaßt. Es war die schärfste öffentliche Kritik, die seit Otto Wels' Rede gegen das Ermächtigungsgesetz an den Terrormethoden der NSDAP, der Primitivität ihrer Propaganda und dem von ihr betriebenen Byzantinismus um Hitler geübt worden war. Jung ließ Papen ein Bekenntnis zu Menschlichkeit, Freiheit und Gleichheit vor dem Richter ablegen – Werten, von denen der Vizekanzler sagte, sie seien keine liberalen, sondern germanisch-christliche Begriffe. Die Kampfansage an die Vertreter der Parole von der zweiten Revolution war nicht zu überhören. «Kein Volk kann sich den ewigen Aufstand von unten leisten, wenn es vor der Geschichte bestehen will. Einmal muß die Bewegung zu Ende kommen, einmal ein festes soziales Gefüge, zusammengehalten durch eine unbeeinflußbare Rechtspflege und durch eine unbestrittene Staatsgewalt, entstehen. Deutschland darf nicht ein Zug ins Blaue werden, von dem niemand weiß, wann er zum Halten kommt... Es ist an der Zeit, in Bruderliebe und Achtung vor den Volksgenossen zusammenzurücken, das Werk ernster Männer nicht zu stören und doktrinäre Fanatiker zum Verstummen zu bringen.»

Der Beifall der Zuhörer in Marburg war überwältigend, und das Echo in Deutschland wäre nicht minder stark gewesen, hätte Goebbels nicht sofort die Verbreitung der Rede in Rundfunk und Presse untersagt. Bei diesem Verbot blieb es, obwohl Papen sich am 18. und 19. Juni in zwei Gesprächen und auch brieflich bei Hitler beschwerte, einen gemeinsamen Besuch bei Hindenburg anregte und schließlich mit seinem Rücktritt drohte. Am 25. Juni wurde Edgar Jung von der Gestapo verhaftet. Hitler aber hatte mittlerweile begriffen, daß er sich in einem innenpolitischen Zweifrontenkampf befand und seine einzige Chance darin lag, beide Gegner, Röhms «revolutionäre» SA und die monarchistische «Reaktion», gleichzeitig zu schlagen. Hätte er sich nur gegen den Kreis um Papen und damit gegen die alten Eliten gewandt, wäre das ein für Hitler äußerst gefährlicher Triumph der SA gewesen. Ging er nur gegen die SA vor, mußte das seine «bürgerlichen» Verbündeten stärken, was er auch nicht wollen konnte. Papens

Marburger Rede gab ihm nun den Anlaß zu einer Überraschungsaktion nach zwei Seiten und die Möglichkeit, die innenpolitische Krise radikal zu lösen.

Zeitgenossen und Nachwelt haben sich die Ereignisse von Ende Juni und Anfang Juli 1934 als «Röhm-Revolte» (dies die nationalsozialistische Bezeichnung) oder als «Röhm-Putsch» eingeprägt. Einen Putsch oder eine Revolte des Stabschefs der SA hat es nicht gegeben. Röhm hatte, nach einem längeren Gespräch mit Hitler, Anfang Juni eine Kur angetreten und für den Juli einen allgemeinen «Urlaub» der SA verfügt. Das erleichterte es Hitler sehr, im Zusammenspiel mit der Reichswehr und der SS, die formell immer noch der SA angegliedert war, zum großen Schlag gegen seinen langjährigen Freund und Kampfgefährten auszuholen. Am 30. Juni wurden Röhm und andere hohe SA-Führer im bayerischen Bad Wiessee unter persönlicher Beteiligung Hitlers verhaftet, anschließend in das Gefängnis München-Stadelheim verbracht und dort, mit Ausnahme Röhms, ohne irgendein Gerichtsverfahren noch am gleichen Tag erschossen. Den abgesetzten Stabschef der SA ließ Hitler am 1. Juli erschießen.

SA-Führer waren nicht die einzigen Opfer des angeblichen «Röhm-Putsches». Hitler, Göring und die SS unter ihrem «Reichsführer» Heinrich Himmler nutzten die Gelegenheit zur Liquidation von politischen Gegnern aus unterschiedlichen Lagern. Ermordet wurden am 30. Juni der ehemalige bayerische Generalstaatskommissar Gustav Ritter von Kahr, der Papen nahestehende Vorsitzende der Katholischen Aktion, Ministerialdirektor Erich Klausener, Papens Mitarbeiter Herbert von Bose und Edgar Jung, der frühere Reichsorganisationsleiter der NSDAP, Gregor Strasser, der ehemalige Reichskanzler General Kurt von Schleicher und sein Mitarbeiter General Ferdinand von Bredow. Seinem Amtsvorgänger Schleicher warf Hitler nachträglich Hoch- und Landesverrat im Zusammenspiel mit Röhm, dem General von Bredow außenpolitische Hilfsdienste für Schleicher vor – beides haltlose Unterstellungen. Gesichert ist dagegen die Zahl der namentlich bekannten Menschen, die während der Mordaktion ums Leben kamen: 85, davon 50 Angehörige der SA.

Neben der Führung der SA hatte Hitler sich am 30. Juni also auch mißliebiger Konservativer entledigt. Papen, die zeitweilige, alles in allem eher passive Galionsfigur der Fronde, kam glimpflich davon: Er wurde von Göring zwei Tage lang unter Hausarrest gestellt, erhielt dann aber wenig später von Hitler die erbetene persönliche Ehrenerklärung. Am 7. August schied er aus dem Amt des Vizekanzlers aus und übernahm auf Ersuchen Hitlers die Aufgabe eines deutschen Sonderbotschafters in Wien: Dort hatten am 25. Juli die österreichischen Nationalsozialisten geputscht und dabei Bundeskanzler Engelbert Dollfuß ermordet. Der Umsturzversuch wurde zwar rasch niedergeschlagen, löste aber eine internationale Krise aus: Mussolini, mit dem Hitler kurz zuvor, Mitte Juni, in Venedig erstmals zusammengetroffen war, ließ, um Deutschland vor einem Anschluß Österreichs zu warnen, italienische Truppen am Brenner aufmarschieren. Papens Mission bestand darin, in Wien an der Wiederherstellung des deutschen Ansehens zu arbeiten. Eine Wiederholung von Zwischenfällen wie seiner Marburger Rede war damit nach menschlichem Ermessen ausgeschlossen.

Am 3. Juli 1934 beschloß die Reichsregierung ein rückwirkendes Gesetz, wonach die zur «Niederschlagung hoch- und landesverräterischer Angriffe» am 30. Juni, 1. und 2. Juli 1934 vollzogenen Maßnahmen «als Staatsnotwehr rechtens» waren. Am 13. Juli rechtfertigte Hitler sein Vorgehen vor dem Reichstag: «Wenn mir jemand den Vorwurf entgegenhält, weshalb wir nicht die ordentlichen Gerichte zur Aburteilung herangezogen hätten, dann kann ich ihm nur sagen: In dieser Stunde war ich verantwortlich für das Schicksal der deutschen Nation und damit des deutschen Volkes oberster Gerichtsherr!»

Dem Staatsrechtler Carl Schmitt blieb es vorbehalten, den von Hitler befohlenen Morden den Schein einer naturrechtlichen Legitimation zu verschaffen und damit die Unabhängigkeit der rechtsprechenden Gewalt theoretisch zu liquidieren. Unter der Überschrift «Der Führer schützt das Recht» machte er sich Hitlers Formel vom «obersten Gerichtsherrn» zu eigen. «Der wahre Führer ist immer auch Richter», schrieb Schmitt. «Aus dem Führertum fließt das Richtertum. Wer beides voneinander trennen oder gar entgegensetzen will, macht den Richter entweder zum Gegenführer oder zum Werkzeug eines Gegenführers und sucht den Staat mit Hilfe der Justiz aus den Angeln zu heben... In Wahrheit war die Tat des Führers echte Gerichtsbarkeit. Sie untersteht nicht der Justiz, sondern war selbst höchste Justiz... Das Richtertum des Führers entspringt derselben Rechtsquelle, der alles Recht jedes Volkes entspringt. In der höchsten Not bewährt sich das höchste Recht und erscheint der höchste Grad richterlich rächender Verwirklichung des Rechts. Alles Recht stammt aus dem Lebensrecht des Volkes.»

Das «gesunde Volksempfinden» kam zum gleichen Ergebnis wie der Jurist Schmitt: Der Schlag gegen die notorischen Unruhestifter an der Spitze der SA wurde von vielen Deutschen als rettende Tat gefeiert. «Die Art der Liquidierung der Röhm-Revolte hat die Sympathien, welche der Führer beim Volk genießt, ganz bedeutend erhöht», verlautete aus Ingolstadt. Ähnliches konnte ein staatlicher Beobachter aus Marktredwitz, einer armen Gegend in der bayerischen Ostmark, berichten. «Der Führer hat bei der breiten Masse, insbesondere bei jenen, welche der Bewegung noch abwartend gegenüberstanden, durch sein tatkräftiges Handeln ungeheuer gewonnen: man bewundert ihn nicht nur, er wird vergöttert...» Verhaltener drückte sich ein Berliner Vertrauensmann des sozialdemokratischen Exilvorstands aus: «Die Stellung der Arbeiterschaft zum Regime muß nach wie vor als wohlwollend neutral bezeichnet werden, eine Änderung hat sich auch nach den letzten Ereignissen noch nicht bemerkbar gemacht.»

Die Gewinner der SA-Krise waren, außer Hitler selbst, die Reichswehr und die SS. Die Reichswehrführung hatte sich zum Komplizen eines Verbrechens gemacht, um ihr Monopol als Waffenträger der Nation durchzusetzen; um dieses Zieles willen nahm sie sogar die Ermordung von zwei Generälen hin; sie war seitdem moralisch erpreßbar. Die SS wurde am 20. Juli 1934 von Hitler in Anerkennung ihrer Verdienste bei der Ausschaltung der SA-Führung zur selbständigen Organisation im Rahmen der NSDAP erhoben. Heinrich Himmler, der «Reichsführer SS», der seit April 1934 an der Spitze der Politischen Polizei in ganz Deutschland stand, rückte damit in der Hierarchie des «Dritten Reiches» ein weiteres Stück nach oben. Seine «Schutzstaffeln» konnten beginnen, sich zum Staat im Staat zu entwickeln.[12]

Am 2. August 1934 starb auf seinem Gut Neudeck, wo er seit Anfang Juni geweilt hatte, im Alter von 86 Jahren Reichspräsident Paul von Hindenburg. Das zweite Staatsoberhaupt der Weimarer Republik hatte dem Parteiführer Hitler bis in die letzten Januartage des Jahres 1933 mißtraut, dem Reichskanzler Hitler gegenüber aber bald alle Vorbehalte aufgegeben. Ein mäßigender Einfluß des Reichspräsidenten war nach dem 30. Januar 1933 nur noch zweimal spürbar geworden: bei der Milderung der antijüdischen Bestimmungen des Gesetzes zur Wiederherstellung des Berufsbeamtentums im April 1933 und im Sommer desselben Jahres beim Kirchenkampf. Hindenburg blieb bis zuletzt der unpolitische Berufssoldat, dem Autorität über alles ging. Unter Hitlers Kanzlerschaft schien sich ihm die langersehnte innere Beruhigung Deutschlands anzubahnen. Die Niederwerfung des vermeintlichen «Röhm-Putsches» begrüßte der Reichspräsident, dem der homosexuelle Stabschef der SA persönlich zutiefst zuwider gewesen war, in Glückwunschtelegrammen an Hitler und Göring. Was er von den Ereignissen noch zur Kenntnis nahm, war geeignet, seine Wertschätzung für den Kanzler zu erhöhen.

Am Ziel seiner politischen Wünsche war Hindenburg, als er starb, freilich noch nicht angelangt. Am 18. Januar 1871 hatte er als junger preußischer Offizier der Kaiserproklamation in Versailles beigewohnt. Im Mai 1934 unterschrieb er seinen «Letzten Wunsch», ein Bekenntnis zur Wiederherstellung der Hohenzollernmonarchie. Der «Letzte Wunsch» war an den «Herrn Reichskanzler» gerichtet und sollte diesem nach dem Tod des Reichspräsidenten ausgehändigt werden. Hitler kannte den Inhalt des Briefes längst, als Papen ihm das Schriftstück im Auftrag Oskar von Hindenburgs am 14. August in Berchtesgaden übergab. Veröffentlichen ließ der Reichskanzler tags darauf aber nur Hindenburgs «Testament», das ihm ebenfalls vom früheren Vizekanzler überreicht worden war. Dieses Dokument enthielt Worte höchster Anerkennung für «meinen Kanzler Adolf Hitler und seine Bewegung», aber nichts, was den «letzten Wunsch» des verstorbenen Reichspräsidenten erkennen ließ.

Hitler handelte so, wie es seinem Interesse entsprach. Eine monarchische Restauration lehnte er ab, weil sie mit seiner Auffassung vom eigenen Führertum unvereinbar war. Hindenburgs Tod bot die Chance, dieses Führertum weiter auszubauen. Bereits am 1. August, also einen Tag, bevor der Reichspräsident starb, beschloß die Reichsregierung die Vereinigung der Ämter des Reichspräsidenten und des Reichskanzlers und legte sich damit auf eine Lösung fest, die Hindenburgs «letztem Wunsch» strikt zuwiderlief und überdies dem Ermächtigungsgesetz widersprach, das die Rechte des Reichspräsidenten ausdrücklich unberührt gelassen hatte. Und nicht nur das: In der gleichen Kabinettssitzung kündigte Reichswehrminister von Blomberg an, daß er unmittelbar nach dem Ableben Hindenburgs die Soldaten der Wehrmacht auf den «Führer und Reichskanzler» vereidigen werde.

Ebendies geschah am 2. August 1934. Im ganzen Reich mußten die Soldaten die neue, durch kein Gesetz gedeckte Eidesformel nachsprechen, die keinerlei Verpflichtung auf Volk, Vaterland und Verfassung enthielt, sondern nur die Bindung an *einen* Mann vorsah: «Ich schwöre bei Gott diesen heiligen Eid, daß ich dem Führer des deutschen Reiches und Volkes, Adolf Hitler, dem Obersten Befehlshaber der Wehrmacht, unbedingten Gehorsam leisten und als tapferer Soldat bereit sein will, jederzeit für diesen Eid mein Leben einzusetzen.»

Die persönliche Machtfülle Hitlers hatte am 2. August 1934 ein Ausmaß erreicht, wie es das seit der Zeit des Absolutismus nicht mehr gegeben hatte. Die «Machtergreifung» war institutionell abgeschlossen: Was noch ausstand, war die Akklamation des Volkes. Am 19. August 1934, vier Tage nach der Veröffentlichung von Hindenburgs Testament, hatten die Deutschen Gelegenheit, über das Gesetz über das Staatsoberhaupt des Deutschen Reiches vom 1. August zu befinden, das «die bisherigen Befugnisse des Reichspräsidenten auf den Führer und Reichskanzler Adolf Hitler» übergehen ließ. Wie nicht anders zu erwarten, sprach sich eine große Mehrheit für das Gesetz aus. 89,9 % der abgegebenen gültigen Stimmen lauteten auf Ja. Das bedeutete eine Zustimmung von 84,3 % der Stimmberechtigten.

Auf den ersten Blick war das Ergebnis ein überwältigender Erfolg. Ein Vergleich mit der Volksabstimmung vom 12. November 1933 aber wirkte ernüchternd. Die Zahl derer, die sich dem Regime durch Nichtteilnahme, ungültige oder Nein-Stimmen verweigerten, war gewachsen, die Zahl der Zustimmenden gesunken: von 89,9 % auf 84,3 % der Stimmberechtigten. Besonders hoch lag der Anteil der Nein-Stimmen in den großstädtischen Stimmkreisen Hamburg (20,4 %), Aachen (18,6 %) und Berlin (18,5 %). In der Reichshauptstadt meldeten sämtliche Bezirke zweistellige Nein-Quoten, wobei der ehedem «rote Wedding» mit 19,7 % an der Spitze lag.

Der Austritt Deutschlands aus dem Völkerbund war offenkundig sehr viel populärer als die Zusammenlegung der beiden wichtigsten Staatsämter. Hitlers Prestige wurde durch die Bekundung des Mißtrauens einer Minderheit nicht ernsthaft beeinträchtigt. Aber an den eigenen Erwartungen gemessen, war der Ausgang des zweiten Plebiszits doch jener «Mißerfolg», von dem Goebbels am 22. August in einem Tagebucheintrag sprach. Die Folgerungen des Propagandaministers waren auch die seines Führers: «Mehr reden und zum Volk gehen... Gegen Staatsfeinde mehr Festigkeit.»[13]

Unter den «Staatsfeinden» dürften die verbliebenen Anhänger der Sozialdemokratie auch im Sommer 1934 die zahlreichste Gruppe gestellt haben. Zu Beginn des Jahres hatte der Prager Exil-Vorstand versucht, den Standort der Partei neu zu bestimmen – im Sinne einer radikalen Abkehr von der bisherigen, reformistischen Praxis der deutschen Sozialdemokratie. Das von Rudolf Hilferding entworfene, am 20. Januar 1934 verabschiedete «Prager Manifest» bekannte sich zum «revolutionären Kampf» gegen den «totalen faschistischen Staat» und erklärte den Aufbau einer revolutionären Organisation zum Erfordernis dieses Kampfes. «Mit dem Sieg des totalen Staates ist die Frage seiner Überwindung mit grausamer Eindeutigkeit gestellt. Die Antwort lautet: totale Revolution, moralische, geistige, politische und soziale Revolution!... Der Kampf zum Sturz der Diktatur kann nicht anders als revolutionär geführt werden. Ob Sozialdemokrat, ob Kommunist, ob Anhänger der zahlreichen Splittergruppen, der Feind der Diktatur wurde im Kampf durch die Bedingungen des Kampfes selbst der gleiche sozialistische Revolutionär. Die Einigung der Arbeiterklasse wird zum Zwang, den die Geschichte selbst auferlegt.»

Um glaubwürdig zu wirken, mußte die Sozialdemokratie ihre revolutionären Perspektiven für Gegenwart und Zukunft um eine selbstkritische Bewertung ihrer unrevolutionären Politik während des Umbruchs von 1918/19 ergänzen. Dem ehemaligen Unabhängigen Sozialdemokraten Hilferding fiel das nicht schwer. Schon am 23. September 1933 hatte er in einem Brief an einen anderen früheren Unabhängigen, Karl Kautsky, geschrieben, die sozialdemokratische Politik sei seit 1923 im großen und ganzen durch die Situation erzwungen gewesen und habe nicht viel anders sein können. «Zu diesem Zeitpunkt hätte auch eine andere Politik kaum ein anderes Resultat gehabt. Aber in der Zeit von 1914 und erst recht von 1918 bis zum Kapp-Putsch war die Politik plastisch, und in dieser Zeit sind die schlimmsten Fehler gemacht worden.» Vier Monate später war dies der offizielle Standpunkt der Partei. Im Prager Manifest hieß es zur Revolution von 1918/19: «Daß sie den alten Staatsapparat fast unverändert übernahm, war der schwere historische Fehler, den die während des Krieges desorientierte deutsche Arbeiterbewegung beging.»

Zu den Adressaten des Appells gehörten mit in erster Linie die erwähnten «zahlreichen Splittergruppen» zwischen SPD und KPD, die die Wiedervereinigung der gespaltenen Arbeiterbewegung auf ihr Banner geschrieben hatten – Gruppen wie «Neu Beginnen» um die ehemaligen Kommunisten Walter Loewenheim («Miles») und Richard Löwenthal und die Anfang Oktober 1931 aus Protest gegen die sozialdemokratische Tole-

rierungspolitik gegründete Sozialistische Arbeiterpartei. Eine Führungsrolle unter den Kräften der nichtkommunistischen Linken konnte sich die
«Sopade», so der selbstgewählte Name der Exil-SPD, dank ihres demonstrativen und gewiß nicht nur taktisch gemeinten Linksrucks tatsächlich
zeitweilig sichern. Die Kommunisten aber dachten nicht daran, sich sozialdemokratische Vorstellungen von der Einheit der Linken zu eigen zu machen. Sie hielten vielmehr bis weit in das Jahr 1934 hinein an der ultralin-
ken Generallinie des Sechsten Weltkongresses der Komintern von 1928
fest, die ihnen den unerbittlichen Kampf gegen die Sozialdemokratie zur
Pflicht machte.

Erst im Juni 1934 änderte die Kommunistische Internationale ihren
Kurs: Sie wies die Kommunistische Partei Frankreichs an, auf das Angebot
einer antifaschistischen Einheitsfront einzugehen, das ihr der Vorstand der
Sozialistischen Partei unterbreitet und an die Bedingungen eines Nichtangriffspaktes zwischen beiden Parteien geknüpft hatte. Die Kehrtwendung
hatte außenpolitische Gründe: Stalin hatte begonnen, die Gefahren, die von
Hitlers Antibolschewismus ausgingen, ernst zu nehmen. Die logische Konsequenz war eine Annäherung an die Westmächte. Im September 1934 trat
die Sowjetunion in den Völkerbund ein; im Mai 1935 schloß sie Beistands-
pakte mit Frankreich und der Tschechoslowakei. Im Sommer 1935 legte der
Siebte Weltkongreß der Komintern die Mitgliedsparteien auf die neue Linie
der antifaschistischen Einheitsfront und damit auf die Zusammenarbeit mit
der Sozialdemokratie fest. Ein Jahr später wurde in Paris nach einem Wahlsieg der Linksparteien die erste Volksfrontregierung unter dem Führer der
Sozialisten, Léon Blum, gebildet. Die Kommunisten stellten keine Minister, verhalfen dem Kabinett aus Sozialisten und bürgerlichen Radikalsozialisten aber zur Mehrheit in der Nationalversammlung.

Zu diesem Zeitpunkt hatte die «Sopade» in Prag ihren Linkskurs bereits
wieder korrigiert. Wichtigster Grund der Selbstrevision war die Enttäuschung über das Verhalten des deutschen Proletariats. Den Berichten der
sozialdemokratischen Vertrauensleute im Reich zufolge genoß Hitler mittlerweile gerade unter den Arbeitern breite Sympathie. Am 15. Januar 1935,
dem durch den Versailler Vertrag festgelegten Termin, entschied sich die
Bevölkerung des Saargebiets mit der überwältigenden Mehrheit von 91 %
für die Rückkehr ins Reich; nur eine kleine Minderheit von 9 % folgte den
Parolen von SPD und KPD, die für den Status quo unter der Verwaltung
des Völkerbunds geworben hatten, um wenigstens diesen Teil Deutschlands vor der Herrschaft des Nationalsozialismus zu bewahren. Wels und
Hilferding gaben ihre Hoffnungen auf selbständige Aktionen der deutschen Arbeiter nunmehr endgültig auf und setzten fortan auf die Zusammenarbeit mit bürgerlichen Exilpolitikern wie dem früheren Reichskanzler Joseph Wirth vom Zentrum und dem Volkskonservativen Gottfried
Treviranus, der seinerseits in enger Verbindung zu einem anderen politischen Flüchtling, Heinrich Brüning, stand.

Der Prager Exil-Vorstand repräsentierte freilich nicht die gesamte sozial-demokratische Emigration: In Paris wirkte seit Ende 1935 Rudolf Breit-scheid mit Willi Münzenberg, dem ehemaligen Leiter des kommunistischen Pressekonzerns, und Heinrich Mann zusammen, um aus dem Exil heraus eine deutsche Volksfront aufzubauen, die den Gegensatz zwischen Sozial-demokraten und Kommunisten überwinden sollte. Hilferding hingegen hielt alles, was über einen Nichtangriffspakt zwischen den beiden Flügeln der Arbeiterbewegung hinausging, für illusionär und gefährlich. Ende Dezember 1935, noch vor dem eigentlichen Beginn von Stalins «Großem Terror», der Massenvernichtung angeblicher Parteifeinde 1936 bis 1938, weigerte er sich, einen von Münzenberg initiierten, von Breitscheid unter-stützten Protest gegen die Hinrichtung des deutschen Kommunisten Ru-dolf Claus in Berlin zu unterzeichnen. Er könne nicht «mit Mördern gegen Mord» protestieren, schrieb Hilferding an seinen Parteifreund, den frühe-ren Reichstagsabgeordneten Paul Hertz.[14]

Auf die deutsche Arbeiterschaft wirkten sich die Meinungsverschieden-heiten unter den Emigranten nicht aus. Nur eine Minderheit stand dem Na-tionalsozialismus strikt ablehnend gegenüber, und noch viel kleiner war die Zahl derer, die Widerstand leisteten, indem sie, beispielsweise, illegale Auf-rufe verbreiteten oder regimefeindliche Parolen an Häuserwände oder Brücken malten. Kommunistische Widerstandsgruppen, die sich auf die-sem Gebiet besonders hervortaten, wurden als erste von der Gestapo un-terwandert – was mit dazu beitrug, daß andere oppositionelle Kräfte sich von ihnen fernhielten. Bis Ende 1934 wurden annähernd 2000 Kommuni-sten umgebracht. Die Zahl der verhafteten Kommunisten belief sich 1933/34 auf rund 60000, 1935 nochmals auf 15000.

Die Sozialdemokraten agierten in der Regel sehr viel vorsichtiger als die Kommunisten. Sie pflegten ihren Zusammenhalt, indem sie sich im Rah-men von Versammlungen der Konsumgenossenschaften oder, wie schon unter Bismarcks Sozialistengesetz, bei Beerdigungen von Genossen trafen. Die besonders Mutigen hielten die Verbindung zur «Sopade» aufrecht und verteilten deren Schriften, die sich regelmäßig hinter unpolitischen Tarn-titeln, von klassischen Dramen oder von Kochbüchern etwa, verbargen.

Im Jahre 1935 häuften sich die Verhaftungen «marxistischer» Gegner und die erfolgreichen Schläge gegen illegale Gruppen von Sozialdemokraten und Gewerkschaftern. Die Oppositionellen wurden in Massenprozessen abgeurteilt: einmal 400 Sozialdemokraten, ein anderes Mal 628 Gewerk-schafter, dann wieder, in Köln, 232 Sozialdemokraten. Die Gruppe «Neu Beginnen» wurde bis 1938 nahezu vollständig zerschlagen. In fast allen Fällen wurden langjährige Zuchthausstrafen verhängt. Als 1939 der Zweite Weltkrieg begann, gab es, von einigen kleinen konspirativen Gruppen ab-gesehen, in Deutschland keinen organisierten Arbeiterwiderstand mehr.

Als Gegner nahm das Regime nach wie vor auch das kirchlich gebundene Christentum wahr, sofern sich dieses seiner eigenen Gleichschaltung zu entziehen versuchte. In den Jahren 1936/37 wurden katholische Geistliche und Ordensangehörige mit einer Welle von Sittlichkeitsprozessen überzogen, die mit Pressekampagnen gegen die römische Kirche einhergingen. Um dieselbe Zeit erfolgten Anordnungen, die Kruzifixe aus den Schulen zu entfernen, was jedoch bei den Gläubigen auf so viel Widerspruch und Gegenwehr stieß, daß die Nationalsozialisten den Rückzug antraten und die entsprechenden Verordnungen wieder aufheben mußten.

Widerspruch und Gegenwehr gab es weiterhin auch unter den Protestanten der Bekennenden Kirche. Martin Niemöller, Pfarrer der St. Annen-Gemeinde in Berlin-Dahlem, der von der Kanzel Hitler immer wieder vorwarf, er habe seine der evangelischen Kirche gegebenen Versprechungen gebrochen, wurde am 1. Juli 1937 von der Gestapo verhaftet. Das Urteil des Sondergerichts beim Landgericht Berlin vom 2. März 1938 – sieben Monate Festungshaft, die durch die Untersuchungshaft als verbüßt galten, sowie 2 000 RM Geldstrafe – und erst recht die Urteilsbegründung kamen dann einem moralischen Freispruch gleich. Hitler aber fand sich mit der Entscheidung der Richter nicht ab. Niemöller wurde als «Häftling des Führers» direkt vom Gerichtsgebäude in Moabit in das Konzentrationslager Sachsenhausen bei Oranienburg verbracht. Im Juli 1941 folgte die Verlegung in das KZ Dachau, wo Niemöller bis zum Kriegsende gefangengehalten wurde.

Niemöller war ein privilegierter Häftling – bis zu einem gewissen Grad geschützt durch seine Stellung in der Kirche und durch die weltweiten Proteste, die seine beiden Verhaftungen ausgelöst hatten. Unter ungleich schwereren Bedingungen lebte das Gros der politischen KZ-Häftlinge. Vor allem Kommunisten und Sozialdemokraten mußten in den Konzentrationslagern dafür büßen, daß sie sich vor oder nach 1933 als Gegner des Nationalsozialismus hervorgetan hatten. Demütigungen, Schläge und Folterungen und Erschießungen «auf der Flucht» gehörten zum Alltag. Der frühere sozialdemokratische Reichstagsabgeordnete Kurt Schumacher, ein einarmiger Kriegsinvalide, wurde in Dachau 1935 gezwungen, schwere Steine zu schleppen. Erst nach einem vierwöchigen Hungerstreik stellte die Lagerleitung den Versuch ein, Schumacher durch Arbeit zu vernichten. Entlassen wurde er erst im März 1943. Zwei seiner Fraktionskollegen, Julius Leber und Carlo Mierendorff, kamen früher, 1937 beziehungsweise 1938 frei. Ernst Heilmann, in der Weimarer Zeit Fraktionsvorsitzender der SPD im preußischen Landtag und Reichstagsabgeordneter, war als Jude besonders sadistischen Quälereien ausgesetzt. Anfang April 1940 wurde er auf Weisung Himmlers, der seit 1936 auch «Chef der Deutschen Polizei» war, im KZ Buchenwald ermordet. Ebenfalls in Buchenwald starb Ernst Thälmann, der im März 1933 verhaftete langjährige Vorsitzende der KPD: Er wurde am 18. August 1944 auf Befehl Hitlers erschossen.

Ende Juli 1933 hatte es in ganz Deutschland etwa 27 000 politische Häftlinge gegeben. Im Juni 1935 belief sich die Zahl der KZ-Häftlinge auf we-

niger als 4 000, was sich als Zeichen einer Stabilisierung der nationalsozialistischen Herrschaft deuten ließ. 1937 bestanden im gesamten Reich noch
vier Konzentrationslager: Dachau, Sachsenhausen, Buchenwald und Lich-
tenburg. Sie wurden von der SS verwaltet, die bei jedem der Lager einen
«Totenkopfverband» mit 1 000 bis 1 500 Mann stationierte. Zu den «Politischen» waren seit 1934 weitere Kategorien von Häftlingen hinzugekom-
men: sogenannte «volksschädigende Elemente» wie «Asoziale», «Arbeits-
scheue», Homosexuelle, Zeugen Jehovas, zeitweilig oder dauerhaft nach
Deutschland zurückgekehrte Emigranten, Juden, die einer (oder mehreren)
dieser Gruppen zugezählt wurden. Im normalen Strafvollzug gab es für
diese «Elemente» nach geltendem Recht keinen Platz, in der «Volksgemeinschaft» des Nationalsozialismus aber auch nicht. Die nationalsozialistische Antwort auf dieses Dilemma war die Einlieferung in ein KZ.

    Die Konzentrationslager waren der sinnfälligste Ausdruck des national-
sozialistischen «Maßnahmenstaates», der neben dem fortexistierenden
«Normenstaat» entstanden war und dessen Geltungsbereich fortschreitend
einengte. Zugleich bildeten die Lager das Rückgrat des Wirtschaftsimperi-
ums der SS. Die Häftlingsarbeit erwies sich als so lukrativ, daß der Bedarf
an neuen Häftlingen stieg. Im Jahr 1938 boten sich mehrfach Anlässe, diesen Bedarf zu befriedigen: Die Angliederung erst Österreichs, dann des Sudetenlandes vermehrte die Zahl der Gegner des Nationalsozialismus und
damit der politischen Häftlinge; nach den Pogromen vom 9. November
wurden Zehntausende von Juden in die Konzentrationslager eingeliefert.
Aus den Steinbrüchen, in denen KZ-Häftlinge Zwangsarbeit verrichteten,
stammte zu wesentlichen Teilen das Baumaterial für die unter der Regie von
Hitlers Chefarchitekt Albert Speer errichteten nationalsozialistischen Mo-
numentalbauten in Nürnberg, München und Berlin. Neue Lager entstanden aus Gründen der Zweckmäßigkeit von vornherein in der Nähe von
Granitsteinbrüchen: so bei Flossenbürg in der Oberpfalz und, nach dem
«Anschluß» Österreichs, in Mauthausen bei Linz.

    Zwischen Widerstand in der Absicht, Hitlers Regime zu Fall zu bringen,
und der vorbehaltlosen Unterstützung des Nationalsozialismus gab es ein
breites Spektrum an Haltungen. Häufig anzutreffen waren das Nebeneinander von Bewunderung für den «Führer» und Verachtung für die «kleinen
Hitlers» in der näheren Umgebung. Dieser Zwiespalt reichte bis weit in die
NSDAP hinein, der anzugehören für viele eine Frage des beruflichen Fort-
kommens war. (8,5 Millionen Mitglieder zählte die Partei bei Kriegsende.)
Viele «Volksgenossen» bejahten die Politik des «Dritten Reiches» im
großen und ganzen, hatten aber Vorbehalte gegenüber Maßnahmen auf einzelnen Gebieten, etwa der Kirchen- und Schulpolitik. Bei manchen gingen
die Vorbehalte so weit, daß sie, soweit es möglich war, den Hitlergruß oder
das Hissen der Hakenkreuzflagge vermieden, nationalsozialistischen Organisationen entweder gar nicht oder, wo es unvermeidbar erschien, nur
«harmlosen» Gliederungen wie der NS-Volkswohlfahrt beitraten. Das war

noch kein Widerstand, aber doch Distanz, Nichtmitmachen, teilweise Verweigerung. Im privaten Kreis, wo man sicher sein konnte, daß niemand etwas hörte, was er nicht hören sollte, konnten auch Zweifel und Kritik an Hitler geäußert und Witze über ihn, Göring oder Goebbels erzählt werden. Für die große Mehrheit der Deutschen aber war «der Führer» sakrosankt: Hitlers Erfolge und seine Popularität glichen weithin aus, was es im Alltag des «Dritten Reiches» zu beanstanden gab.[15]

Stellt man auf die Masse der Deutschen ab, so wurde Hitler in den Friedensjahren seiner Herrschaft immer beliebter. Anders sah es bei vielen «rechten» Intellektuellen aus. Manche, die 1933 der «Machtergreifung» Beifall gezollt hatten, wandten sich in den folgenden Jahren, abgestoßen vom plebejischen Habitus der «Bewegung» und enttäuscht vom Mittelmaß ihrer «geistigen» Repräsentanten, von der offenen Unterstützung des Nationalsozialismus wieder ab. Das galt etwa für den Dichter Gottfried Benn, den Soziologen Hans Freyer, den Philosophen Arnold Gehlen und, mit Einschränkungen, für Martin Heidegger, der sich seinerseits Angriffen radikaler Nationalsozialisten ausgesetzt sah, die ihn für weltanschaulich unzuverlässig erklärten.

Bei dem Staatsrechtler Carl Schmitt lag der Fall so, daß nicht er am Nationalsozialismus, sondern der Nationalsozialismus an ihm irre wurde. Ende 1936, kurz nachdem er sich in krassester Form zum Antisemitismus bekannt hatte, deckte «Das Schwarze Korps», die Zeitschrift der SS, Schmitts frühere Verbindungen zu Juden, seine Nähe zum politischen Katholizismus und seine Gegnerschaft zum Nationalsozialismus in der Zeit vor 1933 auf. Schmitt verlor seine politischen Ämter, mit Ausnahme der Mitgliedschaft im Preußischen Staatsrat, die er Göring verdankte, behielt aber die Professur. Dem «Dritten Reich» war er weiterhin hilfreich. 1939 versuchte er der deutschen Expansion den Schein einer juristischen Begründung zu liefern, indem er dem Reich die geschichtliche Aufgabe zuwies, eine neue «Großraumordnung mit Interventionsverbot für raumfremde Mächte» zu errichten.

Die Intellektuellen, die 1933 Deutschland nicht verlassen, aber auch keine Wendung zum Nationalsozialismus vollzogen hatten, fanden sich in der «inneren Emigration» wieder. Es war ein Ort, an dem sich einige der bekanntesten deutschen Schriftsteller trafen: Ernst Jünger, Ricarda Huch, Reinhold Schneider, Ernst Wiechert, Werner Bergengruen etwa. Soweit sie sich nicht offen politisch äußerten, konnten sie auch publizieren. Selbst verfremdete Kritik am Nationalsozialismus passierte mitunter die Zensur: so Bergengruens «Großtyrann und das Gericht» von 1935 und Jüngers «Marmorklippen» von 1939. Die Literatur der inneren Emigration wurde gelesen, aber von der Parteipresse totgeschwiegen. Offiziell gaben andere Schriftsteller den Ton an, deren «Linie» dem Regime genehm war: Hans Friedrich Blunck zum Beispiel, Autor norddeutscher Mythenprosa und zeitweiliger Präsident der Reichsschrifttumskammer, Hans Grimm, Verfasser des Kolonialromans «Volk ohne Raum», und Werner Beumelburg, Autor von Romanen, die das «Kriegserlebnis» der Jahre 1914 bis 1918 verklärten. Die «innere Emigration» blieb ein Phänomen der mittleren und älteren Generation. Jüngere Intellektuelle neigten dazu, im Nationalsozialismus die Kraft einer umfassenden Erneuerung der Nation zu sehen – oder ihn dazu zu machen. In den Schaltstellen der SS, ihres Sicherheitsdienstes, des SD, und der Gestapo saßen Mitte der dreißiger Jahre junge Akademiker, die ihr Studium in der «Systemzeit», der Weimarer Republik, absolviert hatten – Männer wie der 1903 geborene Mainzer Beamtensohn und Jurist Werner Best, der der Geheimen Staatspolizei als Organisator, Personalchef, Justitiar und Ideologe diente.

Das «Kriegserlebnis» der jungen nationalsozialistischen Technokraten waren die bürgerkriegsähnlichen Auseinandersetzungen in Deutschland zwischen 1918 und 1920 und von 1930 bis 1933, vor allem aber die Kämpfe um Oberschlesien und während der Ruhrbesetzung von 1923. Die jungen nationalsozialistischen Intellektuellen waren geprägt vom völkischen Nationalismus und entschlossen, mit den Mitteln des totalen Staates eine rassisch homogene Volksgemeinschaft aufzubauen. Die Ausschaltung von «Bolschewisten», «Marxisten» und anderen Staatsfeinden war ihr Verantwortungsbereich, und sie waren auf diesem Gebiet seit 1933 ein gutes Stück vorangekommen. Die Ausschaltung der Juden aber war noch eine weithin ungelöste Aufgabe. Die jungen Akademiker in SS, SD und Gestapo wußten das, und sie arbeiteten an einer Lösung.[16]

Eine forcierte Auswanderung aus Deutschland hätte theoretisch eine «Lösung der Judenfrage» im nationalsozialistischen Sinn sein können, und schon im ersten Jahr des «Dritten Reiches» wurde tatsächlich ein Versuch in dieser Richtung unternommen: Das Reichswirtschaftsministerium schloß im August 1933 mit zionistischen Vertretern aus Deutschland und Palästina das «Haavarah-Abkommen», das es jüdischen Emigranten erleichterte, einen Teil ihres Vermögens indirekt nach Palästina zu transferieren (einen anderen Teil eignete sich das Deutsche Reich an, das überdies mehr Waren als bisher in Palästina absetzen konnte). Für die meisten der 60000 Juden, die zwischen 1933 und 1939 nach Palästina auswanderten, bedeutete das Abkommen eine gewisse materielle Hilfe. Von dieser Möglichkeit Gebrauch zu machen erforderte jedoch erhebliche Geldmittel, über die nur ein Teil der deutschen Juden verfügte. Und auch von den vermögenden Juden hielt einstweilen nur eine Minderheit die Lage in Deutschland für so bedrohlich, daß sich ihr der Gedanke an Emigration aufdrängte. In den Jahren 1933 bis 1937 verließen etwa 129000 von insgesamt 525000 Juden Deutschland, die meisten davon in Richtung Westeuropa.

Im Frühjahr 1935 verstärkte sich wieder der antisemitische Druck von «unten», wobei vor allem nationalsozialistische Mittelständler in Erscheinung traten, die sich durch spontane Aktionen wie Überfälle auf jüdische Läden unliebsamer Konkurrenten zu entledigen versuchten. Die wirtschaftlichen Schäden waren beträchtlich, und das negative Echo im Ausland war so massiv, daß sich das Regime, auf Betreiben vor allem des «bürgerlichen» Reichswirtschaftsministers Hjalmar Schacht, im August zu einer Kanalisierung des Protests entschloß.

Das Ergebnis waren die «Nürnberger Gesetze», die der Reichstag am 15. September 1935, während des Reichsparteitags der NSDAP und an dessen Tagungsort, verabschiedete. Das Reichsflaggengesetz beseitigte das im März 1933 eingeführte Nebeneinander der Hakenkreuzfahne und der schwarz-weiß-roten Flagge des Kaiserreichs zugunsten des nationalsozialistischen Symbols, das nun zur alleinigen Nationalfahne erklärt wurde. Das Gesetz zum Schutz des deutschen Blutes und der deutschen Ehre verbot Eheschließungen sowie außerehelichen Geschlechtsverkehr von Juden und Staatsangehörigen deutschen oder «artverwandten» Blutes; es untersagte überdies Juden, «arische» Hausangestellte weiblichen Geschlechts unter 45 Jahren zu beschäftigen und die Hakenkreuzfahne zu hissen. Das Reichsbürgergesetz definierte den Begriff des «Staatsangehörigen» und schuf für die «arischen» Deutschen die Rechtsfigur des Reichsbürgers. Nur Reichsbürger hatten die vollen politischen Rechte wie das Wahlrecht; die bloßen Staatsangehörigen wurden auf den Status von geduldeten Gästen heruntergedrückt.

Hitler wählte von den vier Entwürfen des Staatsbürgergesetzes, die ihm vorgelegt wurden, den «mildesten» aus, strich aber die einschränkende Bestimmung, wonach das Gesetz nur für «Volljuden» galt. Die Folge war, daß auf dem Verordnungsweg festgelegt werden mußte, wer «Volljude», wer «Mischling ersten und zweiten Grades», wer «Geltungsjude», wer «Deutschblütiger» war – und welche Konsequenzen sich für die nicht rein «Deutschblütigen» daraus ergaben. Die Rolle des obersten Schiedsrichters in Zweifelsfällen behielt sich Hitler selbst vor.

Die «Nürnberger Gesetze» hoben die Judenemanzipation auf und reduzierten das Deutschsein auf eine Frage der Biologie. Die Kampfansage an die Kultur war offenkundig und traf doch nicht selten auf Zustimmung. Die Beschränkung des jüdischen Einflusses auf dem Gesetzesweg wurde eher akzeptiert als wilde Aktionen gegen die Juden. In einem amtlichen Bericht aus Berlin hieß es, nach Jahren des Kampfes zwischen Deutschtum und Judentum seien nun «endlich klare Verhältnisse geschaffen», was «überall große Befriedigung und Begeisterung im Volke» ausgelöst habe. In Koblenz gab es «Genugtuung», weil das Blutschutzgesetz «mehr als die unerfreulichen Einzelaktionen die erwünschte Isolierung des Judentums herbeiführen» werde. Die Vertrauensleute der Sozialdemokratie sprachen hingegen von Ablehnung der Judengesetze in Arbeiterschaft und Bürgertum, ja «bis weit in nationalsozialistische Kreise hinein». Mindestens ebenso häufig wie die Entrechtung der Juden wurde freilich dieser Quelle zufolge

die Verdrängung der kaiserlichen Flagge durch das Hakenkreuz kritisiert –
also dasjenige der «Nürnberger Gesetze», das auch nach Meinung der offiziellen Berichterstatter eher unpopulär war.

Äußerlich trat nach den «Nürnberger Gesetzen» eine gewisse Beruhigung ein. 1936 war das Jahr der Olympischen Spiele in Garmisch-Partenkirchen und Berlin, und aus diesem Anlaß wollte die nationalsozialistische
Führung der Welt ein freundliches Bild von Deutschland vermitteln. Als
am 5. Februar der jüdische Medizinstudent David Frankfurter den Lan-
desgruppenleiter der Auslandsorganisation der NSDAP in der Schweiz,
Wilhelm Gustloff, erschoß, unterband das Regime alle antisemitischen
Kundgebungen und Aktionen: Am Tag darauf begannen die Olympischen
Winterspiele in Garmisch-Partenkirchen.

Zweieinhalb Jahre später löste ein anderes Attentat die größte Pogrom-
welle aus, die Deutschland seit den Judenmorden in der Pestzeit von 1348
bis 1350 erlebt hatte. Am 7. November 1938 schoß Herschel Grynszpan,
Sohn einer aus Deutschland zur polnischen Grenze deportierten jüdischen
Familie, auf den Gesandtschaftsrat an der deutschen Botschaft in Paris,
Ernst vom Rath, und verwundete ihn schwer. Der Anschlag fiel in eine Zeit
anschwellender antisemitischer Ausschreitungen, darunter Brandstiftun-
gen in Synagogen in München und Nürnberg, und diskriminierender Maßnahmen wie eines Berufsverbots für jüdische Ärzte und Rechtsanwälte. Am
Nachmittag des 9. November erlag Ernst von Rath seinen Verletzungen.
Binnen weniger Stunden brannten in ganz Deutschland die Synagogen. 267
jüdische Gotteshäuser wurden zerstört, etwa 7500 jüdische Geschäfte verwüstet. Mindestens 91 Juden wurden getötet; Hunderte begingen Selbstmord oder starben infolge von Mißhandlungen in den Konzentrationslagern, wohin vermögende Juden zu Zehntausenden verbracht worden
waren, um sie zur Auswanderung zu zwingen.

Das Signal zu den Pogromen der «Reichskristallnacht» hatte Goebbels
nach Rücksprache mit Hitler gegeben. Verübt wurden die Greueltaten von
SA, SS und zahllosen Parteigenossen. Die Bevölkerung war aktiv kaum beteiligt und ließ nur selten Sympathie für die Akte des Vandalismus erkennen. «Auch den Gesichtern war ganz selten einmal anzumerken, was ihre
Besitzer dachten», hieß es in einem Bericht aus München. «Hier und da fielen Worte der Schadenfreude, aber auch solche des Abscheus konnte man
gelegentlich hören.» Im kleinen Heilbrunn bei Bad Tölz begrüßte ein Teil
«das Vorgehen gegen die Juden, andere sahen dem Vorgehen gelassen zu,
und wieder andere haben eher Mitleid, auch wenn sie das nicht offen aussprechen». Den sozialdemokratischen Vertrauensleuten zufolge wurden
die «Ausschreitungen von der großen Mehrheit des deutschen Volkes
scharf verurteilt».

Am 10. November ordnete Goebbels das Ende des Pogroms an. Die endgültige Antwort, so verlautete aus dem Reichsministerium für Volksaufklärung und Propaganda, werde dem Judentum auf dem Weg der Gesetz-

gebung erteilt. Am 12. November ergingen die ersten Verordnungen. Die deutschen Juden mußten eine «Sühneleistung» in Höhe von 1 Milliarde Reichsmark zugunsten des Deutschen Reiches entrichten, die Kosten für die Wiederherstellung ihrer Geschäfte selbst tragen und etwaige versicherungsrechtliche Ansprüche an das Reich abtreten. Die Verordnung über die Ausschaltung der Juden aus dem Wirtschaftsleben untersagte Juden den Betrieb von Einzelhandelsverkaufsstellen, Versandgeschäften, Bestellkontoren und den selbständigen Betrieb eines Handwerks. Bis zum 1. Januar 1939 mußten Juden ihren Grundbesitz, ihre Unternehmen, Aktien, Juwelen und Kunstwerke verkaufen. Der Erlös, den die Juden dabei erzielten, war so niedrig, daß die «Arisierung» einer Enteignung gleichkam. In der Wirkung war sie eine gigantische Umverteilung von Vermögenswerten zugunsten nichtjüdischer Konkurrenten – eine Umverteilung, die bis in die Gegenwart fortwirkt.

Zur Arisierung, die schon lange vor dem 9. November 1938 begonnen hatte, kamen reine Schikanemaßnahmen hinzu. Juden durften Schwimmbäder, Kinos, Theater, Konzerte und Museen nicht mehr besuchen; die Benutzung von Eisenbahnabteilen, in denen sich «Arier» aufhielten, wurde ihnen untersagt. Es war ihnen nicht länger gestattet, Gold, Silber, Edelsteine und Rundfunkgeräte zu besitzen; Telefonanschlüsse und Führerscheine wurden ihnen entzogen. Die Zusammenlegung von Juden in «Judenhäusern» und Zwangsarbeit konnten angeordnet werden. Deutsche Schulen waren fortan für Juden gesperrt, ebenso das allgemeine Wohlfahrtssystem. Die gesellschaftliche Isolierung der Juden fand einen besonders diffamierenden Ausdruck in einer gesetzlichen Bestimmung, die am 1. Januar 1939 wirksam wurde: Juden, die keinen «typisch jüdischen» Vornamen trugen, mußten ihrem Vornamen «Israel» beziehungsweise «Sara» hinzufügen.

Eine Entscheidung darüber, was aus den 214000 Juden werden sollte, die den Ergebnissen einer Volkszählung zufolge im Mai 1939 in «Großdeutschland» lebten, war um diese Zeit noch nicht gefallen. Der im Februar 1939 gegründeten Reichszentrale für jüdische Auswanderung, die Heydrich als Chef der Sicherheitspolizei unterstand, gelang es zwar, die Zahl der deutschen Juden bis zum Ausbruch des Zweiten Weltkrieges um etwa 30000 zu vermindern. Aber da kein Staat bereit war, die verarmten deutschen Juden aufzunehmen, war eine rasche und umfassende Lösung der deutschen «Judenfrage» auf dem Weg der forcierten Auswanderung nicht zu erwarten.

Am Willen der nationalsozialistischen Führung, sich der deutschen Juden zu entledigen, gab es dennoch keinen Zweifel. Er sei fest entschlossen, «die Juden aus Deutschland herauszubringen», sagte Hitler am 5. Januar 1939 in Berchtesgaden gegenüber dem polnischen Außenminister Józef Beck. «Man würde ihnen jetzt noch gestatten, einen Teil ihres Vermögens mitzunehmen... Je länger sie aber zögerten auszuwandern, desto weniger würden sie mitnehmen können.» Dreieinhalb Wochen später, am 30. Januar 1939, dem sechsten Jahrestag der sogenannten «Machtergreifung», erklärte Hitler im Reichstag, er wolle, wie schon so oft in seinem Leben, auch heute wieder ein Prophet sein: «Wenn es dem internationalen Finanzjudentum in und außerhalb Europas gelingen sollte, die Völker noch einmal in einen Weltkrieg zu stürzen, dann wird das Ergebnis nicht die Bolschewisierung der Erde und damit der Sieg des Judentums sein, sondern die Vernichtung der jüdischen Rasse in Europa.»[17]

Auf dem Weg in den Zweiten Weltkrieg war die Wiedereinführung der allgemeinen Wehrpflicht am 16. März 1935 eine der wichtigsten Stationen. Hitler brach damit offen den Vertrag von Versailles, der Deutschland auf ein Berufsheer von 100 000 Mann und Marinetruppen von 15 000 Mann festgelegt hatte. Die neue Wehrmacht sollte eine Friedensstärke von 36 Divisionen und 550 000 Mann besitzen. Da sich die Siegermächte, darunter zunächst auch das faschistische Italien, mit papierenen Protesten begnügten, konnte Hitler im Jahr darauf zum nächsten, diesmal endgültigen Schlag gegen das System von Versailles und Locarno ausholen: Am 7. März 1936 ließ er die entmilitarisierte Zone des Rheinlands besetzen. Wiederum blieben die Westmächte untätig.

In Deutschland ließ der Erfolg des Überraschungsschlags Hitlers Popularität gewaltig ansteigen. Dieser nutzte den Prestigegewinn sogleich aus, um sich seine Macht plebiszitär bestätigen zu lassen: Bei den kurzfristig anberaumten Reichstagswahlen vom 29. März 1936, an denen die Juden nicht mehr teilnehmen durften und örtliche Wahlvorstände die Ergebnisse im Bedarfsfall kräftig «verbesserten», stimmten 98,8 % für die «Liste des Führers». Hitler schien nun selbst von der eigenen Unfehlbarkeit überzeugt, ja, wie der englische Historiker Ian Kershaw bemerkt, «ein Gläubiger seines Mythos» geworden zu sein. Auf dem «Parteitag der Ehre» sprach er im September 1936 in der Pose des nationalen Erlösers von der mystischen Einheit zwischen sich und dem Volk: «Das ist das Wunder unserer Zeit, daß ihr mich gefunden habt (brausende Heilrufe!), daß ihr mich gefunden habt unter so vielen Millionen! Und daß ich euch gefunden habe, das ist Deutschlands Glück!»

Der Parteitag vom September 1936 gab Hitler die willkommene Gelegenheit, sich den Deutschen und der Welt abermals als Retter vor dem Bolschewismus zu präsentieren. Unmittelbarer Anlaß seiner apokalyptischen Warnungen war der spanische Bürgerkrieg, der im Juli 1936 freilich nicht von den Kommunisten, sondern von *der* Seite ausgelöst worden war, die inzwischen massive Hilfe von Einheiten aller Waffengattungen der Wehrmacht erhielt: den Nationalisten unter General Franco.

Hitler rechnete die Kämpfe in Spanien zu den «Zeichen einer bösewerdenden Zeit»: «Was wir jahrelang predigten über die größte Weltgefahr dieses endenden zweiten Jahrtausends unserer christlichen Geschichte, wird

furchtbare Wirklichkeit. Überall beginnt die Minierarbeit der bolschewistischen Drahtzieher wirksam zu werden. In einer Zeit, da bürgerliche
Staatsmänner von Nichteinmischung reden, betreibt eine internationale jüdische Revolutionszentrale von Moskau aus über alle Rundfunksender und
durch tausend Geld- und Agitationskanäle die Revolutionierung dieses
Kontinents.» Die Folgerung, die Hitler aus dieser Lagebeurteilung zog,
schien in sich schlüssig: So wie der Nationalsozialismus im Innern mit «dieser Weltverhetzung» fertig geworden sei, werde er «auch jeden Angriff von
außen mit brutalster Entschlossenheit abwehren» – und deshalb rüste
Deutschland auf.

Zum Zeitpunkt des «Parteitags der Ehre» hatte Hitler seinen geheimen
Zeitplan für den Krieg bereits vorgelegt. «1. Die deutsche Armee muß in
vier Jahren einsatzfähig sein; 2. die deutsche Wirtschaft muß in vier Jahren
kriegsfähig sein»: Das waren die beiden Kernaussagen der Denkschrift zum
Vierjahresplan, die er im August 1936 verfaßte. Die Verkündung des Vier-
jahresplans auf dem Nürnberger Reichsparteitag fiel in eine Zeit, in der
Deutschland faktisch den Zustand der Vollbeschäftigung erreicht hatte.
Erfolge in der «Arbeitsschlacht» waren nun nicht mehr nötig, um dem
Regime die Loyalität der Massen zu sichern. Außenpolitisch war die
Souveränität des Reiches in vollem Umfang wiederhergestellt. Damit
waren die Voraussetzungen gegeben, um die eigentlichen, die expansiven
Ziele des Regimes in Angriff zu nehmen – also den großen Krieg systema-
tisch vorzubereiten.

Um für *den* Krieg bereit zu sein, den Hitler im Auge hatte, mußte
Deutschland zunächst bis 1940 größtmögliche Autarkie erreichen. Diese
war notwendig, damit das Reich in die Lage versetzt wurde, den Kampf um
neuen Lebensraum aufzunehmen, der ihm die absolute Autarkie verschaffen würde. Wenn das ehrgeizige Ziel nicht mit privatwirtschaftlichen Mitteln zu erreichen war, dann mit staatswirtschaftlichen: Das war die Leit-
linie, die Hitler dem Beauftragten für den Vierjahresplan, Hermann
Göring, mit auf den Weg gab.

Tatsächlich wurde Görings Behörde zum Gegenpol des Reichswirtschaftsministeriums und Göring selbst zum Widerpart von Hjalmar
Schacht, der seit März 1933 wieder Reichsbankpräsident war und in Personalunion im Juli 1934 das Amt des Reichswirtschaftsministers sowie im
Mai 1935 das des Generalbevollmächtigten für die Kriegswirtschaft übernommen hatte. Der Vierjahresplan leitete den Übergang zum nationalsozialistischen Staatskapitalismus ein: Der Einfluß des Regimes auf die Wirtschaft gewann eine neue Qualität. Im Juli 1937 wurde in Salzgitter die
«A. G. für Erzbergbau und Eisenhütten Hermann Göring» gegründet – die
Keimzelle der ein Jahr später ins Leben gerufenen «Reichswerke Hermann
Göring», eines Mammutkonzerns, der 1940 fast 600000 Menschen beschäftigte und alle Produktionsstufen in sich vereinigte. Schacht zog aus
seiner Entmachtung die Konsequenzen: Im August 1937 bat er Hitler um

seine Entlassung als Reichswirtschaftsminister und Generalbevollmächtigter für die Kriegswirtschaft. Am 26. November 1937 gab Hitler dem Antrag statt. Das Amt des Reichsbankpräsidenten behielt Schacht noch bis zum Januar 1939.

Am 5. November 1937, drei Wochen vor Schachts Entlassung als Reichswirtschaftsminister, entwickelte Hitler in einer Geheimrede in Gegenwart des Reichskriegsministers von Blomberg, des Außenministers von Neurath, der Oberbefehlshaber der drei Wehrmachtsteile, Fritsch für das Heer, Raeder für die Marine, Göring für die Luftwaffe, sowie des Wehrmachtadjutanten Oberst Hoßbach sein militärisch-strategisches Gesamtprogramm. Einer von Hoßbach fünf Tage später angefertigten Aufzeichnung zufolge konnte die deutsche Raumnot nach Hitlers Überzeugung nur noch auf dem Weg der Gewalt behoben werden. Die Rohstoffgebiete, die Deutschland für sein, von einem festen Rassekern beherrschtes Weltreich benötige, seien zweckmäßigerweise im unmittelbaren Anschluß an das Reich und nicht in Übersee zu suchen. Es sei sein, Hitlers, «unabänderlicher Entschluß, spätestens 1943/45 die deutsche Raumfrage zu lösen». Vielleicht müsse aber auch schon vorher gehandelt werden, falls es in Frankreich zum Bürgerkrieg komme oder Frankreich in einen Krieg mit einer dritten Macht gerate. Zur Verbesserung der militärisch-politischen Lage Deutschlands müsse in jedem Fall einer kriegerischen Verwicklung die Niederwerfung der «Tschechei» und Österreichs das erste Ziel sein. Dies sei notwendig, um die Flankenbedrohung eines etwaigen Vorgehens nach Westen auszuschalten.

Was Hitler am 5. November 1937 vortrug, war im Kern nichts anderes als eine Kurzfassung seines in «Mein Kampf» entwickelten Lebensraumprogramms. Daß er als Reichskanzler an diesen Zielsetzungen festzuhalten entschlossen war, hatte er der militärischen Führung schon am 3. Februar 1933 in nicht zu überbietender Deutlichkeit zu verstehen gegeben. Hitlers Zeitplan lag seit dem August 1936 vor. Insofern dürften seine Darlegungen vom 5. November 1937 die Zuhörer kaum überrascht haben. Was einige, nämlich Neurath, Blomberg und Fritsch, zu Widerspruch veranlaßte, war zum einen Hitlers Annahme, England und Frankreich würden einem deutschen Angriff auf die Tschechoslowakei tatenlos zusehen, zum anderen seine Hoffnung, im Gefolge des Spanischen Bürgerkrieges werde es demnächst zu einem Krieg Frankreichs und Englands gegen das faschistische Italien kommen. Die Bedenken des Außenministers scheinen besonders gravierend gewesen zu sein; sie waren jedenfalls von Kritik an Hitler nicht mehr zu unterscheiden, so daß manches für die Vermutung spricht, Neurath habe an jenem Tag selbst den Grund für seine Entlassung Anfang Februar 1938 gelegt.[18]

Anhaltspunkte dafür, daß Hitler seit dem 5. November 1937 zur Trennung auch von Blomberg und Fritsch entschlossen gewesen wäre, gibt es aber nicht. Daß sie drei Monate später nicht mehr im Amt waren, war die Folge von zwei unvorhergesehenen Affären. Sie gaben Hitler Anlaß, ein großes Revirement vorzunehmen, das sich vorzüglich eignete, Vorgänge von äußerster Peinlichkeit zu verschleiern. Die erste Affäre war die um die zweite Ehe des Kriegsministers: Am 21. Januar 1938 erfuhr Hitler, der neun Tage zuvor zusammen mit Göring Trauzeuge bei der Hochzeit Blombergs und Margarete Gruhns gewesen war, daß die Frau des Ministers früher als Modell für pornographische Aufnahmen und als Prostituierte gearbeitet hatte.

Unter den denkbaren Nachfolgern des kompromittierten Blomberg war der Oberbefehlshaber des Heeres, Generaloberst Werner Freiherr von Fritsch. Über ihn lag eine Polizeiakte vor, deren Vernichtung Hitler 1936 (vergeblich) angeordnet hatte. Darin war die Aussage eines Berufsverbrechers festgehalten, daß Fritsch wegen eines homosexuellen Vergehens erpreßt worden sei. Die Anschuldigung war, wie ein Kriegsgericht im März 1938 feststellte, falsch; sie beruhte auf einer Namensverwechslung. Zunächst aber schien das, was die Gestapo auf Weisung Himmlers ermittelte, Fritsch zu belasten. Die Folge war, daß außer dem Reichskriegsminister auch der Oberbefehlshaber des Heeres sein Amt verlor – beide, wie es offiziell hieß, wegen ihres angegriffenen Gesundheitszustands.

Seit dem 4. Februar 1938 gab es keinen Reichskriegsminister mehr. Die Geschäfte des Reichskriegsministers nahm fortan das neugeschaffene Oberkommando der Wehrmacht wahr. An seine Spitze trat Hitler; ihm unmittelbar untergeordnet war der neue «Chef des OKW», der General der Artillerie Wilhelm Keitel, der im Rang einem Reichsminister gleichgestellt war. Zum Nachfolger von Fritsch berief Hitler Generaloberst Walther von Brauchitsch. Göring, der Oberbefehlshaber der Luftwaffe, wurde zum Generalfeldmarschall ernannt und war damit der ranghöchste deutsche Soldat. Zu zahlreichen weiteren Umbesetzungen im militärischen Bereich, die als gezielte Maßnahmen zur Verjüngung der Generalität ausgegeben wurden, kamen zwei Wechsel an der Spitze von Ministerien. Die Nachfolge von Außenminister von Neurath trat Joachim Ribbentrop an, als Leiter der «Dienststelle Ribbentrop» seit 1934 Hitlers außenpolitischer Berater und seit 1936 deutscher Botschafter in London. Ebenfalls am 4. Februar 1938 wurde bekanntgegeben, daß Walther Funk, bisher Staatssekretär des Propagandaministeriums, an Stelle des zurückgetretenen Schacht die Leitung des Reichswirtschaftsministeriums übernommen habe.

Die Affären um Blomberg und Fritsch hatten Wirkungen, die Hitler höchst gelegen kamen: Die Wehrmacht hatte jetzt endlich eine einheitliche Führung, wobei das «preußische» Heer seine Sonderstellung verlor und Hitlers Macht weiter wuchs. Der Einfluß der «alten Eliten» ging auch in der Diplomatie und in der Wirtschaft zurück, während die Nationalsozialisten dort an Boden gewannen; dafür sorgten die Umbesetzungen an der Spitze des Auswärtigen Amtes und des Reichswirtschaftsministeriums. Die Gewichtsverlagerungen vom 4. Februar 1938 fügten sich zu einem Gesamtbild zusammen, das Zeitgenossen und Historiker vermuten ließ, es sei das Ergebnis langfristiger Planung. Tatsächlich bewiesen die Ereignisse von Anfang 1938 einmal mehr, daß Hitler ein Genie der Improvisation war: Er verstand es meisterhaft, sich Vorgänge nutzbar zu machen, die für ihn so überraschend waren wie für den Rest der Welt.

Dem innenpolitischen Coup vom 4. Februar 1938 folgte im Monat darauf der erste Griff über die Grenzen. Am 12. Februar stellte Hitler dem österreichischen Bundeskanzler Kurt von Schuschnigg bei einem Treffen auf dem Obersalzberg bei Berchtesgaden ultimative Forderungen, darunter die Ernennung des Nationalsozialisten Arthur Seyß-Inquart zum Innenminister und die Anpassung der österreichischen Außen- und Wirtschaftspolitik an die des Deutschen Reiches. Die Regierung in Wien fügte sich in der Hoffnung, auf diese Weise wenigstens die formelle Unabhängigkeit des Landes bewahren zu können.

Die Hoffnung trog. Als Schuschnigg die Österreicher am 9. März aufrief, sich vier Tage später in einer Volksabstimmung für «ein freies und deutsches, unabhängiges und soziales, für ein christliches und einiges Österreich» auszusprechen, erzwang Hitler die Absetzung des Plebiszits. Am 11. März trat Schuschnigg zurück, woraufhin Seyß-Inquart verkündete, er sei als Sicherheitsminister weiter im Amt. Während die österreichischen Nationalsozialisten überall im Land nach der Macht griffen, gab Hitler den Befehl zum Einmarsch der Wehrmacht für den folgenden Tag, den 12. März. Des Einverständnisses Mussolinis, der bisher als Schutzherr des Alpenstaates aufgetreten war, war er sich seit dem späten Abend des 11. März sicher. Am 13. März unterzeichnete Hitler in Linz das Gesetz über die Wiedervereinigung Österreichs mit dem Deutschen Reich.

Zwei Tage später sprach er vor einer jubelnden Menschenmenge vom Balkon der Wiener Hofburg. Für Österreich, an dessen Grenzen sich jahrhundertelang die «Stürme des Ostens» gebrochen hätten, proklamierte er eine neue Mission: «Sie entspricht dem Gebot, das einst die deutschen Siedler des Altreichs hierher gerufen hat. Die älteste Ostmark des deutschen Volkes soll von jetzt ab das jüngste Bollwerk der deutschen Nation und damit des Deutschen Reiches sein.» Hitler schloß mit der «größten Vollzugsmeldung» seines Lebens: «Als der Führer und Kanzler der deutschen Nation und des Reiches melde ich vor der Geschichte nunmehr den Eintritt meiner Heimat in das Deutsche Reich.»

Das Echo im «Altreich» war überwältigend. Der Regierungspräsident von Schwaben gab die allgemeine Stimmung Anfang April mit den Worten wieder, das deutsche Volk habe im März «einen Höhepunkt seiner Geschichte, die Geburt des groß- und volksdeutschen Reiches und damit die Erfüllung der alten Sehnsucht aller Deutschen, das ‹Deutsche Wunder›» erlebt. «Des Führers ‹größte Vollzugsmeldung seines Lebens› entfachte einen elementaren Lenzsturm der Begeisterung.» Die Prager Exil-SPD kam auf Grund der Berichte ihrer Vertrauensleute im Reich zu dem Ergebnis, «daß die nationale Hochstimmung... echt ist und daß nur eine weitsichtigere, in der Kritik standfeste Minderheit sich von ihr ausschließt». In Österreich warben die katholischen Bischöfe und selbst ein prominenter Sozialdemokrat, der frühere Staatskanzler Karl Renner, für ein Ja bei der Volksabstimmung am 10. April. Jeweils über 99 % stimmten in Österreich wie im «Altreich» für die «Wiedervereinigung» und gleichzeitig für die «Liste unseres Führers Adolf Hitler» – die einzige Liste bei der Wahl des neuen, nunmehr «großdeutschen» Reichstags.

Von einer geheimen Wahl konnte im April 1938 nicht mehr die Rede sein; ungültige Stimmen wurden mancherorts in Ja-Stimmen verwandelt oder Nein-Stimmen als ungültig bewertet. An der Popularität des «Anschlusses» konnte es dennoch keinen Zweifel geben – und auch nicht an der Popularität des Mannes, der ihn herbeiführte. Hitler galt nun auch bei vielen, die ihm bislang mißtraut hatten, als der Staatsmann, der Bismarcks Werk vollendete, indem er den Bruch von 1866 überwand und eine Brücke schlug zum «alten», dem 1806 untergegangenen ersten Reich der Deutschen. Überzeugte «Kleindeutsche» gab es 1938 ohnehin kaum noch; die Zeit der protestantischen Nationalliberalen war schon seit langem abgelaufen, und die Einsicht der späten Paulskirche, daß sich mit Österreich ein deutscher Nationalstaat nicht bilden lasse, war seit der Auflösung der Habsburgermonarchie historisch überholt. Seit 1918 hatte nur noch der Wille der Sieger der Vereinigung Deutschlands und Österreichs entgegengestanden. Daß England und Frankreich sich Hitlers Politik der vollendeten Tatsachen abermals fügten, wurde im Frühjahr 1938 besonders bejubelt – nicht zuletzt von Deutschen, die zuvor mit harten Reaktionen der beiden westlichen Demokratien gerechnet hatten. Der «Führer» hatte die Friedensverträge von Versailles und St. Germain beiseite gewischt, das Selbstbestimmungsrecht der Deutschen und Österreicher verwirklicht und damit ein weiteres Mal der Welt getrotzt: Das war die überwiegende Meinung derer, die ihm am 10. April 1938 ihre Stimme gaben.[19]

Für die staatliche Unabhängigkeit Österreichs in den Krieg zu ziehen, obwohl die Österreicher in ihrer Mehrheit an der Unabhängigkeit offenkundig gar nicht festhalten wollten: dafür hätten die Regierungen in Paris und London ihre Völker nicht gewinnen können. Doch im Frühjahr 1938 war bereits klar, daß Hitlers territorialer Forderungskatalog noch längst nicht erschöpft war. Das nächste Ziel würden jene Gebiete in der Tschechoslowakei sein, in denen Sudetendeutsche lebten: Das hatte seine Reichstagsrede vom 20. Februar 1938 deutlich gemacht, in der er ein Schutzrecht des Reiches für jene «10 Millionen Deutschen» in «zwei der an unseren Grenzen liegenden Staaten» beanspruchte, die «bis 1866 mit dem deutschen Gesamtvolk noch in einem staatsrechtlichen Bund» vereinigt gewesen seien. Einer dieser beiden Staaten, Österreich, war inzwischen ein Teil Deutschlands. Der andere Staat, die Tschechoslowakei, unterhielt Bündnisse mit Frankreich und, seit 1935, mit der Sowjetunion. Deutsche Drohungen gegenüber Prag mußten also sofort zu einer ernsten internationalen Krise führen.

«Objektiv» war die Tschechoslowakei ein Vielvölkerstaat. Tatsächlich fühlten sich die Tschechen, die mit 46 % nur die relative Mehrheit der Bevölkerung stellten, als *das* Staatsvolk, was sich darin ausdrückte, daß das Tschechische beziehungsweise Slowakische 1920 zur Staatssprache erklärt wurde. Die 3,5 Millionen Deutschen, mit 28 % die zweitstärkste Nationalität, waren gegen ihren Willen Bürger der Tschechoslowakischen Republik geworden. Sie hatten Grund, sich trotz staatsbürgerlicher Gleichberechtigung benachteiligt zu führen. Zum Sprachrohr dieses Gefühls wurde immer mehr die Sudetendeutsche Partei Konrad Henleins, dem bei den Wahlen von 1935 zwei Drittel aller deutschen Mandate im Prager Parlament zufielen. Seit 1937 bekannte sich Henlein offen zum Nationalsozialismus. Die Einverleibung der Sudetengebiete in das Deutsche Reich durfte er freilich noch nicht verlangen, weil dies zum Verbot der Partei geführt hätte. Aber er konnte tun, worauf Hitler ihn bei einer Zusammenkunft am 28. März 1938, unmittelbar nach dem «Anschluß» Österreichs, festlegte: Er war in der Lage, der Regierung in Prag unerfüllbare Forderungen zu stellen. Ebendies war fortan die Linie der Sudetendeutschen Partei.

Ende Mai 1938 spitzte sich die Krise zwischen Berlin und Prag dramatisch zu. Die tschechische Seite machte, in irriger Erwartung eines unmittelbar bevorstehenden deutschen Angriffs, am 20. Mai mobil. Die britische Regierung ließ Hitler mitteilen, sie würde Frankreich beistehen, falls dieses seinem tschechoslowakischen Verbündeten zu Hilfe komme, gab aber gleichzeitig dem Quai d'Orsay zu verstehen, daß mit einem Waffengang der Engländer nicht zu rechnen sei. Am 30. Mai setzte Hitler die Wehrmacht von seinem «unabänderlichen Entschluß» in Kenntnis, «die Tschechoslowakei in absehbarer Zeit durch eine militärische Aktion zu zerschlagen». Als Termin, bis zu dem die Wehrmacht bereit sein müsse, in die Tschechoslowakei einzumarschieren und Böhmen und Mähren in Besitz zu nehmen, nannte er den 1. Oktober 1938.

Die akute Gefahr eines großen europäischen, ja vielleicht des Zweiten Weltkriegs vor Augen, lehnten sich im Sommer 1938 erstmals führende Militärs, Diplomaten und namhafte Konservative gegen Hitler auf. Der Generalstabschef des Heeres, General Ludwig Beck, forderte, gestützt auf eigene Denkschriften zur militärischen Lage, den Oberbefehlshaber des Heeres auf, das Signal zur kollektiven Befehlsverweigerung der Generalität zu geben, und trat, als Brauchitsch sich zu diesem Entschluß nicht durchringen konnte, am 18. August von seinem Posten zurück. Becks Nachfolger, General Halder, unterstützte zeitweilig Planungen für einen Umsturz, an denen neben vielen anderen der Berliner Wehrkreisbefehlshaber, General von Witzleben, der Kommandeur der Potsdamer Division, Generalmajor Graf von Brockdorff-Ahlefeldt, der Chef der Abwehr, Admiral Canaris, sein Mitarbeiter Hans Oster, der Vizepräsident der Berliner Polizei,

Fritz Dietlof Graf von der Schulenburg, Reichsgerichtsrat Hans von Dohnanyi und der Londoner Botschaftsrat Theodor Kordt beteiligt waren. Der Oberbefehlshaber des Heeres, Generaloberst von Brauchitsch, war nicht eingeweiht. Verweigerte er sich, konnte das Vorhaben kaum gelingen. Eine andere Voraussetzung für das Losschlagen war eine unnachgiebige Haltung der Briten: Nur wenn London Hitler entschieden entgegentrat, sah die konservative Widerstandsbewegung eine Chance, den Diktator zu stürzen und, das erschien vielen Verschwörern die volkstümlichste Alternative zu sein, die Monarchie unter einem der Söhne des Kronprinzen Wilhelm wiederherzustellen.

Beck und die anderen Konservativen schlossen Krieg als Mittel zur Erweiterung des deutschen Einflusses in Mitteleuropa keineswegs aus. Aber Deutschland mußte nach ihrer Überzeugung eine realistische Chance haben, diesen Krieg zu gewinnen, also darauf bedacht sein, seine Kriegsziele zu begrenzen, die Zahl der Gegner möglichst klein zu halten und Umsicht walten zu lassen bei der Wahl des Zeitpunkts für den Kriegsbeginn. Einen militärischen Konflikt mit England wollten sie um nahezu jeden Preis vermeiden. In dieser Hinsicht stimmten sie nicht nur mit dem Staatssekretär des Auswärtigen Amtes, Ernst von Weizsäcker, und Reichsbankpräsident Schacht, sondern sogar mit Göring überein. Die Fronde wollte eine expansive Großmachtpolitik im wilhelminischen Stil betreiben; die Zukunft Deutschlands durch die Vabanquepolitik Hitlers aufs Spiel zu setzen lehnte sie ab.

Für die konservative Regierung in London war die konservative Opposition in Berlin keine sonderlich attraktive Alternative zu Hitler. Am 7. September empfing Außenminister Halifax den deutschen Botschaftsrat Theodor Kordt, der ihn mit Wissen Weizsäckers zu einer Politik der Härte gegenüber Hitler aufforderte. Aber weder der Chef des Foreign Office noch Premierminister Neville Chamberlain versprachen sich Vorteile von einem Pakt mit preußischen Politikern und Militärs, deren außenpolitische Ziele, darunter auch die Forderung nach deutschen Kolonien, sie eher noch gefährlicher dünkten als die Hitlers. Dem «Führer» hielten die regierenden Tories zugute, daß er aus Deutschland ein Bollwerk gegen den Bolschewismus gemacht hatte – eine Errungenschaft, die aus ihrer Sicht im britischen und europäischen Interesse lag und daher nicht von einem offen reaktionären Regime gefährdet werden durfte.

Eine Fortsetzung der Politik des «appeasement» gegenüber dem nationalsozialistischen Deutschland, wie England sie seit einem, im Juni 1935 unterzeichneten deutsch-britischen Flottenabkommen betrieb, erschien auch aus anderen Gründen wünschenswert: Die britische Bevölkerung war auf einen langen Krieg psychologisch noch nicht vorbereitet, und militärisch galt, trotz gesteigerter Rüstung, für Armee, Flotte und Luftwaffe dasselbe. Ein europäischer Krieg mit britischer Beteiligung hätte den antikolonialen Unabhängigkeitsbewegungen in Asien und Afrika Auftrieb gegeben und das Empire in höchste Gefahr gebracht; wirtschaftlich gab es vielversprechende Ansätze zu einem deutsch-britischen Interessenausgleich. Durch eine Kampfansage an Hitler mit dieser Politik zu brechen hieß ein hohes Risiko eingehen: Der Krieg war dann höchst wahrscheinlich, ein Gelingen des Umsturzes in Deutschland aber höchst ungewiß.

Im August 1938 hatte die britische Regierung Lord Runciman zu einer Vermittlungsaktion nach Prag geschickt, doch sie war erfolglos verlaufen: In enger Abstimmung mit Hitler wies Henlein die Zugeständnisse des tschechoslowakischen Präsidenten Eduard Benesch auch dann noch zurück, als dieser sämtliche Forderungen der Sudetendeutschen Partei erfüllt hatte. Auf dem Reichsparteitag «Großdeutschland», der am 6. September 1938 in Nürnberg begann, war die Tonart von Hitlers Attacken auf die tschechoslowakische Führung so schrill wie nie zuvor. In seiner Abschlußrede am 12. September warf er der Prager Regierung «terroristische Erpressung» und «verbrecherische Ziele» vor, hob die gewaltigen militärischen Anstrengungen Deutschlands hervor, beteuerte, daß es ihm nur um das Selbstbestimmungsrecht der Sudetendeutschen gehe, und drohte: «Wenn die Demokratien aber der Überzeugung sein sollten, daß sie... mit allen Mitteln die Unterdrückung der Deutschen beschirmen müßten, dann wird dies schwere Folgen haben!... Die Deutschen in der Tschechoslowakei sind weder wehrlos noch sind sie verlassen. Das möge man zur Kenntnis nehmen.»

Gegen Ende seiner Rede versuchte Hitler, seiner Politik ein großes historisches Relief zu geben. Er setzte die Entwicklung Deutschlands unter seiner und Italiens unter Mussolinis Führung in Parallele und berief sich nicht zufällig auf den besonderen Rang des «alten Deutschen Reiches», zu dem ja auch Böhmen und Mähren gehört hatten. In diesem Zusammenhang gewann selbst die von Hitler angeordnete Rückführung der alten Reichsinsignien, darunter Krone, Reichsapfel, Szepter und Schwert, von Wien nach Nürnberg, also aus der Stadt der Habsburgerkaiser in die Stadt der Reichsparteitage, aktuelle Bedeutung. «Wenn wir die unerhörten Zumutungen bedenken, die in den letzten Monaten selbst ein Kleinstaat glaubte Deutschland stellen zu dürfen, dann finden wir eine Erklärung dafür nur in der geringen Bereitwilligkeit, im Deutschen Reich einen Staat erkennen zu wollen, der mehr ist als ein friedfertiger Emporkömmling... Das Römische Reich beginnt wieder zu atmen. Deutschland aber, wenn auch geschichtlich unendlich jünger, ist ebenfalls als staatliche Erscheinung keine neue Geburt. Ich habe die Insignien des alten Deutschen Reiches nach Nürnberg bringen lassen, um nicht nur dem eigenen Volk, sondern auch der ganzen Welt es zu bedenken zu geben, daß über ein halbes Jahrtausend vor der Entdeckung der Neuen Welt schon ein gewaltiges germanisch-deutsches Reich bestanden hat... Das deutsche Volk ist nun erwacht und hat seiner tausendjährigen Krone sich selbst als Träger gegeben... Das neue italienisch-römische Reich genau so wie das neue germanisch-deutsche Reich sind in

Wahrheit älteste Erscheinungen. Man braucht sie nicht zu lieben. Allein, keine Macht der Welt wird sie mehr entfernen.»

Der Ausbruch des großen Krieges schien nach dem Nürnberger Parteitag unmittelbar bevorzustehen – da kündigte Chamberlain am 14. September seine Absicht an, mit Hitler zusammenzutreffen, und bereits einen Tag später fand die Begegnung im Berghof auf dem Obersalzberg statt. Hitler versuchte Chamberlain ebenso einzuschüchtern, wie er es sieben Monate zuvor gegenüber Schuschnigg getan hatte. Doch der Regierungschef der Macht, in der Hitler stets seinen maritimen Wunschpartner gesehen hatte, verhielt sich anders als der österreichische Bundeskanzler: Chamberlain beantwortete die Kriegsdrohungen des «Führers» mit der Frage, warum er ihn überhaupt habe kommen lassen, wenn er, der Reichskanzler, ohnehin zu Gewaltanwendung entschlossen sei. Unter diesen Umständen sei es wohl das beste, wenn er gleich wieder abreise.

Daraufhin lenkte Hitler ein. Wenn Chamberlain den Grundsatz des Selbstbestimmungsrechts der Sudetendeutschen anerkenne, könne man sich anschließend über die Umsetzung dieses Grundsatzes in die Praxis unterhalten. Der Premierminister versprach, über das Selbstbestimmungsrecht beziehungsweise die Abtretung der Gebiete mit mehr als 50 % deutscher Bevölkerung mit seinen Kabinettskollegen zu beraten, und nahm Hitler seinerseits das Versprechen ab, in der Zwischenzeit keine Gewalt gegenüber der Tschechoslowakei anzuwenden.

Das britische Kabinett gab seinem Premier Rückendeckung, ebenso die französische Regierung unter dem bürgerlichen Radikalsozialisten Edouard Daladier, die zu diesem Zeitpunkt noch von den Sozialisten toleriert wurde. Unter dem massiven Druck aus London und Paris fügte sich am 21. September Prag in das Unvermeidliche und stimmte den britischen Vorschlägen, nämlich der Abtretung der rein deutschen Gebiete an Deutschland und Abstimmungen unter internationaler Aufsicht in den strittigen Gebieten, zu.

Am 22. September traf Chamberlain erneut mit Hitler zusammen, diesmal in Bad Godesberg. Doch die Verhandlungen wurden nicht zu dem Erfolg, mit dem der Premier gerechnet hatte. Hitler bestand auf dem sofortigen Einmarsch der Wehrmacht und der Befriedigung der von ihm ermutigten Gebietsansprüche Ungarns und Polens – Forderungen, auf die Chamberlain nicht eingehen konnte, ohne sich dem Vorwurf auszusetzen, er habe sich einer Erpressung gebeugt. Während die Gespräche noch andauerten, kam am späten Abend des 23. September die Meldung von der tschechoslowakischen Mobilmachung. Trotz der dramatischen Zuspitzung erklärte Chamberlain sich bereit, das Memorandum mit den deutschen Forderungen der Regierung in Prag zuzustellen. Als Frist für die bedingungslose Annahme setzte Hitler den 28. September, 14 Uhr.

Als Hitler am 26. September die Nachricht von der Ablehnung seiner Forderungen durch die tschechoslowakische Regierung erhielt, schien die Welt abermals am Rande des großen Krieges zu stehen. Tags zuvor hatte England seine Flotte in Kriegsbereitschaft versetzt, Frankreich Reservisten einberufen. Am 26. September erklärte die britische Regierung, England werde im Fall einer militärischen Aktion gegen die Tschechoslowakei Frankreich unterstützen. Am Abend desselben Tages forderte Hitler Benesch in einer Rede im Berliner Sportpalast ultimativ auf, zwischen Frieden und Krieg zu wählen, und versicherte, das Sudetenland sei seine letzte territoriale Forderung in Europa: «Wir wollen gar keine Tschechen.» Der fanatischen Rede antwortete frenetischer Beifall. Aber die Stimmung im Sportpalast war nicht die des deutschen Volkes. Den amtlichen Berichten zufolge war bei den Deutschen von Kriegsbegeisterung so gut wie nichts zu spüren, die Hoffnung auf die Bewahrung des Friedens vielmehr allgegenwärtig.

Am Tag nach der Sportpalastrede, dem 27. September, gab Hitler die Befehle, Kräfte für eine erste Angriffswelle bereitzustellen und 19 Divisionen mobil zu machen. Die deutschen Verschwörer mußten jetzt damit rechnen, daß der Ernstfall schon am kommenden Tag eintreten würde. Doch das Signal, der «Angriffsbefehl», kam nicht. Am 28. September, noch vor Ablauf des deutschen Ultimatums, machte Mussolini, von Chamberlain darum gebeten, das Angebot einer Vermittlung durch Italien. Hitler hätte den Vorschlag des «Duce», mit dem er im Oktober 1936 die «Achse Berlin-Rom» vereinbart hatte, nicht ablehnen können, ohne vor aller Welt und auch in den Augen des deutschen Volkes als Kriegstreiber dazustehen.

Am 29. September trafen sich Hitler, Mussolini, Chamberlain und Daladier in München. Das Ergebnis ihrer Verhandlungen kam den Godesberger Forderungen des «Führers» sehr nahe. Die Tschechoslowakei mußte am 1. Oktober mit der Räumung des rein deutschen Gebiets beginnen und sie am 10. Oktober abschließen. Während dieser Zeit rückte die Wehrmacht etappenweise in das geräumte Gebiet ein. Für die ethnisch gemischten Gebiete war eine Abstimmung vorgesehen; ferner sollte es ein Optionsrecht für Deutsche jenseits und Tschechen diesseits der neuen Grenze geben. Großbritannien und Frankreich garantierten den Bestand des restlichen Staatsgebietes der Tschechoslowakei für den Fall eines unprovozierten Angriffs. Deutschland und Italien wollten sich dieser Garantie nach Regelung der Frage der polnischen und der ungarischen Minderheiten anschließen.

Hitler war der Gewinner, in anderer Hinsicht aber auch ein Verlierer der Münchner Konferenz. Er hatte wiederum ohne Schwertstreich ein deutsch besiedeltes Gebiet für Deutschland erobert; das ließ sich als neuer Beleg seiner staatsmännischen Genialität propagandistisch ausschlachten. Doch er hatte sehr viel mehr gewollt als die Angliederung des Sudetenlandes, nämlich einen Vorstoß der Wehrmacht nach Prag, die völlige Vernichtung des tschechoslowakischen Staates und die Inbesitznahme von Böhmen und Mähren. So weit war er nun, infolge der Vermittlungsaktion Mussolinis, nicht gelangt. Er hätte dieses Ziel auch nicht ohne Krieg, und zwar vermutlich einen Krieg von europäischen Ausmaßen, erreichen können. Darauf aber waren die Deutschen im Herbst 1938 nicht vorbereitet. «Mit diesem Volk kann ich noch keinen Krieg führen», hatte Hitler selbst zugeben müssen, als er am Nachmittag des 26. September von einem Fenster der Reichskanzlei aus sah, wie teilnahmslos und bedrückt die Berliner auf den von ihm angeordneten Vorbeimarsch einer motorisierten Division reagierten. Der Beifall der Münchner für Chamberlain und Daladier bezeugte abermals die Friedensliebe der deutschen Bevölkerung. Unter diesen Umständen war das Münchner Abkommen für Hitler denn doch ein höchst respektables Zwischenergebnis.

Für die Tschechoslowakei dagegen war der Ausgang der Münchner Konferenz die Katastrophe schlechthin: Sie war von den Westmächten auf dem Altar des «appeasement» geopfert worden, und das vor allem deshalb, weil diese für die große Kraftprobe mit dem nationalsozialistischen Deutschland weder militärisch noch psychologisch hinreichend gerüstet waren und ihre Regierungen sich der Hoffnung hingaben, Hitlers Ausdehnungsdrang sei nun befriedigt, der Frieden Europas also zunächst einmal gesichert. Der Zerfall des tschechoslowakischen Reststaates aber war seit der Münchner Konferenz nur noch eine Frage der Zeit: Am 2. Oktober besetzten polnische Truppen das Gebiet um Teschen; drei Tage später trat Präsident Benesch zurück; am 2. November mußte sich die Tschechoslowakei dem (ersten) Wiener Schiedsspruch der beiden Achsenmächte Deutschland und Italien unterwerfen, der einen Teil des slowakischen Territoriums mit überwiegend ungarischer Bevölkerung Ungarn zuschlug; am 19. November schuf Prag den gesetzlichen Rahmen für die faktisch schon bestehende Autonomie der Slowakei und der Karpato-Ukraine.

Der neben Frankreich wichtigste Verbündete der Tschechoslowakei, die Sowjetunion, war zur Münchner Konferenz nicht eingeladen worden und zog aus der europäischen Herbstkrise von 1938 den Schluß, daß die kapitalistischen Mächte den politischen Gegensatz zwischen Demokratie und Faschismus leicht überwinden konnten, um gemeinsame Sache gegen die Sowjetunion zu machen. Tatsächlich war der Gegensatz zur revolutionären Macht im Osten ein Element, das die Teilnehmerstaaten der Münchner Konferenz verband. Was London und Paris betraf, war der Antibolschewismus der Regierungen aber defensiv und nicht offensiv. Eine offensive Politik gegenüber der Sowjetunion betrieben drei Großmächte: das nationalsozialistische Deutschland und Japan, die im November 1936 den Antikominternpakt abgeschlossen hatten, und Italien, das ihm ein Jahr später beigetreten war.

Grund, sich bedroht zu fühlen, hatte Stalin also. Aber auch von ihm gingen Drohungen aus. Einen deutschen Angriff auf die Tschechoslowakei wollte er mit einem Angriff auf Polen beantworten, und er unterstützte über die Komintern die Absicht der tschechoslowakischen Kommunisten, einen nationalen Verteidigungskrieg in einen mitteleuropäischen Bürgerkrieg umzuwandeln, um die proletarische Revolution zum Sieg zu führen.

Daß Hitler mit seinem Antibolschewismus in den westlichen Demokratien Widerhall fand, war auch ein Echo der Politik Stalins – der großen Säuberungen in der Sowjetunion, der Bürgerkriegspropaganda und der revolutionären Aktivitäten der Kommunistischen Internationale westlich der sowjetischen Grenzen.[20]

Die Richtung der künftigen deutschen Politik wurde im Spätjahr 1938 in zwei Geheimreden umrissen. Am 8. November erklärte der «Reichsführer SS», Heinrich Himmler, vor den höchsten Führern seiner «Schutzstaffeln», der «Führer» werde ein «großgermanisches Reich schaffen... , das größte Reich, das von dieser Menschheit errichtet wurde und das die Erde je gesehen hat»; die Alternative lautete für Himmler: das «großgermanische Imperium oder das Nichts». Hitler selbst legte zwei Tage später vor ausgewählten Vertretern der deutschen Presse vertraulich dar, daß die Friedenspropaganda des Regimes, zu der er aus außenpolitischen Gründen gezwungen gewesen sei, die aber selbstverständlich auch «ihre bedenklichen Seiten» habe, überholt war. Mittlerweile sei es notwendig geworden, «das deutsche Volk psychologisch allmählich umzustellen und ihm langsam klarzumachen, daß es Dinge gibt, die, wenn sie nicht mit friedlichen Mitteln durchgesetzt werden können, mit Mitteln der Gewalt durchgesetzt werden müssen».

Es war nicht nur Hitlers Friedenspropaganda, die sich im nachhinein als teilweise «bedenklich» erwies. Die Umerziehung zur Kriegsbereitschaft mußte auch berücksichtigen, daß der Alltag der Deutschen in den späten dreißiger Jahren trotz Hitler-Jugend, Reichsarbeitsdienst und allgemeiner Wehrpflicht von den zivilen Errungenschaften des Regimes geprägt war: der zunehmenden Sicherheit des Arbeitsplatzes, einer Reihe von sozialen Verbesserungen, vor allem zugunsten von Frauen und Familien, und den Freizeitangeboten von «Kraft durch Freude», der populärsten Einrichtung der Deutschen Arbeitsfront. Die Erwartungen von ungezählten Millionen richteten sich nicht auf kriegerische Eroberungen, sondern auf «KdF»-Schiffsreisen nach Norwegen oder ins Mittelmeer oder auf den Erwerb eines «Volkswagens», mit dem man auf den neuen Reichsautobahnen, den «Straßen des Führers», das größer gewordene Deutschland kennenlernen konnte.

Im Jahre 1938 lag die Zahl der Arbeitslosen bei 0,4 Millionen oder 1,9 % der abhängigen Erwerbspersonen. In welchem Umfang der Rückgang der Arbeitslosigkeit auf das Konto der Rüstungskonjunktur ging, wieviel höher das persönliche Einkommen ohne die gigantischen Ausgaben für die Rüstung gewesen wäre, was die Reichsmark tatsächlich wert war, vorausgesetzt, sie wäre frei in andere Währungen umtauschbar gewesen und Preise, Löhne und Mieten hätten sich nach dem Gesetz von Angebot und Nachfrage und nicht nach staatlichen Vorgaben gerichtet: darüber konnte man nur spekulieren. Worauf es ankam, war, daß das, was man erreicht hatte, nicht aufs Spiel gesetzt wurde.

Die meisten Deutschen glaubten freilich auch gar nicht, daß der «Führer» auf Krieg aus war. Am gleichen 10. November 1938, an dem Hitler seine Geheimrede vor Pressevertretern hielt, berichtete der Regierungspräsident von Unterfranken: «Das Ansehen des Führers ist noch weiter gestiegen, und selbst die Allerletzten beginnen jetzt eine positive Haltung gegenüber dem neuen Staat einzunehmen. Allgemein wird anerkannt, daß die Führung der Außenpolitik noch niemals eine so überragende, zielsichere und erfolgreiche war wie in den letzten Jahren.» Das Münchner Abkommen bewies in den Augen der Gläubigen, daß Hitler in der Lage war, auch schwerste internationale Krisen ohne Krieg zu meistern. Wenn die amtlichen Berichte die Stimmung richtig wiedergaben, war es die überwältigende Mehrheit der Deutschen, die Ende 1938 so dachte.

Zu dem Zeitpunkt, als Hitler und Himmler ihre Geheimreden hielten, waren die nächsten Etappen der gewaltsamen Machterweiterung Deutschlands bereits festgelegt: Am 21. Oktober hatte Hitler die Weisung zur «Erledigung der Rest-Tschechei» sowie zur Inbesitznahme des (1923 von Litauen annektierten, seit 1924 autonomen) Memellandes gegeben. Am 24. November ergänzte er diese Instruktion um den Befehl, die Besetzung der Freien Stadt Danzig vorzubereiten, die auf Grund des Vertrags von Versailles seit 1920 unter dem Schutz des Völkerbundes stand.

Mit der Danzigfrage rückte Polen ins Visier der expansiven deutschen Machtpolitik. Am 24. Oktober schlug Außenminister von Ribbentrop dem polnischen Botschafter Lipski ein Arrangement vor. Seine wichtigsten Punkte waren die Rückkehr Danzigs zum Deutschen Reich, exterritoriale Verkehrsverbindungen zwischen Ostpreußen und dem übrigen Reich, ein polnischer Freihafen auf Danziger Gebiet mit ebenfalls exterritorialer Verkehrsverbindung dorthin, Verlängerung des Nichtangriffspaktes von 1934 um 25 Jahre, Beitritt Polens zum Antikominternpakt. Wäre Polen auf die deutschen Vorschläge eingegangen, hätte es allenfalls noch als deutscher Juniorpartner beim sicherlich wenig später beginnenden Krieg gegen die Sowjetunion eine ungewisse Zukunft gehabt: eine Aussicht, die von einer Selbstpreisgabe Polens kaum noch zu unterscheiden war. Als Hitler am 5. Januar 1939 dem polnischen Außenminister Józef Beck in Berchtesgaden dieselben Vorstellungen in leicht abgewandelter Form nahezubringen versuchte, sagte dieser zwar noch nicht definitiv Nein, ließ aber keinen Zweifel daran, daß ein Verschwinden des Freistaates Danzig der öffentlichen Meinung Polens nicht zuzumuten sei.

Was Hitler antrieb, auf Krieg und nur auf Krieg zu setzen, machte er am 10. Februar 1939 vor Truppenkommandeuren deutlich. Die Erfolge des Jahres 1938 waren demnach nur Zwischenstationen auf dem Weg zu einem viel ehrgeizigeren Ziel. «Als im Jahre 1918 der Zusammenbruch erfolgte, hat das ziffernmäßig stärkste Volk Europas seine machtpolitische Stellung verloren und damit die Möglichkeit einer Durchsetzung seiner wichtigsten und natürlichsten Lebensinteressen mit allen Mitteln und unter allen Umständen. Es handelt sich wirklich um das stärkste Volk nicht nur Europas, sondern... praktisch der Welt.» Es gehe darum, «die Interessen unseres Volkes zu vertreten, als ob das Schicksal unserer Rasse in kommenden Jahrhunderten ausschließlich heute in unsere Hand gelegt wäre... Wir können uns nicht freisprechen von der Verpflichtung, so zu handeln, als ob tatsächlich durch unser Handeln jetzt die ganze deutsche Zukunft ausschließlich gestaltet würde... Wir haben wiedergutzumachen, was drei Jahrhunderte versäumten... Seit dem Westfälischen Frieden ist unser Volk einen Weg gegangen, der uns von der Weltmacht immer mehr zur Verelendung und zur politischen Ohnmacht führte.» Deutschland stehe mit seiner Erneuerung, die 1933 begonnen habe, nicht am Ende seines Weges, sondern erst am Beginn. Und auch darin war sich Hitler sicher: «Der nächste Krieg wird ein Weltanschauungskrieg, d. h. bewußt ein Volks- und ein Rassenkrieg sein.»

Hitlers Rede machte klar, was sein Programm von dem der wilhelminisch geprägten alten Eliten unterschied: Sie wollten hinter den Ersten Weltkrieg, er hinter den Dreißigjährigen Krieg zurück; sie dachten in den Kategorien der Nation, er in denen der Rasse; sie meinten, deutsche Interessen zu vertreten, er wußte sich im Besitz der einzig richtigen, der nationalsozialistischen Weltanschauung. Wenn Hitler von «Weltmacht» sprach, benutzte er einen Begriff, der seinen Zuhörern geläufig war. Aber für den Mann, der an der Spitze des «stärksten Volkes» der Welt stand, genügte es nicht, eine Weltmacht unter anderen zu führen; das Reich mußte zum stärksten Weltreich werden, was auf Weltherrschaft hinauslief. In diesem Zusammenhang paßte es, daß Hitler Ende Januar 1939 den Bau einer großen Überwasserflotte befahl und im März vorbereitende Arbeiten für die Errichtung eines Reichskolonialamts anordnete.

Am 12. Februar, zwei Tage nach seiner geheimen Grundsatzrede, empfing Hitler den slowakischen Politiker Voitech Tuka, der wegen Hochverrats 1929 zu einer langjährigen Zuchthausstrafe verurteilt worden war, und bekundete ihm seine Sympathie für die slowakische Unabhängigkeitsbewegung. Hitlers Entscheidung, das Problem der «Rest-Tschechei» binnen kürzester Zeit zu lösen, war gefallen. Tatsächlich setzte er mit Hilfe slowakischer Separatisten durch, daß die Slowakei am 14. März ihre Unabhängigkeit erklärte.

Für den Abend desselben Tages bestellte Hitler den tschechischen Präsidenten Hacha nach Berlin, um ihn zur bedingungslosen Übergabe seines Staates zu zwingen. Am frühen Morgen unterzeichneten Hacha und Außenminister Chvalkovsky ein «Abkommen», in dem es hieß, der tschechoslowakische Staatspräsident habe erklärt, daß er, «um eine endgültige Befriedung zu erreichen, das Schicksal des tschechischen Volkes und Landes vertrauensvoll in die Hände des Führers des Deutschen Reiches legt». Unmittelbar danach begann der Einmarsch der Wehrmacht in die «Rest-Tschechei». Am 16. März verkündete Hitler im Prager Hradschin die Errichtung des «Protektorats Böhmen und Mähren». Am gleichen Tag übernahm er, formell auf Ersuchen des slowakischen Präsidenten Tiso, den Schutz der Slowakei.[21]

«Prag» wurde in mehr als einer Hinsicht zur Zäsur. Hitler hatte bei seinem dritten Griff über die Grenzen auch *die* Grenze überschritten, die einem deutschen Nationalstaat vom Begriff her gesetzt war: die der Zugehörigkeit zur deutschen Nation. Indem Deutschland sich die «Rest-Tschechei» als «Protektorat Böhmen und Mähren» angliederte, hörte das Deutsche Reich auf, ein Nationalstaat wie andere zu sein. Der Begriff des «Reiches» gewann nun eine neue, gleichzeitig aber auch wieder sehr alte Qualität. Wenn im Mittelalter, schrieb 1940 der österreichische, seit 1935 in Münster lehrende Rechtshistoriker Karl Gottfried Hugelmann, ein entschiedener Großdeutscher, in seinem Buch «Volk und Staat im Wandel deutschen Schicksals», «Größe, Macht und Würde» die «Wesensmerkmale» des Reiches gewesen seien, so gründe sich nunmehr diese Würde «auf das Bewußtsein einer Sendung». Die «Eingliederung» des tschechischen Volkes in das Großdeutsche Reich sei vom Reichsbegriff her berechtigt und sinnvoll. Es müsse sogar einleuchten, «daß mit der Eingliederung des Protektorats Böhmen und Mähren in das großdeutsche Reich dessen Charakter als Reich ... nur noch stärker hervortritt».

Carl Schmitt verwies 1939 in seiner, unmittelbar nach der Errichtung des Protektorats verfaßten Schrift «Völkerrechtliche Großraumordnung mit Interventionsverbot für raumfremde Mächte», der erweiterten Fassung eines am 1. April an der Universität Kiel gehaltenen Vortrags, auf den deutschen Sprachgebrauch, der «die großen, geschichtsmächtigen Gebilde – das Reich der Perser, der Makedonier und der Römer, die Reiche der germanischen Völker wie die ihrer Gegner in einem spezifischen Sinne immer ‹Reiche› genannt hat». Das Deutsche Reich in der Mitte Europas liege «zwischen dem Universalismus der Mächte des liberaldemokratischen völkerassimilierenden Westens und dem Universalismus des bolschewistischweltrevolutionären Ostens» und habe «nach beiden Fronten die Heiligkeit einer nicht-universalistischen, volkhaften, völkerachtenden Lebensordnung zu verteidigen». Der völkerrechtliche Begriff des Reiches sei der «einer von bestimmten weltanschaulichen Ideen und Prinzipien beherrschten Großraumordnung, die Interventionen raumfremder Mächte ausschließt und deren Garant und Hüter ein Volk ist, das sich dieser Aufgabe gewachsen zeigt ... Der neue Ordnungsbegriff eines neuen Völkerrechts ist unser Begriff des Reiches, der von einer von einem Volk getragenen, volkhaften Großraumordnung ausgeht.»

Nationalsozialistische Juristen aus der Umgebung Himmlers warfen Schmitt sogleich vor, sein Versuch, ein deutsches Gegenstück zur amerikanischen «Monroe-Doktrin» von 1823 zu schaffen, sei halbherzig und weltanschaulich inhaltslos. Werner Best, der Personal- und Organisationschef des SD, bestritt im August 1939, daß es sich im völkischen Verständnis beim Völkerrecht überhaupt um «Recht» handle. «Jedes Volk hat nur den Zweck der Selbsterhaltung und Selbstentfaltung und kennt nur Maßstäbe des Handelns, die auf diesen Zweck ausgerichtet sind. In seinem Verhalten gegenüber anderen Völkern kann sich kein Volk an Regeln binden lassen, die ohne Rücksicht auf seine Lebenszwecke Gültigkeit haben sollen.» Hitlers Reich konnte also nicht etwa nur ein höheres Recht für sich beanspruchen als andere Staaten und Völker in «seinem» Großraum; es war *das* Reich, und es gab überhaupt kein Recht, das andere Staaten und Völker ihm gegenüber hätten geltend machen können.

Außerhalb Deutschlands bildeten die «Iden des März» 1939 eine Art Wasserscheide. Der Bruch des Münchner Abkommens war so brutal, daß fortan nur noch die entschiedene Rechte auf weiteres «appeasement» setzte; bei der Linken, bei den Kräften der Mitte und realistisch denkenden Konservativen hatte die Beschwichtigungspolitik jeden Kredit verspielt. Selbst Chamberlain äußerte sich am 16. März in einer Rede in Birmingham empört über den Coup des «Führers»; und wenn er persönlich sich auch immer noch Illusionen über Hitler machte, gab es für die Fortsetzung der bisherigen Politik in der öffentlichen Meinung Großbritanniens keinen Rückhalt mehr.

Hitler tat seinerseits in der Woche, die auf den Einmarsch in die «Rest-Tschechei» folgte, alles, um den Gegnern des «appeasement» Auftrieb zu geben. Am 21. März ließ er Polen gegenüber die deutschen Vorschläge vom Oktober 1938 in einer Form erneuern, die einem unbefristeten Ultimatum gleichkam. Am selben Tag forderte Ribbentrop von Litauen die sofortige Rückgabe des Memellandes. Die Regierung in Kaunas fügte sich. Am Morgen des 23. März rückten die ersten deutschen Truppen ins Memelland ein. Nach der Besetzung Memels, die er auf einem Panzerschiff abwartete, begrüßte Hitler in der Hauptstadt des Memellandes vor einer begeisterten Menge die Rückkehr dieses ehemaligen Teils von Ostpreußen ins Deutsche Reich.

In der Zwischenzeit hatte sich die internationale Lager einschneidend verändert – zuungunsten Deutschlands. Am 21. März schlug Premierminister Chamberlain Polen einen Konsultativpakt vor, dem auch Frankreich und die Sowjetunion beitreten sollten. Warschau stimmte zwei Tage später zu. Am 26. März lehnte Polen die deutschen Vorschläge definitiv ab. Am 31. März sprach Chamberlain eine Garantie der territorialen Integrität Polens für den Fall einer direkten oder indirekten Aggression aus. Hitler reagierte auf seine Weise: Am 3. April wies er das Oberkommando der Wehrmacht an, die Kriegsvorbereitungen gegen Polen so einzurichten, daß die Durchführung ab 1. September 1939 jederzeit möglich war. Am 28. April kündigte er in einer Reichstagsrede den deutsch-polnischen Nichtangriffspakt von 1934 sowie das Flottenabkommen auf, das er 1935 mit Großbritannien abgeschlossen hatte.

Hitlers Reichstagsrede war auf weiten Strecken eine polemische, rhetorisch äußerst wirkungsvolle Antwort an den amerikanischen Präsidenten Franklin Delano Roosevelt, der am 14. April Hitler und Mussolini um die Zusicherung ersucht hatte, 31 namentlich genannte Länder zumindest in den nächsten 25 Jahren nicht anzugreifen. Wenn Deutschland und Italien eine ähnliche Aufforderung an die Vereinigten Staaten richten sollten, konterte Hitler, dann würde Roosevelt sich gewiß auf die Monroe-Doktrin berufen (wonach europäische Mächte sich nicht in die Angelegenheiten Nord-, Mittel- und Südamerikas einmischen durften). «Genau die gleiche Doktrin vertreten wir Deutsche nun für Europa, auf alle Fälle aber für den Bereich und die Belange des Großdeutschen Reiches.» Die deutsche oder europäische «Monroe-Doktrin» war keine Erfindung Hitlers, sondern Carl Schmitts, der in seinem Kieler Vortrag vom 1. April 1939 auf das amerikanische Vorbild verwiesen hatte. Offenkundig über hochrangige nationalsozialistische Juristen war das Konzept zur Kenntnis des «Führers» gelangt, der es fortan als seine Schöpfung betrachtete.

Auch die andere Flügelmacht, die Sowjetunion, meldete sich im Frühjahr 1939 auf der europäischen Bühne zurück. Am 10. März, also noch vor der «Erledigung der Rest-Tschechei», erklärte Stalin auf dem 18. Parteitag der KPdSU, die Sowjetunion denke nicht daran, für andere die Kastanien aus dem Feuer zu holen. Das war nur so zu verstehen, daß England und Frankreich, die ein halbes Jahr zuvor ohne irgendeine Absprache mit ihm, Stalin, das Münchner Abkommen mit Hitler geschlossen hatten, sich nicht auf sowjetische Hilfe bei einer Auseinandersetzung mit dem nationalsozialistischen Deutschland verlassen durften. Am 17. April gab der sowjetische Botschafter in Berlin, Merekalow, im Gespräch mit Staatssekretär von Weizsäcker zu erkennen, daß seine Regierung an einer Verbesserung der Beziehungen zu Deutschland interessiert war. Am 4. Mai kam ein noch deutlicheres Signal aus Moskau: Stalin wechselte seinen vergleichsweise «westorientierten» Außenminister Maxim Litwinow, der in der nationalsozialistischen Presse beharrlich als «der Jude Finkelstein» bezeichnet wurde, zugunsten des Vorsitzenden des Rates der Volkskommissare, Wjatscheslaw Molotow, aus, womit erstmals ein Mitglied des Politbüros das Außenministerium übernahm.

Das mindeste, was sich aus den Reden und Taten der sowjetischen Führung zwischen März und Mai 1939 herauslesen ließ, war Offenheit nach beiden Seiten: Die UdSSR war nicht darauf festgelegt, mit den Westmächten gegen das nationalsozialistische Deutschland zusammenzugehen. Sie konnte sich gegebenenfalls auch mit dem «faschistischen» Erzfeind in Berlin arrangieren. Tatsächlich verhandelte die Sowjetunion zwischen April und August 1939 mit den beiden Westmächten *und* mit Deutschland. Am 24. Juli schien es, als bahne sich eine Verständigung mit London und Paris an: In Moskau wurde die Übereinkunft über einen Beistandspakt paraphiert, in den Polen, die baltischen Staaten, Finnland, Rumänien, Grie-

chenland, die Türkei und Belgien einbezogen werden sollten. Die Militär-
konvention aber war noch nicht abgeschlossen, weil Polen sich dagegen
sträubte, sowjetischen Truppen im Falle eines Krieges mit Deutschland den
Durchmarsch durch das eigene Land zuzugestehen. Als am 12. August die
Militärbesprechungen in Moskau begannen, konnte die britische Delegation lediglich zu Protokoll geben, daß Polen wahrscheinlich sowjetische
Unterstützung annehmen werde.

Hitler konnte Stalin mehr bieten, und das gab den Ausschlag. Am
23. August erfuhr die verblüffte, ja überwiegend schockierte Welt von der
Unterzeichnung des deutsch-sowjetischen Nichtangriffspaktes durch die
Außenminister Ribbentrop und Molotow in Moskau. Auf zehn Jahre wollten die beiden Staaten sich aller aggressiven Akte gegeneinander enthalten,
eine dritte Macht bei einem Krieg mit dem Vertragspartner in keiner Weise
unterstützen und sich nicht an Mächtegruppierungen beteiligen, die sich
mittelbar oder unmittelbar gegen den anderen Teil richteten.

Was der internationalen Öffentlichkeit nicht mitgeteilt wurde, war der
gleichzeitige Abschluß eines Geheimen Zusatzprotokolls. Es sah die Aufteilung des Baltikums, dem auch Finnland zugerechnet wurde, und Polens
in eine deutsche und eine sowjetische Interessensphäre vor. Die Nord-
grenze Litauens und eine Linie, die durch die Flüsse Narew, Weichsel und
San markiert wurde, trennte die beiden Sphären. Was Südosteuropa betraf,
erkannte Deutschland das sowjetische Interesse an Bessarabien an, das zu
Rumänien gehörte. Offen blieb, «ob die beiderseitigen Interessen die Erhaltung eines unabhängigen polnischen Staates erwünscht erscheinen lassen und wie dieser Staat abzugrenzen wäre». Diese Frage, so hieß es vielsa-
gend, könne erst im Laufe der weiteren politischen Entwicklung geklärt
werden.

Der Pakt lud Hitler zum Angriff auf Polen förmlich ein – eine Perspektive, die Stalin nicht schreckte. Er gewann nicht nur ein großes Territorium
hinzu, das ihm der Westen nicht zu bieten vermochte. Er gewann auch Zeit,
um weiter zu rüsten und sich besser für den Fall zu wappnen, daß Hitler
auf sein Ziel zurückkam, den deutschen Lebensraum auf Kosten der Sowjetunion auszudehnen. In der Zwischenzeit konnte er zusehen, wie sich
die kapitalistischen Mächte untereinander zerfleischten und gegenseitig
schwächten. Ob er sich im Herbst 1939 den Krieg erspart hätte, wenn es
zur Verständigung mit England und Frankreich gekommen wäre, war fraglich.

Ideologisch war das Zusammenspiel mit dem Deutschland Hitlers
schwer zu begründen. Der «Faschismus an der Macht» war, so die im
Dezember 1933 vom Generalsekretär der Komintern, Georgi Dimitroff,
geprägte, seit dem Siebten Weltkongreß im August 1935 «offizielle» Formel, «die offene, terroristische Diktatur der reaktionärsten, chauvinisti-
schen, am meisten imperialistischen Elemente des Finanzkapitals». Mit
einem solchen System sich verbünden hieß bisher hochgehaltene

Grundsätze preisgeben, und just das war, im ersten Augenblick jedenfalls, der Vorwurf, den viele Kommunisten im Westen gegen den Hitler-Stalin-Pakt erhoben. Aber wenn man davon ausging, daß es einen Widerspruch zwischen den wohlverstandenen Interessen der internationalen Arbeiterklasse und der Sowjetunion nicht geben *konnte*, waren die deutsch-sowjetischen Vereinbarungen vom 23. August 1939 sehr wohl als Dienst am Weltproletariat und an der Weltrevolution zu rechtfertigen. Es bedurfte nur der richtigen, einer dialektischen Sichtweise.[22]

Für Hitler war es nicht leichter als für Stalin, seinen verwirrten, ja vielfach empörten Gefolgsleuten das Bündnis mit dem weltanschaulichen Antipoden als erlaubt und geboten darzustellen. Immer wieder hatte er dem nationalsozialistischen Deutschland die Rolle der Macht zugeschrieben, die das Böse in Gestalt des Bolschewismus aufzuhalten bestimmt war. Auf dem Nürnberger Reichsparteitag vom September 1934 war er weit in die Geschichte zurückgegangen, um diese deutsche Mission zu untermauern: «So wie sich... früher schon die Völker- und Rassenstöße aus dem Osten in Deutschland brachen, so ist auch diesesmal unser Volk der Wellenbrecher einer Flut geworden, die Europa, seine Wohlfahrt und seine Kultur unter sich begraben hätte.» Im Jahr darauf, am 26. November 1935, erklärte er gegenüber dem amerikanischen Journalisten Baillie, dem Präsidenten von United Press: «Deutschland ist das Bollwerk des Westens gegen den Bolschewismus und wird bei dessen Abwehr Propaganda mit Propaganda, Terror mit Terror und Gewalt mit Gewalt bekämpfen.» Auf dem «Parteitag der Arbeit» im September 1937 nannte er den «jüdischen Weltbolschewismus» «einen absoluten Fremdkörper» in der «Gemeinschaft europäischer Kulturnationen» und den «Anspruch einer unzivilisierten jüdisch-bolschewistischen internationalen Verbrechergilde, von Moskau aus über Deutschland als altes Kulturland Europas zu regieren», eine «Frechheit».

Jetzt, knapp zwei Jahre später, schloß Hitler nach seinen eigenen Worten einen Pakt mit dem «Satan», um den «Teufel» auszutreiben. Die Entmachtung Litwinows (und rückblickend auch die Trotzkis und anderer jüdischer Bolschewiki) diente nun als Beleg dafür, daß die Sowjetunion unter Stalin gewillt war, mit dem bisherigen Internationalismus und Interventionismus zu brechen und sich in Richtung auf eine Art von nationalem Sozialismus hinzuentwickeln. Vom «jüdischen Bolschewismus» und vom Kampf gegen ihn durfte ab sofort nicht mehr gesprochen werden. Zahllose Agitationsschriften mit der entgegenstehenden alten Botschaft waren über Nacht zu Makulatur geworden; antibolschewistische Propagandafilme wurden aus dem Verkehr gezogen.

Nach dem deutsch-sowjetischen Nichtangriffspakt wähnte Hitler die Position Deutschlands so stark, daß er ernsthaft mit der Annahme des Angebots rechnete, das er am 25. August dem britischen Botschafter Henderson machte: Das Deutsche Reich werde seine Kraft zur Sicherung des Bestands des Empire einsetzen, wenn England Deutschland nicht an der

Lösung des deutsch-polnischen Problems hindere. Anschließend legte er den Kriegsbeginn auf den folgenden Tag, 4 Uhr 30, fest. Noch am 25. August mußte Hitler dann aber zur Kenntnis nehmen, daß Mussolini, mit dem er am 22. Mai einen Beistandsvertrag, den «Stahlpakt», abgeschlossen hatte, sein Land aus dem Krieg mit Polen herauszuhalten gedachte. Außerdem erfuhr Hitler, daß der Abschluß eines britisch-polnischen Beistandspakts unmittelbar bevorstand. Damit drohte *die* Situation einzutreten, an die er immer noch nicht glauben mochte: ein Zweifrontenkrieg wie 1914. Unsicher geworden, nahm Hitler am Abend des 25. August den Vormarschbefehl auf Vorschlags Brauchitschs zurück.

Die Atempause nutzten Staatssekretär von Weizsäcker und in London Botschaftsrat Theodor Kordt zu hektischen Versuchen, doch noch den Frieden zu retten. Auch Göring bemühte sich, unter Einschaltung eines schwedischen Vermittlers, den Krieg im letzten Augenblick zu verhindern. Aber weder Halder noch Brauchitsch dachten daran, sich dem Krieg gegen Polen zu widersetzen. Hitler selbst war zum Krieg entschlossen. Er hoffte zwar noch immer, England und Frankreich vom Eingreifen abhalten zu können, aber mehr als eine Hoffnung war das nicht. Die Vorschläge, die er Großbritannien unterbreitete, konnte dieses nicht annehmen, ohne seine Verpflichtungen gegenüber Polen zu verletzen; die Vorschläge an die polnische Adresse waren ohnehin nur als Alibi vor der Geschichte gedacht. Irreal war auch Mussolinis Anregung vom 31. August, London möge der Rückkehr Danzigs ins Deutsche Reich zustimmen, um so den Boden für eine Konferenz der Großmächte zu bereiten. Am gleichen Tag um 12 Uhr 40 gab Hitler den endgültigen Befehl für die Eröffnung des Krieges gegen Polen: Er hatte am 1. September 1939 um 4 Uhr 45 zu beginnen. Um den Anschein einer Begründung zu schaffen, mußte die SS an der deutsch-polnischen Grenze für geeignete «Zwischenfälle» sorgen.

Von Kriegsbegeisterung konnte im Sommer 1939, anders als ein Vierteljahrhundert zuvor, in Deutschland keine Rede sein. «Der Wille zum Frieden ist stärker als der zum Krieg», beobachtete der Landrat von Ebermannstadt in Oberfranken. «Bei dem weitaus überwiegenden Teil der Bevölkerung besteht deshalb mit einer Lösung der Danziger Frage nur dann Einverständnis, wenn dies in der gleichen Weise schlagartig und unblutig vor sich geht, wie die bisherigen Eingliederungen im Osten... Mit einer Begeisterung, wie sie 1914 war, könnte heute nicht gerechnet werden.» Einen Monat später faßte derselbe Beamte die Stimmung der Bevölkerung in den Worten zusammen: «Die Beantwortung der Frage, wie das Problem ‹Danzig und der Korridor› zu lösen ist, ist in der Öffentlichkeit noch immer die gleiche: Angliederung an das Reich? Ja. Durch Krieg? Nein.» Am 31. August, dem letzten Friedenstag, notierte der Landrat, was auch aus anderen Regionen des Reiches gemeldet wurde: «Das Vertrauen zum Führer wird jetzt wohl der härtesten Feuerprobe seit je unterstellt. Der überwiegende Teil der Volksgenossen erwartet von ihm die Verhinderung des Krieges, und zwar, wenn es nicht anders möglich ist, selbst unter Verzicht auf Danzig und den Korridor.»

In seiner Reichstagsrede vom 1. September 1939 berief sich Hitler auf das historische Idol, dem er sich am nächsten fühlte: Friedrich den Großen. Er wurde als Zeuge dafür aufgerufen, daß Deutschland gegebenenfalls auch einer großen Mächtegruppierung trotzen könne. «Ein Wort habe ich nie kennengelernt, es heißt: Kapitulation. Wenn irgend jemand aber meint, daß wir vielleicht einer schweren Zeit entgegengehen, so möchte ich bitten zu bedenken, daß einst ein Preußenkönig mit einem lächerlich kleinen Staat einer der größten Koalitionen gegenübertrat und in drei Kämpfen am Ende doch erfolgreich bestand, weil er jenes gläubige, starke Herz besaß, das auch wir in dieser Zeit benötigen. Der Umwelt aber möchte ich versichern: Ein November 1918 wird sich niemals mehr in der deutschen Geschichte wiederholen!»

Dem deutschen Überfall auf Polen folgten noch am 1. September Aufforderungen der britischen und der französischen Regierung, Deutschland möge seine Angriffshandlungen einstellen und seine Truppen aus polnischem Gebiet zurückziehen. Am 2. September verlieh London seiner Note vom Vortag Nachdruck, indem es daraus ein Ultimatum machte – befristet auf den 3. September, 11 Uhr. Da eine deutsche Antwort zu diesem Zeitpunkt nicht vorlag, befand sich Großbritannien nunmehr im Krieg mit Deutschland. Das französische Ultimatum wurde Ribbentrop am 3. September um 12 Uhr 20 überreicht. Es lief um 17 Uhr ab. Danach herrschte auch zwischen Frankreich und Deutschland Kriegszustand.

Hitler, der mit derart prompten Reaktionen der westlichen Demokratien nicht gerechnet hatte, trat die Flucht nach vorn an. Seit dem 3. September hatte er wieder ein klares Feindbild: das Judentum. Doch es war nun nicht mehr das Judentum in seiner «bolschewistischen», sondern in seiner «demokratischen», «plutokratischen», «kapitalistischen» Erscheinungsform. Ihm gab Hitler, als Dialektiker nunmehr Stalin fast ebenbürtig, die Schuld an dem von ihm entfesselten europäischen Krieg. Nicht das britische Volk im ganzen könne für den Krieg verantwortlich gemacht werden, hieß es im Aufruf an das deutsche Volk vom 3. September, den er noch vor dem Kriegseintritt Frankreichs verfaßte. «Es ist jene jüdisch-plutokratische und demokratische Herrenschicht, die in allen Völkern der Welt nur gehorsame Sklaven sehen will, die unser neues Reich haßt, weil sie in ihm Vorbilder einer sozialen Arbeit erblickt, von der sie fürchtet, daß sie ansteckend auch in ihrem eigenen Lande wirken könne.»

Den «Nationalsozialisten und Nationalsozialistinnen» gegenüber behauptete Hitler am 3. September: «Unser jüdisch-demokratischer Weltfeind hat es fertiggebracht, das englische Volk in den Kriegszustand gegen Deutschland zu hetzen. Die Gründe dafür sind genau so verlogen und fadenscheinig, als (!) es die Gründe 1914 waren.» An die Parteigenossen erging der Aufruf: «In wenigen Wochen muß die nationalsozialistische

Kampfbereitschaft sich in eine auf Leben und Tod verschworene Einheit verwandelt haben. Dann werden die kapitalistischen Kriegshetzer Englands und seiner Trabanten in kurzer Zeit erkennen, was es heißt, den größten Volksstaat Europas ohne jede Veranlassung angegriffen zu haben.» Die Sprache Hitlers erinnerte am 3. September 1939 stark an eine besondere Spielart der «Ideen von 1914»: die Gegenüberstellung des sozialen, ja sozialistischen Deutschland und des kapitalistischen, ja plutokratischen England. Vermutlich fanden solche Formeln in der Arbeiterschaft dank der inzwischen erreichten Vollbeschäftigung, des Ausbaus des Wohlfahrtsstaates und mancher populären Freizeitangebote der Deutschen Arbeitsfront sogar einen gewissen Anklang, und um die Unterstützung durch die Arbeiter mußte es Hitler besonders gehen, wenn er einen neuen «November 1918» ausschließen wollte. Neu war gegenüber dem wilhelminischen Deutschland, daß der Appell an das antijüdische Ressentiment nicht von irgendwelchen gesellschaftlichen oder politischen Gruppen, sondern von «oben» kam, also offiziellen Charakter trug. Wie immer es um den Widerhall dieser Parolen stand: In Deutschland befand sich seit 1933 der Antisemitismus an der Macht. Darin lag *ein* grundlegender Unterschied zwischen den Kriegsausbrüchen von 1914 und 1939 – und den Kriegen, die damals begannen.

Einen anderen Unterschied markierte Hitler durch einen Erlaß, den er im Oktober 1939 unterzeichnete und auf den 1. September 1939, den Tag des Kriegsbeginns, zurückdatierte. Er lautete: «Reichsleiter Bouhler und Dr. med. Brandt sind unter Verantwortung beauftragt, die Befugnisse namentlich zu bestimmender Ärzte so zu erweitern, daß nach menschlichem Ermessen unheilbar Kranken bei kritischster Beurteilung ihres Krankheitszustandes der Gnadentod gewährt werden kann. Adolf Hitler.» Damit machte sich der «Führer» endgültig zum Herrn über Leben und Tod. «Sein» Krieg sollte ihm die Möglichkeit geben, auch nach innen die letzten Konsequenzen aus seiner sozialdarwinistischen Weltanschauung zu ziehen. Während die Aufmerksamkeit des deutschen Volkes dem Kampf an den Fronten zugewandt war, mochte es leichter als zuvor sein, ohne großes Aufsehen den Schritt von der «Verhütung erbkranken Nachwuchses», die ein Gesetz vom 14. Juli 1933 erlaubte, zur «Vernichtung lebensunwerten Lebens», von der «Eugenik» durch Sterilisierung zur «Euthanasie», zu tun. Zwar gab es Wissenschaftler wie den Strafrechtler Karl Binding und den Psychiater Alfred Hoche, die ebendies, Überlegungen von Autoren der wilhelminischen Zeit radikal zuspitzend, in ihrem Buch «Die Freigabe der Vernichtung lebensunwerten Lebens» schon 1920 gefordert hatten. Und bereits in den Hungerjahren des Ersten Weltkriegs waren Geisteskranke bewußt unterernährt worden, so daß die Zahl der Todesfälle in den Irrenanstalten erheblich anstieg. Aber in breiten Kreisen der Gesellschaft und zumal bei den christlichen Kirchen galt der «Gnadentod» für Geisteskranke nach wie vor als Mord. Im Zeichen des Krieges hoffte Hitler, den

Zivilisationsbruch, den er wollte, durchsetzen zu können. Hinderliche Normen aus der Tradition des bürgerlichen Rechtsstaates im Bedarfsfall außer Kraft zu setzen lag in der Logik des totalitären Staates. Im Fall des nationalsozialistischen Deutschland konnte diese Logik sich erst im Krieg voll entfalten.[23]

«Kriegsbegeisterung» war nicht erforderlich, damit Deutschland den von Hitler gewollten und entfesselten Krieg führen konnte. Es reichte, daß die Soldaten das taten, was sie für ihre patriotische Pflicht hielten, und daß die meisten von ihnen, wie die große Mehrheit des deutschen Volkes, weiterhin an den «Führer» glaubten. Die überzeugten Gegner Hitlers und des Krieges, die es auch gab, konnten den Waffendienst nicht verweigern, ohne ihr Leben zu verwirken. Der Regierungspräsident von Niederbayern faßte am 8. September die bei ihm eingegangenen Stimmungsberichte in dem Verdikt zusammen, «daß die Bevölkerung zwar von einem Krieg nichts wissen wollte, daß sie aber trotz Fehlens einer Kriegsbegeisterung wie 1914 auch im Kriegsfall das Unabwendbare im Vertrauen auf den Führer in Ruhe und Zuversicht tragen werde». Ende September, als Polen niedergeworfen und zwischen Deutschland und der Sowjetunion aufgeteilt worden war, beobachtete der Gendarmerie-Kreisführer des oberfränkischen Ebermannstadt «frohe pflichtbewußte Zuversicht. Das Volk weiß sein Schicksal in guten Händen und glaubt an einen erfolgreichen Ausgang des dem Reiche aufgezwungenen Krieges.»

Um das Schicksal des polnischen Volkes kümmerte sich die «Volksmeinung» nicht. Dem deutschen Sieg folgte die fünfte Teilung Polens: Deutschland gliederte sich ein großes Territorium im Westen und Norden an, die Sowjetunion im Osten. Der verbleibende Rest, das «Generalgouvernement», zu dem auch Warschau gehörte, bildete fortan eine Art Nebenland des Reiches.

Schon im September wurden in Polen Einsatzgruppen der SS tätig, die massenweise Juden und Angehörige der polnischen Intelligenz, darunter Pfarrer, Lehrer, Rechtsanwälte, Ärzte und Gutsbesitzer, exekutierten. Um im Warthegau, im Reichsgau Danzig-Westpreußen, im neuen ostpreußischen Regierungsbezirk Zichenau und im vergrößerten Oberschlesien, den vom Reich annektierten Teilen des polnischen Staates, Volksdeutsche, vor allem Baltendeutsche aus Estland und Kurland sowie Wolhyniendeutsche aus der Ukraine, ansiedeln zu können, wurden bis Ende 1939 etwa 88 000 Polen, Juden und Zigeuner ins Generalgouvernement deportiert. Auf dem Boden des Deutschen Reiches sollten nach dem Willen Hitlers künftig nur noch Deutsche leben. Mit der Verwirklichung dieser Absicht beauftragte er den Reichsführer SS, Heinrich Himmler, der am 7. Oktober 1939 zum Reichskommissar für die Festigung des deutschen Volkstums ernannt wurde.

Deutsche Wissenschaftler boten der politischen Führung ihre guten Dienste bei der «Umvolkung» an. Eine Schlüsselrolle spielten dabei die seit

1931 bestehenden Volksdeutschen Forschungsgemeinschaften und hier wiederum besonders die von dem Historiker Albert Brackmann geleitete Nord- und Ostdeutsche Forschungsgemeinschaft. Ein aktives Mitglied dieser Forschungsgemeinschaft war der junge Königsberger Historiker Theodor Schieder, der später, in der Bundesrepublik, zu den herausragenden Vertretern der deutschen Geschichtswissenschaft gehörte und von 1967 bis 1972 Vorsitzender des Verbandes der Historiker Deutschlands war.

Am 7. Oktober 1939 legte Schieder im Auftrag der Nord- und Ostdeutschen Forschungsgemeinschaft eine «Aufzeichnung über Siedlungs- und Volkstumsfragen in den wiedergewonnenen Ostprovinzen» vor. Darin bezeichnete er die «Wiederherstellung des deutschen Besitzes und des deutschen Volkstums» in den neuen Reichsteilen als «Wiedergutmachung eines offenkundigen politischen Unrechts», der Gebietsverluste von 1919, und zwar als «Wiedergutmachung von Volk zu Volk». Zu diesem Zweck waren nach Meinung des Gutachters «Bevölkerungsverschiebungen allergrößten Ausmaßes notwendig». Der zu erwartende polnische Auswandererstrom aus Posen-Westpreußen sollte vorzugsweise nach «Übersee» gelenkt werden. Eine stärkere Einwanderung ausgesiedelter Polen nach «Restpolen» hielt Schieder nur nach «Herauslösung des Judentums aus den polnischen Städten» und einer umfassenden Intensivierung der polnischen Landwirtschaft für möglich. Wo die vertriebenen Juden bleiben sollten, ließ das Memorandum offen. *Daß* sie vertrieben werden mußten, stand aber für den Autor fest. «Die Entjudung Restpolens und der Aufbau einer gesunden Volksordnung erfordern den Einsatz deutscher Mittel und Kräfte und bringen die Gefahr der Entwicklung einer neuen polnischen Führerschicht aus dem neuen Mittelstand mit sich. Überläßt man diese Dinge sich selbst, so ist zu befürchten, daß die Zersetzung des polnischen Volkskörpers zum Herd neuer gefährlicher Unruhen werden kann.»

Die Aufzeichnung vom 7. Oktober 1939, Ergebnis von Beratungen in einem von dem Breslauer Historiker Hermann Aubin geleiteten Arbeitskreis, griff einen Passus aus Hitlers Reichstagsrede vom Vortag auf: Wichtigste Aufgabe der deutschen Polenpolitik war demnach eine «neue Ordnung der ethnographischen Verhältnisse, d. h. eine Umsiedlung der Nationalitäten, so, daß sich am Abschluß der Entwicklung bessere Trennungslinien ergeben, als es heute der Fall ist».

Die Folgerungen für die Polen im Generalgouvernement faßte Himmler im Mai 1940 in einer von Hitler ausdrücklich genehmigten Denkschrift über die «Behandlung der Fremdvölkischen im Osten» zusammen. Über den Status eines Helotenvolkes sollten die Polen, soweit sie nicht «guten Blutes» und damit germanisierbar waren, nie mehr hinausgelangen. Für die nichtdeutsche Bevölkerung des Ostens durfte es keine höhere Schule als die vierjährige Volksschule geben. «Das Ziel dieser Volksschule hat lediglich zu sein: Einfaches Rechnen bis höchstens 500, Schreiben des Namens, eine

Lehre, daß es ein göttliches Gebot ist, den Deutschen gehorsam zu sein und ehrlich, fleißig und brav zu sein. Lesen halte ich nicht für erforderlich.» Eltern der Kinder «guten Blutes» sollten entweder nach Deutschland gehen und dort loyale Staatsbürger werden oder ihre Kinder hergeben. «Sie werden dann wahrscheinlich keine weiteren Kinder mehr zeugen, so daß die Gefahr, daß dieses Untermenschenvolk des Ostens durch solche Menschen guten Blutes eine für uns gefährliche, da ebenbürtige Führerschicht erhält, erlischt.» Der großen Mehrheit der polnischen Bevölkerung, die sich nicht «eindeutschen» ließ, blieb nur eine Perspektive: Sie mußte «als führerloses Arbeitsvolk zur Verfügung stehen und Deutschland jährlich Wanderarbeiter und Arbeiter für besondere Arbeitsvorkommen (Straßen, Steinbrüche, Bauten) stellen».

Die Praxis entsprach den Vorgaben: Die Polen wurden als Untermenschen behandelt, ihre Führungsschicht wurde zu großen Teilen vernichtet. Die deutsche Herrschaft in Polen war die einer Kolonialmacht, die in den Unterworfenen rassisch minderwertige Wesen sah. Im Unterschied zur wilhelminischen Kolonialherrschaft in Übersee übten in Polen aber nicht Offiziere und Beamte, sondern irreguläre Sondergewalten die eigentliche Macht aus: die Partei, die in Hans Frank den Generalgouverneur stellte, und die SS, die Hitlers Volkstumspolitik exekutierte. Die Entmachtung der klassischen Bürokratie war gewollt: Das hergebrachte Denken in den Kategorien von Normen, Regeln und Kompetenzen, von dem die höhere Beamtenschaft geprägt war, sollte keine Chance haben, der Dynamik der rassischen Umwälzung Fesseln anzulegen.

Seit Ende Oktober 1939 gab es in Polen auch keine Militärverwaltung mehr. Die Wehrmacht hatte die «neue Ordnung der ethnographischen Verhältnisse» durch ihre Waffentaten erst ermöglicht, überließ die Durchführung aber SS, SD und besonderen Polizeieinheiten. Ein klarer Trennungsstrich zwischen «sauberer» Wehrmacht und «verbrecherischer» SS ließ sich aber schon im September 1939 nicht mehr ziehen: Einzelne Truppenverbände begingen Verbrechen an der Zivilbevölkerung; die Arbeitsteilung zwischen Militär und Politik im Krieg lag in der Logik der Komplizenrolle, die die Wehrmacht bei der Niederschlagung des «Röhm-Putsches» im Sommer 1934 übernommen hatte. Der Krieg gegen Polen war kein europäischer «Normalkrieg» mehr, sondern der erste völkische Krieg in Europa. Er war damit, wie die anschließende Besatzungsherrschaft, ein Vorgriff auf das, was dem slawischen Osten noch bevorstand.[24]

Im Westen Europas wurde 1939 noch kein Krieg geführt. England schickte im September Truppen nach Frankreich; Frankreich verlagerte eigene Verbände in die Nähe seiner Ostgrenze – Angriffe auf Deutschland, die Polen hätten entlasten können, unterblieben aber. Im April 1940 schlug Hitler im Norden zu: Deutsche Truppen besetzten Dänemark und begannen mit der Besetzung Norwegens, die nach heftigen Kämpfen am 10. Juni abgeschlossen wurde. Im Falle Norwegens kam die Wehrmacht einer englischen Invasion knapp zuvor. Beide bis dahin neutralen Länder wurden deutscher Herrschaft unterworfen – Dänemark zunächst, bis zum Sommer 1943, formell noch unter Beibehaltung seiner bisherigen Regierung, die an Weisungen des «Reichsbevollmächtigten» gebunden war (bis Anfang 1942 war dies der Gesandte Cecil von Renthe-Fink, dann der frühere Organisator der Gestapo, Werner Best), Norwegen unter einem deutschen «Reichskommissar», dem Essener Gauleiter Josef Terboven.

Am 10. Mai 1940 begann der Westfeldzug mit dem Überfall auf drei neutrale Staaten: die Niederlande, Belgien und Luxemburg. Am 20. Mai standen deutsche Truppen bereits in Nordfrankreich. Am 10. Juni erklärte das faschistische Italien Großbritannien und Frankreich den Krieg; am 14. Juni fiel Paris kampflos in deutsche Hand; am 21. Juni wurden in Anwesenheit Hitlers einer französischen Delegation in Compiègne, und zwar im gleichen Salonwagen, in dem Deutschland am 11. November 1918 den Waffenstillstand unterzeichnet hatte, die deutschen Bedingungen für einen Waffenstillstand übergeben. Am 22. Juni fand die Unterzeichnung des Dokuments statt; in der Nacht vom 24. zum 25. Juni trat der Waffenstillstand in Kraft. Er brachte die gesamte französische Atlantikküste, den Osten und den Norden Frankreichs mit Paris unter deutsche Besatzung. Das ehemalige Reichsland Elsaß-Lothringen wurde deutscher Verwaltung unterstellt und damit de facto, wenn auch einstweilen noch nicht de jure, vom Deutschen Reich annektiert. In den unbesetzten Teil des Landes, nach Vichy, verlegte der neue «Etat français» unter Marschall Pétain seinen Sitz. Ein anderes Frankreich erhob von London aus seine Stimme: die nach England entkommenen Widerstandskräfte der «France libre» unter dem Brigadegeneral Charles de Gaulle.

Nie war Hitler in Deutschland populärer als im Sommer 1940, als die Schmach von 1918 ausgelöscht und der Erste Weltkrieg im nachhinein gewonnen schien. «Die übermenschliche Größe des Führers und seines Werkes erkennen heute alle gutgesinnten Volksgenossen restlos, freudig und dankbar an», berichtete am 9. Juli der Regierungspräsident von Schwaben, und der Kreisleiter von Augsburg-Stadt befand tags darauf: «Man kann ruhig sagen, die ganze Nation ist nun von einem so gläubigen Vertrauen zum Führer erfüllt, wie dies vielleicht in diesem Ausmaß noch nie der Fall war.» Das akademische Deutschland war nicht weniger begeistert als die vielen namenlosen «Volksgenossen». Selbst der einstige «Vernunftrepublikaner» Friedrich Meinecke, der Hitler und dem Nationalsozialismus mit starken Vorbehalten gegenüberstand, räumte in einem Brief an einen anderen deutschen Historiker, Siegfried A. Kaehler, am 4. Juli 1940 ein: «Freude, Bewunderung und Stolz auf dieses Heer müssen zunächst auch für mich dominieren. Und Straßburgs Wiedergewinnung! Wie sollte einem da das Herz nicht schlagen. Es war doch eine erstaunliche, und wohl die größte positive Leistung des 3. Reiches, in vier Jahren ein solches Millionenheer neu aufzubauen und zu solchen Leistungen zu befähigen.»

Das nationalsozialistische Regime durfte auf die Unterstützung vieler, wenn nicht der meisten deutschen Historiker rechnen, als es im Frühjahr 1940 mit einer Kampagne begann, die darauf abzielte, europäische Unterstützung für die Führungsrolle des Reiches und mitunter auch diejenige Italiens zu gewinnen. In der von Goebbels herausgegebenen Zeitschrift «Das Reich», die seit Ende Mai 1940 erschien, verkündete der Historiker Peter Richard Rohden am 21. Juli 1940 eine besondere Mission Deutschlands und Italiens: «Träger eines echten imperialen Ordnungsgedankens, der nicht auf Unterdrückung und Ausbeutung, sondern auf Gerechtigkeit und Frieden abzielt, sind im germanisch-romanischen Raum nur Italien und Deutschland – Italien als Erbe der ‹Pax Romana›, Deutschland als Erbe des ›Sacrum Imperium‹...» Heinrich Ritter von Srbik, ein der großdeutschen Idee verpflichteter, «gesamtdeutsch» empfindender österreichischer Historiker, rühmte 1941 in der «Historischen Zeitschrift» das «Dritte Reich», weil es «ohne Imperialismus und nicht mehr auf dem Grund einer Menschheitsidee, sondern auf dem Boden des eigenen Volksgedankens und einer sozialen vorbildlichen Kulturarbeit... die alte Aufgabe des Ersten und Zweiten Reiches wieder übernommen» habe, «eine neue und gesündere Ordnung Mitteleuropas und des Erdteils durchzuführen».

Im gleichen Jahr 1941 veröffentlichte Karl Richard Ganzer, der wenig später die kommissarische Leitung des «Reichsinstituts für Geschichte des neuen Deutschlands» übernahm, seine Schrift «Das Reich als europäische Ordnungsmacht». Die wesentliche Botschaft war in einem hervorgehobenen Satz enthalten: «Der deutsche Kern organisiert kraft seiner höheren politischen Potenz um sich als bestimmende Mitte eine Gruppe andersgearteter Räume, die völkisch durchaus eigenständig sein können, zu einer politischen Gemeinschaft; in ihr sind die deutsche Führung und die andersvölkische Eigenständigkeit in organischer Stufung ausgewogen.»[25]

Für Hitler freilich war «andersvölkische Eigenständigkeit» auch im Westen Europas nichts, wovor er Respekt empfand. Schon vor dem Krieg, im Mai 1937, hatte er von der «zukünftigen Liquidation des Westfälischen Friedens» geträumt. Am 7. November 1939 notierte Goebbels nach einem Gespräch mit Hitler: «Der Schlag gegen die Westmächte wird nicht lange mehr auf sich warten lassen. Vielleicht gelingt es dem Führer eher, als wir alle denken, den Westfälischen Frieden zu annullieren. Damit wäre dann sein geschichtliches Leben gekrönt.» Zehn Tage später kam Hitler auf dieses Thema zurück. «Der Führer spricht über unsere Kriegsziele», hielt Goebbels am 17. November fest. «Wenn man schon einmal anfängt, dann muß man auch die fälligen Fragen lösen. Er denkt an eine restlose Liquidation des Westfälischen Friedens, der in Münster abgeschlossen worden ist und den er in Münster beseitigen will. Das wäre unser ganz großes Ziel. Wenn das gelungen ist, dann könnten wir beruhigt die Augen schließen.»

Den Frieden von Münster und Osnabrück von 1648 rückgängig zu machen: das war die Umschreibung des Wunsches, die europäische Landkarte völlig neu zu zeichnen und dem Reich zur dauerhaften Vorherrschaft über den Kontinent zu verhelfen. Die Wiederherstellung der Westgrenze des Heiligen Römischen Reiches, wie sie vor dem Dreißigjährigen Krieg verlaufen war, wäre in diesem Zusammenhang wohl nur eine Mindestbedingung gewesen. Bei *einer* Gebietsforderung ging Hitler schon im Herbst 1939 sehr viel weiter. Als er sich am 3. November, nach Goebbels' Zeugnis, anschickte, französische Provinzen aufzuteilen, nahm er Burgund für die Ansiedlung der Südtiroler in Aussicht, die sich auf Grund einer deutsch-italienischen Übereinkunft vom 23. Juni 1939 bis zum Ende des Jahres entscheiden mußten, ob sie nach Deutschland auswandern oder als italienische Staatsbürger ohne Sonderrechte in Italien verbleiben wollten. Nach dem Sieg über Frankreich tat das Regime die ersten Schritte, um den Gedanken in die Tat umzusetzen. Am 10. Juli 1940 brach Heinrich Himmler zu einer Besichtigungsfahrt nach Burgund auf: Es galt die Frage zu prüfen, wie das Gebiet durch Ansiedlung deutscher Bauernfamilien germanisiert werden konnte. Ende Dezember 1940 lag ein Gutachten vor, das den Siedlerbedarf für neun französische Departements auf eine Million Menschen bezifferte.

Die Eindeutschung Burgunds war Teil jener «großgermanischen Politik», die Hitler im Frühjahr 1940 proklamierte. Am 9. April, dem Tag des deutschen Überfalls auf Dänemark und Norwegen, erklärte er vor seinen engsten Mitarbeitern: «So, wie aus dem Jahre 1866 das Reich Bismarcks entstand, so wird aus dem heutigen Tag das Großgermanische Reich entstehen.» Vor dem Krieg hatte Hitler bei «Germanisierung» an die Eroberung von Lebensraum im Osten gedacht. Doch von Rußland sprach er seit dem deutsch-sowjetischen Nichtangriffspakt vom 23. August 1939 nicht mehr, wenn er das Reich der Zukunft entwarf. Im «Großgermanischen Reich» sollten sich unter deutscher Führung germanische Völker wie Dänen, Norweger, Niederländer und Flamen zu einem Gebilde zusammenschließen, das sich durch rassische Reinheit auszeichnete, aber kein Nationalstaat mehr gewesen wäre.

Damit erweckte Hitler die alte vornationale Idee der «Germania magna» wieder zum Leben, die schon von deutschen Humanisten um 1500 und zu Beginn des 19. Jahrhunderts von Ernst Moritz Arndt beschworen worden war, die unter den Bedingungen des Jahres 1940 jedoch wie ein «postnationales» Projekt wirkte. Neben dem «Großgermanischen Reich» hätten sich nur Italien und, wenn es denn zur Verständigung mit Deutschland bereit war, England als europäische Mächte von Rang behaupten können. So etwa sah Hitlers Version einer Neuordnung Europas westlich der russischen Grenze zum Zeitpunkt seiner bislang größten kriegerischen Triumphe aus.[26]

Hitlers Entwurf war eines, die Wirklichkeit ein anderes. Seine getreuesten Gefolgsleute in den besetzten germanischen oder teilweise germanischen Ländern – Vidkun Quisling in Norwegen, Anton Mussert in den Niederlanden und der Wallone Léon Degrelle in Belgien – hatten nur wenig Rückhalt in der Bevölkerung, so daß die deutsche Herrschaft über den

Status einer Besatzungsherrschaft nirgendwo hinausgelangte, gleichviel ob sie durch Reichskommissare wie Terboven in Norwegen und Seyß-Inquart in den Niederlanden, durch die Reichsbevollmächtigten Renthe-Fink und Best in Dänemark oder den Militärbefehlshaber General von Falkenhausen in Belgien ausgeübt wurde.

Dazu kam, daß der Nimbus der deutschen Waffenerfolge schon im Verlauf des Jahres 1940 nachzulassen begann. England, seit dem 10. Mai 1940 von Winston Churchill, Chamberlains härtestem Widersacher in der Konservativen Partei, geführt, dachte gar nicht an den Friedensschluß, auf den Hitler nach dem Zusammenbruch Frankreichs wieder verstärkt hoffte. Churchill ließ sich weder von Hitlers Drohung beeindrucken, Großbritannien werde sein Weltreich verlieren, wenn es den Kampf gegen Deutschland fortsetze, noch durch die Bombenangriffe von Hermann Görings Luftwaffe. Da es Deutschland nicht gelang, die Lufthoheit über den Süden Englands zu erringen, mußte die geplante Invasion von Bodentruppen vertagt werden. Währenddessen schlug die wirtschaftliche und militärische Hilfe, die der amerikanische Präsident Franklin Delano Roosevelt den Briten gewährte, immer stärker zu Buche. Der wichtigste Kriegsgegner Deutschlands war, fürs erste jedenfalls, unbezwinglich.

Die Einsicht, daß Deutschland England einstweilen weder «friedlich» zu sich herüberziehen noch militärisch niederzwingen konnte, löste bei Hitler im Sommer 1940 einen Prozeß des strategischen Umdenkens aus: Der «Lebensraum»-Krieg gegen Rußland, seine älteste, seit dem August 1939 zeitweilig «verdrängte» außenpolitische Zielsetzung, trat wieder in das Bewußtsein des «Führers». Am 21. Juli 1940 faßte Hitler vor den Oberbefehlshabern der drei Wehrmachtsteile eine baldige Zerschlagung der Sowjetunion ins Auge und begründete das mit der Mutmaßung, daß England den Krieg wohl auch deswegen fortsetze, weil es auf ein Bündnis mit Moskau sowie auf einen Kriegseintritt Amerikas hoffe. Zehn Tage später, am 31. Juli, war die «Vernichtung der Lebenskraft Rußlands» bereits zu einem Ziel aufgerückt, das es in allernächster Zukunft durch einen «Blitzkrieg» zu lösen galt: Der Ostfeldzug sollte, da es aus praktischen, namentlich auch klimatischen Gründen nicht früher ging, im Mai 1941 beginnen.

Großbritanniens, von den Vereinigten Staaten wirksam unterstützter Widerstand hatte, so urteilt der Historiker Andreas Hillgruber, eine «Umkehrung der bisherigen Vorstellungen Hitlers» bewirkt: «Ziel der Niederwerfung Frankreichs und des erhofften ‹Ausgleiches› mit Großbritannien war es ja gewesen, ihm die Rückenfreiheit, die sichere strategische Basis zu verschaffen, aus der heraus er zu einem ihm geeignet erscheinenden Zeitpunkt nach Osten vorstoßen konnte. Nun wurde sein bisheriges Hauptziel, die Eroberung des Ostraums, zugleich zum Mittel, mit den angelsächsischen Seemächten fertig zu werden, die nicht bereit waren, sich mit seiner Herrschaft über die mittleren und westlichen Teile Kontinentaleuropas abzufinden, sondern sie ihm streitig machten.»

Unwiderruflich war Hitlers Zeitplanung vom 31. Juli 1940 aber noch nicht. Im Herbst erwog er als Zwischenlösung einen von Ribbentrop ins Spiel gebrachten antibritischen «Kontinentalblock», dem sich auch die Sowjetunion anschließen sollte. Tatsächlich traten Ungarn, Rumänien, die Slowakei und Bulgarien dem Dreimächtepakt bei, den die Antikominternpartner Deutschland, Italien und Japan am 27. September 1940 abgeschlossen hatten, nicht jedoch die Sowjetunion. Nachdem bei einem Besuch, den der sowjetische Außenminister Molotow am 12. und 13. November 1940 Berlin abstattete, die gegensätzlichen Interessen beider Seiten hart aufeinander geprallt waren, stand für Hitler endgültig fest, daß es zu einem Ostfeldzug im Mai 1941 keine Alternative gab. Am 18. Dezember 1940 erging seine Weisung mit dem symbolträchtigen, die mittelalterliche Reichsherrlichkeit beschwörenden Kennwort «Fall Barbarossa»: «Die deutsche Wehrmacht muß darauf vorbereitet sein, auch vor Beendigung des Krieges gegen England Sowjetrußland in einem schnellen Feldzug niederzuwerfen.»

Ein Vierteljahr später, am 3. März 1941, wies Hitler dem «Reichsführer SS», Heinrich Himmler, im künftigen Operationsgebiet des Heeres «zur Vorbereitung der *politischen Verwaltung Sonderaufgaben*» zu, «die sich aus dem endgültig auszutragenden Kampf zweier entgegengesetzter politischer Systeme ergeben». Vor etwa 200 hohen Offizieren erklärte Hitler kurz darauf, am 30. März, den Aufzeichnungen Halders zufolge, der Bolschewismus sei «asoziales Verbrechertum» und der Kommunismus eine «ungeheure Gefahr»: «Wir müssen von dem Standpunkt des soldatischen Kameradentums abrücken. Der Kommunist ist vorher kein Kamerad und nachher kein Kamerad. Es handelt sich um einen Vernichtungskampf… Kampf gegen Rußland: Vernichtung der bolschewistischen Kommissare und der kommunistischen Intelligenz. Der Kampf muß geführt werden gegen das Gift der Zersetzung. Das ist keine Frage der Kriegsgerichte… Der Kampf wird sich sehr unterscheiden vom Kampf im Westen. Im Osten ist Härte mild für die Zukunft.» Am folgenden Tag, dem 31. März 1941, erhielt der berüchtigte «Kommissarbefehl» seine erste, am 12. Mai seine endgültige Fassung. Der Kernsatz lautete: «Politische Hoheitsträger und Leiter (Kommissare) sind zu beseitigen.»

Hitlers Sprache war im Frühjahr 1941 wieder die der «Kampfzeit» vor 1933. Der Krieg gegen die Sowjetunion war für ihn von Anfang an ein Weltanschauungs- und Bürgerkrieg, bei dem es um alles oder nichts ging. Die Zeit, in der er *nur* die demokratische oder plutokratische Ausprägung des «internationalen Judentums» hatte bekämpfen können, lief ab; mit Beginn des Krieges gegen die Sowjetunion rückte wieder der Kampf gegen den «jüdischen Bolschewismus» in den Vordergrund – ein Kampf, den er sich seit Abschluß des deutsch-sowjetischen Nichtangriffspakts hatte versagen müssen. Von den meisten Offizieren, die er am 30. März 1941 auf die neue Lage und die ihr angemessenen Methoden eingestimmt hatte, durfte er sich verstanden fühlen. Widerspruch war jedenfalls nicht laut geworden. Und obwohl Hitler, laut Halders Bericht, die Juden nicht ausdrücklich angegriffen hatte, dürften die Anwesenden gewußt haben, wer und was gemeint war.

General Erich Hoepner – ein Offizier, der zum militärischen Widerstand gegen Hitler gehörte und im Januar 1942 wegen Nichtbeachtung eines Durchhaltebefehls aus der Wehrmacht ausgestoßen wurde – zog jedenfalls die vom «Führer» gewünschten Folgerungen. «Der Krieg gegen Rußland ist die zwangsläufige Folge des uns aufgedrungenen Kampfes um das Dasein und insbesondere um die wirtschaftliche Selbständigkeit Großdeutschlands und des von ihm beherrschten europäischen Raums», heißt es in Hoepners Aufmarschbefehl vom 2. Mai 1941. «Es ist der alte Kampf der Germanen gegen das Slawentum, die Verteidigung europäischer Kultur gegen moskowitisch-asiatische Überschwemmung, die Abwehr des jüdischen Bolschewismus. Dieser Kampf muß die Zertrümmerung des heutigen Rußland zum Ziele haben und deshalb mit unerhörter Härte geführt werden. Jede Kampfhandlung muß in Anlage und Durchführung von dem eisernen Willen zur erbarmungslosen, völligen Vernichtung des Feindes geleitet sein. Insbesondere gibt es keine Schonung für die Träger des heutigen russisch-bolschewistischen Systems.»

Daß Hitlers Zeitplan sich nicht einhalten ließ, der Überfall auf die Sowjetunion also nicht, wie in der Weisung für den «Fall Barbarossa» vorgesehen, am 15. Mai 1941 erfolgen konnte, lag vor allem an Mussolini. Das faschistische Italien hatte Ende Oktober 1940 Griechenland angegriffen, dort aber ähnlich schwere Niederlagen erlitten wie zuvor im Seekampf mit England im Mittelmeer. Hitler war seinem Verbündeten zunächst durch die Entsendung eines Afrikakorps unter General Rommel zu Hilfe geeilt. Bevor der «Führer» auch in Griechenland eingreifen konnte, brachte Ende März 1941 ein Militärputsch die achsenfreundliche Regierung in Jugoslawien zu Fall. Die neue Staatsführung unter dem minderjährigen König Peter II. schloß Anfang April einen Freundschafts- und Nichtangriffspakt mit der Sowjetunion. Hitler hatte sich schon nach dem Belgrader Staatsstreich entschlossen, nicht nur Griechenland, sondern auch Jugoslawien anzugreifen. Am 17. April mußte die jugoslawische, am 21. April die griechische Armee kapitulieren. Vier Wochen später waren die Briten aus Kreta vertrieben.

Hitler hatte gesiegt, durch den Blitzkrieg auf dem Balkan aber wertvolle Zeit verloren. Der Angriff auf die Sowjetunion mußte verschoben werden – auf den 22. Juni 1941. An einem 22. Juni hatte schon einmal ein Eroberer einen Krieg gegen Rußland begonnen – Napoleon I. im Jahre 1812. In der Proklamation aus dem Kaiserlichen Hauptquartier in Wilkowyszki diente die Behauptung vom vertragswidrigen Zusammenspiel zwischen Rußland und England als Kriegsgrund. 129 Jahre später war es nicht anders. In seiner «Proklamation an das deutsche Volk» begründete Hitler seinen Ent-

schluß, die Sowjetunion anzugreifen, mit einer angeblichen bereits «einge-
tretenen Koalition zwischen England und Sowjetrußland» und zahlreichen
Grenzverletzungen durch sowjetische Streitkräfte. «Damit ist nunmehr die
Stunde gekommen, in der es notwendig wird, diesem Komplott der jü-
disch-angelsächsischen Kriegsanstifter und der ebenso jüdischen Machthaber der bolschewistischen Moskauer Zentrale entgegenzutreten.»

Daß er einem sowjetischen Angriff auf Deutschland zuvorgekommen
sei, sagte Hitler *nicht*. Er hatte dafür auch keine Anhaltspunkte, und es gibt,
was das Jahr 1941 angeht, bis heute keine stichhaltigen Beweise für eine solche Absicht Stalins. Belegen läßt sich, daß Verteidigungskommissar Marschall Timoschenko und Generalstabschef Schukow Mitte Mai 1941 den
sowjetischen Diktator für einen Präventivschlag gegen Deutschland zu gewinnen versuchten, damit aber nicht durchdrangen. Stalin wollte einen
deutschen Angriff mit einem massiven Gegenschlag beantworten: So läßt
sich die Konzentration von Truppenverbänden an der Westgrenze der Sowjetunion erklären, die wohl zum Angriff, aber kaum zur Verteidigung
fähig waren.

Die meisten Deutschen reagierten zunächst bestürzt auf die neue Entwicklung, ließen sich dann aber bald von den militärischen Erfolgen der
Wehrmacht beeindrucken. Unter den ersten, die dem Überfall auf die Sowjetunion Beifall spendeten, waren evangelische und katholische Kirchen-
männer. Der Geistliche Vertrauensrat der Deutschen Evangelischen Kirche, an seiner Spitze der hannoversche Landesbischof August Marahrens,
dankte am 30. Juni Hitler dafür, daß er «unser Volk und die Völker Europas zum entscheidenden Waffengange gegen den Todfeind aller Ordnung
und aller abendländisch-christlichen Kultur» aufgerufen habe. Die katholischen Bischöfe forderten die Gläubigen lediglich zu «treuer Pflichterfül-
lung, tapferem Ausharren, opferwilligem Arbeiten und Kämpfen im Dienste unseres Volkes» auf. Manche Kirchenfürsten gingen in den folgenden
Monaten aber weiter. Der Bischof von Eichstätt, Michael Rackl, begrüßte
den Rußlandfeldzug als einen «Kreuzzug, einen heiligen Krieg für Heimat
und Volk, für Glauben und Kirche, für Christus und sein hochheiliges
Kreuz»; der Erzbischof von Paderborn, Lorenz Jaeger, sprach von einem
Kampf «für die Bewahrung des Christentums in unserem Vaterland, für die
Errettung der Kirche aus der Bedrohung durch den antichristlichen Bolschewismus»; der Bischof von Augsburg, Joseph Kumpfmüller, verglich
die bolschewistische Bedrohung mit der Türkengefahr früherer Jahrhunderte und betete öffentlich um einen «baldigen, endgültigen Sieg über die
Feinde unseres Glaubens».

Das radikalste Bekenntnis zum gerechten Krieg wider den gottlosen Bolschewismus legte Clemens August Graf von Galen, der Bischof von Münster, ab. In einem Hirtenbrief vom 14. September 1941 nannte er es eine
«Befreiung von einer ernsten Sorge und eine Erlösung von schwerem
Druck», daß der «Führer und Reichskanzler» am 22. Juni den «Russen-

pakt» für erloschen erklärt habe, und zitierte Hitlers Wort von der «jüdisch-bolschewistischen Machthaberschaft» in Moskau. «Bei Tag und
Nacht weilen unsere Gedanken bei unseren tapferen Soldaten, steigen unsere Gebete zum Himmel, daß Gottes Beistand auch in Zukunft mit ihnen
sei, zu erfolgreicher Abwehr der bolschewistischen Bedrohung von unserem Volk und Land, ja auch zur Befreiung des seit bald 25 Jahren von der
Pest des Bolschewismus verseuchten und fast zugrunde gerichteten russischen Volkes.» Der Bolschewismus sei nicht nur physische Macht, die mit
äußeren Mitteln zurückgedrängt und überwunden werden könne. «Er ist
auch, und er ist vor allem, eine Lehre, ein Lehrsystem das aus dem offenbarungsfeindlichen Naturalismus und dem sozialistischen Materialismus
erwachsen und abgeleitet, über Landesgrenzen und Kampffronten hinweg
durch seine heimtückische und meist getarnte Propaganda auch jene Völker zu erfassen und zu verführen versucht, die politisch die militärisch-
machtmäßige Herrschaft des Bolschewismus abwehren. Der Führer hat ja
am 22. Juni 1941 ausdrücklich betont, daß die Moskauer Machthaber seit
über zwei Jahrzehnten unentwegt sich auch geistig bemüht haben,
Deutschland und ganz Europa in Brand zu stecken.»

Moralische Unterstützung erhielt Hitler auch aus der deutschen Geschichtswissenschaft. Hermann Heimpel, der seit dem November 1941 an
der neugeschaffenen «Reichsuniversität» Straßburg lehrte, erinnerte in seinem 1941 erschienenen Aufsatzband «Deutsches Mittelalter» absichtsvoll
daran, daß das «mittelalterliche Kaisertum, die kaiserliche ‹auctoritas› auch
über die unabhängigen Völker des Westens, immer wieder aus der Schwertmission im Osten die innere Berechtigung gezogen» habe. Nicht minder
beziehungsreich war der Hinweis auf die mittelalterliche Überzeugung,
daß der Antichrist nicht zur Herrschaft gelangen werde, solange das auf die
Franken und damit auf die Deutschen übertragene Römische Reich bestehe. Das Reich war «Gottes Anruf» und darum immer noch Träger einer
heilsgeschichtlichen Sendung: «Die beiden letzten möglichen Formen, die
äußersten Extreme des missionarischen Reiches, sind die Weltrevolution
und das Reich Gottes.»

Heimpel war kein Außenseiter. So wie er verteidigten auch andere angesehene Historiker das, worin sie die geschichtliche Aufgabe des Deutschen
Reiches sahen. Seit dem Sommer 1941 war dies, entsprechend den Vorgaben aus Ribbentrops Auswärtigem Amt und Goebbels' Propagandaministerium, eine *europäische* Aufgabe. In Schulungskursen für nichtdeutsche
Freiwillige der SS begründeten Herbert Gundmann und Fritz Rörig, zwei
Mittelalterforscher von Rang, warum nur «das Reich» an der Spitze jenes
«Kreuzzugs Europas gegen den Bolschewismus» stehen konnte, von dem
das Auswärtige Amt schon am 27. Juni 1941 in einem Grundsatzartikel der
«Deutschen diplomatisch-politischen Information» gesprochen hatte.
Erich Maschke, ein Kenner der Geschichte des Deutschen Ritterordens,
bescheinigte 1942 in einer nur für den Dienstgebrauch freigegebenen Bro

schüre den Deutschen, nur durch sie sei «der Ostraum organisch, ohne Brüche, ohne Vergiftungserscheinungen, von Narwa und Petersburg bis zum Schwarzen Meer zu Europa gezogen und mit Europa, seinem Schicksal und seiner Kultur verknüpft» worden, woraus nun «die Aufgabe für Gegenwart und Zukunft» erwachse. Für den Neuzeithistoriker Reinhard Wittram, der damals an der «Reichsuniversität» Posen lehrte, war der Deutsche der «Soldat Europas», der eine «neue Ordnung» verwirkliche und damit Europa wieder «ein Ganzes» werden lasse. Er tue dies im Kampf gegen den «Ungeist» im Osten, gegen die «Widerkraft, die alles in Frage stellte, was diesem Erdteil seinen geschichtlichen Rang verliehen hat».

Es war in der Regel nicht opportunistische Anbiederung, was deutsche Akademiker veranlaßte, dem Regime ihre Feder und ihre Stimme zu leihen. Sie schrieben und sprachen nicht wider besseres Wissen; sie stellten der Führung des Großdeutschen Reiches zur Verfügung, was sie für ihr Wissen hielten und was ihr Glaube war. Sie stimmten mit Hitler wenn nicht in allem, so doch in vielem überein. Der «Führer» seinerseits hatte sich viel von dem angelesen und zu eigen gemacht, was deutsche Historiker und andere Autoren über die deutsche und die Weltgeschichte zu Papier gebracht hatten.

In dem verballhornten deutschen Bildungsgut, aus dem er lebte und das er in Politik umsetzte, konnten sich große Teile des gebildeten Deutschland immer noch wiedererkennen – seine jüngeren Vertreter vorbehaltloser als die älteren, die in der Zeit vor 1914 aufgewachsen waren und ihre Vorbehalte gegenüber der Vulgarität des «Emporkömmlings» nie ganz überwanden. Es gab eine Wahlverwandtschaft zwischen Hitler und den jüngeren Deutschen, die den deutschen Geist zu verkörpern meinten. Diese Wahlverwandtschaft überdauerte nicht nur den Angriff auf die Sowjetunion, sondern war wohl nie so stark wie in der Zeit, da Hitler im Begriff schien, den Endkampf gegen den Bolschewismus zu gewinnen.[27]

In demselben Hirtenbrief, in dem Clemens August von Galen am 14. September 1941 den Krieg gegen den Bolschewismus rechtfertigte, übte der Bischof von Münster auch scharfe Kritik am Nationalsozialismus. Er verwies auf die drohende Gefahr, «daß im Rücken des siegreichen Heeres Falschlehren und Irrtümer, die gleich dem russischen Kommunismus die Fortführung sind des auch in Deutschland gelehrten und verbreiteten Naturalismus und Materialismus, geduldet und befolgt werden». Galen prangerte damit, wie zuvor schon in einem Zusatz zu einem Hirtenbrief der katholischen Bischöfe vom 6. Juli und in einer Predigt vom 3. August 1941, die von Hitler verfügte Tötung von Geisteskranken an. «Grauenhaft» nannte Galen die «Befolgung jener Lehre, die da behauptet, es sei erlaubt, ‹unproduktiven Menschen›, armen, schuldlosen Geisteskranken vorsätzlich das Leben zu nehmen; einer Lehre, die grundsätzlich der gewaltsamen Tötung aller als ‹unproduktiv› erklärten Menschen, der unheilbar Kranken, der Invaliden der Arbeit und des Krieges, der Altersschwachen Tür und Tor öffnet!» Galen verdankte es seinem persönlichen Ansehen und der großen Erregung, die sein öffentlicher Protest gegen die «Euthanasieaktion» auslöste, daß das Regime ihn nicht sofort verhaften und in ein Konzentrationslager einliefern ließ. Hitlers Erlaß mit dem offiziellen Datum des 1. Septembers 1939 hatte bis zum Sommer 1941 über 70 000 Menschenleben gefordert; die Mittel der Tötung waren zunächst Injektionen, dann, seit Januar 1940, Vergasungen. Am 24. August 1941 wurde die Aktion unterbrochen; die Unruhe in der Bevölkerung hatte ein Ausmaß erreicht, das Hitler für politisch gefährlich hielt. Die Unterbrechung bedeutete aber nicht den Abbruch der «Vernichtung lebensunwerten Lebens». Hitlers Weisung galt nur für die inzwischen weithin bekannten Mordzentren im «Altreich» in Grafeneck in Württemberg, Hadamar bei Limburg und Brandenburg an der Havel. In dezentralisierter Form und mit anderen Mitteln, darunter bewußtes Verhungernlassen, massenhafte Erschießungen durch die SS im neuen Reichsgau Danzig-Westpreußen und die Tötung durch Dynamit, gingen die Morde weiter. *Eine* Gruppe von Patienten wurde ausnahmslos, ohne die sonst übliche Prüfung des Einzelfalls, getötet: jüdische Geisteskranke.

Um dieselbe Zeit, im Sommer 1941, begann sich eine «Lösung der Judenfrage» insgesamt abzuzeichnen. Nach der Besetzung und Teilung Polens war in Berlin zunächst über eine «territoriale» Lösung *in* Polen, und zwar im östlichsten Distrikt des Generalgouvernements, Lublin, nachgedacht worden. Dort sollte nach den Vorstellungen Hitlers und Himmlers ein besonderer Judenbezirk entstehen. Doch bereits die ersten Deportationen vom Dezember 1939, von denen fast 90 000 Menschen betroffen waren, verliefen so chaotisch, daß Generalgouverneur Hans Frank sich massiv gegen weitere Transporte dieser Art und gegen die Errichtung eines Judenreservats östlich der Weichsel zur Wehr setzte – und damit zunächst Erfolg hatte.

Frank kam zustatten, daß im Frühsommer 1940 ein anderer Vorschlag zur «territorialen» Lösung der «Judenfrage», und zwar diesmal in Übersee, in Umlauf kam und auch Himmlers Beifall fand. Anfang Juni 1940, als der Sieg über Frankreich kurz bevorstand, griff der Judenreferent des Auswärtigen Amtes, Franz Rademacher, eine Idee auf, die als erster der deutsche Antisemit Paul de Lagarde 1885 in die Debatte geworfen hatte: Die Juden (oder, wie Rademacher präzisierte, die «Westjuden») sollten nach Madagaskar, das zum französischen Kolonialbesitz gehörte, verbracht werden. Nachdem Himmler und Hitler dem Gedanken zugestimmt hatten, legte im August 1940 das Reichssicherheitshauptamt einen eigenen Madagaskar-Plan vor, wonach die Insel vor der afrikanischen Ostküste zu einem Großghetto unter deutscher Oberhoheit werden sollte.

Die klimatischen Bedingungen und die fehlende Infrastruktur auf Madagaskar hätten freilich binnen kurzem zu einer physischen Teillösung der «Judenfrage», nämlich einem Massensterben, geführt. Aber nicht nur deshalb war der Madagaskar-Plan keine «echte» Alternative zur Tötung der Juden. Die Deportation von Millionen Juden sollte auf englischen und französischen Schiffen erfolgen, war also ohne Friedensschluß mit Großbritannien nicht zu verwirklichen. Da sich diese Hauptvoraussetzung nicht erzwingen ließ, spielte das Projekt «Madagaskar» seit dem Spätjahr 1940 keine praktische Rolle mehr.

Während die nationalsozialistische Führung erst die Lubliner, dann die madegassische Variante einer «territorialen» Lösung der «Judenfrage» erwog, wurden im Warthegau wie im Generalgouvernement die Juden in Ghettos zusammengefaßt und von der übrigen Bevölkerung isoliert. Die Lebensbedingungen in den Ghettos waren derart schlecht, daß dort bald ein Massensterben einsetzte, dem nach Schätzung des Historikers Raul Hilberg mehr als 500 000 Juden zum Opfer fielen. Die Ghettos waren als Provisorien gedacht gewesen – als Durchgangsstationen auf dem Weg sei es in den Osten des Generalgouvernements, sei es nach Übersee. Als sich die Projekte «Lublin» und «Madagaskar» als Schimären erwiesen, versuchten die deutschen Behörden mancherorts, so in Lodz, den Ghettojuden durch Arbeitsbeschaffung für Rüstungszwecke ein primitives Überleben zu ermöglichen. Andere deutsche Autoritäten, darunter die im Warschauer Ghetto, wollten die Juden einfach verhungern lassen. Im April 1941 konnten sich die Befürworter der «Produktivität» gegenüber den Anwälten des «Aushungerns» durchsetzen – doch nur für kurze Zeit. Mit dem Überfall auf die Sowjetunion am 22. Juni 1941 begann ein neuer Abschnitt der nationalsozialistischen Judenpolitik: Das Schicksal der Juden im deutschen Einflußbereich war, rückblickend betrachtet, seit dem Augenblick besiegelt, in dem sich Hitler zur Vernichtung des «jüdischen Bolschewismus» entschlossen hatte.

Hitlers Entscheidung, die Sowjetunion im Frühjahr 1941 anzugreifen, fiel im Dezember 1940. Um dieselbe Zeit gab der «Führer» seinen Willen kund, «nach dem Kriege die Judenfrage innerhalb des von Deutschland beherrschten oder kontrollierten Teiles Europas einer endgültigen Lösung» zuzuführen. Als Chef der Sicherheitspolizei und des SD, des Sicherheitsdienstes der SS, erhielt Reinhard Heydrich laut einem Bericht des Judenreferenten der Gestapo in Paris, Theodor Dannecker, «vom Führer über den RF-SS bzw. durch den Reichsmarschall», also Himmler und Göring, den «Auftrag zur Vorlage eines Endlösungsprojektes». Am 21. Januar 1941, als Dannecker sein Schriftstück abfaßte, lag das «Projekt in seinen wesentlichsten Zügen» Hitler und Göring bereits vor. Die weiteren Planungen sollten sich «sowohl auf die einer Gesamtabschiebung der Juden vorausgehenden Arbeiten als auch auf die Planung einer bis ins einzelne festgelegten Ansiedlungsaktion in dem noch zu bestimmenden Territorium erstrecken».

Spätestens seit März 1941 konzentrierten sich Heydrichs Überlegungen auf die Sowjetunion, und hier vor allem auf ein entferntes und besonders unwirtliches Gebiet: die Eismeerküste. Am 23. September 1941 sprach Heydrich Goebbels gegenüber davon, daß die Juden in die von den Bolschewisten angelegten Lager transportiert werden sollten. Eine längerfristige Überlebenschance hätten die Juden dort nicht gehabt. Daß viele der Deportierten schon auf dem Weg in die Lager umkommen würden, gehörte zum Kalkül Heydrichs und seiner Mitarbeiter. Wohl schon im Frühjahr 1941 reiften im Reichssicherheitshauptamt Pläne, einen Großteil der arbeitsfähigen Juden durch Zwangsarbeit im Straßenbau und Trockenlegung von Sümpfen zu vernichten.[28]

Eine «Endlösung der Judenfrage» war ein wesentlicher, aber nicht der einzige Zweck des Krieges gegen die Sowjetunion. Rund drei Wochen nach Beginn des Ostfeldzugs, am 15. Juli 1941, legte Himmler als Reichskommissar für die Festigung des deutschen Volkstums die erste Fassung des «Generalplans Ost» vor – einen Entwurf gigantischer Bevölkerungsverschiebungen und «Umvolkungen» im Ostraum. In den folgenden Monaten wurde der Plan weiter präzisiert. Danach waren innerhalb von höchstens dreißig Jahren das gesamte Generalgouvernement mitsamt Galizien, das Baltikum, Weißruthenien und Teile der Ukraine zu germanisieren. Von der dort lebenden Bevölkerung sollten 31 Millionen ins westliche Sibirien vertrieben, 14 Millionen «Gutrassige» in ihren Wohnsitzen verbleiben.

Hitler wollte, wie er am 16. Juli 1941 im engsten Kreis erklärte, durch den Krieg die «Bildung einer militärischen Macht westlich des Ural» für alle Zukunft ausschließen. Fürs erste ging es ihm darum, den «riesenhaften Kuchen handgerecht zu zerlegen, damit wir ihn erstens beherrschen, zweitens verwalten und drittens ausbeuten können». Die Krim, das Baltikum, das altösterreichische Galizien müßten Reichsgebiet werden, außerdem die Wolga-Kolonie, also der Siedlungsbereich der Wolgadeutschen, und das Gebiet um Baku mit seinen reichen Erdölfeldern am Kaspischen Meer. Die tatsächliche Zielsetzung solle nicht vor der ganzen Welt bekanntgegeben werden. «Es soll also nicht erkennbar sein, daß sich damit eine endgültige Regelung anbahnt! Alle notwendigen Maßnahmen – Erschießen, Aussiedeln etc. – tun wir trotzdem und können wir trotzdem tun.» Ein Vierteljahr später, am 17. Oktober 1941, faßte Hitler im Führerhauptquartier seine Zielsetzung für den Ostraum in dem Satz zusammen: «Es gibt nur eine Aufgabe: eine Germanisierung durch Hereinnahme der Deutschen vorzunehmen und die Ureinwohner als Indianer zu betrachten.»

Von Anfang an hatte der «Lebensraumkrieg» im Osten auch seine gesellschaftspolitische Seite. Schon in «Mein Kampf» hatte Hitler die «Erwerbung von neuem Grund und Boden» gefordert, um die ungesunden Folgen der Industrialisierung zu beseitigen, Deutschland einen «gesunden Bauernstand» zu erhalten und die «Volksernährung mehr oder weniger unabhängig vom Auslande» zu machen. Himmler wollte im Oktober 1941 der «Überalterung der Handwerksbetriebe im Altreich» dadurch einen Riegel vorschieben, «daß die Handwerksbetriebe im Altreich gewissermaßen die

Mutterbetriebe der Jungbetriebe in den neu erworbenen Gebieten des Ostens werden und somit ein ständiger Blutkreislauf zwischen Alt- und Jungbetrieben sichergestellt ist». Im August 1942 bündelte Himmler nach einer Reise nach Kiew seine gesellschaftspolitischen Vorstellungen in der Bemerkung, «daß man die soziale Frage nur dadurch lösen kann, daß man die anderen totschlägt, damit man ihre Äcker bekommt». Der «Reichsführer SS» beschrieb damit die Wirklichkeit deutscher Herrschaft im Osten. Zum Töten durch Erschießen und Erhängen trat das Töten durch Verhungernlassen. Es war die Methode, die auch die Wehrmacht gegenüber sowjetischen Kriegsgefangenen und der einheimischen Zivilbevölkerung anwandte – im einen wie im anderen Fall mit Millionen von Opfern.

Das große Morden unter den Juden besorgten vom ersten Tag des Ostfeldzugs an vor allem die neugebildeten vier Einsatzgruppen der SS, deren Aktionsräume denen der Heeresgruppen Nord, Mitte und Süd zugeordnet waren (im Bereich der Heeresgruppe Süd arbeiteten zwei Einsatzgruppen, C und D). Hitlers Gleichsetzung von Juden mit Parteigängern und Partisanen der Bolschewisten bedeutete zunächst den Tod eines Großteils der männlichen erwachsenen Juden im Operationsgebiet der Einsatzgruppen. Seit Ende Juli gingen SS und Einsatzgruppen immer mehr dazu über, unterschiedslos alle Juden, die sie antrafen, auch Frauen und Kinder, zu erschießen. Die Ausweitung des Mordens hing mit einer neuen Kompetenzregelung zusammen: Am 16./17. Juli hatte Hitler dem «Reichsführer SS und Chef der deutschen Polizei», Heinrich Himmler, die «polizeiliche Sicherung der neu besetzten Ostgebiete» und damit die polizeiliche Lösung der «Judenfrage» übertragen. Am 14./15. August 1941 berief sich Himmler in Minsk gegenüber dem Führer des Einsatzkommandos 8, Otto Bradfisch, auf einen «Führerbefehl über die Erschießung aller Juden». Der Befehl wurde befolgt: Allein im Bereich der Einsatzgruppe A, die im Baltikum und in Teilen von Nordrußland tätig war, wurden zwischen dem 22. Juni und dem 15. Oktober 1941 etwa 125 000 Juden und 5 000 Nichtjuden liquidiert. Die Gesamtzahl der Juden, die während der ersten fünf Monate des Ostkrieges getötet wurden, belief sich auf ungefähr 500 000. Der Völkermord hatte begonnen.

An den Massenerschießungen beteiligten sich, namentlich in Litauen, im östlichen Galizien und der Ukraine, häufig einheimische Antikommunisten, nicht selten aber auch Soldaten der Wehrmacht. Zwei deutsche Generalfeldmarschälle riefen im Herbst 1941 ihre Soldaten auf, den Krieg gegen die Sowjetunion nicht als herkömmlichen, sondern als Weltanschauungs- und Rassenkrieg zu begreifen. Walther von Reichenau machte sich am 10. Oktober zum Sprachrohr Hitlers, als er den «Soldaten im Osten» zum «Träger einer unerbittlichen völkischen Idee» erklärte, der «für die Notwendigkeit der harten, aber gerechten Sühne am jüdischen Untermenschentum *volles* Verständnis haben» müsse. Erich von Manstein formulierte im November fast wortgleich: «Das jüdisch-bolschewistische System muß ein für allemal ausgerottet werden. Nie wieder darf es in unseren europäischen Lebensraum eingreifen. Für die Notwendigkeit der harten Sühne am Judentum, dem geistigen Träger des bolschewistischen Terrors, muß der Soldat Verständnis aufbringen.»

Für die politische Ausübung deutscher Herrschaft in den eroberten Gebieten der Sowjetunion war nominell Alfred Rosenberg, seit dem 17. November 1941 Reichsminister für die besetzten Ostgebiete, zuständig. Tatsächlich übten zwei hohe Funktionsträger der NSDAP die Macht aus: Hinrich Lohse, der Gauleiter von Schleswig-Holstein, als Reichskommissar für das «Ostland», gebildet aus den (von Stalin im Juli und August 1940 annektierten) drei baltischen Staaten Litauen, Lettland und Estland sowie Weißrußland, und Erich Koch, Gauleiter von Ostpreußen, als Reichskommissar für die (verkleinerte) Ukraine. Koch sah in der Ukraine ein reines Ausbeutungsgebiet und in den Ukrainern ein Sklavenvolk, das für die deutschen Herren zu arbeiten habe. Daß Rosenberg diese Politik für verhängnisvoll hielt, weil sie jeder Zusammenarbeit mit antibolschewistischen Kräften in der Ukraine den Boden entzog, blieb folgenlos: Martin Bormann, der mächtige Leiter der Parteikanzlei, gab im Zweifelsfall, gestützt von Hitler, Koch recht.

Wenn es um Juden ging, hörte aber auch bei Rosenberg das Denken in den Kategorien der Zweckmäßigkeit auf. Als der Generalkommissar für Weißruthenien, der frühere brandenburgische Gauleiter Wilhelm Kube, im Oktober 1941 gegen die Massentötung von Juden, darunter vielen Handwerkern, protestierte und an den Ostminister die Frage richtete, ob denn tatsächlich alle Juden «ohne Rücksicht auf Alter und Geschlecht und wirtschaftliche Interessen (z. B. der Wehrmacht an Facharbeitern in Rüstungsbetrieben)» liquidiert werden sollten, ließ Rosenberg antworten: «Wirtschaftliche Belange sollen bei der Regelung des Problems grundsätzlich unberücksichtigt bleiben. Im übrigen wird gebeten, auftauchende Fragen unmittelbar mit dem Höheren SS- und Polizeiführer zu regeln.»[29]

Die Ausrottung der Juden hatte im Sommer 1941 begonnen, aber vieles war noch offen. Vorläufig beschränkte sich der Massenmord auf Teile des Ostjudentums und, was das angewandte Mittel betraf, vor allem auf Erschießungen. Auf diese Weise binnen kurzer Fristen viele Millionen von Menschen umzubringen, war technisch unmöglich, für die «Moral» der aktiv Beteiligten gefährlich und nicht vor der deutschen und der Weltöffentlichkeit geheimzuhalten. Es bedurfte also immer noch jenes «Gesamtentwurfes zur Durchführung der angestrebten Endlösung der Judenfrage», den Göring als der von Hitler eingesetzte Koordinator aller nicht rein militärischen Aktivitäten des Ostfeldzugs am 31. Juli 1941 bei Heydrich anforderte.

Zudem unterschied Hitler bis in den Sommer 1941 hinein, was seine zeitlichen Vorstellungen von einer endgültigen Lösung der «Judenfrage» anging, noch bewußt zwischen Ost- und Westjuden. Am 30. Januar 1941 hatte er im Reichstag an seinen «Hinweis» vom 30. Januar 1939 (den er fälschlich auf den 1. September 1939, den Tag des Kriegsausbruchs, datierte) erinnert, «daß, wenn die andere Welt von dem Judentum in einen allgemeinen Krieg gestürzt würde, das gesamte Judentum seine Rolle in Europa ausgespielt haben wird». Hitler betrachtete die deutschen und westeuropäischen Juden offenbar als Geiseln, auf die die Vereinigten Staaten Rücksicht nehmen mußten. Stellten sich die USA dennoch voll und ganz auf die Seite der Feinde Deutschlands, brauchte er, Hitler, auf die Juden im Reich und in Westeuropa keinerlei Rücksicht mehr zu nehmen – und hatte er den Krieg erst einmal gewonnen, dann erst recht nicht. Wie immer es kam, längerfristig hatten die Juden im deutschen Einflußbereich keine Überlebenschance.

Mitte August 1941 trat ein Ereignis ein, das Hitlers strategische und politische Gesamtplanung ins Wanken brachte. Am 14. August verkündeten die amerikanische und die britische Regierung die zwei Tage zuvor von Roosevelt und Churchill vereinbarte Atlantik-Charta, die beide Mächte auf gemeinsame Ziele, darunter die «endgültige Vernichtung der Nazi-Tyrannei», festlegte. Hitler konnte nun nicht mehr damit rechnen, daß England nach einem deutschen Sieg im Osten einlenken und sich mit ihm arrangieren werde. *Eine* Folgerung des «Führers» war die Abkehr von der Strategie des «Blitzkrieges», in deren Logik die möglichst rasche Einnahme Moskaus gelegen hätte. An die Stelle dieses Konzepts setzte er die Eroberung materieller Ressourcen im Süden der Sowjetunion mit dem Ziel, dem Reich die Mittel für einen längeren Krieg zu verschaffen.

Die *andere* Folge betraf die Juden. In Erwartung eines unmittelbar bevorstehenden Kriegseintritts der USA und einer alliierten Invasion an der Atlantikküste, begann Hitler sich nun auf die Vernichtung *aller* europäischer Juden noch *während* des Krieges einzustellen. Die Ausrottung der europäischen Juden als Antwort auf die Ausweitung des europäischen Krieges zum Weltkrieg: Hitler handelte nach den Kategorien, in denen er dachte.

Am 18. August 1941 stimmte Hitler seinem Propagandaminister in der Absicht zu, es allen Juden im Reich zur Pflicht zu machen, «ein großes sichtbares Judenabzeichen» zu tragen – den gelben Judenstern, der am 1. September 1941 auf dem Verordnungsweg eingeführt wurde. In der gleichen Unterredung mit Goebbels äußerte sich Hitler zum «Judenproblem» im allgemeinen. Er tat es auf eine Weise, die deutlich machte, daß er nunmehr daran dachte, die «Judenfrage» noch während des Krieges im europäischen Maßstab durch physische Liquidation zu lösen. «Der Führer ist der Überzeugung, daß seine damalige Prophezeiung im Reichstag, daß, wenn es dem Judentum gelänge, noch einmal einen Weltkrieg zu provozieren, er mit der Vernichtung der Juden enden würde, sich bestätigt. Sie bewahrheitet sich in diesen Wochen und Monaten mit einer fast unheimlich anmutenden Sicherheit. Im Osten müssen die Juden die Zeche bezahlen; in Deutschland haben sie sie zum Teil schon bezahlt und werden sie in Zukunft noch mehr bezahlen müssen. Ihre letzte Zuflucht bleibt Nord-amerika; und dort werden sie über kurz oder lang auch einmal bezahlen müssen.»

Am 16. November ließ der Reichsminister für Volksaufklärung und Pro-paganda die deutsche und die internationale Öffentlichkeit in der von ihm herausgegebenen Wochenzeitung «Das Reich» wissen, daß es Hitler mit sei-ner Prophezeiung vom 30. Januar 1939 tödlicher Ernst gewesen war. Unter der gleichen Überschrift «Die Juden sind schuld!», die er schon einmal, im August 1932, über einen Artikel im «Angriff» gesetzt hatte, schrieb Goeb-bels: «Wir erleben eben den Vollzug dieser Prophezeiung, und es erfüllt sich damit am Judentum ein Schicksal, das zwar hart, aber mehr als verdient ist. Mitleid oder gar Bedauern ist da gänzlich unangebracht. Das Weltjudentum hat in der Anzettelung dieses Krieges die ihm zur Verfügung stehenden Kräfte vollkommen falsch eingeschätzt, und es erleidet nun einen allmähli-chen Vernichtungsprozeß, den es uns zugedacht hatte und auch bedenken-los an uns vollstrecken ließe, wenn es dazu die Macht hätte. Es geht jetzt nach seinem eigenen Gesetz: ‹Auge um Auge, Zahn um Zahn!› zugrunde.»

Im August 1932 hatte die Parole «Die Juden sind schuld!» dazu gedient, die «alten Kämpfer» der NSDAP darüber hinwegzutrösten, daß sie trotz ihres großen Wahlsieges bei den Reichstagswahlen vom 31. Juli noch im-mer nicht an der Macht waren und Gerichtsurteile nicht außer Kraft setzen konnten, die sich gegen den Terror der SA richteten. Die Ankündigung, daß die Juden dem «Strafgericht, das sie verdienen, nicht entgehen» würden, war damals ein Appell, die Hoffnung nicht sinken zu lassen, weil der Tag des Sieges doch noch kommen werde – und mit ihm die Vergeltung an den Schuldigen, den Juden. Neun Jahre später, im November 1941, waren die Hoffnungen auf einen raschen Sieg über die Sowjetunion längst verflogen. Leningrad war nicht bezwungen; der frühzeitig einsetzende Winter durch-kreuzte die Absicht, Moskau zu erobern; der «Wettergott» hatte, wie Goebbels am 14. November notierte, «uns diesmal wiederum einen Strich durch die Rechnung gemacht». Die Schuldigen waren im Herbst 1941 die-selben wie im Sommer 1932: die Juden, die der gerechten Sühne jedoch auch diesmal nicht entkommen würden. Beide Male hatte die Steigerung der Aggressivität die gleiche Ursache: Frustration, ausgelöst durch die Nicht-erfüllung hochgesteckter eigener Erwartungen.

Goebbels' Mitteilung, daß Hitlers «Prophezeiung» von der «Vernich-tung der jüdischen Rasse in Europa» bereits in das Stadium des «Vollzugs» eingetreten sei, war unmißverständlich und unüberhörbar: «Das Reich» hatte im Herbst 1941 eine Auflage von einer Million. Wer den Artikel des Propagandaministers las oder von ihm hörte, erfuhr auf diese Weise, daß im Osten Juden massenweise umgebracht wurden – und daß das Regime ent-schlossen war, diesen Prozeß bis zum bitteren Ende fortzusetzen. «In die-ser geschichtlichen Auseinandersetzung ist jeder Jude unser Feind», hieß es in dem Leitartikel vom 16. November 1941, «gleichgültig, ob er in einem polnischen Ghetto vegetiert oder in Berlin oder in Hamburg noch sein parasitäres Dasein fristet oder in New York oder Washington in die Kriegstrompete bläst... Die Juden sind Sendboten des Feindes unter uns. Wer sich zu ihnen stellt, läuft im Kriege zum Feinde über.»

Der Artikel des Propagandaministers war in erster Linie eine Warnung an die offenbar nicht wenigen Deutschen, die Mitleid mit den Juden hatten. Allen, die solches Mitgefühl zeigten, drohte Goebbels härteste Konsequenzen an. «Wenn einer den Judenstern trägt, so ist er damit als Volksfeind gekennzeichnet. Wer mit ihm noch privaten Umgang pflegt, gehört zu ihm und muß gleich wie ein Jude gewertet und behandelt werden.» Ob Goebbels zugleich eine Art letzter Warnung an die amerikanischen Juden zu richten gedachte, denen er vorwarf, sie wollten die Vereinigten Staaten in den Krieg mit Deutschland treiben, ist ungewiß. Aber es erscheint möglich. Immerhin gab es im November 1941 den «Weltkrieg» noch nicht, von dem Hitler Mitte August angenommen hatte, er werde in allernächster Zeit zur Tatsache werden.

In den USA war man auf Grund laufender Berichte der «New York Times» darüber informiert, daß seit Mitte Oktober 1941 Juden aus dem Reichsgebiet in den Osten deportiert wurden. Die Deportationen waren Hitlers Antwort darauf, daß Präsident Roosevelt am 11. September 1941 die Flotte der Vereinigten Staaten angewiesen hatte, auf Schiffe der Achsenmächte in amerikanischen Interessengewässern zu schießen. Doch liquidieren wollte Hitler die deutschen Juden so lange nicht, als zwischen dem Reich und den USA formell noch Friede herrschte. Am 30. November nahm Hitler eine nicht autorisierte Erschießung von etwa 5 000 Juden aus dem Reichsgebiet bei Kaunas zum Anlaß, Heydrich über Himmler anzuweisen: «Judentransport aus Berlin! Keine Liquidation.» (Der Befehl traf verspätet am Bestimmungsort, Riga, ein, wo am gleichen Tag 1 000 deutsche Juden erschossen worden waren, wurde aber bei den anderen Judentransporten aus Deutschland befolgt.) Während Goebbels am 16. November von der Kriegsschuld des «Weltjudentums» sprach und allen Juden mit der Vernichtung drohte, schien Hitler zwei Wochen später bereit, mit dem Befehl zur Vernichtung der deutschen und westeuropäischen Juden zu warten, bis es am Umschlag des europäischen Krieges in den Weltkrieg nichts mehr zu deuten gab.

Der japanische Angriff auf die amerikanische Flotte bei Pearl Harbor am 7. Dezember 1941 beendete für Hitler die Phase, in der er sich, was die «Judenfrage» anging, noch taktische Rücksichtnahmen auf die USA auferlegt hatte. Am 11. Dezember erklärten die Achsenmächte Deutschland und Italien Amerika den Krieg, wodurch sich der europäische und der pazifische Krieg zum Weltkrieg verbanden. Japan war für Deutschland ein starker Verbündeter, sehr viel stärker als Italien: Diese Überlegung hätte ausgereicht, um Hitler die Kriegserklärung an die Vereinigten Staaten zwingend erscheinen zu lassen. Aber die Erleichterung, mit der er auf die Nachricht aus Hawaii reagierte, hatte doch wohl noch einen anderen Grund: Endlich konnte Hitler den europäischen Juden gegenüber tun, was er schon seit langem tun wollte.

Unmittelbar nach Pearl Harbor muß Hitler sich definitiv entschlossen haben, die Juden im gesamten deutschen Einflußbereich noch während des Krieges zu töten. «Wir wissen, welche Kraft hinter Roosevelt steht», erklärte Hitler am 11. Dezember 1941 vor dem Reichstag. «Es ist jener ewige Jude, der seine Zeit als gekommen erachtet, um auch an uns zu vollstrecken, was wir in Sowjet-Rußland alle schaudernd sehen und erleben mußten.» Tags darauf sprach Hitler vor den Reichs- und Gauleitern. «Bezüglich der Judenfrage ist der Führer entschlossen, reinen Tisch zu machen», hielt Goebbels in seinem Tagebuch fest. «Er hat den Juden prophezeit, daß, wenn sie noch einmal einen Weltkrieg herbeiführen würden, sie dabei ihre Vernichtung erleben würden. Das ist keine Phrase gewesen. Der Weltkrieg ist da, die Vernichtung des Judentums muß die notwendige Folge sein. Wir sind nicht dazu da, Mitleid mit den Juden, sondern nur Mitleid mit unserem deutschen Volk zu haben. Wenn das deutsche Volk im Ostfeldzug an die 160 000 Tote geopfert hat, so werden die Urheber dieses blutigen Konflikts dafür mit ihrem Leben bezahlen müssen.»

Ein anderer Teilnehmer der Zusammenkunft von 12. Dezember, Hans Frank, gab am 16. Dezember in einer Sitzung der Regierung des Generalgouvernements zu erkennen, daß mit einer Abschiebung von Juden ins «Ostland» oder in die Ukraine nicht zu rechnen war, sondern mit ihrer Tötung *im* Generalgouvernement. «Man hat uns in Berlin gesagt: weshalb macht man uns diese Scherereien; wir können im Ostland oder im Reichskommissariat auch nichts mit ihnen anfangen, liquidiert sie selber! ... Die Juden sind auch für uns außergewöhnlich schädliche Fresser ... Diese 3,5 Millionen Juden können wir nicht erschießen, wir können sie nicht vergiften, werden aber doch Eingriffe vornehmen können, die irgendwie zu einem Vernichtungserfolg führen, und zwar im Zusammenhang mit den vom Reich her zu besprechenden Maßnahmen ...» Zwei Tage später, am 18. Dezember 1941, notierte Himmler nach einem Gespräch mit Hitler: «Judenfrage./ als Partisanen auszurotten.» Der Sinn der lakonischen Bemerkung ist nicht schwer zu entschlüsseln: Seit dem Kriegseintritt der USA waren alle Juden, deren Deutschland habhaft werden konnte, ebenso zu liquidieren, wie man dies bislang schon mit Hunderttausenden von Juden in der Sowjetunion getan hatte.

Am 20. Januar 1942 fand im Haus Am Großen Wannsee 56–58 in Berlin unter dem Vorsitz von Reinhard Heydrich die von Frank angekündigte Besprechung statt. Sie war ursprünglich schon auf den 9. Dezember 1941 einberufen, dann aber wegen der Veränderung der Weltlage auf unbestimmte Zeit verschoben worden. Thema der Konferenz, an der Vertreter der SS, des Auswärtigen Amtes, des Reichsjustizministeriums, des Ostministeriums, der Vierjahresplanbehörde, des Generalgouvernements und der Reichskanzlei, darunter vier Staatssekretäre, ein Unterstaatssekretär und ein Ministerialdirektor, teilnahmen, war die «Endlösung der Judenfrage». Dem Protokoll zufolge, das von Adolf Eichmann, dem Leiter des Judenreferats im Reichssicherheitshauptamt, verfaßt war, trug Heydrich in verschlüsselter Form vor, was die von ihm angekündigte «Evakuierung der Juden nach dem Osten» zu bedeuten hatte. «Unter entsprechender Leitung sollen im Zuge der Endlösung die Juden in geeigneter Weise im Osten zum Arbeitseinsatz kommen. In großen Arbeitskolonnen, unter Trennung der Geschlechter, werden die arbeitsfähigen Juden Straßen bauend in diese Gebiete geführt, wobei zweifellos ein Großteil durch natürliche Verminderung ausfallen wird. Der allfällig endlich verbleibende Restbestand wird, da es sich bei diesen zweifellos um den widerstandsfähigsten Teil handelt, entsprechend behandelt werden müssen, da dieser, eine natürliche Auslese darstellend, bei Freilassung als Keimzelle eines neuen jüdischen Aufbaues anzusprechen ist. (Siehe die Erfahrung der Geschichte). Im Zuge der praktischen Durchführung der Endlösung wird Europa von Westen nach Osten durchgekämmt...»

Die «Wannseekonferenz» bildete den Auftakt großangelegter «Auskämmaktionen» mit dem Ziel, das von Deutschland beherrschte oder kontrollierte Europa «judenfrei» zu machen. In der Praxis spielte die Vernichtung durch Straßenbau fortan keine große Rolle mehr, weil die militärische Lage diese Art von deutscher Ostkolonisation nicht zuließ. Die «Endlösung» im Sinne der industriellen Menschenvernichtung fand überwiegend auf polnischem Territorium statt. Experten der «Aktion T-4» (benannt nach der Schaltstelle des Mordes an den Geisteskranken in der Tiergartenstraße 4 in Berlin) waren seit dem Herbst 1941 bei der technischen Vorbereitung der Massenliquidation behilflich: Sie hatten bei der Tötung von Geisteskranken Erfahrungen mit der Vergasung, und zwar in mobilen Gaswagen, gesammelt. Bereits im Oktober 1941 begann die SS mit der Errichtung des ersten «reinen» Vernichtungslagers, Belzec bei Lublin: ein deutliches Zeichen, daß die Entscheidung für die physische Vernichtung zumindest der Ostjuden zu diesem Zeitpunkt bereits gefallen war. Auf Belzec folgten Sobibór und Treblinka; die schon bestehenden Lager Auschwitz und Majdanek waren hingegen keine «reinen» Vernichtungslager, sondern Konzentrationslager, denen Wirtschaftsbetriebe angegliedert waren. Am 8. Dezember 1941 begann die Vergasung von arbeitsunfähigen polnischen Juden und Zigeunern im Lager Chelmno, auf deutsch Kulmhof, im Warthegau – der «ersten Mordfabrik in der Geschichte der Menschheit», wie es der niederländische Historiker L. J. Hartog genannt hat.

Zum Zeitpunkt der Wannseekonferenz steckte die Entwicklung der Anlagen zur Menschenvernichtung noch in den Anfängen. Im Verlauf des Jahres 1942 wurde die Mordmaschine immer «leistungsfähiger». An die Stelle der Vergasungswagen traten die Gaskammern bei Auschwitz, Belzec, Sobibór, Treblinka und Majdanek; das Blausäuregas Zyklon B verdrängte das zuvor eingesetzte Kohlenmonoxid. Im Lager Auschwitz-Birkenau fand bis zuletzt «Vernichtung durch Arbeit», unter anderem in einem Zweigbetrieb der IG Farben, neben sofortiger Vergasung der eingelieferten Juden, aber auch von Zigeunern und sowjetischen Kriegsgefangenen statt. Allein in Auschwitz, das zum Inbegriff des deutschen Menschheitsverbrechens geworden ist, wurden bis zur Demontage der Vernichtungsanlagen im November 1944, als Himmler die Judenfrage für praktisch erledigt erklärte, knapp 1,5 Millionen Menschen ermordet. Die Gesamtzahl der auf deutschen Befehl während des Zweiten Weltkrieges ermordeten Juden wird auf 5 bis 6 Millionen geschätzt.

Einen schriftlichen Befehl Hitlers zur Judenvernichtung gab es nicht; es konnte ihn schon deshalb nicht geben, weil die Erfahrungen mit der Weisung zur Tötung der Geisteskranken gegen diese Art der Festlegung sprachen. Hitler drückte seinen Willen, was die «Lösung der Judenfrage» anging, so aus, daß die nachgeordneten Führer, vom Reichsführer SS über die Höheren SS- und Polizeiführer bis zu den Führern von Einsatzgruppen und Einsatzkommandos, die radikalste Verwirklichung der Weisung für diejenige halten mußten, die Hitlers Wünschen am besten entsprach. Der Prozeß zunehmender Radikalisierung bei der Vernichtung der Juden hat hier *einen* seiner Gründe.

Ein anderer Grund waren die Folgen vorangegangener Maßnahmen, die ohne Rücksicht auf ihre Wirkungen getroffen worden waren. Die Ansiedlung von Volksdeutschen im Warthegau und die Deportation von Juden aus dem Reich und dem Protektorat Böhmen und Mähren ins Generalgouvernement schufen einen Problemdruck, der sich nicht durch weitere Deportationen in ehedem sowjetisches Gebiet abbauen ließ: Über die angrenzenden Territorien war im «Generalplan Ost» anderweitig verfügt worden, und die für Judenlager in Aussicht genommene Eismeerküste blieb dem deutschen Zugriff entzogen. Eine «territoriale Lösung der Judenfrage» östlich von Polen kam damit nicht mehr in Frage. Eine solche Lösung hätte zwar auch zur physischen Vernichtung der Juden geführt, aber erst über einen längeren Zeitraum hinweg. Nachdem diese Option ausgeschieden war, blieb nur die «Endlösung» in der Form übrig, wie sie stattfand. Die «Sachzwänge», die den Massenmord unausweichlich erscheinen ließen, obenan die seit Ende 1941 immer kritischer werdende Versorgungslage, waren das Ergebnis von Entscheidungen, für die in letzter Instanz immer Hitler verantwortlich war. Die lange umstrittene Frage, ob die Vernichtung der Juden «intentional», aus Hitlers Absichten, oder «funktional», aus der Eigendynamik der nationalsozialistischen Kriegs- und Rassenpolitik, zu erklären sei, läßt sich infolgedessen weder im Sinne der einen noch der anderen «Schule» beantworten: Beides kam zusammen.

Zehn Tage nach der Wannseekonferenz, am 30. Januar 1942, dem neunten Jahrestag seiner «Machtergreifung», erinnerte Hitler im Berliner Sportpalast abermals an seine Prophezeiung von der Vernichtung des

Judentums. «Wir sind uns dabei im klaren darüber, daß der Krieg nur damit enden kann, daß entweder die arischen Völker ausgerottet werden, oder daß das Judentum aus Europa verschwindet... Zum erstenmal wird diesmal das echt altjüdische Gesetz angewendet: ‹Aug' um Aug', Zahn um Zahn!› Und je weiter sich diese Kämpfe ausweiten, um so mehr wird sich – das mag sich das Weltjudentum gesagt sein lassen – der Antisemitismus verbreiten. Er wird Nahrung finden in jedem Gefangenenlager, in jeder Familie, die aufgeklärt wird, warum sie letzten Endes ihr Opfer zu bringen hat. Und es wird die Stunde kommen, da der böseste Weltfeind aller Zeiten wenigstens auf ein Jahrtausend seine Rolle ausgespielt haben wird.»

In den tausend Jahren, die zwischen dem Sieg über den Antichrist und dem Jüngsten Gericht lagen, würde der Teufel keine Macht mehr über die Menschen haben: Hitler bemühte, ohne die biblische Quelle zu nennen, das zwanzigste Kapitel der Offenbarung des Johannes, um die Deutschen von der Größe ihres geschichtlichen, ja geradezu heilsgeschichtlichen Auftrags zu überzeugen. Und nicht nur die Deutschen: Hitler war nicht weniger als Goebbels davon überzeugt, daß Europa, ja die «arische» Rasse insgesamt allen Grund habe, Deutschland für die Erlösung von der jüdischen Weltgefahr dankbar zu sein. Am 24. Februar 1943, drei Wochen nach der Kapitulation der 6. Armee im Kessel von Stalingrad, versicherte Hitler in einer Proklamation zur Parteigründungsfeier der NSDAP, der gegenwärtige Krieg werde, «nicht mit der Vernichtung der arischen Menschheit, sondern mit der Ausrottung des Judentums in Europa sein Ende finden. Darüber hinaus aber wird die Gedankenwelt unserer Bewegung selbst von unseren Feinden – dank diesem Kampf – Gemeingut aller Völker werden. Staat um Staat werden, während sie selbst im Kampf gegen uns stehen, immer mehr gezwungen sein, nationalsozialistische Thesen zur Führung des von ihnen provozierten Krieges anzuwenden, und damit wird sich auch die Erkenntnis von dem fluchbeladenen verbrecherischen Wirken des Judentums gerade durch diesen Krieg über alle Völker verbreiten.»

Goebbels schrieb am 9. Mai 1943 im «Reich», dieser Krieg sei ein Rassenkrieg. «Würden die Achsenmächte den Kampf verlieren, dann gäbe es keinen Damm mehr, der Europa vor der jüdisch-bolschewistischen Überflutung retten könnte... Kein prophetisches Wort des Führers bewahrheitet sich mit einer so unheimlichen Sicherheit und Zwangsläufigkeit wie das, wenn das Judentum es fertigbringen werde, einen zweiten Weltkrieg zu provozieren, dieser nicht zur Vernichtung der arischen Menschheit, sondern zur Auslöschung der jüdischen Rasse führen werde. Dieser Prozeß ist von einer weltgeschichtlichen Bedeutung, und da er vermutlich unabsehbare Folgen nach sich ziehen wird, hat er auch seine Zeit nötig. Aber aufzuhalten ist er nicht mehr.»

Die antisemitischen Parolen der Nationalsozialisten stießen im deutsch beeinflußten Teil Europas durchaus auf einen gewissen Widerhall. Die Rassengesetze des faschistischen Italien von 1938, von Vichy-Frankreich von

1940/41 oder Rumäniens unter General Antonescu von 1940 waren keine von Deutschland erzwungenen Zugeständnisse widerstrebender Regime, sondern freiwillige «Leistungen», und bei den Deportationen von Juden fanden SS und Gestapo nicht nur in den meisten südosteuropäischen Satellitenstaaten des Reiches, sondern auch im Etat français willige Kollaborateure. Aber «populär» waren die antijüdischen Aktionen der Nationalsozialisten nur in einigen traditionell antisemitischen Ländern Ostmitteleuropas und dort namentlich in jenen 1941 von der Wehrmacht eroberten Gebieten, die erst kurz zuvor, im Gefolge des Hitler-Stalin-Paktes, sowjetisch geworden waren.

Mehr Unterstützung fand das «Großdeutsche Reich» außerhalb Deutschlands mit seinem Antibolschewismus. Die Behauptung, Deutschland verteidige Europa oder, wie es seit 1943 immer häufiger und bewußt pathetisch hieß, das «Abendland» gegen den Bolschewismus, stand im Mittelpunkt großangelegter Kampagnen des Auswärtigen Amtes, des Propagandaministeriums, aber auch von SS und Waffen-SS, die mit dieser Parole nichtdeutsche Freiwillige rekrutierten. Doch das Ziel, mit europäischer Propaganda einen Massenrückhalt jenseits der deutschen Grenzen zu gewinnen, war nicht zu erreichen: Deutschland beutete die von ihm abhängigen Länder in einer Weise aus, die eine europäische Solidarisierung mit Deutschland unmöglich machte.

Auch in Deutschland selbst war der Antibolschewismus für die Legitimation des Regimes wichtiger als der Antisemitismus. Daß die Absicht, die europäischen Juden zu ermorden, in der Bevölkerung keine Zustimmung gefunden hätte, wußte die nationalsozialistische Führung. Deswegen sollten, trotz aller gezielten Hinweise auf das «Verschwinden», die «Vernichtung» oder «Ausrottung» der jüdischen Rasse, der Vorgang als solcher und damit die Art und Weise des Tötens geheimgehalten werden. Ob Hitlers engste Gefolgsleute seine apokalyptischen Visionen vom Endkampf zwischen der «arischen» und der jüdischen Rasse teilten, steht dahin. Sie mußten es auch gar nicht tun, um fanatische Antisemiten zu sein. Und es war wohl nicht einmal erforderlich, die Juden zu hassen, um Hitlers Befehle zur Vernichtung der Juden auszuführen. Es genügte, den charismatischen «Führer» für politisch unfehlbar zu halten und damit von vornherein auszuschließen, daß das, was er im Namen Deutschlands verlangte, Unrecht sein könne. Einen «Befehlsnotstand» bei der Judenvernichtung hat es im übrigen offenbar nicht gegeben. Von den deutschen Polizisten im Osten, die sich weigerten, auf unbewaffnete jüdische Männer, Frauen und Kinder zu schießen, ist nach allem, was wir wissen, keiner bestraft worden. Für die Mehrheit galt, unabhängig davon, was der einzelne von den Juden hielt, die Devise «Befehl ist Befehl». Der soziale Druck der Kameradschaft war in der Regel stärker als das eigene Gewissen.

Doch unerheblich war die Abneigung gegen die Juden gewiß nicht: Sie gehörte in Deutschland, und nicht nur hier, seit langem zur konservativen und noch länger zur christlichen Tradition. Wenn die Judenfeindschaft auch nur bei einer Minderheit sich zur Mordlust steigerte, erleichterte sie doch das Mitmachen oder Wegschauen, als Hitler daran ging, sein Glaubensbekenntnis zu exekutieren. Gegen die Tötung von Geisteskranken hatte es Proteste aus beiden christlichen Kirchen gegeben; gegen den Judenmord, über den sehr viel mehr bekanntwurde, als die Führung wollte, verwahrten sich nur wenige Geistliche wie der katholische Berliner Dompropst Bernhard Lichtenberg, der seinen Mut mit Haft und Tod bezahlen mußte. Vergleichsweise milde verfuhr das Regime mit dem evangelischen Landesbischof von Württemberg, Theophil Wurm, der, obwohl selbst ein bekennender Antisemit in der Tradition Adolf Stoeckers, 1943 mehrfach in Predigten und Briefen, darunter an Hitler und Goebbels, gegen die Ausrottung der Juden protestiert hatte: Im März 1944 wurde über Wurm ein Rede- und Schreibverbot verhängt.

Um Millionen Juden zu ermorden, bedurfte es nicht nur eines Heeres subalterner Befehlsempfänger. Erforderlich war auch die Mitwirkung der Eliten: des Militärs, dessen Waffenerfolge die Errichtung der Vernichtungslager erst ermöglicht hatten; der Industriellen, die sich an der Vernichtung durch Arbeit beteiligten und von ihr profitierten; der Banken, die die Eheringe und das Zahngold ermordeter Juden in Devisen für das Reich verwandelten und Kredite für den Bau von Vernichtungslagern vergaben; der Naturwissenschaftler und Techniker, die die Instrumente der Massentötung bereitstellten; der Ärzte, die an jüdischen und anderen Häftlingen unmenschliche Experimente vornahmen; der Juristen, die der Entrechtung und Verfolgung der Juden den Schein der Rechtsförmigkeit und Regelhaftigkeit verschafften; der Historiker und Wirtschaftswissenschaftler, die der «Lösung der Judenfrage» vorarbeiteten, indem sie dem Regime ihr Wissen andienten. Der Judenmord war nicht das geheime Projekt, auf das hin die deutsche Geschichte angelegt war. Aber aus der deutschen Geschichte erklärt sich, warum es so wenig Widerstand gab, als sich der Mann, an den die Mehrheit der Deutschen noch immer glaubte, anschickte, sein Projekt, das Projekt des extremen Antisemitismus, zu verwirklichen.[30]

Organisierter Widerstand gegen Hitler und sein Regime setzte, um wirksam werden zu können, eine gewisse Nähe zur Macht voraus: Dieses Paradoxon galt, seit die Nationalsozialisten sich eines festen Rückhalts in der Bevölkerung sicher sein konnten, also spätestens seit dem Sommer 1933. Dem Widerstand aus den Reihen der gespaltenen Arbeiterbewegung, dem zeitlich frühesten Widerstand von «unten», ging diese Voraussetzung ab. Der Macht nah und doch mit dem innersten Machtkern nicht identisch waren hingegen jene Teile des höheren Offizierskorps und der hohen Beamtenschaft, die der nationalsozialistischen Ideologie gegenüber Distanz gewahrt oder sich wieder von ihr abgewandt hatten. Das erste traf für die älteren, das zweite für einige der jüngeren unter den (im weitesten Sinn) konservativen Gegnern Hitlers zu.

Zu denen, die selbst Zugang zu Machtmitteln hatten, kamen andere, die über besondere Autorität und besonderes Fachwissen verfügten: der frühere Generalstabschef des Heeres, Ludwig Beck, und der ehemalige Leipziger Oberbürgermeister Carl Goerdeler etwa; Theologen beider großen Konfessionen wie, auf evangelischer Seite, Dietrich Bonhoeffer und, auf katholischer, der Jesuitenpater Alfred Delp; frühere sozialdemokratische Politiker wie Julius Leber, Carlo Mierendorff und Theodor Haubach; ehemalige Gewerkschaftsführer wie Wilhelm Leuschner und Jakob Kaiser, von denen der erste aus den Reihen der «Freien», der zweite aus denen der «Christen» kam. Die aktiven Offiziere, Diplomaten und Beamten, die sich zum Widerstand entschlossen hatten, bedurften des Sachverstands der Experten und der Verbindung zu den wichtigsten gesellschaftlichen Gruppen; die Ratgeber und Planer waren, wenn sie etwas bewirken wollten, auf die Zusammenarbeit mit den oppositionellen Kräften im militärischen und zivilen Staatsapparat angewiesen.

Politisch kam das Zweckbündnis der Hitler-Gegner einer Koalition gleich, die von den Sozialdemokraten bis zu den Deutschnationalen reichte. Auf dem rechten Flügel der Allianz gab es Anhänger eines autoritären Systems und überzeugte Monarchisten, auf dem linken Befürworter einer Einheitsgewerkschaft und einer Sozialisierung von Schlüsselindustrien. Was sie einte, war die Überzeugung, daß die Willkürherrschaft einem Rechtsstaat Platz machen mußte. Ein «Zurück nach Weimar» aber konnte die verbindende Klammer nicht sein. Wer, wie die Konservativen, der ersten deutschen Demokratie zu ihren Lebzeiten ablehnend gegenübergestanden hatte, tat das auch nach 1933. Aber auch von den einstigen Verteidigern der Republik hielt es keiner für verantwortbar, ein System wiederherzustellen, das nicht zuletzt an den Mängeln seiner eigenen Verfassung gescheitert war.

Eine Synthese der gegensätzlichen Traditionen strebte der «Kreisauer Kreis» um den Juristen Helmuth James Graf von Moltke an. Im schlesischen Kreisau, Moltkes Gut, und in der Berliner Wohnung seines Freundes Peter Graf Yorck von Wartenburg, eines Regierungsrates beim Wirtschaftsstab Ost beim Oberkommando der Wehrmacht, dachten Konservative und Sozialisten über ein Nachkriegsdeutschland nach, in dem der Gegensatz zwischen «rechts» und «links» aufgehoben sein sollte – eine Ordnung, die sich mehr auf die «kleinen Gemeinschaften» wie Familie, Gemeinde, Heimat, Beruf und Betrieb als auf Parteien und andere Großorganisationen gründete, in der Selbstverwaltung und Föderalismus die Gegengewichte zum Reich als oberster Führungsmacht des deutschen Volkes bildeten. Bis hinauf zur Kreisebene sollten die Deutschen ihre Vertreter direkt wählen (wobei Familienväter für jedes nicht wahlberechtigte Kind eine Zusatzstimme erhielten), oberhalb der Kreisebene indirekt, so daß die Landtage aus den Gemeinde- und Kreistagen, der Reichstag aus den Landtagen hervorgegangen wäre. Außenpolitisch waren die «Kreisauer», an der Spitze ihr Wortführer in internationalen Fragen, der in der Informationsabteilung des Auswärtigen Amtes tätige Legationsrat Adam von Trott zu Solz, Gegner des herkömmlichen Nationalismus und Fürsprecher eines vereinigten Europa – was nicht ausschloß, daß Trott zeitweilig Teile Westpreußens und das Sudetenland bei Deutschland belassen wollte.

Die älteren Konservativen wie Carl Goerdeler, der als kommender Reichskanzler galt, der ehemalige Botschafter in Rom, Ulrich von Hassell, dem das Amt des Außenministers zugedacht war, und der preußische Finanzminister Johannes Popitz waren, anders als die «Kreisauer», deutsche Großmachtpolitiker wilhelminischer Prägung: Was Hitler bis 1940 erobert hatte, sollte, abgesehen vom Generalgouvernement und der offenen «Schutzherrschaft» über Böhmen und Mähren, deutsch bleiben. Wie die wissenschaftlichen Parteigänger des Nationalsozialismus sahen Goerdeler, Popitz und Hassell im Reich die europäische Ordnungsmacht. Sie lehnten die Methoden ab, mit denen Hitler sich den Osten zu unterwerfen trachtete, gewannen dem Krieg gegen die Sowjetunion bis zur Jahreswende 1941/42 aber auch Positives ab: Die Beseitigung des Bolschewismus und die Festigung der deutschen Hegemonie waren mit ihren Vorstellungen von einer Neuordnung Europas durchaus vereinbar.

Innenpolitisch hoben sich die älteren Konservativen von den «Kreisauern» dadurch ab, daß sie die westliche Demokratie viel entschiedener ablehnten als diese. Popitz etwa sah einen straff zentralistischen Staat vor. Dem Staatsoberhaupt gestand der preußische Finanzminister in seinem Entwurf eines vorläufigen Staatsgrundgesetzes von Anfang 1940 eine diktatorische Machtfülle zu; erst in der endgültigen Verfassung sollte dem Volk die Möglichkeit eingeräumt werden, über eine berufsständische Vertretung Einfluß auf die Politik zu nehmen.

Auch Goerdeler strebte eine weitgehend verselbständigte Exekutivgewalt ohne wirksame parlamentarische Kontrolle an. Die Regierung konnte jederzeit gesetzesvertretende Verordnungen erlassen; um sie außer Kraft zu setzen oder die Regierung zu Fall zu bringen, bedurfte es einer Zweidrittelmehrheit des Reichstags. Eine einfache Mehrheit genügte dann, wenn der Reichstag und das Reichsständehaus, eine erste Kammer aus Vertretern der Berufsverbände, Kirchen und Universitäten, zusammen die Abberufung der bisherigen Regierung verlangten und eine neue Regierung vorschlugen. Die Mitglieder des Reichstags wurden zur einen Hälfte von den «Gautagen», zur anderen vom Volk direkt gewählt, wobei Familienväter mit mindestens drei ehelichen Kindern eine Zusatzstimme erhielten. Gesetze kamen nur zustande, wenn auch das Reichsständehaus zustimmte. An der Spitze des Reiches sollte zunächst ein Generalstatthalter, später, vielleicht, ein erblicher Monarch stehen.

Die Vorbehalte gegenüber der Selbstbestimmung des Volkes ergaben sich aus der konservativen Tradition, aber nicht nur daraus. Man mußte kein Konservativer sein, um aus den Weimarer Erfahrungen den Schluß abzuleiten, daß die Mehrheit irren konnte, das Mehrheitsprinzip also nicht uneingeschränkt gelten durfte. Hitler war zwar nicht durch freie Wahlen ins Kanzleramt gelangt, aber seinen politischen Aufstieg verdankte er den Wählern, die seine Partei zu der mit Abstand stärksten gemacht hatten. Hitlers anhaltende Popularität rechtfertigte Mißtrauen in die Urteilskraft der Massen: Dieser Meinung waren nicht nur die Konservativen, sondern auch viele Sozialdemokraten. Ein autoritäres System aber, wie es Popitz oder, in abgemilderter Form, Goerdeler vorschwebte, hätte sich allenfalls mit militärischer Gewalt an der Macht behaupten können. Die konservativen Hitler-Gegner gaben sich Illusionen hin, wenn sie glaubten, das Volk werde sich mit sehr viel weniger politischen Rechten zufriedengeben, als es sie vor 1933 gehabt hatte.

Wer als Konservativer auf Hitlers Sturz hinarbeitete, mußte deswegen noch kein entschiedener Gegner des Antisemitismus sein; vielmehr gehörten Vorbehalte gegenüber Juden zur Tradition des deutschen Konservativismus. Daß der Einfluß der Juden auf Wirtschaft und Kultur zurückgedrängt werden müsse, war vor wie nach 1933 ein Teil des konservativen Credos. Die Nürnberger Gesetze erschienen daher vielen Konservativen als eine, zumindest im Kern berechtigte Abwehr jüdischer Anmaßung. Goerdeler zum Beispiel wollte Anfang 1941 in einer Denkschrift zwar eine Reihe von diskriminierenden Maßnahmen gegen die Juden aufheben und die Ghettos in den besetzten Gebieten «menschenwürdig» gestalten. Aber wenn es gelang, in internationaler Zusammenarbeit einen Judenstaat «unter durchaus lebenswerten Umständen entweder in Teilen Kanadas oder Südamerikas» zu errichten, sollten die deutschen Juden automatisch dorthin ausgebürgert werden. Ausgenommen waren nur solche Juden, die am Ersten Weltkrieg teilgenommen hatten, die die Einbürgerung ihrer Familien vor 1871 oder die Taufe nachweisen konnten, sowie christliche Abkömmlinge einer «Mischehe», die vor der «Machtergreifung» geschlossen worden war. Goerdeler übertrieb kaum mit der Feststellung, daß die Nürnberger Gesetze sich durch diese Regelung «vollkommen» erledigen würden. Er wich von konservativen Vorstellungen auch nicht ab, wenn er es als «Binsenweisheit» bezeichnete, «daß das jüdische Volk einer anderen Rasse angehört».

Goerdelers Denkschrift stammte aus der Zeit vor dem Beginn der systematischen Judenvernichtung. In der Verurteilung dieses Verbrechens waren sich die Angehörigen der Widerstandsbewegung einig. Goerdeler sprach 1944 in einem anderen Memorandum von der «Ungeheuerlichkeit der planmäßig und bestialisch vollzogenen Ausrottung der Juden». Ein junger Offizier aus dem legendären Potsdamer Infanterieregiment 9, Axel von dem Bussche, der im Herbst 1942 in der Ukraine Zeuge einer Massenerschießung von Juden wurde, kam auf Grund dieses Erlebnisses zu dem Entschluß, sich selbst für ein Attentat auf den obersten Auftraggeber der Mordaktion zur Verfügung zu stellen. In Absprache mit gleichgesinnten Militärs, unter ihnen der Oberst im Generalstab, Claus Schenk Graf von Stauffenberg, wollte er Hitler und sich selbst bei einer Uniformvorführung in die Luft sprengen. Bevor es dazu kam, wurde Bussche an der Front schwer verwundet, so daß er keine aktive Rolle mehr in der Verschwörung spielen konnte. Der Versuch eines anderen jungen Offiziers, Ewald Heinrich von Kleist-Schmenzin, Hitler auf dieselbe Weise zu töten, scheiterte Anfang Februar 1944 daran, daß die Uniformvorführung kurzfristig abgesagt wurde.

Bussche und Kleist waren nicht die einzigen Offiziere, die sich zusammen mit Hitler in die Luft sprengen wollten. Der Oberst im Generalstab Rudolf-Christoph von Gersdorff, auch er ein Sproß einer alten preußischen Adelsfamilie, bereitete seit dem Sommer 1942 einen solchen Anschlag vor. Am 21. März 1943 war es soweit: Anläßlich der zentralen Feier zum Heldengedenktag wollte Gersdorff dem «Führer» im Zeughaus zu Berlin erbeutetes Kriegsmaterial vorführen und dabei zwei englische Haftminen zünden. Doch Hitler durcheilte die Ausstellung so rasch, daß der Anschlag nicht stattfinden konnte. Mit knapper Not gelang es Gersdorff, die Explosion der einen, bereits gezündeten Haftmine zu verhindern. Die von Hitler so oft beschworene «Vorsehung» schien sich wieder einmal auf seine Seite geschlagen zu haben.

Gersdorff hatte den Anschlag auf Betreiben von Oberst Henning von Tresckow, dem Ersten Generalstabsoffizier in der Heeresgruppe Mitte, verüben wollen. Tresckow war eine Schlüsselfigur des militärischen Widerstands. Über die Verbrechen, die die SS im Osten beging, war er genauestens informiert. Befehle zur Vernichtung von angeblichen oder wirklichen, jüdischen oder nichtjüdischen Partisanen sowie deren Angehörigen, also auch Frauen und Kindern, gingen über seinen Schreibtisch und wurden von ihm abgezeichnet. Tresckow sah äußerste Härte im Partisanenkrieg offenbar als unabweisbare militärische Notwendigkeit an. Der Krieg gegen den Bolschewismus war, zunächst jedenfalls, auch sein Krieg. Das Regime, das ihn führte, erschien ihm aber zunehmend als von Grund auf verbrecherisch, und darum arbeitete er auf seinen Sturz hin.

Der Mann, der am 20. Juli 1944 im Führerhauptquartier, der «Wolfsschanze» bei Rastenburg in Ostpreußen, Hitler mit einer Bombe töten wollte, Oberst Claus Schenk Graf von Stauffenberg, entstammte einer katholischen schwäbischen Adelsfamilie. Claus von Stauffenberg hatte wie sein älterer Bruder Berthold zum Kreis der Jünger des Dichters Stefan George gehört und dessen Traum von einem Adel des Geistes, vom «neuen Reich» und einem innerlichen Deutschland mitgeträumt. Im Nationalsozialismus sahen die beiden Brüder zunächst die Chance, eine Volksgemeinschaft jenseits alles Trennenden zu verwirklichen, und selbst der Rassege-

danke erschien ihnen als etwas Gesundes. Die Rassenpolitik der Nationalsozialisten hielten beide dann freilich für eine gefährliche Übertreibung
einer an sich richtigen Idee. Claus von Stauffenbergs Urteil über Hitler
schwankte zwischen Verachtung und Bewunderung. Das Ausrücken in den
Krieg empfand er nach dem Zeugnis seines Wuppertaler Buchhändlers als
Erlösung; schließlich sei, so soll er derselben Quelle zufolge gesagt haben,
der Krieg ja von Jahrhunderten her sein Handwerk. Mitte September 1939
schrieb er seiner Frau aus Polen, das Land sei trostlos, lauter Sand und
Staub. «Die Bevölkerung ist ein unglaublicher Pöbel, sehr viele Juden und
sehr viel Mischvolk. Ein Volk, welches sich nur unter der Knute wohlfühlt.
Die Tausenden von Gefangenen werden unserer Landwirtschaft recht gut
tun. In Deutschland sind sie sicher gut zu gebrauchen, arbeitsam, willig und
genügsam.»

Als Helmuth von Moltke 1941 oder Anfang 1942 bei Stauffenberg vor-
fühlen ließ, ob er sich am Widerstand beteiligen wolle, war die Antwort abschlägig: Erst müsse Deutschland den Krieg gewinnen, und während eines
Krieges mit den Bolschewisten könne man mit der «braunen Pest» nicht
aufräumen, sondern erst danach. Zu der Einsicht, daß der Umsturz doch
während des Krieges erfolgen mußte, gelangte Stauffenberg im Verlauf des
Jahres 1942 – zu einem Zeitpunkt, als er erkannt hatte, daß der Krieg für
Deutschland nicht mehr zu gewinnen, eine Niederlage im Osten aber vielleicht noch abwendbar war.

Stauffenbergs Bombe explodierte, nachdem der Oberst das Führerhauptquartier bei Rastenburg wieder in Richtung Berlin verlassen hatte. Was die
Verschwörer im Bendlerblock, dem Sitz des Oberkommandos der Wehrmacht, am 20. Juli 1944 taten, um das nationalsozialistische Regime zu stürzen, war zum Scheitern verurteilt, weil die Annahme, von der sie ausgingen, falsch war: Hitler war nicht tot; er hatte das Attentat leicht verletzt
überlebt.

Noch am Abend des 20. Juli 1944 wurden Stauffenberg und seine Mitverschwörer Friedrich Olbricht, Albrecht Ritter Mertz von Quirnheim
und Werner von Haeften im Hof des Bendlerblocks auf Befehl von General Fromm, dem Befehlshaber des Ersatzheeres, erschossen. Generaloberst
Ludwig Beck, der nach dem Gelingen des Umsturzes Staatsoberhaupt hatte
werden sollen, war zu diesem Zeitpunkt schon tot: Er hatte sich, von
Fromm gedrängt, zu erschießen versucht und war, als der Versuch fehl-
schlug, von einem Feldwebel erschossen worden. Tags darauf nahm sich
Henning von Tresckow, einen feindlichen Granatenangriff vortäuschend,
an der Ostfront bei Ostrów in Polen das Leben. Er hatte sich zu diesem
Schritt entschlossen, weil er fürchtete, bei einer Untersuchung unter Folter
könnten ihm Mitteilungen abgepreßt werden, die andere Verschwörer belasteten.

Hitlers Rache an den unmittelbar oder mittelbar Beteiligten war furchtbar. Aber er konnte nicht verhindern, daß beim Prozeß vor dem Volksge-

richtshof ein Angeklagter nach dem anderen sich zu seiner Verantwortung bekannte und dem tobenden Präsidenten Roland Freisler die Stirn bot. Ulrich Wilhelm Graf Schwerin von Schwanenfeld, Mitarbeiter bei der Dienststelle des Generalquartiermeisters, nannte als ein Motiv seines Handelns «die vielen Morde in Polen». Peter Graf Yorck erklärte: «Das Wesentliche ist, was alle diese Fragen verbindet, der Totalitätsanspruch des Staates gegenüber dem Staatsbürger unter Ausschaltung seiner religiösen und sittlichen Verpflichtung Gott gegenüber.» Hans-Bernd von Haeften, Vortragender Legationsrat im Auswärtigen Amt und älterer Bruder Werner von Haeftens, sprach auch für seine Freunde, als er sagte: «Nach der Auffassung, die ich von der weltgeschichtlichen Rolle des Führers habe, nehme ich an, daß er ein großer Vollstrecker des Bösen ist.»

Von denen, die Freisler zum Tode verurteilte, wurden die ersten acht, unter ihnen Generalfeldmarschall Erwin von Witzleben, General Erich Hoepner und Yorck, unmittelbar nach der Urteilsverkündung in der Strafanstalt Berlin-Plötzensee am 8. August gehängt. Andere mußten bis zur Vollstreckung des Urteils warten. Julius Leber, den die Gestapo auf Grund seiner Kontakte zur illegalen KPD am 5. Juli verhaftet hatte, wurde am 20. Oktober zum Tode verurteilt und am 5. Januar 1945 hingerichtet. Goerdelers Urteil erging am 8. September; die Vollstreckung erfolgte am 2. Februar 1945. Moltke wurde im Januar 1945 verurteilt und hingerichtet. Bonhoeffer, der schon Anfang April 1943 verhaftet worden war, wurde im Februar 1945 in das Konzentrationslager Flossenbürg eingeliefert und dort am 9. April 1945 nach einem Standgerichtsverfahren der SS umgebracht. Insgesamt belief sich die Zahl der Hinrichtungen, die mit dem 20. Juli 1944 in Zusammenhang standen, auf etwa 200.

Wäre Hitler bei dem Attentat getötet worden, hätte das noch nicht den Sieg der Verschwörer bedeutet. Ihr Rückhalt in der Bevölkerung war schwach. Den amtlichen Stimmungsberichten zufolge waren die meisten Deutschen über den Anschlag empört; entsprechend groß war ihre Freude über die Meldung, daß Hitler nur leicht verletzt worden war. Nach den Beobachtungen des Präsidenten des Oberlandesgerichts Nürnberg wurde das Attentat «auch von denen abgelehnt, die keine ausgesprochenen Nationalsozialisten sind und zwar nicht nur aus Abscheu vor dem Verbrechen als solchem, sondern weil sie überzeugt sind, daß nur der Führer die Lage meistern kann und sein Tod das Chaos und den Bürgerkrieg zur Folge gehabt hätte».

Mit Chaos und Bürgerkrieg zu rechnen war nicht unrealistisch. Diadochenkämpfe unter den führenden Nationalsozialisten nach Hitlers Tod waren vorhersehbar; durch Kontakte mit Popitz war selbst Himmler in die Verschwörung «verstrickt». Auf der anderen Seite sprach nichts dafür, daß die Wehrmacht als Ganzes sich hinter die Verschwörer stellen würde. Der Vorwurf, sie hätten der kämpfenden Truppe einen Dolchstoß in den Rücken versetzt, war Stauffenberg und seinen Freunden sicher. Die Behauptung der Nationalsozialisten, der Anschlag sei das Werk einer kleinen reaktionären Minderheit, fiel auf fruchtbaren Boden. Der «Führermythos» war zwar durch die Rückschläge im Rußlandkrieg seit dem Winter 1941/42 und dann vor allem infolge der Niederlage von Stalingrad Ende Januar 1943 nachhaltig erschüttert worden, aber er war noch nicht erloschen. Nach dem gescheiterten Attentat vom 20. Juli 1944 erlebte der Mythos sogar vorübergehend eine gewisse Renaissance: Vielleicht, so glaubten nun viele, war Hitler wirklich mit der «Vorsehung» im Bunde und Deutschland nur durch ihn zu retten.

Daß Hitler populärer war als sie, darüber konnten die Männer des 20. Juli nicht im Zweifel sein. Ob sie das deutsche Volk durch Aufdeckung der nationalsozialistischen Verbrechen im nachhinein von der Notwendigkeit des Tyrannenmordes würden überzeugen können, war höchst unsicher. Sie konnten, nachdem Roosevelt und Churchill sich im Januar 1943 bei ihrem Treffen in Casablanca auf die Forderung nach der bedingunglosen Kapitulation der Feindmächte verständigt hatten, nicht einmal davon ausgehen, daß die Alliierten den Gegnern Hitlers einen milderen Frieden gewähren würden als einem nationalsozialistisch geführten Deutschland. Der Erfolg ihrer Aktion aber war für die Kerngruppe des Widerstands im Sommer 1944 schon gar nicht mehr das Entscheidende. Worauf es ihr vor allem ankam, war etwas anderes: Die Welt und die kommenden Generationen von Deutschen sollten wissen, daß Hitler nicht Deutschland war, sondern daß es noch ein anderes, ein besseres Deutschland gab.

Wer so dachte, für den war es eine Frage der Ehre, so zu handeln, wie es die Verschwörer des 20. Juli taten. Die meisten von ihnen hatten sich erst spät zum aktiven Widerstand gegen Hitler durchgerungen. Da sie «national» gesinnt waren, war ihnen vieles am Nationalsozialismus nicht fremd. Der Krieg war für sie lange Zeit nicht nur Hitlers, sondern auch ihr Krieg gewesen, bei dem es um die Führungsrolle Deutschlands und, seit dem Sommer 1941, zugleich um die Bekämpfung eines aggressiven, verbrecherischen Systems, des Bolschewismus, ging. Die Einsicht, daß sie selbst einem aggressiven, verbrecherischen System dienten, kam den einen früher, den anderen später. Viele waren, ob sie es wahrhaben wollten oder nicht, in unterschiedlichem Maß schuldig geworden. Als sie sich unter Einsatz ihres Lebens gegen Hitler auflehnten, war das auch ein Stück Wiedergutmachung.

Vor dem Richterstuhl Freislers *stand* ein anderes Deutschland. Seine besten Vertreter handelten aus einer Tradition heraus, die christlich oder humanistisch, kantianisch oder preußisch geprägt war. Diese Tradition kannte einen Befehlsgeber oberhalb des Staates und des Mannes an seiner Spitze: das eigene Gewissen. Weil die Verschwörer ihrem Gewissen folgten, wurde der 20. Juli 1944 zu einem der großen Tage der neueren deutschen Geschichte. Einen ähnlich hohen moralischen Rang haben zwei Tage, die ebenfalls in die Annalen des Widerstands gegen Hitler eingegangen sind:

der 8. November 1939, an dem der württembergische Schreiner Johann Georg Elser vergeblich versuchte, mit einer selbstgebauten Bombe den «Führer» anläßlich eines Auftritts im Münchner Bürgerbräukeller zu töten, und der 18. Februar 1943, an dem Hans und Sophie Scholl, die Gründer der oppositionellen Studentengruppe «Weiße Rose», unter dem Eindruck der Niederlage von Stalingrad im Lichthof der Münchner Universität Hunderte von Flugblättern gegen die gewissenlose Kriegsführung Hitlers verteilten.

Elser, der Einzelgänger aus dem Volk, die Geschwister Scholl, ihre Kommilitonen Christoph Probst, Alexander Schmorell und Willi Graf, ihr akademischer Mentor Kurt Huber erlitten dasselbe Schicksal wie die Männer des 20. Juli 1944: Sie wurden exekutiert. Wären sie und andere nicht gegen Hitler aufgestanden, die Deutschen hätten nach dem Zusammenbruch der nationalsozialistischen Herrschaft wenig gehabt, woran sie sich beim Rückblick auf die Jahre von 1933 bis 1945 aufrichten konnten.[31]

Ein November 1918 werde sich niemals wiederholen, hatte Hitler am ersten Kriegstag, dem 1. September 1939, im Reichstag ausgerufen. In diesem Punkt erwies sich der «Führer» tatsächlich als Prophet. Es gab im Zweiten Weltkrieg in Deutschland keine Streiks, keine Meutereien und erst recht keine Revolution. Das lag nicht nur, und wohl nicht einmal vorrangig, an der Allgegenwart des Terrors. Es lag vor allem an der rücksichtslosen Ausbeutung der besetzten Gebiete, die Deutschland eine Hungersnot wie im Ersten Weltkrieg ersparte. Es lag auch an der ebenso rücksichtslosen Ausbeutung von Millionen von zwangsverpflichteten ausländischen Zivilarbeitern, Kriegsgefangenen und KZ-Häftlingen, einem neuen Subproletariat, das seinerseits einer rassistisch bestimmten Hierarchie unterworfen war: «Ostarbeiter» wurden sehr viel brutaler behandelt als «Westarbeiter»; am unmenschlichsten aber war die Behandlung der Juden, für die Arbeit nur ein Durchgangsstadium zur Vernichtung sein sollte.

Die Zwangs- und Sklavenarbeit von Ausländern sorgte auch dafür, daß der Krieg für die Deutschen weniger «total» wurde, als man es nach Goebbels' berüchtigter Rede im Sportpalast am 18. Februar 1943 hatte vermuten können. Eine allgemeine Dienstpflicht für Frauen wurde nicht eingeführt, weil sie Hitlers, durchaus kleinbürgerlich geprägtem Bild von der deutschen Frau widersprach. Das deutsche Volk sollte seinem «Führer» die Treue halten: Dieses Ziel setzte der Ausbeutung deutscher Arbeitskräfte Grenzen, über deren Respektierung Hitler persönlich wachte.

Doch was die Nationalsozialisten auch taten, um die «Heimatfront» zu festigen: der Glaube an den «Endsieg» wurde immer brüchiger und mit ihm, trotz mancher Wiederbelebungen wie nach dem 20. Juli 1944, der «Führermythos». Im Juli 1943 war das faschistische System Mussolinis in Italien zusammengebrochen; vom Osten her rückte unaufhaltsam die Rote Armee näher; am 6. Juni 1944 gelang den Alliierten die Landung in der

Normandie. In Deutschland selbst vergingen seit 1942 kaum ein Tag und eine Nacht ohne feindliche Fliegerangriffe auf große und mittlere Städte. Die Bomben trafen nicht nur Verkehrswege, Industrieanlagen, Häuser und Menschen, sondern zuletzt auch, als sich der Krieg erkennbar dem Ende zuneigte, die Moral der Überlebenden. Überzeugte Nationalsozialisten und zumal die ganz jungen unter ihnen antworteten darauf mit trotzigem Durchhaltewillen, aber sie standen für eine Minderheit. Die Mehrheit dachte in den letzten Monaten des Krieges wohl eher wie jener Einwohner Berchtesgadens, der einem Bericht des SD zufolge im März 1945 äußerte: «Hätte man 1933 geahnt, daß sich die Ereignisse so zuspitzen würden, wäre Hitler nie gewählt worden.»

Er wäre auch nicht gewählt worden, wenn die Deutschen gewußt hätten, was er sich für die Zeit nach dem Krieg zur Aufgabe gestellt hatte: die endgültige Überwindung des Christentums. *Dieses* Ziel, das er *nicht* erreichte, war Hitlers «Geheimnis», nicht die Vernichtung der Juden, zu der er sich bekannte und die ihm weithin gelang. «Das Dogma des Christentums zerbricht vor der Wissenschaft», meinte er am 14. Oktober 1941 in Gegenwart Himmlers. «Man kann sich... vom Christentum nicht besser lösen als dadurch, daß man es ausklingen läßt.»

In seinen Monologen im Führerhauptquartier kam Hitler immer wieder darauf zurück, daß Jesus ein Arier gewesen sei, der Jude Paulus aber schon das Urchristentum auf die Bahn des Bolschewismus gebracht habe. «Dadurch, daß Paulus aus der arischen Protestbewegung gegen das Judentum in Palästina eine überstaatliche christliche Religion machte, hat der Jude das römische Reich zertrümmert», erklärte er am 21. Oktober 1941. «Mit seinem Christentum stellte Paulus der römischen Staatsidee die Idee eines überstaatlichen Reiches gegenüber. Paulus proklamierte die Gleichheit aller Menschen und einen Gott, und indem er dies durchsetzte, mußte die römische Staatsgewalt verblassen... Rom wurde bolschewistisch, und dieser Bolschewismus wirkte sich in Rom genau so aus, wie wir es später in Rußland erlebten... Aus dem Saulus wurde ein Paulus und aus dem Mardochai ein Karl Marx (Mardechei war der Geburtsname von Marxens Großvater, H. A. W.). Wenn wir diese Pest ausrotten, so vollbringen wir eine Tat für die Menschheit, von deren Bedeutung sich unsere Männer draußen noch gar keine Vorstellung machen können.»

Drei Jahre später, am 30. November 1944, drückte Hitler seine Überzeugung vom jüdischen Charakter des Christentums folgendermaßen aus: «Jesus kämpfte gegen den verderblichen Materialismus seiner Zeit und damit gegen die Juden... Paulus erkannte, daß die richtige Verwertung einer tragenden Idee bei Nichtjuden eine weit höhere Macht gab als das Versprechen materieller Belohnung beim Juden. Und nun fälschte Saulus-Paulus in raffinierter Weise die christliche Lehre um: Aus der Kampfansage gegen die Vergottung des Geldes, aus der Kampfansage gegen den jüdischen Eigennutz, den jüdischen Materialismus wurde die tragende Idee der Minderrassigen, der Sklaven, der Unterdrückten, der an Geld und Gut Armen gegen die herrschende Klasse, gegen die Oberrasse, gegen die Unterdrücker. Die Religion des Paulus und das von da an vertretene Christentum war nichts anderes als der Kommunismus.»

Hitlers Judenhaß war nicht einfach ein Ausdruck von «Rassismus». Die «Neger», die er am meisten verachtete, wollte er nicht ausrotten, sondern nur auf eine dienende Stellung beschränkt sehen; die «artfremden» Zigeuner ließ er vor allem ihres «asozialen» Charakters wegen ermorden; für Japaner und Chinesen empfand er zunehmend hohen Respekt. Der Rassist Hitler war sich bewußt, daß die Juden strenggenommen keine Rasse waren. «Die jüdische Rasse ist vor allem eine Gemeinschaft des Geistes», diktierte er, die Echtheit der Überlieferung vorausgesetzt, am 3. Februar 1945 dem Leiter der Parteikanzlei, Martin Bormann. «Geistige Rasse ist härter und dauerhafter Art als natürliche Rasse. Der Jude, wohin er auch geht, er bleibt ein Jude. Er ist seiner Natur nach ein Wesen, das sich nicht einverleiben läßt. Und gerade dieses Merkmal der Nichtassimilierbarkeit ist bestimmend für seine Rasse und muß uns als ein trauriger Beweis für die Überlegenheit des ‹Geistes› über das Fleisch erscheinen!»

Der jüdische «Geist» aber war durch die physische Vernichtung der Juden noch nicht für immer besiegt. Weil er ins Christentum eingegangen war, standen der «nordischen Rasse» nach der Lösung der «Judenfrage» noch schwere Kämpfe bevor. Dem militärischen «Endsieg» sollte denn auch nach Hitlers Willen eine beispiellose Kulturrevolution folgen. Ihr Ziel war die Korrektur einer historischen Fehlentwicklung, die vor fast zweitausend Jahren begonnen hatte, als der jüdische Geist in christlicher Gestalt sich anschickte, Europa zu erobern und den arischen Völkern das Rückgrat zu brechen, indem er ihnen die herrenmenschliche Natur austrieb und sie auf das artfremde, jüdische Gebot «Du sollst nicht morden» festlegte.

Was deutsche Antisemiten des 19. Jahrhunderts wie Paul de Lagarde über die angebliche Verfälschung der Lehre Jesu durch Paulus geschrieben hatten, dachte Hitler radikal zu Ende: Die «Endlösung der Judenfrage» war die notwendige Voraussetzung für die Beseitigung des Einflusses, den das Judentum und das von ihm geprägte Christentum auf die europäische und damit auf die Weltgeschichte gehabt hatten und weiter hatten. Danach erst würde sich die wahre, von keiner Mitleidsmoral gehemmte Natur des arischen Menschen voll entfalten und ihn befähigen, sich im Kampf ums Dasein dauerhaft zu behaupten. Dieses Ziel zu erreichen oder ihm so nah wie möglich zu kommen, betrachtete der Mann, der sich «nur als der Vollstrecker eines geschichtlichen Willens» verstand, als seine historische Sendung.

Daß die Deutschen in ihrer großen Mehrheit noch nicht bereit waren, den Kampf gegen das Christentum und die überlieferten Werte des Abendlandes aufzunehmen, wußte Hitler. Deswegen sprach er nicht öffentlich von dem, was er für eine weltgeschichtliche Notwendigkeit, ja für *die* weltanschauliche Herausforderung der Nachkriegszeit hielt. Die Unterstützung, die Hitler in Deutschland und zeitweilig auch jenseits der deutschen Grenzen genoß, galt in erster Linie seinem Kampf gegen den militant antichristlichen Bolschewismus. Seine eigene Gegnerschaft zum Christentum hatte er unter christlich klingenden Parolen verborgen und mit dieser Täuschung denselben Erfolg erzielt wie vor 1933 mit seinen Bekenntnissen zur Legalität und in den Jahren danach mit der Beteuerung seines Friedenswillens. Als es im Frühjahr 1945 kaum noch Zweifel am baldigen Ende seiner Herrschaft gab, fühlten sich viele, die an ihn geglaubt hatten, als seine Opfer. Was Mitarbeiter des SD in ihren Berichten festhielten, war in den letzten Wochen des «Dritten Reiches» eine verbreitete Meinung: «Der Führer wurde uns von Gott gesandt, aber nicht um Deutschland zu retten, sondern um Deutschland zu verderben. Die Vorsehung hat beschlossen, das deutsche Volk zu vernichten, und Hitler ist der Vollstrecker dieses Willens.»

Als Hitler sich am 30. April 1945 im Berliner «Führerbunker» das Leben nahm, war sein Mythos bereits weitgehend erloschen. Trauer löste die Falschmeldung vom Abend des 1. Mai, «daß unser Führer Adolf Hitler heute nachmittag in seinem Befehlsstand in der Reichskanzlei, bis zum letzten Atemzug gegen den Bolschewismus kämpfend, für Deutschland gefallen ist», kaum noch aus. Deutschland war zu dieser Zeit schon in großen Teilen von den Alliierten besetzt. Wo immer ihre Truppen näher rückten, versuchten die Deutschen, Symbole des «Dritten Reiches» wie Führerbilder, Hakenkreuzfahnen, nationalsozialistische Uniformen und Parteiabzeichen so rasch und so gründlich wie möglich verschwinden zu lassen.

Der Glaube an das Charisma des «Führers» hatte es Hitler mehr als alles andere ermöglicht, sich zwölf Jahre lang an der Macht zu behaupten. Die späte Einsicht, daß seine Herrschaft zur Katastrophe für Deutschland geworden war, brach den Bann, in den er die Mehrheit der Deutschen geschlagen hatte. Nach der bedingungslosen Kapitulation des Deutschen Reiches am 8. Mai 1945 gab es unter den Deutschen zwar viele ehemalige, aber nur noch wenige überzeugte Nationalsozialisten.[32]

Das Gefühl, Opfer Hitlers zu sein, hatten 1945 nicht nur Deutsche, die ihn zuvor unterstützt oder mit seinen konservativen Verbündeten sympathisiert hatten. Selbst ein liberaler Emigrant wie der Wirtschaftswissenschaftler Wilhelm Röpke, der 1933 in die Türkei gegangen war und seit 1937 in Genf lehrte, bestärkte die Deutschen in dieser Selbsteinschätzung. In seinem 1945 erschienenen vielgelesenen Buch «Die deutsche Frage» sprach der gebürtige Hannoveraner zwar auch von deutschen Vorbelastungen, die er mit Luther, Friedrich dem Großen und Bismarck, kurz mit Preußen als dem «bösen Geist Deutschlands», in Verbindung brachte. Röpkes eigentliche Botschaft aber klang tröstlich: «Heute sollte sich jeder darüber klar sein, daß die Deutschen die ersten Opfer der Barbareninvasion gewesen sind, die sich von unten herauf über sie ergoß, daß sie die ersten waren, die mit Terror und Massenhypnose überwältigt wurden, und daß alles, was dann später die besetzten Länder zu erdulden hatten, zuerst den Deutschen selbst zugefügt worden ist, eingeschlossen das allerschlimmste Schicksal: zu Werkzeugen weiterer Eroberung und Unterdrückung gepreßt oder verführt zu werden.»

«Opfer» hätten das Ende der Gewaltherrschaft eigentlich als «Befreiung» erleben müssen. Doch das war im Frühjahr 1945 nicht die gängige Wahrnehmung des Untergangs des «Dritten Reiches». Das Wort vom «Zusammenbruch» traf die Empfindungen der meisten Deutschen sehr viel besser, weil es sich nicht nur auf den politischen und wirtschaftlichen Zustand des besetzten Landes, sondern auch auf die Hoffnungen beziehen ließ, die die Mehrheit der Deutschen in Hitler gesetzt hatte. Die Trümmer der Städte, die Not der Ausgebombten und Evakuierten, das Elend der Flüchtlinge und Heimatvertriebenen, schließlich auch die Verbreitung genaueren Wissens über die Konzentrationslager und die Ermordung der Juden: das alles sprach gegen Hitler und gegen jeden Rückfall in den Nationalsozialismus. Aber sich von Hitler und seinen fanatischen Helfern abzusetzen, war eines. Ein anderes war die Einsicht in die deutschen Traditionen, an die der Nationalsozialismus angeknüpft hatte, und in die eigene Verantwortung für das, was seit 1933 in und durch Deutschland geschehen war.

Als im Oktober 1945 der Vorläufige Rat der evangelischen Kirche in Deutschland unter dem württembergischen Landesbischof Theophil Wurm und dem Kirchenpräsidenten von Hessen-Nassau, dem ehemaligen KZ-Häftling Martin Niemöller, im «Stuttgarter Schuldbekenntnis» von einer «Solidarität der Schuld» zwischen Kirche und Volk sprach, stieß das auch innerhalb der Kirche auf verbreiteten Widerspruch. Als unangebrachte Bestätigung der alliierten These von einer deutschen «Kollektivschuld» galt vor allem der Satz: «Durch uns ist unendliches Leid über viele Völker und Länder gebracht worden.» Und viel zu weit ging konservativen Protestanten die Selbstanklage, «daß wir nicht mutiger bekannt, nicht treuer gebetet, nicht fröhlicher geglaubt und nicht brennender geliebt haben».

Der Philosoph Karl Jaspers, den das nationalsozialistische Regime 1937/38 mit einem Lehr- und Veröffentlichungsverbot belegt hatte, löste 1946 mit seiner Schrift «Die Schuldfrage», ursprünglich einer Heidelberger Vorlesung im Wintersemester 1945/46, ähnlich abwehrende Reaktionen aus. Jaspers sprach von einer «moralischen Kollektivschuld» im Sinne einer Haftung der Deutschen für die politischen Zustände während der Jahre 1933 bis 1945. «Daß in den geistigen Bedingungen des deutschen Lebens die Möglichkeit gegeben war für ein solches Regime, dafür tragen wir alle eine Mitschuld.» Der Begriff «Kollektivschuld» genügte vielen, um Jaspers Willfährigkeit gegenüber den Alliierten vorzuwerfen. Daß der Autor eine deutsche Alleinschuld am Nationalsozialismus bestritt und das Ausland für den Erfolg Hitlers mitverantwortlich machte, daß er, Röpke zitierend, von den Deutschen als Hitlers «ersten Opfern» sprach und vom deutschen Antisemitismus behauptete, er sei «in keinem Augenblick eine Volksaktion» gewesen, minderte nicht den Zorn derer, die sich über Jaspers empörten.

Weniger Widerspruch als Jaspers' «Schuldfrage» rief Friedrich Meineckes Schrift «Die deutsche Katastrophe» hervor, die ebenfalls 1946 erschien. Der greise Berliner Historiker vom Jahrgang 1862 beklagte das «Kontinuum des mechanisierten Soldatentums und Drillgeistes von den Tagen Friedrich Wilhelms I.» her; er sprach von «dunklen Punkten» in der Bismarckschen Reichsgründung, die für ihn einerseits eine «Leistung von historischer Größe», andererseits «die entscheidende Deviation von den westeuropäisch-liberalen Ideen» war; er nannte die Deutsche Vaterlandspartei und die Dolchstoßlegende den «fatalen Wendepunkt in der Entwicklung des deutschen Bürgertums».

Doch was Meinecke über die Juden schrieb, war ein Ausdruck fortwirkender antijüdischer Vorurteile. «Die Juden, die dazu neigen, eine ihnen einmal lächelnde Gunst der Konjunktur unbedacht zu genießen, hatten mancherlei Anstoß erregt seit ihrer vollen Emanzipation», hieß es mit Blick auf das späte 19. Jahrhundert. Und auch für den Antisemitismus der Weimarer Republik brachte der Verfasser ein gewisses Verständnis auf: «Zu denen, die den Becher der ihnen zugefallenen Macht gar zu rasch und gierig an den Mund führten, gehörten auch viele Juden. Nun erschienen sie allen antisemitisch Gesinnten als die Nutznießer der deutschen Niederlage und Revolution.»

Den Nationalsozialismus in den Gang der deutschen Geschichte einzuordnen, gelang Meinecke trotz aller Kritik am «preußischen Militarismus» nicht. Bei Hitlers Ernennung zum Reichskanzler habe «nichts Allgemeines, sondern etwas Zufälliges, nämlich die Schwäche Hindenburgs, den Ausschlag gegeben», schrieb er, die gesellschaftliche Umgebung des Reichspräsidenten und die politischen Einflüsse auf ihn souverän außer acht lassend. Zum Charakterbild Hitlers zitierte Meinecke, was ihm einmal Otto Hintze gesagt hatte: «Dieser Mensch gehört ja eigentlich gar nicht zu unserer Rasse. Da ist etwas ganz Fremdes an ihm, etwas wie eine sonst ausgestorbene Urrasse, die völlig amoralisch noch geartet ist.»

Die Folgerung, die Meinecke aus der «deutschen Katastrophe» zog, hieß Ersetzung von Politik durch Kultur oder, in seinen Worten, «Verinnerlichung unseres Daseins». Er, der zu Beginn des 20. Jahrhunderts den deutschen Weg vom Weltbürgertum zum Nationalstaat als geschichtlichen Fortschritt gewürdigt hatte, plädierte nun dafür, den Weg in der Umkehrrichtung zu beschreiten. «Das Werk der Bismarckzeit ist uns durch eigenes Verschulden zerschlagen worden, und über seine Ruinen müssen wir die Pfade zur Goethezeit zurück suchen.» Zu diesem Zweck sollten in allen deutschen Städten Goethegemeinden gegründet und an jedem Sonntagnachmittag, möglichst in einer Kirche, Feierstunden abgehalten werden, eingerahmt «durch große deutsche Musik, durch Bach, Mozart, Beethoven, Schubert, Brahms usw. ... Blicken wir dann auf zu den höchsten Sphären des Ewigen und Göttlichen, so tönt es uns aus ihnen entgegen: ‹Wir heißen Euch hoffen›.»

Die geistige Herausforderung, an der Friedrich Meinecke scheiterte, meisterte Thomas Mann. Ende Mai 1945 trug der Schriftsteller, der seit 1939 in den Vereinigten Staaten lebte, in der Library of Congress in Washington auf englisch Gedanken über «Deutschland und die Deutschen» vor. Die Rede sollte ein «Stück deutscher Selbstkritik» sein, und sie war mehr als das: die Freilegung jener Tiefenschichten des deutschen Bewußtseins, die im Nationalsozialismus Gestalt angenommen hatten, und damit ein Beitrag zur Überwindung des vermeintlichen Gegensatzes von Politik und Kultur.

Mann ging viel weiter in die Geschichte zurück als Meinecke – bis ins Mittelalter, von dem, dank Luthers Reformation, in Deutschland so viel noch im 20. Jahrhundert nachwirkte, ja fortlebte. So wie Luther, «nach Denkungsweise und Seelenform zum guten Teil ein mittelalterlicher Mensch», sich zeit seines Lebens mit dem Teufel herumschlug, so auch Goethes «Faust». «Unser größtes Gedicht... hat zum Helden den Menschen an der Grenzscheide von Mittelalter und Humanismus, den Gottesmenschen, der sich aus vermessenem Erkenntnistriebe der Magie, dem Teufel ergibt. Wo der Hochmut des Intellektes sich mit seelischer Altertümlichkeit und Gebundenheit gattet, da ist der Teufel. Und der Teufel, Luthers Teufel, Faustens Teufel, will mir als eine sehr deutsche Figur erscheinen, das Bündnis mit ihm, die Teufelsverschreibung, um unter Drangabe des Seelenheils für eine Frist alle Schätze und Macht der Welt zu gewinnen, als etwas dem deutschen Wesen eigentümlich Naheliegendes.»

Luther, der konservative Revolutionär, hatte das Christentum konserviert. Seine Reformation war, wie später die Erhebung gegen Napoleon, eine «*nationalistische* Freiheitsbewegung». «Der deutsche Freiheitsbegriff war immer nur nach außen gerichtet; er meinte das Recht, deutsch zu sein, nur deutsch und nichts anderes, nichts darüber hinaus, er war ein protestierender Begriff selbstzentrierter Abwehr gegen alles, was den völkischen Egoismus bedingen und einschränken, ihn zähmen und zum Dienst an der Gemeinschaft, zum Menschheitsdienst anhalten wollte. Ein vertrotzter Individualismus nach außen, im Verhältnis zur Welt, zu Europa, zur Zivilisation, vertrug er sich im Innern mit einem befremdenden Maß von Unfreiheit, Unmündigkeit, dumpfer Untertänigkeit. Er war militanter Knechtssinn, und der Nationalismus nun gar übersteigerte dies Mißverhältnis von äußerem und inneren Freiheitsbedürfnis zu den Gedanken der Weltversklavung durch ein Volk, das zu Hause so unfrei war wie das deutsche.»

Den tieferen Grund, daß der deutsche Freiheitsdrang auf innere Unfreiheit hinauslief und endlich gar zum Attentat auf die Freiheit aller anderen wurde, sah Mann darin, «daß Deutschland nie eine Revolution gehabt und gelernt hat, den Begriff Nation mit dem der Freiheit zu vereinigen». Selbst Goethes abweisende Haltung gegen «das politische Protestantentum, die völkische Rüpel-Demokratie» habe auf den geistig maßgeblichen Teil der Nation, das Bürgertum, «hauptsächlich die Wirkung einer Bestätigung und Vertiefung des lutherischen Dualismus von geistiger und politischer Freiheit geübt, daß sie den deutschen Bildungsbegriff gehindert hat, das politische Element in sich aufzunehmen».

Die Betrachtung der deutschen Geschichte führte Mann zu einer Vermutung, die über die deutsche Geschichte weit hinausreichte: Die Welt sei womöglich «nicht die alleinige Schöpfung Gottes, sondern ein Gemeinschaftswerk... mit jemandem anders. Man könnte die gnadenvolle Tatsache, daß aus dem Bösen das Gute kommen kann, Gott zuschreiben. Daß aus dem Guten so oft das Böse kommt, ist offenbar der Beitrag des andern. Die Deutschen könnten wohl fragen, warum gerade ihnen all ihr Gutes zum Bösen ausschlägt, ihnen unter den Händen zu Bösem wird. Nehmen Sie ihren ursprünglichen Universalismus und Kosmopolitismus, ihre innere Grenzenlosigkeit, die als seelisches Zubehör ihres alten übernationalen Reiches, des Heiligen Römischen Reiches deutscher Nation, zu verstehen sein mag. Eine höchst positiv zu wertende Anlage, die aber durch eine Art von dialektischem Umschlag sich ins Böse verkehrte. Die Deutschen ließen sich verführen, auf ihren eingeborenen Kosmopolitismus den Anspruch auf europäische Hegemonie, ja auf Weltherrschaft zu gründen, wodurch er zu seinem strikten Gegenteil, zum anmaßlichsten und bedrohlichsten Nationalismus und Imperialismus wurde. Dabei merkten sie selbst, daß sie mit dem Nationalismus wieder einmal zu spät kamen, daß dieser sich bereits überlebt hatte. Darum setzten sie etwas Moderneres dafür ein: die Rassenparole – die sie denn prompt zu ungeheuerlichen Missetaten vermocht und sie ins tiefste Unglück gestürzt hat.»

Auch von der «vielleicht berühmtesten Eigenschaft der Deutschen», der «Innerlichkeit», meinte Mann, sie habe ihnen mehr Unglück als Glück gebracht. Die «große Geschichtstat der deutschen Innerlichkeit», Luthers Reformation, war eine Befreiungstat, zog aber die religiöse Spaltung des Abendlandes und das Verhängnis des Dreißigjährigen Krieges nach sich. Die deutsche Romantik, auch sie ein Ausdruck deutscher Innerlichkeit, gab dem europäischen Denken, namentlich der Philosophie und der Geschichtswissenschaft, ebenso wie der europäischen Kunst, vor allem der Poesie und der Musik, «tiefe und belebende Impulse». Doch die Deutschen wurden darüber zum «Volk der romantischen Gegenrevolution gegen den philosophischen Intellektualismus und Rationalismus der Aufklärung – eines Aufstandes der Musik gegen die Literatur, der Mystik gegen die Klarheit».

Die Geschichte der deutschen Innerlichkeit: das war das eigentliche Thema Thomas Manns. Es war, wie er gegen Ende seines Vortrages sagte, «eine melancholische Geschichte – ich nenne sie so und spreche nicht von ‹Tragik›, weil das Unglück nicht prahlen soll. Eines mag diese Geschichte uns zu Gemüte führen: daß es nicht zwei Deutschland gibt, ein böses und ein gutes, sondern nur eines, dem sein Bestes durch Teufelslist zum Bösen ausschlug. Das böse Deutschland, das ist das fehlgegangene gute im Unglück, in Schuld und Untergang... Nichts von dem, was ich Ihnen über Deutschland zu sagen oder flüchtig anzudeuten versuchte, kam aus fremdem, kühlem, unbeteiligtem Wissen; ich habe es auch in mir, ich habe es alles am eigenen Leibe erfahren.»

Thomas Mann war einen weiten Weg gegangen, bevor er zu dieser Deutung der deutschen Geschichte gelangte. Aus dem Verteidiger des deutschen Obrigkeitsstaates, als der er im Ersten Weltkrieg zur Feder gegriffen hatte, war nach 1918 ein Fürsprecher der deutschen Republik geworden. Im «Führer» des Deutschen Reiches hatte er 1939 den «Bruder Hitler» erkannt, einen gescheiterten Künstler, der die mythische Welt Richard Wagners nachbilden wollte und dabei verhunzte. Als Thomas Mann wenige Wochen nach dem Ende des Zweiten Weltkrieges die deutsche Katastrophe aus fehlgeleiteter deutscher Innerlichkeit zu erklären versuchte, arbeitete er bereits seit zwei Jahren an seinem «Doktor Faustus». Der Held des Romans, der Tonsetzer Adrian Leverkühn, der sich um der Kunst willen dem Teufel verschrieb und schließlich von diesem geholt wurde, war nicht zufällig ein Deutscher. Er stand für jenes Deutschland, das sich der Welt an «Tiefe» überlegen wähnte und «dem sein Bestes durch Teufelslist zum Bösen ausschlug».

Mit dem «Dritten Reich» ging am 8. Mai 1945 auch das Deutsche Reich unter, das Thomas Mann das «unheilige Deutsche Reich preußischer Nation» nannte, das immer nur ein «Kriegsreich» habe sein können. Den Untergang Preußens, das unter Hitler nur noch ein Schattendasein geführt hatte, vollendete der Alliierte Kontrollrat durch das Gesetz Nr. 46 vom 25. Februar 1947. Es verfügte die Auflösung des Staates Preußen mit der Begründung, dieser sei «seit jeher Träger des Militarismus und der Reaktion in Deutschland» gewesen und habe in Wirklichkeit zu bestehen aufgehört.

Was immer sonst noch über Preußen, etwa das Preußen der Weimarer Republik oder jenes des 20. Juli 1944, zu sagen war: Ohne den «Mythos Preußen» und den Kult um Friedrich den Großen hätte der Österreicher Adolf Hitler Deutschland nicht beherrschen und die Deutschen nicht in den Krieg führen können. Am Ende des Zweiten Weltkrieges war der preußische Mythos so verbraucht wie der sehr viel ältere Reichsmythos, der den Untergang des Heiligen Römischen Reiches Deutscher Nation im Jahre 1806 um 139 Jahre überlebt hatte. Mehr zu sein als die anderen europäischen Nationen und ihre Nationalstaaten: nichts hatte die Deutschen vom Westen so getrennt wie der universalistische Anspruch, den sie mit dem Reich verbanden. Manche der historisch und theologisch Gebildeten unter ihnen hatten noch im Zweiten Weltkrieg das Reich in der Rolle des

«Katechon» gesehen – der Kraft, die der Herrschaft des Antichrist, der sich selbst als Gott ausgab, in Gestalt des Bolschewismus im Wege stand. Daß der Mann an der Spitze des Reiches dem mythischen Bild des Antichrist nicht weniger entsprach als Stalin, begannen sie erst zu ahnen, seit sich der Zusammenbruch von Hitlers Herrschaft abzeichnete. Am Ende des Krieges hatten die Deutschen nicht nur kein Reich mehr. Es war ungewiß, ob es je wieder einen deutschen Nationalstaat geben würde.

Der deutsche Philosoph Ernst Cassirer, der im April 1945, wenige Wochen vor Kriegsende, im amerikanischen Exil starb, deutete in seiner letzten Schrift «Der Mythus des Staates» Hitlers politische Karriere als Triumph des Mythos über die Vernunft und diesen Triumph als Folge einer tiefen Krise. «In der Politik leben wir immer auf vulkanischem Boden. Wir müssen auf abrupte Konvulsionen und Ausbrüche vorbereitet sein. In allen kritischen Augenblicken des sozialen Lebens sind die rationalen Kräfte, die dem Wiedererwachen der alten mythischen Vorstellungen Widerstand leisten, ihrer selbst nicht mehr sicher. In diesen Momenten ist die Zeit für den Mythus wieder gekommen. Denn der Mythus ist nicht wirklich besiegt und unterdrückt worden. Er ist immer da, versteckt im Dunkel und auf seine Stunde und Gelegenheit wartend. Diese Stunde kommt, sobald die anderen bindenden Kräfte im sozialen Leben des Menschen aus dem einen oder anderen Grunde ihre Kraft verlieren und nicht länger imstande sind, die dämonischen Kräfte zu bekämpfen.»

Die deutschen Mythen, aus denen Hitler schöpfte und die er sich dienstbar machte, wurden durch ihn gründlich zerstört. Darin lag die befreiende Wirkung seines Untergangs, deren sich die Deutschen erst allmählich bewußt wurden. In dem Maß, wie sie den Zusammenbruch als Befreiung zu begreifen lernten, wurden sie auch fähig zu erkennen, daß Deutschland selbst die Schuld an seinem Schicksal trug.[33]

2.
Demokratie und Diktatur
1945–1961

1945 war eine noch tiefere weltgeschichtliche Zäsur als 1918. Der Erste Weltkrieg führte zur Auflösung von drei Vielvölkerreichen, dem habsburgischen, dem osmanischen und, teilweise, dem russischen. Aus den Nachfolgestaaten in Ostmittel- und Südosteuropa, die anfänglich demokratisch verfaßt waren, wurden in den zwanziger und dreißiger Jahren fast ausnahmslos autoritäre Diktaturen. Zu den Folgen des ersten der beiden Weltkriege gehörte auch die Entstehung der totalitären Bewegungen, die zuerst, in Rußland, in kommunistischer, dann, in Italien und Deutschland, in faschistischer Gestalt an die Macht gelangten. Die beiden Flügelmächte, die im Epochenjahr 1917 die europäische Bühne betreten hatten – die Vereinigten Staaten von Amerika und das bolschewistische Rußland –, beeinflußten Europa, blieben in der Zwischenkriegszeit aber Teil der Peripherie. Daß sie im Zweiten Weltkrieg zu Partnern wurden und an dessen Ende die Vorherrschaft über Europa zwischen sich aufteilten, war das Werk des Mannes, der sich selbst als Europas letzte Chance gesehen hatte.

Mit dem Zusammenbruch des von Hitler geführten Reiches hörte Europa auf, die Welt zu dominieren. Die Tage der europäischen Überseereiche waren seit 1945 gezählt; wider Willen hatte Hitler, indem er England und Frankreich, die Niederlande und Belgien bekriegte, dem Befreiungskampf der Kolonialvölker in Asien und Afrika Auftrieb gegeben. Die Entfesselung des Zweiten Weltkrieges war Deutschlands zweiter Griff nach der Vorherrschaft über Europa im 20. Jahrhundert. Das verbindet den Zweiten Weltkrieg mit dem Ersten und gibt dem geläufigen Wort vom zweiten Dreißigjährigen Krieg der Jahre 1914 bis 1945 eine gewisse historische Berechtigung. So neuartig Hitlers Herrschaft und so einzigartig die Verbrechen des Nationalsozialismus waren, so deutlich war doch auch die Kontinuität des deutschen Willens, die Gewichte in der Welt grundlegend umzuverteilen – zugunsten des Reiches, das ebendiese Politik schließlich mit seinem Untergang bezahlte.

Das Jahr 1945 bedeutete das Ende der *einen* Erscheinungsform totalitärer Herrschaft, der faschistischen beziehungsweise nationalsozialistischen. Die *andere*, die kommunistische, ging gestärkt aus dem Zweiten Weltkrieg hervor. Die Sowjetunion konnte ihren Einflußbereich bis weit in die Mitte Europas hinein ausdehnen. Die Einverleibung der baltischen Staaten und die Kontrolle über Polen, die Tschechoslowakei, Ungarn, Rumänien und Bulgarien vermochten die westlichen Verbündeten Stalin nicht mehr streitig zu machen, nachdem Roosevelt und Churchill im Februar 1945 in Jalta faktisch in eine Aufteilung Europas in eine östliche und eine westliche Interessensphäre eingewilligt hatten. Was das besiegte Deutschland anging, stimmten die USA und Großbritannien auf der Potsdamer Konferenz im Juli und August 1945 der Unterstellung der Gebiete östlich von Oder und Görlitzer Neiße unter polnische und des nördlichen Ostpreußen unter sowjetische Verwaltung zu; der Vorbehalt der endgültigen Regelung durch einen Friedensvertrag wurde im Fall des Gebiets um Königsberg durch die Zusage der Angelsachsen relativiert, sie würden bei der definitiven Festlegung den sowjetischen Anspruch auf dieses Territorium unterstützen.

Soweit die Deutschen in den Ostgebieten nicht schon vor der Roten Armee geflüchtet waren, sollten sie, dem Potsdamer Abkommen zufolge, «in ordnungsgemäßer und humaner Weise» nach Deutschland überführt werden. Diese Klausel galt auch für die Sudeten- und Ungarndeutschen, die 1945 ebenfalls ihre Heimat verlassen mußten. Die gewaltsame Vertreibung unerwünschter Einheimischer, mit der die Nationalsozialisten begonnen hatten, schlug nun auf die Deutschen zurück: ein Verstoß gegen die Menschenrechte, der bei den Akteuren auf westlicher Seite offenkundig keine Gewissenskonflikte hervorrief. Von den Gebieten, die im Zuge der mittelalterlichen Ostsiedlung deutsch geworden waren, blieb nur noch der Teil übrig, der westlich von Oder und Neiße lag. Die Westgrenze des sowjetischen Machtbereichs verlief fortan dort, wo die deutsche Besatzungszone der Sowjetunion endete: an Elbe, Werra und Fulda.

Die Aufteilung Deutschlands in vier Besatzungszonen und der ehemaligen Reichshauptstadt Berlin in vier Sektoren markiert einen der großen Unterschiede zwischen dem Ende des Zweiten und dem des Ersten Weltkrieges. Anders als 1918 gab es 1945 keine deutsche Staatsgewalt mehr; die Souveränität des Reiches ging über an die Gesamtheit der vier Besatzungsmächte – die USA, die Sowjetunion, Großbritannien und Frankreich –, die am 30. August 1945 als gemeinsames Vollzugsorgan den Alliierten Kontrollrat einsetzten. Wer von der obersten Führung des «Dritten Reiches» überlebt hatte, mußte sich seit dem November 1945 vor dem Internationalen Militärtribunal in Nürnberg verantworten. Die Kriegsverbrechen, Verbrechen gegen den Frieden und Verbrechen gegen die Menschlichkeit, über die dort verhandelt wurde, waren ebenso juristische Neuschöpfungen wie der Begriff der verbrecherischen Organisation: Ihre Rechtsgrundlage war ein Kontrollratsgesetz vom 20. Dezember 1945, das seinerseits auf den Bestimmungen des Potsdamer Abkommens über die Verfolgung von Kriegsverbrechern beruhte. Der Durchbruch zu einem neuen Völkerrecht wurde also erkauft mit einem Verstoß gegen das Rechtsprinzip des «nulla poena sine lege», wonach ein Gericht eine Tat nur auf Grund eines Gesetzes verurteilen durfte, das schon zum Zeitpunkt der Tat galt. Die Rechtsstaatlichkeit des Verfahrens litt auch darunter, daß eine der richtenden Siegermächte, die Sowjetunion, selbst Kriegsverbrechen sowie Verbrechen gegen den Frieden und die Menschlichkeit begangen hatte. Die Verwerflichkeit der Taten, die in Nürnberg abgeurteilt wurden, war jedoch so groß, daß das Rechtsgefühl ungleich stärker verletzt worden wäre, wenn diese Verbrechen keine Sühne gefunden hätten.

Am 1. Oktober 1946 erging das Urteil im Prozeß gegen die Hauptkriegsverbrecher. Zwölf der höchsten Funktionsträger des «Dritten Reiches», darunter Göring, Ribbentrop, Rosenberg und Keitel, wurden zum Tod durch den Strang, andere, wie Hitlers Stellvertreter Rudolf Heß und Rüstungsminister Albert Speer, zu langjährigen Gefängnisstrafen verurteilt. Göring konnte sich der Vollstreckung des Urteils am 16. Oktober durch Selbstmord entziehen. Papen und Schacht, die Hitler den Weg in die Reichskanzlei geebnet, aber keine Verbrechen im Sinne der Anklage begangen hatten, wurden freigesprochen.

Die in Potsdam beschlossene «Entnazifizierung» des Millionenheeres von Mitgliedern nationalsozialistischer Organisatoren verlief von Besatzungszone zu Besatzungszone verschieden, aber überall mehr oder weniger schematisch. Am rigorosesten und willkürlichsten ging die Sowjetunion vor. Die verhafteten Nationalsozialisten kamen, soweit sie nicht in die Sowjetunion deportiert wurden, zusammen mit mißliebigen bürgerlichen Demokraten und Sozialdemokraten, ja sogar oppositionellen Kommunisten in «Speziallager». Von den mehr als 120 000 Gefangenen dieser Lager, die bis 1950 bestanden, sollen 42 000 ums Leben gekommen sein. Eines der Lager war das ehemalige KZ Buchenwald bei Weimar. Als Thomas Mann am 1. August 1949 im Deutschen Nationaltheater zu Weimar die Festrede zu Goethes 200. Geburtstag hielt, weigerte er sich zur Enttäuschung vieler seiner Bewunderer, auf diese Kontinuität des Terrors einzugehen.

Das Pendant zur Repression war die Privilegierung. Verwaltung, Polizei, Justiz und Schule wurden durchgreifend «gesäubert» und zuverlässige Kommunisten, wo immer möglich, in die wichtigsten Schaltstellen geschleust. Kurzfristig ausgebildete «Volksrichter» und «Neulehrer» ersetzten ihre politisch belasteten Vorgänger. Gesichtspunkte wie Professionalität und Effizienz spielten bei diesem Personalwechsel keine Rolle: Entnazifizierung und kommunistische Kaderpolitik gingen nahtlos ineinander über.

Den Gegenpol zur SBZ bildete die französische Besatzungszone. Frankreich verhielt sich gegenüber ehemaligen nationalsozialistischen Beamten vergleichsweise großzügig: Die Vergangenheit der «Parteigenossen» wurde von Anfang an als Druckmittel benutzt, um die Betroffenen zur Loyalität zu zwingen. Verhaftungen, Internierungen und Entlassungen gab es freilich auch hier. Sie bildeten in allen vier Besatzungszonen die erste Phase der Entnazifizierung, die bis in das Jahr 1946 hinein fortdauerte. Die zweite Phase, die in der amerikanischen Zone im März 1946, in der britischen und französischen Zone ein halbes Jahr später begann, stand im Zeichen gerichtsähnlicher Verfahren vor «Spruchkammern». Sie teilten die Deutschen, deren «Fragebogen» zu einem Verfahren Anlaß gaben, in fünf Gruppen ein: Hauptschuldige, Belastete, Minderbelastete, Mitläufer und Entlastete. Am strengsten verfuhren dabei die Amerikaner: Sie stuften nur eine winzige Minderheit als «entlastet» ein und belegten «Mitläufer» zunächst mit einem Berufsverbot. Die Briten verzichteten auf eine solche Maßnahme und erklärten mehr als die Hälfte der Überprüften für «entlastet».

Je mehr sich der Gegensatz zwischen Ost und West zuspitzte, desto toleranter wurden auch die Amerikaner gegenüber ehemaligen Nationalsozialisten. Hitler war jahrelang ein nationaler Heros, seine Partei eine Massenbewegung gewesen. Strenge gegenüber seinen früheren Gefolgsleuten drohte ein Reservoir von sozialer Unzufriedenheit und politischem Radikalismus zu schaffen. Von Nachsicht, gekoppelt mit «re-education», also politischer Umerziehung, waren bessere Ergebnisse zu erwarten: eine rasche Eingewöhnung in die Demokratie und Widerstandskraft gegenüber extremen Parolen von rechts und links. Die Entnazifizierung erwies sich, alles in allem, als Fehlschlag. Wer nicht strafrechtlich verurteilt wurde, konnte im Westen Deutschlands nach 1949 meist in seine frühere berufliche Stellung zurückkehren. Nicht nur «Mitläufer» und «Minderbelastete», auch «Belastete» durften nach Ablauf einiger Jahre hoffen, nicht mehr mit ihrer politischen Vergangenheit konfrontiert zu werden.

Gegenüber «kleinen» Nationalsozialisten verfuhr die sowjetische Besatzungsmacht nicht viel anders: Sie durften umlernen und sich in aufrechte «Antifaschisten» verwandeln. Der wichtigste Teil der Entnazifizierung waren aus der Sicht der SMAD, der Sowjetischen Militäradministration in Deutschland, ohnehin nicht individuelle Sanktionen, sondern strukturelle Eingriffe. Darunter war die Brechung der Macht jener Klassen zu verstehen, die nach marxistisch-leninistischer Auffassung dem Faschismus zur Macht verholfen hatten. Diesem Ansatz entsprach die «Bodenreform» vom September 1945, die dem ostelbischen Junkertum im Wortsinn den Boden entzog. Rund 7000 Großgrundbesitzer wurden entschädigungslos enteignet, um, so die Kampfparole, «Junkerland in Bauernhand» gelangen zu lassen. Unter den 500000 Menschen, die auf diese Weise Grundbesitz zugeteilt erhielten, waren auch 83000 «Umsiedler», also Heimatvertriebene aus den Ostgebieten. Die Enteignung traf keineswegs nur ehemalige Förderer des Nationalsozialismus, sondern auch Gegner desselben. Spezifisch kommunistisch war der radikale Eingriff dennoch nicht. Eine Änderung der Eigentumsverhältnisse in der ostelbischen Gutswirtschaft zugunsten kleiner und mittlerer Bauern hatten bürgerliche Agrarreformer seit Jahrzehnten gefordert, dabei freilich nicht an eine entschädigungslose Enteignung gedacht. Der Popularität der «Bodenreform» tat das kaum Abbruch: Bis weit in das Bürgertum hinein galt die Umverteilung des Rittergutsbesitzes als gerechtfertigt, ja überfällig.

Von der wenig später, im Oktober 1945, eingeleiteten «Industriereform» läßt sich das nicht sagen. Von ihr waren keineswegs nur «Kriegsverbrecher» und «Nazis» betroffen, sondern das Großunternehmertum schlechthin. Bis zum Frühjahr 1948 wurden fast 10000 Unternehmungen ohne Entschädigung in Staatsbesitz überführt – mit der Folge, daß zu diesem Zeitpunkt bereits 40 % der Industrieproduktion auf den öffentlichen Sektor entfielen. Dazu kamen noch die von der Besatzungsmacht in eigener Regie betriebenen Sowjetischen Aktiengesellschaften der Schwerindustrie. Banken und Sparkassen waren noch früher, im Juli 1945, verstaatlicht worden. Am Ziel der SMAD konnte es seit dem Herbst jenes Jahres keinen Zweifel mehr geben: Die kapitalistische Gesellschaftsordnung sollte systematisch beseitigt und durch eine sozialistische abgelöst werden.

In den Westzonen hielten sich die gesellschaftlichen Eingriffe der Besatzungsmächte in vergleichsweise engen Grenzen. Anläufe zu einer Bodenreform führten nirgendwo zum Ziel. Im industriellen Bereich wurden einige, durch ihre Rolle unter dem nationalsozialistischen Regime besonders belastete Großunternehmen und Großbanken – die IG Farben, die Eisen- und Stahlindustrie der britischen Zone, die Commerz-, die Dresdner und die Deutsche Bank – beschlagnahmt und Treuhändern unterstellt. Aus den zwölf größten Montangesellschaften machte die britische Besatzungsmacht, nachdem sie im Dezember 1945 zunächst die entschädigungslose Enteignung verfügt hatte, 28 voneinander unabhängige Unternehmungen. Eine Sozialisierung von Großbetrieben, wie sie vor allem Sozialdemokraten und Gewerkschaften forderten, fand zwar bei der seit Juli 1945 in London regierenden Labour Party, nicht jedoch beim amerikanischen Militärgouverneur Lucius D. Clay Beifall. Clay setzte sich durch. Die Frage der Sozialisierung wurde mit der Begründung vertagt, sie sei so wichtig, daß sie nicht in einem einzelnen Land oder einer einzelnen Besatzungszone, sondern nur von einem späteren deutschen Gesetzgeber entschieden werden könne.

Der Einschnitt, den das Jahr 1945 in der deutschen Sozialgeschichte hinterlassen hat, läßt sich erst dann ermessen, wenn man zum Vergleich die Situation Deutschlands am Ende des Ersten Weltkrieges heranzieht. Damals mußte keine der «alten Machteliten» als ganze abtreten. Der ostelbische Rittergutsbesitz verlor zwar vorübergehend an politischem Einfluß, konnte aber die gesellschaftlichen Grundlagen seiner Macht behaupten. Der Schwerindustrie gelang es, der Sozialisierungsbewegung zu trotzen. Das Beamtentum wurde durch die Revolution von 1918/19 nicht wesentlich, die Justiz überhaupt nicht erschüttert. Das Militär mußte den Beschränkungen Rechnung tragen, die ihm der Versailler Vertrag auferlegte, blieb aber in der Republik, was es im Kaiserreich gewesen war: ein «Staat im Staat» und ein innenpolitischer Machtfaktor, der im Falle des Ausnahmezustands zum Träger der vollziehenden Gewalt aufsteigen konnte.

Nach dem Zweiten Weltkrieg gab es, den Bestimmungen des Potsdamer Abkommens über die «Entmilitarisierung» Deutschlands entsprechend, jahrelang überhaupt kein deutsches Militär mehr. Der ostelbische Rittergutsbesitz hörte zu bestehen auf. Die Schwerindustrie wurde im Osten enteignet, im Westen zunächst von den Besatzungsmächten entflochten und später, nach Gründung der Bundesrepublik Deutschland, der paritätischen Mitbestimmung der Arbeitnehmer unterworfen. Damit konnte keine dieser Machteliten, die in ihrer Mehrheit vor 1933 entschiedene Widersacher der Demokratie in Deutschland gewesen waren, nach 1945 dieselbe oder eine ähnliche politische Rolle spielen wie in der Weimarer Republik. Viel stärker war die Kontinuität, was die Westzonen betrifft, im öffentlichen Dienst. Amerikanischen und englischen Versuchen, das deutsche Berufsbeamtentum abzuschaffen und durch einen «civil service» angelsächsischer Prägung zu ersetzen, war kein Erfolg beschieden. Kein Richter, der an Terrorurteilen des «Dritten Reiches» mitgewirkt hatte, wurde deswegen seinerseits verurteilt. Manche Hochschullehrer, die sich zwischen 1933 und 1945 besonders kompromittiert hatten, darunter Martin Heidegger und Carl Schmitt, verloren ihre Lehrstühle. Viele, die im Rückblick kaum weniger belastet erscheinen, konnten nach einer unfreiwilligen Unterbrechung dort weitermachen, wo sie 1945 aufgehört hatten. Die politische Überprüfung des Beamtentums wirkte so disziplinierend, wie die Erfahrung des «Zusammenbruchs» ernüchternd gewirkt hatte. Offene Demokratiefeindschaft war fortan diskreditiert: Das galt für das Beamtentum ebenso wie für die Justiz.

Eine «Stunde Null» hat es nach dem Untergang des «Dritten Reiches» nicht gegeben, und doch trifft dieser Begriff das Empfinden der Zeitgenossen auf das genaueste. Nie war die Zukunft in Deutschland so wenig vorhersehbar, nie das Chaos so allgegenwärtig wie im Frühjahr 1945. In der Sowjetischen Besatzungszone erlebten die Deutschen, und vor allem die deutschen Frauen, die Willkür der Sieger auf ungleich brutalere Weise als in den Westzonen; Rechtlosigkeit aber war in den ersten Wochen nach der Kapitulation eine gesamtdeutsche Erfahrung. Die «Zusammenbruchsgesellschaft» war in allen Besatzungszonen hochmobil: Millionen von «Displaced Persons», Heimatvertriebenen und Ausgebombten waren auf der Suche nach einer Bleibe; hungrige Stadtbewohner unternahmen «Hamsterfahrten» aufs Land, wo sie sich, auf dem Weg des Gütertausches, mit den notwendigsten Lebensmitteln versorgten; viele ehedem «Bessersituierte», die nun ohne Gehälter, Pensionen oder sonstige regelmäßige Einkünfte waren, mußten zeitweilig primitive Arbeiten verrichten; die «Trümmerfrauen» wurden zur Verkörperung eines radikalen Tausches der Geschlechterrollen.

Im Zuge von Bombenkrieg, Vertreibung und «Zusammenbruch» veränderte sich die deutsche Gesellschaft weitaus stärker als in den ersten zehn Jahren des «Dritten Reiches». Mit dem sozialen Wandel ging ein Umbruch der Werte einher: Hunger und Obdachlosigkeit, der tägliche Kampf ums Überleben erschütterten die hergebrachten Moralvorstellungen; selbst Kirchenfürsten äußerten Verständnis dafür, wenn manche Gläubigen den Unterschied zwischen «mein» und «dein» nicht mehr so ernst nahmen wie früher. Das Ende aller Sicherheit prägte sich tief in das Gedächtnis derer ein, die es erlebten. Aber Dauer war den Veränderungen von 1945 nicht beschieden. Die «Zusammenbruchsgesellschaft» war eine Gesellschaft im Ausnahmezustand. Sie brachte keine neue Ordnung hervor, sondern die tiefe Sehnsucht, so rasch wie möglich zu irgendeiner Art von «Normalität» zurückzukehren.

Daß nochmals ein Politiker wie Hitler zum Nutznießer dieser Sehnsucht werden würde: das war in der Trümmerlandschaft Nachkriegsdeutschlands die unwahrscheinlichste aller Möglichkeiten. Zu offenkundig war, daß der Mann an der Spitze des Reiches den Zweiten Weltkrieg entfesselt hatte und die Hauptverantwortung für seine Ergebnisse trug. Kriegsunschuld- und Dolchstoßlegenden hatten nach 1945, anders als nach 1918, keine Aussicht, den Beifall breiter Massen zu finden. Daß dem so war, macht einen der wichtigsten Unterschiede zwischen den beiden Nachweltkriegszeiten des 20. Jahrhunderts aus.[1]

Hitlers Erfolg war nicht zuletzt auf Schwächen und Fehler seiner demokratischen Gegner zurückzuführen: Darin waren sich die überlebenden Weimarer Politiker einig. Die bürgerlichen unter ihnen sahen zumeist in der Zersplitterung des Parteiwesens eine wesentliche Ursache für das Scheitern der ersten deutschen Republik und sannen daher auf eine Konzentration der Kräfte, sei es unter christlichen, sei es unter liberalen Vorzeichen. Unter den ehemaligen Anhängern des Zentrums gewann frühzeitig die Auffassung die Oberhand, daß der Nationalsozialismus den überzeugten Christen beider großen Konfessionen eine wertvolle Lehre erteilt hatte: Das Gemeinsame überwog das Trennende bei weitem. Daraus folgte, daß es nach dem Ende der Diktatur nur um die Gründung einer großen christlichen Partei und nicht um die Wiederbelebung konfessioneller Parteien wie des katholischen Zentrums oder, auf evangelischer Seite, des Christlich-Sozialen Volksdienstes gehen konnte.

Das Ergebnis dieser Überlegungen war die Christlich-Demokratische Union, die im Frühjahr 1945 nahezu gleichzeitig in Berlin, Köln und Frankfurt entstand. Zu ihrem wichtigsten Sprecher stieg binnen kurzem der frühere Kölner Oberbürgermeister Konrad Adenauer auf, der von den Amerikanern im März 1945 erneut mit diesem Amt betraut, von der britischen Besatzungsmacht aber schon im Oktober wieder abgesetzt wurde. Im März 1946 wählte ihn ein Parteitag zum Vorsitzenden der CDU der britischen Zone. Damit begann die politische Nachkriegskarriere des Mannes, der wie kein anderer Politiker der frühen Bundesrepublik seinen Stempel aufdrücken sollte.

Die Liberalen schlossen sich 1945 unter verschiedenen Namen – als Liberaldemokratische Partei Deutschlands in Berlin und der Sowjetischen Besatzungszone, als Demokratische Volkspartei in Württemberg-Baden, als Freie Demokratische Partei in Bayern – zusammen. Im Dezember 1948

vereinigten sich die Vertreter der liberalen Parteien und wählten den Publizisten Theodor Heuss aus Württemberg, den einstigen engen Mitarbeiter
Friedrich Naumanns und nachmaligen Reichstagsabgeordneten der Deutschen Demokratischen und späteren Deutschen Staatspartei, zu ihrem Vorsitzenden. Der alte Gegensatz zwischen Links- und Rechtsliberalen war
äußerlich überwunden. Innerhalb der FDP aber wirkte er fort: Der hessische Landesverband unter August Martin Euler war ebenso eindeutig «na-
tionalliberal», wie der württemberg-badische unter Reinhold Maier «demokratisch» war.

Offen «rechte» Parteien hätten in den ersten Jahren nach 1945 keine
Chance gehabt, von den Besatzungsmächten zugelassen zu werden. Doch
es gab gemäßigt konservative Regionalparteien. Eine davon war die
Niedersächsische Landespartei, die das Erbe der «welfischen» Parteien des
Kaiserreichs und der Weimarer Republik antrat, sich Ende 1946 in Deutsche Partei umbenannte und damit aufhörte, eine reine Landespartei zu
sein. Die andere, sehr viel bedeutendere war die Schwesterpartei der CDU,
die Christlich-Soziale Union. Sie legte ebensoviel Wert auf organisatorische
Selbständigkeit, wie das von 1919 bis 1933 die Bayerische Volkspartei gegenüber dem Zentrum getan hatte. An einem betont föderalistischen Profil mußte der CSU schon deswegen liegen, weil sie sich sonst gegenüber
einer anderen Nachfolgerin der BVP, der entschieden partikularistischen
Bayernpartei, kaum hätte durchsetzen können.

Die größte demokratische Partei der Weimarer Republik, die SPD, hatte
in den Jahren 1933 bis 1945 viele ihrer führenden Politiker verloren. Otto
Wels starb im Juni 1939 im Pariser Exil; Rudolf Hilferding nahm sich, nachdem ihn die französische Polizei im unbesetzten Süden des Landes festgenommen und an die Gestapo ausgeliefert hatte, im Februar 1941 in Paris
das Leben; Rudolf Breitscheid, ebenfalls in Frankreich festgenommen und
an die Gestapo ausgeliefert, kam als Häftling des KZ Buchenwald im
August 1944, angeblich bei einem Bombenangriff, ums Leben. Im gleichen
Lager wurde Ernst Heilmann im April 1940 ermordet. Carlo Mierendorff,
vor 1933 einer der «jungen Rechten» in der SPD, starb bei einem Flieger-
angriff im Dezember 1943. Zwei seiner Freunde aus dem Widerstand, Julius
Leber und Theodor Haubach, wurden im Januar 1945 in Berlin-Plötzensee
hingerichtet. Überlebt hatte Erich Ollenhauer, von 1928 bis 1933 Vorsitzender des Verbandes der Sozialistischen Arbeiterjugend, seit 1933 Mitglied des Parteivorstands, dem er in allen Stationen des Exils – Prag, Paris,
London – angehörte.

Die Initiative zur Neugründung der SPD ergriff der frühere Reichstagsabgeordnete Kurt Schumacher, der im März 1943, nach einem fast zehn-
jährigen Martyrium, aus dem Konzentrationslager Dachau entlassen worden war. Am 19. April 1945 – neun Tage, nachdem die Amerikaner
Hannover eingenommen hatten – berief er ein erstes vorbereitendes Treffen ein; am 6. Mai – zwei Tage vor der bedingungslosen Kapitulation des

Deutschen Reiches – folgte die Gründung eines sozialdemokratischen Ortsvereins. Hannover wurde zum «Vorort» der SPD in der britischen und amerikanischen Zone, das «Büro Schumacher» zur vorläufigen Parteizentrale. Der Invalide des Ersten Weltkriegs – 1915 war ihm nach einer schweren Verwundung der rechte Arm amputiert worden, mehr als drei Jahrzehnte später, 1948, folgte die Amputation des linken Beins – verfügte wie kein zweiter Sozialdemokrat über Autorität und Charisma. So wurde er für die SPD 1945 zum Mann der Stunde.

Schumacher zog aus dem Untergang der Weimarer Republik drei Schlußfolgerungen: Die Sozialdemokraten durften erstens nie wieder Zweifel an ihrer nationalen Gesinnung aufkommen lassen; sie mußten zweitens die Mittelschichten für sich erobern und drittens einen klaren Trennungsstrich zu den von Moskau abhängigen deutschen Kommunisten ziehen. «Die Kommunistische Partei ist unlösbar an eine einzige der Siegermächte, und zwar an Rußland als nationalen und imperialistischen Staat und seine außenpolitischen Ziele gebunden», hieß es bereits in Schumachers «Politischen Richtlinien für die SPD in ihrem Verhältnis zu den anderen politischen Faktoren» vom August 1945. Durch seinen entschiedenen Antikommunismus wurde Schumacher zum Widersacher nicht nur Otto Grotewohls, des Vorsitzenden des Zentralausschusses der SPD in der Sowjetischen Besatzungszone, sondern vieler Sozialdemokraten in ganz Deutschland, die in der Spaltung der marxistischen Arbeiterbewegung die Hauptursache für Aufstieg und Triumph des Nationalsozialismus sahen und sich in dieser Deutung mit den Kommunisten trafen.

Die KPD war die erste deutsche Partei, die sich nach dem «Zusammenbruch» offiziell neu konstituierte. Ihre Vorhut, die (nach dem Sekretär des Politbüros der Exil-KPD benannte) «Gruppe Ulbricht» war schon im April 1945 von Moskau aus nach Deutschland eingeflogen worden und unterstützte seitdem auf ihre Weise die Sowjetarmee beim Aufbau neuer Strukturen. Die Wiedergründung der KPD erfolgte am 11. Juni 1945 in Berlin, einen Tag nachdem die sowjetische Besatzungsmacht als erste die Gründung politischer Parteien zugelassen hatte. Der Gründungsaufruf der KPD war betont national und «reformistisch» gehalten. Die deutschen Kommunisten bekannten sich darin zur «völlig ungehinderten Entfaltung des freien Handels und der privaten Unternehmerinitiative auf der Grundlage des Privateigentums». Ausdrücklich hieß es sodann: «Wir sind der Auffassung, daß der Weg, Deutschland das Sowjetsystem aufzuzwingen, falsch wäre, denn dieser Weg entspricht nicht den gegenwärtigen Entwicklungsbedingungen in Deutschland. Wir sind vielmehr der Auffassung, daß die entscheidenden Interessen des deutschen Volkes in der gegenwärtigen Lage für Deutschland einen anderen Weg vorschreiben, und zwar den Weg der Aufrichtung eines antifaschistischen, demokratischen Regimes einer parlamentarisch-demokratischen Republik mit allen demokratischen Rechten und Freiheiten für das Volk.»

Das klang wie eine Umschreibung der Potsdamer Formel von der «Umgestaltung des deutschen politischen Lebens auf demokratischer Grundlage». Die längerfristigen Absichten der Kommunisten waren jedoch andere. Walter Ulbricht, der «starke Mann» der KPD, Mitglied der Partei seit 1919 und ihres Zentralkomitees seit 1923, hatte bereits am 24. April 1944, noch im Moskauer Exil, die Weisung ausgegeben, in der «Periode der Aufrichtung einer neuen Demokratie» müsse die Partei ihre Endziele zurückstellen, aber gleichzeitig die Voraussetzungen für ihre Propagierung schaffen. Der Zusammenschluß mit der Sozialdemokratie sollte erfolgen, wenn die Kommunisten organisatorisch so erstarkt waren, daß *sie* die Führung der einheitlichen Partei der Arbeiterklasse übernehmen konnten. Zunächst galt es, in Ulbrichts Worten, selbst Hand anzulegen bei der «Schaffung einer solchen Sozialdemokratie, die mit uns zusammenarbeitet».

Unter den Sozialdemokraten der Sowjetzone wuchsen im Verlauf des Jahres 1945 die Zweifel, ob es den Kommunisten mit ihren demokratischen Parolen ernst war. Infolgedessen nahm die Neigung zur Vereinigung beider Parteien ab. Mitte Januar 1946 knüpfte der sozialdemokratische Zentralausschuß unter Führung Grotewohls eine Fusion an die Bedingung, nur ein Reichsparteitag könne einen entsprechenden Beschluß fassen. Doch inzwischen war der Druck der Besatzungsmacht auf allen Ebenen so stark, daß der Zentralausschuß schon am 10. Februar mit der Mehrheit seiner Mitglieder eine Kehrtwende vollzog und der Vereinigung mit der KPD zustimmte. Am 20. und 22. April 1946 erfolgte auf einem gemeinsamen Parteitag im Berliner Admiralspalast der Zusammenschluß beider Parteien zur Sozialistischen Einheitspartei Deutschlands. Eine Urabstimmung der sozialdemokratischen Parteimitglieder konnte nur in den Westsektoren von Berlin stattfinden: 82 % sprachen sich gegen die Vereinigung, 62 % für eine weitere Zusammenarbeit mit der KPD aus. Im Ostsektor und in der sowjetischen Zone mußte fortan mit schwersten Sanktionen rechnen, wer sich öffentlich zur Sozialdemokratie bekannte.

Die Gründung der SED war ein Produkt aus massiver Einschüchterung und opportunistischer Anpassung. Die Freiheit der Entscheidung war im Frühjahr 1946 in der SBZ bereits so eingeschränkt, daß der Begriff «Zwangsvereinigung» der Wahrheit nahekommt. Der Ausschaltung der selbständigen Sozialdemokratie folgte die schrittweise Gleichschaltung der bürgerlichen Parteien. Die LDPD unter den früheren demokratischen Reichsministern Wilhelm Külz und Eugen Schiffer beteiligte sich auf Drängen der SED Ende 1947 an der «Volkskongreßbewegung», deren Hauptzweck es war, der sowjetischen Deutschlandpolitik den Schein eines breiten Rückhalts in der Bevölkerung zu verschaffen. Als die CDU, an ihrer Spitze der frühere christliche Gewerkschaftsführer und Widerstandskämpfer Jakob Kaiser und der ehemalige demokratische Reichstagsabgeordnete Ernst Lemmer, sich dieser Initiative widersetzte, wurden die beiden Parteivorsitzenden von der SMAD im Dezember 1947 kurzerhand abgesetzt. Mit dem fügsamen Nachfolger Otto Nuschke, der wie Lemmer Reichstagsabgeordneter der DDP gewesen war, hatten Besatzungsmacht und SED in der Folgezeit ein leichtes Spiel.

Die Entwicklung in der Sowjetzone stärkte die Position Kurt Schumachers in der Sozialdemokratie der westlichen Besatzungszonen. Unangefochten war seine Stellung bis dahin durchaus nicht. Vieles spricht dafür, daß die Kommunisten auch im Westen sehr viel stärker geworden wären, wenn sich ihnen nicht ein Politiker von der politischen Leidenschaft und der moralischen Überzeugungskraft Schumachers entgegengestellt und das Gros der Sozialdemokraten für sich gewonnen hätte. Sein Nein zur Vereinigung mit der KPD war ein Ja zum Vorrang der Freiheit vor der Einheit – der «Einheit der Arbeiterklasse» und der nationalen Einheit. Daß der Westen Deutschlands später ein Teil des europäisch-atlantischen Westens wurde, hat Schumacher so, wie es dann geschah, nicht gewollt. Ohne ihn wäre diese Entwicklung aber kaum möglich gewesen.

Zum Kampf gegen die Kommunisten, den er schon vor 1933 geführt hatte, kam der Kampf gegen die Unionsparteien, aus seiner Sicht die politische Speerspitze einer klerikalen und kapitalistischen Restauration. Beiden Gegnern trat er mit betont nationalen Parolen entgegen, wobei er den Christlichen Demokraten gegenüber nicht minder scharfe Töne anschlug als gegenüber den Kommunisten. «Das Reich muß als staatliches und nationales Ganzes erhalten bleiben!» hieß es schon im ersten Aufruf des «Büros Dr. Schumacher» von Mitte August 1945. Die Beschwörung der Reichsidee schloß eine Kampfansage gegen «Separationsbestrebungen» in sich, wie er sie Adenauer unterstellte. Tatsächlich hatte der von Haus aus evangelische Westpreuße aus Kulm zu dem von Bismarck gegründeten Reich ein sehr viel engeres Verhältnis als der Katholik aus Köln. Schumacher konnte sich mit dem Gedanken, daß Deutschland auf absehbare Zeit kein Reich und keinen Nationalstaat mehr bilden werde, nicht abfinden. Adenauer hingegen sprach bereits im Sommer und Herbst 1945 wiederholt und ohne erkennbare Gefühlsbewegung aus, was er für eine schlichte Tatsache hielt: «Der von Rußland besetzte Teil sei für eine nicht zu schätzende Zeit für Deutschland verloren.»

Wirtschaftspolitisch hatten sich die Sozialdemokraten über Weimar kaum hinausentwickelt: Sie hielten eine Planwirtschaft der Marktwirtschaft für überlegen und sprachen sich für die Sozialisierung der Grundstoffindustrien aus. Befürworter einer Vergesellschaftung der Bergwerke und eines erheblichen Maßes an «Planung und Lenkung der Wirtschaft» gab es auch in der frühen CDU. Das Ahlener Programm der Union der britischen Zone vom August 1947 bekannte sich zu beiden Forderungen und darüber hinaus zur «Bedarfsdeckung» als Ziel der Wirtschaft. Jakob Kaiser, Fürsprecher eines «christlichen Sozialismus», schrieb Deutschland die Aufgabe zu, außen- wie wirtschaftspolitisch eine Brücke zwischen Ost und West zu schlagen und einen dritten Weg zwischen Kommunismus und Kapitalismus zu beschreiten.

Im Frühjahr 1948 aber begann der politische Aufstieg eines Mannes, der ein radikal anderes Konzept vertrat und die CDU, obwohl er ihr nicht als Mitglied angehörte, von der Richtigkeit seiner Vorstellungen überzeugen konnte: Ludwig Erhard, 1897 im fränkischen Fürth geboren, promovierter Volkswirt, seit März 1948 Direktor für Wirtschaft im Wirtschaftsrat des Vereinigten Wirtschaftsgebietes, der ein Jahr zuvor durch Zusammenlegung der amerikanischen und britischen Zone geschaffenen «Bizone». Erhards «Soziale Marktwirtschaft» (der Begriff stammte von seinem Mitarbeiter Alfred Müller-Armack) brach mit der staatlichen Gängelung der Wirtschaft und vertraute auf das freie Spiel von Angebot und Nachfrage. Anders als im «Manchesterliberalismus» sollte der Staat aber nicht aus seiner Verantwortung entlassen werden. Vielmehr hatte er durch Abbau von Monopolen und Kartellen den Wettbewerb zu gewährleisten und durch flankierende Maßnahmen für sozialen Ausgleich zu sorgen.[2]

Erhard hätte sich nicht durchsetzen können, wären die Beziehungen der vier Besatzungsmächte zueinander und die außenpolitischen Rahmenbedingungen ganz allgemein 1948 nicht völlig andere gewesen als 1945. Die Schaffung deutscher Zentralverwaltungen, wie sie das Potsdamer Abkommen vorsah, war am Widerstand Frankreichs gescheitert, eine einheitliche Reparationspolitik, auch sie ein Postulat des Potsdamer Abkommens, an der Obstruktion der Sowjetunion. Moskau hatte auf der Festlegung eines sehr niedrigen deutschen Industrieniveaus bestanden, um in möglichst kurzer Zeit möglichst viel an Reparationen aus seiner Besatzungszone herauspressen zu können. Das Industrieniveau war das Produktionsvolumen, das eine Selbstversorgung Deutschlands sicherstellen sollte. In einem Beschluß des Alliierten Kontrollrats vom 28. März 1946 war das Industrieniveau, um den sowjetischen Vorstellungen entgegenzukommen, bewußt niedrig angesetzt worden – so niedrig, daß die deutsche Produktion bei weitem nicht ausreichte, um daraus die erforderlichen Importe, vor allem an Lebensmitteln, bezahlen zu können.

Während die Sowjetunion darauf keine Rücksicht nahm, sahen sich die USA und Großbritannien genötigt, ihre Besatzungszonen massiv zu subventionieren. Die Steuerzahler der beiden angelsächsischen Besatzungsmächte kamen also für die Weigerung der Sowjetunion auf, den Industrieplan nach oben zu korrigieren und ihre Reparationspolitik mit Amerikanern, Briten und Franzosen abzustimmen. Hätten Washington und London anders gehandelt und nicht Millionen von Amerikanern, aufgerufen von der Cooperation for American Remittance to Europe (CARE), Lebensmittelpakete nach Deutschland geschickt – aus der dort herrschenden Hungersnot wäre eine Hungerkatastrophe geworden.

Die «Bizone», die am 1. Januar 1947 ins Leben trat, war das Ergebnis angelsächsischen Umdenkens: Gegen die Sowjetunion und Frankreich war die erklärte Absicht des Potsdamer Abkommens, Deutschland als wirtschaftliche Einheit zu behandeln, nicht zu verwirklichen. Die rücksichtslose Ausschaltung aller nichtkommunistischen Kräfte in den Ländern des sowjetischen Machtbereichs tat das Ihre, einen Keil zwischen die Alliierten zu treiben. Stalin war offenkundig vor allem an *einem* interessiert: Amerikas Position in Europa zu schwächen. Gelang es, die Vereinigten Staaten zum Rückzug aus dem alten Kontinent zu zwingen, gab es keine Macht mehr, die die Sowjetunion daran hätte hindern können, ihrerseits zur europäischen Vormacht aufzusteigen.

Vor den Amerikanern gelangten die Briten zu der Einsicht, daß die sowjetische Herausforderung einer klaren westlichen Antwort bedurfte. Auf der Konferenz der Außenminister der «Großen Vier» in Paris im Frühjahr und Sommer 1946 ließ sich der Londoner Außenminister Ernest Bevin, ein Politiker der Labour Party, von der Maxime leiten, daß die Angelsachsen der Pariser Regierung gegenüber nicht zu hart auftreten durften: Wenn für Frankreich die deutsche Einheit nicht in Frage kam, mußte man, um der Einheit des Westens willen, von diesem Ziel abrücken. Unter dem Eindruck der unnachgiebigen Haltung seines sowjetischen Kollegen Molotow schwenkte im weiteren Verlauf der Konferenz auch der amerikanische Außenminister James F. Byrnes auf Bevins Linie ein. Am 6. September 1946 gab Byrnes in einer als sensationell empfundenen Rede in Stuttgart bekannt, daß die USA ihre Truppen so lange in Deutschland belassen würden wie andere Mächte auch; das Niveau der deutschen Industrieproduktion werde auch dann erhöht werden, wenn es nicht zur Herstellung der wirtschaftlichen Einheit Deutschlands komme. Die Würfel waren gefallen: Die Bildung eines Weststaats zeichnete sich ab. Da sich die Alliierten über die Zukunft Deutschlands nicht hatten einigen können, blieb nur die Teilung des Landes übrig.

Der Stuttgarter Rede von Byrnes folgte am 12. März 1947 die Verkündung der «Truman-Doktrin»: Der amerikanische Präsident Harry S. Truman nahm den Bürgerkrieg in Griechenland (bei dem die Kommunisten von Moskau eher indirekt und verdeckt als offen unterstützt wurden) zum Anlaß, allen Völkern, die ihre Freiheit bewahren wollten, die Hilfe der Vereinigten Staaten zu versprechen. Drei Monate später, am 5. Juni 1947, kündigte Byrnes' Nachfolger an der Spitze des State Department, General George C. Marshall, in einer Rede vor der Harvard-Universität an, Amerika wolle Europa in großem Umfang Wirtschaftshilfe gewähren. Der Marshallplan, am 3. April 1948 vom Kongreß verabschiedet, war als Hilfe zur Selbsthilfe gedacht. Er befriedigte das moralische Bedürfnis der Vereinigten Staaten, Vorkämpfer der Freiheit zu sein, ebenso wie ihr materielles Interesse, Europa wieder eng mit der amerikanischen Wirtschaft zu verflechten.

Das European Recovery Program wurde zu einem großen Erfolg für die USA wie für die europäischen Länder, die sich daran beteiligten. Daß der Westen Deutschlands dazugehören würde, war von Anfang an klar. Die

Staaten des sowjetischen Einflußbereichs, die Washington ebenfalls angesprochen hatte, blieben hingegen auf Grund eines Moskauer Vetos ausgesperrt. Die Welt hatte sich aus der Sicht des Kreml nunmehr in «zwei Hauptlager» gespalten: ein «imperialistisches und antidemokratisches Lager» unter Führung der USA und ein «antiimperialistisches und demokratisches Lager» unter Führung der Sowjetunion. Das war die Doktrin, die der ZK-Sekretär Andrej Schdanow in Stalins Auftrag im September 1947 bei der Gründung der Kominform, der Nachfolgeorganisation der im Mai 1943 aufgelösten Komintern, verkündete und die fortan für alle kommunistischen Parteien verbindlich war.

Amerika übernahm mit dem Marshallplan jene politische Führungsrolle in Europa, vor der es nach dem Ersten Weltkrieg noch zurückgeschreckt war. Die Folgen der damaligen Zugeständnisse an den politischen Isolationismus waren den verantwortlichen Akteuren der USA sehr wohl bewußt. Eine Spätfolge dieser Zurückhaltung war, daß Hitler bei seiner Expansionspolitik lange Zeit auf keinen wirksamen Widerstand gestoßen war. Einer weiteren Ausdehnung der sowjetischen Herrschaftssphäre wollte Amerika nicht tatenlos zusehen. Die Politik der «Eindämmung» war der Versuch, aus der Geschichte zu lernen – ein gelungener Versuch, wie man rückblickend feststellen muß.

Die amerikanische Entscheidung, den wirtschaftlichen Wiederaufbau Europas massiv zu fördern, ging mit einer Neuorientierung der westeuropäischen Sicherheitspolitik einher. Am 17. März 1948 schlossen Großbritannien, Frankreich, die Niederlande, Belgien und Luxemburg in Brüssel den Fünfmächtepakt ab. Die «West-Union», die daraus hervorging, war das erste europäische Nachkriegsbündnis, das sich nicht mehr gegen Deutschland, sondern gegen die Politik der Sowjetunion richtete. Stalins Antwort war der Auszug des sowjetischen Militärgouverneurs, des Marschalls Sokolowski, aus dem Alliierten Kontrollrat am 20. März 1948. Die Viermächtekontrolle über Deutschland hatte zu bestehen aufgehört.

Die nächste Station auf dem Weg zur deutschen Teilung war die Währungsreform in den drei Westzonen. Die Einführung der Deutschen Mark am 20. Juni 1948 läutete das Ende der Zwangsbewirtschaftung ein, die bis dahin das tatsächliche Ausmaß des Kaufkraftverlusts der Reichsmark noch einigermaßen verdeckt hatte. Mit den Lebensmittelkarten und dem sonstigen Bezugsscheinsystem verschwand auch der «Schwarze Markt», das Sinnbild des Wirtschaftslebens der frühen Nachkriegszeit. Es verschwanden schließlich die Schlagbäume zwischen der französischen und der Bizone und die Passierscheine, die bis dahin nötig gewesen waren, um diese Grenze zu überqueren.

Die Freigabe der meisten Preise war eine mutige Tat Ludwig Erhards, des Direktors für Wirtschaft. Die Sozialdemokraten, die seine Entscheidung scharf kritisierten, hatten die Weichen selber ungewollt in diese Richtung gestellt, als sie im Juli 1947 nach der Bildung des Wirtschaftsrates für das

Vereinigte Wirtschaftsgebiet, einer von den Landtagen der Bizone gewählten quasiparlamentarischen Vertreterversammlung, der Rolle der Opposition den Vorzug gaben und die fünf Hauptverwaltungen den bürgerlichen Parteien überließen. Da die Preise sehr viel schneller stiegen als die Löhne, war Erhards Politik zunächst alles andere als populär. Doch schon in der ersten Hälfte des Jahres 1949 gab es für die Deutschen in den drei Westzonen kaum noch einen Zweifel: Die «Währung» war der tiefste Einschnitt nach dem «Zusammenbruch», und sie bedeutete, alles in allem, eine Wendung zum Guten.

Zwei Tage nach der Währungsreform im Westen vollzog die Sowjetunion in ihrer Besatzungszone und Berlin eine eigene Währungsreform. Vor der Einbeziehung Berlins in das östliche Währungsgebiet hatte in den Wochen zuvor der gewählte, aber vom sowjetischen Stadtkommandanten nicht bestätigte Oberbürgermeister von Groß-Berlin, der Sozialdemokrat Ernst Reuter, der zu dieser Zeit Stadtrat für Verkehrs- und Versorgungsbetriebe war, eindringlich gewarnt: «Wer die Währung hat, hat die Macht.» Am 24. Juni trugen die drei westlichen Stadtkommandanten dieser Einsicht Rechnung. Sie untersagten dem Berliner Magistrat die Ausführung sowjetischer Befehle und führten in den Westsektoren die DM (mit einem aufgestempelten «B») ein. Die Ost-Mark wurde als gleichberechtigtes Zahlungsmittel zugelassen. Die SMAD hingegen stellte den Besitz von DM im sowjetischen Sektor von Berlin unter Strafe.

Die eigentliche Antwort der Sowjetunion auf die westliche Währungsreform aber war die Blockade der Berliner Westsektoren. Seit dem 4. August 1948 war der Verkehr zwischen den Westzonen und dem Westteil Berlins auf Schiene, Straße und Wasserwegen unterbunden; im November wurde auch der Güterverkehr zwischen dem Ostsektor und den Westsektoren gesperrt. Stalins Ziele ließen sich erahnen: Durch die Drohung mit der Aushungerung von über zwei Millionen Menschen wollte er die Westmächte zwingen, West-Berlin zu räumen, die Währungsreform rückgängig zu machen und die Pläne einer Weststaatsgründung aufzugeben. Doch der Westen beugte sich nicht. Neun Monate lang wurden die Westsektoren Berlins aus der Luft versorgt: eine technische, politische und moralische Leistung, die im Sommer 1948 nur wenige für möglich gehalten hatten.

In die Zeit der Blockade und der Luftbrücke fiel die administrative Teilung Berlins, ausgelöst durch die gewaltsame Sprengung der freigewählten Stadtverordnetenversammlung durch kommunistische Demonstranten am 6. September 1948. Seit dem November gab es zwei Berliner Stadtregierungen: eine für die drei Westsektoren, eine für den Ostsektor. Aus den Wahlen in den Westsektoren am 5. Dezember ging die SPD mit 64,5 % der Stimmen als Siegerin hervor. Zwei Tage später wurde Ernst Reuter zum Oberbürgermeister gewählt.

Anfang 1949 begann Stalin einzulenken. Im März nahmen amerikanische und sowjetische Diplomaten in einem kanadischen Dorf Geheimverhandlungen auf. Ihr Ergebnis war der Abbruch der Blockade West-Berlins und der westlichen Gegenblockade der Sowjetischen Besatzungszone. Die Konsequenz des Westens hatte sich ausgezahlt. Die West-Berliner waren vor der sowjetischen Erpressung nicht zurückgewichen. Beides zusammen trug dazu bei, daß sich die Deutschen, die in politischer Freiheit lebten, zunehmend als Teil des Westens zu fühlen begannen.

Dem neuen Verteidigungsbündnis des Westens konnten sie freilich, schon in Ermangelung eines eigenen Staates, noch nicht beitreten: Am 4. April 1949 hatten sich die USA, Kanada, die fünf Staaten der «West-Union», Island, Norwegen, Dänemark, Italien und Portugal zur North Atlantic Treaty Organization, der NATO, zusammengeschlossen. Die Verpflichtung, sich wechselseitig bei jedem Angriff auf einen oder mehrere von ihnen in Europa und Nordamerika beizustehen, war eine Reaktion auf das Gefühl der Bedrohung, das die Sowjetunion durch die Umwandlung Polens, Ungarns, Bulgariens, Rumäniens und der Tschechoslowakei in Satellitenstaaten, durch den massiven Druck auf das nationalkommunistische Jugoslawien unter Marschall Tito und, nicht zuletzt, durch die Berliner Blockade hervorgerufen hatte. Mit der Schaffung des atlantischen Bündnisses hatte Amerika – im Frühjahr 1949 noch die einzige Großmacht, die über Atomwaffen verfügte – sein Schicksal auf Gedeih und Verderb mit dem Europas verbunden. Stalins Chancen, diese Entwicklung umzukehren, waren drastisch gesunken. Aber nichts spricht dafür, daß er je daran dachte, diese Absicht aufzugeben.[3]

Die Entscheidung, einen westdeutschen Bundesstaat mit starken Ländern und einer schwachen Zentralgewalt zu schaffen, fiel auf einer Konferenz der drei Westmächte und der drei «Benelux-Staaten», die von Februar bis Juni 1948 in London stattfand. Auf einem konsequent föderalistischen Staatsaufbau bestand vor allem Frankreich – nicht, weil dies seinen eigenen Ordnungsvorstellungen entsprochen hätte, sondern weil Paris keine neuerliche Machtkonzentration rechts des Rheins wünschte. Am 1. Juli 1948 wurden die Londoner Empfehlungen als «Frankfurter Dokumente» den Regierungschefs der westdeutschen Länder überreicht. Vom 8. bis 10. Juli berieten diese auf dem Rittersturz bei Koblenz über die Vorlage.

In den wesentlichen Punkten waren sie sich weitgehend einig: Zum einen mußte der provisorische Charakter eines Weststaates betont, die Neugründung also unter einen gesamtdeutschen Vorbehalt gestellt werden. Deswegen sollte ein von den Landtagen gewählter «Parlamentarischer Rat» und nicht etwa eine vom Volk gewählte Konstituante das vorläufige «Grundgesetz» ausarbeiten und am Ende des Verfahrens nicht ein Volksentscheid, sondern die Billigung des Grundgesetzes durch die Landtage stehen. Zum anderen sollte ein Besatzungsstatut, das die alliierten Rechte verbindlich festlegte, der Verabschiedung des Grundgesetzes vorausgehen – eine Forderung, mit der sich die Ministerpräsidenten *nicht* durchsetzen konnten.

Verbleibende Zweifel, ob die Schaffung eines westdeutschen Bundesstaates überhaupt zu rechtfertigen sei oder nicht doch die Spaltung Deutschlands besiegeln werde, räumte auf einer weiteren Zusammenkunft der Ministerpräsidenten am 21. und 22. Juli im Jagdschloß Niederwald Ernst Reuter aus Berlin aus: «Wir sind der Meinung, daß die politische und ökonomische Konsolidierung des Westens eine elementare Voraussetzung für die Gesundung auch unserer Verhältnisse und für die Rückkehr des Ostens zum gemeinsamen Mutterland ist.»

Im August 1948 berieten Experten, die von den Ministerpräsidenten bestellt worden waren, auf einem Konvent in Herrenchiemsee die Grundzüge einer westdeutschen Verfassung. Sie erzielten in einer Reihe von wichtigen Punkten Übereinstimmung: Der künftige Bundesstaat bedurfte eines rein repräsentativen Staatsoberhaupts, eines Zweikammersystems und einer Bundesregierung, die sich negativen Parlamentsmehrheiten gegenüber behaupten konnte; die Demokratie sollte nicht plebiszitär, sondern konsequent repräsentativ sein; der Föderalismus war durch eine generelle Kompetenzvermutung zugunsten der Länder zu sichern. Bei allen diesen Postulaten stand der Wille Pate, aus den Weimarer Erfahrungen zu lernen. Das galt auch für den Vorschlag einer Verwirkung der Grundrechte für den Fall, daß jemand sie zum «Kampf gegen die freiheitliche und demokratische Ordnung» mißbrauchte. Die Begründung klang wie ein fernes Echo von Positionen, die Carl Schmitt im Sommer 1932 in seiner Schrift «Legalität und Legitimität» vertreten hatte: «Es bedarf keiner Darlegung, daß jede Demokratie, die in diesem Punkt achtlos ist, in Gefahr steht, selbstmörderisch zu werden.»

Die Ergebnisse des Konvents von Herrenchiemsee waren die Morgengabe der Ministerpräsidenten an den Parlamentarischen Rat, der am 1. September 1948 im Lichthof des Museums Koenig zu Bonn zu seiner konstituierenden Sitzung zusammentrat. Der Versammlung gehörten 65 Politiker an, die von den Landtagen gewählt worden waren; Berlin war durch Delegierte mit beratender Stimme vertreten. Zum Präsidenten wählte die Versammlung den Vorsitzenden der CDU der britischen Zone, Konrad Adenauer; Vorsitzender des Hauptausschusses wurde der Sozialdemokrat Carlo Schmid, der Justizminister des Landes Württemberg-Hohenzollern.

Von Schmid, dem brillantesten Redner des Parlamentarischen Rates, stammt die bündigste Formel der Lehren, die die demokratischen Parteien aus Weimar zu ziehen gedachten: Er forderte am 8. September «Mut zur Intoleranz denen gegenüber..., die die Demokratie gebrauchen wollen, um sie umzubringen». Sein Fraktionsfreund Walter Menzel schloß sich tags darauf Schmids Plädoyer mit den Worten an, «daß wir es nicht noch einmal dulden dürfen, die Demokratie zerstören zu lassen». Der CSU-Abgeordnete Josef Schwalber urteilte am gleichen 9. September, die Weimarer Verfassung, von ihren Anhängern als die beste und demokratischste Verfassung der Welt gelobt, sei so demokratisch gewesen, «daß sie sogar den Feinden des Staates die gleichen, wenn nicht mehr Rechte einräumte als den Freunden der Verfassung. Sie war so freiheitlich, daß sie den Gegnern der Freiheit und Demokratie die Plattform bot, um auf legalem Wege beide zu vernichten.»

Die Väter und Mütter der Weimarer Reichsverfassung hätten normative Vorgaben, wie Schmid, Menzel und Schwalber sie postulierten, als Rückfall in den Obrigkeitsstaat empfunden. Der Logik der Demokratiegründung von 1919 entsprach es, dem Prinzip der Volkssouveränität Geltung zu verschaffen. Folglich glaubte der Verfassunggeber, dem Mehrheitswillen keine konstitutionellen Zügel anlegen zu dürfen. Der Bonner Parlamentarische Rat war drei Jahrzehnte später in einer radikal anderen Situation als die Verfassunggebende Deutsche Nationalversammlung in Weimar. Er konnte auf die Erfahrungen einer gescheiterten parlamentarischen Demokratie und einer von außen niedergeworfenen totalitären Diktatur zurückblicken und gleichzeitig, in der Sowjetischen Besatzungszone, den Aufbau einer neuen Diktatur beobachten. Vor diesem Hintergrund lag nichts näher als der Versuch, einen anderen Typ von Demokratie zu entwickeln als den, der nach 1930 Schiffbruch erlitten hatte.

Carl Schmitt wurde in den westdeutschen Verfassungsberatungen von 1948/49 selten zitiert, aber er war allgegenwärtig. In vieler Hinsicht stellten die Bonner Verfassungsschöpfer Schmitts Weimarer Positionen auf den Kopf – etwa wenn sie sich für eine konsequent repräsentative und gegen eine plebiszitäre Demokratie, für ein Staatsoberhaupt mit überwiegend repräsentativen Funktionen und gegen jedwede präsidiale Diktaturgewalt, für einen gerichtsförmigen und gegen einen präsidialen «Hüter der Verfassung» entschieden. Aber was die Gegnerschaft zum Weimarer Wertrelativismus anging, waren die Väter und Mütter des Grundgesetzes «Schmittianer» – freilich mit einer wichtigen Einschränkung: Sie dachten naturrechtlich und sahen in der «Entscheidung» keinen Selbstzweck; sie waren Normativisten und keine Dezisionisten.

Die Verwirkung von Grundrechten, das Verbot verfassungswidriger Parteien durch das Bundesverfassungsgericht, die «Ewigkeitsklausel» des Artikels 79, Absatz 3, die eine Änderung des Grundgesetzes für unzulässig erklärt, durch welche die Gliederung des Bundes in Länder, die grundsätzliche Mitwirkung der Länder bei der Gesetzgebung oder die in den Grundrechtsartikeln niedergelegten Grundsätze berührt werden: das waren einige der Vorkehrungen, die der Parlamentarische Rat traf, um aus der Bundesrepublik Deutschland eine wertorientierte und wehrhafte Demokratie zu machen. Die Weimarer Erfahrungen schlugen sich in Bindungen des Gesetzgebers und Einschränkungen des Wählerwillens nieder, wie sie es wohl in keiner anderen demokratischen Verfassung gibt. Mehrheiten dadurch vor sich selber zu schützen, daß bestimmte unveräußerliche Werte und freiheitssichernde Institutionen ihrem Willen entzogen werden: diese Entscheidung des Verfassunggebers setzte die Erfahrung voraus, daß Mehrheiten so fundamental irren können, wie die Deutschen sich geirrt hatten, als sie 1932 mehrheitlich für Parteien stimmten, die ihre Demokratiefeindschaft offen zur Schau trugen.

Weimarer Erfahrungen entsprach auch die Einsicht, daß nur ein funktionstüchtiges parlamentarisches System demokratischen Legitimitätsglauben zu bewirken vermag. Deshalb sorgte der Parlamentarische Rat dafür, daß parlamentarische Mehrheiten ihre Verantwortung nicht mehr auf das Staatsoberhaupt abschieben und einen Regierungschef nur noch durch ein «konstruktives Mißtrauensvotum», also die Wahl eines Nachfolgers, stürzen konnten. Die Weimarer Verfassung hatte es zugelassen, daß der vom Volk direkt gewählte Reichspräsident in der Lage war, eine höhere Legitimität für sich zu beanspruchen als das in Parteien gespaltene Parlament. Das Bonner Grundgesetz stärkte die parlamentarisch verantwortliche Regierung und namentlich den vom Bundestag gewählten Bundeskanzler, um zwei Gefahren entgegenzuwirken: der opportunistischen Versuchung der Parteien und der «bonapartistischen» Versuchung des Staatsoberhaupts.

Von der ersten deutschen Demokratie sollte sich die zweite auch in anderer Hinsicht unterscheiden. Gesetzgebung, vollziehende Gewalt und Rechtsprechung waren fortan uneingeschränkt an die Grundrechte gebunden, die, anders als in der Weimarer Republik, unmittelbar geltendes Recht waren, also nicht bloß programmatische Bedeutung hatten. Im Gegensatz zur Weimarer Reichsverfassung durfte das Grundgesetz auch nur noch durch ein Gesetz geändert werden, das den Wortlaut der Verfassung ausdrücklich änderte oder ergänzte. Abweichungen von der Verfassung, die der Gesetzgeber mit verfassungsändernder Mehrheit beschloß, ohne die Verfassung formell zu ändern, waren mithin nicht mehr möglich. Beim Nein zu plebiszitären Formen von Demokratie wie Volksbegehren und Volksentscheid spielte freilich nicht nur die Erinnerung an Weimar eine Rolle, sondern mindestens ebensosehr die Furcht, die Kommunisten könnten sich dieser Instrumente auf demagogische Weise für ihre Zwecke bedienen.

Bei den meisten Grundentscheidungen konnte sich der Parlamentarische Rat auf einen breiten parteiübergreifenden Konsens stützen. Heftig umstritten aber war von Anfang an die Verteilung der Befugnisse zwischen Bund und Ländern. Auf möglichst viel Föderalismus drängten, unter französischem Einfluß, die Alliierten, aber auch deutsche Kräfte – allen voran die bayerische CSU. Am stärksten unitarisch waren SPD und FDP. Die schärfste Kontroverse entbrannte um die Verteilung und Verwaltung der Einkünfte, also die Finanzordnung. Ende November 1948 übergaben die Militärgouverneure dem Parlamentarischen Rat ein Dokument, das ihre Forderungen, namentlich zum Verhältnis von Bund und Ländern, enthielt. Der Hauptausschuß des Parlamentarischen Rates unter Vorsitz von Carlo Schmid legte seinerseits im Februar 1949 den Alliierten einen Gesamtentwurf für das Grundgesetz vor, der darauf abgestellt war, eine breite Mehrheit im Plenum zu finden. Bei den Militärgouverneuren stieß dieser Entwurf auf massive Kritik, die sich in *einem* Vorwurf bündeln ließ: Der Parlamentarische Rat war zu zentralistisch ans Werk gegangen; die Bundesrepublik sollte föderalistischer werden, und dies mußte sich auch in der Finanzverfassung widerspiegeln. Die CSU sah das ebenso; die Bayernpartei, die im Parlamentarischen Rat nicht vertreten war, ging noch weiter und lehnte den Entwurf des Hauptausschusses in Gänze ab.

Die härteste Opposition gegen die Alliierten kam von den Sozialdemokraten. Ihr Vorsitzender Kurt Schumacher, der nicht dem Parlamentarischen Rat angehörte, nutzte im Frühjahr 1949 die Chance, seiner Partei ein scharf nationales Profil zu geben. Aber auch in der Sache selbst war Schumachers Position plausibel: Der Bund durfte finanziell nicht in die Abhängigkeit der Länder geraten, wenn die Bundesrepublik ein lebensfähiges Gebilde werden sollte. Konrad Adenauer dachte nicht viel anders, äußerte sich aber zurückhaltender.

Als der erweiterte Parteivorstand der SPD auf Drängen Schumachers am 20. April in Hannover die Ablehnung des Grundgesetzes für den Fall ankündigte, daß die sozialdemokratischen Forderungen nicht durchgesetzt werden könnten, wirkte das als Sensation: So selbstbewußt war noch keine deutsche Partei den Alliierten gegenüber aufgetreten. Tatsächlich wußte Schumacher zu diesem Zeitpunkt bereits aus inoffiziellen britischen Quellen, daß die Alliierten zum Einlenken bereit waren. Am 22. April übergaben die Militärgouverneure dem Vorsitzenden des Parlamentarischen Rates eine entsprechende Note. Adenauer fühlte sich von den Alliierten hintergangen; mit dem Ergebnis aber konnte auch er zufrieden sein: Die Finanzverfassung des Grundgesetzes kam deutschen Vorstellungen weiter entgegen, als das vor dem 22. April 1949 die meisten Beobachter für möglich gehalten hatten.

Anders als 1919 gab es 1949 keinen «Flaggenstreit»: Die Farben Schwarz-Rot-Gold wurden von allen Fraktionen des Parlamentarischen Rates unterstützt. Der Name des neuen Staates war auch nicht lange kontrovers. Eine kleine Minderheit, repräsentiert durch Hans-Christoph Seebohm von der Deutschen Partei und Jakob Kaiser von der Berliner CDU, wollte am Begriff «Reich» festhalten, wurde aber am 6. Oktober 1948 im Grundsatzausschuß von dem Sozialdemokraten Carlo Schmid zurechtgewiesen: «Das Wort ‹Reich› hat nun einmal bei den Völkern um uns herum einen aggressiven Akzent. Das Wort ‹Reich› wird von diesen Leuten gelesen als ein Anspruch auf Beherrschung.» Breite Zustimmung fand hingegen der Vorschlag «Bundesrepublik Deutschland», den der «Ellwanger Kreis» der CDU im April 1948 unterbreitet hatte. Dieser Begriff trug den föderalistischen Überzeugungen der Union und dem republikanischen Credo der Sozialdemokraten in gleicher Weise Rechnung. Er enthielt überdies den Anspruch auf die alleinige Rechtsnachfolge des Deutschen Reiches und die Hoffnung auf ein demokratisches Gesamtdeutschland. «Bundesrepublik Deutschland» war also die Summe dessen, worin sich die überwältigende Mehrheit der Mitglieder des Parlamentarisches Rates einig war. Am 8. Mai 1949, dem vierten Jahrestag der deutschen Kapitulation, stimmte der Parlamentarische Rat mit 53 zu 12 Stimmen dem Grundgesetz zu. Die Gegenstimmen kamen von der CSU, den beiden Abgeordneten der wiedergegründeten Zentrumspartei, der Deutschen Partei und der KPD. Zwischen dem 18. und 21. Mai stimmten die Landtage mit einer Ausnahme dem Grundgesetz zu. Der bayerische Landtag lehnte das Grundgesetz mit 101 zu 63 Stimmen ab, weil es der Mehrheit zu wenig föderalistisch war. Der Staatsgründung fernbleiben wollte Bayern freilich nicht. Auf Antrag der Regierung beschloß der Landtag, das Grundgesetz als rechtsverbindlich anzuerkennen, wenn es von zwei Dritteln der übrigen Länder angenommen wurde.

Am 23. Mai 1949 wurde das Grundgesetz feierlich verkündet. Vorausgegangen war am 12. Mai die Billigung des Grundgesetzes durch die alliierten Militärgouverneure – vorbehaltlich der Bestimmungen des Besatzungsstatuts vom 10. April, das die verbleibenden, umfangreichen alliierten Rechte regelte, und der Anerkennung von West-Berlin als zwölftes Bundesland, die *nicht* erfolgte. West-Berlin wurde faktisch ein Bundesland besonderer Art: Das Abgeordnetenhaus übernahm das Bundesrecht unverändert, sofern es dem besonderen Status der Stadt nicht widersprach; im Bundestag wie im Bundesrat wirkte West-Berlin durch Vertreter mit beratender Stimme mit, wobei die Bundestagsabgeordneten nicht von der Bevölkerung gewählt, sondern vom Abgeordnetenhaus entsandt wurden; die drei Westalliierten behielten ihre Rolle als Inhaber der obersten Gewalt.

Für Berlin als Hauptstadt sprachen sich im Parlamentarischen Rat nur die drei Vertreter der KPD aus. Am 10. Mai fiel die Entscheidung für Bonn als provisorische Bundeshauptstadt: 33 gegen 29 Stimmen wurden für den Tagungsort des Parlamentarischen Rates abgegeben. Damit war Frankfurt am Main, das ebenfalls viele Befürworter hatte, aus dem Feld geschlagen. Für Bonn und gegen Frankfurt sprach auch, daß die Stadt am Rhein den provisorischen Charakter der Weststaatsgründung stärker unterstrich als der Tagungsort der deutschen Nationalversammlung von 1848.

Die transitorische Qualität der neuen Verfassung und den treuhänderischen Auftrag des Parlamentarischen Rates hob auch die Präambel des Grundgesetzes hervor. Sie sprach bewußt von der «Übergangszeit», für die das deutsche Volk in den Ländern Baden, Bayern, Bremen, Hamburg, Hessen, Niedersachsen, Nordrhein-Westfalen, Rheinland-Pfalz, Schleswig-Holstein, Württemberg-Baden und Württemberg-Hohenzollern dem staatlichen Leben eine neue Ordnung gegeben habe. «Es hat auch für jene Deutschen gehandelt, denen mitzuwirken versagt war. Das gesamte Deutsche Volk bleibt aufgefordert, in freier Selbstbestimmung die Einheit und Freiheit Deutschlands zu vollenden.»

Dementsprechend sollte das Grundgesetz gemäß Artikel 146 seine Gültigkeit an dem Tag verlieren, «an dem eine Verfassung in Kraft tritt, die vom deutschen Volk in freier Entscheidung beschlossen worden ist». Der Artikel 23, der vorsah, daß das Grundgesetz «in anderen Teilen Deutschlands... nach deren Beitritt in Kraft zu setzen» war, war nicht als Alternative zum Artikel 146 gedacht. Der Beitrittsartikel konnte vielmehr, was die Länder der Sowjetischen Besatzungszone anging, als «Zeitbrücke» bis zum Inkrafttreten einer gesamtdeutschen Verfassung dienen. Der Artikel 23 eröffnete aber auch einem anderen Teil Deutschlands eine zumindest theoretische Perspektive, sich der Bundesrepublik anzuschließen: dem Saarland, das im Dezember 1946 in das französische Wirtschaftsgebiet eingegliedert und damit von der übrigen französischen Besatzungszone abgetrennt worden war. Völkerrechtlich gehörte das Saarland zwar nach wie vor zu Deutschland – und nach deutscher Auffassung auch staatsrechtlich. Da der Sonderstatus dieses Gebiets von den USA und Großbritannien jedoch akzeptiert wurde und Paris Grund zu der Annahme hatte, daß beide Mächte den Status quo in einem Friedensvertrag legalisieren würden, konnten die Deutschen 1949 allenfalls hoffen, daß sich ihr Rechtsstandpunkt schließlich doch noch durchsetzen würde.

Das Wahlgesetz, nach dem der erste Bundestag gewählt wurde, enthielt Elemente aus Persönlichkeits- und Listenwahl; der Wirkung nach war es ein modifiziertes Verhältniswahlrecht. Eine Fünfprozentklausel, die aber nach einer Entscheidung der Militärgouverneure nur für jeweils ein Land, nicht für das Wahlgebiet insgesamt galt, sollte einer übermäßigen Zersplitterung des Parteiwesens vorbeugen. Die Bundesversammlung, die den Bundespräsidenten zu wählen hatte, bestand laut Grundgesetz aus den Abgeordneten des Bundestages und einer gleich großen Zahl von Mitgliedern der Volksvertretungen der Länder. In den ersten beiden Wahlgängen war die absolute Mehrheit der Stimmen erforderlich, im dritten Wahlgang genügte die einfache Mehrheit. Alles Nähere regelte das «Wahlgesetz zum Ersten Bundestag und zur ersten Wahl der Bundesversammlung der Bundesrepublik Deutschland», das die Ministerpräsidenten am 15. Juni 1949 verkündeten. Am gleichen Tag erging eine Verordnung, die das Datum der Bundestagswahl festlegte: Es war der 14. August 1949.

Der Wahlkampf stand ganz im Zeichen der Alternative «Planwirtschaft oder soziale Marktwirtschaft?». Die Wahl selbst wurde infolgedessen zu einem Plebiszit über die Politik Ludwig Erhards, der für die CDU im Wahlkreis Ulm antrat. Das Rennen machten die bürgerlichen Parteien, die Erhard unterstützten. Auf CDU und CSU entfielen 31,0, auf die FDP 11,9, auf die DP, die in vier norddeutschen Ländern zweistellige Ergebnisse erzielte, 4 %. Die SPD kam auf 29,2, die KPD auf 5,7 %, kleinere Gruppierungen unterschiedlichster Couleur auf insgesamt 18,2 %. Adenauer, im Unterschied zu Unionspolitikern des linken Flügels wie Jakob Kaiser oder dem nordrheinwestfälischen Ministerpräsidenten Karl Arnold ein entschiedener Gegner einer Großen Koalition, stellte die Weichen für die Bildung eines rein bürgerlichen Kabinetts, als es ihm gelang, seine Partei auf die Wahl eines Bundespräsidenten aus den Reihen der Liberalen festzulegen. Am 12. September obsiegte Theodor Heuss, der damals fünfundsechzigjährige Vorsitzende der FDP, in der Bundesversammlung im zweiten Wahlgang über den sozialdemokratischen Kandidaten Kurt Schumacher.

Fünf Tage zuvor, am 7. September 1949, hatten sich Bundesrat und Bundestag konstituiert, wobei die Verhandlungen des Bundestages mit einem Akt von hoher Symbolkraft begannen. Die erste Sitzung eröffnete, der parlamentarischen Tradition entsprechend, der älteste Abgeordnete. Es war ein «Weimarer» Politiker: der am 14. Dezember 1875 geborene, langjährige Reichstagspräsident Paul Löbe, der jetzt als sozialdemokratischer Abgeordneter Berlin im Bundestag vertrat. Am 15. September fiel im Plenarsaal am Rhein die erste historische Entscheidung: Der Bundestag wählte mit einer Stimme Mehrheit Konrad Adenauer, der drei Wochen jünger war als Löbe, zum Bundeskanzler. Nach der Bildung seines Kabinetts, bestehend aus Mitgliedern von CDU/CSU, FDP und DP, sahen die Mehrheitsverhältnisse etwas weniger prekär aus: Die erste Bundesregierung konnte sich auf 208 von 402 Abgeordneten stützen.

Am 20. September, einen Tag nach Adenauers Regierungserklärung, trat das Besatzungsstatut in Kraft. Die drei westalliierten Militärgouverneure verwandelten sich in die Hohe Kommission, die auf dem Petersberg hoch über Bonn residierte und sich auf so viele Vorbehaltsrechte stützen konnte, daß ihr die Rolle einer «Oberregierung» zufiel: Kein deutsches Gesetz konnte in Kraft treten, bevor es nicht von den Hohen Kommissaren unterzeichnet war. Die Bundesrepublik Deutschland war zwar ein Staat, souverän aber war sie bei ihrer Gründung noch lange nicht.[4]

Während die Westmächte die Gründung eines westdeutschen Staates betrieben, verfolgte Stalin mit Blick auf Deutschland eine Doppelstrategie. Sein Hauptziel war es seit dem definitiven Zerfall der Kriegsallianz im Jahr 1947, den «imperialistischen» Hauptgegner der Sowjetunion, die USA, aus Europa herauszudrängen. Gab es keine amerikanischen Truppen mehr in Deutschland, war einer wirksamen Militärpräsenz der Vereinigten Staaten in Europa überhaupt der Boden entzogen und die Machtfrage auf dem alten Kontinent geklärt – im sowjetischen Sinn. Auf kürzere Sicht kam also alles darauf an, der Sowjetunion so viel Einfluß wie möglich über Deutschland als Ganzes zu sichern. Ein Gesamtdeutschland, das in seiner Außenpolitik von Moskau abhängig war, hätte der sowjetischen Staatsräson, so wie Stalin sie auffaßte, eher entsprochen als ein separates kommunistisches Staatsgebilde auf dem Territorium der SBZ. In ihrer Besatzungszone wollte die Sowjetmacht zwar durch strukturelle Eingriffe möglichst viele vollendete Tatsachen schaffen, die den Kommunisten gute Ausgangspositionen für den entscheidenden Kampf um die Macht boten. Doch eine «Volksdemokratie», ein offen kommunistisches Satellitenregime, wie Polen, Ungarn oder die Tschechoslowakische Republik es 1948 bereits waren, wollte Stalin aus seinem deutschen Herrschaftsbereich so lange nicht machen, als er noch Chancen sah, ganz Deutschland unter sowjetische Kontrolle zu bringen. Auf der anderen Seite war Stalin auch für den Fall gewappnet, daß er die Bildung eines Weststaates nicht verhindern konnte. Alles, was in der SBZ geschah, ergab nämlich auch dann Sinn, wenn man es als Vorbereitung einer kommunistischen Machtübernahme östlich von Elbe, Werra und Fulda verstand. Auf *diese* Lösung setzten Sergej Tulpanow, der sowjetische Militärgouverneur in Deutschland, und Walter Ulbricht, der stellvertretende Vorsitzende der SED, spätestens seit dem Frühjahr 1948 – zu einem Zeitpunkt, als Stalin die Hoffnung auf die gesamtdeutsche Option noch längst nicht aufgegeben hatte. Am 18. Dezember 1948 riet er Wilhelm Pieck, der als Vertreter der ehemaligen KPD zusammen mit dem früheren Sozialdemokraten Otto Grotewohl an der Spitze der SED stand, die deutschen Kommunisten sollten sich «maskieren» und eine «vorsichtige», ja «opportunistische» Politik treiben, anstatt ihren «Kampf zu offen» zu führen. Am Ziel, dem «Sozialismus», gab es für Stalin keinen Zweifel. Aber es war ein Ziel, das sich, wie er sich ausdrückte, nicht durch «direkte Eingriffe», sondern nur im «Zickzack» erreichen ließ.

Zu Stalins Sinn für Dialektik paßte es auch, daß die SMAD auf seine Weisung hin im Mai 1948 die Bildung einer Partei anordnete, deren Aufgabe es war, ehemaligen Mitgliedern der NSDAP und früheren Berufssoldaten eine politische Heimstatt zu bieten: die Nationaldemokratische Partei Deutschlands (der Name stammte von Stalin persönlich). Die NDPD unter dem Vorsitz von Lothar Bolz, einem ehemaligen Mitglied der KPD, durfte mit sowjetischer Zustimmung nationalistische Parolen verbreiten, ja sogar mit dem Slogan «Gegen Marxismus – für Demokratie» werben. Zusammen mit der etwa gleichzeitig gegründeten Demokratischen Bauernpartei Deutschlands, an deren Spitze ebenfalls ein früheres Mitglied der KPD, Ernst Goldenbaum, stand, sollte die NDPD die «alten» bürgerlichen Parteien, CDU und LDPD, schwächen und das Gewicht der SED erhöhen.

Beide neuen Parteien wurden sogleich in die «Volkskongreßbewegung» und deren Exekutivorgan, den Deutschen Volksrat, aufgenommen, der sich im Juni 1948 zur «berufenen Repräsentation für ganz Deutschland» erklärte. Ein Vierteljahr später, im Oktober 1948, verabschiedete der Volksrat einstimmig einen ersten Verfassungsentwurf, der sich, vor allem im Grundrechtsteil, weitgehend an die Weimarer Reichsverfassung von 1919 anlehnte. Ein überarbeiteter zweiter Entwurf, den der Volksrat am 19. März 1949 vorlegte, wurde am 30. Mai vom neugewählten Dritten Volkskongreß gebilligt. Seinen gesamtdeutschen Anspruch stützte der Volksrat darauf, daß unter seinen 400 Mitgliedern auch 100 mit den Kommunisten sympathisierende Westdeutsche waren. Der Verfassungsentwurf also war nichts anderes als eine Vorarbeit für den Fall, daß die Sowjetunion sich genötigt sehen sollte, der Gründung eines Weststaates die ihr geeignet erscheinende Antwort zu erteilen.

Diese Situation trat rund ein Jahr später ein. Am 27. September 1949, drei Wochen nachdem sich in Bonn Bundestag und Bundesrat konstituiert hatten, willigte Stalin einer Delegation der SED gegenüber in die Gründung der Deutschen Demokratischen Republik ein. Am 4. Oktober wurde die Volkskongreßbewegung von der Nationalen Front des demokratischen Deutschland abgelöst, die alle Parteien und Massenorganisationen umfaßte. Am 7. Oktober erklärte sich der Deutsche Volksrat zur Provisorischen Volkskammer und nahm die Verfassung an, die einige Monate zuvor, Ende Mai, vom Dritten Volkskongreß gebilligt worden war. Die bürgerlichen Freiheitsrechte, darunter das Eigentumsrecht, schienen darin ebenso gewährleistet zu sein wie das Streikrecht der Gewerkschaften. Doch der Schein trog. Artikel 6, der «Boykotthetze gegen demokratische Einrichtungen und Organisationen, Mordhetze gegen demokratische Politiker, Bekundung von Glaubens-, Rassen-, Völkerhaß sowie Kriegshetze und alle sonstigen Handlungen, die sich gegen die Gleichberechtigung richten», als Verbrechen im Sinne des Strafgesetzbuches definierte, öffnete der Ausschaltung mißliebiger Meinungen Tür und Tor.

Eine Gewaltenteilung im Sinne des klassischen Rechtsstaates kannte die Verfassung der DDR nicht. Das «höchste Organ der Republik» war nominell die Volkskammer, was eine unabhängige Gerichtsbarkeit von vornherein ausschloß. Über tatsächliche Macht verfügte freilich auch die Volkskammer nicht. Die angebliche Volksvertretung der DDR entbehrte jeder überzeugenden demokratischen Legitimation. Sie war das umgewandelte Organ des im Mai 1949 nach dem «Blocksystem» gewählten Dritten Deutschen Volkskongresses: Die Anteile der Parteien und Massenorganisationen an den Mandaten lagen schon vor der Wahl fest, so daß das absolute Übergewicht der SED gesichert und Opposition aus den Blockparteien faktisch ausgeschlossen war. 77,5 % der Abgeordneten der Provisorischen Volkskammer gehörten der SED und den direkt von ihr abhängigen Gruppierungen an; 22,5 % entfielen auf Mitglieder von CDU und LDPD.

Der Verabschiedung der Verfassung folgten am 11. Oktober 1949 die Wahl Wilhelm Piecks, eines Gründungsmitglieds der Spartakusgruppe und der KPD, zum Präsidenten der DDR und tags darauf die Wahl Otto Grotewohls zum Ministerpräsidenten. Zu Stellvertretern Grotewohls wählte die Volkskammer, ebenfalls am 12. Oktober, Walter Ulbricht (SED), Otto Nuschke (CDU) und Hermann Kastner (LDPD). Die SED stellte die Chefs der drei Schlüsselministerien für Inneres, Justiz und Volksbildung sowie drei weitere von insgesamt 14 Fachministern. Die übrigen Kabinettsmitglieder kamen aus den Reihen der Blockparteien.

Insgesamt ergab sich also ein leichtes numerisches Übergewicht «bürgerlicher» Politiker. Doch das war nur Fassade. Die Machtfrage war längst entschieden – zugunsten der SED. Die These von einem nichtbolschewistischen «besonderen deutschen Weg zum Sozialismus», die der ZK-Sekretär Anton Ackermann namens der Partei im Februar 1946 verkündet hatte, war schon im September 1948 von Ackermann selbst, und wiederum im Parteiauftrag, als eine «falsche, faule und gefährliche Theorie» verworfen worden. Im Januar 1949 folgte die Umwandlung der SED in eine «Partei neuen Typs» nach sowjetischem Vorbild – so beschlossen auf der 1. Parteikonferenz. Als die DDR gegründet wurde, war die SED bereits eine marxistisch-leninistische Kaderpartei, die mit der Tradition der Sozialdemokratie nichts mehr verband, die dem «Sozialdemokratismus» vielmehr einen unerbittlichen Kampf ansagte. Die kommunistische Partei, die sich SED nannte, bekannte sich zum «demokratischen Zentralismus», der konsequenten Unterwerfung aller Parteigliederungen unter die jeweils übergeordnete Führung, zur absoluten Parteidisziplin und zur «führenden Rolle» der Sowjetunion. Die DDR trat als totalitäre Parteidiktatur ins Leben, und was dem Anschein nach zu diesem Begriff nicht passen wollte, waren wohlkalkulierte Mittel zur Verschleierung des Zwecks, den die Sowjetunion und die SED mit der Gründung der DDR verfolgten.

Der Parlamentarische Rat hatte aus der jüngeren deutschen Geschichte «antitotalitäre» Lehren gezogen; dem Deutschen Volksrat waren lediglich «antifaschistische» Schlußfolgerungen gestattet. Der Antifaschismus wurde zur Gründungslegende der DDR: Er diente zur Rechtfertigung der Errichtung einer neuen Diktatur, die sich als einzige wahrhaft demokratische Staatsform auf deutschem Boden und als Garantie gegen einen Rückfall in die Barbarei ausgab. Von der Mitverantwortung der Kommunisten für den Aufstieg des Nationalsozialismus zu sprechen, wäre ein Fall von «Boykotthetze» gewesen, desgleichen die Erwähnung der Tatsache, daß Stalin sehr viel mehr deutsche Kommunisten hatte umbringen lassen als Hitler. Stalins Komplizenrolle bei der Entfesselung des Zweiten Weltkrieges zu erörtern, hätte zusätzlich noch Anstacheln zum «Völkerhaß», wenn nicht «Kriegshetze» bedeutet.

Die Verfassung der DDR bekannte sich zu ganz Deutschland als einer «unteilbaren demokratischen Republik»; der Geltungsanspruch der Verfassung griff folglich über die bisherige SBZ hinaus und bezog prinzipiell alle vier Besatzungszonen mit ein. Anknüpfungen an die Weimarer Verfassung waren so gesehen durchaus zweckmäßig. Nach offizieller sowjetischer Lesart befand sich die DDR im Herbst 1949 auch noch nicht in der Phase des Aufbaus des Sozialismus, sondern weiterhin in jener Übergangsperiode, in der die antifaschistische Umwälzung der Gesellschaft auf der Tagesordnung stand. Die Sowjetunion vermied es auch immer noch, die DDR eine «Volksdemokratie» zu nennen. Hätte sich eine Wiedervereinigung der vier Besatzungszonen als durchführbar erwiesen, die den außenpolitischen Interessen der Sowjetunion besser entsprach als der Status quo, wäre das Regime der DDR nicht sakrosankt gewesen. Nicht nur die Bundesrepublik Deutschland, die zweite deutsche Demokratie, stand mithin unter einem Provisoriumsvorbehalt. Auf andere Weise galt dies auch für die zweite Diktatur auf deutschem Boden, die Deutsche Demokratische Republik.[5]

Die Bundesrepublik Deutschland war gerade erst sieben Jahre alt, als der Schweizer Publizist Fritz René Allemann 1956 in seinem Buch «Bonn ist nicht Weimar» einen der grundlegenden Unterschiede zwischen der ersten und der zweiten deutschen Demokratie in einem frappierenden Rollentausch zwischen «links» und «rechts» erkannte. In der Weimarer Republik war die Linke international und die Rechte nationalistisch gewesen. In der Bonner Republik betrieben die gemäßigten Kräfte der rechten Mitte, repräsentiert durch die von Konrad Adenauer geführte bürgerliche Koalition, eine Politik der supranationalen Integration, während die gemäßigte Linke in Gestalt der Sozialdemokratie unter Kurt Schumacher und Erich Ollenhauer den nationalen Part übernahm und sich als Partei des Primats der deutschen Einheit zu profilieren versuchte.

Adenauer hatte es also nicht mit einer «nationalen Opposition» wie in Weimar, einer antidemokratischen Bewegung von rechts, zu tun, sondern mit einer zugleich demokratischen, antikommunistischen *und* nationalen Opposition von links. Wäre es anders gewesen, hätte sich die Westbindung der Bundesrepublik kaum durchsetzen lassen. So gesehen war die nationale Rolle der Sozialdemokraten geradezu eine Bedingung der Möglichkeit der übernationalen Politik Adenauers: eine Dialektik, deren sich die Akteure wohl kaum voll bewußt waren.

Adenauers oberstes Ziel für die überschaubare Zukunft war es, aus der Bundesrepublik möglichst rasch einen souveränen, fest mit dem Westen verbundenen Staat zu machen. Um dieses Zieles willen betrieb er den Westmächten gegenüber eine Art «Erfüllungspolitik», die das Vertrauen in die Bundesrepublik stärken sollte. Am 22. November 1949 schloß er mit der Hohen Kommission das Petersberger Abkommen. Es brachte zwar nicht den von deutscher Seite dringlich gewünschten sofortigen Stopp der «Demontagen», des Abbaus schwerindustrieller Anlagen zu Reparationszwecken wie aus Gründen der Entmilitarisierung, wohl aber das alliierte Versprechen, die Demontagen auf die verbliebenen reinen Rüstungsbetriebe zu beschränken und rasch abzuschließen (was dann tatsächlich erst Mitte 1951 geschah). Adenauer sagte seinerseits den Beitritt der Bundesrepublik zur Internationalen Ruhrbehörde zu, in der auf Grund des Ruhrstatuts vom Dezember 1948 die drei Westmächte und die Beneluxstaaten die Kontrolle über die Förderung und Verteilung von Kohle und Stahl aus dem rheinisch-westfälischen Industriegebiet ausübten. Obwohl auf diese Weise die größten deutschen Stahlwerke mit Zehntausenden von Arbeitsplätzen gerettet wurden, war Schumacher mit dem Ergebnis so unzufrieden, daß er sich in der dramatischen Nachtsitzung des Bundestages vom 24./25. November 1949 zu einem Zwischenruf hinreißen ließ, der in die

Annalen der Bundesrepublik einging: Er nannte Adenauer den «Bundeskanzler der Alliierten».

Im Jahr darauf gab Adenauer der Opposition erneut Anlaß, an seiner «nationalen» Gesinnung zu zweifeln. Ende März 1950 lud der Ministerrat des im Mai 1949 gegründeten Europarats auf Betreiben des französischen Außenministers Robert Schuman, eines lothringischen Christdemokraten, die Bundesrepublik und das Saargebiet ein, als assoziierte Mitglieder dem Europarat beizutreten. Die Sozialdemokraten sahen darin den Versuch, das Saargebiet endgültig von Deutschland abzutrennen, und überdies eine Schwächung des deutschen Anspruchs auf die Ostgebiete jenseits von Oder und Neiße. Innerhalb der Koalition kamen ähnliche Argumente von Jakob Kaiser (CDU), nunmehr Bundesminister für gesamtdeutsche Fragen, sowie von zwei liberalen Kabinettsmitgliedern, dem Vorsitzenden der FDP, Vizekanzler Franz Blücher, und seinem Parteifreund, Bundesjustizminister Thomas Dehler. Adenauer hingegen betrachtete die Mitgliedschaft im Europarat als Chance, der Souveränität der Bundesrepublik näher zu kommen, und er setzte sich durch. Am 15. Juni beschloß der Bundestag gegen die Stimmen der Opposition den Beitritt zum Europarat – zunächst, mit Rücksicht auf die alliierten Vorbehaltsrechte, als assoziiertes Mitglied. Den Status eines vollberechtigten Mitglieds erhielt die Bundesrepublik im Mai 1951; das Saargebiet blieb assoziiertes Mitglied.

Seit dem 9. Mai 1950 lag der Bundesrepublik auch ein anderes, sehr viel ehrgeizigeres Pariser Projekt vor: der von Jean Monnet, dem Leiter der französischen Planungsbehörde, entworfene Schuman-Plan. Danach sollten Frankreich, die Bundesrepublik, Italien und die Beneluxstaaten für die Dauer von fünfzig Jahren einen gemeinsamen Markt für Kohle und Stahl bilden und damit einer umfassenden wirtschaftlichen und politischen Einigung Westeuropas den Weg ebnen. Die innenpolitischen Fronten waren dieselben wie bei den Auseinandersetzungen um den Beitritt zum Europarat: Die Regierungskoalition war dafür, die Opposition dagegen. Der überzeugte Europäer Adenauer begrüßte das Vorhaben, weil es geeignet war, die Bundesrepublik unwiderruflich mit dem Westen zu verbinden; der «nationale» Schumacher sah in der Beschränkung der deutschen Souveränität im Montanbereich einen nicht hinnehmbaren Nachteil für die Bundesrepublik.

Am 18. April 1951 unterzeichneten die Außenminister der sechs beteiligten Staaten, darunter Adenauer, der im Monat zuvor in Personalunion die Leitung des neuen Auswärtigen Amtes übernommen hatte, in Paris den Vertrag über die Europäische Gemeinschaft für Kohle und Stahl. Am 11. Januar 1952 verabschiedete der Bundestag, gegen die Stimmen der Sozialdemokraten, den Vertrag. Die Internationale Ruhrbehörde und das Ruhrstatut gehörten der Vergangenheit an; die Weichen für die Ausweitung der Montanunion zu einer Europäischen Wirtschaftsgemeinschaft waren gestellt.

Die Debatten um Europarat und Montanunion waren Geplänkel, verglichen mit dem lang anhaltenden Streit über eine Wiederbewaffnung der Bundesrepublik. Für Adenauer hatte es nie einen Zweifel daran gegeben, daß zur Westbindung auch ein westdeutscher Wehrbeitrag gehören mußte. Auf der anderen Seite des Atlantik hatte er Verbündete: Seit dem Spätjahr 1949 wurde in der amerikanischen Armee intern über westdeutsche Streitkräfte nachgedacht, die das erdrückende Übergewicht sowjetischer Truppen in Europa ausgleichen und ein Gegengewicht zu den seit dem Frühjahr 1948 aufgebauten paramilitärischen Verbänden der DDR, der Kasernierten Volkspolizei, bilden sollten.

In ein akutes Stadium traten entsprechende Überlegungen im Sommer 1950: Am 25. Juni überfiel das hochbewaffnete kommunistische Nordkorea den Süden des geteilten Landes. In Amerika und Europa griff die Furcht um sich, die Ereignisse im Fernen Osten könnten das Vorspiel eines Dritten Weltkrieges sein. Walter Ulbricht tat alles, was in seinen Kräften stand, um solche Ängste zu schüren. Am 3. August 1950 erklärte er im Berliner Rundfunk: «Korea lehrt, daß eine solche Marionettenregierung wie die in Süd-Korea, oder man kann auch nennen die in Bonn, früher oder später doch vom Willen des Volkes hinweggefegt werden... Da aber die Völker den Frieden erhalten wollen, wird jede Kriegsaggression imperialistischer Mächte die Mehrheit jedes Volkes gegen sich haben. Und von den patriotischen Kräften des Volkes wird mit aller Kraft der Kampf geführt werden, um die Nester der Kriegsprovokationen zu liquidieren, so wie das in Süd-Korea gegenwärtig geschieht.»

Adenauer bedurfte keiner rhetorischen Herausforderung aus Ost-Berlin, um aus dem Koreakrieg praktische Folgerungen zu ziehen. Am 17. August schlug er der Hohen Kommission vor, die Bundesregierung zur Aufstellung einer Freiwilligentruppe von 150 000 Mann zu ermächtigen. Auf eine Frage des amerikanischen Hohen Kommissars John McCloy erklärte er sich mit einem Vorschlag Churchills einverstanden: Der britische Oppositionsführer hatte am 11. August vor dem Europarat in Straßburg die Schaffung einer europäischen Armee angeregt, der auch ein deutsches Kontingent angehören sollte. Am 30. August ließ der Bundeskanzler McCloy, unmittelbar bevor dieser nach Washington abflog, ein «Sicherheitsmemorandum» überreichen, das seine Vorstellungen zusammenfaßte.

Das Bundeskabinett hatte keine Gelegenheit erhalten, das Memorandum des Kanzlers zu beraten. Am 31. August stimmten die Minister bis auf einen Adenauers Lagebeurteilung und seinen Vorschlägen für einen westdeutschen Wehrbeitrag nachträglich zu. Der einzige, der dem Kanzler widersprach und eine Wiederbewaffnung strikt ablehnte, war der Bundesminister des Innern, Gustav Heinemann, führender Repräsentant der evangelischen Minderheit in der Union und Präses der Synode der Evangelischen Kirche in Deutschland. Am 9. Oktober 1950 trat Heinemann von seinem Regierungsamt zurück.

Der protestantische Hintergrund des Protests war kein Zufall. Im evangelischen Deutschland war die Bindung an das Reich von 1871 stärker als im katholischen. Der rheinische Katholik Konrad Adenauer mußte mit dem Argwohn vieler Protestanten leben, ihm sei die Wiedervereinigung schon deswegen kein Herzensanliegen, weil sich dadurch die konfessionelle Balance zu Lasten der Katholiken ändern und die Wahlchancen der CDU verschlechtern würden. Vor 1933 hatten die kirchentreuen Protestanten überwiegend rechts, im Lager der «nationalen Opposition», gestanden. Jetzt rückte ein Teil von ihnen nach links, um «national» bleiben zu können. Heinemann war in der Weimarer Republik kein Deutschnationaler, sondern ein Demokrat gewesen und insofern eine Ausnahmeerscheinung. Sein Mitstreiter Martin Niemöller, Kirchenpräsident von Hessen-Nassau und Leiter des Außenamtes der Evangelischen Kirche in Deutschland, war einen langen Weg vom U-Boot-Kommandanten im Ersten Weltkrieg über den Freikorpskämpfer nach 1918 zum aktiven Gegner Hitlers gegangen. Nach 1945 wurde er zum «praktischen» Pazifisten. Bei allen Wendungen bewahrte er seine «nationale» Gesinnung; die westliche Welt und ihre politischen Ideen blieben ihm, auch wenn er sich nun zur Demokratie bekannte, über alle Regimewechsel hinweg fremd. «Die gegenwärtige westdeutsche Staatsform wurde in Rom gezeugt und in Washington geboren», erklärte er Ende 1949 gegenüber einer amerikanischen Journalistin.

Heinemann und Niemöller sprachen für einen Teil des deutschen Protestantismus. Andere Wortführer des evangelischen Deutschland, an ihrer Spitze der Ratsvorsitzende der EKD und Bischof von Berlin und Brandenburg, Otto Dibelius, vor 1933 ein Deutschnationaler, fanden ihre politische Heimat in der CDU. Der Gründer des Evangelischen Arbeitskreises der CDU/CSU, Bundestagspräsident Hermann Ehlers, der in den frühen fünfziger Jahren rasch zum eigentlichen Widerpart Heinemanns wurde, war 1931 in die DNVP eingetreten, hatte sich 1933 dann für den Christlich-Sozialen Volksdienst engagiert und sich in den Jahren danach wie Dibelius aktiv in der Bekennenden Kirche betätigt. Der Theologe Eugen Gerstenmaier, Bundestagsabgeordneter der CDU seit 1949 und nach Ehlers' frühem Tod im Oktober 1954 dessen Nachfolger als Bundestagspräsident, kam aus dem Kreisauer Kreis um den Grafen Helmuth James von Moltke und war nach dem 20. Juli 1944 zu einer langjährigen Zuchthausstrafe verurteilt worden. Standen Heinemann und Niemöller für eine «Linksschwenkung» im Protestantismus, so Ehlers und Gerstenmaier für eine evangelische Wendung zur «konservativen Demokratie».

Die Wiederbewaffnung, gegen die sich der Linksprotestantismus auflehnte, war zunächst höchst unpopulär. Zum Überdruß an allem Militärischem, den das «Dritte Reich» und der Zweite Weltkrieg erzeugt hatten, kam die Angst, die Aufstellung einer Truppe in der Bundesrepublik werde die Kriegsgefahr erhöhen und die deutsche Spaltung vertiefen. Die Haltung des «Ohne mich» war besonders unter Sozialdemokraten und gewerkschaftlich organisierten Arbeitern weit verbreitet. Der Vorsitzende der SPD, Kurt Schumacher, war zwar kein grundsätzlicher Gegner einer Wiederbewaffnung. Sein Ja zum Wehrbeitrag knüpfte er jedoch an Bedingungen, die die Westmächte nicht erfüllen konnten – obenan die volle Gleichberechtigung der Bundesrepublik.

Mit Heinemann und Niemöller traf sich Schumacher im Mißtrauen gegenüber Adenauers Bekenntnissen zur deutschen Einheit und im Nein zu den militärpolitischen Plänen der Bundesregierung. Organisatorisch aber blieb die Opposition gegen die «Remilitarisierung» gespalten. Den bürgerlichen Flügel repräsentierten die Notgemeinschaft für den Frieden Europas, die im November 1951 entstand, und die ein Jahr später gegründete Gesamtdeutsche Volkspartei – beide von Heinemann ins Leben gerufen und zu keiner Zeit von breiteren Massen getragen. Ungleich stärker war der sozialdemokratische Flügel. Nach Schumachers Tod im August 1952 und der Wahl Erich Ollenhauers zu seinem Nachfolger einen Monat später näherte sich die SPD mehr noch als bisher den Positionen des protestantischen Gesinnungspazifismus an. Doch zu diesem Zeitpunkt befand sich die Bewegung des «Ohne mich» bereits auf dem Rückzug.

Seit dem Herbst 1950 war die Diskussion über eine westdeutsche Wiederbewaffnung zugleich eine Debatte über die Bildung einer Europäischen Verteidigungsgemeinschaft. Die französische Regierung unter Ministerpräsident René Pleven hatte dieses Projekt, das wie die Montanunion auf Jean Monnet zurückging, im Oktober jenes Jahres ins Spiel gebracht. Die Integration der militärischen Verbände der Einzelstaaten sollte auf der Basis der kleinstmöglichen Einheiten, im Fall der Bundesrepublik der Bataillone, erfolgen. Widerspruch aus Bonn, der von Washington unterstützt wurde, hatte zur Folge, daß Paris sich im Dezember 1950 bereit erklärte, die Integration erst mit den Korps, also oberhalb der Divisionsebene, beginnen zu lassen. Zu den Verhandlungen über die EVG kamen seit September 1951 Verhandlungen über einen Generalvertrag, der das Verhältnis zwischen der Bundesrepublik und den drei Westmächten neu regeln sollte. Gleichzeitig schritten in der Bundesrepublik die organisatorischen Vorbereitungen für die Wiederbewaffnung voran. Seit Ende Oktober 1950 wurden sie von der – nach ihrem Leiter, dem CDU-Bundestagsabgeordneten Theodor Blank benannten – «Dienststelle Blank», der Keimzelle des späteren Bundesministeriums der Verteidigung, koordiniert. Blank war einer der Gründer des Deutschen Gewerkschaftsbundes – der neuen, im Oktober 1949 geschaffenen Einheitsgewerkschaft, die an die Stelle der politischen Richtungsgewerkschaften der Weimarer Republik getreten war. Adenauers Personalentscheidung war ein Signal an die Arbeiterschaft, in der der Widerstand gegen die «Remilitarisierung» besonders stark war.[6]

Stalin konnten die neuen Entwicklungen in Westeuropa nicht gleichgültig sein. Eine auch militärisch mit ihren westlichen Nachbarn und den USA fest verbundene Bundesrepublik mußte sein Ziel, den alten Kontinent soweit wie möglich sowjetischer Kontrolle zu unterwerfen, in weite Ferne rücken. Zunächst überließ er es seinen Gefolgsleuten in Ost-Berlin, unter der Devise «Deutsche an einen Tisch» im «gesamtdeutschen» Sinn tätig zu werden. Im November 1950 schlug der Ministerpräsident der DDR, Otto Grotewohl, in einem Brief an Adenauer die Bildung eines paritätisch zusammengesetzten Gesamtdeutschen Rates vor, der freie gesamtdeutsche Wahlen vorbereiten solle. Der Bundeskanzler forderte daraufhin in einer Pressekonferenz am 15. Januar 1951 freie Wahlen als ersten Schritt zur Wiedervereinigung. Am 15. September 1951 appellierte die Volkskammer der DDR an den Bundestag, gesamtdeutsche Wahlen und einen Friedensvertrag durch gesamtdeutsche Beratungen vorzubereiten. Der Bundestag antwortete am 27. September mit der Verabschiedung einer Wahlordnung für freie gesamtdeutsche Wahlen, in der die Überwachung durch eine Kommission der Vereinten Nationen – der im Juni 1945 gegründeten Nachfolgeorganisation des Völkerbunds – vorgesehen war.

Ein halbes Jahr später schaltete sich Moskau direkt in die Auseinandersetzungen über eine Lösung der deutschen Frage ein. Am 10. März 1952 schlug die sowjetische Regierung den Regierungen Frankreichs, des Vereinigten Königreichs und der Vereinigten Staaten in einer Note die Ausarbeitung eines Friedensvertrags unter unmittelbarer Beteiligung Deutschlands vor. Die vier Mächte müßten daher die Bedingungen prüfen, «die die schleunigste Bildung einer gesamtdeutschen, den Willen des deutschen Volkes ausdrückenden Regierung fördern». Den «Politischen Leitsätzen» des in der Note enthaltenen Entwurfs eines Friedensvertrags zufolge sollte Deutschland die Möglichkeit gewinnen, sich als «unabhängiger, demokratischer, friedliebender Staat zu entwickeln». Im wiedervereinigten Deutschland müsse die freie Betätigung der «demokratischen Parteien und Organisationen» gewährleistet sein; Organisationen, «die der Demokratie und der Sache der Erhaltung des Friedens feindlich» seien, dürften hingegen nicht bestehen. Deutschland verpflichte sich, «keinerlei Koalitionen oder Militärbündnisse einzugehen, die sich gegen irgendeinen Staat richten, der mit seinen Streitkräften am Krieg gegen Deutschland teilgenommen hat». Das Territorium Deutschlands werde «durch die Grenzen bestimmt, die durch die Beschlüsse der Potsdamer Konferenz der Großmächte festgelegt wurden». In den «Militärischen Leitsätzen» hieß es wörtlich: «Es wird Deutschland gestattet sein, eigene Streitkräfte (Land-, Luft- und Seestreitkräfte) zu besitzen, die für die Verteidigung des Landes notwendig sind.»

Der sowjetische Vorstoß vom 10. März 1952 gehört zu den umstrittensten Ereignissen in der Geschichte des geteilten Deutschland. Die Kernfrage lautet nach wie vor: Hat der Westen, hat namentlich die Bundesrepublik Deutschland damals eine historische Chance versäumt, zur Wiedervereinigung in Frieden und Freiheit zu gelangen? Kontrovers sind dabei vor allem die Absichten Stalins und die Rolle Adenauers. *Daß* der Bundeskanzler die Westmächte gedrängt hat, sich nicht auf Verhandlungen mit der Sowjetunion einzulassen, ist nicht strittig. Adenauer sah in der Note einen Versuch, einen Keil zwischen die Westdeutschen und die Westalliierten zu treiben und dadurch der Politik der Westintegration den Boden zu entziehen. Tatsächlich waren die Westdeutschen die eigentlichen Adressaten der Note, die formell an die Westmächte gerichtet war.

Wenn die Deutschen in der Bundesrepublik auf den nationalen Köder anbissen, den Stalin ihnen zuwarf, hätte das für ihn bereits einen großen Erfolg bedeutet. Die Verhandlungen über ein integriertes westeuropäisches Verteidigungssystem wären ins Stocken geraten, vielleicht gescheitert. Adenauer hätte einen solchen Fehlschlag politisch nicht überlebt, und sein Sturz war Stalins Nahziel. Mit einer «national» gesinnten Bonner Regierung hätten die USA es sehr viel schwerer, die Sowjetunion sehr viel leichter gehabt. Am Ende wäre, wenn sich die Bundesrepublik dem westlichen Militärsystem verweigert hätte, die amerikanische Position in Westeuropa insgesamt in Gefahr geraten, und nichts konnte Stalin so erwünscht sein wie dieser Triumph.

Daß Stalin mit einer positiven Antwort aus Washington, London und Paris rechnete, darf man ausschließen. Er mußte also auch nicht Verhandlungen ins Auge fassen, in deren Verlauf er hätte gezwungen sein können, die DDR preiszugeben. Und doch läßt sich eine Situation vorstellen, in der dies aus seiner Sicht vertretbar gewesen wäre. Einer «nationalen» und «friedliebenden» Bundesregierung, die um der Wiedervereinigung willen bereit war, der Sowjetunion weit entgegenzukommen, hätte Stalin wohl seinerseits Zugeständnisse gemacht. Ein neutrales sowjetfreundliches Gesamtdeutschland besaß beträchtliche Vorteile gegenüber dem Status quo. Das Machtmonopol der SED in der DDR aufzugeben, um Amerika langfristig aus Europa zu verdrängen: das hätte sich mit der sowjetischen Staatsräson um so mehr vereinbaren lassen, als die Rücknahme vorgeschobener Positionen nicht auf Dauer angelegt war. Es kam nur darauf an, eine amerikanische Intervention unmöglich zu machen, die gesellschaftlichen «Errungenschaften» der DDR zu sichern und die «demokratische» Ordnung Deutschlands so zu gestalten, daß die Kommunisten nicht daran gehindert waren, zu einem geeignet erscheinenden Zeitpunkt nach der Macht zu greifen.

Adenauer hatte keine Zweifel am längerfristigen Kalkül des sowjetischen Diktators. «Der Inhalt der Note hat mich wenigstens in keiner Weise überrascht», erklärte er am 27. April 1952 in einem «Teegespräch» mit führenden Journalisten. «Ich bin seit Jahr und Tag bei meiner ganzen Politik davon ausgegangen, daß das Ziel Sowjetrußlands ist, im Wege der Neutralisierung Deutschlands die Integration Europas zunichte zu machen... und damit die USA aus Europa wegzubekommen und im Wege des kalten Krieges Deutschland, die Bundesrepublik, und damit auch Europa in seine Machtsphäre zu bringen.»

Der Begriff «freie Wahlen» kam in der Note vom 10. März nicht vor. Um so stärker hoben die Westmächte in ihren Antwortnoten vom 25. März 1952 diesen Punkt hervor. Eine (von der Vollversammlung der Vereinten Nationen bereits eingesetzte) Untersuchungskommission müsse prüfen, ob die Voraussetzungen freier Wahlen «in der Bundesrepublik, der Sowjetzone und Berlin» gegeben seien. Ferner forderten die westlichen Regierungen, einer künftigen gesamtdeutschen Regierung sollte es freistehen, Bündnisse einzugehen, die mit den Grundsätzen der Vereinten Nationen im Einklang stünden. Die deutschen Grenzen könnten erst in einer Friedensregelung endgültig festgelegt werden. Nationale deutsche Streitkräfte, wie die Sowjetunion sie fordere, bedeuteten nach Meinung der Westmächte einen Schritt zurück. Die Politik der europäischen Einheit könnte die Interessen keines anderen Landes bedrohen, hieß es in den identischen Noten vom 25. März, sie stelle vielmehr den wahren Weg zum Frieden dar.

In ihrer Antwortnote vom 9. April sprach dann auch die Sowjetunion von der «Frage der Durchführung freier gesamtdeutscher Wahlen», die von den vier Mächten erörtert und von einer durch sie, nicht durch die Vereinten Nationen eingesetzten Kommission geprüft werden sollte. Was das Bündnisproblem und die Endgültigkeit der deutschen Grenzen betraf, wiederholte Moskau den Standpunkt, den es in der Note vom 10. März dargelegt hatte. Der Notenwechsel zog sich noch bis in den September 1952 hin, ohne daß wesentliche neue Gesichtspunkte zutage getreten wären. Auf den Vorschlag der Westalliierten vom 23. September, unverzüglich eine Viererkonferenz über die Durchführung freier Wahlen abzuhalten, ging die Sowjetunion nicht mehr ein.

Zu Verhandlungen kam es 1952 nicht. Die Westmächte und die Bundesregierung waren der Auffassung, daß eine Viermächtekonferenz über Deutschland zu diesem Zeitpunkt die EVG verzögert und damit gefährdet hätte, zur Lösung der deutschen Frage aber nichts beitragen konnte, weil die Standpunkte beider Seiten unvereinbar waren. Keine der westlichen Mächte konnte eine Wiedervereinigung Deutschlands unter den Vorzeichen der Neutralität wollen – eine Lösung, die langfristig der Sowjetunion zur Hegemonie über Europa zu verhelfen drohte. Und zumindest für Frankreich war die Wiederherstellung eines deutschen Nationalstaats, gleichviel unter welchen Auflagen, nach wie vor ein Alptraum.

In der Bundesrepublik werteten Heinemann und seine Notgemeinschaft für den Frieden Europas die sowjetischen Noten als die große Chance, jetzt zur deutschen Einheit zu gelangen, sofern nur die Bundesrepublik auf Wiederbewaffnung und Westintegration verzichte. Für die SPD forderte Kurt Schumacher eine Auslotung des sowjetischen Angebots; ähnlich äußerte sich der Bundesminister für gesamtdeutsche Fragen, Jakob Kaiser. Adenauer aber beharrte auf seiner Position, die sowjetischen Noten seien lediglich Störmanöver; erst nach Abschluß der Westverträge gebe es Aussichten, mit Moskau erfolgreich über eine Wiedervereinigung in Frieden und Freiheit zu verhandeln.

Der Kanzler setzte sich durch, zahlte dafür aber einen hohen Preis: Er förderte ungewollt die Legende von der «versäumten Chance» des Jahres 1952. Neben Heinemann war es vor allem der Publizist Paul Sethe, von 1949 bis 1955 Mitherausgeber der «Frankfurter Allgemeinen Zeitung», der diese Lesart verbreitete. Einen größeren Widerhall fand Sethe mit der These, 1952 wäre die Wiedervereinigung, den entsprechenden festen Willen der Bundesregierung vorausgesetzt, zu erreichen gewesen, als er diese Deutung 1956 in seinem Buch «Zwischen Bonn und Moskau» ausführlich darlegte. In einer dramatischen Nachtsitzung des Bundestages, die der Atombewaffnung der Bundeswehr gewidmet war, griffen am 23./24. Januar 1958 der frühere Bundesminister der Justiz und ehemalige Vorsitzende der FDP, Thomas Dehler, und Gustav Heinemann, der 1957 nach der Auflösung der Gesamtdeutschen Volkspartei mit vielen seiner Anhänger in die SPD eingetreten war, Adenauers Haltung gegenüber den Stalin-Noten von 1952 scharf an. Sie erzielten damit eine starke öffentliche Wirkung, die dadurch erhöht wurde, daß ihnen weder Adenauer noch irgendein anderer führender Unionspolitiker sofort entgegentrat.

Die Frage, welche langfristigen Absichten Stalin mit seinem Vorstoß vom März 1952 verfolgte, kam und kommt bei den Vertretern der These von den «versäumten Chancen» regelmäßig zu kurz. Ebensowenig gingen oder gehen sie auf die mutmaßlichen geostrategischen Wirkungen ein, die eine Neutralisierung Deutschlands gehabt hätte. So gut wie keine Rolle spielt in der Debatte über den Notenwechsel von 1952 das Problem der deutschen Ostgrenze. Keine Partei in der Bundesrepublik, abgesehen von der KPD und der GVP, hatte ihre Anhänger darauf vorbereitet, daß Deutschland sich womöglich mit dem endgültigen Verlust der Ostgebiete abfinden müsse. Die über 4,5 Millionen Heimatvertriebenen aus den Gebieten östlich von Oder und Neiße, die in der Bundesrepublik und West-Berlin lebten, bildeten ein von allen Parteien umworbenes Wählerreservoir; der Bund der Heimatvertriebenen und Entrechteten (BHE), eine 1950 gegründete Flüchtlingspartei, war mittlerweile ein innenpolitischer Machtfaktor. Im Falle einer Wiedervereinigung hätte es auf dem Territorium Deutschlands in den Grenzen von 1945 insgesamt 7,7 Millionen Heimatvertriebene, diejenigen aus den deutschen Siedlungsgebieten außerhalb des Deutschen Reiches in den Grenzen von 1937 miteingerechnet, bei einer Gesamtbevölkerung von 70 Millionen gegeben.

Als im August 1955 repräsentativ ausgewählte Bundesdeutsche befragt wurden, ob Adenauer ein hypothetisches sowjetisches Angebot, die Wiedervereinigung Deutschlands mit freien Wahlen gegen den endgültigen Verzicht auf Schlesien, Pommern und Ostpreußen, annehmen solle oder nicht, sprachen sich zwei Drittel (67 %) für Ablehnung und nur ein Zehntel (10 %) für Annahme aus. Eine Wiedervereinigung in den Grenzen von

1945 wäre, so muß man folgern, mit einer großen Gefahr verbunden gewesen: einem radikalen Nationalismus, der schon einmal, nach 1918, zur Zerstörung einer deutschen Demokratie beigetragen hatte. Nimmt man die inneren und die äußeren Wirkungen zusammen, die eine Wiedervereinigung auf der Basis der sowjetischen Vorschläge vom März und April 1952 wahrscheinlich gehabt hätte, fällt die Behauptung von den «versäumten Chancen» jenes Jahres in sich zusammen. Deutschland war 1952 für eine Wiedervereinigung in den Grenzen von 1945 noch nicht reif; die Westmächte konnten den Preis nicht zahlen, den Stalin für eine Wiedervereinigung forderte: den Verzicht auf die politische und militärische Einigung Westeuropas und seine Einbindung in die nordatlantische Verteidigungsgemeinschaft. Die ablehnende Haltung, die Adenauer gegenüber den sowjetischen Noten von 1952 einnahm, war innenpolitisch nicht ungefährlich, aber bei Abwägung aller Faktoren eine Politik ohne realistische Alternative.[7]

Auf die Politik der Westintegration blieben die sowjetischen Noten ohne Einfluß. Am 26. Mai 1952 wurden der Generalvertrag oder, wie er jetzt offiziell hieß, der Deutschlandvertrag, durch die Außenminister der USA, Großbritanniens und Frankreichs in Bonn, tags darauf der Vertrag über die Europäische Verteidigungsgemeinschaft von den Außenministern Frankreichs, der Bundesrepublik Deutschland, Italiens, der Niederlande, Belgiens und Luxemburgs in Paris unterzeichnet. Der Deutschlandvertrag beendete das Besatzungsregime und gab der Bundesrepublik «die volle Macht über ihre inneren und äußeren Angelegenheiten, vorbehaltlich der Bestimmungen dieses Vertrages». Doch «souverän» war die Bundesrepublik damit noch nicht. Die drei Alliierten sicherten sich durch den Vertrag weiterhin gewisse Vorbehaltsrechte «in bezug auf Berlin und Deutschland als Ganzes einschließlich der Wiedervereinigung Deutschlands und einer friedensvertraglichen Regelung». Dazu kamen Vorbehaltsrechte hinsichtlich der Stationierung der alliierten Truppen und, im Zusammenhang mit der Sicherheit dieser Truppen, für den Fall eines inneren oder äußeren Notstandes. Die endgültige Festlegung der deutschen Grenzen blieb bis zu einer friedensvertraglichen Regelung «aufgeschoben». Bis zum Abschluß einer solchen Regelung wollten die Vertragspartner auf ihr «gemeinsames Ziel» hinwirken: «ein wiedervereinigtes Deutschland, das eine freiheitlich-demokratische Verfassung ähnlich wie die Bundesrepublik besitzt und das in die europäische Gemeinschaft integriert ist».

In der Bundesrepublik besonders umstritten war die von Robert R. Bowie, dem Rechtsberater des amerikanischen Hohen Kommissars, entworfene, von Adenauer ausdrücklich übernommene und begrüßte «Bindungsklausel» in Artikel 7, Absatz 3 des Deutschlandvertrages. Der ursprünglichen Fassung dieser Klausel zufolge sollte ein wiedervereinigtes Deutschland automatisch in die Rechte und Pflichten eintreten, die sich aus dem Deutschlandvertrag und den Verträgen über die Bildung einer integrierten europäischen Gemeinschaft ergaben. Kritiker aus den Reihen der

Koalition sahen darin eine Gefährdung des Ziels der deutschen Einheit, da die Sowjetunion einer solchen Festlegung niemals zustimmen könne. Die Einwände führten dazu, daß die «Bindungsklausel» unmittelbar vor der Unterzeichnung eine abgeschwächte, aber immer noch deutliche Form erhielt: Die neuen Rechte der Bundesrepublik sollten demnach auch einem wiedervereinigten Deutschland zustehen, wenn dieses die aus den Verträgen von Mai 1952 entstandenen Verpflichtungen der Bundesrepublik übernahm; die Bundesrepublik verpflichtete sich ihrerseits, keine Abmachung einzugehen, die dem Vertrag widersprach.

Damit waren die Bedenken von CDU und FDP ausgeräumt, nicht jedoch die der Opposition wegen des Vertrags insgesamt. Kurt Schumacher erteilte dem Deutschlandvertrag in einem Interview vom 15. Mai 1952 eine derart radikale Absage, daß er damit auch die eigene Partei in Verlegenheit brachte. Die schlagzeilenträchtige Äußerung des Vorsitzenden der SPD lautete: «Wer diesem Generalvertrag zustimmt, der hört auf, ein Deutscher zu sein.» Drei Monate später, am 20. August 1952, starb Kurt Schumacher, noch nicht 57 Jahre alt. Er hatte der Sozialdemokratie seinen Stempel aufgedrückt und die junge Bundesrepublik aus der Opposition heraus mitgeprägt. Vielleicht hätte es ohne ihn diesen Staat gar nicht gegeben. Sein erfolgreicher Kampf gegen eine Vereinigung von Sozialdemokraten und Kommunisten gehörte jedenfalls zu dem politischen Fundament, auf dem die Bundesrepublik entstand. So hatte Schumacher die Politik mit ermöglicht, die er nach 1949 als Demokrat, mit parlamentarischen Mitteln, bekämpfte.

Am 19. März 1953 verabschiedete der Bundestag nach leidenschaftlichen Debatten den Deutschlandvertrag und den Vertrag über die EVG in dritter Lesung. Zwei Monate später, am 15. Mai, ließ der Bundesrat die Ratifikationsgesetze über die Westverträge passieren. Doch damit war das Vertragswerk noch nicht unter Dach und Fach. Dem Bundesverfassungsgericht, das sich am 28. September 1951 in Karlsruhe konstituiert hatte, lag seit dem 11. Mai 1953 eine Normenkontrollklage der Opposition vor. Der «Hüter der Verfassung» hatte nun darüber zu entscheiden, ob der Wehrbeitrag, wie die SPD behauptete, gegen das Grundgesetz verstieß oder, dies die Auffassung der Bundesregierung, mit der Verfassung vereinbar war. Solange diese Entscheidung nicht gefallen war, wollte Bundespräsident Heuss, der im Jahr zuvor das Bundesverfassungsgericht um ein Gutachten zu dieser Frage ersucht, seinen Antrag auf Drängen Adenauers aber wieder zurückgezogen hatte, die Verträge nicht unterzeichnen.

Offen war das Schicksal der Verträge aber noch aus einem anderen Grund: Die EVG war auch in Frankreich höchst umstritten. Die Anhänger von General Charles de Gaulle, dem einstigen Chef der Exilregierung in London und ersten Nachkriegspremier, waren nicht die einzigen, die eine Beschränkung der französischen Souveränität zugunsten einer von den Deutschen mitgetragenen supranationalen Organisation ablehnten. Der zunehmend verlustreiche Kolonialkrieg, den Frankreich in Indochina führte, gab nationalistischen Kräften im Mutterland Auftrieb. Dazu kamen Stalins Tod am 5. März 1953 und Hoffnungen, die Nachfolger des Diktators mit Georgij Malenkow an der Spitze würden dem Westen gegenüber einen neuen, weniger aggressiven Kurs einschlagen. Das Gefühl, von der Sowjetunion bedroht zu sein, begann in Frankreich nachzulassen und mit diesem Gefühl auch das Interesse an einer integrierten westeuropäischen Streitmacht. Was aus dem Projekt der EVG werden würde, war im Frühjahr 1953 so ungewiß wie nie zuvor.[8]

Während sich die Bundesrepublik immer enger mit den Demokratien des Westens verband, orientierte sich die DDR am Beispiel der kommunistischen Diktatur, wie sie sich in mehr als drei Jahrzehnten in der Sowjetunion entwickelt hatte. Die Gleichschaltung der nichtkommunistischen Parteien war bei der Gründung der DDR im Oktober 1949 weit vorangeschritten, aber noch nicht abgeschlossen. Seit Anfang 1950 ging die SED massiv gegen «bürgerliche» Politiker vor, die sich gegen das Blocksystem auflehnten. Der prominenteste unter ihnen, der stellvertretende Vorsitzende der Ost-CDU, Hugo Hickmann, wurde Ende Januar aller öffentlichen Funktionen enthoben und aus seiner Partei ausgeschlossen. Am 8. Februar 1950 tat das Regime den nächsten Schritt zur Bekämpfung oppositioneller Bestrebungen und zur Erzwingung von «Linientreue»: Die Regierung der DDR wurde um das Ministerium für Staatssicherheit erweitert; an seine Spitze trat Wilhelm Zaisser, ein ehemaliger Agent des militärischen Nachrichtendienstes der Sowjetunion, der sich schon 1919 der KPD angeschlossen hatte und im Spanischen Bürgerkrieg unter dem Decknamen «General Gomez» Stabschef der Internationalen Brigaden gewesen war.

Ende April 1950 begannen die «Waldheimer Prozesse» gegen noch nicht abgeurteilte Insassen der kurz zuvor aufgelösten sowjetischen «Speziallager». Unter den 3300 Angeklagten waren nicht nur ehemalige Nationalsozialisten und Kriegsverbrecher, sondern politische Gegner unterschiedlichster Richtungen; 157 hatten vor 1933 der SPD, 55 der KPD angehört. 31 der Angeklagten wurden zum Tode verurteilt, 24 am 4. November 1950 hingerichtet. Einen Verteidiger hatten nur *die* Angeklagten, die in zehn Schauprozessen abgeurteilt wurden. Eine eigenständige Beweiserhebung fand nicht statt. Der Zweck der Verfahren waren Abschreckung und Einschüchterung, und dieser Zweck war nur zu erreichen, wenn die Justiz im Sinne ihres «Klassenauftrags» als Instrument des Terrors wirkte.

Terror mußte eine marxistisch-leninistische Partei auch gegenüber «Parteifeinden» in den eigenen Reihen anwenden, wenn sie ihrem revolutionären Anspruch und den Erwartungen der bolschewistischen Mutterpartei, der KPdSU, gerecht werden wollte. Regelmäßige «Säuberungen» waren eine Vorstufe des Terrors. Die SED schloß während der «Parteiüberprüfung» 1950/51 150000 Mitglieder wegen mangelnder Zuverlässigkeit oder Verstößen gegen die Parteilinie aus. Zu den Betroffenen gehörte auch der Altkommunist Paul Merker, ein Mitglied des Politbüros. Merker war von der «antizionistischen», gegen den Staat Israel und jüdische Kommunisten gerichteten Linie Stalins abgewichen, als er von der SED verlangte, sie solle das Unrecht wiedergutmachen, das die Nationalsozialisten an den Juden begangen hatten. Im August 1950 wurde er wegen früherer Verbindungen zu einem angeblichen «amerikanischen Agenten», Noel Field, aus der SED ausgeschlossen und im Dezember 1952 selbst als «Agent» verhaftet.

1953 wollte die SED, dem Beispiel anderer kommunistischer Staaten folgend, einen Schauprozeß gegen Merker und andere ehemalige hohe Funktionäre führen, denen Zusammenarbeit mit «imperialistischen Agenten» oder mangelnde Wachsamkeit ihnen gegenüber vorgeworfen wurde. Die Veränderungen an der Spitze der KPdSU nach Stalins Tod im März 1953 durchkreuzten diese Absicht. Schauprozesse galten nun nicht mehr als geeignete Form, der «sozialistischen Gesetzlichkeit» Genüge zu tun. Merker aber blieb bis 1956 in Haft.

Im Oktober 1950, ein Jahr nach der Staatsgründung, fanden die ersten Volkskammerwahlen statt. Zur Wahl stand nur die Einheitsliste der Nationalen Front des demokratischen Deutschland; der Anteil der Parteien und Massenorganisationen, von denen der Freie Deutsche Gewerkschaftsbund mit 4,7 Millionen Mitgliedern die mit Abstand größte war, lag also von vornherein fest. Das Ergebnis entsprach dem «volksdemokratischen» Muster: Bei einer Wahlbeteiligung von 98 % entfielen 99,7 % auf die Einheitsliste. Den Gesetzgebungsrahmen steckte die führende Partei ab. Im Bereich der Wirtschaftspolitik hieß das: Verdoppelung des Produktionsniveaus des Jahres 1936 bis 1955 auf der Grundlage sowjetischer Wirtschaftsmethoden. So hatte es der 3. Parteitag der SED im Juli 1950 in dem von Walter Ulbricht erläuterten ersten Fünfjahrplan beschlossen. Am 25. Juli wählte das neue Zentralkomitee Ulbricht zum Generalsekretär; dem neuen Politbüro gehörten nur noch zwei ehemalige Sozialdemokraten an.

«Aufbau des Sozialismus» war das, was die SED 1950 beschloß und betrieb, dem offiziellen Sprachgebrauch nach *nicht*. Die DDR befand sich nach Stalins Auffassung nach wie vor in der Phase der antifaschistischen und demokratischen Umwälzung, und sie sollte dieses Stadium nicht für abgeschlossen erklären, solange die Sowjetunion sich die deutsche Einheit als Option offenhalten wollte. Der Notenwechsel von 1952 veränderte die Lage: Die Wiedervereinigung war für Stalin nun kein strategisches oder taktisches Ziel mehr. Infolgedessen konnte die SED auf ihrer 2. Parteikonferenz im Juli 1952 beschließen, was Ulbricht gern sehr viel früher proklamiert hätte: den planmäßigen «Aufbau des Sozialismus».

Tatsächlich war die DDR schon zum Zeitpunkt ihrer Gründung keine «kapitalistische» Gesellschaft mehr. Das private Unternehmertum in der Industrie war 1949 weitgehend, wenn auch nicht vollständig ausgeschaltet;

die Zahl der Volkseigenen Betriebe (VEB) stieg von 1 764 Mitte jenes Jahres auf 5 000 im Jahre 1950; der Anteil der staatseigenen und genossenschaftlichen Betriebe an der Bruttoproduktion der Industrie wuchs zwischen 1950 und 1951 von 73,1 % auf 79,2 %. Dazu kam die schrittweise Unterstellung der meisten sowjetischen Aktiengesellschaften unter deutsche Regie. Die staatseigenen Betriebe beherrschten bereits die Wirtschaft der DDR, als die 2. Parteikonferenz den «Aufbau des Sozialismus» beschloß. Eine Zäsur bildete der Juli 1952 insofern, als die SED, dem sowjetischen Vorbild entsprechend, ihre Anstrengungen nun auf den beschleunigten Aufbau einer Schwerindustrie konzentrierte. Sie tat dies trotz fehlender Rohstoffe und ohne Rücksicht auf die Eignung der Standorte. Das Ergebnis waren zum einen die Vernachlässigung der Konsumgüterindustrie und, damit verbunden, ein Rückgang des Lebensstandards, zum anderen die mangelnde Wettbewerbsfähigkeit der neuen schwerindustriellen Großbetriebe im internationalen Maßstab. «‹Aufbau des Sozialismus› in der DDR», so urteilt der Historiker Hermann Weber, «hieß nicht Umsetzung und Realisierung neuer Ideen, sondern Anpassung an das rückständige System des Stalinismus.»

Als Beitrag zum «Aufbau des Sozialismus» verstand die SED auch die Auflösung der fünf Länder – Sachsen, Sachsen-Anhalt, Thüringen, Mecklenburg, Brandenburg – und ihre Ersetzung durch 14 Bezirke. Die Zentralisierung sollte eine effektivere Planung und Steuerung erlauben und der Beharrungskraft eines landsmannschaftlichen Bewußtseins entgegenwirken, das bis ins Mittelalter zurückreichte. Noch älter waren die christlichen Traditionen, denen ein beträchtlicher Teil, wenn nicht die Mehrheit der Bevölkerung anhing: Zumindest nominell gehörten um 1950 etwa vier Fünftel der Bürger der DDR der evangelischen Kirche an. Vor allem der jungen Generation sollte die Bindung an Kirche und Religion systematisch ausgetrieben werden: Das war der Parteiauftrag, mit dem die Freie Deutsche Jugend (FDJ) gegen die evangelische Junge Gemeinde vorging. Seinen Höhepunkt erreichte dieser Kampf im Frühjahr 1953, als etwa 50 Pfarrer und Laienhelfer verhaftet und mehr als 300 Schüler, die zur Jungen Gemeinde gehörten, von der Schule verwiesen wurden.

Parallel dazu trieb die SED die Umformung des Bildungswesens voran. Die Schulen hatten die Schüler ideologisch und durch polytechnischen Unterricht auf den «Aufbau des Sozialismus» vorzubereiten, die Hochschulen allen Studierenden in obligatorischen Lehrveranstaltungen die Sowjetwissenschaft und die Grundlagen des Marxismus-Leninismus zu vermitteln sowie russischen Sprachunterricht zu erteilen. Es gab zwar noch viele «bürgerliche» Professoren, darunter solche, die vor 1945 der NSDAP angehört hatten. Aber in den ideologisch besonders wichtigen Fächern – Philosophie, Geschichte, Pädagogik, Rechts- und Wirtschaftswissenschaften – rückten zunehmend zuverlässige Marxisten-Leninisten an die Stelle von Gelehrten der herkömmlichen Art. Kritik an der Partei war für Lehrende und Lernende gleichermaßen gefährlich: Wer dieser Erkenntnis zuwiderhandelte, setzte mehr als nur seine Zugehörigkeit zur Universität aufs Spiel. Die sichtbarste Folge des «Aufbaus des Sozialismus» waren steigende Flüchtlingszahlen. In der ersten Hälfte des Jahres 1952 hatten 70 000 Menschen die DDR verlassen; in der zweiten Jahreshälfte waren es 111 000; nach der Jahreswende schnellten die Zahlen noch weiter in die Höhe: In den ersten fünf Monaten des Jahres 1953 kehrten 180 000 Menschen der DDR den Rücken. Flucht war eine für die Volkswirtschaft besonders gefährliche Form des Protests gegen die Verschlechterung der Lebensbedingungen und politische Unterdrückung. Die Nachfolger Stalins in Moskau – Partei- und Regierungschef Malenkow, Sicherheitschef Berija und Außenminister Molotow – waren von der Krise in der DDR so alarmiert, daß sie zu dem Schluß gelangten, nur durch eine drastische Kursänderung, also eine Abkehr vom planmäßigen «Aufbau des Sozialismus», sei dieser Staat noch zu retten. Berija scheint im Frühjahr 1953 sogar ernsthaft an eine Preisgabe der DDR zugunsten eines neutralen Gesamtdeutschland gedacht zu haben.

Die SED hatte im Mai 1953 noch geglaubt, sie könne die Schwierigkeiten mit Hilfe einer zehnprozentigen Erhöhung der Arbeitsnormen in der Industrie überwinden. Die entsprechenden Maßnahmen riefen sofort große Unruhe in den Betrieben hervor und ließen den Flüchtlingsstrom weiter anschwellen. Kurz darauf wurde die SED-Führung nach Moskau beordert und dort mit der Forderung nach einem «Neuen Kurs» konfrontiert. Namentlich mit den Kirchen und dem Kleinbürgertum müsse die Partei geschmeidiger als bisher umgehen, lautete eine der Moskauer Mahnungen.

Am 9. Juni 1953 beschloß das Politbüro den «Neuen Kurs»; zwei Tage später setzte der Ministerrat diesen Beschluß in konkrete Maßnahmen um. Die Parteiführung sprach selbstkritisch von Fehlern, die sie beim «Aufbau des Sozialismus» gemacht habe; sie kündigte eine stärkere Förderung der Konsumgüterindustrien, Lockerungen beim innerdeutschen Reiseverkehr sowie Rechtssicherheit an; sie nahm jüngste Preissteigerungen zurück, beharrte aber auf den Normenerhöhungen vom Mai.

Auf die Arbeiterschaft wirkte der «Neue Kurs» als gezielte Herausforderung: Während anderen Schichten Erleichterungen versprochen wurden, blieb es bei der verschärften Ausbeutung der Klasse, die angeblich in der DDR die herrschende war. Bereits am 11. und 12. Juni kam es zu Protestkundgebungen und vereinzelt zu Streiks; am 16. Juni zogen die Bauarbeiter der Stalinallee in Ost-Berlin zum Haus der Ministerien, dem ehemaligen Reichsluftfahrtministerium in der Leipziger Straße. Sie forderten nun nicht mehr nur die Rücknahme der Normenerhöhungen, sondern den Rücktritt der Regierung und freie Wahlen. Daß das Politbüro am gleichen Tag einen Beschluß faßte und veröffentlichte, wonach die obligatorische Erhöhung der Arbeitsnormen unrichtig gewesen sei und daher aufgehoben werde, konnte die Demonstranten nicht mehr besänftigen. Am 17. Juni gingen in Berlin und vielen anderen Großstädten der DDR Hunderttausende auf die Straße. Aus dem Streik der Berliner Bauarbeiter wurde ein allgemeiner Arbeiteraufstand in der DDR, aus sozialem Protest eine politische Bewegung für freie Wahlen und deutsche Einheit. Vielerorts beteiligten sich, noch bis weit in den Juli hinein, Bauern an den Protesten. Der 17. Juni 1953 war die erste Massenerhebung gegen ein kommunistisches Regime seit 1945.

Die Machtmittel der DDR reichten nicht aus, um den Aufstand niederzuschlagen. Bereits am 17. Juni fuhren in Berlin sowjetische Panzer auf. Die Zahl der Toten auf der Seite der Demonstranten lag in der gesamten DDR bei zwischen 60 und 80. 18 von ihnen wurden von der Sowjetarmee standrechtlich erschossen. Auf der Regimeseite wurde zwischen 10 und 15 Angehörige von SED, Staatssicherheit und Volkspolizei getötet. In den Bereich der Legende gehört offenbar, daß mehrere Soldaten der Roten Armee sich geweigert haben, auf Demonstranten zu schießen, und daraufhin ihrerseits erschossen wurden. Sowjetische Dienststellen nahmen schätzungsweise zwischen 10000 und 20000 Personen fest. Die Gesamtzahl der Festgenommenen soll sich auf 13000 und 15000 belaufen haben.

In den Wochen vor dem 17. Juni hatte es den Anschein gehabt, als werde sich Walter Ulbricht nicht mehr lange an der Macht behaupten können. Doch es kam anders. Am 26. Juni 1953 wurde in Moskau Berija gestürzt; im Dezember wurde er erschossen. Mit dem sowjetischen Sicherheitschef verloren die innerparteilichen Gegner Ulbrichts den wichtigsten Verbündeten. Ihre Position wurde infolgedessen schwächer, während sich diejenige des Generalsekretärs der SED wieder festigte. Ende Juli wurden die beiden prominentesten Mitglieder der Anti-Ulbricht-Fronde, der Minister für Staatssicherheit, Wilhelm Zaisser, und der Chefredakteur des Zentralorgans der SED, des «Neuen Deutschland», Rudolf Herrnstadt, aller Funktionen enthoben; im Januar 1954 wurden sie, zusammen mit anderen «oppositionellen» Mitgliedern des Zentralkomitees, aus der SED ausgeschlossen. SED und FDGB mußten sich in den Monaten danach einer großangelegten «Säuberung» unterziehen.

Zu den wichtigsten Lehren, die die SED aus dem 17. Juni 1953 zog, gehörte der flächendeckende Ausbau des Spitzelwesens: Ein Heer von offiziellen und inoffiziellen Mitarbeitern hatte sicherzustellen, daß der «Partei der Arbeiterklasse» nichts entging, war ihr unter Umständen gefährlich werden konnte. Der «Neue Kurs» in der Wirtschaftspolitik wurde zwar beibehalten, was eine allmähliche Verbesserung des Lebensstandards zur Folge hatte. Die Fluchtbewegung einzudämmen gelang der SED aber nicht. Beim Gros der Bevölkerung wirkten die Ereignisse vom Sommer 1953 als traumatische Erinnerung nach. Die Auflehnung gegen die kommunistische Diktatur hatte erst zu einem Blutbad und dann zu verschärfter Unterdrückung geführt; verbreitete Hoffnungen, der Westen werde den Aufständischen zur Hilfe kommen, waren enttäuscht worden. Unter denen, die das Regime weiterhin ablehnten, die DDR aber dennoch nicht verlassen wollten, gab es in einem wesentlichen Punkt Konsens: Diese Erfahrung wollten sie nicht ein zweites Mal machen.[9]

In der Bundesrepublik bestätigten die Ereignisse des Juni 1953 das Bild, das die Parteien und die große Mehrheit der Bevölkerung von der «Ostzone» und ihrer Besatzungsmacht hatten. Irgendwelche Versuche amtlicher Stellen, in das Geschehen in der DDR einzugreifen, hatte es nicht gegeben, und trotz aller «roll back»-Rhetorik war auch von seiten der neuen republikanischen Administration in Washington unter Präsident Dwight D. Eisenhower und seinem Außenminister John Foster Dulles nichts geschehen, um den aufständischen Arbeitern in der DDR zu helfen. Am 3. Juli 1953 beschloß der Bundestag, zu Ehren der Erhebung in der DDR den 17. Juni alljährlich als «Tag der deutschen Einheit» zu begehen. Am 4. August trat das Gesetz, das den neuen gesetzlichen Feiertag einführte, in Kraft.

Die Deutschen in der Bundesrepublik hatten damit einen «Nationalfeiertag», der freilich kein Tag des Triumphes, sondern einer Niederlage war: eine Erinnerung daran, daß die streikenden Arbeiter und protestierenden Bauern in der DDR bei ihrem Kampf um Freiheit und Einheit fürs erste gescheitert waren. Doch die Teilnehmer des Aufstands *hatten* gekämpft, und deshalb sollten nach dem Willen des Bundestages die Deutschen in beiden Teilen des gespaltenen Landes sich an diesem Tag immer wieder bewußt machen, daß das unerreichte Staatsziel der Vollendung der Einheit und Freiheit Deutschlands, von dem das Grundgesetz in seiner Präambel sprach, nach wie vor verbindlich war: Es mußte die Richtschnur der Politik *des* deutschen Staates bleiben, der eine Demokratie und darum berechtigt und verpflichtet war, sich für die diktatorisch regierten Deutschen in der DDR verantwortlich zu fühlen und entsprechend zu handeln. So jedenfalls wollte es das Selbstverständnis der westdeutschen Parteien mit Ausnahme der KPD, die sich die Lesart der SED zu eigen machte, wonach der Aufstand vom 17. Juni 1953 ein «von in- und ausländischen Provokateuren organisierter Putsch» war.

Das gemeinsame Bekenntnis zu den Kämpfern des 17. Juni war eines. Ein anderes waren die unterschiedlichen Deutungen, die die demokratischen Parteien dem Aufstand angedeihen ließen. Für Konrad Adenauer waren die Ereignisse in der DDR eine Bestätigung seiner Politik. «Wiedervereinigung und europäisches Zusammenleben sind notwendige Teile ein und derselben Politik», erklärte er am 1. Juli vor dem Bundestag. Der sozialdemokratische Abgeordnete Willy Brandt aus Berlin hob in der gleichen Debatte die Rolle der aufständischen Arbeiter hervor. Sie hätten sich «nicht nur als Mitkämpfer, sondern als Vorkämpfer an der Spitze des Ringens um Einheit und Freiheit bewährt». Die Freien Demokraten nahmen den 17. Juni zehn Tage später zum Anlaß von «Reichstreuekundgebungen» ihrer Parteijugend am Zonenübergang Lübeck-Eichholz. Im Jahr darauf, am 17. Juni 1954, kamen

20 000 Anhänger der FDP am Hermannsdenkmal im Teutoburger Wald zusammen, um «in nächtlicher Feierstunde die Gefallenen der Nation zu ehren und ein Bekenntnis abzulegen zu einem unteilbaren Deutschen Reich». Eine bebilderte Broschüre über die Veranstaltung trug die Überschrift «Das Reich wird kommen!»

Überparteilichen Charakter hatten die Aktivitäten des «Kuratoriums Unteilbares Deutschland», das Mitte Juni 1954 auf Betreiben des Bundesministers für gesamtdeutsche Fragen, Jakob Kaiser, entstand (der Name stammte von Bundespräsident Heuss). Es koordinierte alljährlich am 17. Juni die Gedenkveranstaltungen in den größeren Städten der Bundesrepublik, sorgte dafür, daß Stafettenläufer am Vorabend jenes Tages an der Zonengrenze von Lübeck bis Hof Mahnfeuer entzündeten, und führte Geldsammlungen durch, bei denen unter anderem Millionen von Anstecknadeln mit dem Brandenburger Tor verkauft wurden.

Das «Kuratorium Unteilbares Deutschland» pflegte, in den Worten des Historikers Edgar Wolfrum, den «Kult um den deutschen Nationalstaat» – ein Gesamtdeutschland in den Grenzen von 1937. In den fünfziger und frühen sechziger Jahren repräsentierte das Kuratorium mit seinen Untergliederungen auf Landes- und Kreisebene so etwas wie die herrschende Meinung der «politischen Klasse» der Bundesrepublik. *Ein* Politiker hielt sich freilich auffallend zurück. Adenauer hatte sich zwar am 22. Juni 1953 vor dem Schöneberger Rathaus in Berlin durch einen pathetischen «Schwur» erneut auf das Ziel der Wiedervereinigung Deutschlands in Frieden und Freiheit festgelegt. Aber was seine Parteifreunde Jakob Kaiser und Johann Baptist Gradl und Sozialdemokraten wie Herbert Wehner mit dem «Kuratorium Unteilbares Deutschland» bezweckten, das war für seinen Geschmack so stark am Reich Bismarcks und so wenig an Europa orientiert, daß er es für seine Person vorzog, kühle Distanz zu wahren. Soweit seine Westpolitik einer flankierenden nationalen Rhetorik bedurfte, wollte er und nur er allein die Lautstärke und die Wortwahl bestimmen.

Daß der Aufstand vom 17. Juni im Wahljahr 1953 eher der Bonner Koalition als der Opposition zugute kommen würde, war unschwer vorherzusagen. Adenauer, der auch nach Stalins Tod beharrlich auf die Gefährlichkeit der Sowjetunion hingewiesen hatte, konnte sich durch die Intervention der Roten Armee in seiner Lagebeurteilung bestätigt fühlen. Die Politik der Wiederbewaffnung war im Sommer 1953 auch längst nicht mehr so unpopulär wie in den Jahren zuvor. Adenauer hatte es verstanden, die Gewerkschaften aus der Front der Gegner eines westdeutschen Wehrbeitrags herauszubrechen, indem er im April 1951 einem Gesetz zur Annahme verhalf, das die paritätische Mitbestimmung der Arbeitnehmer in den Aufsichtsräten der Montanindustrie vorschrieb. Auf der anderen Seite war die Angst vor einem Dritten Weltkrieg zurückgegangen, seit im Koreakrieg die Verbände der Vereinten Nationen unter amerikanischem Oberbefehl die kommunistischen Invasoren aus dem Norden zurückgedrängt hatten: Am 27.

Juli 1953 wurde der Waffenstillstand von Panmunjom abgeschlossen, der den 38. Breitengrad als Grenze zwischen Nord- und Süd-Korea festlegte. Den Koreakrieg überdauerten die Wirkungen des «Koreabooms». Der Konflikt im Fernen Osten hatte zu einer weltweiten Nachfrage nach Rüstungsgütern geführt, die vor allem in den Vereinigten Staaten, in Großbritannien und Frankreich produziert wurden. Dadurch entstanden Engpässe in anderen Bereichen, namentlich bei Investitionsgütern, wovon die Exportwirtschaft der Bundesrepublik profitierte. Den Zusammenhang von Koreakrieg und Konjunktur hat der Zeithistoriker Hans-Peter Schwarz prägnant herausgearbeitet: «Westdeutschland..., dem ja noch immer jede Herstellung von Kriegsmaterial strikt untersagt war, konnte sich nun, beflügelt von der internationalen Nachfrage, voll auf den Wiederaufbau seiner Friedensindustrie konzentrieren und die verlorenen Märkte wiedererobern. Der Koreakrieg war also in diesen Jahren der Vater aller Dinge: nicht nur der Souveränität und der Bundeswehr, sondern – wenigstens zum Teil – auch des Wirtschaftswunders.»

Was die Zeitgenossen «Wirtschaftswunder» nannten, war der Beginn einer einzigartigen Prosperitätsperiode – der längsten in der deutschen Wirtschaftsgeschichte. Die Arbeitslosenzahlen in der Bundesrepublik gingen seit 1950 kontinuierlich zurück, während die der Beschäftigten ebenso kontinuierlich stiegen. Das Wirtschaftswachstum erleichterte die fortschreitende Eingliederung der Heimatvertriebenen in die westdeutsche Gesellschaft und den «Lastenausgleich», durch den dieser Prozeß beschleunigt wurde. Die anhaltende Hochkonjunktur wirkte einerseits einem nationalistischen Radikalismus von rechts entgegen, für den unter weniger günstigen wirtschaftlichen Bedingungen gerade diese Gruppe besonders anfällig gewesen wäre. Andererseits entzog sie, zusammen mit dem negativen Anschauungsunterricht, für den die DDR sorgte, und dem Ausbau der industriellen Mitbestimmung, dem Kommunismus, was ihm an Rückhalt in der Arbeiterschaft noch verblieben war.

Im Zeichen hoher Wachstumsraten vollzog sich in der Bundesrepublik während der fünfziger Jahre ein sozialer Wandel, der alles in den Schatten stellte, was es in der Weimarer Republik und im «Dritten Reich» an sozialen Strukturveränderungen gegeben hatte. Der Anteil der Selbständigen und der in der Landwirtschaft beschäftigten Personen nahm ab, während der Anteil der unselbständig Beschäftigten, vor allem im Dienstleistungsbereich, stieg, was zugleich eine Gewichtsverlagerung von den Arbeitern zu den Angestellten bedeutete. Der Siegeszug des Fernsehens und die zunehmende Mobilität durch Motorisierung trugen dazu bei, daß sich die Überreste der ehedem festgefügten, voneinander abgeschotteten «sozialmoralischen Milieus» auflösten: Von einem proletarischen Klassenbewußtsein war schon Mitte der fünfziger Jahre nicht mehr viel zu spüren; vorindustrielle Eliten wie in Weimar gab es nicht mehr; der konfessionelle Gegensatz hatte seine alte Schärfe eingebüßt. Der Begriff der «nivellierten

Mittelstandsgesellschaft», den der Soziologe Helmut Schelsky im Jahre 1956 prägte, war, was die Vermögensverteilung anging, eine harmonisierende Provokation. Und dennoch traf die vielzitierte Formel etwas Wesentliches: Noch nie hatten die Werte eines mittelständischen «juste milieu» die deutsche Gesellschaft so unangefochten beherrscht wie in der Bundesrepublik der Ära Adenauer.[10]

Im Bundestagswahlkampf von 1953 konnte Adenauer an das verbreitete Gefühl appellieren, die Deutschen im Westen hätten es unter seiner Führung wieder zu etwas gebracht – und das nicht nur im materiellen Sinn. Der Bundeskanzler hatte Ansehen im westlichen Ausland gewonnen; er galt als zuverlässiger Freund des Westens, in sehr viel höherem Maß berechenbar als die sozialdemokratische Opposition unter Schumachers Nachfolger Erich Ollenhauer, von der man in Washington, London und Paris argwöhnte, sie würde im Zweifelsfall der Versuchung einer Schaukelpolitik zwischen Ost und West nachgeben. Selbst beim Jüdischen Weltbund und in Israel wurde Adenauer als Vertreter eines neuen Deutschland respektiert: Er hatte sich mit Erfolg für die Wiedergutmachung nationalsozialistischen Unrechts in Form finanzieller Leistungen an die überlebenden Opfer und den Staat Israel eingesetzt und damit persönliches Vertrauen gewonnen, das sich allmählich auf die Bundesrepublik übertrug.

Zu einem wahren Triumph des ersten Bundeskanzlers wurde im April 1953 sein erster Staatsbesuch in Amerika: Präsident Eisenhower empfing Adenauer unter höchsten Ehrenbezeugungen im Weißen Haus. Bei einer Kranzniederlegung auf dem Heldenfriedhof in Arlington spielte eine Militärkapelle das Deutschlandlied, das seit dem Mai 1952 auf Grund eines Briefwechsels zwischen Bundespräsident und Bundeskanzler die Nationalhymne der Bundesrepublik war (wobei die Bundesregierung ausdrücklich versichert hatte, daß bei staatlichen Veranstaltungen nur die dritte Strophe gesungen werde würde, die «Einigkeit und Recht und Freiheit für das deutsche Vaterland» forderte).

Fünf Monate nach seiner glanzvollen Überseereise, am 6. September 1953, ging Adenauer als überlegener Sieger aus der zweiten Bundestagswahl hervor. Auf die Unionsparteien entfielen 45,2 % und damit 14,2 % mehr als 1949, auf die Sozialdemokratie 28,8 %, was einen Rückgang um 0,3 % bedeutete. Verluste mußten auch die Freien Demokraten hinnehmen: Sie sanken von 11,9 auf 9,5 %. Zu den Gewinnern gehörte die Vertriebenenpartei, der Gesamtdeutsche Block/BHE, der auf Anhieb 5,9 % erzielte, zu den Verlierern die Deutsche Partei, die von 4,0 % auf 3,3 % fiel. Obwohl inzwischen bundesweit eine einheitliche Fünfprozentklausel galt, gelangte die DP auf Grund von Direktmandaten, die sie Wahlkreisabsprachen mit der CDU verdankte, mit zehn Mandaten dennoch wieder in den Bundestag.

Heinemanns Gesamtdeutsche Volkspartei verfehlte dieses Ziel: Sie kam auf lediglich 1,2 %. Zum Debakel der GVP trug bei, daß sie vor der Wahl eine

Verbindung mit dem «Bund der Deutschen» um den früheren Reichskanzler Joseph Wirth eingegangen war – einer, was Heinemann damals noch nicht wußte, von Ost-Berlin finanzierten «Fünften Kolonne» der DDR und der Sowjetunion. An der Fünfprozentklausel scheiterte auch die offen kommunistische KPD, gegen die seit dem November 1951 ein Verbotsantrag der Bundesregierung beim Bundesverfassungsgericht vorlag: Sie erreichte 2,2 %; das waren 3,5 % weniger als bei der ersten Bundestagswahl. Eine andere Partei, deren Verbot die Bundesregierung ebenfalls im November 1951 beantragt hatte, war zum Zeitpunkt der Wahl bereits verboten: Im Oktober 1952 hatte das Bundesverfassungsgericht die rechtsextreme Sozialistische Reichspartei für verfassungswidrig erklärt und aufgelöst.

Das Wahlergebnis enthielt für Adenauer eine große Chance: Er konnte, wenn er die bisherige Koalition um den BHE erweiterte, die Barriere der verfassungsändernden Zweidrittelmehrheit nehmen. Da das Bundesverfassungsgericht über die Frage der Verfassungsmäßigkeit des Wehrbeitrags noch nicht entschieden hatte und ein für die Bundesregierung günstiger Ausgang des Verfahrens keineswegs sicher war, empfahl sich die Einbindung der Vertriebenenpartei. An ihrer Spitze standen allerdings zwei Politiker mit nationalsozialistischer Vergangenheit: der Parteivorsitzende Waldemar Kraft, ehedem Mitglied der Allgemeinen SS, und der «starke Mann» des BHE, Theodor Oberländer, 1923 Teilnehmer an Hitlers «Marsch zur Feldherrnhalle», seit Mai 1933 Parteimitglied und später SA-Obersturmführer, 1943 wegen seiner Kritik an der Politik gegenüber den «Ostvölkern» aus der Wehrmacht entlassen. Adenauer setzte sich im Interesse seiner höheren Ziele über das politische Vorleben von Kraft und Oberländer hinweg und nahm beide in sein Kabinett auf: Oberländer als Vertriebenenminister, Kraft als Bundesminister für besondere Aufgaben.

Noch vor der Bundestagswahl hatte Adenauer einer Viermächtekonferenz über Deutschland zugestimmt, auf die vor allem Churchill, seit 1951 wieder britischer Premierminister, drängte. Vom 25. Januar bis 18. Februar 1954 tagten die Außenminister der «Großen Vier», Dulles, Molotow, Eden und Bidault, in Berlin. Ein Erfolg des Treffens war von Anfang an höchst unwahrscheinlich. Der Westen verlangte, in Übereinstimmung mit Bundestag und Bundesregierung, als Voraussetzung für eine Lösung der deutschen Frage freie Wahlen in ganz Deutschland. Die sowjetische Seite schlug die Bildung einer provisorischen gesamtdeutschen Regierung durch Bundestag und Volkskammer und erst danach Wahlen vor, wobei sie diese an Bedingungen knüpfte, die beim Westen den begründeten Argwohn hervorriefen, Moskau meine es mit dem «freien» Charakter dieser Wahlen nicht ernst. Ansonsten forderte Molotow einen neutralen Status für Gesamtdeutschland oder die Mitgliedschaft beider deutschen Staaten in einem System kollektiver Sicherheit.

Beide Varianten waren geeignet, die Integration Westeuropas zu verhindern und die USA aus Europa hinauszudrängen. Daß der Westen auf diese

Vorschläge eingehen würde, konnte der sowjetische Außenminister nicht angenommen haben. Tatsächlich diente die Berliner Konferenz nur der öffentlichen Rechtfertigung längst vollzogener Entscheidungen. Moskau war entschlossen, an der DDR festzuhalten; die Westmächte beharrten auf der Integration Westeuropas einschließlich der Bundesrepublik. Beide Seiten wußten, daß unter diesen Bedingungen die deutsche Frage nicht zu lösen war. Den Deutschen gegenüber aber war es zweckmäßig, die Verantwortung für den negativen Ausgang des Treffens der jeweils anderen Seite anzulasten.

Am 26. Februar 1954, eine Woche nach dem Ende der Berliner Konferenz, billigte der Bundestag mit den Stimmen der Koalition die «erste Wehrergänzung» des Grundgesetzes. Der Weg zur Wiederbewaffnung war damit aber noch nicht frei. Sie konnte in der vereinbarten Form erst beginnen, wenn auch Frankreich dem Vertrag über die Europäische Verteidigungsgemeinschaft zugestimmt hatte. Die Aussichten, daß die Nationalversammlung dies tun würde, schwanden im Frühjahr 1954 immer mehr dahin. Am 7. Mai fiel die Festung Dien-Bien-Phu in die Hände der vietnamesischen Kommunisten unter Ho Chi Minh. Fünf Wochen später, am 12. Juni, stürzte in Paris die Regierung Laniel. Der neue Ministerpräsident, der Radikalsozialist Pierre Mendès-France, schloß am 20. Juli auf der Ostasienkonferenz in Genf einen Waffenstillstand in Indochina und willigte in die vorläufige Teilung Vietnams ein. Die EVG aber hatte seit der demütigenden Niederlage im Indochinakrieg keine Chance mehr. In der französischen Öffentlichkeit und in der Nationalversammlung hatten sich mittlerweile jene Kräfte durchgesetzt, die eine Preisgabe der militärischen Souveränität Frankreichs ablehnten. Am 30. August 1954 entschied sich die Assemblée Nationale mit großer Mehrheit in Form eines Geschäftsordnungsantrags gegen die EVG. Die militärische Integration Westeuropas war gescheitert, die Form eines bundesdeutschen Wehrbeitrags wieder völlig offen.

Adenauer hatte sich mit der Europäischen Verteidigungsgemeinschaft so sehr identifiziert, daß er den 30. August 1954 als schwere Niederlage empfinden mußte. Noch im zweiten Band seiner Erinnerungen, der 1966 erschien, sprach er von einem «schwarzen Tag für Europa». Doch schon wenige Wochen nach dem Debakel stellte sich heraus, daß der Bundeskanzler durch das Pariser Nein einem anderen Ziel, der Souveränität der Bundesrepublik, ein gutes Stück näher gekommen war. Denn zur supranationalen Lösung des westdeutschen Sicherheitsproblems gab es eine nationalstaatliche Alternative, über die in den USA und in Großbritannien längst intensiv nachgedacht worden war: die unmittelbare NATO-Mitgliedschaft der Bundesrepublik. Unter dem Gesichtspunkt der europäischen Integration war diese Lösung ein Rückschritt, aus dem Blickwinkel staatlicher Gleichberechtigung betrachtet hingegen ein Fortschritt. Frankreich, das nationalen deutschen Streitkräften bislang ablehnend gegenübergestanden hatte und sie weiterhin gern vermieden hätte, konnte sich nach dem 30. August 1954 der Logik der eigenen Entscheidung nicht mehr entziehen: Die Absage an die EVG machte die Einbindung der Bundesrepublik in das atlantische Bündnis unvermeidlich.

Ende September und Anfang Oktober 1954 legten sich die Vertreter der sechs EVG-Staaten, Großbritanniens, der USA und Kanadas in London auf die Umrisse der neuen Sicherheitskonstruktion fest; zwischen dem 19. und 23. Oktober wurden die Ergebnisse in die Rechtsform der Pariser Verträge gebracht. Um Frankreich ein gewisses Maß an Kontrolle über das Militär seines östlichen Nachbarn zu ermöglichen und gleichzeitig den Wünschen der überzeugten Anhänger der europäischen Integration Rechnung zu tragen, wurde der Brüsseler Pakt von 1948, dem Großbritannien, Frankreich und die Benelux-Staaten angehörten, durch die Aufnahme der Bundesrepublik und Italiens zur Westeuropäischen Union (WEU) erweitert. Ungleich wichtiger war die Einladung an die Bundesrepublik, Mitglied der NATO zu werden. Der militärische Beitrag Bonns zum atlantischen Bündnis sollte aus einem Kontingent von zwölf Divisionen bestehen. Die Frage, auf welcher Ebene die Integration der deutschen Streitkräfte beginnen sollte, blieb in Paris offen. Der NATO-Befehlshaber in Europa, dem die Entscheidung zufiel, ließ die Integration dann bei Armeekorps und Luftflotten einsetzen.

Einer Teilrevision unterzogen die drei Westmächte in Paris den Deutschlandvertrag vom Mai 1952. Die Bundesrepublik erhielt durch die Neufassung «die volle Macht eines souveränen Staates über ihre inneren und äußeren Angelegenheiten». Die umstrittene «Bindungsklausel», die ein wiedervereinigtes Deutschland auf die Westverträge hatte festlegen sollen, wurde stillschweigend gestrichen. (Tatsächlich erwartete der Westen seit der Berliner Konferenz kaum noch «attraktive» Angebote in Sachen deutsche Einheit aus Moskau.) Es blieb bei der Aufhebung des Besatzungsstatuts und der Besatzungsherrschaft sowie bei den Vorbehaltsrechten der drei Westmächte «in bezug auf Berlin und auf Deutschland als Ganzes». Die alliierten Vorbehaltsrechte hinsichtlich eines inneren und äußeren Notstands sollten nur so lange gelten, wie die deutsche Gesetzgebung noch keine angemessenen Vorkehrungen für diesen Fall getroffen hatte. Die militärische Gleichberechtigung des neuen Mitglieds von NATO und WEU unterlag einer wichtigen Beschränkung: Die Bundesrepublik verpflichtete sich, auf die Herstellung von atomaren, biologischen und chemischen, also den sogenannten «ABC»-Waffen im eigenen Lande sowie auf die Herstellung einer Reihe weiterer schwerer Waffen wie Fernlenkgeschosse, Kriegsschiffe einer bestimmten Größe und strategischer Bomber zu verzichten. Es war Adenauer, der am 1. Oktober auf der Londoner Neunmächtekonferenz durch dieses improvisierte Zugeständnis, seinem, wie er rückblickend schrieb, einzigen «einsamen Entschluß», den Weg für die «NATO-Lösung» freigemacht hatte.

Innenpolitisch am brisantesten war, was die Bundesrepublik anbelangte, die in Paris vereinbarte vorläufige Lösung der Saarfrage. Demzufolge sollte das Saargebiet bis zu einer friedensvertraglichen Regelung einen Autonomiestatus innerhalb der Westeuropäischen Union erhalten und zoll- und währungspolitisch mit Frankreich verbunden bleiben. Der Saarbevölkerung wurde das Recht zugestanden, über das Statut in einer Volksabstimmung zu entscheiden. Nicht nur Paris hielt im Herbst 1954 ein Ja für wahrscheinlich. Auch Adenauer ging von einer Zustimmung der Betroffenen aus. Doch er war bereit, den deutschen Anspruch auf die Saar seinen höheren Zielen unterzuordnen: der Souveränität der Bundesrepublik, ihrer dauerhaften Einbindung in den Westen und der politischen Einigung Westeuropas.

Bevor der Bundestag mit der Ratifizierung der Pariser Verträge begann, unternahm die Sowjetunion einen letzten Versuch, die öffentliche Meinung der Bundesrepublik gegen die Westintegration aufzubringen. Am 15. Januar 1955 signalisierte die Nachrichtenagentur TASS die Bereitschaft Moskaus, noch im Verlauf des Jahres freie Wahlen in ganz Deutschland abzuhalten, durch die ein einheitliches Deutschland als Großmacht erstehen könne, sofern der Bundestag die Pariser Verträge ablehne. Eine diplomatische Notenoffensive wie im Frühjahr 1952 blieb aber aus – ein Zeichen dafür, daß der Kreml dem Vorstoß keine Erfolgschancen beimaß und wohl auch selbst kein Interesse an Verhandlungen mit den Westmächten hatte. Am 25. Januar erklärte die Sowjetunion den Kriegszustand mit Deutschland für beendet. Am 8. Februar unterstrich Molotow, der auch in der neuen, am gleichen Tag eingesetzten Regierung unter Nikolaj Alexandrowitsch Bulganin das Amt des Außenministers behielt, nochmals die sowjetische Position, daß es nach der Ratifizierung der Pariser Verträge keine Möglichkeit mehr für eine Wiedervereinigung Deutschlands gebe.

Die Lockungen und Warnungen aus Moskau erzielten durchaus eine gewisse Wirkung. Für die SPD forderte Erich Ollenhauer am 23. Januar 1955 in einem Brief an Adenauer, vor der Ratifizierung der Pariser Verträge müsse der ernsthafte Versuch unternommen werden, auf dem Wege von Viermächteverhandlungen die Einheit Deutschlands in Freiheit wiederherzustellen. Wie in den Jahren zuvor erhoben auch namhafte Protestanten, unter ihnen Heinemann, Niemöller und der Berliner Theologe Helmut Gollwitzer, ihre Stimme gegen Adenauers Westpolitik. Am 29. Januar 1955 traten Sozialdemokraten und nationale Protestanten in der wiederaufgebauten Frankfurter Paulskirche gemeinsam mit einem «Deutschen Manifest» an die Öffentlichkeit. Der Aufruf zu einer Volksbewegung gegen die Wiederbewaffnung und die Westverträge fand jedoch ein sehr viel geringeres Echo als frühere Kampagnen gegen die «Remilitarisierung». Am 27. Februar 1955 stimmte der Bundestag den Pariser Verträgen mit großer Mehrheit zu. Bei der Abstimmung über das Saarstatut fiel die Koalition aber auseinander: Die FDP unter Führung ihres Fraktionsvorsitzenden, des früheren Bundesjustizministers Thomas Dehler, und der BHE stimmten mehrheitlich mit Nein, konnten die Annahme des Statuts allerdings nicht verhindern. Am 8. März ließ auch der Bundesrat die Verträge passieren. Am 5. Mai 1955 traten der Deutschlandvertrag und die anderen Pariser Verträge in Kraft. Die Bundesrepublik war nunmehr, mit den in den Verträgen festgelegten Einschränkungen, ein souveräner Staat. Am 6. Mai erhielt sie mit Theodor Blank, dem bisherigen Sicherheitsbeauftragten, den ersten Bundesminister der Verteidigung. Am 7. Mai trat die Bundesrepublik der WEU, am 9. Mai der NATO bei. Am 7. Juni übergab Adenauer sein Amt als Außenminister dem Fraktionsvorsitzenden der CDU/CSU, Heinrich von Brentano.

Der Bundeskanzler hatte sein vordringlichstes, seit 1949 zäh und beharrlich verfolgtes Ziel erreicht: den Aufstieg der Bundesrepublik zu einer gleichberechtigten Macht im Verbund des freien Westens. Schon nach seiner Rückkehr von der Londoner Neunmächtekonferenz Anfang Oktober 1954 hatte er im Vorstand der CDU davon gesprochen, nach dem Inkrafttreten der Verträge könne Bonn auch einen geeigneten Botschafter nach Moskau schicken. «Wir haben dann auch den Status wiedererrungen, den eine Großmacht haben muß. Wir können dann mit Fug und Recht sagen, daß wir wieder eine Großmacht geworden sind.» In dem Maß wie dieser Begriff sich auch auf Großbritannien und Frankreich anwenden ließ, war das eine durchaus zutreffende Feststellung.

Zwei andere Ziele des Kanzlers lagen 1955 freilich noch in weiter Ferne. Die politische Einigung Westeuropas war durch das Scheitern der EVG in eine Krise geraten, und es war fraglich, ob Westeuropa sich je zu so viel Supranationalität durchringen würde, wie Adenauer es wünschte. Die Wiederherstellung der deutschen Einheit war bislang *kein* Nahziel des Bundeskanzlers gewesen. Doch er war fest davon überzeugt, daß die Wiedervereinigung eines Tages Wirklichkeit werden würde, wenn der Westen der Sowjetunion gegenüber die nötige Festigkeit und Geschlossenheit bewies.

Das Deutschland, das ihm vor Augen stand, war aber kein ungebundener Nationalstaat, der eine Schaukelpolitik zwischen Ost und West treiben konnte. Ein solches Deutschland wünschte er nicht. «Es war nach wie vor notwendig, daß sich Europa einigte», heißt es in seinen Erinnerungen in dem Abschnitt über das Scheitern der Europäischen Verteidigungsgemeinschaft. «Es war notwendig, daß die Bundesrepublik, daß Deutschland nach seiner Wiedervereinigung fest mit dem freien Westen verbunden blieb.» Das war vor wie nach 1955 die Richtschnur seiner Politik. Er dachte in langen Zeiträumen und war durch Rückschläge nicht von der Überzeugung abzubringen, daß die Geschichte ihm recht geben würde.[11]

Vier Jahre nach der bedingungslosen Kapitulation des Deutschen Reichs, am 8. Mai 1949, hatte der spätere Bundespräsident Theodor Heuss im Parlamentarischen Rat gesagt, im Grunde genommen bleibe der 8. Mai 1945 «die tragischste und fragwürdigste Paradoxie für jeden von uns..., weil wir erlöst und vernichtet in einem gewesen sind». Zwiespältig blieb das Verhältnis der Westdeutschen zu ihrer jüngsten Geschichte auch in den ersten Jahren der Bundesrepublik. Auf der einen Seite stand die Verurteilung Hitlers und seiner Herrschaft, auf der anderen das Gefühl, daß nur wenige Männer an der Spitze von Partei und SS wirklich schuldig geworden seien. Wer unterhalb der höchsten Ebene Schuld auf sich geladen hatte, durfte auf Verständnis und, soweit es um Straftaten ging, auf Nachsicht rechnen: Die beiden Straffreiheitsgesetze vom 31. Dezember 1949 und vom 17. Juli 1954 wurden vom Bundestag jeweils mit überwältigenden Mehrheiten verabschiedet.

Selten wurde der Widerspruch zwischen Distanzierung und Apologie so deutlich wie am 11. Mai 1951. An diesem Tag traten zwei Gesetze höchst unterschiedlichen Inhalts in Kraft: das Gesetz zur Wiedergutmachung nationalsozialistischen Unrechts für Angehörige des öffentlichen Dienstes und das Ausführungsgesetz zu Artikel 131 des Grundgesetzes. Die «Klientel» des ersten Gesetzes bestand aus politisch und rassisch Verfolgten, die des zweiten zum größten Teil aus ehemaligen Nationalsozialisten, die nach 1945 aus dem öffentlichen Dienst entfernt worden waren, nun aber in ihre früheren Rechte wiedereingesetzt wurden.

Was immer die Alliierten taten, um Deutsche zur Rechenschaft zu ziehen, die Hitler an führender Stelle zugearbeitet hatten oder schwerer Kriegsverbrechen beschuldigt wurden, stieß vor und nach 1949 auf eine breite Abwehr nach dem Motto «right or wrong, my country». Als «verdient» galten allenfalls die Urteile des Nürnberger Internationalen Militärtribunals gegen die Hauptkriegsverbrecher vom Oktober 1946. Den Industriellen und Diplomaten, die sich in den Folgeprozessen vor alliierten Gerichten zu verantworten hatten, schlug bereits eine breite Welle der Sympathie entgegen. Ernst von Weizsäcker, von 1938 bis 1943 Staatssekretär des Auswärtigen Amtes, der im April 1949 im «Wilhelmstraßenprozeß» zu sieben Jahren Gefängnis verurteilt wurde, galt zu dieser Zeit längst als schuldlos, wenn nicht gar als Mann des Widerstands. Im Oktober 1950 wurde er auf Grund des massiven Drängens von Politikern, Kirchenführern und Publizisten vom amerikanischen Hohen Kommissar John McCloy vorzeitig aus der Haft in Landsberg entlassen.

Auf die Solidarität großer Teile der westdeutschen Öffentlichkeit und namentlich der Kirchen durften auch deutsche Militärs rechnen, die wegen Kriegsverbrechen verurteilt worden waren. Alliierte Verfahren gegen ehemalige deutsche Soldaten und gleichzeitig alliierte Forderungen nach einem westdeutschen Wehrbeitrag: nicht nur Soldatenverbände erklärten dies für gänzlich unvereinbar. Die Kampagnen hatten Erfolg: 1952/53 wurden die Generalfeldmarschälle Kesselring, Mackensen und Manstein aus dem Zuchthaus Werl entlassen. Ende Juni 1953 stattete der Bundeskanzler den verbliebenen Häftlingen, unter ihnen Generaloberst Nikolaus von Falkenhorst und SS-General Kurt Meyer, bekannt als «Panzer-Meyer», einen Besuch ab, um sich, wie es hieß, über die Haftbedingungen in Werl zu informieren. Ein paar Tage später empfing Adenauer Erich von Manstein in seinem Bonner Amtssitz, dem Palais Schaumburg. Wie sich diese demonstrativen Gesten auf die Bundestagswahl vom 6. September 1953 auswirkten, war nicht genau zu beziffern. Daß sie einiges zum Erfolg der Unionsparteien beitrugen, galt schon damals als sicher.

Die lautesten Rufer im Streit, wo immer es um die «Ehre des deutschen Soldaten» oder die Rehabilitierung früherer Nationalsozialisten ging, waren der BHE, der schon in seinem Parteinamen die politisch «Entrechteten» ansprach, die DP und die FDP. Die nordrhein-westfälischen Freien Demokraten waren seit 1951 von ehedem hochrangigen Nationalsozialisten regelrecht unterwandert worden: Schlüsselrollen spielten dabei der Staatssekretär des Reichspropagandaministeriums, Werner Naumann, sein Mitarbeiter, SS-Standartenführer Wolfgang Diewerge, der Hamburger Gauleiter Karl Kaufmann, der Mülheimer Industrielle Hugo Stinnes jr., der Landtagsabgeordnete Ernst Achenbach, der während des Zweiten Weltkrieges an der Pariser Botschaft maßgeblichen Anteil an der Deportation französischer Juden gehabt hatte, und der in Achenbachs Essener Anwaltskanzlei beschäftigte Werner Best, einst SS-Obergruppenführer, Justitiar der Gestapo und deutscher Generalbevollmächtigter in Dänemark, nunmehr die treibende Kraft einer großangelegten Kampagne zugunsten einer politischen Generalamnestie.

Als der wichtigste Verbündete der rechten Fronde, der nordrhein-westfälische Landesvorsitzende Friedrich Middelhauve, der selbst politisch «unbelastet» war, im November 1952 auf dem Bundesparteitag in Bad Ems zum stellvertretenden Parteivorsitzenden gewählt wurde, schienen die Verschwörer ihrem Ziel, aus der FDP den Kern einer «Nationalen Sammlung» zu machen, nahe gekommen. Doch wenig später, Mitte Januar 1953, verhaftete die britische Militärpolizei Naumann und sieben weitere Parteiangehörige seines Kreises, darunter Kaufmann. Die bundesdeutsche Öffentlichkeit reagierte auf den Eingriff der Besatzungsmacht mit Empörung; der FDP aber schadete die Affäre. Die Stimmenverluste bei der zweiten Bundestagswahl hatten eine ihrer Ursachen in dem politischen Zwielicht, in das sie ihr nordrhein-westfälischer Landesverband gebracht hatte.

Um die Stimmen der «Ehemaligen» bemühten sich in der Frühzeit der Bundesrepublik nicht nur die Koalitionsparteien, sondern auch die Sozialdemokraten. Diesem Zweck diente es, wenn Politiker der SPD sich immer wieder zur Ehre des deutschen Soldaten bekannten, die durch Hitlers Krieg nicht befleckt worden sei, und die «saubere Wehrmacht» der «verbrecherischen SS» gegenüberstellten. «Verbrecherisch» war freilich nach allgemeiner Einschätzung nur die Allgemeine SS gewesen, nicht hingegen die Waffen-SS. Die im Herbst 1950 gegründete «Hilfsgemeinschaft auf Gegenseitigkeit» ehemaliger Soldaten der Waffen-SS, die HIAG, galt als unpolitischer Interessenverband und wurde von allen politischen Parteien umworben.

Am 4. Oktober 1951 empfing Kurt Schumacher auf Betreiben Herbert Wehners, eines ehemaligen führenden Kommunisten, der 1946 in die SPD eingetreten war und seit 1949 dem Bundestag angehörte, zwei frühere hohe Offiziere der Waffen-SS, darunter den Gründer der HIAG, Generalmajor a. D. Otto Kumm, zu einem Gespräch. Als daraufhin Protest aus den Reihen der internationalen jüdischen sozialistischen Organisation «Der Bund» laut wurde, antwortete der Vorsitzende der SPD am 30. Oktober, die Waffen-SS könne mit den Organisationen der Menschenvernichtung und Menschenverfolgung nicht gleichgesetzt werden; sie habe sich vielmehr als «eine Art vierter Wehrmachtsteil» gefühlt. Viele der etwa 900 000 überlebenden Angehörigen der Waffen-SS seien gegen ihren Willen in diese Organisation eingezogen worden. «Die Mehrzahl dieser 900 000 Menschen ist in eine ausgesprochene Pariarolle geraten... Uns scheint es eine menschliche und staatsbürgerliche Notwendigkeit zu sein, diesen Ring zu sprengen und der großen Masse der früheren Angehörigen der Waffen-SS den Weg zu Lebensaussicht und Staatsbürgertum freizumachen... Ein kompakter Komplex von rund 900 000 Menschen ohne soziale und menschliche Aussicht ist zusammen mit ihren Angehörigen schon zahlenmäßig keine gute Sache für eine junge, von größten Spannungen der Klassen und Ideen zerpflügte Demokratie. Ihnen, die keine kriminelle Schuld auf sich geladen haben, sollte man die Möglichkeit geben, sich erfolgreich mit der für sie neuen Welt auseinanderzusetzen.»

In der ersten Hälfte der fünfziger Jahre war das politische Klima der Bundesrepublik sehr viel «deutschnationaler» als die praktische Politik. Noch im Jahre 1955 fanden die kaiserlichen Farben Schwarz-Weiß-Rot bei den Bundesbürgern mehr Anklang als die Bundesfarben Schwarz-Rot-Gold: 43 zu 38 % lautete einer Umfrage zufolge das Zahlenverhältnis. Als die Zeit, in der es Deutschland in diesem Jahrhundert am besten gegangen sei, bezeichneten 1951 45 % der Befragten das Kaiserreich vor 1914, 42 % die Jahre 1933 bis 1939, 7 % die Weimarer Republik und nur 2 % die Gegenwart. Nach ihren Ansichten über führende Männer des «Dritten Reichs» befragt, äußerten sich im Juli 1952 42 % positiv über Hjalmar Schacht; eine gute Meinung hatten über Göring 37 % und über Hitler immerhin 24 %. *Für* die «Männer des 20. Juli» sprachen sich im Juni 1951 40 % der repräsentativ befragten Deutschen aus; 30 % waren *gegen* sie; 11 % schwankten, wollten kein Urteil abgeben oder wußten nichts vom Attentat in der «Wolfsschanze».

Theodor Heuss stand daher vor einer schwierigen Aufgabe, als er am 19. Juli 1954, dem Vorabend des zehnten Jahrestages des Anschlags auf Hitler, im Auditorium Maximum der Freien Universität Berlin die Tat Stauffenbergs und seiner Mitverschwörer historisch, politisch und sittlich zu würdigen versuchte. Dem Bundespräsidenten waren die Vorwürfe des

Hoch- und Landesverrats wohl bewußt, die in weiten Kreisen der Gesellschaft noch immer gegen die Männer des 20. Juli erhoben wurden. Er setzte sich ausführlich mit der Behauptung auseinander, die Hitler-Gegner unter den Offizieren hätten kein Recht gehabt, den Eid auf den «Führer» zu brechen, sondern seien zu unbedingtem Gehorsam verpflichtet gewesen. Er versicherte ausdrücklich, daß er nicht daran denke, jene anzuklagen, die auch nach dem 20. Juli 1944 bis zur «Schlußkatastrophe» weitergekämpft hatten und, «als sie starben, glauben mochten, glauben durften, daß ihr Kämpfen Deutschland vor dem Äußersten doch rette».

Heuss sagte dies, um Verständnis zu wecken für das, worum es ihm an diesem Tag ging, nämlich «bekennen zu dürfen und danken zu können». Das Bekenntnis gelte nicht nur den inneren Motiven der Männer des 20. Juli, «sondern umfaßt auch das geschichtliche Recht zu ihrem Denken und Handeln. Der Dank aber weiß darum, daß die Erfolglosigkeit ihres Unternehmens dem Symbolcharakter des Opferganges nichts von seiner Würde raubt: hier wurde in einer Zeit, da die Ehrlosigkeit und der kleine, feige und darum brutale Machtsinn den deutschen Namen besudelt und verschmiert hatte, der reine Wille sichtbar, im Wissen um die Gefährdung des eigenen Lebens, dem Staat der mörderischen Bosheit zu entreißen und, wenn es erreichbar, das Vaterland vor der Vernichtung zu retten.» Der Bundespräsident schloß seine Rede mit den Worten: «Die Scham, in die Hitler uns Deutsche gezwungen hatte, wurde durch ihr Blut vom besudelten deutschen Namen wieder weggewischt. Das Vermächtnis ist noch in Wirksamkeit, die Verpflichtung noch nicht eingelöst.»

Die Ansprache des Staatsoberhaupts, die auf einstimmigen Beschluß des Bundestages noch im gleichen Jahr in großer Auflage an Schüler und Studenten verteilt wurde, war der Versuch einer positiven Traditionsstiftung. Der liberale Bundespräsident beschritt diesen Weg nicht als erster: Vorangegangen war ihm der konservative, von den Nationalsozialisten zwangsemeritierte Historiker Hans Rothfels, der schon 1948, noch im amerikanischen Exil, die erste, auf ebendieses Ziel ausgerichtete Darstellung des deutschen Widerstands gegen Hitler vorgelegt hatte. Heuss formulierte so, daß sich das konservative Deutschland im 20. Juli 1944 *und* in der Bundesrepublik wiedererkennen konnte. Um dieses Zweckes willen blieb vieles ungesagt: daß die Männer des 20. Juli in ihrer Mehrzahl keine Demokraten gewesen waren, daß die meisten von ihnen Hitlers Politik unterstützt hatten, bevor sie sich gegen ihn wandten, daß sein Krieg lange Zeit auch ihr Krieg gewesen war. Der Widerstand gegen Hitler erschien wesentlich als Widerstand von Eliten, wobei der Bundespräsident nicht erwähnte, daß es sich um Eliten handelte, die vor 1933 die erste deutsche Republik bekämpft hatten. Auch die Wehrmacht wurde vom Redner geschont. Nur daß sie, «die damals noch Macht war», im Sommer 1934, nach der Ermordung der Generäle Schleicher und Bredow, geschwiegen hatte, hielt Heuss rügend fest.

Die Hintergründe der Zurückhaltung zu erkennen war nicht schwer: Die Weichen für die Wiederbewaffnung waren 1954 gestellt, und der Aufbau deutscher Streitkräfte erforderte die Mitwirkung von Offizieren, die zehn Jahre zuvor keinen Widerstand geleistet, sondern Hitler die Treue gehalten hatten. Der erste Bundespräsident wollte gewiß nicht bewirken, was später «Verdrängung der Vergangenheit» genannt wurde. Er hatte das Gegenteil, also historische Aufklärung, im Sinn, und er trug in der Tat dazu bei, daß «rechte» Angriffe auf die Männer des 20. Juli als das wahrgenommen wurden, was sie waren: Angriffe auf die Staatsräson der Bundesrepublik. Eine «nationale Opposition» gegen die zweite deutsche Demokratie war spätestens seit Heuss' Berliner Rede vom 19. Juli 1954 von Staats wegen um jede moralische Legitimation gebracht.

Freilich hatte dieser Erfolg auch eine Kehrseite: Wer vor 1933 zum konservativen Flügel der «nationalen Opposition» gegen die erste deutsche Demokratie gehört und die Deutschnationalen oder den Stahlhelm unterstützt hatte, brauchte sich durch den Bundespräsidenten nicht zu rückblickender Selbstkritik herausgefordert fühlen. Heuss ermutigte vielmehr gewollt oder ungewollt jene, die bei den Stichworten «Preußen» oder «preußischer Adel» sogleich an den 20. Juli 1944 und nicht daran dachten, in welchem Maß die konservativen Kräfte für die Zerstörung der Weimarer Republik, die Machtübertragung an Hitler und die Festigung seiner Herrschaft verantwortlich waren. Der Anschlag auf Hitler drohte so zu einem moralischen Alibi zu werden, und das nicht nur für die alten Eliten: Wer die Rede des Bundespräsidenten hörte oder las, mochte glauben, die Deutschen müßten wegen der Verbrechen des Nationalsozialismus keine nationale Scham mehr empfinden, weil es die erlösende, mit der Selbstaufopferung bezahlte Tat Stauffenbergs und seiner Freunde gab. Auch wenn Heuss dies nicht gemeint hatte, die Schlußworte seiner Rede legten diese Folgerung nahe.[12]

Heuss' Versuch, die Konservativen mit der Demokratie auszusöhnen, wurde dadurch erleichtert, daß sich die meisten konservativen Intellektuellen inzwischen vom Nationalismus gelöst und Europa oder, wie es nun häufig hieß, dem «Abendland» zugewandt hatten. Symptomatisch hierfür war ein Werk des Soziologen Hans Freyer, der vor 1933 zu den Wortführern der «Konservativen Revolution» gehört hatte. 1954 veröffentlichte er eine «Weltgeschichte Europas», die in den Appell mündete, nicht an der Lebenskraft der europäischen Völker zu zweifeln. In der Epoche der Weltkriege sah der Autor den «Transformator, in dem die Weltgeschichte Europas auf eine Weltgeschichte der ganzen Erde umgeschaltet wurde». Die Frage sei, ob Europa «auf dieser neuen Erde nur weiterleben wird oder tätig mitwirken, ob es auf ihr eine Erinnerung und ein Überlebsel sein wird oder ein wesentliches und notwendiges Glied. Was heißt demnach an die Zukunft Europas glauben? Es heißt glauben, daß seine Kraft keineswegs verausgabt, die Tragweite seines Ansatzes keineswegs erschöpft ist. Es heißt glauben, daß sein Geist, seine Erfindungskraft, seine Arbeitsamkeit, sein Sinn für Kultur und Tradition, auch seine Buntheit und Unrast in den größeren Dimensionen der zukünftigen Weltgeschichte unentbehrlich sein werden, nicht nur zur Verwaltung überkommener Kulturstätten, sondern für den Aufbau der neuen Erde.»

Der Historiker Ludwig Dehio, der 1948 mit seinem Buch «Gleichgewicht oder Hegemonie» Aufsehen erregt hatte, plädierte 1955 in einem Essay leidenschaftlich dafür, das Ziel der deutschen Einheit dem Ziel der Freiheit Westeuropas unterzuordnen. Nur den solidarischen Anstrengungen der Angelsachsen, vor allem der Amerikaner, sei die «Überwindung des deutschen Totalitarismus wie die Eindämmung des russischen» gelungen. Daraus folgerte Dehio: «Auch unsere Wiedervereinigung in Freiheit, die Bewahrung abendländischen Menschentums in Deutschland, setzt feste Bindung an die Angelsachsen voraus, und jede Lockerung gefährdet sie, wenn nicht sofort, dann auf die Länge.» Es gelte daher, in der Hierarchie der Werte der abendländischen Vision der Freiheit den Vorrang vor dem nationalen Sonderziel der Einheit einzuräumen. «Die Straße, die gradlinig dem nationalen Ziele zustrebt, kann dieses nur erreichen unter Gefährdung der Freiheit, mag auch ein naher Triumph zur Lockspeise dienen... Ist die Einheit wertlos ohne Freiheit, diese aber zu bewahren nur durch solidarische Anstrengung, dann hieße es den zweiten Schritt vor dem ersten tun, wollten wir uns nicht für die Solidarität entscheiden... Die schmerzliche Selbstzügelung mag uns leichter fallen, wenn wir der Flucht aus unserer jüngsten Geschichte ein Ziel setzen, mit Erfahrungen unsere Neigungen bekämpfen, endlich wenn wir das halbverschüttete Erbe unseres abendländischen Wesens wieder zu Ehren bringen zur Veredelung nationaler Triebhaftigkeit.»

Katholische Konservative gingen Mitte der fünfziger Jahre noch weiter als der konservative, in der Zeit des Nationalsozialismus aus rassischen Gründen diskriminierte Protestant Dehio. So forderte die rechtskatholische, von Kritikern gern als «karolingisch» eingestufte Zeitschrift «Neues Abendland» 1956 dazu auf, der Wiederherstellung eines kleindeutschen Nationalstaates (und damit auch einer Hauptstadt Berlin) eine Absage zu erteilen. Der Chefredakteur Emil Franzel, vordem ein publizistischer Parteigänger erst der sudetendeutschen Sozialdemokraten, dann der Nationalsozialisten um Konrad Henlein, nannte es «Nihilismus und Flucht vor der uns übertragenen Aufgabe, sich auf das kleinstdeutsche Programm der Wiedervereinigung und der Bündnisfreiheit zurückziehen zu wollen». Das «Ohne mich» der deutschen Neutralisten sei «Gehorsamsverweigerung vor der Geschichte, also auch gegenüber dem Herrn der Geschichte...».

Paul Wilhelm Wenger, der aus Württemberg stammende Bonner Redakteur des «Rheinischen Merkur», bezeichnete im gleichen Heft des «Neuen Abendlandes» den Föderalismus als deutsches und europäisches Schicksal.

«Wer Deutschland unitarisch zusammenballt, sprengt Deutschland und Europa in die Luft... Der vielgeschmähte *Deutsche Bund* von 1815 bis 1866 war als mitteleuropäische Verteidigungsgemeinschaft eine zugleich deutsche und europäische Friedenslösung. Mit seiner Sprengung durch den preußisch-österreichischen Bruderkrieg begann das bislang nicht geheilte Unglück Deutschlands und Europas. Die innere Föderalisierung Deutschlands ist die Voraussetzung für die einzig mögliche Lösung der deutschen Frage durch föderalistische Verflechtung Deutschlands mit allen seinen Nachbarn.»

Wenger berief sich bei seinen Überlegungen auf Friedrich von Gentz' Diktum aus dem Jahre 1806: «Europa ist durch Deutschland gefallen, durch Deutschland muß es wieder emporsteigen.» Franzel stellte dem Heft ein Credo des großdeutschen Bismarck-Gegners Constantin Frantz aus dem Jahre 1879 voran, das den Föderalismus zu einem universalen Prinzip erhob. Für beide Autoren war die nationalstaatliche Entwicklung seit 1789 insgesamt ein Irrweg, den Deutschland und Europa nur durch Rückbesinnung auf das christliche Abendland hinter sich lassen konnten. Dabei dachten Wenger und Franzel nicht nur an Westeuropa in den Grenzen des Karolingerreiches. Sie bezogen auch das einstweilen noch kommunistisch regierte Ostmittel- und Südosteuropa mit ein, wobei sie dem katholischen Polen und dem Donauraum besondere Aufmerksamkeit widmeten.

1959 malte Wenger in seinem Buch «Wer gewinnt Deutschland?» seine Visionen weiter aus: Eine mitteleuropäische Föderation sollte den Bruch von 1866 heilen, Deutschland sich nicht mehr in erster Linie staatlich, sondern als grenzüberschreitende Sprach- und Kulturgemeinschaft verstehen, Europa insgesamt ein Netz von Regionalföderationen, darunter eine preußisch-tschechisch-polnische Montanunion, bilden und als überstaatlicher Verband das Erbe des Heiligen Römischen Reiches antreten. In einer beziehungsreichen lateinischen Formel gebündelt hieß das: «Translatio imperii ad Europam Foederatam».

Die katholische Utopie einer Auflösung Deutschlands in Europa war in der Bundesrepublik der späten fünfziger Jahre alles andere als konservativer Konsens. Als Wenger seine Thesen am 20. April 1958 auf dem Bezirksparteitag der nordbadischen CDU in Tauberbischofsheim vortrug, fand er zwar im Saal stürmischen Beifall, in der gesamtdeutsch gesinnten Öffentlichkeit jedoch heftigen Widerspruch. Am schärfsten äußerten sich Blätter, die dem evangelischen Flügel der CDU nahestanden, in vorderster Front die von Bundestagspräsident Eugen Gerstenmaier mitbegründete Wochenzeitung «Christ und Welt», die Wenger «Brandstiftung» vorwarf. Gerstenmaier selbst nannte die Rede «Häresie». Der Staatssekretär des Bundesministeriums für gesamtdeutsche Fragen, Franz Thedieck, antwortete Wenger im regierungsamtlichen «Bulletin», Bismarcks Reichsgründung sei die damals einzig mögliche und deshalb beste Lösung der deutschen Frage gewesen. «In fast einhundert Jahren sind nun in Schuld und Schicksal die von

Bismarck zusammengefügten Teile ein solcher Organismus geworden, daß selbst eine föderalistische Zuordnung eines Gebiets zu einem Nachbarn, unter welchen Zeichen sie auch immer erfolgen mag, als Substanzverlust und Amputation empfunden wird.»

Die offiziöse Zurechtweisung aus Bonn hielt einen anderen Gegner der kleindeutschen Lösung nicht davon ab, wenige Monate später ähnliche Auffassungen wie Wenger zu äußern. Anläßlich der Verleihung des Friedenspreises des Deutschen Buchhandels erteilte der Philosoph Karl Jaspers am 28. September 1958 in der Frankfurter Paulskirche in Gegenwart von Bundespräsident Heuss dem Werk des Reichsgründers eine klare Absage. «Wir hatten ein preußisches Kleindeutschland, den Bismarckstaat, der sich unwahrhaftig als das zweite Reich auf das erste mittelalterliche Reich bezog... Heute unter neuen Weltmächten in völlig verwandelter Weltlage ist der Bismarckstaat ganz und gar Vergangenheit. Wenn wir leben, als ob er noch einmal wirklich werden könnte, lassen wir Gespenster das Blut der Gegenwart trinken und uns verhindern, die realen Gefahren und die großen Möglichkeiten der Zukunft zu begreifen.» Gewicht habe angesichts des «Rassenbewußtseins der Farbigen gegen die Weißen» allein die «dringend ersehnte Konföderation der abendländischen Staaten». «Das apolitische, tiefere deutsche Selbstbewußtsein kann mit dem politischen Bewußtsein eines einzelnen deutschen Staates nicht identisch werden... Die Neugründung unseres uralten deutschen Selbstbewußtseins liegt in der Gemeinschaft vorpolitischer Substanz, in der Sprache, im Geist, in der Heimat. Aus dieser Substanz entspringt die je besondere Aufgabe, heute auch in der Bundesrepublik.»

Jaspers' Rede am Tagungsort der deutschen Nationalversammlung von 1848 löste weniger Streit aus als Wengers Auftritt in Tauberbischofsheim, wo im Juli 1866 während des deutschen Krieges die Preußen die mit Österreich verbündeten Württemberger geschlagen hatten. Das mochte auch daran liegen, daß der Philosoph, anders als der Publizist, nicht so leicht verdächtigt werden konnte, Sprachrohr oder Ideengeber Adenauers zu sein. Seine Absage an die Wiedervereinigung formulierte Jaspers in der Paulskirche auch noch längst nicht so radikal wie zwei Jahre später in einem wochenlang leidenschaftlich diskutierten Fernsehgespräch mit dem Publizisten Thilo Koch vom 10. August 1960. Zu Kritik bot er jedoch schon damals mindestens ebensoviel Anlaß wie Wenger. Der Friedenspreisträger beklagte zwar, daß den Deutschen im Osten, die dieselben Deutschen seien wie die im Westen, die politische Freiheit von der Besatzungsmacht vorenthalten werde. Indem er den Nationalstaat von 1871 für historisch erledigt erklärte, entzog er aber dem Gedanken der nationalen Solidarität den Boden. Mit dem Selbstverständnis der Bundesrepublik, wie es sich in der Präambel des Grundgesetzes niederschlug, war weder Wengers Plädoyer für eine Regionalisierung Deutschlands noch Jaspers' Eintreten für deutsche Vielstaatlichkeit zu vereinbaren.

Wer Jaspers und Wenger widersprach, war deswegen noch kein deutscher Nationalist. Hinsichtlich des Vorrangs der Freiheit vor der Einheit gab es in der Bundesrepublik 1958 ohnehin kaum noch Meinungsverschiedenheiten, und die Einigung Westeuropas wurde von keiner Partei mehr ernsthaft in Frage gestellt. Daß Konservative nach 1945 als erste «Europa» zu ihrer Sache gemacht hatten, blieb jedoch innenpolitisch bedeutsam: Der proeuropäische Konservativismus der fünfziger Jahre war deshalb so erfolgreich, weil er, anders als der deutsche Nationalismus, historisch nicht diskreditiert, sondern durch den Ost-West-Konflikt zusätzlich legitimiert erschien.

Vielen früheren Parteigängern des Nationalsozialismus bot dieser Konservativismus eine Art neuer weltanschaulicher Identität: Sie konnten, wenn sie sich auf dieses Podest stellten, an die eigene Gegnerschaft zum Kommunismus wie an deutsche Europaparolen aus der Zeit des Zweiten Weltkrieges anknüpfen. Das Engagement für den Nationalsozialismus war demnach aus der Sicht der meisten «Ehemaligen» nicht rundum, sondern nur teilweise irrig gewesen. Als verfehlt waren in jedem Fall Judenfeindschaft und Judenvernichtung, auch der Terror gegen Andersdenkende zu betrachten. Der Kampf gegen den Bolschewismus hingegen war nichts, dessen sich ein zum Konservativismus konvertierter oder zurückgekehrter ehemaliger Anhänger Hitlers schämen zu müssen meinte. Die Sowjetunion wurde nach wie vor totalitär regiert, und sie hatte der Weltrevolution nicht abgeschworen. Dieser Macht zusammen mit den alten Demokratien des Westens entgegenzutreten war notwendig und legitim. Der vielbeschworene «antitotalitäre Konsens» der Bundesrepublik hatte vergangene und gegenwärtige Erfahrungen zur Grundlage. Er gestattete es freilich auch, *die* Erscheinungsform totalitärer Herrschaft, der man selbst gedient hatte, milder zu beurteilen als die andere. Die Bundesrepublik der fünfziger Jahre war, aus diesem Blickwinkel betrachtet, der Thermidor einer Revolution, die ihre jakobinische Phase hinter sich gelassen hatte, also konservativ geworden war.[13]

Auf einem wissenschaftlichen Kongreß anläßlich der 50. Wiederkehr der nationalsozialistischen Machtübernahme, der im Januar 1983 in Berlin stattfand, hat der Philosoph Hermann Lübbe sich mit der Frage befaßt, warum «im Schutz öffentlich wiederhergestellter normativer Normalität das deutsche Verhältnis zum Nationalsozialismus in temporaler Nähe zu ihm stiller war als in späteren Jahren unserer Nachkriegsgeschichte». Die Antwort lautete: «Diese gewisse Stille war das sozialpsychologische und politisch nötige Medium der Verwandlung unserer Nachkriegsbevölkerung in die Bürgerschaft der Bundesrepublik Deutschland.» Da Hitlers Herrschaft lange Zeit einen starken Rückhalt im Volk gehabt hatte, ergab sich für die junge Bundesrepublik eine paradoxe Situation: «Gegen Ideologie und Politik des Nationalsozialismus, in dessen Katastrophe zugleich auch das Reich untergegangen war, mußte der neue deutsche Staat eingerichtet werden. Gegen die Mehrheit des Volkes konnte er schwerlich eingerichtet werden.»

Nicht als «Verdrängung», sondern als «kommunikatives Beschweigen» wollte Lübbe eine Haltung verstanden wissen, die daraus erwuchs, daß viele, die unter Hitler in irgendeiner Weise «mitgemacht» hatten, von vielen anderen wußten, was diese in den Jahren von 1933 bis 1945 getan, gesagt oder geschrieben hatten. Es *gab* das «Beschweigen» in bezug sowohl auf bestimmte Kapitel der eigenen Biographie als auch auf die entsprechenden Abschnitte in der Biographie des «Nächsten». Die private Diskretion ging einher mit der öffentlichen Verurteilung des nationalsozialistischen Regimes durch den neuen Staat und das Gros der Medien wie der beginnenden wissenschaftlichen Aufarbeitung der jüngsten Vergangenheit. Von einer allgemeinen Verdrängung der Zeit des Nationalsozialismus kann also, was die ersten beiden Jahrzehnte der Bundesrepublik angeht, nicht die Rede sein.

Wohl aber kann man von einer verbreiteten Weigerung sprechen, sich mit der eigenen Vergangenheit auseinanderzusetzen. Da viele Nachkriegskarrieren davon abhingen, daß bestimmte Taten und Äußerungen nicht bekannt wurden, schlug eine solche Weigerung über kurz oder lang meist in individuelle Verdrängung um. Da dies eine massenhafte und gesellschaftlich respektierte Erscheinung war, trugen ihr auch Politiker und Publizisten Rechnung, die selbst nicht «belastet» waren. Das Ergebnis war ein widersprüchliches Verhältnis zum Nationalsozialismus: Wer sich öffentlich zum «Dritten Reich» bekannte, verletzte ein bundesdeutsches Tabu. Doch dasselbe tat, wer bohrende Fragen nach der Verantwortung der Überlebenden im zweiten, dritten oder vierten Glied stellte.

Öffentlicher Streit brandete immer dann auf, wenn hochrangige Stellen im neuen Staat mit Personen besetzt wurden, die im «Dritten Reich» wichtige Positionen innegehabt hatten. Das war der Fall bei Theodor Oberländer, der sein Amt als Vertriebenenminister im April 1960 aufgab, nachdem ihm von der DDR, wenn auch zu Unrecht, in einem Schauprozeß die Beteiligung an der Ermordung von Juden bei der Besetzung Lembergs im Jahre 1941 zur Last gelegt worden war. Hans Globke hingegen, der als Korreferent für Judenfragen im Reichsinnenministerium einen «wissenschaftlichen» Kommentar zu den Nürnberger Rassegesetzen verfaßt hatte, blieb trotz massiver Proteste bis zum Ende von Adenauers Regierungszeit im Jahre 1963 in dem Amt, in das er 1953 berufen worden war: dem des Staatssekretärs des Bundeskanzleramtes. Globke kam zugute, daß er nachweislich zahlreichen Juden geholfen hatte und darlegen konnte, daß sein Kommentar «Mischlingen» im Rahmen des Möglichen entgegengekommen war. Adenauer hatte Globke nicht eingestellt, um den «Ehemaligen» ein Signal der Versöhnung zu geben, sondern weil er ihn für fachlich besonders qualifiziert hielt. Auch scharfe Angriffe der SPD konnten den Kanzler nicht davon überzeugen, daß es im Interesse der Bundesrepublik lag, Globke zu entlassen.

Seit Mitte der fünfziger Jahre begann sich das Verhältnis der Westdeutschen zum Nationalsozialismus allmählich zu wandeln: im Sinne wachsender Kritik angesichts der Neigung, das «Dritte Reich» beschönigend darzustellen und über «dunkle Punkte» im Lebenslauf von Prominenten hinwegzusehen. Als der niedersächsische FDP-Politiker Leonhard Schlüter, der zuvor in rechtsradikalen Gruppen aktiv gewesen war und als Verleger Werke früherer Nationalsozialisten herausbrachte, im Sommer 1955 in Hannover zum Kultusminister ernannt wurde, protestierten in Göttingen Studenten und Professoren – unter den letzteren auch solche, die, wie der Historiker Hermann Heimpel, sich vor 1945 im Sinne des Nationalsozialismus geäußert und betätigt hatten. Der Deutsche Gewerkschaftsbund, der Zentralrat der Juden in Deutschland und die niedersächsische SPD forderten den Rücktritt des Ministers. Die bundesweite Empörung war so stark, daß Schlüter sich genötigt sah, nach wenigen Tagen sein Amt aufzugeben. Erstmals hatte studentisches Aufbegehren einen Minister zu Fall gebracht, der als untragbar «rechts» galt: Das war ein Ereignis, das weit über die Grenzen der Bundesrepublik hinaus Beachtung und Beifall fand.

Drei Jahre nach der «Schlüter-Affäre» fand der Ulmer Einsatzgruppenprozeß statt. Angeklagt waren Mitglieder einer Einsatzgruppe an der Ostfront, die Tausende von jüdischen Männern, Frauen und Kindern umgebracht hatten. Erstmals erfuhr die deutsche Öffentlichkeit bis ins kleinste Detail von der unermeßlichen Grausamkeit, mit der Deutsche und ihre einheimischen Helfer die Ermordung der Juden ins Werk gesetzt hatten. Die Erschütterung ging tief, und sie hatte praktische Folgen: Im Dezember 1958 wurde in Ludwigsburg die Zentrale Stelle der Landesjustizverwaltungen zur Aufklärung nationalsozialistischer Verbrechen errichtet. Dreizehn Jahre nach dem Ende des «Dritten Reiches» begann die systematische Verfolgung nationalsozialistischer Verbrechen durch bundesdeutsche Gerichte. Das schrecklichste Kapitel der jüngsten Vergangenheit ließ sich nicht länger aus dem Bewußtsein der Deutschen verdrängen. Die Folgen des «kommunikativen Beschweigens» aber waren noch längst nicht bewältigt: Eine jüngere Generation begann die Fragen zu stellen, denen viele der Älteren nach wie vor auszuweichen versuchten.

Zu Beginn des Jahrzehnts hatte der linkskatholische Publizist Walter Dirks in den «Frankfurter Heften» einen Aufsatz unter dem Titel «Der restaurative Charakter der Epoche» veröffentlicht. «Restaurationen sind Versuche, nach Revolutionen und anderen Umwälzungen den früheren Zustand wiederherzustellen», hieß es in dem Essay aus dem Jahre 1950. Für Dirks war Restauration «ein Vorgang, ein Prozeß, ein Zustand, ein Klima; sie hat viele Subjekte, die wohl miteinander zusammenhängen, die aber durchaus nicht immer zu kooperieren brauchen». Der «große Sprung in die Restauration» sei im Augenblick der Währungsreform geschehen. «Diese Währungsreform war ein Akt der Restauration; da entgegen den deutschen Vorschlägen der umwälzende Akt des Lastenausgleichs nicht mit ihr verbunden wurde, fixierte sie das Privileg des Sachwertbesitzes und enthielt den Flüchtlingen den Start auf gleicher Ebene vor.» Als Stoß ins Zentrum der Restauration empfahl der Autor ein «wirkliches Mitbestimmungsrecht», ansonsten «viel Tagesarbeit in der restaurativen Wirklichkeit, ohne Illusionen».

Auf den ersten Blick sprach vieles für den von Dirks gewählten Begriff. Die Sehnsucht nach Normalität war in den ersten Jahren der Bundesrepublik übermächtig – und nach den Erschütterungen von Krieg und Zusammenbruch alles andere als erstaunlich. Der Ruf, die Eigentumsverhältnisse radikal zu ändern, hatte in der unmittelbaren Nachkriegszeit unter Arbeitern einen gewissen Widerhall gefunden. Doch die Entwicklung in der Sowjetischen Besatzungszone wirkte, auch was die Sozialisierung von Großbetrieben betraf, abschreckend. Spätestens seit der ersten Bundestagswahl war klar, daß die Mehrheit der Westdeutschen keine «sozialistische», sondern eine «bürgerliche» Politik wünschte.

Die Wählerentscheidung von 1949 hatte zur Folge, daß nun vieles wiederhergestellt wurde, was die Alliierten ganz oder teilweise abgeschafft hatten: vom herkömmlichen Beamtenrecht über das öffentlich-rechtliche Kammerwesen bis zum «Großen Befähigungsnachweis», der obligatorischen Meisterprüfung im Handwerk. Das mochte man «Restauration» nennen, doch es war demokratisch legitimiert. Eine «Restauration» von Monarchie oder Diktatur stand zu keiner Zeit zur Debatte. «Restauriert» wurde hingegen, und das bereits vor der Gründung der Bundesrepublik, was der Nationalsozialismus beseitigt hatte: der Rechtsstaat, der Föderalismus und der Pluralismus. Und hätte sich das Bonner Grundgesetz nicht so stark von der Weimarer Reichsverfassung unterschieden, wäre es auch erlaubt, von einer «Restauration» der parlamentarischen Demokratie zu sprechen.

Die Währungsreform wurde *nicht* zu jenem «Sprung in die Restauration», als den Dirks sie beschrieb. Vielmehr erwies sich die «Soziale Marktwirtschaft», die mit der Währungsreform begann, als revolutionäre Neuerung. Sie brach mit jenen planwirtschaftlichen und dirigistischen Traditionen, denen sich viele Kritiker der «Restauration» verpflichtet fühlten, und gab dem wirtschaftlichen Wettbewerb mehr Spielraum, als er ihn je zuvor in Deutschland gehabt hatte. Gleichzeitig schritt die von den Gewerkschaften seit der Weimarer Zeit geforderte Demokratisierung der Wirtschaft voran: Die paritätische Mitbestimmung in den Aufsichtsräten der Montanindustrie, verbürgt durch ein Gesetz vom Mai 1951, machte die Bundesrepublik zu einem Pionierland der «konstitutionellen Fabrik».

Der Westen Deutschlands erlebte nach 1949 eine Phase, auf die, nimmt man alles in allem, der Begriff der «konservativen Modernisierung» sehr viel besser paßt als der der «Restauration». Zwar hinkten Bewußtsein und Sprache vieler Zeitgenossen hinter dem sozialen und politischen Wandel hinterher; das galt auch für die abendländische Rhetorik mancher Intellektuellen. In der Sache aber war die Einigung Westeuropas etwas zutiefst Fortschrittliches.

Einer der schärfsten Kritiker der «Restauration», Eugen Kogon – Linkskatholik, ehemaliger KZ-Häftling in Buchenwald, Autor des vielgelesenen Buches «Der SS-Staat» und seit 1946 zusammen mit Walter Dirks Herausgeber der «Frankfurter Hefte» –, sah 1952 in einem «Vereinigten Europa der demokratischen Freiheit» die historische Voraussetzung umfassender Erneuerung und damit der Überwindung der «Periode der Restauration». An die Sozialisten appellierte er deshalb, sich nicht daran zu stoßen, daß auch «reaktionäre Kräfte» an diesem Werk mitwirkten. Die Bundesrepublik hatte in der Tat begonnen, sich gegenüber der politischen Kultur des Westens zu öffnen. Daß dies unter einem Konservativen wie Adenauer geschah, machte es Konservativen schwer, auf ihren alten Ressentiments gegenüber dem Westen zu beharren.[14]

Als die Bundesrepublik am 9. Mai 1955 Mitglied der NATO wurde, gingen alle Beobachter davon aus, daß eine Antwort der Sowjetunion nicht lange auf sich warten lassen würde. Tatsächlich schlossen am 14. Mai die Sowjetunion, Polen, die DDR, die Tschechoslowakei, Ungarn, Rumänien, Bulgarien und Albanien ein eigenes Militärbündnis ab, den Warschauer Pakt. Eine Teilnahme an anderen Bündnissen war den Mitgliedstaaten untersagt, die Möglichkeit eines Austritts aus dem Pakt nicht vorgesehen. Das Vereinigte Kommando der Streitkräfte hatte seinen Sitz in Moskau; zum Oberkommandierenden wurde der sowjetische Marschall Konjew ernannt. Moskau besaß nun ein zusätzliches Mittel der Kontrolle über seine Verbündeten in Ostmittel- und Südosteuropa, und das nicht nur in militärischer Hinsicht.

Zur gleichen Zeit, in der in Warschau der östliche Militärpakt vereinbart wurde, fanden in Wien Verhandlungen über einen Staatsvertrag mit Österreich, dem dritten Nachfolgestaat von Hitlers «Großdeutschem Reich», statt. Am 15. Mai 1955 wurde der Vertrag von den Außenministern der USA, der Sowjetunion, Großbritanniens, Frankreichs und Österreichs in Schloß Belvedere unterzeichnet. Österreich erhielt (unter Erneuerung des «Anschlußverbots» von 1919) seine staatliche Unabhängigkeit zurück; das Besatzungsstatut wurde aufgehoben; am 27. Juli trat der Staatsvertrag in Kraft; am 19. September verließen die letzten alliierten Truppen das Land. Am 26. Oktober 1955 schließlich legte sich der österreichische Nationalrat, das Bundesparlament, auf «immerwährende Neutralität» nach dem Vorbild der Schweiz fest und erfüllte damit die wichtigste Bedingung, unter der Moskau dem Rückzug seiner Truppen zugestimmt hatte.

Noch vor Abschluß des Staatsvertrags, am 14. Mai, hatte der sowjetische Außenminister Molotow seine westlichen Kollegen wissen lassen, daß die Sowjetunion zu einem Gipfeltreffen bereit sei. Zwei Monate später, vom 18. bis 23. Juli 1955, fand die Konferenz der «Großen Vier» in Genf statt, an

der, da es mit in erster Linie um das deutsche Problem ging, Delegationen
der Bundesrepublik und der DDR als «Beobachter» teilnehmen durften.
Die Gegensätze in der deutschen Frage blieben, wie nicht anders zu erwarten, unüberbrückbar. Die Sowjetunion machte ein kollektives Sicherheitssystem, das die beiden Militärpakte ablösen sollte, zur Voraussetzung einer
Wiedervereinigung; der Westen bestand zunächst auf einer Wiedervereinigung durch freie Wahlen als Bedingung für Verhandlungen über eine neue
europäische Friedensordnung. Im Verlauf der Konferenz zeigten sich die
Westmächte dann aber doch bereit, mit der Sowjetunion in Sachen Abrüstung und Entspannung zusammenzuarbeiten, was auf eine Hinnahme der
deutschen Teilung hinauslief. Adenauer hatte allen Grund, über den «Geist
von Genf» beunruhigt zu sein: Bisher hatten die Westmächte den Standpunkt der Bundesregierung unterstützt, daß die Schaffung eines europäischen Sicherheitssystems fest mit der Wiedervereinigung Deutschlands
verknüpft werden mußte. Seit Genf konnte sich Bonn der westlichen
Rückendeckung in dieser Frage nicht mehr sicher sein.

Auf dem Rückweg von Genf nach Moskau legte die sowjetische Delegation unter Ministerpräsident Bulganin, einem Marschall der Sowjetunion,
und Nikita Sergejewitsch Chruschtschow, der seit 1953 Erster Sekretär der
KPdSU war, eine Zwischenstation in Ost-Berlin ein. Der Parteichef, der
aus protokollarischen Gründen in Genf hinter Bulganin hatte zurückste-
hen müssen, nutzte den Aufenthalt in der «Hauptstadt der DDR» für einen
demonstrativen Auftritt. Künftig, so erklärte er in einer Rede auf dem
Marx-Engels-Platz, dem einstigen Schloßplatz, sei eine Lösung der deutschen Frage Sache der beiden, völkerrechtlich voneinander getrennten
deutschen Staaten. Ihre «sozialistischen Errungenschaften» dürfe die DDR
dabei nicht aufgeben. Von der Wiedervereinigung Deutschlands sprach
Chruschtschow in Berlin, anders als in Genf, nicht mehr. Die deutsche Teilung war, daran konnte es allen entgegenstehenden Beteuerungen aus Bonn
und den Hauptstädten seiner westlichen Verbündeten zum Trotz keinen
Zweifel mehr geben, zu einer fixen Größe des Ost-West-Verhältnisses geworden.

Abermals zwei Monate später verhandelten die Sowjetunion und die
Bundesrepublik erstmals direkt und offiziell miteinander. Am 7. Juni hatte
Adenauer die Einladung zu einem Besuch in Moskau erhalten, um dort, wie
es hieß, die Aufnahme von diplomatischen und Handelsbeziehungen sowie
die damit zusammenhängenden Fragen zu erörtern. Am 9. September traf
der Bundeskanzler mit einer großen Delegation in der sowjetischen Hauptstadt ein. Die «Zweistaatentheorie», die Chruschtschow in Ost-Berlin verkündet hatte, konnte Adenauer nicht außer Kraft setzen, aber er kehrte am
13. September doch mit einem in ganz Deutschland bejubelten Erfolg nach
Bonn zurück: Die Sowjetunion stimmte der Heimkehr der überlebenden
deutschen Kriegsgefangenen und Zivilinternierten zu. Der Kanzler willigte
im Gegenzug in die Aufnahme diplomatischer Beziehungen mit der So-

wjetunion ein, was zur Folge hatte, daß es fortan zwei deutsche Botschafter in Moskau gab: den der Bundesrepublik und den der DDR.

Um andere Staaten an der Anerkennung der DDR zu hindern und den «Alleinvertretungsanspruch» der Bundesrepublik aufrechtzuerhalten, formulierte der Leiter der Politischen Abteilung des Auswärtigen Amtes, Wilhelm Grewe, noch auf dem Rückflug jene Doktrin, die später nach dem Staatssekretär des AA, Walter Hallstein, benannt wurde. Am 22. September 1955 trug Adenauer die «Hallstein-Doktrin» in seinem Bericht über die Moskaureise im Bundestag vor. Er müsse unzweideutig feststellen, erklärte der Bundeskanzler, «daß die Bundesregierung auch künftig die Aufnahme diplomatischer Beziehungen mit der DDR durch dritte Staaten, mit denen sie offizielle Beziehungen unterhält, als einen unfreundlichen Akt ansehen würde, da er geeignet wäre, die Spaltung Deutschlands zu vertiefen». Um die Drohung glaubwürdig zu machen, verzichtete die Bundesregierung ihrerseits darauf, Beziehungen mit den kommunistischen «Satellitenstaaten» aufzunehmen, die die DDR bereits anerkannt hatten.

Ein anderes bedeutendes Ereignis vom Herbst 1955 konnte der Bundeskanzler dagegen schwerlich als persönlichen Erfolg betrachten: Am 23. Oktober lehnte die Saarbevölkerung mit einer Mehrheit von 67,7 % bei einer Wahlbeteiligung von 97,5 % die «Europäisierung» ihres Gebiets ab. Adenauer war bereit gewesen, um der Einigung Westeuropas und guter Beziehungen zu Frankreich willen dem Sonderstatus der Saar zuzustimmen; mit dem Nein der Betroffenen hatte er zunächst nicht gerechnet. In der Sache bedeutete die Saarabstimmung ein Votum für den Anschluß an die Bundesrepublik. Frankreich beugte sich der freien Entscheidung der Saarländer. Am 1. Januar 1957 wurde das Saarland, entsprechend einem im Jahr zuvor zwischen Paris und Bonn ausgehandelten Vertrag, ein Land der Bundesrepublik Deutschland; im Juli 1959 erfolgte die wirtschaftliche Eingliederung. Erstmals war damit der Geltungsbereich des Grundgesetzes gemäß Artikel 23 erweitert worden: Es gab seitdem ein praktisch erprobtes Verfahren, nach dem auch die Wiedervereinigung erfolgen konnte – vorausgesetzt, die «Großen Vier» stimmten einer solchen Lösung zu.

Die Politik der Westintegration erlitt, entgegen den Befürchtungen Adenauers, durch die Saarabstimmung keinen Rückschlag. Im Oktober 1956 verständigten sich die Außenminister der sechs Staaten der Montanunion auf die Bildung einer Europäischen Atomgemeinschaft und einer Europäischen Wirtschaftsgemeinschaft. Im März 1957 wurden die Römischen Verträge unterzeichnet: Innerhalb von zwölf Jahren sollte durch fortschreitenden Abbau von Zöllen und Handelsbeschränkungen ein Gemeinsamer Markt entstehen und gleichzeitig die Wirtschaftspolitik der Mitgliedstaaten vereinheitlicht werden. Am 1. Januar 1958 traten die Römischen Verträge in Kraft. Sie waren, anders als die militärische Westintegration, in der Bundesrepublik kaum umstritten; auch die Sozialdemokraten hatten ihnen zugestimmt.

Der Wehrbeitrag nahm währenddessen konkrete Gestalt an. Am 2. Januar 1956 wurden auf Grund eines Gesetzes vom Juli 1955 die ersten Freiwilligen einberufen. Einem Personalgutachterausschuß oblag es, die Bewerber um Offiziersstellen vom Oberst an aufwärts zu überprüfen und auf diese Weise allzu belastete Personen von den Streitkräften fernzuhalten. An den erforderlichen Änderungen des Grundgesetzes, der «Wehrverfassung» vom März 1956, wirkte auch die SPD mit, die bei dieser Gelegenheit das Amt des Wehrbeauftragten des Bundestages durchsetzte: eines Vertrauensmannes, an den sich die Soldaten wenden konnten, wenn sie sich in ihren Grundrechten verletzt fühlten.

Zum Dienst in den Streitkräften, im schon bestehenden Bundesgrenzschutz oder einem noch zu schaffenden Zivilschutzverband konnten Männer vom vollendeten 18. Lebensjahr an verpflichtet werden. Das in Artikel 4 des Grundgesetzes verankerte Grundrecht, aus Gewissensgründen den Kriegsdienst mit der Waffe verweigern zu dürfen, blieb damit gewahrt. Daß aus der Bundeswehr – diesen Namen führte der Bundestag ein – kein «Staat im Staat» werden konnte, wie die Reichswehr in Weimar einer gewesen war, dafür sorgte vor allem die Regelung des Oberbefehls. In der Weimarer Republik war der Reichspräsident Oberbefehlshaber der gesamten Wehrmacht gewesen. In der Bundesrepublik hatte in Friedenszeiten der Bundesminister der Verteidigung die Befehls- und Kommandogewalt inne; im Verteidigungsfall ging sie an den Bundeskanzler über. Die parlamentarische Kontrolle über das Militär und der Primat der Politik sollten unter allen Umständen gewahrt bleiben.

1957 war wieder ein Wahljahr. Das Regierungslager sah mittlerweile anders aus als 1953. Im Juli 1955 hatte sich der BHE, im Februar 1956 die FDP gespalten. In beiden Fällen wechselte die Mehrheit in die Opposition über, während der Ministerflügel gouvernemental blieb. Die parlamentarische Mehrheit der Regierung Adenauer war jedoch zu keiner Zeit gefährdet. Der Union kam zugute, daß sie als Bürgin der äußeren Sicherheit galt. Der Schock, den die Sowjetunion ausgelöst hatte, als sie im November 1956 den ungarischen Volksaufstand blutig niederschlug, wirkte nach und half in der Bundesrepublik dem entschieden antikommunistischen Kanzler und seiner Partei.

Die SPD hingegen tat sich seit dem Frühjahr 1957 als Gegnerin eines Projekts hervor, dessen beredtester Anwalt der neue, seit Oktober 1956 amtierende Verteidigungsminister Franz Josef Strauß, ein Politiker der CSU, war: der Ausrüstung der Bundeswehr mit atomaren Trägersystemen (die Sprengköpfe selbst sollten in amerikanischer Hand bleiben). Die Sozialdemokraten befanden sich, als sie gegen dieses Vorhaben Front machten, zwar in Übereinstimmung mit 18 bekannten Atomphysikern, darunter den Nobelpreisträgern Max Born, Otto Hahn, Werner Heisenberg und Max von Laue, die im April 1957 in einer «Göttinger Erklärung» vor der Gefahr eines nuklearen Krieges warnten und den Verzicht der Bundesrepublik auf

Atomwaffen forderten. In der Bevölkerung aber hatte die Kampagne gegen die atomare Bewaffnung der Bundeswehr nicht das erhoffte nachhaltige Echo. Obwohl die strategischen Pläne der Bundesregierung alles andere als populär waren, mißtraute die Mehrheit offenkundig einer Bewegung, die vor allem grundsätzliche Pazifisten ansprach und der Kontrolle durch die SPD leicht entgleiten konnte.

Nicht nur von der äußeren, auch von der sozialen Sicherheit konnten CDU und CSU behaupten, daß sie bei ihnen in guten Händen sei. Am 21. Januar 1957 verabschiedete der Bundestag mit überwältigender Mehrheit die beiden Gesetze zur Neuregelung des Rechts der Rentenversicherung der Arbeiter und der Angestellten. Das Kernstück der Rentenreform war die Einführung der bruttobezogenen dynamischen Rente. Die Rentner sollten also an der wirtschaftlichen Aufwärtsentwicklung teilhaben, womit das seit Bismarcks Zeiten geltende Prinzip der Kapitaldeckung durch Einzahlungen aufgegeben wurde. Bei der Anpassung der Renten an die allgemeine Einkommensentwicklung wirkte der Bundestag mit: Er entschied auf Grund des Gutachtens eines Sozialbeirats alljährlich, in welcher Höhe die Renten stiegen.

Die Sozialdemokraten, überzeugte Befürworter der Dynamisierung der Renten, stimmten den Gesetzen zu, während die FDP sie ablehnte. Die Unionsparteien aber durften darauf setzen, daß die von Adenauer aktiv geförderte Reform auf ihrem Konto gutgeschrieben wurde. Da die Gesetze rückwirkend zum 1. Januar 1957 in Kraft traten, erhöhte sich das Einkommen von Millionen von Rentnern sofort und beträchtlich. Die längerfristigen Folgen hat Hans-Peter Schwarz beschrieben: «Die Reform wirkte integrierend: Aus Leuten, die etwas haben wollten, wurden Leute, die etwas bewahren wollten. Die Vorzüge des politischen Systems und des Wirtschaftssystems waren gleicherweise bestätigt worden. Die bürgerliche Demokratie hatte ihre Fähigkeit zur großzügigen Sozialreform bewiesen... Klassenkampfparolen und Umverteilungsforderungen fanden jetzt noch weniger Anklang als zuvor.»

Die Wahlparole der CDU lautete 1957 «Keine Experimente!» Die Partei Konrad Adenauers traf damit eine Grundstimmung, die nach der Rentenreform stärker war denn je zuvor. «Mehr Wohnungen, weniger Kasernen», einer der Slogans der SPD, war demgegenüber sehr viel weniger zugkräftig. Auf Stimmengewinne durften aber auch die Sozialdemokraten hoffen: Zwei Parteien, die 1953 noch Kandidaten aufgestellt hatten, traten 1957 nämlich nicht mehr zur Wahl an, und es sprach alles dafür, daß dies eher der SPD als der Union zugute kommen würde. Die Gesamtdeutsche Volkspartei Gustav Heinemanns hatte sich im Mai 1957 angesichts ihrer anhaltenden Wahlniederlagen aufgelöst und ihre Mitglieder aufgefordert, in die SPD einzutreten. Die Sozialdemokraten gewannen durch diese Entscheidung einige namhafte Protestanten mit Heinemann an der Spitze; eine Reihe von jüngeren Mitgliedern der GVP, unter ihnen Johannes Rau, Erhard Eppler und Jürgen Schmude, erhielten die Chance, den Tod ihrer Partei politisch zu überleben und in der Sozialdemokratie Einfluß zu gewinnen. Zur SPD ging auch eine katholische Mitstreiterin Heinemanns: Helene Wessel, die als Mitglied des Zentrums von 1928 bis 1933 dem Preußischen Landtag, 1948/49 dem Parlamentarischen Rat und von 1949 bis 1953 dem Deutschen Bundestag angehört hatte.

Die andere Partei, die 1957 nicht mehr zur Wahl stand, war die KPD. Sie war am 17. August 1956 vom Bundesverfassungsgericht wegen subversiver Tätigkeit und offen verfassungsfeindlicher Zielsetzungen für verfassungswidrig erklärt und aufgelöst worden. Das sorgfältig begründete Urteil war verfassungsrechtlich ebenso unanfechtbar wie jenes, das vier Jahre zuvor, am 23. Oktober 1952, die rechtsextreme SRP getroffen hatte. Politisch freilich war die KPD für die innere Ordnung der Bundesrepublik schon seit langem keine Gefahr mehr. Da sie als der verlängerte Arm der SED und der Sowjetunion galt und alles tat, um diesem Ruf gerecht zu werden, hatte sie in der Wählergunst ständig verloren und schon bei der Bundestagswahl von 1953 nur noch einen Anteil von 2,2 % der Stimmen erzielt.

Die dritte Bundestagswahl am 15. September 1957 endete mit einem erdrutschartigen Sieg der Unionsparteien und einem persönlichen Triumph Adenauers. CDU und CSU erreichten mit 50,2 % die absolute Mehrheit nicht nur der Mandate, sondern auch der Stimmen: ein Ergebnis, das auf nationaler Ebene noch nie zuvor eine deutsche Partei bei freien Wahlen erzielt hatte. Mit einem Stimmenzuwachs von 7 % gegenüber 1953 gewannen CDU und CSU auch deutlich mehr hinzu als die SPD, die von 28,8 auf 31,8 % kletterte, ihren Anteil also nur um 3 % verbessern konnte. Die FDP schnitt mit 7,7 % erheblich schlechter ab als vier Jahre zuvor; damals war sie auf 9,5 % gelangt.

Alle anderen Parteien erhielten weniger als 5 %. Die Deutsche Partei, die sich im Januar 1957 mit der rechtsliberalen Freien Volkspartei August Martin Eulers, einer Absplitterung von der FDP, vereinigt hatte, erzielte 3,3 %, kam aber auf Grund von Wahlkreisabsprachen mit der niedersächsischen CDU wieder in den Bundestag und stellte dort 15 Abgeordnete. Der BHE verfehlte mit 4,6 % die Fünfprozentklausel nur knapp. Der Stimmenrückgang um 1,3 %, den die ehemalige Partei von Kraft und Oberländer hinnehmen mußte, machte aber deutlich, daß die Integration der Heimatvertriebenen weiter vorangeschritten war. Auch aus diesem Reservoir waren CDU und CSU zahlreiche Wähler zugeströmt. Einer besonderen Partei glaubten die meisten Heimatvertriebenen inzwischen nicht mehr zu bedürfen.

Sechs Wochen nach der Wahl war die Kabinettsbildung abgeschlossen. Die dritte Regierung Adenauer war eine Koalition aus CDU/CSU und DP. Vier der wichtigsten Minister behielten ihre Ressorts: Heinrich von Brentano (CDU) das Auswärtige Amt, Franz Josef Strauß (CSU) das Verteidigungsministerium, Gerhard Schröder (CDU) das Innen- und Ludwig Erhard (CDU) das Wirtschaftsministerium. Im Amt belassen hatte Adenauer auch Vertriebenenminister Theodor Oberländer, der 1956 vom BHE zur CDU übergetreten war. Der bisherige Finanzminister Fritz Schäffer (CSU), der sich als harter «Fiskalist» viele Politiker zu Gegnern gemacht hatte, mußte sein Ressort an Franz Etzel (CDU) abtreten und übernahm selbst das Justizministerium. Die DP stellte mit Hans-Christoph Seebohm wieder, wie in allen Regierungen seit 1949, den Verkehrsminister.

Die Mehrheitsverhältnisse im dritten Bundestag waren eindeutig: Die Koalition verfügte über 287, die Opposition aus Sozialdemokraten und Freien Demokraten über 210 Mandate. Die Ära Adenauer stand in ihrem Zenit. Daß ein Wahlerfolg wie der von 1957 so leicht nicht wiederholbar sein würde, das mochten nüchterne Betrachter auch im Regierungslager ahnen. Einstweilen aber gab es nichts daran zu deuteln, daß die konservative Demokratie, wie sie Adenauer verkörperte, sich breiter Zustimmung erfreute.[15]

Solange die Westintegration der Bundesrepublik noch keine vollendete Tatsache war, versuchte die DDR die Deutschen im Westen mit nationalen Parolen gegen das «Adenauer-Regime» zu mobilisieren und gleichzeitig die Aufstellung eigener, mit der Sowjetarmee in «Waffenbrüderschaft» verbundener Streitkräfte historisch zu legitimieren. Der 140. Jahrestag der Völkerschlacht bei Leipzig im Oktober 1953 bot den willkommenen Anlaß, an patriotische Empfindungen zu appellieren und daran zu erinnern, daß damals Deutsche und Russen gemeinsam eine westliche Fremdherrschaft niedergekämpft hatten. Albert Norden, der wenig später an die Spitze des Nationalrats der Nationalen Front trat, veröffentlichte 1953 ein Buch unter dem Titel «Das Banner von 1813». Darin beschwor er die «Schatten der Stein und Gneisenau, der Scharnhorst und Clausewitz, der Arndt und Fichte herauf, «*... jener Männer, die Deutschland retteten, weil sie an ihr Volk glaubten und mit Rußland im Bunde kämpften*». Mit leichter Verspätung erschien Anfang 1954 im «Verlag der Nation» unter dem Titel «Kampf um Freiheit» ein Band mit «Dokumenten aus der Zeit der nationalen Erhebung 1789–1815». Er enthielt Texte von Klopstock, Fichte, Arndt, Jahn, Schenkendorf, Körner, Clausewitz, Kleist und vielen anderen. Einige der abgedruckten Stücke stammten aus Neuauflagen, die in der Zeit des «Dritten Reiches» erschienen waren, der Auszug aus Jahns «Deutschem Volkstum» aus einer Ausgabe des Kriegsjahres 1940.

Nordens Buch über 1813 und der Band über die «nationale Erhebung» waren typische Beispiele für jene «Wendung zum Nationalen», die das ZK der SED im Oktober 1951 beschlossen hatte. Die neue Linie der Geschichtsdeutung löste die bis dahin gültige «Miseretheorie» ab, deren klassischer Ausdruck noch immer das 1946 erschienene Buch von Alexander Abusch «Der Irrweg einer Nation» war: Danach gab es in der deutschen Geschichte eine absteigende Linie von Luther über Friedrich den Großen und Bismarck bis zu Hitler – eine Linie, die sich deshalb durchsetzen konnte, weil die «reaktionären» Kräfte den «fortschrittlichen» stets überlegen gewesen waren. Im Sinn der «Wendung zum Nationalen» lag es dagegen, Selbstbewußtsein aus den großen Traditionen des deutschen Volkes zu schöpfen, die es *auch* gab. Der deutsch-russische Kampf gegen Napoleon war eine dieser Traditionen, und im Zeichen des Kampfes gegen die militärische Westintegration der Bundesrepublik eine besonders aktuelle.

Auch nach dem Beitritt der Bundesrepublik zum atlantischen Bündnis und der Schaffung des Warschauer Pakts hörte die SED nicht auf, sich der Bundesrepublik gegenüber auf «nationale» Traditionen zu berufen und die Spaltung Deutschlands dem Westen und namentlich Adenauer anzulasten. Aber seit 1956 nahm der «Patriotismus» der DDR stärker als zuvor «sozialistische» Züge an: Die Bundesrepublik wurde systematisch in die Nähe des «Dritten Reiches» gerückt, die DDR als Staat gewordene Negation alles dessen gewürdigt, was zum «Hitlerfaschismus» geführt und seine Herrschaft ermöglicht habe. Für die positiven Traditionen der deutschen Geschichte standen die fortschrittlichen Kräfte, an ihrer Spitze seit den Tagen von Marx und Engels die Arbeiterklasse. Deren revolutionäre Vorhut war seit ihrer Gründung im Dezember 1918 die Kommunistische Partei Deutschlands. Daß diese im Kampf gegen den «Hitlerfaschismus» 1933 unterlag, war nicht zuletzt die Schuld der «rechten» Sozialdemokraten, die 1918/19 die «Revolution» verraten, damit das Wiedererstarken der reaktionären «Monopolbourgeoisie» ermöglicht und schließlich alles getan hatten, um eine antifaschistische Einheitsfront zu verhindern: Seit 1958, dem Jahr der 40. Wiederkehr der Revolution von 1918/19, war dies die für die Historiker maßgebliche Parteilinie.

Nachdem die Bundesrepublik im Mai 1955 Mitglied der NATO geworden war, verstand es sich von selbst, daß die DDR wenige Tage später Gründungsmitglied des Warschauer Pakts wurde. Ihre Streitkräfte, hervorgegangen aus der Kasernierten Volkspolizei, blieben freilich zunächst noch außerhalb der Militärorganisation des östlichen Bündnisses. Der Aufnahme diplomatischer Beziehungen zwischen der Sowjetunion und der Bundesrepublik folgte kurz nach Adenauers Besuch in Moskau noch im September 1955 die Unterzeichnung eines Vertrages über die Beziehungen zwischen der DDR und der UdSSR. Er enthielt die Auflösung des Amtes des Hohen Kommissars und die Gewährung der «vollen Souveränität» der DDR. Am 28. Januar 1956, zehn Tage nach der Verabschiedung des Gesetzes über die Schaffung der Nationalen Volksarmee und des Ministeriums für Nationale Verteidigung durch die Volkskammer, wurden die Streitkräfte der DDR in den Warschauer Pakt eingegliedert. Die NVA bestand aus freiwilligen Kaderverbänden in einer Stärke von vorerst 120 000 Mann: Auf die Einführung der allgemeinen Wehrpflicht hatte die SED entsprechend den Moskauer Vorgaben einstweilen noch verzichtet.

Das Jahr 1956 brachte dem Ostblock eine Reihe schwerer Erschütterungen. Im Februar rechnete Chruschtschow auf dem 20. Parteitag der KPdSU in einer «Geheimrede» mit den Verbrechen Stalins ab. Die SED schloß sich der «Entstalinisierung» nur zögerlich an; Ulbricht erklärte am 4. März im «Neuen Deutschland», zweifellos habe sich Stalin «nach dem Tode Lenins bedeutende Verdienste beim Aufbau des Sozialismus und im Kampf gegen die parteifeindlichen Gruppierungen» erworben. «Als sich Stalin jedoch später über die Partei stellte und den Personenkult pflegte, erwuchsen der KPdSU und dem Sowjetstaat daraus bedeutende Schäden. Zu den Klassikern des Marxismus kann man Stalin nicht rechnen.»

Den Delegierten der 3. Parteikonferenz der SED wurde Chruschtschows (im Westen bereits bekannte) «Geheimrede» im März 1956 durch den ZK-Sekretär Karl Schirdewan nur auszugsweise zur Kenntnis gegeben. Es folgten die Rehabilitierung ehemaliger Parteiführer, die 1953 und 1954 aus dem Politbüro und anderen Parteiämtern entfernt worden waren, unter ihnen Anton Ackermann und Franz Dahlem, sodann die Begnadigung von etwa 11 000 Personen und die Entlassung von rund 21 000 Häftlingen. Zu denen, die 1956 ihre Freiheit wiedererlangten, gehörten der aus der SPD stammende frühere Justizminister Max Fechner, der im Juli 1953 wegen Befürwortung des Streikrechts verhaftet und aus der SED ausgeschlossen worden war, und der 1952 verhaftete Paul Merker.

Für zwei andere «sozialistische» Staaten wurde das Jahr 1956 zu einer tiefen Zäsur: Polen und Ungarn. Im Juni lehnten sich die Posener Arbeiter gegen die rigiden Arbeitsnormen auf; ihr Aufstand wurde blutig niedergeschlagen; dennoch kam es im Oktober in Tschenstochau und Warschau erneut zu Massendemonstrationen. Um eine Eskalation zu verhindern, entschied sich das Politbüro ohne Rücksprache mit Moskau für einen Führungswechsel und einen politischen Neuanfang. Am 19./20. Oktober wurde Wladyslaw Gomulka, der im Herbst 1948 wegen angeblicher nationalkommunistischer und damit «titoistischer» Neigungen abgesetzte, dann mehrere Jahre lang inhaftierte und erst im August 1956 rehabilitierte ehemalige Generalsekretär der Polnischen Vereinigten Arbeiterpartei, wieder in sein altes Amt eingesetzt. Damit begann eine von Moskau widerstrebend hingenommene Politik der relativen Liberalisierung: Die Zwangskollektivierung auf dem Lande wurde abgebrochen und die bäuerliche Landwirtschaft wiederhergestellt; bei der Industrialisierung erhielt der Konsumgütersektor Vorrang; das Verhältnis zur katholischen Kirche entspannte sich; führende Funktionäre der Staatssicherheit wurden abgesetzt und verurteilt.

Ganz anders verlief die Entwicklung in Ungarn. Ende Oktober 1956 brach die kommunistische Staatsmacht unter der Wucht eines Volksaufstands zusammen. Der neue Ministerpräsident, der unter Stalin kaltgestellte Reformkommunist Imre Nagy, handelte mit der Sowjetunion einen Abzug ihrer Truppen aus, der am 30. Oktober auch tatsächlich erfolgte. Als dann aber die von Nagy geführte Koalitionsregierung, der auch Vertreter der 1948 verbotenen «antifaschistischen» Parteien angehörten, den Austritt Ungarns aus dem Warschauer Pakt beschloß, kehrten die sowjetischen Truppen zurück und schlugen die «konterrevolutionäre», in Wahrheit revolutionäre Erhebung mit äußerster Härte nieder. Mehrere tausend Menschen bezahlten die Intervention mit ihrem Leben; 200000 Ungarn flohen über Österreich in den Westen; 2000 Ungarn wurden zum Tode verurteilt; Nagy und zwei seiner engsten Mitarbeiter wurden in einem Geheimprozeß abgeurteilt und im Juni 1958 hingerichtet. Der neue Parteiführer János Kádár – ein Reformkommunist, der während des Aufstands ins sowjetische Lager übergewechselt war – verhielt sich Moskau gegenüber loyal, konnte sich dadurch aber allmählich die Handlungsfreiheit im Innern sichern, die er für die von ihm angestrebte vorsichtige Liberalisierung benötigte.

Die Sympathien des Westens gehörten im Herbst 1956 den aufständischen Ungarn, aber mehr als diese Sympathien hatte er auch nicht zu bieten. England und Frankreich führten auf dem Höhepunkt der Ungarnkrise zusammen mit Israel Krieg gegen Ägypten, um die Verstaatlichung der Suezkanalgesellschaft rückgängig zu machen. Ein paar Tage lang schien die Welt am Rande eines Dritten Weltkrieges zu stehen: Chruschtschow drohte den Westeuropäern mit dem Einsatz von Atomraketen, was Eisenhower veranlaßte, seinerseits massiv auf Paris und London einzuwirken. Am 6. November willigten alle Beteiligten in einen Waffenstillstand ein.

Die Sowjetunion ging als Gewinnerin aus der Doppelkrise vom Herbst 1956 hervor: Sie konnte, ungeachtet der moralischen Empörung im Westen, die «Ordnung» in Ungarn wiederherstellen und sich gleichzeitig als Schutzmacht der «Dritten Welt» im Kampf gegen den «Imperialismus» präsentieren. Die Verlierer waren die Ungarn und die europäischen Kolonialmächte. Das Zusammenspiel von Moskau und Washington machte schlagartig deutlich, daß es keine «Großen Vier» mehr gab, sondern nur noch zwei Weltmächte: die Vereinigten Staaten und die Sowjetunion.

Über Atombomben verfügten die USA seit 1945, die Sowjetunion seit 1949; die erste Wasserstoffbombe erprobte Washington 1952, Moskau im Jahr darauf. Ende August 1957 testete die Sowjetunion erstmals mit Erfolg eine mehrstufige Interkontinentalrakete. Wenige Wochen später gelang der östlichen Weltmacht ein spektakulärer technologischer Coup, dessen militärstrategische Bedeutung auf der Hand lag: Am 4. Oktober 1957 wurde der erste künstliche Erdsatellit, der «Sputnik», in eine Umlaufbahn um die Erde geschossen. Die Eroberung des Weltraums hatte begonnen, und die Sowjetunion war dabei Amerika vorausgeeilt: ein Ereignis, das im Westen fassungsloses Erstaunen, den «Sputnikschock», auslöste, bei den Führungen der kommunistischen Staaten aber das Gefühl, der «Sozialismus» habe nun endgültig bewiesen, daß er dem «Kapitalismus» in jeder Hinsicht überlegen sei.

In der DDR äußerte sich das erstarkte Selbstbewußtsein der Partei- und Staatsführung zunächst in verschärftem Kampf gegen abweichende Meinungen. Bereits im November und Dezember 1956, unmittelbar nach der Niederwerfung der angeblichen «Konterrevolution» in Ungarn, waren der Philosoph Wolfgang Harich und andere reformkommunistische Intellektuelle, darunter die beiden Chefredakteure des «Sonntag», Gustav Just und Heinz Zöger, und der Leiter des «Aufbau«-Verlages, Walter Janka, als Mitglieder einer «staatsfeindlichen Gruppe» verhaftet worden; die Prozesse endeten im Jahr darauf mit hohen Zuchthausstrafen. Der Leipziger Philosoph Ernst Bloch, in dem die SED den intellektuellen Hintermann der Gruppe um Harich sah, wurde im März 1957 zwangsemeritiert. Mitte Oktober 1957 sagte Ulbricht auf dem 33. Plenum des ZK der SED dem «Revisionismus» in den eigenen Reihen den Kampf an. Einer der namentlich Beschuldigten, Staatssicherheitsminister Ernst Wollweber, wurde im November durch seinen bisherigen Staatssekretär Erich Mielke ersetzt, der 26 Jahre zuvor, am 9. August 1931, im geheimen Parteiauftrag zwei Berliner Polizisten erschossen hatte. Im Februar 1958 wurden Wollweber aus dem Zentralkomitee, die ZK-Sekretäre Karl Schirdewan und Fred Oelßner aus dem Politbüro ausgeschlossen.

Die gemaßregelten Funktionäre hatten sich Ulbricht zufolge der «Fraktionsbildung» schuldig gemacht: eines Vergehens, das kommunistische Parteien seit den Tagen Lenins unnachsichtig zu ahnden hatten. Tatsächlich hatten Schirdewan, Oelßner und Wollweber eine konsequente «Entstalinisierung» und, da Ulbricht dies ablehnte, seine Ablösung als Erster Sekretär gefordert, wobei sie sich offenbar der Unterstützung Chruschtschows erfreuten. Die «führende Rolle der SED» aber war für sie ebenso sakrosankt wie für Harich und seine Freunde. Ein radikaler Bruch mit dem Marxismus-Leninismus stand für Ulbrichts innerparteiliche Widersacher zu keiner Zeit auf der Tagesordnung.

Die Position des «deutschen Lenin», als welcher der gelernte Tischler aus Leipzig gern bespöttelt wurde, war nach der Ausbootung seiner Kritiker stärker denn je. Ulbricht, der am 30. Juni 1958 65 Jahre alt wurde, kam zugute, daß er mit einer wirklichen «Entstalinisierung» so lange gewartet hatte, bis Chruschtschow, der Urheber der neuen Generallinie, sich im Gefolge der polnischen und der ungarischen Krise selbst genötigt sah, dem Erneuerungsprozeß Einhalt zu gebieten und zum Kampf gegen den «Revisionismus» aufzurufen. Es nützte Ulbricht auch, daß sich die wirtschaftliche Lage der DDR im Zeichen des zweiten Fünfjahrplanes vom März 1956 spürbar gebessert hatte. Die Industrieproduktion stieg nach amtlichen Angaben 1957 um 8 % und im ersten Halbjahr 1958 um 12 %, wobei die Konsumgüterindustrien die höchsten Wachstumsraten aufwiesen. 1958 wurden die Lebensmittelkarten abgeschafft. Die Preise stiegen daraufhin, aber auch die Löhne wurden angehoben. Dafür gingen 1958 die Flüchtlingszahlen zurück: von über 260000 im Vorjahr auf nunmehr 205000. 1959 fielen sie nochmals um etwa 60 000: Bis zum 31. Dezember wurden knapp 144 000 Bewohner der DDR gezählt, die in den Notaufnahmelagern West-Berlins und der Bundesrepublik Zuflucht gesucht hatten. Eine gewisse Konsolidierung der DDR war in der Tat nicht zu verkennen. Selbst Flüchtlinge gaben bei Befragungen zu Protokoll, daß sie in Polikliniken, Erholungsheimen und Kulturhäusern erhaltenswerte «Errungenschaften» sahen. «Die politische Diktatur mit der hierarchischen Spitze war eben nicht das ganze System», urteilt Hermann Weber. «Vielmehr hatten berufliche Aufstiegsmöglichkeiten in den verschiedensten Bereichen und die Existenz persönlicher Freiräume für viele Menschen einen großen Stellenwert. Die Situation entsprach damals wohl nicht der im Westen gängigen Klischeevorstellung, wonach eine Handvoll fanatischer Kommunisten eine konsequent antikommunistische, dem Westen verschworene Bevölkerung unterdrückte. Auch wenn sich die Mehrheit nicht mit der DDR identifizierte, begannen sich viele mit ihr zu arrangieren.»

Die relative Stabilisierung veranlaßte Ulbricht zu dem Schluß, daß nun die Zeit gekommen war, einen neuen Anlauf zum «Aufbau des Sozialismus» zu unternehmen. Auf dem 5. Parteitag der SED im Juli 1958 gab der Erste Sekretär die Parole aus, die Volkswirtschaft der DDR müsse sich so entwickeln, daß «der Pro-Kopf-Verbrauch unserer werktätigen Bevölkerung mit allen wichtigen Lebensmitteln und Konsumgütern den Pro-Kopf-Verbrauch der Gesamtbevölkerung in Westdeutschland erreicht und übertrifft». Auf diese Weise sollte die «Überlegenheit der sozialistischen Gesellschaftsordnung der DDR gegenüber der Herrschaft der imperialistischen Kräfte im Bonner Staat eindeutig bewiesen» werden. «Einholen und überholen» lautete die griffige Formel für das ehrgeizige Vorhaben, das bereits im Jahre 1961 erreicht sein sollte.

Der vom 5. Parteitag proklamierte «Kampf für den Sieg des Sozialismus» beschränkte sich nicht auf die Wirtschaft. Vielmehr galt es auch, die «sozialistische Umwälzung auf dem Gebiet der Ideologie und Kultur» und damit die «sozialistische Erziehung» der Menschen voranzutreiben. Zu diesem Zweck verabschiedete die Volkskammer im Dezember 1959 das Gesetz über die sozialistische Entwicklung des Schulwesens, das die schrittweise Einführung der zehnklassigen allgemeinbildenden polytechnischen Oberschule bis 1964 vorsah. Das Alter, in dem die meisten Jugendlichen die Schule verließen, stieg demnach von 14 auf 16 Jahre. Der Kampf der Gesellschaftssysteme fand auch in der Schule statt: Je mehr der Unterricht dem wissenschaftlichen und technischen Fortschritt diente, desto besser war es um die Aussichten der DDR bestellt, die Bundesrepublik zu überholen. Daraus ergab sich, daß die naturwissenschaftlichen Fächer, Mathematik, Technik und Wirtschaft in den Lehrplänen ein stärkeres Gewicht als bisher erhielten.

Die Erziehung zum sozialistischen Menschen begann aber nicht erst in der Schule, sondern schon im Kindergarten und, soweit es nach der SED ging, durch die Eltern. Von den «Zehn Geboten der sozialistischen Moral», die Ulbricht auf dem 5. Parteitag verkündete, lautete das achte: «Du sollst Deine Kinder im Geiste des Friedens und des Sozialismus zu allseitig gebildeten, charakterfesten und körperlich gestählten Menschen erziehen.» Derselben Aufgabe hatten sich, in der Altersstufe vom 6. bis zum 14. Lebensjahr, die Jungen Pioniere, danach die Freie Deutsche Jugend zu widmen. Der Abschluß des achten Schuljahres, der in den meisten Fällen mit der Vollendung des 14. Lebensjahres zusammenfiel, war der Zeitpunkt der im November 1954 eingeführten Jugendweihe: eines aus der Freidenkerbewegung stammenden Festaktes, der ein Gegenstück zur evangelischen Konfirmation und zur katholischen Firmung bildete – dazu bestimmt, alle Formen kirchlicher Einsegnung zu verdrängen.

Aus der Schule ins Arbeitsleben entlassen, sollte der sozialistische Mensch im Sinne von Marx Kopf- und Handarbeiter in einem sein. Eine Autorenkonferenz in Bitterfeld rief im April 1959 dazu auf, die Trennung von Produktion und Kultur aufzuheben. An die Arbeiter erging der Appell: «Greif zur Feder, Kumpel!» Die Werktätigen sollten durch den «Bitterfelder Weg» in die Lage versetzt werden, die «Höhen der Kultur» zu erstürmen. Für die Schriftsteller bedeutete der «Bitterfelder Weg» den Weg in den Betrieb, wo sie den Arbeitsalltag kennenlernen sollten: eine wichtige Voraussetzung, um anschließend das wirkliche Leben im Sinne des «sozialistischen Realismus» darstellen zu können.

Am 1. Oktober 1959 tat die DDR zwei Schritte in Richtung weiterer Sowjetisierung. Die schwarz-rot-goldene Staatsflagge, die sich von derjenigen der Bundesrepublik nicht unterschied, wurde durch ein Emblem ergänzt: Hammer und Zirkel im Ährenkranz. Noch deutlicher war das sowjetische Vorbild bei der zweiten Maßnahme: Die DDR ging von ihrem Fünfjahrplan zu einem Siebenjahrplan über. Die Entscheidung, formell ebenso wie die Einführung der neuen Flagge ein Beschluß der Volkskammer, ließ sich auch als ein verstecktes Eingeständnis lesen: Die wirtschaftlichen Ziele, die sich die SED im März 1956 gesetzt hatte, waren bis 1961 nicht zu erreichen.

Am «Aufbau des Sozialismus» aber hielt die SED nicht nur fest, sie forcierte ihn noch. Im Spätjahr 1959 fiel die Entscheidung, die Kollektivierung der Landwirtschaft abzuschließen, die selbständigen Bauern also zum Eintritt in eine Landwirtschaftliche Produktionsgenossenschaft zu zwingen. Zwischen 1952 und 1959 waren etwa 40 % der landwirtschaftlichen Fläche kollektiviert worden; innerhalb eines einzigen Vierteljahres, der ersten drei Monate des Jahres 1960, verdoppelte sich dieser Anteil; ein Jahr später entfiel auf den Staat und die Landwirtschaftlichen Genossenschaften, den «sozialistischen Sektor», ein Anteil von fast 90 % an der landwirtschaftlichen Bruttoproduktion.

Der «Erfolg» wurde durch massiven Druck herbeigeführt und mit einem hohen Preis bezahlt: Viele Bauern zogen die Flucht in den Westen dem Eintritt in eine LPG vor; viele Felder wurden nicht mehr bestellt, viele Plan-

ziffern nicht erfüllt, so daß bei der Versorgung mit Fleisch, Milch und
Butter Engpässe auftraten. Zur Krise der Landwirtschaft kam die des
Handwerks. Von 1958 bis 1961 sank der Anteil der privaten Betriebe am
handwerklichen Gesamtprodukt von 93 auf 65 %; der Anteil der Produktionsgenossenschaften des Handwerks stieg auf ein Drittel. Im Einzelhandel fiel der private Anteil bis 1961 auf unter 10 %. Wie in der Landwirtschaft führte die Kollektivierung auch beim «alten Mittelstand» zum
Anschwellen der Flüchtlingszahlen. Am 31. Dezember 1960 zählte die
bundesdeutsche Statistik knapp 200 000 Menschen, die die DDR in Richtung Westen verlassen hatten. Das waren 55 000 mehr als im Jahr zuvor.

Die Flucht führte fast ausnahmslos über Berlin: Mit der S-Bahn oder
U-Bahn, mit dem Fahrrad oder zu Fuß vom östlichen in den westlichen Teil
der Stadt zu gelangen war ebenso einfach wie ungefährlich; die Überque-
rung der gut bewachten Zonengrenze hingegen war mit hohen Risiken verbunden. Aber nicht nur deshalb war West-Berlin der DDR und der Sowjetunion seit langem ein Dorn im Auge. Die Programme des Rundfunks
und Fernsehens, die West-Berliner Sender ausstrahlten, waren in großen
Teilen der DDR zu empfangen; West-Berlin war ein «Schaufenster des Westens», das es den Bewohnern der DDR gestattete, die antiwestliche Propaganda «ihres» Regimes mit der Wirklichkeit zu vergleichen; es war auch
ein Horchposten zahlreicher westlicher Geheimdienste. Der Kern des
«Westberlin-Problems» war aus Moskauer und Ost-Berliner Sicht die Präsenz der drei Westmächte in ihren Sektoren. An diesem Zustand aber war
so lange nichts zu ändern, als die drei Westalliierten auf den Rechten beharrten, die ihnen als Siegermächten des Zweiten Weltkrieges zustanden,
und die Sowjetunion diese Rechte respektierte.

Am 27. Oktober 1958 stellte Ulbricht in einer Rede die zweite Voraussetzung erstmals massiv in Frage. Das von den vier Mächten besetzte Berlin sei stets ein «Bestandteil der Sowjetischen Besatzungszone» gewesen,
erklärte er, und niemals habe hier die Alliierte Kommandantur die oberste
Gewalt innegehabt. «Ganz Berlin liegt auf dem Territorium der Deutschen
Demokratischen Republik. Ganz Berlin gehört zum Hoheitsbereich der
Deutschen Demokratischen Republik.» Noch war nicht klar, ob die Position Ulbrichts auch die Chruschtschows war und, wenn diese Lesart zutraf,
welche praktischen Folgerungen der Kreml daraus zu ziehen gedachte. In
jedem Fall aber war Berlin durch Ulbrichts Vorstoß wieder zu einem Gegenstand des Weltinteresses geworden – und mit Berlin die deutsche
Frage.[16]

Die dritte Regierung Adenauer war noch nicht gebildet, als am 19. Oktober 1957 die erste wichtige außenpolitische Entscheidung nach der Bundestagswahl vom 15. September fiel: Die Bundesrepublik brach die diplomatischen Beziehungen zu Jugoslawien ab, nachdem Belgrad vier Tage
zuvor diplomatische Beziehungen zu Ost-Berlin aufgenommen hatte. Es

war das erste Mal, daß Bonn die «Hallstein-Doktrin» anwandte, der zufolge die Bundesrepublik eine Anerkennung der DDR durch dritte Staaten als unfreundlichen Akt betrachten würde. Der Rechtsstandpunkt der Bundesrepublik war klar: Sie war die Rechtsnachfolgerin des Deutschen Reiches; sie war der einzige demokratisch legitimierte deutsche Staat; sie allein konnte und mußte daher die Interessen aller Deutschen wahrnehmen – auch derer, die in der DDR lebten.

Dem Abbruch der diplomatischen Beziehungen mit Jugoslawien folgte am 25. März 1958 ein weiterer Akt der «Politik der Stärke»: der Beschluß des Bundestages, die Bundeswehr im Rahmen der NATO mit Atomraketen auszurüsten, wobei die Sprengköpfe in amerikanischer Hand bleiben sollten. Vorangegangen waren leidenschaftliche Debatten – darunter jene in der Nacht vom 23. zum 24. Januar 1958, in der der ehemalige Bundesinnenminister Gustav Heinemann, nunmehr Abgeordneter der SPD, und der frühere Bundesjustizminister Thomas Dehler, jetzt einfacher Abgeordneter der FDP, ihre Überzeugung zum Ausdruck brachten, daß Adenauer die Wiedervereinigung Deutschlands nie wirklich gewollt habe. Im April 1958 erreichten die Massendemonstrationen der von der SPD gelenkten, von den Gewerkschaften und zahlreichen Intellektuellen unterstützen Aktion «Kampf dem Atomtod» ihren Höhepunkt.

Daß die Wiedervereinigung in weite Ferne gerückt war, darüber gab sich auch Adenauer um diese Zeit keinen Illusionen hin. Am 19. März 1958 fragte er den überraschten sowjetischen Botschafter Smirnow, ob seine Regierung sich bereitfinden könnte, der DDR den Status Österreichs zu gewähren. Ein außenpolitisch neutraler deutscher Staat zwischen Elbe und Oder hätte zwar nicht die Einheitsfrage, wohl aber die Freiheitsfrage gelöst, die aus der Sicht des Bundeskanzlers den Kern des deutschen Problems bildete.

Adenauers Vorstoß war nicht zuletzt eine Reaktion auf Projekte, die er aus guten Gründen für gefährlich hielt, weil sie für die Bundesrepublik und den Westen eine Verschlechterung des bestehenden Zustands bedeutet hätten. Eines dieser Projekte war die von Ulbricht erstmals Ende 1956 in Umlauf gebrachte, von der Sowjetführung seit August 1957 offiziell unterstützte Idee einer deutschen Konföderation, die auf dem Prinzip der Parität von Bundesrepublik und DDR beruhte und die Blockfreiheit beider deutscher Staaten in sich schloß. Ein anderes Konzept war der von dem polnischen Außenminister Adam Rapacki im Oktober 1957 entwickelte Plan, in Europa eine militärisch verdünnte, atomwaffenfreie Zone zu schaffen, zu der neben Polen auch die Bundesrepublik und die DDR gehören sollten. Doch auch im Westen wurden um diese Zeit verschiedene Varianten eines militärischen «Disengagement» der beiden Blöcke in Umlauf gebracht und diskutiert. Seit Anfang 1957 setzte sich der Führer der Labour Party, Hugh Gaitskell, für einen Rückzug beider Blöcke aus Mitteleuropa ein und befürwortete eine Wiedervereinigung Deutschlands im Rahmen eines europäischen Sicherheitssystems. Im November und Dezember 1957 warb der Historiker George F. Kennan, der 1947 als erster amerikanischer Diplomat ein konsequentes «containment» gegenüber der sowjetischen Expansion gefordert hatte, in vielbeachteten Rundfunkvorträgen, den «Reith Lectures» der BBC, für ein neutralisiertes, wiedervereinigtes Deutschland und den Rückzug der sowjetischen und amerikanischen Truppen vom europäischen Kontinent. Für Adenauer waren dies alles Alarmsignale – und ein Anlaß, sich um realistische Antworten auf illusionäre Gedankenspiele zu bemühen.

In ein neues Stadium traten die Diskussionen über die deutsche Frage im Spätjahr 1958. Ulbrichts Rede vom 27. Oktober, in der er die Hoheitsgewalt der DDR für ganz Berlin beanspruchte, bildete den Auftakt einer großangelegten östlichen Offensive zur Änderung des Status quo in Deutschland. Am 10. November erklärte Chruschtschow im Moskauer Sportpalast, nur in der DDR seien die notwendigen Konsequenzen aus dem Potsdamer Abkommen, nämlich Ausrottung des Militarismus, Beseitigung des Faschismus, Liquidierung der Monopole, gezogen worden. Übrig geblieben sei vom Potsdamer Abkommen nur der Viermächtestatus von Berlin, den die Westmächte nutzten, um von West-Berlin aus Wühlarbeit gegen die Länder des Warschauer Paktes zu betreiben. Es sei an der Zeit, daß die Unterzeichner des Potsdamer Abkommens auf die Überreste des Besatzungsregimes verzichteten. Die Sowjetunion werde daher «der souveränen DDR jene Funktionen in Berlin übertragen, die noch sowjetische Stellen ausüben». Die Westmächte sollten, wenn sie sich für Berlin betreffende Fragen interessierten, ihre Beziehungen zur DDR selbst gestalten.

Der Sportpalastrede folgte, ungeachtet westlicher Proteste, am 27. November eine sowjetische Note an die Regierungen in Washington, London und Paris, die als Chruschtschows «Berlin-Ultimatum» in die Geschichte einging. Innerhalb eines halben Jahres mußten die Westmächte der Umwandlung West-Berlins in eine entmilitarisierte «Freie Stadt» zustimmen. Für den Fall, daß Amerikaner, Briten und Franzosen sich weigerten, ihre Truppen abzuziehen und das «Besatzungsregime» zu beenden, drohte Chruschtschow ein einseitiges Vorgehen der Sowjetunion und der DDR an. Die Londoner Protokolle vom 12. September und 14. November 1944, auf denen die Anwesenheit der Westmächte in Berlin beruhte, würden von der Sowjetunion als ungültig betrachtet.

Niemals seit der Berliner Blockade hatte Moskau den Westen so frontal herausgefordert wie durch das Ultimatum vom 27. November 1958. Chruschtschows Drohungen waren *auch* eine Antwort auf die Ausrüstung der Bundeswehr mit atomaren Trägersystemen, insoweit also eine Reaktion auf Machtverschiebungen im Westen, die er als bedrohlich empfand. Doch selbst wenn es dem Ersten Sekretär der KPdSU vor allem um die Festigung des eigenen Lagers und nicht um die Ausdehnung des sowjetischen Herrschaftsbereichs ging, war das Ziel der Note nicht anders zu erreichen als durch eine militärische, politische und psychologische Schwächung des Westens; ein diplomatischer Erfolg der Sowjetunion in der Berlinfrage hätte mithin eine Gewichtsverlagerung zu ihren Gunsten bewirkt. Am 10. Januar 1959 ließ Chruschtschow erkennen, daß er Viermächteverhandlungen über Deutschland als Hebel zu nutzen gedachte, um die Berlinfrage in seinem Sinn zu lösen. In Noten an die Bundesrepublik und die DDR sowie alle Staaten, die am Krieg gegen Deutschland beteiligt waren, schlug der sowjetische Ministerpräsident und Erste Sekretär der KPdSU die Einberufung einer Friedenskonferenz vor. Den Noten war der Entwurf eines Friedensvertrags beigefügt. Er sah eine Verpflichtung beider deutscher Staaten vor, keine Militärbündnisse einzugehen, aus den bestehenden Allianzen auszuscheiden und auf die Gebiete östlich von Oder und Neiße zu verzichten; West-Berlin sollte bis zu einer Wiederherstellung der staatlichen Einheit Deutschlands die Stellung einer entmilitarisierten «Freien Stadt», also einen besonderen Status, haben.

Chruschtschows Kalkül schien zunächst aufzugehen: Ein gewisses Maß an Einschüchterung im Westen war Anfang 1959 nicht zu verkennen. Der konservative britische Premierminister Harold Macmillan hatte nicht nur Angst vor einem Dritten Weltkrieg, sondern auch vor einem Wahlsieg der Labour Party bei den bevorstehenden Unterhauswahlen. Deswegen zeigte er sich bei einem Besuch in Moskau Ende Februar bereit, den sowjetischen Vorstellungen, nicht zuletzt im Hinblick auf eine Anerkennung der DDR, entgegenzukommen. Selbst bei John Foster Dulles, dem Adenauer eng verbundenen amerikanischen Außenminister, unterlag die entschiedene Gegnerschaft zum Kommunismus gelegentlich Schwankungen: Am 26. November 1958 hatte er die «Agententheorie» vorgetragen, wonach die USA es hinnehmen könnten, wenn die Sowjetunion dazu übergehen sollte, die Papiere amerikanischer Konvois nach Berlin durch die Volkspolizei der DDR kontrollieren zu lassen, die Volkspolizisten also als «Agenten» der Sowjetunion tätig würden; am 13. Januar 1959 ließ er vor der Presse Zweifel an der Weisheit der Formel «Wiedervereinigung durch freie Wahlen» erkennen.

Als ganz und gar unerschütterlich erwies sich dagegen General Charles de Gaulle, der am 1. Juni 1958 nach einer Rebellion des französischen Militärs in Algerien wieder in das Amt des Pariser Regierungschefs gelangt war, das er schon einmal, vom September 1944 bis zum November 1946, innegehabt hatte. Am 21. Dezember 1958 wurde er zum Präsidenten der neuen, der «Fünften Republik» gewählt, deren Verfassung ganz auf ihn zugeschnitten war. Seit Adenauers erster Begegnung mit de Gaulle, in dessen Privathaus im lothringischen Colombey-les-deux-Églises Mitte September 1958, gab es zwischen beiden eine ausgezeichnete persönliche Beziehung. In der Beurteilung der Absichten, die Chruschtschow mit dem Berlin-Ultimatum verfolgte, stimmten sie vollständig überein.

Was Adenauer innenpolitisch beunruhigen mußte, war die Richtung, in der sich die Sozialdemokratie unter dem Eindruck des Berlin-Ultimatums entwickelte. In ihrem von Herbert Wehner inspirierten Deutschlandplan vom März 1959 übernahm die SPD, ohne den Begriff zu benutzen, den von Ulbricht propagierten Gedanken einer deutschen Konföderation. Paritätisch zusammengesetzte Gremien, erst eine gesamtdeutsche Konferenz, dann ein gewählter Gesamtdeutscher Rat, sollten die sozialen Sicherungssysteme der Bundesrepublik und der DDR vereinheitlichen und freie Wahlen zu einer deutschen Nationalversammlung vorbereiten. Den Status von West-Berlin wollte der Deutschlandplan bis zur Lösung der deutschen Frage unverändert lassen. Doch das Ausscheiden der beiden deutschen Staaten aus ihren Bündnissystemen und die Schaffung eines kollektiven Sicherheitssystems für Europa machten das Vorhaben der Sozialdemokraten aus der Sicht des Kanzlers zu einem Anschlag nicht nur auf die Staatsräson der Bundesrepublik, sondern auf die übergeordneten Interessen des Westens. Für Chruschtschow war der Deutschlandplan nur deswegen ein interessantes Dokument, weil es sich als Zeichen von «Aufweichung» deuten ließ. Die Illusionen eines «dritten Weges» zwischen Kapitalismus und Kommunismus, von denen die Autoren des Vorschlags ausgingen, waren hingegen nichts, was den Machtpolitiker im Kreml beeindrucken konnte.

In Adenauers engster Umgebung wurden Anfang 1959 ebenfalls unorthodoxe Überlegungen angestellt. Der nach dem Staatssekretär des Bundeskanzleramtes benannte Globke-Plan befürwortete eine wechselseitige völkerrechtliche Anerkennung der Bundesrepublik und der DDR, die Umwandlung von ganz Berlin in eine Freie Stadt unter Aufsicht der Vereinten Nationen, freie Wahlen unter Wiederzulassung verbotener Parteien in beiden deutschen Staaten innerhalb eines Jahres sowie, nach einer Volksabstimmung über die Wiedervereinigung, innerhalb von fünf Jahren freie Wahlen zu einem gesamtdeutschen Parlament. Anders als der Deutschlandplan der SPD sah der Globke-Plan keine wie immer geartete Neutralisierung Deutschlands vor. Der Plan des Staatssekretärs im Bundeskanzleramt wurde auch nicht veröffentlicht, und es ist nicht einmal sicher, ob Adenauer mit der Ausarbeitung, die ihm als Unterlage für ein Gespräch mit Dulles diente, in allen Punkten übereinstimmte. Die Sowjetunion hätte, wenn es je zu Verhandlungen über den Globke-Plan gekommen wäre, darin vermutlich sehr viel mehr Nachteile als Vorzüge erkannt.

Verhandelt wurde hingegen über den Herter-Plan, benannt nach Christian Herter, dem Nachfolger des krebskranken John Foster Dulles, der am 15. April 1959 von seinem Amt als Chef des State Department zurückgetreten war und am 24. Mai starb. Vom 11. Mai bis 20. Juni fand in Genf die erste Runde einer Konferenz der Außenminister der USA, der Sowjetunion, Großbritanniens und Frankreichs statt, an der, in beratender Funktion, auch Delegationen der Bundesrepublik und der DDR unter den Außenministern Heinrich von Brentano und Lothar Bolz an zwei «Katzentischen» teilnahmen. Herter setzte sich in seinem Plan für eine Wiedervereinigung Berlins *vor* einer Wiedervereinigung Deutschlands ein:

ein Ansinnen, auf das sich der sowjetische Außenminister Gromyko nicht einlassen wollte. Doch als die erste Runde der Genfer Außenministerkonferenz zu Ende ging, war klar, daß der Westen bereit war, die Lösung der Berlinfrage von einer Lösung der deutschen Frage abzukoppeln. Das Versprechen der Westmächte, die Bundesrepublik bei ihrem Streben nach Wiedervereinigung durch freie Wahlen zu unterstützen, war endgültig dem westlichen Interesse an Entspannung untergeordnet worden.

Die zweite Runde, die vom 13. Juli bis 5. August stattfand, brachte keine konkreten Ergebnisse, wohl aber eine Vereinbarung über ein Gipfeltreffen zwischen Eisenhower und Chruschtschow. Die Zusammenkunft in Camp David am 26. und 27. September 1959 endete mit einem Kommuniqué, in dem es hieß, beide Seiten stimmten darin überein, daß über die Berlinfrage neue Verhandlungen stattfinden sollten, um eine Lösung zu finden, die im Interesse aller Betroffenen liege und der Aufrechterhaltung des Friedens diene. Das klang nach einer Aufhebung des Berlin-Ultimatums. Tatsächlich hatte der erste Mann der Sowjetunion nicht seine Forderungen vom 27. November 1958, sondern nur deren Befristung zurückgenommen. Die Berlinfrage blieb auf der Tagesordnung der Weltpolitik, und Chruschtschow wußte seit Genf und Camp David besser als zuvor, daß dem Westen daran lag, eine Konfrontation wegen der ehemaligen deutschen Reichshauptstadt möglichst zu vermeiden. Schließlich hatte selbst Eisenhower auf einer Pressekonferenz nach seinem Treffen mit Chruschtschow die Lage in Berlin als «anomal» bezeichnet.[17]

Nicht nur außenpolitisch war 1959 kein gutes Jahr für Adenauer. Auch innenpolitisch hatte der Kanzler keine Fortüne. Im Juli lief die zweite Amtsperiode des ersten, 1954 wiedergewählten Bundespräsidenten Theodor Heuss ab; eine abermalige Wiederwahl schloß das Grundgesetz aus. Nachdem Wirtschaftsminister Erhard eine Bewerbung um die Nachfolge abgelehnt hatte, ließ sich Adenauer am 7. April selbst als Kandidat der Unionsparteien für das höchste Staatsamt aufstellen. Vermutlich leitete ihn dabei die Vorstellung, er könne als Bundespräsident eine ähnliche politische Rolle spielen wie Charles de Gaulle als Präsident der Französischen Republik: eine mit den Bestimmungen des Grundgesetzes schlechterdings nicht zu vereinbarende Annahme.

Ungeklärt war zu diesem Zeitpunkt noch, wer Adenauers Nachfolge als Bundeskanzler antreten sollte. Als sich Ende April eine Kandidatur Ludwig Erhards abzeichnete, ließ Adenauer von seinem Urlaubsort, dem oberitalienischen Cadenabbia, aus wissen, er würde eher auf seine Bewerbung um das Amt des Bundespräsidenten verzichten als einer Kanzlerschaft Erhards zustimmen, den er für politisch völlig ungeeignet und namentlich in Sachen der europäischen Einigung für nicht hinreichend engagiert hielt. Da der Bundeskanzler und Vorsitzende der CDU seine Parteifreunde damit nicht überzeugen konnte, zog er am 5. Juni seine Kandidatur tatsächlich

zurück. Die Unionsparteien stellten daraufhin den bisherigen Landwirtschaftsminister Heinrich Lübke auf. Am 1. Juli 1959 obsiegte Lübke in der
Bundesversammlung, die in Berlin tagte, über den sozialdemokratischen
Bewerber Carlo Schmid. Adenauer blieb Bundeskanzler, Erhard Bundeswirtschaftsminister und Vizekanzler. Das öffentliche Ansehen des «Alten»
aber war durch die Präsidentschaftskrise schwer beschädigt worden: Adenauer, nunmehr 83 Jahre alt, hatte nicht nur höchst ungeschickt taktiert,
sondern fehlenden Respekt für eine institutionelle Grundentscheidung des
Parlamentarischen Rates bewiesen, dessen Präsident er 1948/49 gewesen
war. Auf Adenauers bisher meist untrüglichen politischen Instinkt konnten sich fortan weder die deutsche Öffentlichkeit noch seine Partei noch er
selbst mehr verlassen.

Während der Stern Adenauers sank, begann der eines sehr viel jüngeren,
eines sozialdemokratischen Politikers aufzusteigen. Willy Brandt, 1913 in
Lübeck als Herbert Frahm geboren, Sohn einer nicht verheirateten Mutter,
1930 in die SPD, im Jahr darauf in die linke Sozialistische Arbeiterpartei
eingetreten, 1933 nach Norwegen emigriert, 1938 von den Nationalsozialisten ausgebürgert, hatte im Exil jenen Schriftstellernamen angenommen,
den er bei seiner Wiedereinbürgerung 1948 zu seinem offiziellen Namen
machte. Im gleichen Jahr begann seine politische Nachkriegskarriere:
Brandt übernahm die Vertretung des sozialdemokratischen Parteivorstands
in Berlin, was ihn dem legendären Ernst Reuter nahebrachte. Reuter, seit
1948 Oberbürgermeister, von 1950 bis zu seinem Tod am 29. September
1953 Regierender Bürgermeister von West-Berlin, gehörte wie der Erste
Bürgermeister von Hamburg, Max Brauer, und der Bürgermeister und Se-
natspräsident von Bremen, Wilhelm Kaisen, zu jener sozialdemokratischen
«Bürgermeisterfraktion», die Adenauers Westpolitik sehr viel offener gegenüberstand als die Parteimehrheit unter Schumacher und Ollenhauer.
Brandt dachte in ähnlichen Bahnen wie Reuter. Die EVG lehnte er ab, die
Mitgliedschaft der Bundesrepublik in der NATO bejahte er; dem Deutschlandplan der SPD von 1959 versagte er seine Unterstützung.

1955 wurde er zum Präsidenten des Berliner Abgeordnetenhauses, 1957
zum Regierenden Bürgermeister und 1958 zum Vorsitzenden der Berliner
SPD gewählt. Die Wahlen zum Berliner Abgeordnetenhaus gewannen
Brandts Sozialdemokraten am 7. Dezember 1958, wenige Tage nach Chruschtschows Ultimatum, mit 52,6 % der Stimmen. Das war ein Zuwachs von
8 % gegenüber der vorangegangenen Wahl von Dezember 1954.

Der Erfolg Brandts hatte einen seiner Gründe in der scharfen, rhetorisch
wirkungsvollen Absage, die der Regierende Bürgermeister der Erpressung
Moskaus erteilt hatte: «Berlin bleibt frei!» lautete sein zentraler Wahl-
kampfslogan. Eine Woche nach der Wahl hatte Brandt seinen ersten großen
internationalen Auftritt: Am 14. Dezember 1958 berichtete er vor dem
NATO-Rat in Paris auf englisch über die Lage in Berlin und die Entschlossenheit der Berliner, gegenüber dem sowjetischen Druck so uner-

schütterlich zu bleiben wie zehn Jahre zuvor während der Blockade. Spätestens seit diesem Tag galt Brandt auch außerhalb Deutschlands als *der* Vertreter einer jungen, dynamischen und entschieden prowestlichen deutschen Sozialdemokratie.

Es verging noch knapp ein Jahr, bis die SPD insgesamt sich auf dieses Leit- und Erscheinungsbild festlegte. Das Godesberger Programm, das die Sozialdemokraten auf einem außerordentlichen Parteitag im November 1959 verabschiedeten, bedeutete den Sieg der «Modernisierer» über die «Traditionalisten». Es löste sowohl das über drei Jahrzehnte alte, dem Geist des Marxismus verhaftete Heidelberger Programm von 1925 als auch das Dortmunder Aktionsprogramm von 1952 ab, das noch die Überführung der Grundstoffindustrien in Gemeineigentum gefordert hatte.

In Godesberg bekannte sich die Sozialdemokratie zu einem demokratischen Sozialismus, der in christlicher Ethik, Humanismus und klassischer Philosophie verwurzelt war, keine «letzten Wahrheiten» verkünden und kein «Religionsersatz» sein wollte. In der Gesellschaft, wie die Sozialdemokraten sie erstrebten, sollte «jeder Mensch seine Persönlichkeit in Freiheit entfalten und als dienendes Glied der Gemeinschaft verantwortlich am politischen, wirtschaftlichen und kulturellen Leben mitwirken» können. Die SPD bekannte sich «zum freien Markt, wo immer Wettbewerb herrscht», und führte das Gemeineigentum nur noch als eine legitime Form öffentlicher Kontrolle unter anderen auf, die die Freiheit vor der Übermacht großer Wirtschaftsgebilde bewahren könne. Das Programm rief die Ursprünge der sozialistischen Bewegung als Protest der Lohnarbeiter gegen das kapitalistische System in Erinnerung, stellte dann aber ausdrücklich fest: «Die Sozialdemokratische Partei ist aus einer Partei der Arbeiterklasse zu einer Partei des Volkes geworden.» Dementsprechend war in ihren Reihen jeder willkommen, «der sich zu den Grundwerten und Grundforderungen des demokratischen Sozialismus bekennt». Der Sozialismus war mithin kein notwendiges Ergebnis des historischen Prozesses im Sinne von Marx und Engels mehr. Er war zu einer Willensfrage geworden.

Das Godesberger Programm beschrieb eine soziale Öffnung, die es erst noch durchzusetzen galt. Die Emanzipation vom Marxismus war notwendig, um die SPD für die mittleren Schichten der Gesellschaft wählbar zu machen. Aber die programmatische Entrümpelung reichte nicht aus, um an dieses Ziel zu gelangen. Die Godesberger Abgrenzung vom Kommunismus, der die Freiheit unterdrücke und die Menschenrechte vergewaltige, ließ zwar an Deutlichkeit nichts zu wünschen übrig. Doch wenige Monate zuvor, in ihrem Deutschlandplan vom März 1959, hatte die SPD noch den Eindruck hervorgerufen, als schwebe ihr ein mittlerer Weg zwischen den Gesellschaftsordnungen der Bundesrepublik und der DDR vor. Wenn die Sozialdemokraten den Argwohn überwinden wollten, den sie damit geweckt oder bestärkt hatten, kamen sie um einen weiteren Schritt nicht herum: Sie mußten sich zu außenpolitischer Kontinuität verpflichten und auf den Boden von Adenauers Westpolitik stellen.

Am 30. Juni 1960 vollzog Herbert Wehner die überfällige Kurskorrektur. Im Deutschen Bundestag erklärte er für die SPD, daß das europäische und das atlantische Vertragssystem, dem die Bundesrepublik angehöre, «Grundlage und Rahmen für alle Bemühungen der deutschen Außen- und Wiedervereinigungspolitik» sei. Die Sozialdemokratie habe nicht gefordert und beabsichtige nicht, das Ausscheiden der Bundesrepublik aus den Vertrags- und Bündnisverpflichtungen zu betreiben, sei aber der Auffassung, daß ein europäisches Sicherheitssystem die geeignete Form wäre, den Beitrag des wiedervereinigten Deutschlands zur Sicherheit in Europa und in der Welt leisten zu können. Die SPD bekenne sich in Wort und Tat zur Verteidigung der Demokratie und bejahe die Landesverteidigung. Sie erwarte im Sinne der einstimmigen Entschließung des Bundestages vom 1. Oktober 1959 die Wiederherstellung der staatlichen Einheit Deutschlands von einem unmittelbaren freien Willensentschluß des gesamten deutschen Volkes in seinen heute noch getrennten Teilen.

Die abschließenden Bemerkungen hatten den Charakter eines persönlichen Credos. Nicht «Selbstzerfleischung, sondern Miteinanderwirken im Rahmen des demokratischen Ganzen, wenn auch in sachlicher innenpolitischer Gegnerschaft» seien die Zeichen der Zeit. «Innenpolitische Gegnerschaft belebt die Demokratie. Aber ein Feindverhältnis, wie es von manchen gesucht und angestrebt wird, tötet schließlich die Demokratie, so harmlos das auch anfangen mag. Das geteilte Deutschland... kann nicht unheilbar miteinander verfeindete christliche Demokraten und Sozialdemokraten ertragen.»

Wehners Rede war eine taktische Meisterleistung. Der ehemalige Kommunist hatte vor 1959 nicht zu den Erneuerern gehört, die auf eine Abkehr vom Marxismus und ein konsequent «reformistisches» Parteiprogramm drängten. In Godesberg aber stellte er sich an die Spitze der Reformbewegung und trug mit seinem Plädoyer wesentlich dazu bei, daß das neue Programm eine breite Mehrheit erhielt. Auf außenpolitischem Gebiet gehörte er ebenfalls lange zu den Verteidigern der «alten» Linie, der zufolge die Wiedervereinigung Vorrang vor der Westintegration hatte. Daß ausgerechnet der «Vater» des Deutschlandplans vom März 1959 im Jahr darauf die Kehrtwende in Richtung Westen verkündete, auf die Brandt seit langem gedrängt hatte, mußte Freund und Feind verwirren. Aber Wehner besaß mittlerweile die Autorität, die erforderlich war, um die Sozialdemokratie auf den neuen, von der Parteispitze seit dem Frühjahr 1960 angesteuerten Kurs festzulegen. Und wenn der Wille zur Macht auch Wehners Hauptmotiv war, so gab es seit dem 30. Juni 1960 doch kein Zurück mehr zu den «neutralistischen» Positionen der Zeit davor. Die «Westler» in der SPD, an ihrer Spitze Willy Brandt und die Bundestagsabgeordneten Fritz Erler und Karl Mommer, konnten nunmehr endlich für die Gesamtpartei sprechen.

«Gemeinsamkeit» hieß fortan die Parole, die den Sozialdemokraten den Weg in die Regierungsverantwortung ebnen sollte.

Die programmatische Wende von Godesberg und die außenpolitische Kursberichtigung durch Wehner bildeten die zwei Seiten einer Medaille: Mit beiden Entscheidungen zogen die Sozialdemokraten Konsequenzen aus der Einsicht, daß es in der Bundesrepublik nach mehr als einem Jahrzehnt der Vorherrschaft der Union keine Mehrheit für einen radikalen Bruch mit der bestehenden Ordnung, sondern allenfalls für deren Weiterentwicklung gab. Da eine eigene Mehrheit der SPD noch immer in weiter Ferne lag, mußte die Sozialdemokratie koalitionsfähig werden – offen für ein Bündnis mit der Union oder den Freien Demokraten. Der Godesberger Parteitag vom November 1959 und Wehners Rede vom 30. Juni 1960 konnten sich als Eintrittskarten in eine solche Koalition erweisen.

Bevor es zu einer Machtbeteiligung der Sozialdemokraten kam, mußte die Partei aber noch eine personelle Alternative zu Adenauer oder dessen christdemokratischem Nachfolger anbieten, die den Anspruch auf die politische Mitte glaubhaft verkörperte. Der Parteivorsitzende Erich Ollenhauer, ein Mann des Apparates, kam dafür nicht in Frage. Eine Zeitlang dachten führende Sozialdemokraten an Carlo Schmid. Aber der eloquente Schöngeist, Sohn eines schwäbischen Vaters und einer französischen Mutter, hatte keine «Hausmacht» in der SPD und dachte auch nicht ernsthaft daran, um die Kanzlerkandidatur zu kämpfen. Fritz Erler, ein scharfsinniger Analytiker und glänzender Debattenredner, den andere Sozialdemokraten für den am besten geeigneten Bewerber hielten, hatte selbst die größten Zweifel an seiner Fähigkeit, die Masse des Volkes für sich zu gewinnen. Dem Regierenden Bürgermeister von Berlin, der seit Chruschtschows Ultimatum immer populärer geworden war, traute Erler diese Fähigkeit zu, und deshalb befürwortete er die Kanzlerkandidatur Willy Brandts. Als Wehner am 30. Juni 1960 seine «historische» Rede im Bundestag hielt, war dies auch bereits *seine* Meinung. Am 11. Juli 1960 fiel auf einer Klausurtagung des Parteipräsidiums der SPD und einer siebenköpfigen Wahlkampfkommission die Entscheidung für Brandt. Am 24. August wurde sie offiziell bekanntgegeben.

Brandt, damals 46 Jahre alt, verfügte über eine Reihe von Voraussetzungen, die ihn für die sozialdemokratische Kanzlerkandidatur qualifizierten. Er war ein charismatischer Redner; er sprach nicht nur sozialdemokratische Stammwähler, sondern auch Menschen bürgerlicher Herkunft, vor allem solche der jüngeren Generation, und Intellektuelle an; er galt als ein Mann des Westens und stand zugleich für ein deutsches Symbol, die vom Osten bedrohte ehemalige Reichshauptstadt. Die westliche Orientierung verband Brandt und Adenauer; das Amt des Regierenden Bürgermeisters von Berlin gab ihm die Chance, stärker an nationale Gefühle zu appellieren, als das dem alten Kanzler aus Köln vergönnt war. Nationalkonservative Kreise fanden an Brandts Biographie freilich etwas auszusetzen: Er war ein zurückgekehrter Emigrant, der während seines Exils erst in Norwegen, dann in Schweden auf eine Niederlage Hitler-Deutschlands hingearbeitet hatte. Rechte Ressentiments gegen Brandt zu mobilisieren war 15 Jahre nach Kriegsende immer noch leicht. Die Entscheidung über die sozialdemokratische Kanzlerkandidatur war im Sommer 1960 gefallen, der Ausgang der vierten Bundestagswahl, die ein Jahr später stattfinden mußte, aber noch völlig offen.[18]

Zeitweilig sah es so aus, als werde im Mai 1960 die Berlinfrage erneut im Mittelpunkt einer Gipfelkonferenz, diesmal in Paris, stehen. Doch dann entschied sich Chruschtschow anders. Der Abschuß des amerikanischen Aufklärungsflugzeugs «U 2» durch die sowjetische Luftabwehr bei Swerdlowsk am 1. Mai bot ihm den Anlaß für einen spektakulären Coup: Bereits in Paris eingetroffen, ließ der Erste Sekretär der KPdSU den Gipfel, bevor die Verhandlungen begonnen hatten, «platzen». Wenig später kündigte er an, die nächste Konferenz könne erst in sechs bis acht Monaten stattfinden, und in der Zwischenzeit werde der Status von West-Berlin unangetastet bleiben. Chruschtschow wollte offenkundig die amerikanischen Präsidentschaftswahlen im November abwarten und dann mit Eisenhowers Nachfolger einen neuen Anlauf zur Lösung des Berlinproblems und anderer offener Fragen des Ost-West-Verhältnisses versuchen.

Kein westlicher Regierungschef war über den Eklat von Paris so erleichtert wie Adenauer. Er hatte mit zunehmender Sorge festgestellt, daß die beiden angelsächsischen Mächte es in der Berlinfrage nach wie vor an der nötigen Entschiedenheit fehlen ließen und von einer angemessenen Vorbereitung der Viererkonferenz keine Rede sein konnte. Auch innenpolitisch half Chruschtschows Konfrontationskurs dem Kanzler: Daß die Sozialdemokraten seit dem Juni 1960 seine Westpolitik zu unterstützen begannen, ging zu guten Teilen auf das Konto des Mannes, der das Gipfeltreffen verhindert und damit verbreitete Kriegsangst geschürt hatte.

Ungewiß war freilich, ob Chruschtschows Kalkül nicht vielleicht doch aufgehen und die Wachablösung im Weißen Haus der Sowjetunion zustatten kommen würde. Als Außenpolitiker hatte der neue amerikanische Präsident, der dreiundvierzigjährige John F. Kennedy, ein denkbar schlechtes Entree: Im April 1961 brach er unter dem Eindruck sowjetischer Drohungen eine vom amerikanischen Geheimdienst CIA unterstützte Invasion von Exilkubanern ab, die von der Schweinebucht (Bay of Pigs) aus das kommunistische Regime Fidel Castros zu Fall bringen wollten.

Als Kennedy Anfang Juni 1961 in Wien erstmals mit Chruschtschow zusammentraf, hatte er sich von dieser Niederlage noch nicht erholt. Was der sowjetische Ministerpräsident bei dieser Zusammenkunft zum Thema Berlin sagte, klang so bedrohlich, daß Kennedy die Möglichkeit eines großen Krieges nicht mehr ausschloß: Chruschtschow legte ein neues, auf sechs Monate befristetes Berlin-Ultimatum vor. Sollte bis Dezember 1961 keine

neue Berlin-Regelung entsprechend der sowjetischen Forderung vereinbart sein, werde die Sowjetunion einen separaten Friedensvertrag mit der
DDR schließen und dieser die Kontrolle über die Verkehrswege zu einer
«Freien Stadt» West-Berlin übertragen. Kennedys Frage, ob dies die Sper-
rung des westalliierten Zugangs nach Berlin bedeute, wurde von Chruschtschow bejaht.

Am 25. Juli erteilte der amerikanische Präsident seine Antwort in einer
Rundfunk- und Fernsehrede. Er kündigte eine rasche und umfassende Aufstockung der konventionellen Streitkräfte von 875 000 Mann auf eine Mil-
lion an. Das hörte sich martialischer an, als es gemeint war. In der gleichen
Rede nannte Kennedy nämlich die «three essentials», an denen die USA im
Hinblick auf die ehemalige deutsche Hauptstadt festzuhalten entschlossen
waren: Es waren erstens das Recht der Westalliierten auf Anwesenheit in
Berlin, zweitens ihr Recht auf freien Zugang nach Berlin und drittens das
politische Selbstbestimmungsrecht der zwei Millionen West-Berliner. Über
Ost-Berlin und die Ost-Berliner sagte der Präsident nichts. Chruschtschow
konnte und sollte daraus folgern, daß Amerika ihm nicht in den Arm fallen
würde, falls er den Zeitpunkt für gekommen hielt, Ost-Berlin und die DDR
von West-Berlin abzuriegeln.

Mit einer solchen Aktion mußte der Westen in der Tat rechnen. Der
Strom der Flüchtlinge nach West-Berlin war, ausgelöst vor allem durch die
forcierte Kollektivierung der Landwirtschaft, seit 1960 dramatisch an-
gestiegen: Allein im April 1961 verließen 30 000 Menschen die DDR.
Der Exodus nahm Züge einer Panik an, und der Partei- und Staatsführung
bemächtigte sich immer mehr das Gefühl, der DDR drohe der wirtschaftliche Zusammenbruch. Bereits im März 1961 hatte Ulbricht, der
nach dem Tod Wilhelm Piecks im September 1960 an die Spitze des neugebildeten Staatsrats getreten und damit auch Staatsoberhaupt der DDR war,
auf einer Tagung der Staaten des Warschauer Pakts in Moskau eine sofortige Absperrung West-Berlins gefordert – damals noch vergeblich.
Die Entscheidung für die Schließung der Grenzen zwischen Ost- und
West-Berlin scheint in Moskau im Juli 1961, wohl schon vor Kennedys
Rede, gefallen zu sein. Die offizielle Genehmigung, das Erforderliche an
den Grenzen zu West-Berlin zu tun, erhielt das Politbüro der SED auf
einem weiteren Treffen der Parteichefs der Warschauer-Pakt-Staaten am
5. August 1961.

Am 15. Juni 1961 hatte Ulbricht auf einer internationalen Pressekonfe-
renz noch beteuert: «Niemand hat die Absicht, eine Mauer zu errichten.»
Doch genau dies bereitete die SED unter der Verantwortung des ZK-Se-
kretärs für Sicherheitsfragen, Erich Honecker, seit Mitte Juni vor. Als das
Plazet aus Moskau vorlag, war die Verwirklichung der streng geheimen
Pläne nur noch eine Angelegenheit weniger Tage. Am 12. August ordnete
Ulbricht die Abriegelung West-Berlins für den folgenden Tag, 1 Uhr
nachts, an. In den frühen Morgenstunden begannen Betriebskampfgrup-

pen, Volkspolizei und Nationale Volksarmee auszuführen, was ihnen be-
fohlen war. Die Grenze zwischen Ost- und West-Berlin wurde erst durch
Stacheldraht, dann durch eine Mauer unpassierbar gemacht. Wer unbefugt
in die neu eingerichtete Sperrzone zwischen den beiden Teilen der Stadt
(oder zwischen der DDR und West-Berlin) eindrang, setzte fortan Leib
und Leben aufs Spiel. Daß die Organe der DDR zur «Grenzsicherung» gegebenenfalls auch von der Schußwaffe Gebrauch zu machen hatten, stand
schon im August fest. Am 6. Oktober 1961 erging an das «Kommando
Grenze» der Nationalen Volksarmee ein Befehl, der dies formell bestätigte.

In einer offiziellen Erklärung vom 13. August 1961 nannte der Ministerrat der DDR die Schließung der Grenze eine Antwort auf die «Verschärfung der Revanchepolitik» Westdeutschlands und die «systematische Ab-
werbung von Bürgern der Deutschen Demokratischen Republik», ja
«regelrechten Menschenhandel». Tatsächlich war der Bau der Mauer der
Offenbarungseid eines Systems, das auf Zwang beruhte und seinen Zusammenbruch nur dadurch abwenden konnte, daß es seine Bewohner gewaltsam am Verlassen des Staatsgebiets hinderte. Es war nicht nur das System der DDR, das in dieser ultima ratio seine Zuflucht suchte. Es war das
System des «Sozialismus» sowjetischer Prägung, das sich vor aller Welt
bloßstellte, als die Staaten des Warschauer Pakts am 13. August 1961 die
Maßnahmen der DDR rechtfertigten. Doch als Weltmacht hatte die Sowjetunion keine andere Wahl: Sie konnte dem Zusammenbruch ihres deutschen Vorpostens nicht tatenlos zusehen, ohne ihr europäisches Vorfeld
insgesamt preiszugeben.

Das außenpolitische Risiko, das Chruschtschow damit einging, war gering. Er hatte gegen keines von Kennedys «three essentials» verstoßen und
auf diese Weise respektiert, was der Westen als seine elementaren Interessen betrachtete. Damit war der erste Mann der Sowjetunion weit hinter den
Forderungen seines Berlin-Ultimatums vom 27. November 1958 zurück-
geblieben. Die Maßnahmen des 13. August 1961 waren offensiv gegenüber
den Deutschen in der DDR, nicht aber gegenüber dem Westen. Daß sich
das Verhältnis zwischen Sowjetunion und der Volksrepublik China Mao
Zedongs seit 1958 ständig verschlechtert hatte, trug zu einer gewissen
Mäßigung Chruschtschows gegenüber dem alten Gegner im Westen bei.
Die Westalliierten honorierten diese Haltung, indem sie nur verbal gegen
den Bau der Mauer protestierten. Im übrigen suchte Präsident Kennedy die
Moral der West-Berliner durch demonstrative Gesten zu festigen: Am 19.
August trafen Vizepräsident Lyndon B. Johnson und der «Vater der Luftbrücke», General Lucius D. Clay, in Berlin ein; eine Kampfgruppe von
1 500 Mann, die die amerikanische Garnison verstärken sollte, wurde über
die Autobahn in die geteilte Stadt geschickt.[19]

Für die Deutschen war der 13. August 1961 die tiefste Zäsur seit der doppelten Staatsgründung von 1949, wenn nicht seit der bedingungslosen Kapitulation des Deutschen Reiches am 8. Mai 1945. Von Anfang an waren die

Deutschen, die auf dem Gebiet der Sowjetischen Besatzungszone und späteren DDR lebten, verglichen mit den Deutschen im Westen die eigentlichen Kriegsverlierer gewesen. Aber erst seit sie die DDR nicht mehr verlassen durften, wurde ihre Unfreiheit zu einem Schicksal, dem sie nicht mehr entrinnen konnten.

Es lag nahe und war dennoch falsch, die Schuld an dieser Entwicklung der Politik der Westintegration zu geben. Denn eine Wiedervereinigung wäre in den fünfziger Jahren allenfalls um den Preis einer sowjetischen Hegemonie in Europa zu erreichen gewesen. Doch auch daran gab es nichts zu deuteln, daß der Bau der Berliner Mauer die deutsche Teilung im Wortsinn zementiert hatte, der Ruf nach einer Wiedervereinigung in Frieden und Freiheit folglich zur bloßen Beschwörungsformel zu erstarren drohte. Ob Deutschland jemals wieder ein Nationalstaat werden würde, war so zweifelhaft wie nie zuvor. In einem aber stimmten einstweilen beide deutschen Staaten noch überein. Sie gingen vom Fortbestand *einer* deutschen Nation aus. Nichts war am 13. August 1961 so sicher vorhersagbar wie ein Meinungsstreit über die praktischen Folgerungen, die sich daraus ergaben.[20]

3.
Zwei Staaten, eine Nation
1961–1973

Die Art, wie Adenauer auf den Bau der Mauer reagierte, irritierte selbst viele seiner Anhänger. Der Bundeskanzler legte nicht nur keine Pause im Bundestagswahlkampf ein; er steigerte sogar noch die Polemik gegen den innenpolitischen Gegner. Am 14. August bezeichnete er auf einer Wahlkundgebung der CDU in Regensburg den sozialdemokratischen Kanzlerkandidaten, auf dessen uneheliche Herkunft wie auf die Zeit im skandinavischen Exil anspielend, als «Herrn Brandt alias Frahm». Zwei Tage später empfing Adenauer den sowjetischen Botschafter Smirnow zu einer Unterredung. In einem, von seinem Gesprächspartner vorformulierten Kommuniqué versicherte er anschließend, die Bundesregierung werde keine Schritte unternehmen, die die Beziehungen zur Sowjetunion und die internationale Lage verschlechtern könnten. Erst am 22. August begab sich der Bundeskanzler in die geteilte Viersektorenstadt – zu spät, wie nicht nur die meisten Berliner meinten. Willy Brandt hingegen gewann in jenen Wochen weiter an politischer Statur. Dem Regierenden Bürgermeister von Berlin war am 13. August 1961 eine nationale und überparteiliche Rolle zugefallen – eine Chance, die der Wahlkämpfer Brandt zu nutzen wußte.

Am Abend des 17. September 1961 stand das Ergebnis der vierten Bundestagswahl fest. Die Unionsparteien waren mit 45,3 % die stärkste politische Kraft geblieben, hatten aber gegenüber 1957 4,9 % verloren. Die SPD hatte 4,4 % hinzugewonnen und lag nun bei 36,2 %. Noch stärker war der Stimmenzuwachs der oppositionellen FDP, die mit 12,8 % um 5,1 Prozentpunkte besser abschnitt als vier Jahre zuvor. Alle anderen Parteien scheiterten an der Fünfprozenthürde.

In der SPD wie in der Union gab es im Frühherbst 1961 Befürworter einer Allparteienregierung oder einer Großen Koalition. Wer diese Lösung anstrebte, begründete das in erster Linie mit der gefährlichen Situation in und um Berlin, die am ehesten von einer Regierung auf breitester parlamentarischer Grundlage gemeistert werden könne. Stärker waren in der CDU/CSU jedoch die Bataillone jener, die auf eine neue bürgerliche Koalition hinarbeiteten. In der FDP war das ebenfalls die herrschende Meinung. An der Spitze der Bundesregierung wollten die Liberalen freilich nicht mehr Adenauer, sondern Erhard sehen. Als Erich Mende, Ritterkreuzträger aus Schlesien, überzeugter Nationalliberaler und seit Januar 1960 Bundesvorsitzender der FDP, diese Festlegung am 18. September auf einer Pressekonferenz bekanntgab, war klar, daß die Regierungsbildung schwierig werden würde: Unmittelbar zuvor hatte der Bundesvorstand der CDU Adenauer auf dessen Drängen gebeten, sich nochmals für das Amt des Bundeskanzlers zur Verfügung zu stellen. Nicht öffentlich verkündet wurde zunächst das Versprechen des Fünfundachtzigjährigen, er werde in der Mitte der Legislaturperiode zurücktreten, um seinem Nachfolger die Möglichkeit zu geben, sich bis zu den Wahlen von 1965 in die neue Aufgabe einzuarbeiten.

Am Ende langwieriger Verhandlungen – zwischen Adenauer und dem sozialdemokratischen Führungstrio Ollenhauer, Brandt und Wehner, zwischen Union und FDP, SPD und FDP – stand der «Umfall» der Freien Demokraten: Die FDP akzeptierte Adenauer als Kanzler für eine Übergangszeit. Mende hätte die Nachfolge des von den Liberalen als zu starr abgelehnten Außenministers Heinrich von Brentano antreten können, wollte aber, um sein Gesicht zu wahren, unter Adenauer nicht Kabinettsmitglied werden. An die Stelle Brentanos trat daraufhin der bisherige Innenminister Gerhard Schröder (CDU). Die Freien Demokraten übernahmen fünf Ressorts: Justiz, Finanzen, Schatz, Vertriebene und Entwicklungshilfe. Am 7. November 1961 endlich, fast zwei Monate nach der Bundestagswahl, wurde Adenauer zum vierten Mal zum Bundeskanzler gewählt. Er erhielt nur acht Stimmen mehr als erforderlich – sein schlechtestes Ergebnis seit 1949.

Die letzten Jahre der Ära Adenauer erscheinen im Rückblick als eine Abfolge äußerer und innerer Krisen. Die Sowjetunion wandte sich nach dem Bau der Mauer immer wieder gegen den angeblichen Mißbrauch der alliierten Luftkorridore nach Berlin durch westdeutsche Politiker: Im Februar 1962 ließ Chruschtschow den Luftverkehr sogar massiv stören, was Washington mit einem scharfen Protest beantwortete. Am 17. August 1962 ereignete sich in Berlin, nahe dem alliierten Kontrollpunkt «Checkpoint Charlie», ein Vorfall, der viele Deutsche an den Vereinigten Staaten irre werden ließ: Beim Versuch, über die Mauer nach Westen zu flüchten, wurde der achtzehnjährige Bauarbeiter Peter Fechter von Angehörigen der Grenztruppen der DDR angeschossen und schwer verletzt. Er blieb im Grenzstreifen auf der Westseite der Mauer liegen und begann zu verbluten. Amerikanische Soldaten, die Zeugen des Dramas wurden, weigerten sich einzugreifen, weil dies nicht «ihr Problem» sei. Fechters Tod erregte die Berliner und die Deutschen stärker als die über dreißig anderen Toten, die seit dem 13. August 1961 dem Grenzregime der DDR zum Opfer gefallen waren. Willy Brandt, der Regierende Bürgermeister von Berlin, hatte große Mühe, die Empörung zu dämpfen und schwerere Zwischenfälle zu verhindern.

Aus Adenauers Sicht litt das Verhältnis zwischen Bonn und der westlichen Führungsmacht vor allem darunter, daß Präsident Kennedy dem sowjetischen Druck auf Berlin nicht mit der nötigen Härte entgegentrat. Tatsächlich forderten die USA im April 1962 zum Entsetzen des Kanzlers die Bundesrepublik in fast ultimativer Form auf, einer internationalen Zugangsbehörde für die Landwege und Luftkorridore nach Berlin zuzustimmen, an der auch die DDR beteiligt werden sollte. Adenauer erreichte zwar, daß das State Department sein Papier zur Berlin- und Deutschlandfrage wieder zurückzog. Doch es schwächte die Position des Regierungschefs, daß es auch auf deutscher Seite Anwälte einer «flexibleren» Haltung in der Berlinfrage gab – an ihrer Spitze Außenminister Schröder, dem das, natürlich sogleich dementierte Wort zugeschrieben wurde, in Berlin werde man wohl um eine «Frontbegradigung» nicht herumkommen. Im Mai 1962 hielt Adenauer den Zeitpunkt für gekommen, auch für seine Person «Beweglichkeit» zu zeigen. Dem sowjetischen Botschafter Smirnow trug er das seit längerem erwogene Projekt eines auf zehn Jahre befristeten «Burgfriedens» in der deutschen und der Berlinfrage vor: Wenn Moskau einer Liberalisierung der DDR zustimme, würde es leichter möglich sein, sich später auch in den strittigen Fragen zu verständigen.

Die Antwort aus dem Kreml fiel rundum abschlägig aus. Chruschtschow hatte sich mittlerweile – vermutlich schon bald nach dem Mauerbau, spätestens aber im Frühjahr 1962 – für eine Strategie der globalen Konfrontation entschieden. Die Wendung kam einer Flucht nach vorn gleich: Wenn es der Sowjetunion gelang, Amerika auf den zweiten Platz zu verweisen, mußte das ihre Position gegenüber einem anderen gefährlichen Rivalen, dem kommunistischen China, stärken, den Zusammenhalt des «sozialistischen Lagers» festigen und Moskaus Einfluß in Europa und der «dritten Welt» gewaltig steigern.

Als Hebel, um die USA zu einer weltpolitischen Neuordnung zu zwingen, sollte die Stationierung von Mittelstreckenraketen auf Kuba, also gewissermaßen «vor der Haustür» der anderen Supermacht, dienen. Doch Kennedy war nicht bereit, sich dieser Erpressung zu beugen. Am 22. Oktober 1962 verlangte er den Abzug der bereits aufgestellten sowjetischen Raketen und ordnete eine «Quarantäne» über die Karibikinsel an. Eine Woche lang stand die Welt am Rande des Dritten Weltkrieges und damit des atomaren Infernos. Dann lenkte Chruschtschow ein. Am 28. Oktober erklärte er sich bereit, die insgesamt 72 Abschußrampen abzubauen und mitsamt den Raketen in die Sowjetunion zurückzutransportieren.

Der Friede war gerettet – und mit ihm, wie sich wenig später herausstellte, auch die Freiheit West-Berlins. Zwar hörte die Sowjetunion nicht auf, Druck auf diesen Vorposten des Westens auszuüben und einen neuen Status für West-Berlin, seine Umwandlung in eine «entmilitarisierte Freie Stadt», zu fordern. Aber seit der Jahreswende 1962/63 drohte Moskau nicht mehr mit einem einseitigen Friedensvertrag mit der DDR und der Annullierung der westalliierten Rechte in bezug auf Berlin. Die Lektion, die Kennedy der Sowjetunion in Kuba erteilt hatte, begann sich in Europa auszuwirken. Der Politikwissenschaftler und Publizist Richard Löwenthal, der von 1961 bis zu seiner Emeritierung im Jahre 1974 an der Freien Uni

versität Berlin lehrte, hat den «dialektischen» Zusammenhang von Berlin-
und Kubakrise 1974 auf die folgende Formel gebracht: «Die Konsequenz
der Mauer war die Festigung des sowjetischen Status quo in Mitteleuropa;
die Konsequenz der Raketenkrise war die Festigung der weltpolitischen
Position des Westens – einschließlich seiner Position in West-Berlin. Die
Wendung zur weltpolitischen Entspannung, noch von Kennedy und
Chruschtschow eingeleitet, erfolgte auf dieser Grundlage. Mit ihr veränderten sich endgültig die Rahmenbedingungen für die Ostpolitik der Bundesrepublik.»[1]

Die schwerste weltpolitische Krise seit 1945 fiel zeitlich zusammen mit
der bislang schwersten innenpolitischen Krise der Bundesrepublik: der
«Spiegel»-Affäre. Beide Krisen wurden zu Wendepunkten. Die erste erwies
sich als Peripetie des «Kalten Krieges», die zweite als Katalysator bei der
Ablösung einer eher konservativen durch eine liberale Staatsauffassung.

Am 26. und 27. Oktober 1962 wurden die Redaktionsräume des Hamburger Nachrichtenmagazins «Der Spiegel» von der Polizei besetzt und
durchsucht und der Herausgeber Rudolf Augstein verhaftet. Den «Spiegel»-Redakteur Conrad Ahlers, der gerade in Spanien Urlaub machte,
nahm, auf Grund einer telefonischen Intervention von Verteidigungsminister Strauß beim Militärattaché der deutschen Botschaft in Madrid, Achim
Oster, die dortige Polizei fest: Ahlers kehrte freiwillig nach Deutschland
zurück, wo er sogleich verhaftet wurde. Es folgten weitere Verhaftungen,
darunter die des Verlagsdirektors des «Spiegels», Hans Detlev Becker, des
Rechtsanwalts Josef Augstein, eines Bruders von Rudolf Augstein, des
«Spiegel»-Redakteurs Hans Schmelz und der beiden Obersten Adolf Wicht
vom Bundesnachrichtendienst und Alfred Martin vom Bundeswehr-
führungsstab.

Anlaß der Nacht-und-Nebel-Aktion war die Titelgeschichte «Bedingt
abwehrbereit» über das Nato-Stabsmanöver «Fallex 62», die der «Spiegel»
am 10. Oktober 1962 veröffentlicht hatte. Sie enthielt brisantes Material
über die katastrophalen Folgen, die ein atomarer Überfall der Sowjetunion
nach Einschätzung der Strategen des atlantischen Bündnisses haben würde,
und detaillierte Informationen über deutsch-amerikanische Gegensätze in
Fragen der atomaren Kriegsführung. Fast alles, was der Artikel zu einer
Analyse bündelte, hatte bereits in anderen Publikationen aus dem In- und
Ausland gestanden. Der Verdacht eines bewußten Verrats von Staatsge-
heimnissen, von dem Bundesanwaltschaft und Bundesverteidigungsmini-
sterium ausgingen, ist nie erhärtet worden, ebensowenig der Verdacht der
Bestechung. Im Mai 1965 lehnte der Bundesgerichtshof die Eröffnung des
Hauptverfahrens gegen Conrad Ahlers und Rudolf Augstein wegen Man-
gels an Beweisen ab. Hauptverfahren gegen andere Beschuldigte endeten
mit Freisprüchen. Eine Verfassungsbeschwerde des «Spiegels» gegen die
Haft- und Durchsuchungsbefehle wies das Bundesverfassungsgericht im
August 1966 mit vier zu vier Stimmen zurück.

In der westdeutschen Öffentlichkeit herrschte von Anfang an der Eindruck vor, bei der «Spiegel»-Affäre handle es sich nicht um einen, wie Adenauer am 7. November 1962 vor dem Bundestag behauptete, «Abgrund von Landesverrat», sondern um den massivsten Angriff auf die Pressefreiheit seit Gründung der Bundesrepublik. Für diese Wahrnehmung sprach viel: Schließlich hatte der «Spiegel» Verteidigungsminister Strauß, seine zahlreichen Affären und seine Politik, seit Jahren auf das schärfste kritisiert. In allen Universitätsstädten gingen im Herbst 1962 Studenten und Professoren auf die Straße, um die Wiederherstellung der Presse- und Meinungsfreiheit einzuklagen und den Rücktritt von Franz Josef Strauß zu fordern. Als Rudolf Augstein am 7. Februar 1963 nach 103 Tagen Untersuchungshaft, als letzter der nach dem 26. Oktober Verhafteten, wieder in die Freiheit entlassen wurde, war er längst zum Heros der kritischen Öffentlichkeit und einer ganzen Generation junger Akademiker geworden.

Strauß, der seit März 1961 auch Vorsitzender der CSU war, hatte es sich selbst zuzuschreiben, daß außerhalb Bayerns alle Welt in ihm den Schurken im Drama um das Hamburger Nachrichtenmagazin sah. Er trug die politische Verantwortung dafür, daß der zuständige Bundesjustizminister Wolfgang Stammberger, ein Politiker der Partei, der auch Rudolf Augstein angehörte, nämlich der FDP, erst aus der Presse vom Schlag gegen den «Spiegel» erfuhr. Er hatte die Festnahme von Conrad Ahlers im spanischen Malaga veranlaßt. Er hatte gleichwohl vor der Öffentlichkeit und zunächst vor dem Bundestag den Eindruck zu erwecken versucht, als habe er mit der ganzen Angelegenheit und namentlich der Verhaftung von Ahlers nichts zu tun, und damit billigend in Kauf genommen, daß den Staatssekretären des Verteidigungs- und des Justizministeriums, Volkmar Hopf und Walter Strauß, die Rolle der Sündenböcke zufiel.

Bei den bayerischen Landtagswahlen vom 25. November 1962 schadete es Strauß nicht, daß er, was seit der Fragestunde vom 9. November erwiesen war, den Bundestag belogen hatte. Die CSU übertraf mit 47,5 % sogar ihr Ergebnis bei der vorangegangenen Wahl vom 23. November 1958 um 1,9 %. In der übrigen Bundesrepublik aber war seine Position unhaltbar geworden. Die fünf Bundesminister der FDP waren bereits am 19. November aus Protest gegen die Behandlung Stammbergers zurückgetreten, und Mende ließ keinen Zweifel daran, daß es keine neue Koalition mit der Union geben würde, wenn Strauß auf seinem Posten beharrte. Auch vier Ressortchefs der CDU, unter ihnen Wohnungsbauminister Paul Lücke, wollten nicht mehr zusammen mit Strauß einem Kabinett angehören. Die SPD verlangte den Rücktritt des Verteidigungsministers und eine Allparteienregierung zur Überwindung der inneren Krise.

Am 26. November führte Lücke, ein überzeugter Anhänger eines Mehrheitswahlrechts, das den parlamentarischen Tod der FDP bedeutet hätte, mit Wissen Adenauers eine erste vertrauliche Unterredung mit Herbert Wehner. Dabei ging es um die Bildung einer zeitlich befristeten Großen

Koalition unter Adenauer und ohne Strauß sowie um die Einführung eines Mehrheitswahlrechts. Die Verständigung mit der durchaus koalitionswilligen Führung der SPD war bereits weit gediehen, als Strauß sich am 30. November schließlich doch bereit erklärte, auf sein Ministeramt zu verzichten. Das gab Adenauer die Möglichkeit, mit *beiden* Parteien, SPD *und* FDP, zu verhandeln. Am 4. Dezember führte er erstmals ein offizielles Koalitionsgespräch mit der sozialdemokratischen Parteispitze, dem Vorsitzenden Erich Ollenhauer, seinem Stellvertreter Fritz Erler und Herbert Wehner. Strittig war dabei vor allem das Mehrheitswahlrecht, gegen das auch Teile der CDU starke Bedenken hatten.

Tags darauf trafen sich namhafte Politiker von SPD und FDP, darunter Brandt und Mende, zu einem Meinungsaustausch. Er verlief für die Liberalen insofern beruhigend, als die Sozialdemokraten eine Änderung des Wahlrechts für die nächste Bundestagswahl ausschlossen. In der Sitzung der sozialdemokratischen Bundestagsfraktion sorgte am nämlichen 5. Dezember nicht nur die Wahlrechtsfrage, sondern auch die Aussicht auf eine weitere Kanzlerschaft Adenauers für heftigen Streit. Der Regierungschef nahm das zum Anlaß, ein weiteres Koalitionsgespräch mit der SPD abzusagen und das Projekt einer Großen Koalition am Abend des 5. Dezember intern für gescheitert zu erklären.

Nun lief wieder alles auf *die* Koalition hinaus, die am 19. November infolge der «Spiegel»-Affäre zerbrochen war. Dem neuen Kabinett gehörten einige jüngere Politiker der CDU an, darunter der aus Ostpreußen stammende promovierte Jurist Rainer Barzel, der als Nachfolger von Ernst Lemmer das Bundesministerium für gesamtdeutsche Fragen übernahm. Neuer Verteidigungsminister wurde der bisherige schleswig-holsteinische Ministerpräsident Kai-Uwe von Hassel (CDU). Am 13. Dezember 1962 war die Umbildung der Bundesregierung abgeschlossen. Strauß wurde mit einem Großen Zapfenstreich verabschiedet und von Adenauer bei dieser Gelegenheit mit so viel Lob bedacht, daß es sich von selbst verbot, seine politische Karriere für beendet zu halten.

Adenauer hatte sein Amt nochmals behauptet, aber an Ansehen dramatisch verloren. Die FDP war wieder der Koalitionspartner der Union, stand ihr aber seit der «Spiegel»-Affäre, in der sie sich als Verteidigerin der Presse- und Meinungsfreiheit hervorgetan hatte, mit größerem liberalen Selbstbewußtsein gegenüber als zuvor. Die SPD blieb in der Opposition, war nun aber von CDU/CSU und FDP als regierungsfähig anerkannt. Es gab fortan andere politische Optionen als jene, die sich im Dezember 1962 wieder durchgesetzt hatte.

Die langfristig wichtigste Wirkung der «Spiegel»-Affäre betraf die politische Kultur der Bundesrepublik. Die zweite deutsche Demokratie erlebte im Spätjahr 1962 einen kräftigen Liberalisierungsschub oder, anders gewendet, die Abkehr von obrigkeitsstaatlichen Traditionen, soweit sie die fünfziger Jahre noch überdauert hatten. Zwei Zuschriften an die «Frank-

furter Allgemeine Zeitung» werfen ein Schlaglicht auf die Unvereinbarkeit
der Denkweisen, die damals aufeinanderprallten. Am 10. November veröf-
fentlichte das Blatt einen Leserbrief des Freiburger Historikers Gerhard
Ritter, Autor unter anderem eines großen Werkes über «Staatskunst und
Kriegshandwerk» und einer Biographie Carl Goerdelers. Ritter, Jahrgang
1888, rechtfertigte das Vorgehen von Bundesregierung und Bundesanwaltschaft ohne jeden Vorbehalt. Als «Skandal» bezeichnete er hingegen den
«Theaterdonner der politischen Literaten und der Parteiinteressenten».
Seine eigene Position kleidete Ritter in die Form rhetorischer Fragen.
«Gibt es denn gar nicht mehr so etwas wie ein öffentliches Gewissen, dem
unser aller Mitverantwortung für unseren Staat und seine äußere Sicherheit
bewußt und so selbstverständlich ist, daß ihm das Staatswohl sogar über die
Störung spanischer Ferienreisen geht? Sind wir durch das ewige Starren auf
die Schrecknisse der Hitlerdiktatur nachgerade so blind geworden für die
uns umgebende Wirklichkeit, daß wir lieber jeden noch so groben Mißbrauch der im Rechtsstaat garantierten persönlichen Freiheitsrechte hinnehmen als die eine oder andere Unschicklichkeit (oder auch Inkorrekt-
heit) unserer Strafverfolgungsorgane? Oder lebt man in Westdeutschland –
auch das wäre eine Erklärung! – bereits unter einer Art von Terror der
Nachrichtenmagazine, die ihre Giftpfeile für jeden bereit halten, der sich
vor ihnen nicht fürchtet? Das wäre dann freilich eine jämmerliche Sorte von
demokratischer Freiheit.»

Drei Tage später, am 13. November 1962, erschien an gleicher Stelle eine
Erwiderung des 1922 geborenen, in Bonn lehrenden Zeithistorikers und
Politikwissenschaftlers Karl Dietrich Bracher, der 1955 mit einer monu-
mentalen Untersuchung über die «Auflösung der Weimarer Republik» her-
vorgetreten war. Bracher bewertete Ritters Zuschrift als «ein bestürzendes
Dokument». Sprache und Argumentation trügen «alle Kennzeichen einer
Staatsideologie, die Politik nur von oben nach unten gelten läßt und einer
außenpolitisch verstandenen Staatsräson den fast bedingungslosen Vorrang
vor innerer Freiheit und Rechtsstaatlichkeit zuerkennt». Wenn Ritter die
Empörung gegen die Aktion als «ungeheure publizistische Staubwolke»
charakterisiere und sich als Bewahrer «vaterländischen Empfindens» gegen
«unsere schwatzhafte Demokratie» wende, dann rechtfertige er «nichts
anderes als den so verhängnisvollen traditionellen Obrigkeitsstaat in
Deutschland auf Kosten der Demokratie, in der wir eben unsere ersten
Schritte tun».

Den Schaden, den die Affäre den Bemühungen um politische Bildung,
auch an Schule und Universität, zugefügt habe, nannte Bracher «schon
heute unübersehbar». «Es ist ein Anschauungsunterricht, der Zynismus
oder Resignation erzeugt statt Verständnis für das Wesen und die Probleme
der Demokratie... Die Gefahr ist nicht das ‹ewige Starren auf die Schrecknisse der Hitler-Diktatur›, sondern das Fortbestehen einer obrigkeitsstaatlichen Staatsideologie, die den Bürger zum Untertanen degradiert und der

Ordnungs- und Militärverteidigung die Prinzipien der Demokratie unterwirft. Die Affäre hat bei alledem doch auch einen positiven Aspekt: daß sie diese Gefahren und Tendenzen aufgedeckt und eine umfassende Diskussion in Gang gesetzt hat, die hoffentlich weitergeht.» Die Diskussion *ging* weiter, und zwar nicht in Ritters, sondern in Brachers Richtung. Nach der «Spiegel»-Affäre wirkten Einlassungen wie die des Freiburger Historikers anachronistisch, während die des Bonner Politologen repräsentativ wurden für das politische Empfinden der jüngeren Generation. Die Ära Adenauer neigte sich unübersehbar dem Ende zu. Der erste Kanzler war zwar noch immer im Amt, aber zumindest innenpolitisch war die Zeit über ihn hinweggegangen. Die Bundesrepublik war westlicher geworden, als es der Vater der Verwestlichung vorhergesehen und erstrebt hatte.[2]

Außenpolitisch geriet die Bundesrepublik in den frühen sechziger Jahren zunehmend in eine Zwickmühle: den Widerspruch zwischen dem Wunsch, ein enges Verhältnis zum Frankreich der Fünften Republik zu pflegen, und der Abhängigkeit von Amerika. Seit der Beendigung des Algerienkrieges im März 1962, die zur Unabhängigkeit des nordafrikanischen Landes geführt hatte, ging Staatspräsident Charles de Gaulle verstärkt dazu über, der französischen Politik ein betont nationales Profil zu geben. Bereits im Januar 1962 hatte Frankreich sich darauf festgelegt, das seit dem Vorjahr betriebene Projekt einer Europäischen Politischen Union auf eine Konsultation der Regierungen zu beschränken und eine Politisierung der Europäischen Wirtschaftsgemeinschaft im supranationalen Sinn zu verhindern. Im April erteilte Paris den Forderungen Belgiens und der Niederlande, Großbritannien an den weiteren Verhandlungen über die politische Zusammenarbeit zu beteiligen, eine Absage. Im Juli erörterten de Gaulle und Adenauer in Paris die Möglichkeiten einer noch engeren Zusammenarbeit zwischen beiden Ländern, wobei der französische Staatschef besonderes Gewicht auf die Verteidigung Westeuropas legte.

Die Gespräche von Anfang Juli 1962 standen am Beginn eines Staatsbesuches, den der Bundeskanzler Frankreich abstattete. Die spektakulären Höhepunkte waren eine deutsch-französische Truppenparade und der anschließende, von de Gaulle und Adenauer gemeinsam besuchte Gottesdienst in der Kathedrale von Reims, dem einstigen Krönungsort der französischen Könige. Zwei Monate später, im September 1962, kam der General zu einem offiziellen Besuch in die Bundesrepublik. Er nutzte die Gelegenheit, in mehreren, in deutscher Sprache gehaltenen Reden seine Hochachtung vor dem «großen deutschen Volk» zu bekunden, was erheblich dazu beitrug, aus der Staatsvisite eine Triumphfahrt werden zu lassen.

Der Jubel für de Gaulle ließ eine Zeitlang fast vergessen, daß die deutschfranzösische Entente, wie de Gaulle und Adenauer sie anstrebten, in der Bundesrepublik keineswegs ein gemeinsames Ziel der «politischen Klasse» war. Diese war vielmehr in «Gaullisten» und «Atlantiker» gespalten. Die erste Richtung unterstützte de Gaulle in dem Ziel, Westeuropa zu mehr Eigenständigkeit gegenüber Amerika, vor allem im Bereich der Verteidigungspolitik, zu verhelfen und Großbritannien, nicht zuletzt wegen seiner «special relationship» mit den USA, einstweilen nicht in die EWG aufzunehmen. (Den entsprechenden Antrag hatte London im August 1961 gestellt.) Dagegen waren die «deutschen Gaullisten», obenan zwei Politiker der CSU, Franz Josef Strauß und Karl Theodor Freiherr von und zu Guttenberg, durchaus Anhänger eines europäischen Bundesstaates und nicht gewillt, sich mit de Gaulles Vorstellung eines «Europa der Staaten» zu begnügen. («Europe des états» lautete die Formel des Generals und nicht, wie man in Deutschland gern zitierte, «Europe des patries» oder «Europa der Vaterländer».)

Die «Atlantiker» mit Gerhard Schröder und Ludwig Erhard an der Spitze hielten die Vereinigten Staaten für den in jeder Hinsicht wichtigsten Bündnispartner der Bundesrepublik und wollten Großbritannien so bald wie möglich in der EWG sehen. Adenauer dachte wie de Gaulle bei «Europa» in erster Linie an den Kontinent und nicht an die Insel jenseits des Ärmelkanals, gab sich aber, was die Unabdingbarkeit des amerikanischen Atomschilds anging, keinerlei Illusionen hin. Unter den führenden Sozialdemokraten überwogen die Atlantiker bei weitem, was Willy Brandt aber nicht daran hinderte, der Politik Charles de Gaulles viel Verständnis und Sympathie entgegenzubringen.

Um die Jahreswende 1962/63 spitzte sich der Konflikt zwischen «Atlantikern» und «deutschen Gaullisten» zu. Bald nach dem Deutschlandbesuch des französischen Staatspräsidenten hatten die Verhandlungen über die Form begonnen, die der zwischen Adenauer und de Gaulle verabredete Zweibund annehmen sollte. Bonn legte Wert darauf, daß die deutsch-französischen Konsultationen in einer Weise institutionalisiert wurden, die weder anderen Mitgliedsstaaten der EWG noch den USA oder der NATO Anlaß zu Irritation oder Besorgnis gab. Die Arbeiten am deutsch-französischen Abkommen überlappten sich zeitlich mit der kritischen Phase der Verhandlungen über den Beitritt Großbritanniens zur EWG und einer im Dezember 1962 auf den Bahamas getroffenen Vereinbarung zwischen Präsident Kennedy und Premierminister Macmillan, britische Unterseeboote mit amerikanischen Polarisraketen auszurüsten und, zusammen mit anderen britischen Kernwaffenträgern, einer multilateralen Atomstreitmacht der NATO, der «Multilateral Force» (MLF), einzugliedern. De Gaulle sah darin eine Herausforderung Frankreichs. Am 14. Januar 1963 bekräftigte er auf einer Pressekonferenz seinen Entschluß, eine eigene französische Atomstreitmacht, die «Force de frappe», aufzubauen, und kündigte sein Veto gegen eine Aufnahme Großbritanniens in die EWG an.

Acht Tage später sollte das deutsch-französische Abkommen in Paris unterzeichnet werden. Nach dem Coup des Generals hatte die Abmachung eine neue politische Qualität erlangt: Sie konnte leicht als Zustimmung der Bundesrepublik zu den Plänen des französischen Staatspräsidenten gedeutet werden. Just um diese Zeit setzte sich im Bundeskabinett die (verfassungsrechtlich gut begründete) Auffassung des Auswärtigen Amtes durch, daß das Abkommen der Form eines ratifizierungspflichtigen Vertrags bedurfte. Die endgültige Entscheidung lag also bei Bundestag und Bundesrat, was auch Zeitgewinn für Bonn bedeutete. Die französische Seite fügte sich, so daß de Gaulle und Adenauer die Vereinbarung, wie geplant, als «Elyseevertrag» am 22. Januar 1963 unterzeichnen konnten. Er sah, unter anderem, mindestens zwei Treffen der Staats- und Regierungschefs und vier Treffen der Außen- und Verteidigungsminister im Verlauf eines Jahres, wechselseitige Konsultationen in allen wichtigen Fragen der Außenpolitik sowie eine enge Zusammenarbeit in den Bereichen Bildungspolitik und Jugendaustausch vor.

Drei Tage nach der Unterzeichnung des deutsch-französischen Vertrags machte die Bundesregierung deutlich, daß sie nicht daran dachte, de Gaulles antibritischen Kurs zu unterstützen. Sie sprach sich am 25. Januar 1963 auf Betreiben von Außenminister Schröder für den Beitritt Großbritanniens zur Europäischen Wirtschaftsgemeinschaft aus. Sie konnte zwar nicht verhindern, daß der Ministerrat der EWG abermals drei Tage später auf Grund des französischen Vetos die Verhandlungen mit London abbrach. Aber am 26. Februar stellte Adenauer vor dem Bundestag klar, daß er auch in anderen Fragen kein unbedingter Gefolgsmann des Generals war. Er betonte den Wert der NATO für die Sicherheit der Bundesrepublik, verlangte eine Mitsprache bei der Planung und beim Einsatz von Atomwaffen und erklärte die Bereitschaft der Bundesrepublik, sich an einer multilateralen Atomstreitmacht zu beteiligen.

Den parlamentarischen Beratungen über den Elyseevertrag gingen sowjetische Proteste, amerikanische Einwände, Kontroversen innerhalb der Koalition und Verhandlungen zwischen Regierung und Opposition voraus. Seit Anfang April zeichnete sich ein, von Adenauer akzeptierter Ausweg aus dem Dilemma ab: eine Präambel zum Vertrag, in der sich die Bundesrepublik, den amerikanischen Vorstellungen entsprechend, zur Partnerschaft mit den USA, der Integration in das atlantische Bündnis, der Einigung Europas durch die Europäische Wirtschaftsgemeinschaft, dem Eintritt Großbritanniens in die EWG und zu Verhandlungen über eine weltweite Zollsenkung, der sogenannten «Kennedy-Runde» im Rahmen des Allgemeinen Zoll- und Handelsabkommens, des GATT, bekannte.

Das war eine Absage an die kurz- und langfristigen Ziele de Gaulles, wie sie schärfer kaum hätte ausfallen können. Der Vorspann minderte die Bedeutung des Vertrags entscheidend, sicherte aber seine Verabschiedung. Am 16. Mai 1963 nahm ihn der Bundestag fast einstimmig an. Am 14. Juni folgte die Ratifizierung durch die französische Nationalversammlung. Am 2. Juli 1963 trat der Vertrag in Kraft.

Die Präambel zum Elyseevertrag war nicht die einzige herbe Enttäuschung, die die Bundesrepublik dem französischen Staatspräsidenten im
Frühjahr 1963 bereitete. Der zweite Vorgang, der geeignet war, de Gaulle
zu erbittern, hing mit dem Vertrag vom 22. Januar eng zusammen; er war
auch eine Reaktion auf Adenauers eigenwillige Abreden mit dem Mann an
der Spitze Frankreichs, die zum Elyseevertrag geführt hatten. Gegen den
Willen des Bundeskanzlers erteilte die Bundestagsfraktion der CDU/CSU
am 5. März ihrem Vorsitzenden, Heinrich von Brentano, die von ihm erbetene Vollmacht, einen Vorschlag für die im Herbst anstehende Wahl eines
Nachfolgers von Adenauer zu unterbreiten. Am 23. April entschied sich die
Fraktion, Brentanos Vorschlag entsprechend, mit großer Mehrheit für
Vizekanzler und Bundeswirtschaftsminister Ludwig Erhard. Adenauer
hatte sich bis zuletzt bemüht, die Wahl des «Vaters des Wirtschaftswunders», den er nach wie vor für politisch unfähig hielt, zu verhindern; die Art
und Weise, wie seine Parteifreunde die Weichen für den Kanzlerwechsel
stellten, empfand er als Absetzung. Für de Gaulle war die Entscheidung
vom 23. April ein schwerer Rückschlag: Er mußte nun mit einem Bundeskanzler rechnen, der zu den Gegnern des deutsch-französischen Vertrags
gehörte und nie einen Zweifel daran gelassen hatte, daß ihm das Verhältnis
zu Washington und London wichtiger war als das zu Paris.[3]

Die Entscheidung für Erhard fiel in eine Zeit, in der, dem Urteil von
Hans-Peter Schwarz zufolge, «ein tiefgreifender und, wie sich zeigen sollte,
vergleichsweise lange andauernder weltpolitischer Klimaumschwung» einsetzte. «Das große Entspannungshoch der späteren sechziger und der siebziger Jahre begann sich schon in diesen letzten Monaten der Ära Adenauer
aufzubauen ... Während der Periode scharfen Drucks auf Berlin hatten sich
die Geister angesichts der Frage geschieden, ob und wie lange die deutschlandpolitischen Positionen auch unter dem Risiko eines Krieges verteidigt
werden sollten. Von jetzt an lautete die Frage genau umgekehrt: Würde es
auf Dauer möglich sein, den bisherigen Kurs auch in einer Phase west-öst-
licher Entspannungspolitik durchzuhalten? Sprach nicht alles dafür, auf die
veränderten Bedingungen auch deutscherseits mit flexibler Politik zu antworten?»

Eine Rede des amerikanischen Präsidenten vor der American University
in Washington am 10. Juni 1963 wurde zum Signal der Zeitenwende. Ein
Dreivierteljahr nach der gefährlichsten Konfrontation zwischen Ost und
West seit 1945, der Kubakrise, entwarf John F. Kennedy eine «Strategie des
Friedens». Friede sei ein Prozeß, ein Weg, Probleme zu lösen. Das galte
auch für das Verhältnis zwischen den Vereinigten Staaten und der Sowjetunion. Zwischen beiden Mächten gebe es nicht nur Gegensätze, sondern
auch Gemeinsamkeiten, und keine Gemeinsamkeit sei stärker als die wechselseitige Abscheu vor dem Krieg. Die Amerikaner hielten den Kommunismus für abstoßend, weil er persönliche Freiheit und Menschenwürde
verneine. Doch sie setzten auf konstruktive Veränderungen im kommuni-

stischen Block, und deshalb müsse Amerika seine Politik so gestalten, daß
es zu einem Interesse der Kommunisten werde, einem wirklichen Frieden
zuzustimmen. «Wir können eine Minderung der Spannungen erreichen,
ohne in unserer Wachsamkeit nachzulassen... Wir wünschen keinen Krieg,
wir erwarten keinen Krieg... Wir werden für den Krieg gerüstet sein, wenn
andere ihn wünschen. Wir werden auf der Hut sein, um ihm Einhalt gebieten zu können.» Kennedy widerrief nicht das missionarische Motto seines
Amtsvorgängers Woodrow Wilson aus dem Jahr 1917 «to make the world
safe for democracy». Aber er ergänzte es um eine neue, realistische Variante: «Wenn wir unsere Differenzen jetzt nicht überwinden können, so
können wir doch wenigstens dazu beitragen, daß die Welt reif wird, die Unterschiedlichkeit auszuhalten.» Oder im Original: «And if we cannot end
now our differences, at least we can help make the world safe for diversity.»

Vom 23. bis 26. Juni 1963 weilte Kennedy zu einem Staatsbesuch in der
Bundesrepublik. Der Jubel für den amerikanischen Präsidenten übertraf
noch die Begeisterung, die im Jahr zuvor Charles de Gaulle ausgelöst hatte.
In programmatischen Reden, die er in der Frankfurter Paulskirche und an
der Freien Universität Berlin hielt, warb er für seinen «grand design» einer
atlantischen Partnerschaft mit den beiden Säulen Amerika und Westeuropa.
Er versicherte seinen Zuhörern, jeder Angriff auf die Bundesrepublik sei
auch ein Angriff auf die Vereinigten Staaten. Zugleich mahnte er die Deutschen zur Geduld beim Streben nach Wiedervereinigung, die weder schnell
noch leicht zu erreichen sein werde. Es gelte nicht in Schlagworten zu denken, sondern sich den Realitäten zu stellen, um sie zu verändern. Nur so
könne das Leben der Menschen auf der anderen Seite, also jenseits der
Mauer, erleichtert werden. Den stärksten Beifall fand freilich der Satz, den
er am letzten Tag seines Besuchs in Gegenwart von Adenauer, Brandt und
Lucius D. Clay, Kennedys «Sonderbotschafter» in Berlin, einer enthusia-
stischen Menge vor dem Schöneberger Rathaus zurief: «Alle freien Menschen, wo immer sie leben mögen, sind Bürger dieser Stadt West-Berlin,
und deshalb bin ich als freier Mann stolz darauf, sagen zu können: Ich bin
ein Berliner!»

Berliner Politiker und Publizisten aus den Reihen oder dem Umfeld der
Sozialdemokratie waren die ersten, die aus Kennedys «Strategie des Friedens» Folgerungen für die Deutschlandpolitik zogen. Der Regierende Bürgermeister Willy Brandt hatte schon im Oktober 1962 an der Harvard-Universität eine «aktive, friedliche und demokratische Politik der Koexistenz»
und zu diesem Zweck «so viel reale Berührungspunkte und so viel sinnvolle
Kommunikation» mit dem kommunistischen Osten wie möglich gefordert.
Kennedys Eintreten für eine selbstbewußte Entspannungspolitik des
Westens veranlaßte Brandt, in einem Vortrag an der Evangelischen Akademie Tutzing am 16. Juli 1963 noch einen Schritt weiter zu gehen. «Es gibt
eine Lösung der deutschen Frage nur mit der Sowjetunion, nicht gegen sie»,
sagte er. «Wir können nicht unser Recht aufgeben, aber wir müssen uns da-

mit vertraut machen, daß zu seiner Verwirklichung ein neues Verhältnis zwischen Ost und West erforderlich ist und damit ein neues Verhältnis zwischen Deutschland und der Sowjetunion. Dazu braucht man Zeit, aber wir können sagen, daß uns diese Zeit weniger lang und bedrückend erscheinen würde, wenn wir wüßten, daß das Leben unserer Menschen drüben und die Verbindungen zu ihnen erleichtert würden.»

Einer der engsten Mitarbeiter Brandts, der Leiter des Presse- und Informationsamtes des Landes Berlin, Egon Bahr, hatte am Abend zuvor am gleichen Ort den Entwurf einer neuen Politik auf die einprägsame Formel «Wandel durch Annäherung» gebracht. Bahr deutete die amerikanische «Strategie des Friedens» als Versuch, die kommunistische Herrschaft nicht zu beseitigen, sondern zu verändern. «Die Änderung des Ost-West-Verhältnisses, die die USA versuchen wollen, dient der Überwindung des Status quo, indem der Status quo zunächst nicht verändert werden soll. Das klingt paradox, aber es eröffnet Aussichten, nachdem die bisherige Politik des Drucks und Gegendrucks nur zu einer Erstarrung des Status quo geführt hat... Die Zone muß mit Zustimmung der Sowjets transformiert werden. Wenn wir soweit wären, hätten wir einen großen Schritt zur Wiedervereinigung getan.» Aus dieser Analyse ergab sich Bahrs Schlußfolgerung mit zwingender innerer Logik. In ihrer negativen Form lautete seine These: «Zunehmende Spannung stärkt Ulbricht und vertieft die Spaltung.» Die positive Kehrseite dieser Erkenntnis faßte der Redner in die Worte: «Ich sehe nur den schmalen Weg der Erleichterung für die Menschen in so homöopathischen Dosen, daß sich daraus nicht die Gefahr eines revolutionären Umschlags ergibt, die das sowjetische Eingreifen aus sowjetischem Interesse zwangsläufig auslösen würde.»

Ähnlich wie Bahr und nicht minder dialektisch als dieser argumentierte der Berliner Publizist Peter Bender. In seiner 1964 erschienenen Schrift «Offensive Entspannung. Möglichkeit für Deutschland» gelangte er zu dem Schluß: «Man muß den Status quo anerkennen, weil sich nur so dessen Folgen mildern lassen. Entspannung ist die einzige Möglichkeit, in Deutschland noch politisch offensiv zu werden. Allein eine begrenzte Stabilisierung der DDR gestattet, die Überlegenheit der Bundesrepublik ins Spiel zu bringen... Wer sich an die Realitäten hält, wird sich nur einen langen Prozeß vorstellen können, in dem Entspannung, Ausgleich, Angleichung mit einer sehr harten Auseinandersetzung zwischen den beiden Staaten in Deutschland einhergehen. Wenn es eine Wiedervereinigung gibt, wird sie uns nicht geschenkt werden, sondern kann nur diplomatisch, politisch und ideologisch erkämpft werden... Wer auch nur zu dem Zustand von 1961 zurück will, muß im Auge behalten, daß die SED Westreisen nur in dem Umfange wieder zulassen kann und wird, wie sich die Fluchtgefahr verringert. Die Fluchtgefahr in großem Umfang zu beseitigen oder jedenfalls zu reduzieren, ist aber nur möglich, indem man die *Fluchtgründe* beseitigt oder reduziert. Die Mauer kann nicht anders ‹durchlässig› gemacht werden als durch relative Angleichung des Lebensniveaus auf beiden Seiten.»

Daß die Stimmen, die auf eine Revision der Deutschlandpolitik drängten, zunächst fast ausnahmslos aus West-Berlin kamen, war alles andere als ein Zufall. Nirgendwo waren die Auswirkungen der Mauer so zu spüren, nirgendwo stießen nach 1961 alte Formeln und neue Wirklichkeit so hart aufeinander wie hier. Ohne Verhandlungen mit der DDR, die im Westen Deutschlands noch immer «Sowjetzone» genannt wurde, würde es nicht möglich sein, das Leben der Menschen im östlichen Teil Deutschlands und Berlins erträglicher zu gestalten und die Verbindung zwischen ihnen und ihren Landsleuten im Westen aufrechtzuerhalten: Diese Einsicht drängte sich auf Grund tagtäglicher Anschauung an der Spree früher auf als am Rhein. Am Ziel der Wiedervereinigung hielten die, die auf «Wandel durch Annäherung» setzten, fest, aber es war für sie kein Nahziel mehr. Die Wiederherstellung eines deutschen Nationalstaates konnte man für eine fernere Zukunft erhoffen, für den Zusammenhalt der Nation aber mußte *jetzt* etwas getan werden, weil es andernfalls später nichts mehr wiederzuvereinigen geben würde: In dieser Überzeugung waren sich Brandt, Bahr und Bender einig.

Weil eine Entspannung zwischen West und Ost die Bedingung der Möglichkeit menschlicher Erleichterungen im geteilten Deutschland war, durfte die Bundesrepublik nichts tun, was die Entspannung erschwerte: Auch darin stimmte die «Berliner Schule», unterstützt von drei wichtigen Hamburger Presseorganen, dem «Spiegel», der «Zeit» und dem «Stern», sowie von zwei überregionalen Tageszeitungen, der «Frankfurter Rundschau» und der «Süddeutschen Zeitung», überein. Der «Alleinvertretungsanspruch» der Bundesrepublik als einziger demokratisch legitimierter Rechtsnachfolgerin des Deutschen Reiches, der daraus abgeleitete Grundsatz der Nichtanerkennung der DDR, das Beharren auf der Vorläufigkeit der Oder-Neiße-Grenze: diese Rechtspositionen der Bundesrepublik mußten sich nach Meinung der deutschlandpolitischen Pragmatiker daran messen lassen, ob sie geeignet waren, die Folgen der deutschen Teilung erträglicher zu machen oder das Gegenteil zu bewirken.

Nicht das Staatsziel der Wiedervereinigung als solches, wohl aber die offizielle Bonner These, daß es ohne Wiedervereinigung oder, zumindest, eine Beseitigung des kommunistischen Regimes in der DDR keine wirkliche Entspannung geben könne, hatte seit Ende der fünfziger Jahre das Verhältnis der Bundesrepublik zu den angelsächsischen Mächten belastet. Die offene deutsche Frage war die Ursache jenes «deutschen Sonderkonflikts mit dem Osten», von dem Richard Löwenthal 1974 sprach. Doch erst seit der allgemeine Ost-West-Konflikt sich 1963 zu entschärfen begann, erhielten in der Bundesrepublik die Kräfte Auftrieb, die in der Entspannung die Chance sahen, den deutschen Sonderkonflikt beizulegen oder doch zu mildern. Präsident Kennedy war sich, als er im Frühsommer 1963 seine «Strategie des Friedens» verkündete, bewußt, daß er mit dieser Politik bei Brandts Sozialdemokraten mehr Zustimmung finden würde als beim christlich-demokratischen Bundeskanzler.

Die Auseinandersetzungen um das Internationale Abkommen über einen Atomteststopp, das die Außenminister der USA, Großbritanniens und der Sowjetunion in Anwesenheit des Generalsekretärs der Vereinten Nationen, U Thant, am 5. August 1963 in Moskau unterzeichneten, machten dann jedoch rasch deutlich, daß sich Adenauers Linie – keine Entspannung auf Kosten der bisherigen deutschen Rechtspositionen – auch innenpolitisch nicht mehr durchhalten ließ. Der Vertrag, der allen Staaten zur Unterzeichnung offenstand, enthielt ein Verbot von Kernwaffenversuchen in der Atmosphäre, im Weltraum und unter Wasser. Von der Bundesrepublik erwartete Washington nicht nur, daß sie dem Abkommen beitrat; sie sollte auch hinnehmen, daß die DDR dasselbe tat.

Adenauer und einige der führenden Politiker der Union, darunter der Fraktionsvorsitzende Heinrich von Brentano, der Bundesminister für besondere Aufgaben Heinrich Krone und der CSU-Vorsitzende Franz Josef Strauß, sahen in diesem Ansinnen eine völkerrechtliche Anerkennung der DDR und plädierten zunächst für die Ablehnung des Vertrags. Außenminister Schröder trat dieser Interpretation des Teststoppabkommens entgegen, wobei er sich der Unterstützung des freidemokratischen Koalitionspartners, der sozialdemokratischen Opposition und nicht zuletzt des evangelischen Flügels seiner eigenen Partei, der CDU, erfreuen konnte. Dank dieses starken Rückhalts setzte er sich mit seiner flexiblen Haltung binnen kurzem durch. Am 19. August unterzeichneten die Botschafter der Bundesrepublik in Washington, Moskau und London den Vertrag. Gleichzeitig erklärte die Bundesregierung, daß sie im Zusammenhang mit ihrem Beitritt zum Teststoppabkommen kein Gebiet als Staat und kein Regime als Regierung anerkenne, die sie nicht bereits anerkannt habe. Am 11. September folgte eine ähnliche Verlautbarung des amerikanischen Präsidenten: Der Vertrag stelle keine Änderung des Standpunktes der USA gegenüber der DDR dar. Bis Ende 1979 traten insgesamt 106 Länder dem Abkommen bei – Frankreich und die Volksrepublik China gehörten nicht dazu.[4]

Am 15. Oktober 1963 ging die Ära Adenauer definitiv zu Ende. Der erste Bundeskanzler trat nach vierzehn Jahren, einem Zeitraum so lang wie die Weimarer Republik, von seinem Amt zurück und machte widerwillig Ludwig Erhard Platz, der tags darauf mit 279 gegen 180 Stimmen bei 24 Enthaltungen zum Bundeskanzler gewählt wurde. Als Bundestagspräsident Eugen Gerstenmaier seine historisch weit ausholende, den Vergleich mit Bismarck zumindest andeutende Würdigung des scheidenden Kanzlers mit den Worten schloß, Konrad Adenauer habe sich um das Vaterland verdient gemacht, applaudierte das ganze Haus stehend. Der quälende Streit um die Nachfolge, der Autoritätsverfall der letzten Jahre, die demagogischen Ausfälle gegen politische Gegner: all dies schien einen Augenblick lang vergessen.

Adenauer selbst dankte in seiner Abschiedsrede nicht nur denen, die während seiner Kanzlerschaft mit ihm zusammengearbeitet hatten, sondern ausdrücklich auch der sozialdemokratischen Opposition, von der er im Wahlkampf des Jahres 1957 einmal behauptet hatte, ihr Sieg würde mit dem «Untergang Deutschlands» verknüpft sein. Er sprach mit Stolz vom Erreichten, räumte aber auch ein: «Wir sind der Wiedervereinigung nicht näher gekommen.» Was er fühlte, aber in seiner Rede nicht aussprach, vertraute er einige Stunden später dem Journalisten Walter Henkels an: «Ich gehe nicht frohen Herzens.»

Der Siebenundachtzigjährige war nicht nur wegen der außenpolitischen Entwicklung besorgt, deren Ernst Erhard nach seiner Einschätzung gar nicht zu begreifen vermochte. Der bisherige Wirtschaftsminister war ein Liberaler, und darin sah der alte Herr eine Gefahr für das Land wie für die Partei, an deren Spitze er, Adenauer, immer noch stand. Erhard, der evangelische, wenn auch nicht eben «kirchliche» Franke bekannte sich zwar zu den christlichen Werten, verstand darunter aber etwas anderes, weniger Verbindliches als sein katholischer Amtsvorgänger aus Köln. Aus Adenauers Sicht waren die Traditionen des christlichen Abendlandes durch Materialismus, Säkularisierung und Sittenverfall zunehmend bedroht. Erhard blickte hingegen eher optimistisch in die Zukunft. Adenauer mißtraute dem politischen Urteilsvermögen der Deutschen zutiefst, wozu sein unpolitischer Nachfolger keinen Anlaß sah. Der Übergang vom ersten zum zweiten Bundeskanzler stellte sich Adenauer folglich als eine dramatische Zäsur dar – sehr viel dramatischer, als die Bürger der Bundesrepublik sie wahrnahmen.

Im Oktober 1951, im dritten Jahr der Ära Adenauer, hatte das Allensbacher Institut für Demoskopie repräsentativ ausgewählten Bundesbürgern erstmals die Frage gestellt, wann es Deutschland in diesem Jahrhundert am besten gegangen sei. Jeweils über 40 % (45 beziehungsweise 42 %) waren damals der Meinung, man könne dies am ehesten vom Kaiserreich vor 1914 oder vom «Dritten Reich» vor 1939 sagen. Die Gegenwart nannten nur 2 %. Zwei Monate nach Adenauers Rücktritt, im Dezember 1963, entschieden sich nur noch 16 beziehungsweise 10 % für die Zeit vor 1914 oder die Jahre von 1933 bis 1939. Fast zwei Drittel (63 %) waren der Auffassung, die Gegenwart verdiene das Prädikat der besten aller Zeiten.

Das anhaltende Wirtschaftswachstum hatte mehr als alles andere dazu beigetragen, daß die Demokratie des Grundgesetzes vierzehn Jahre nach der Gründung der Bundesrepublik von der überwältigenden Mehrheit der Bundesbürger bejaht, eine Diktatur, welcher Richtung auch immer, abgelehnt wurde. Es war eine konservative Demokratie mit einem «Tory democrat», Konrad Adenauer, an der Spitze, die dem westlichen System im Westen Deutschlands zu unbezweifelbarer Legitimität verholfen hatte. Die

Erfahrung eines Machtwechsels stand noch aus, und mit ihr die Einübung in eine andere, weniger «gelenkte», die Bürger stärker fordernde Form von Demokratie. Aber erstmals in der deutschen Geschichte standen auch die Eliten auf dem Boden einer Ordnung, in der die Staatsgewalt vom Volk ausging. Die Bundesrepublik war eine funktionstüchtige westliche Demokratie geworden, und als der Kanzler, der die Integration in den Westen gegen massiven Widerstand durchgesetzt hatte, abtrat, war die Westbindung nicht mehr strittig.

Die Polarisierung, die der Streit um die Westintegration hervorgerufen hatte, war auf demokratische Weise überwunden und dadurch zu einem Faktor der politischen Integration geworden. Am Ende der Ära Adenauer gab es *zwei* große demokratische Volksparteien, die ihre Regierungs- und Koalitionsfähigkeit wechselseitig anerkannten. Die Union hatte das konservative Deutschland mit der Demokratie, die Sozialdemokratie die Arbeiterschaft mit einem sozial gebändigten Kapitalismus versöhnt. Die Attraktion radikaler Alternativen hatte sich endgültig erschöpft: «rechts» durch die Erfahrung des Nationalsozialismus, «links» durch den Anschauungsunterricht, für den die Entwicklung im Ostblock und namentlich in der DDR sorgte.

Die Gesellschaft der Bundesrepublik hatte, als der erste Kanzlerwechsel stattfand, ihre «wilhelminische» Prägung weitgehend abgestreift. Der Mauerbau hatte zur nationalen Desillusionierung, die «Spiegel»-Affäre zur Liberalisierung der Staatsauffassung beigetragen. Die Heimatvertriebenen und die Übersiedler aus der DDR waren sozial und politisch integriert. Eine der wichtigsten Stützen traditioneller Werte, die Landwirtschaft, hatte 1950 noch 25 % aller Erwerbstätigen beschäftigt; 1960 waren es noch 14, 1965 nur noch 11 %. Der konfessionellen Statistik nach war die Bundesrepublik 1961 noch immer ein «christliches» Land: 51,1 % der Bevölkerung gehörten der evangelischen, 44,1 % der römisch-katholischen Kirche an. Tatsächlich hatten sich die kirchlichen und religiösen Bindungen während der fünfziger Jahre im Zuge wachsender Mobilität und zunehmenden Wohlstands gelockert. Die «konservative Modernisierung» der Ära Adenauer war so erfolgreich, daß ihre eigenen Grundlagen allmählich dahinschwanden.

Die Defizite waren dennoch unübersehbar. Es gab auf vielen Gebieten das, wofür später der Begriff «Reformstau» gebräuchlich wurde: versäumte Erneuerungen im Bildungswesen etwa, in Sachen Gleichberechtigung der Frau und unehelich geborener Kinder, im Bereich von Strafrecht und Strafvollzug. Dazu kam der nach wie vor widerspruchsvolle Umgang mit der nationalsozialistischen Vergangenheit: wissenschaftliche und zunehmend auch gerichtliche Aufarbeitung bei gleichzeitigem Hinwegsehen über persönliche Schuld, soweit sie nicht «justitiabel» war.

An Glaubwürdigkeit mangelte es der Bundesrepublik schließlich auch auf einem anderen Gebiet: der deutschen Frage. Immer wieder hatte Adenauer die Wiedervereinigung Deutschlands in Frieden und Freiheit als das vordringlichste Ziel seiner Politik bezeichnet. Doch das war sie nicht und konnte sie nicht sein, da der Gegensatz der Weltmächte eine Lösung des deutschen Problems unmöglich machte. Der Freiheit der Bundesrepublik den Vorrang vor der staatlichen Einheit Deutschlands zu geben war und blieb legitim, ja unumgänglich. Die alten Formeln der Deutschlandpolitik aber bedurften dringend der Überprüfung. Sie widersprachen der Politik der Bundesrepublik *und* den Pflichten, die sie gegenüber den Deutschen in der DDR hatte.[5]

Für die Deutschen in der Deutschen Demokratischen Republik begann mit dem 13. August 1961 die Zeit, in der es zu einem gewissen Arrangement mit «ihrem» Staat auch dann keine Alternative mehr gab, wenn sie ihn ablehnten. Da die meisten von ihnen die DDR ohne Gefahr für Leib und Leben nicht mehr verlassen konnten, mußten sie spätestens jetzt versuchen, sich in diesem System einzurichten. Eine Zeitlang schien es, als wolle die Partei- und Staatsführung ihnen dabei helfen. Der Bau der Mauer hatte die DDR fürs erste stabilisiert; die DDR zu reformieren war für die SED, wenn sie sich dieses Ziel setzte, nun weniger riskant als zuvor.

Zeichen, die Hoffnungen weckten, gab es auf vielen Gebieten. Als Chruschtschow im Oktober 1961 auf dem 22. Parteitag der KPdSU mit Enthüllungen über Stalins Terrorsystem eine neue Phase der Entstalinisierung einleitete, schloß sich die DDR, anders als nach dem 20. Parteitag von 1956, vorbehaltlos an. Nun sprach auch Ulbricht von «Verbrechen», die unter Stalins Führung begangen worden seien. Der tote Diktator verlor zur gleichen Zeit endgültig seine Rolle als Namenspatron und Kultfigur: Im November 1961 wurde Stalinstadt an der Oder, 1950 als Wohnstadt des Eisenhüttenkombinats Ost gegründet, in «Eisenhüttenstadt» und die Ost-Berliner Stalinallee in «Karl-Marx-Allee» umbenannt; das Stalin-Denkmal in der «Hauptstadt der DDR» wurde abgerissen.

Auch auf kulturpolitischem Gebiet gab sich die SED nach 1961 liberaler als zuvor. Werke westlicher Autoren wie Max Frisch und Ingeborg Bachmann erschienen in Lizenzausgaben; die Schriftstellerin Christa Wolf konnte 1963 in ihrem Roman «Der geteilte Himmel» ein bislang tabuisiertes Thema wie die «Republikflucht», wenngleich natürlich nur in staatserhaltender Absicht, behandeln; der Liedermacher Wolf Biermann durfte bei öffentlichen Auftritten auch Kritisches über die DDR vortragen. Im September 1963 wandte sich die SED in einem «Jugendkommuniqué» sogar dagegen, «unbequeme Fragen von Jugendlichen als lästig oder gar als Provokation abzutun, da durch solche Praktiken Jugendliche auf den Weg der Heuchelei abgedrängt werden».

Am stärksten änderte sich die Wirtschaftspolitik. Im Juni 1963 verkündete der Ministerrat, gestützt auf Beschlüsse des 6. Parteitags der SED vom Januar desselben Jahres, das «Neue Ökonomische System der Planung und Leitung», kurz «NÖSPL» genannt. Die wichtigsten Merkmale des neuen

Systems waren einmal die «ökonomischen Hebel» – Preise, Abgaben, Zinsen, Gewinne, Prämien, Löhne –, die, richtig kombiniert, gewährleisten sollten, daß das Kriterium der Rentabilität voll zur Geltung kam, zum anderen eine stärkere Berücksichtigung der betrieblichen und der Konzernebene, also ein Abbau des Zentralismus. Es war unverkennbar, daß die SED damit Vorstellungen des sowjetischen Ökonomen Jewsej G. Liberman vom volkswirtschaftlichen Nutzen «materieller Interessiertheit» auf seiten der Arbeiter und der Betriebe übernahm – Vorstellungen, die in der Praxis darauf hinausliefen, die sozialistische Planwirtschaft durch gezielten Einsatz kapitalistischer Techniken im internationalen Maßstab wettbewerbsfähig zu machen.

Das «NÖSPL» brachte die DDR offenkundig voran. Laut offizieller Statistik verbesserte sich die Arbeitsproduktivität 1964 um 7 und 1965 um 6 %; das Nationaleinkommen wuchs in beiden Jahren um jeweils 5 %. Im Westen regte die Wirtschaftsreform zu weitreichenden Folgerungen und Spekulationen an. Die DDR schien, seit sie sich an Methoden eines modernen Managements orientierte, auf dem Weg, den bisherigen Primat der Politik zugunsten des Vorrangs von Wirtschaft und Gesellschaft aufzugeben. Damit war nach Meinung mancher Beobachter nicht nur eine Modernisierung der marxistisch-leninistischen Ideologie, sondern auch ein tiefgreifender Systemwandel verbunden. In den Worten des West-Berliner Politikwissenschaftlers Peter Christian Ludz aus dem Jahre 1964: «Die Interdependenz von Wandel der Ideologie und Wandel der Gesellschaft verweist auf die Gemeinsamkeit gewisser Normen und Leitbilder von Partei und Gesellschaft. Diese Gemeinsamkeit ermöglicht es, auf den Wandel auch der totalitären Herrschaft selbst – und zwar zur autoritären Herrschaft – zu schließen.»

In der Folgezeit ging Ludz noch weiter. In seinem Buch «Parteielite im Wandel» hielt er 1968 als Sachverhalt fest, daß die DDR sich von einem totalitären Regime in Richtung eines auf Funktionstüchtigkeit bedachten Systems des «konsultativen Autoritarismus» entwickelt habe. Die neue Schicht technokratischer Experten erschien aus dieser Sicht als «institutionalisierte Gegenelite», die im Gegensatz zu der herrschenden «strategischen Clique» der alten Funktionäre die Notwendigkeit von mehr gesellschaftlicher Partizipation erkannt habe. Zu einer noch kühneren Diagnose gelangte 1966 der West-Berliner Publizist Ernst Richert. Er sah in West und Ost dieselben Kräfte des wissenschaftlich-technischen Fortschritts am Werk, die in einer lautlosen Revolution eine neue Gesellschaft hervorbrachten. «Die Ideologien beider Seiten sind verbraucht. Sie waren gut für die Initialphase der bürgerlichen wie der östlich-sozialistischen Gesellschaft. Verbraucht sind auch die Normen, Institutionen und tragenden Schichten oder Gruppen, die den Prozeß einleiteten. Dank ihrem Erfolg müssen beide die Federführung an die Sachzwänge, die die entfesselte Technik selber stellt, abgeben.»

Ob sich beide «Sozialsysteme und ihre gesellschaftlichen Attitüden» einander annähern würden: diese Frage wollte Richert einstweilen noch offenlassen. Doch längerfristig deutete für ihn alles auf jene «Konvergenz» von Kapitalismus und Kommunismus hin, von der sich in den sechziger Jahren viele westliche Sozialwissenschaftler überzeugt gaben. Tatsächlich paßte die Entwicklung, die die Sowjetunion und die von ihr abhängigen kommunistischen Staaten nach Stalins Tod nahmen, nicht mehr in statische Vorstellungen von einem totalitären System. Der totalitäre Massenterror gehörte der Vergangenheit an; die kommunistische Herrschaft hatte sich versachlicht und verstetigt.

Das galt erst recht für die Zeit nach dem Sturz des impulsiven Chruschtschow und die Einsetzung einer «kollektiven Führung» unter Leonid Iljitsch Breschnew im Oktober 1964. «Chruschtschow wollte die Rolle eines dynamischen Führers in einer Phase spielen, in der die totalitäre Dynamik des kommunistischen Regimes sich totlief», schrieb Richard Löwenthal Anfang 1965. «Als Chruschtschow an die Macht kam, war er entschlossen gewesen, sowohl die Institutionen des Regimes wiederherzustellen wie dessen dynamischen Glauben neu zu beleben; am Ende war es die wachsende Starrheit der wiederhergestellten Institutionen, die über seinen dynamischen Glauben siegte... Die formale Kontinuität des Parteiregimes bleibt ungebrochen, doch die Erosion der ideologischen Dynamik ist weit fortgeschritten. Die neuen Männer sind objektiv und subjektiv nicht in der Lage, die Revolution fortzusetzen; sie müssen zufrieden sein, ihre Ergebnisse zu verwalten.»

Die These, daß sich die totalitäre Dynamik erschöpft, die totalitären Institutionen aber behauptet hatten, traf die Wirklichkeit Mitte der sechziger Jahre ungleich besser als die Annahme, die kommunistischen Regime würden sich auf Grund gesellschaftlicher und wirtschaftlicher Sachzwänge liberalisieren und demokratisieren und damit dem Westen immer ähnlicher werden. Von einer wachsenden Mitwirkung derer, die der kommunistischen Herrschaft unterworfen waren, konnte bei genauerer Betrachtung keine Rede sein. Die Reformen der nachstalinistischen Zeit zielten nicht auf ein höheres Maß an politischer Partizipation, sondern auf die Steigerung der wirtschaftlichen Effizienz – auf eine Modernisierung, die das Machtmonopol der Partei festigen und nicht überwinden sollte.

Doch auch die wirtschaftliche Modernisierung zeitigte nicht den erstrebten Erfolg. Das traf für alle Staaten des Warschauer Pakts, also auch für die DDR, zu. Es gelang ihr nicht, die Leistungskraft und den Lebensstandard der Bundesrepublik zu erreichen. Schon im Dezember 1964 korrigierte das ZK der SED auf Drängen der neuen sowjetischen Führung das «NÖSPL» in dem von Moskau gewünschten Sinn: Die Politik hatte eindeutig wieder Vorrang vor der Ökonomie. Im Juli 1965 machte Ulbricht den Vorsitzenden der Staatlichen Plankommission, Erich Apel, für Mängel verantwortlich, die in Wahrheit eine Folge ausbleibender Rohstofflieferungen aus der Sowjetunion waren. Am 3. Dezember 1965 wurde Apel in seinem Arbeitszimmer erschossen aufgefunden. Ob er Selbstmord begangen hat oder Opfer eines Mordkomplotts wurde, ist bis heute nicht geklärt. Zwölf Tage später begann die 11. Tagung des ZK der SED. Die dort beschlossene «zweite Phase» des «Neuen Ökonomischen Systems», wie es nunmehr genannt wurde, stand im Zeichen der Rückkehr zum Zentralismus. Die Staatliche Plankommission unter Apels Nachfolger Gerhard Schürer mußte einen erheblichen Teil ihrer Zuständigkeiten an bestehende oder neugeschaffene Ministerien abgeben; die Volkseigenen Betriebe waren seither wieder mehr an die Weisungen der übergeordneten Vereinigungen Volkseigener Betriebe gebunden. Vom ursprünglichen «NÖSPL» blieb nur wenig übrig, was Reformerwartungen hätte rechtfertigen können.

Auch auf kulturpolitischem Gebiet bedeutete das 11., von Kritikern alsbald so genannte «Kahlschlag-Plenum» eine Rückwendung zur früheren Praxis. Erich Honecker, Sekretär für Sicherheit und in fast allen Fragen mehr als Ulbricht ein Verfechter der harten Linie, attackierte in seinem Referat vom 15. Dezember «Erscheinungen der Unmoral und einer dem Sozialismus fremden Lebensweise» in Filmen, Fernsehsendungen, literarischen Arbeiten und Zeitschriften. Namentlich prangerte er Wolf Biermann an, der «systematisch vom Gegner zum Bannerträger einer sogenannten literarischen Opposition der DDR, zur Stimme der ‹rebellischen Jugend›» gemacht werde. «Es ist an der Zeit, der Verbreitung fremder und schädlicher Thesen und unkünstlerischer Machwerke, die zugleich auch stark pornographische Züge aufweisen, entgegenzutreten... Wir sind keine Anhänger des Muckertums und sind selbstverständlich für die realistische Darstellung aller Seiten des menschlichen Lebens in Literatur und Kunst. Aber das hat nichts damit zu tun, daß wir die neuesten Ergüsse der Enthemmung und Brutalität aus dem kapitalistischen Westdeutschland einschleusen lassen, um unsere Jugend zu verseuchen.»

Honeckers Attacke auf Biermann folgte, auch zum Zweck der Abschreckung Gleichgesinnter, das Verbot öffentlicher Auftritte des Liedermachers. Einer der schärfsten Kritiker des zum Dogma erstarrten Marxismus, der mit Biermann befreundete Physiker Robert Havemann, war bereits im März 1964 von der SED-Parteileitung der Berliner Humboldt-Universität aus der Partei ausgeschlossen und von der Universität selbst mit der Begründung fristlos entlassen worden, er habe es nicht für unter seiner Würde gehalten, sich westdeutscher Publikationsorgane zu bedienen und damit die gegen die DDR gerichteten Pläne der Militaristen und Revanchisten zu unterstützen. Auf dem 11. Plenum mußte sich neben Schriftstellern und Künstlern auch die FDJ scharfe Kritik gefallen lassen, weil sie die «marxistisch-leninistische Schulung der Jugend vernachlässigt» habe. Die Phase einer vergleichsweise liberalen Jugendpolitik, die das «Jugendkommuniqué» vom September 1963 eingeleitet hatte, war abgelaufen.

Bestand hatte hingegen die Umgestaltung des Schulwesens. Das Gesetz über das einheitliche sozialistische Bildungssystem vom 25. Februar 1965 proklamierte als Bildungsziel die «sozialistische Persönlichkeit» und versprach allen ein «gleiches Recht auf Bildung». Im Mittelpunkt stand der polytechnische Unterricht an der zehnklassigen allgemeinbildenden polytechnischen Oberschule, der sich durch größere Praxisnähe als bisher auszeichnen sollte. Die erweiterte Schulung in Marxismus-Leninismus ging Hand in Hand mit der Anhebung des Niveaus des Mathematikunterrichts: Die Schüler der sozialistischen DDR sollten jene im kapitalistischen Westdeutschland nicht nur in ideologischer Hinsicht, sondern auf allen für den gesellschaftlichen und technischen Fortschritt wichtigen Gebieten übertreffen.

Die Zielvorgaben des Gesetzes galten nicht nur für die Oberschule, sondern auch für die darauf aufbauende zweiklassige Erweiterte Oberschule, für die Einrichtungen der Berufs-, Aus- und Weiterbildung, für Ingenieur- und Fachschulen, für Hochschulen und Universitäten, ja selbst, mit den in der Natur der Sache liegenden Einschränkungen, für die Vorschulerziehung. *Ein* Erfolg der bildungspolitischen Anstrengungen zumindest war meßbar und wurde auch in der Bundesrepublik mit Interesse zur Kenntnis genommen: Die Zahl der Schüler, die länger als acht Jahre zur Schule gingen, stieg von 16 % im Jahre 1951 auf 85 % im Jahre 1970.

Im ideologischen Kampf mit dem anderen deutschen Staat hatte die SED auch in der Zeit einer teilweisen innenpolitischen Lockerung nicht nachgelassen. Anläßlich der Einführung der allgemeinen Wehrpflicht berief sich Generaloberst Heinz Hoffmann, seit Juli 1960 Minister für Nationale Verteidigung, am 24. Januar 1962 auf das Potsdamer Abkommen, dessen erstes Anliegen es sei, «zu verhindern, daß vom deutschen Militarismus jemals wieder ein Krieg ausgehen kann». Zwei Monate später, am 25. Mai 1962, veröffentlichte der Nationalrat der Nationalen Front das «Nationale Dokument» mit dem Titel «Die geschichtliche Aufgabe der DDR und die Zukunft Deutschlands». Darin hieß es, der Sieg des Sozialismus in der DDR liege im nationalen Interesse des ganzen deutschen Volkes und sei «die entscheidende Voraussetzung für die Lösung unserer nationalen Frage». Die DDR, die der Gesellschaftsordnung im Westen Deutschlands «bereits um eine ganze geschichtliche Epoche voraus» sei, könne mit der «Vollendung des Aufbaus des Sozialismus» nicht warten, bis die «friedliebenden Kräfte in Westdeutschland unter Führung der Arbeiterklasse den Sieg errungen» hätten. In der Zwischenzeit müsse im Zeichen der «friedlichen Koexistenz» eine «deutsche Konföderation» gebildet werden, die den Frieden sichern solle, bis sie mit der Wiedervereinigung Deutschlands erlöschen werde.

Im Jahr darauf wiederholte die SED in ihrem, im Januar 1963 vom 6. Parteitag beschlossenen ersten Parteiprogramm diese Forderung. Am «sozialistischen» Endziel ihrer «nationalen» Politik ließ die SED auch hier keinen Zweifel. Die DDR sei, so hieß es in dem Programm, «auf allen Gebieten der

Politik und des gesellschaftlichen Lebens die nationale und soziale Alternative gegenüber dem in Westdeutschland herrschenden Imperialismus. Ihre historische Mission besteht darin, durch die umfassende Verwirklichung des Sozialismus in dem ersten Arbeiter- und Bauern-Staat die feste Grundlage dafür zu schaffen, daß in ganz Deutschland die Arbeiterklasse die Führung übernimmt, die Monopolbourgeoisie auch in Westdeutschland entmachtet und die nationale Frage im Sinne des Friedens und des gesellschaftlichen Fortschritts gelöst wird.»

Daß es in der Bundesrepublik breite Zustimmung zum nationalen Anspruch der SED geben würde, konnte die «Partei der Arbeiterklasse» kurzfristig nicht erwarten. Die entsprechenden Parolen richteten sich denn auch in erster Linie an die eigene Bevölkerung. *Sie* galt es davon zu überzeugen, daß die herrschende Partei auch nach dem Bau des «antifaschistischen Schutzwalles» am Ziel der deutschen Einheit festhielt. Und wahrscheinlich glaubte die SED sogar, was sie verkündete. Sie sah sich noch immer im Besitz der einzigen Lehre, die den gesetzmäßigen Gang der Geschichte und damit auch ihren Ausgang kannte. Da der Sozialismus weltweit siegen würde, mußte er mit historischer Notwendigkeit auch in dem Teil Deutschlands siegen, in dem jetzt noch der Kapitalismus herrschte. Wenn dieser Sieg errungen war, war gleichzeitig auch die nationale Frage gelöst – im Sinne des Marxismus-Leninismus.[6]

Das Verhältnis zur DDR war Ende 1963 eines der ersten Probleme, mit denen sich die neue Bonner Regierung, das christlich-liberale Koalitionskabinett Erhard, zu befassen hatte. Am 5. Dezember schlug der Stellvertretende Vorsitzende des Ministerrats der DDR, Alexander Abusch, dem Regierenden Bürgermeister von Berlin, Willy Brandt, brieflich Verhandlungen über ein Passierscheinabkommen vor. Die Vereinbarung sollte West-Berlinern während der Weihnachtszeit Verwandtenbesuche in der «Hauptstadt der DDR» ermöglichen: ein Angebot, das dringlichen Forderungen des Senats von Berlin entgegenkam. Bis dahin hatte die DDR es zwar Bundesbürgern und Ausländern gestattet, den Ostteil der ehemaligen Reichshauptstadt zu besuchen, nicht jedoch West-Berlinern.

Innerhalb der Bundesregierung gab es Befürworter und Gegner einer Passierscheinregelung. Der FDP-Vorsitzende Erich Mende, seit dem 17. Oktober Vizekanzler und Bundesminister für gesamtdeutsche Fragen, unterstützte die Position Brandts; Außenminister Schröder sah Gefahren für den Grundsatz der Nichtanerkennung heraufziehen und gehörte deshalb zu den Warnern; Bundeskanzler Erhard schwankte, ließ aber schließlich den Senat gewähren. Am 17. Dezember 1963 unterzeichneten Staatssekretär Erich Wendt für die DDR und Senatsrat Horst Korber für West-Berlin das erste Passierscheinabkommen. Zwischen dem 19. Dezember 1963 und dem 5. Januar 1964 durften infolgedessen West-Berliner einen näher bestimmten Kreis von Verwandten im Ostteil der Stadt besuchen.

Eine «salvatorische Klausel» des Protokolls hielt fest, daß sich beide Seiten auf gemeinsame Orts-, Behörden- und Amtsbezeichnungen nicht hatten einigen können. Eine Anerkennung der DDR oder der These von West-Berlin als einer «selbständigen politischen Einheit» war aus der Vereinbarung also nicht herauszulesen.

Dennoch konnte die DDR das Abkommen als Erfolg verbuchen. Sie hatte sich «humanitär» gezeigt und damit im Westen einen positiven Eindruck hervorgerufen. Ob die Bundesrepublik fortan noch bei ihrem strikten Nein zu jedweder Art von offiziellen Kontakten mit der DDR (abgesehen von jenen über die Treuhandstelle für den Interzonenhandel) bleiben konnte, war durchaus fraglich. Und schließlich gab es seit dem 17. Dezember 1963 einen Hebel, um West-Berlin unter Druck zu setzen und gegebenenfalls in einen Gegensatz zu Bonn zu bringen. Dem ersten Passierscheinabkommen folgten noch drei weitere, das letzte für Ostern und Pfingsten 1966. Danach war die DDR nicht mehr bereit, die «salvatorische Klausel» zu akzeptieren. Ohne formelle Anerkennung keine menschlichen Erleichterungen, lautete die Botschaft aus Ost-Berlin. Die DDR wußte, daß es in der westdeutschen Öffentlichkeit für diese Forderung inzwischen mehr Verständnis gab als im Winter 1963/64.

Als die Regierung Erhard sich widerstrebend und zögerlich auf die von den Berliner Sozialdemokraten propagierte «Politik der kleinen Schritte» einließ, lebte der Pionier der westlichen Entspannungspolitik schon nicht mehr. Am 22. November 1963 war Präsident John F. Kennedy in Dallas ermordet worden – wobei bis heute nicht geklärt ist, wer, außer dem Attentäter Lee Harvey Oswald, hinter dem Anschlag stand. Der neue Präsident, Lyndon B. Johnson, erbte von seinem Vorgänger einen weltpolitischen Krisenherd: Vietnam. Dort standen sich seit 1960 der kommunistische Norden unter Ho Chi Minh und der autoritär regierte Süden unter Ngo Dinh Diem im offenen Kampf gegenüber, wobei der Norden den Vorteil hatte, daß es im Süden zahlreiche einheimische Partisanen des kommunistischen Vietcong gab, die das diktatorische Regime in Saigon bekämpften.

Kennedy hatte zunächst den korrupten, aber entschieden antikommunistischen Ngo Dinh Diem, nach dessen Sturz und Ermordung Anfang November 1963 die neue Saigoner Führung, eine Offiziersjunta, mit amerikanischen «Militärberatern» unterstützt. Das Motiv dieser Politik war die Annahme, wenn ganz Vietnam in die Hände der Kommunisten falle, werde ein südostasiatisches Land nach dem anderen «rot» werden. Johnson, auch er ein überzeugter Anhänger dieser «Dominotheorie», weitete das militärische Engagement seines Landes im Sommer 1964 bis zu dem Punkt aus, wo der Konflikt in einen Krieg der Weltmacht USA gegen das kleine Nordvietnam umschlug. Wenig später, im Oktober 1964, wurde Chruschtschow gestürzt – ein Parteichef, der zuletzt für Washington ein beinahe kalkulierbarer Partner geworden war. In die letzten Monate der Herrschaft Chruschtschows fiel aber auch der offene Bruch mit dem China Mao Zedongs, der ihm Mitte Juli 1964 in einem Grundsatzartikel der «Roten Fahne» einen «gefälschten Kommunismus» vorwerfen ließ (und damit wohl seine Entmachtung beschleunigte). Ob die Entspannung zwischen Ost und West unter den veränderten weltpolitischen Bedingungen noch eine Zukunft hatte, war Ende 1964 wieder ganz ungewiß.

Bonn erlebte im ersten Jahr nach dem Machtwechsel in Moskau eine Reihe von außenpolitischen Rückschlägen. Die Absetzung Chruschtschows vereitelte einen offiziellen Besuch, den dieser der Bundesrepublik hatte abstatten wollen. Seine Nachfolger, Parteichef Breschnew und Ministerpräsident Kossygin, sahen keinen Anlaß, auf dieses Vorhaben zurückzukommen. Im März 1965 scheiterten Verhandlungen mit der Tschechoslowakei, die der Errichtung von Handelsmissionen galten, an der «Berlin-Klausel»: dem Anspruch der Bundesrepublik, West-Berlin in den Vertrag mit einzubeziehen. Die Regie des Kreml war unverkennbar: Nachdem die Bundesrepublik 1963/64 mit Polen, Rumänien, Ungarn und Bulgarien Handelsverträge abgeschlossen hatte, legte die Sowjetunion jetzt ihr Veto ein. Die neue Moskauer Führung wollte weder das Selbständigkeitsstreben der eigenen Verbündeten noch die Linie von Außenminister Schröder unterstützen, dem es bei allen Bemühungen um bessere Beziehungen zu den kommunistischen Staaten Ostmittel- und Südosteuropas immer zugleich auch um eine Isolierung der DDR ging.

Die nächste außenpolitische Niederlage war die Folge einer vorrangig moralisch begründeten Entscheidung der Bundesregierung: Im Mai 1965 brachen die arabischen Staaten, mit Ausnahme von Libyen, Marokko und Tunesien, die diplomatischen Beziehungen zur Bundesrepublik ab, nachdem diese diplomatische Beziehungen mit Israel aufgenommen hatte. Im Falle Ägyptens wäre der Abbruch fast schon im März erfolgt, aber dann in Bonn verkündet worden – als Reaktion auf einen Staatsbesuch Walter Ulbrichts am Nil. Da Präsident Nasser jedoch eine formelle Anerkennung der DDR vermied, setzten sich im Bundeskabinett die Vertreter einer flexiblen Haltung durch. Außenminister Schröder, Verteidigungsminister von Hassel und die freidemokratischen Mitglieder der Bundesregierung kamen zu dem Schluß, daß dies kein Fall war, der die Anwendung der «Hallstein-Doktrin» notwendig machte. Erhard und die Mehrheit der Unionsminister fügten sich. Die Aufnahme diplomatischer Beziehungen mit Israel war *auch* eine Antwort auf die Herausforderung aus Ägypten.

Gefährlicher als die Mißerfolge, die die Bonner Diplomatie auf den Gebieten der Ost- und Nahostpolitik hinnehmen mußte, war die Krise der Westpolitik. Der Gegensatz zwischen «Atlantikern» und «Gaullisten» spitzte sich zu, seit der CDU-Vorsitzende Adenauer, seines Regierungsamtes ledig, sich immer deutlicher auf die Seite der letzteren stellte. Zwar konnten die beiden Parteivorsitzenden Adenauer und Strauß der Détente à la française, die de Gaulle nach dem Scheitern seiner Deutschlandpolitik einleitete, wenig abgewinnen. Aber sie teilten sein Streben, Europa «europäischer», also Amerika gegenüber unabhängiger, zu machen, und waren alles andere als Vorkämpfer eines raschen britischen Beitritts zur EWG.

Als Präsident Johnson um die Jahreswende 1964/65 das von den deutschen «Atlantikern» unterstützte Projekt einer multilateralen Atomstreitkraft innerhalb der NATO («MLF») fallen ließ, gab das zunächst den deutschen «Gaullisten» Auftrieb. Wenig später stieß dann aber der französische Staatspräsident auch seine deutschen Gefolgsleute vor den Kopf: Am 30. Juni 1965 zog Frankreich seine Vertreter aus dem Ministerrat der Europäischen Wirtschaftsgemeinschaft ab. Mit der «Politik des leeren Stuhls» wollte de Gaulle den Vorstoß der, seit 1958 von Walter Hallstein geführten, EWG-Kommission vereiteln. Die Kommission hatte vorgeschlagen, den gemeinsamen Agrarmarkt künftig über eigene Einnahmen statt, wie bisher, durch Beiträge der Mitgliedstaaten zu finanzieren, die Kontrollbefugnisse des Europäischen Parlaments zu erweitern und im Ministerrat beim Übergang zur nächsten Integrationsstufe, Anfang 1966, das Prinzip der Einstimmigkeit durch Mehrheitsentscheidungen zu ersetzen. Durch die Blockadepolitik de Gaulles geriet der europäische Integrationsprozeß ins Stocken und die Bundesrepublik in einen tiefen Gegensatz zu Frankreich.

Ludwig Erhard mußte dennoch nicht befürchten, daß ihm die außenpolitischen Fehlschläge bei der bevorstehenden Bundestagswahl schaden würden. Die Wirtschaft florierte; die Bundesrepublik befand sich 1965 mit einer Arbeitslosenzahl von 147 400 und einer Arbeitslosenquote von 0,7 % nicht nur im Zustand der Vollbeschäftigung; es herrschte vielmehr ein beträchtlicher Arbeitskräftemangel. Seit der Bau der Mauer den Zustrom von erwerbstätigen Deutschen aus der DDR zum Versiegen gebracht hatte, war der Bedarf an «Gastarbeitern», vor allem aus Südeuropa und der Türkei, fortwährend gestiegen; Ende Juni 1965 übersprang ihre Zahl die Millionengrenze. Das «Wirtschaftswunder» schien kein Ende nehmen zu wollen.

Die Sozialdemokraten zogen 1965 wieder, wie vier Jahre zuvor, mit Willy Brandt an der Spitze in den Wahlkampf. Seit Mitte Februar 1964 war der Regierende Bürgermeister von Berlin auch Vorsitzender seiner Partei und damit Nachfolger von Erich Ollenhauer, der am 14. Dezember 1963 gestorben war. Die SPD setzte nicht auf Zuspitzung, sondern auf Ausgleich der innenpolitischen Gegensätze. Sie betonte den Rang der «Gemeinschaftsaufgaben» wie Gesundheit, Bildung, Raumordnung. Die Außenpolitik spielte, abgesehen von Brandts Einsatz für menschliche Erleichterungen im geteilten Deutschland, im Wahlkampf keine Rolle. Dem Kanzlerkandidaten wurde eine «Regierungsmannschaft» zur Seite gestellt, der, neben anderen, Fritz Erler, Herbert Wehner, Gustav Heinemann, Carlo Schmid, der Hamburger Innensenator Helmut Schmidt und der Berliner Wirtschaftssenator Karl Schiller angehörten. «Sicher ist sicher» lautete das zentrale Wahlkampfmotto – eine Parole, die freilich auch als Aufruf mißverstanden werden konnte, lieber alles beim alten zu belassen. Am Abend des 19. September 1965 hieß der Wahlsieger, wie zuletzt auch von den Demoskopen vorhergesagt, Ludwig Erhard. Die CDU/CSU steigerte ihren Stimmenanteil gegenüber 1961 um 2,3 % auf 47,6 %. Die SPD gewann etwas mehr, nämlich 3,1 %, und kam auf 39,3 %. Die FDP erreichte 9,5 %, was einen Verlust von 3,3 % bedeutete. Zusammen verfügten Union und Freie Demokraten über eine Mehrheit von 92 Sitzen, so daß man mit einer Erneuerung der christlich-liberalen Koalition rechnen konnte.

Der Mann, der wesentlich dazu beigetragen hatte, daß die Sozialdemokraten bei der fünften Bundestagswahl das beste Ergebnis ihrer Geschichte erzielten, zog am 22. September seine persönlichen Konsequenzen aus Wahlkampf und Wahlausgang: Auf einer Pressekonferenz erklärte Willy Brandt, er werde Parteivorsitzender und Regierender Bürgermeister von Berlin bleiben, also nicht als parlamentarischer Oppositionsführer nach Bonn gehen; eine abermalige Kanzlerkandidatur schloß er aus. Daß die Presse- und Flüsterkampagnen, die auch 1965 wieder wegen seiner unehelichen Geburt und seiner Emigration gegen ihn geführt worden waren, mit in die Entscheidung einflossen, sprach Brandt an dieser Stelle nicht aus. Vor den Spitzengremien seiner Partei am 25. September tat er es: «Tatsache ist, daß die Dreckkampagne von 1961 übergeleitet worden war in eine umfassende unterschwellige Propaganda. Tatsache ist, daß ich auch diesmal an vielen Stellen in Wort und Schrift in übelster Weise diffamiert worden bin.»[7]

Die Regierungsbildung erwies sich, ungeachtet des eindeutigen Wahlergebnisses, als schwierig. Bundespräsident Heinrich Lübke, der am 1. Juli 1964 mit den Stimmen der SPD ein zweites Mal in das höchste Staatsamt gewählt worden war, hätte am liebsten ein Kabinett der Großen Koalition ernannt, wollte aber, darin mit Adenauer und Strauß einig, zumindest verhindern, daß Gerhard Schröder nochmals das Auswärtige Amt übernahm. Die CSU wehrte sich gegen die Absicht Erich Mendes, wieder Minister für gesamtdeutsche Fragen zu werden, und bestand auf einer Art Ehrenerklärung der FDP für Strauß, der seinen Sturz im November 1962 und die Rolle der FDP in der «Spiegel»-Affäre noch nicht verwunden hatte.

Am Ende behielten Schröder und Mende ihre Ressorts; Strauß trat zwar nicht ins Kabinett ein, erreichte aber eine Feststellung, wonach beide Koalitionspartner ihre Vorbehalte gegen die Befähigung führender Politiker der anderen Partei für ein Ministeramt für beendet ansähen. Erhard hatte sich dem Widerstand der CSU gegen Mende zunächst gebeugt, auf die Proteste der FDP hin seine Entscheidung aber widerrufen. Dafür erhielt die CSU fünf statt der bisher vorgesehenen vier Ministerien. Am 20. Oktober 1965 wurde Erhard erneut zum Bundeskanzler gewählt. Seine Autorität aber hatte durch die Regierungsbildung stark gelitten – vor allem in den Reihen seiner eigenen Partei, der Union.

Die Regierungserklärung, die Erhard am 10. November abgab, enthielt eine Standortbestimmung, die sogleich kräftigen Widerspruch auslöste: «Die Nachkriegszeit ist zu Ende!» Der Kanzler wollte damit einen Perspektivenwechsel begründen: Da fast die Hälfte der Deutschen keine persönliche Erinnerung mehr an die Jahre 1933 bis 1945 habe, könnten Krieg und Nachkriegszeit nicht länger die Bezugspunkte der Arbeit von Bundestag und Bundesregierung sein.

Doch die Vergangenheit war durchaus noch kein abgeschlossenes Kapitel: Am 25. März 1965 hatte der Bundestag mit großer Mehrheit die Verjährungsfrist für nationalsozialistische Gewaltverbrechen verlängert; am 19. August waren nach über zwanzig Monaten währenden, die Öffentlichkeit aufwühlenden Verhandlungen die Urteile des Frankfurter Schwurgerichts gegen Angehörige von Wachmannschaften des Vernichtungslagers Auschwitz ergangen. Und selbst wenn die Deutschen in der Bundesrepublik der unmittelbaren Nachkriegszeit längst entwachsen waren, so mußten sich die Deutschen in der DDR doch fragen, ob der Bundeskanzler bei seiner Feststellung auch in hinreichendem Maß an sie gedacht hatte.

Mißverständlich und umstritten war auch Erhards Wort von der «formierten Gesellschaft». Er meinte mit diesem, von einem seiner Berater, dem Publizisten Rüdiger Altmann, geprägten Begriff eine «moderne Leistungsgesellschaft», die zwar nicht frei sei von Interessengegensätzen, in der diese aber nicht mehr «Elemente des Zerfalls ihrer Einheit» bildeten, sondern immer mehr zum «Motor eines permanenten Interessenausgleichs unter dem Gesichtspunkt des allgemeinen Wohls» würden. Das klang vieldeutig und schloß zumindest die Interpretation nicht aus, daß der Kanzler den gesellschaftlichen Pluralismus notfalls auch von «oben» disziplinieren wollte. Dazu paßte Erhards Appell an die Bundesbürger, sie sollten, statt über eine Verkürzung der Arbeitszeit nachzudenken, lieber die tariflich vereinbarte Arbeitszeit um eine Stunde Mehrarbeit wöchentlich erhöhen. Der «Vater des Wirtschaftswunders» war wegen der Erschöpfung des deutschen Arbeitsmarkts und der wachsenden Zahl ausländischer Arbeitskräfte besorgt; er mußte die Bevölkerung von der Notwendigkeit des drastischen Sparprogramms überzeugen, das das Kabinett am 29. Oktober beschlossen und in die Form eines Haushaltssicherungsgesetzes gebracht hatte. Aber der Aufruf zur Mehrarbeit ließ doch am Wirklichkeitssinn des «Volkskanzlers» zweifeln, als der Erhard sich verstand.

Im außenpolitischen Teil der Regierungserklärung, der Schröders Handschrift trug, betonte der Bundeskanzler die Bedeutung der NATO und des deutsch-französischen Vertrags. Er bekannte sich zum Selbstbestimmungsrecht der Deutschen, zur Wiedervereinigung und dem ausschließlichen Recht der Bundesrepublik, für alle Deutschen zu sprechen. Er berief sich auf die «gültige Rechtsauffassung», wonach Deutschland in seinen Grenzen vom 31. Dezember 1937 fortbestehe und die endgültigen Grenzen erst in einem Friedensvertrag festgelegt werden könnten, der mit einer freigewählten gesamtdeutschen Regierung auszuhandeln sei. Erhard sprach sich aber auch dafür aus, «die Beziehungen zu den Staaten in Ost- und Südosteuropa weiterzuentwickeln, den Handel zu fördern, die kulturellen Kontakte zu verstärken und gegenseitiges Verständnis zu wecken». Die Bundesrepublik wünsche nicht weniger, sondern mehr Entspannung.

Das klang sehr allgemein und blieb, was die östlichen Nachbarn betraf, weit hinter den Einsichten zurück, die der Rat der Evangelischen Kirche in Deutschland am 15. Oktober 1965 in einer Denkschrift seiner Kammer für öffentliche Verantwortung über «Die Lage der Vertriebenen und das Verhältnis des deutschen Volkes zu seinen östlichen Nachbarn» vorgetragen hatte. Darin forderten die Autoren, die Grundlagen der deutschen Ostpolitik, einschließlich der künftigen Ostgrenze, sorgfältig zu prüfen und neu zu formulieren. «Den deutschen Rechtsstandpunkt starr und einseitig zu betonen» genüge nicht; vielmehr komme es darauf an, «im deutschen Volk selbst und nach außen eine Atmosphäre zu schaffen, in der dann auch in einzelnen Schritten Akte der Versöhnung mit den östlichen Nachbarn möglich werden». Am 5. Dezember sprachen sich auch die katholischen deutschen Bischöfe während des Zweiten Vatikanischen Konzils in Rom in einer Antwort auf einen Brief der polnischen Bischöfe vom 18. November für gegenseitiges Vergeben und Bemühungen aus, im Geiste christlicher Liebe «alle unseligen Folgen des Krieges in einer nach allen Seiten befriedigenden und gerechten Lösung zu überwinden».

Am 25. März 1966 endlich tat die Regierung Erhard einen kleinen Schritt in der von den Kirchen gewünschten Richtung. In einer «Note zur Abrüstung und Sicherung des Friedens», die fast allen Staaten der Welt, nicht jedoch der DDR, zuging, unterbreitete die Bundesregierung Vorschläge zur Abrüstung, Friedenssicherung und Entspannung. Den osteuropäischen Staaten bot sie förmliche Gewaltverzichtserklärungen und den Austausch militärischer Beobachter bei Manövern an. Doch daneben stand die abermalige ausdrückliche Feststellung, daß Deutschland völkerrechtlich in den Grenzen von 1937 fortbestehe und das Recht beanspruche, frei über sein Schicksal zu bestimmen. Daß die kommunistischen Staaten Europas auf die «Friedensnote» ablehnend reagierten, konnte Bonn kaum überraschen.

Zu einem Ost-West-Dialog schien es hingegen in der ersten Hälfte des Jahres 1966 zwischen SPD und SED zu kommen. Am 18. März beantwortete der sozialdemokratische Parteivorstand einen «Offenen Brief», den der Erste Sekretär der SED, Walter Ulbricht, am 7. Februar an die Delegierten des für Juni in Dortmund geplanten Parteitags der SPD gerichtet hatte. In ihrer Erwiderung lehnten die Sozialdemokraten eine Zusammenarbeit beider Parteien ab, weil dafür jede Voraussetzung fehle, und erteilten Volksfrontmanövern eine klare Absage. Statt dessen solle darauf hingearbeitet werden, daß Vertreter beider Seiten ihre Auffassungen über die Deutschlandfrage offen darlegen könnten. Diesen Gedanken griff die SED am

26. März auf und schlug ihrerseits einen Redneraustausch vor, was die SPD am 14. April begrüßte.

Nach technischen Vorgesprächen vereinbarten beide Seiten am 26. Mai, daß Sprecher der SPD am 14. Juli in Karl-Marx-Stadt, dem ehemaligen Chemnitz, und Sprecher der SED am 21. Juli in Hannover zu Wort kommen sollten. Dem Auftritt Ulbrichts und anderer Repräsentanten der SED in der Bundesrepublik stand jedoch noch ein juristisches Hindernis entgegen: Sie mußten dort, nicht zuletzt wegen der Toten an der Mauer, mit ihrer Verhaftung und strafrechtlichen Verfolgung rechnen. Um diese, keineswegs bloß theoretische Hürde zu beseitigen, beschloß der Bundestag am 23. Juni gegen 50 Stimmen aus der CDU/CSU und 2 Stimmen aus der FDP das Gesetz über die befristete Freistellung von der Gerichtsbarkeit der Bundesrepublik Deutschland: Es erlaubte, Deutsche mit Wohnsitz außerhalb des Geltungsbereichs des Grundgesetzes von der Gerichtsbarkeit freizustellen, wenn dies bei Abwägung aller Umstände zur Förderung wichtiger öffentlicher Interessen geboten erschien.

Die SED sprach von einem «Handschellengesetz», was die Absicht des Gesetzes ins Gegenteil verkehrte. Doch der Vorwurf der Diskriminierung der DDR eignete sich als notdürftige Begründung jener Entscheidung, die die SED auf eine Intervention aus Moskau hin am 29. Juni bekanntgab: Sie sagte den Redneraustausch ab. Willy Brandt berichtet in seinen «Erinnerungen», der sowjetische Botschafter in Ost-Berlin, Pjotr Andrejewitsch Abrassimow, habe ihn, *vor* der Absage und nur scheinbar scherzhaft, gefragt: «Wer weiß, was dort hinter verschlossenen Türen besprochen werden mag?» Was der Vorsitzende der SPD in Karl-Marx-Stadt öffentlich hatte sagen wollen, trug er nun im Rundfunk vor: «Nicht des Streites wegen, sondern der Menschen wegen fragen wir: Kann etwas getan werden, und was kann getan werden, um trotz allem den Menschen das Leben zu erleichtern und die Zusammengehörigkeit des geteilten Volkes wachzuhalten? Jeder Fortschritt auf diesem Wege der Entkrampfung und Entspannung ist ein deutscher Beitrag, den Frieden sicherer zu machen.»

Die offizielle Außenpolitik Bonns stand 1966 im Zeichen von Spannungen mit zwei Verbündeten: Frankreich und den USA. Ende Januar gelang es dem Ministerrat der EWG zwar, durch den «Luxemburger Kompromiß» de Gaulles «Politik des leeren Stuhls», den Boykott der Mitarbeit in allen Gremien der Gemeinschaft, zu beenden: Ministerrat und Kommission verständigten sich auf Konsultationen vor wichtigen Entscheidungen und ließen die Frage eines Vetorechts der Mitgliedstaaten offen. Aber kurz darauf versetzte der General dem gesamten Westen einen schweren Schlag: Am 21. Februar kündigte de Gaulle den Austritt seines Landes aus der militärischen Integration der NATO zum 1. Juli 1966 an. Er begründete diesen Schritt vor allem damit, daß die Kriegsgefahr in Europa nachgelassen habe. Tatsächlich war die militärische Integration unvereinbar mit de Gaulles Bild einer, dank der «Force de frappe» atomar eigenständigen Großmacht

Frankreich. Die Mitgliedschaft in der NATO als Pakt kündigte der französische Staatspräsident freilich nicht auf.

Die Regierung Erhard konnte lediglich demonstrativ feststellen, sie werde unbeirrt an der atlantischen Integration der Bundeswehr festhalten und alles tun, um das Bündnis zu erhalten. Damit war die Position der «Atlantiker» umrissen. Die Position der deutschen «Gaullisten», zu denen man nun auch Adenauer rechnen mußte, war eine andere. Sie sahen in der entstehenden «Force de frappe» einen zusätzlichen Schutzschild, ja eine Rückversicherung gegenüber Amerika. Was dessen atomare Garantie im Ernstfall wert sein würde, erschien den deutschen Anhängern des französischen Staatspräsidenten, und nicht nur ihnen, als ungewiß.

Auch in einer anderen Frage betrieb Charles de Gaulle eine nationale Interessenpolitik ohne Rücksicht auf den Nachbarn rechts des Rheins. Ende Juli 1966 kapitulierte der Ministerrat der EWG vor dem hartnäckigen Widerstand Frankreichs gegen eine Reform der gemeinsamen Agrarpolitik. Es blieb bei den «Abschöpfungen» aus dem Agrarfonds, der aus Einzahlungen der Mitgliedstaaten, obenan der Bundesrepublik, gespeist wurde. Damit war eine Konstruktion «gerettet», die die Landwirtschaft aller Mitgliedstaaten und namentlich die des noch immer stark agrarisch geprägten Frankreich vor dem Weltmarkt abschirmte und für eine gewaltige Überproduktion auf dem Agrarsektor sorgte.

In eine schwere Krise gerieten 1966 auch die Beziehungen zwischen Bonn und Washington. Ende September besuchte Erhard die Vereinigten Staaten. Nach de Gaulles Coup gegen die NATO und dem spektakulären Staatsbesuch, den er Ende Juni und Anfang Juli der Sowjetunion abgestattet hatte, war das Verhältnis zu Amerika für die Bundesrepublik noch wichtiger geworden als zuvor. Doch Präsident Johnson tat nicht, was der Kanzler von ihm erwartete: Er kam Erhard weder in der Frage der atomaren Mitbestimmung noch bei dem erbetenen Aufschub der «Offset-Zahlungen» entgegen, zu denen sich Bonn im Zusammenhang mit der Stationierung amerikanischer Truppen in der Bundesrepublik verpflichtet hatte. Das zweite Thema, der Devisenausgleich, hatte für den Kanzler eine nachgerade existentielle Bedeutung: Er brauchte ein Entgegenkommen der USA, weil er andernfalls keine Chance sah, einen ausgeglichenen Haushalt für 1967 vorzulegen. Als er ohne den ersehnten Erfolg aus Amerika zurückkehrte, gab es zumindest bei den informierten Beobachtern keinen Zweifel mehr: Der «Volkskanzler» war ein Regierungschef ohne Fortüne.

Die Schwierigkeiten des Haushaltsausgleichs waren eine Folge von Steuersenkungen und Ausgabenerhöhungen der vorangegangenen Jahre. Die Regierung hatte damit selbst zu der überhitzten Konjunktur beigetragen, die rasch in eine Rezession umschlagen konnte. Die Gefahr einer Inflation war nicht länger zu übersehen: Zwischen Mai 1965 und Mai 1966 waren die Lebenshaltungskosten um 4,5 % gestiegen; im August 1966 rechnete man mit Lohnsteigerungen von 7 bis 8 %. Die Bundesbank hatte am 27. Mai den

Diskontsatz von 3,5 auf 5 % erhöht, damit aber zunächst nur bewirkt, daß die Nachfrage im Inland zurückging und der Umsatz des Außenhandels wuchs. In ihrer Gesamtheit wirkten die Wirtschaftsdaten als Alarmsignal. Während die Angst vor einer Krise um sich griff, arbeitete das Bonner Kabinett am Ausgleich des Bundeshaushalts. Am 29. September wurde ein Etat verabschiedet, der drastische Sparmaßnahmen vorsah, dem aber noch die Deckung auf der Einnahmeseite fehlte. An diesem Punkt schieden sich bei den Koalitionspartnern die Geister: Die Unionsparteien waren bereit, notfalls auch Steuern zu erhöhen; die FDP legte sich am 19. Oktober auf ein kategorisches Nein zu Steuererhöhungen fest. Einen Tag zuvor war aus dem Bundesfinanzministerium gemeldet worden, daß die Steuereinnahmen vermutlich um eine Milliarde DM unter der veranschlagten Höhe bleiben würden.

Zu diesem Zeitpunkt hatte sich die Haushaltskrise schon längst zur Kanzlerkrise entwickelt. Es half Erhard nichts, daß er seit dem 23. März 1966 auch Vorsitzender (und Konrad Adenauer nur noch Ehrenvorsitzender) der CDU war. Der «Volkskanzler» stand seiner Partei so fremd gegenüber wie zuvor. Als Rainer Barzel, der Vorsitzende der Bundestagsfraktion der CDU/CSU, am 4. Oktober verkündete, Ludwig Erhard sei und bleibe Bundeskanzler, glaubte kaum noch ein führender Politiker der Union an eine politische Zukunft dieses Nichtpolitikers. Drei Tage später sprach Franz Josef Strauß im Landesvorstand der CSU in verschlüsselter Form von der Notwendigkeit des Kanzlersturzes, wovon die meisten Mitglieder dieses Gremiums indes noch nichts wissen wollten. Das Risiko eines Regierungswechsels in Bonn schien ihnen kurz vor der bayerischen Landtagswahl vom 20. November zu groß.

Am 27. Oktober spitzte sich die Krise dramatisch zu: Die vier Kabinettsmitglieder der FDP, Vizekanzler Erich Mende, Finanzminister Rolf Dahlgrün, Wohnungsbauminister Ewald Bucher und der Minister für wirtschaftliche Zusammenarbeit, Walter Scheel, traten von ihren Ämtern zurück. Vorausgegangen waren am Vortag eine Verlautbarung der FDP, die Partei lehne die von der CDU/CSU (angeblich) schon fest geplanten Steuererhöhungen ab, und die öffentliche Antwort Barzels, dies sei eine Kampfansage der FDP. Ein Kabinettsbeschluß vom gleichen 26. Oktober, der Steuererhöhungen zu einer Ultima ratio erklärte – für den Fall nämlich, daß Ausgabenkürzungen und der Abbau von Steuervergünstigungen nicht ausreichen sollten, um die (auf 4 Milliarden DM veranschlagte) Deckungslücke zu schließen –, hatte die Koalition nicht mehr retten können. Das Kabinett Erhard war nun eine Minderheitsregierung: Vier Minister aus CDU und CSU wurden am 28. Oktober mit der Wahrnehmung der Geschäfte in den freigewordenen Ressorts beauftragt.

Die Freien Demokraten waren sich in ihrer Abneigung gegen Steuererhöhungen einig; sie versprachen sich von dieser Haltung auch Vorteile bei den bevorstehenden Landtagswahlen in Hessen und Bayern. Nicht einig waren sie sich im Hinblick auf die Folgerungen, die sich aus dem Ende der bürgerlichen Koalition ergaben. Ein Teil, wohl die Mehrheit, setzte auf ein neues Bündnis mit der Union, aber nicht mehr unter Erhard; ein anderer Teil, angeführt von dem siebenundvierzigjährigen Walter Scheel aus Nordrhein-Westfalen, wollte mit der SPD regieren und die eigene Partei auf einen sozialliberalen Kurs bringen.

Die Sozialdemokraten, nunmehr in der angenehmen Lage, möglicherweise zwischen zwei Partnern wählen zu können, stellten am 31. Oktober den Antrag, der Bundestag möge den Bundeskanzler auffordern, die Vertrauensfrage zu stellen. Ein freiwilliger Rücktritt Erhards wäre die angemessene Antwort auf diesen Schachzug gewesen. Doch dazu war Erhard, obwohl ihn namhafte Politiker der Union hinter den Kulissen zu diesem Schritt drängten, noch nicht bereit. Am 2. November erklärte er vor der Fraktion der CDU/CSU immerhin, an seiner Person werde die Bildung einer neuen mehrheitsfähigen Regierung nicht scheitern. Am gleichen Tag stellte die SPD ein in acht Punkte gegliedertes Sachprogramm für künftige Koalitionsverhandlungen vor, das so «staatsmännisch» gehalten war, daß Franz Josef Strauß es am 4. November als eine Grundlage für Gespräche bezeichnen konnte.

Am 6. November fand die hessische Landtagswahl statt. Die eigentliche Sensation waren nicht die bescheidenen Verluste von CDU (– 2,4 %) und FDP (– 1,1 %) oder die geringfügigen Gewinne der SPD (+ 0,2 %), die in Wiesbaden seit 1962 mit absoluter Mehrheit regierte. Was am meisten Aufsehen erregte, war vielmehr der Erfolg einer rechtsradikalen Gruppierung, der zwei Jahre zuvor gegründeten Nationaldemokratischen Partei Deutschlands (NPD). Sie erzielte auf Anhieb 7,9 % und 8 Mandate. Vielen Beobachtern im In- und Ausland schien es in den Tagen nach dem 6. November, als sei das geflügelte Wort «Bonn ist nicht Weimar» in Gefahr, durch die Wirklichkeit widerlegt zu werden. Der Aufstieg einer nationalistischen Protestpartei im Gefolge von wachsender Krisenangst und politischer Instabilität weckte Erinnerungen an die Zeit nach 1930.

Was zwei Tage nach der Hessenwahl in Bonn geschah, war zumindest keine Entwarnung: Am 8. November sprach der Bundestag erstmals, wenn auch nur indirekt, einem Bundeskanzler das Mißtrauen aus. 255 Abgeordnete von SPD und FDP stimmten dem sozialdemokratischen Antrag zu, Erhard möge die Vertrauensfrage stellen; 246 Abgeordnete von CDU/CSU stimmten dagegen. Erhard erklärte sogleich, er werde dieser Aufforderung nicht nachkommen. Die Bestimmungen des Grundgesetzes hatte er dabei auf seiner Seite.

Wiederum zwei Tage später, am 10. November, wählte die Bundestagsfraktion der CDU/CSU ihren Kandidaten für die Nachfolge Erhards. Es war der Ministerpräsident des 1952 gebildeten Landes Baden-Württemberg, Kurt Georg Kiesinger. Der 1904 in Ebingen auf der Schwäbischen Alb geborene katholische Rechtsanwalt hatte sich in seiner Zeit als Bundestagsabgeordneter von 1949 bis 1958 einen Namen als sachkundiger und beredter Sprecher in außenpolitischen Debatten gemacht; seit 1958 war er Regierungschef in Stuttgart; seit 1964 stand er dort an der Spitze einer Koalition aus CDU und FDP. Kiesinger halfen die Unterstützung der CSU und die Tatsache, daß sein schwäbischer Landsmann Eugen Gerstenmaier zu seinen Gunsten auf eine Kandidatur verzichtet hatte. Es bedurfte dennoch dreier Wahlgänge, bis Kiesinger die verbliebenen Mitbewerber, Walter Hallstein, Rainer Barzel und Gerhard Schröder, aus dem Feld geschlagen hatte. Eine Koalitionsentscheidung war damit noch nicht gefallen: Der Sieger war weder auf ein Bündnis mit der FDP noch auf eines mit der SPD festgelegt.

Ein Kapitel in Kiesingers Biographie war in hohem Maß strittig. Er gehörte zu den «Märzgefallenen», die im Frühjahr 1933 in die NSDAP eingetreten waren. Dem Nationalsozialistischen Rechtswahrerbund aber trat der Berliner Anwalt und juristische Repetitor schon nicht mehr bei, und er lehnte es auch ab, eine Richterstelle beim Preußischen Kammergericht zu übernehmen. Von 1940 bis 1945 arbeitete er in der Rundfunkpolitischen Abteilung des Auswärtigen Amtes, zeitweilig als Verbindungsmann zum Propagandaministerium und danach als stellvertretender Abteilungsleiter. Am 9. November 1966, einen Tag vor seiner Nominierung zum Kanzlerkandidaten der CDU/CSU, machte der «Spiegel»-Redakteur Conrad Ahlers ein Protokoll aus dem Reichssicherheitshauptamt vom 7. November 1944 publik. Darin wurde Kiesinger denunziert, weil er «nachweislich die antijüdische Aktion hemmt» und möglicherweise auch ein Träger «politischer Tendenzen» sei, «die der Außenpolitik des Führers entgegengesetzt sein könnten».

Am 15. November begannen die Verhandlungen zwischen den Parteien offiziell, wobei in den folgenden Tagen jeder der drei potentiellen Partner mit den beiden anderen sprach. Bis zum 20. November, dem Tag der bayerischen Landtagswahl, war noch keine Entscheidung gefallen. Aus dieser Wahl ging die CSU mit 48,1 (+ 0,6)% und 110 von 204 Mandaten als Siegerin hervor. Die SPD erhielt 35,8 (+ 0,5)%, die FDP 5,9 (– 0,8)%, die NPD, die erstmals antrat, 7,4%. Eine Besonderheit des bayerischen Wahlrechts lag darin, daß eine Partei, um in den Landtag zu gelangen, in mindestens einem der sieben Regierungsbezirke mindestens 10% der Stimmen erhalten mußte. Das gelang der NPD. Die FDP aber nahm diese Hürde, anders als 1962, nicht mehr, und das machte sie zur Wahlverliererin schlechthin.

Die Bayernwahl hatte Auswirkungen auf Bonn: Sie schwächte die Verhandlungsposition der FDP und stärkte die der CSU. Am Willen von Strauß, in das Bundeskabinett zurückzukehren, gab es nichts zu deuten. Die Vorbehalte gegen ihn waren, wegen der «Spiegel»-Affäre, in der FDP womöglich noch stärker als in der SPD. Diese war in der Koalitionsfrage gespalten: In der Fraktion sprach sich am 22. November eine Mehrheit für eine Regierungsbildung mit der FDP aus; auch der Parteivorsitzende Willy Brandt neigte dieser Position zu. An der Spitze einer starken Minderheit standen sein Stellvertreter Herbert Wehner und der amtierende Fraktionsvorsitzende Helmut Schmidt, der den schwer erkrankten Fritz Erler vertrat. Beide waren entschiedene Befürworter einer Großen Koalition. Ein sozialliberales Bündnis war für sie ein Ausdruck von Wunschdenken. Eine solche Koalition hätte die für eine Kanzlerwahl notwendige absolute Mehrheit nur um drei Sitze übertroffen: ein hohes Risiko angesichts der inneren Zerrissenheit der FDP. Ein erfolgreiches Regieren war unter solchen Umständen in der Tat schwer vorstellbar.

Inhaltlich näherten sich am 24. November Union und Sozialdemokraten, am 25. November SPD und FDP stark an. In den Gesprächen zwischen CDU/CSU und FDP gab es hingegen am gleichen Tag keine Fortschritte; die Liberalen beharrten auf ihrem Nein zu Steuererhöhungen. Als Mende daraufhin öffentlich ein sozialliberales Bündnis als wahrscheinlich darstellte, entschloß sich Kiesinger, der SPD am folgenden Tag ein formelles Koalitionsangebot zu machen. Die Mehrheit der Unionsfraktion, den Ehrenvorsitzenden der CDU, Konrad Adenauer, und Bundespräsident Heinrich Lübke wußte er dabei auf seiner Seite. Im Partei- und Fraktionsvorstand der SPD setzten sich am 25. November ebenfalls die Anhänger einer Großen Koalition durch; auch Willy Brandt war mittlerweile von der Unausweichlichkeit dieser Krisenlösung überzeugt.

An der «Basis» seiner Partei, unter den Jungsozialisten und den intellektuellen Sympathisanten der Sozialdemokratie gab es aber immer noch starken Widerstand gegen eine Zusammenarbeit mit den Unionsparteien. Am 26. November sprach sich eine nach Bonn einberufene Funktionärskonferenz mehrheitlich gegen eine Große Koalition aus. Der Schriftsteller Günter Grass, der im Jahr zuvor eine Kampagne für die Wahl der SPD geführt hatte, warnte Willy Brandt brieflich, die «Jugend unseres Landes» werde sich «vom Staat und seiner Verfassung abkehren»; sie werde sich «nach Links und Rechts verrennen, sobald diese miese Ehe beschlossen sein wird».

In der Nacht vom 26. zum 27. November entschied sich die sozialdemokratische Bundestagsfraktion dennoch mit einer knappen Zweidrittelmehrheit für die Bildung einer Regierung von CDU/CSU und SPD. Am 27. November wurde die entsprechende Vereinbarung von den Unterhändlern beider Seiten unterzeichnet. Am 30. November reichte Bundeskanzler Erhard seinen Rücktritt ein. Am 1. Dezember wählte der Bundestag mit 340 gegen 109 Stimmen bei 23 Enthaltungen Kiesinger zum dritten Bundeskanzler der Bundesrepublik Deutschland. Da die Regierungsparteien 447, die oppositionelle FDP nur 49 voll stimmberechtigte Abgeordnete zählte, war das ein ausgesprochen schwaches Ergebnis: Die Regierung Kiesinger konnte sich noch längst nicht der ungeteilten Unterstützung der Koalition erfreuen.

Dem neuen Bundeskabinett gehörten, den Bundeskanzler mitgerechnet, je elf Minister der CDU und der SPD sowie drei der CSU an. Von den Sozialdemokraten waren die bekanntesten Willy Brandt als Vizekanzler und Außenminister, Gustav Heinemann als Justiz- und Karl Schiller als Wirtschaftsminister, der bisherige Vorsitzende der Industriegewerkschaft Bau, Steine, Erden, Georg Leber, als Verkehrsminister, Herbert Wehner als Minister für gesamtdeutsche Fragen sowie Carlo Schmid als Chef des eher unbedeutenden Bundesratsministeriums. Die wichtigsten Kabinettsmitglieder der CDU waren Paul Lücke für Inneres, Gerhard Schröder für Verteidigung, Hans Katzer für Arbeit und Bruno Heck für Familie und Jugend. Der CSU-Vorsitzende Franz Josef Strauß kehrte nach vier Jahren ohne Staatsamt als Finanzminister in die Bundesregierung zurück. Den Mann, den er im Oktober 1962 in Spanien hatte verhaften lassen, sah er nun des öfteren am Bonner Kabinettstisch: Conrad Ahlers diente der Großen Koalition als Stellvertretender Leiter des Presse- und Informationsamtes der Bundesregierung.

Für die Bundesrepublik wie für die Sozialdemokraten bildete der 1. Dezember 1966 einen tiefen Einschnitt. Zum ersten Mal seit dem 27. März 1930 war die SPD wieder an einer deutschen Regierung beteiligt. Damals war eine Große Koalition an einer Krise der Staatsfinanzen gescheitert; jetzt sollte eine Große Koalition den Staat aus einer Krise der Finanzen herausführen. Nach siebzehn Jahren parlamentarischer und nicht selten auch außerparlamentarischer Opposition mußte die SPD, das war vor allem die Überzeugung ihres politischen Strategen Herbert Wehner, erst einmal als Juniorpartner der regierungserfahrenen Union ihre eigene Regierungsreife praktisch beweisen, ehe sie nach dem Kanzleramt greifen konnte. Das war eine realistische Einschätzung, die sich unter den Funktionären, Mitgliedern und Anhängern der SPD allerdings erst noch durchsetzen mußte.

Tatsächlich kam das Kabinett der Großen Koalition dem Versuch eines historischen Kompromisses gleich. Es umfaßte ehemalige Mitglieder der NSDAP, darunter neben Kiesinger Gerhard Schröder (CDU), der aber 1941 aus der Partei ausgetreten war, und Karl Schiller (SPD), sowie einen ehemaligen hohen Funktionär der KPD, Herbert Wehner. Der frühere Emigrant Willy Brandt hatte der Sozialistischen Arbeiterpartei angehört, Gerhard Schröder war SA-Anwärter gewesen. Die Mitglieder des Kabinetts entstammten gegnerischen Lagern, die sich seit 1945 immer wieder erbittert bekämpft hatten. Ihre Zusammenarbeit eröffnete die Aussicht auf eine Sanierung der Finanzen und auf überfällige Reformen, von denen manche nur mit verfassungsändernder Mehrheit zu verwirklichen waren. Aber der Pakt barg auch Gefahren. Nachdem die Rolle der parlamentarischen Opposition der kleinen FDP zugefallen war, mußte man mit dem Erstarken außerparlamentarischer Oppositionsbewegungen von rechts und links rechnen. Die Große Koalition konnte nur als ein parlamentarischer Ausnahmezustand, als befristete Notlösung, gerechtfertigt werden. Andernfalls drohte die innenpolitische Krise sich zuzuspitzen und zu einer Legitimationskrise der parlamentarischen Demokratie zu entwickeln. Christliche und Sozialdemokraten waren sich dieser Gefahr bewußt. Deswegen hatten sie sich auf die Einführung eines Mehrheitswahlrechts verständigt, das solche Bündnisse, ja Koalitionen schlechthin für die Zukunft überflüssig machen sollte. In seiner Regierungserklärung vom 13. Dezember 1966 bekräftigte Kiesinger diese Vereinbarung. Er nannte es unter dem Beifall der Regierungsparteien den «festen Willen der Partner der Großen Koalition, diese nur auf Zeit, also bis zum Ende der Legislaturperiode fortzuführen». Den Schwerpunkt der Rede bildete die Sanierung des Haushalts, wobei der Kanzler nicht mit Kritik an der Finanzpolitik des vorangegangenen Kabinetts sparte. Kiesinger schloß Steuererhöhungen nicht aus und kündigte gleichzeitig eine antizyklische Konjunkturpolitik an. Die Handschrift des neuen Bundeswirtschaftsministers Schiller, eines überzeugten Anhängers des englischen Ökonomen John Maynard Keynes, war vor allem bei den Stichworten «Globalsteuerung», «Wachstumsförderung» und «expansive und stabilitätsorientierte Wirtschaftspolitik» deutlich.

Im außenpolitischen Teil überwogen die Elemente der Kontinuität. Der Kanzler lehnte eine «falsche Alternative der Wahl» zwischen Amerika und Frankreich ab, betonte den Willen zur Zusammenarbeit mit der Sowjetunion, hob den Wunsch nach Aussöhnung mit Polen und Verständigung mit der Tschechoslowakei hervor, hielt aber ausdrücklich an den Rechtspositionen der Bundesrepublik fest. Im Hinblick auf die DDR äußerte er sich vorsichtig, aber doch so, daß die Vorlage Willy Brandts erkennbar wurde: «Wir wollen entkrampfen und nicht verhärten, Gräben überwinden und nicht vertiefen. Deshalb wollen wir die menschlichen, wirtschaftlichen und geistigen Beziehungen mit unseren Landsleuten im anderen Teil Deutschlands mit allen Kräften fördern. Wo dazu die Aufnahme von Kontakten zwischen Behörden der Bundesrepublik und solchen im anderen Teil Deutschlands notwendig ist, bedeutet das keine Anerkennung eines zweiten deutschen Staates. Wir werden diese Kontakte von Fall zu Fall so handhaben, daß in der Weltmeinung nicht der Eindruck erweckt werden kann, als rückten wir von unserem Rechtsstandpunkt ab.»

Kiesingers Regierungserklärung war nicht nur erheblich kürzer als die Erhards vom 10. November 1965, sie war auch sehr viel nüchterner und genauer als diese. Der zurückgetretene «Volkskanzler» war daran gescheitert, daß ihm jener klare Blick für die Kräfteverhältnisse und Herausforderungen der inneren wie der äußeren Politik fehlte, der Adenauer ausgezeichnet hatte und über den verfügen mußte, wer ein erfolgreicher Bundeskanzler werden wollte. Kiesinger mußte sich als Kanzler einer Großen Koalition um den Ausgleich zwischen politischen Lagern bemühen, die annähernd gleich stark waren und die programmatisch mehr voneinander trennte als die bisherigen Koalitionsparteien. Er war zu einer Politik der Diagonale geradezu verurteilt und mußte zugleich zu vermeiden suchen, daß das Ergebnis als eine Politik ohne Profil wahrgenommen wurde. In seiner Regierungserklärung war ihm dieser Balanceakt gelungen. Die praktische Bewährung stand Kanzler, Kabinett und Koalition aber erst noch bevor.[8]

Ein Jahrfünft nach dem Bau der Mauer begannen sich das innere Selbstverständnis der Bundesrepublik und ihre Haltung zur deutschen Frage spürbar zu wandeln. Als erster westdeutscher Politiker rüttelte 1966 Franz Josef Strauß am Staatsziel der Wiedervereinigung. In seinem Buch «Entwurf für Europa», dessen Grundgedanken er am 8. April jenes Jahres in einem Interview mit der «Zeit» dargelegt hatte, plädierte der Vorsitzende der CSU, Gedanken de Gaulles aufgreifend, für eine «Europäisierung der deutschen Frage»: «Ich glaube nicht an die Wiederherstellung eines deutschen Nationalstaates, auch nicht innerhalb der Grenzen der vier Besatzungszonen... Nur indem die deutsche Wiedervereinigung nicht mehr unter dem Aspekt einer nationalstaatlichen Restauration in Erscheinung tritt, wird man sie ihrer Verwirklichung näher bringen können. Es wäre einfach unrealistisch, wenn wir von unseren europäischen Nachbarn erwarteten, daß sie das Entstehen einer wirtschaftlichen und politischen Eigenmacht mit dem Potential unseres 72-Millionen-Volkes begünstigen würden... Es müssen also in Europa Verhältnisse geschaffen werden, die es erlauben, ein vereinigtes deutsches Potential so zu absorbieren, daß sein unvermeidliches Übergewicht das Zusammenleben der europäischen Völker nicht belasten kann. Das wird aber letzten Endes nur mit dem Abbau nationalstaatlicher Souveränität im föderativen Rahmen möglich sein.»

Das innere Gegenstück zur «Europäisierung der deutschen Frage» war der Abschied von der Vorstellung, die Bundesrepublik sei nur ein Staat auf Abruf. Im Sommer 1967 löste der Publizist Burghard Freudenfeld mit einem Aufsatz unter dem Titel «Das perfekte Provisorium», der in der katholischen Zeitschrift «Hochland» erschien, eine lebhafte Diskussion aus. Die Identität der Bundesrepublik mit dem Deutschen Reich, in welchen Grenzen auch immer, schließe die Identität mit sich selbst aus, lautete die Hauptthese. «Dieser Staat ist nicht auf den Anschluß seiner fehlenden Teile (Kernstaat), sondern auf Ergänzung seines Wesens (Teilstaat) angelegt. Es fehlt ihm also nicht ein legitimer Teil seines Geltungsbereichs, sondern die Qualität einer Staatsnation. Er ist ein substantieller, kein geographischer Torso.» Freudenfeld hielt diesen Zustand für gefährlich und trat darum für die Preisgabe des Provisoriums-Vorbehalts ein, der die Entwicklung eines bundesrepublikanischen Staatsbewußtseins erschwere: «Man lebt nämlich nicht ohne tiefere Beschädigungen in Surrogaten; die öffentliche Lebenslüge ist für Gemeinschaften nicht weniger gefährlich als für Individuen.»

Widerspruch kam aus den Reihen von Union und Sozialdemokratie, und er schlug sich ebenfalls im «Hochland» nieder. Bundestagspräsident Eugen Gerstenmaier, stellvertretender Bundesvorsitzender der CDU, nannte es, in Umkehrung der These von Freudenfeld, bedauerlich, daß der Parlamentarische Rat 1948/49 nur ein «Provisorium» gegründet und sich nicht dazu entschlossen habe, «den größeren, freiheitlich verfaßten Teil Deutschlands als deutschen Kernstaat mit dem Deutschen Reich zu identifizieren und die sowjetisch besetzten deutschen Länder und Provinzen als das zu bezeichnen, was sie in Tat und Wahrheit auch sind, nämlich deutsche Gebiete, deren Bewohner durch fremde Besatzungsgewalt an der Ausübung ihrer Reichsbürgerrechte gehindert werden».

Gerstenmaier räumte zwar ein, man müsse, je länger die Wiedervereinigung auf sich warten lasse, desto mehr darauf gefaßt sein, «daß das, was uns Älteren selbstverständlich ist, für die Nachwachsenden auf beiden Seiten Deutschlands fragwürdig wird». Aber er hielt es für eine Aufgabe der «nationalen Erziehung», den Jüngeren im Bewußtsein zu halten, «daß ganz Deutschland und nicht nur die Bundesrepublik oder der Herrschaftsbereich Ulbrichts unser Vaterland ist... In der Unendlichkeit der Welt bedarf der Mensch einer Stätte, an der er zu Hause ist... Dem Bedürfnis nach innerer und äußerer Behausung entspringt die freie Bejahung des Volkes mit seiner Geschichte, das heißt der Nation und des Landes, in dem wir geboren sind. Dies alles, was uns umgibt, was uns in Sprache und Kultur überkommen ist, das Schicksal, das wir mit denen, die um uns sind, erlebt und durchlitten haben, unser eigener Lebenswille, der die Notwendigkeit der gemeinsamen Selbstbehauptung erkennt und bejaht, unsere nicht ideale, aber eigene geprägte gemeinsame Lebensweise – das alles ist Vaterland.»

Helmut Schmidt, der nach dem Tod Fritz Erlers im Februar 1967 dessen Nachfolge als Vorsitzender der sozialdemokratischen Bundestagsfraktion angetreten hatte, widersprach Freudenfeld *und* Gerstenmaier. Beide unterschieden nicht klar zwischen «Staatsvolk» und «Nation», zwischen «Staatsbewußtsein» und «Nationalbewußtsein», ja sie neigten dazu, diese Begriffe zu vermengen. Die eigentliche Gefahr aber sah der Autor in den Folgerungen, die sich aus Freudenfelds Plädoyer ergeben mußten. Die Preisgabe des «geschichtlich gewordenen Nationalbewußtseins» und die «ausschließliche Intensivierung eines bundesrepublikanischen Staatsbewußtseins» ließen den «Eindruck der Klitterung» aufkommen, «als habe die deutsche Geschichte erst im Jahre 1945 oder im Jahre 1949 begonnen und als könne man den Verstrickungen der Deutschen mit der Vergangenheit und ihrer Verantwortung für die ganze Nation auf billige Weise entkommen».

Aus der gemeinsamen Geschichte der Nation könnten sich weder die Deutschen in der DDR noch die in der Bundesrepublik durch die Propagierung eines jeweils eigenen Nationalgefühls fortstehlen. «Wir müssen immer wieder daran erinnern, daß eine Mitverantwortung für das politische Schicksal unserer Landsleute in der DDR sich verpflichtend aus der Tatsache ergibt, daß die Deutschen in der DDR fast allein – und stellvertretend für uns – in unverhältnismäßig hohem Maße den von allen Deutschen gemeinsam verlorenen Krieg bezahlen... Es ist notwendig und legitim, in der

Bundesrepublik das Staatsbewußtsein zu stärken – aber es wäre eine riskante Vergewaltigung der Geschichte unserer Nation, auf den Geltungsbereich dieses Staatsbewußtseins auch das Nationalbewußtsein reduzieren zu wollen. Darum wende ich mich gegen die Flucht in die Idylle einer bundesdeutschen Nation.»

Von der liberalen Opposition wurde Freudenfeld dagegen fast uneingeschränkte Zustimmung zuteil. In einem ebenfalls vom «Hochland» veröffentlichten Beitrag lehnte es Walter Scheel, seit dem Freiburger Bundesparteitag vom Januar 1968 Vorsitzender der FDP, zwar ab, den Provisoriumscharakter der Bundesrepublik durch eine Änderung des Grundgesetzes zu kassieren. Aber er interpretierte das «Provisorium» ganz anders, als es der Parlamentarische Rat getan hatte. Scheel zufolge ging es darum, «das annektionistisch-missionarische Verständnis des Provisoriumscharakters umzukippen. Wir müssen lernen, in der Bundesrepublik Deutschland im Hinblick auf Europa ein Provisorium zu sehen. In deutsch-deutscher Perspektive bedeutet dies, daß wir den Provisoriumscharakter der Bundesrepublik nicht länger als Kampfansage an die ‹DDR› verstehen dürfen, sondern als in der Verfassung vorausgegebene Aufforderung an alle Deutschen.» Die unmittelbar folgenden Bemerkungen ließen dann freilich nur den Schluß zu, daß mit «alle Deutschen» die Bürger der Bundesrepublik gemeint waren. An *sie* erging der Aufruf, «die Demokratie durchlässig zu machen, unserem Repräsentativ-System ein Organ für plebiszitäre Prozesse zu schaffen».

Ähnlich wie Scheel argumentierte der Soziologe M. Rainer Lepsius. «Nicht verstärktes Nationalgefühl, sondern konkreteres Demokratiebewußtsein tut not, will man die Binnenlegitimität der Bundesrepublik bei ihren Bürgern erhöhen», schrieb er im «Hochland». «Wir sind in Deutschland in der schwierigen Situation, daß wir Funktionsschwächen des politischen Systems nicht durch transpolitische Nationalgesinnung kompensieren können… Die Bundesrepublik hat ihre Identität politisch, und das heißt: im historischen Kontext der deutschen Geschichte antifaschistisch zu begründen… Sie ist in eine selbstgewollte Illegitimität ihrer Existenz geraten, weil sie sich territorial nicht mit dem Gebiet der westlichen Besatzungszonen identifizieren wollte… Die Bundesrepublik leugnet die Existenz der DDR und gefährdet damit ihre eigene politische Identität im Namen des Substanzerhaltung eines deutschen Nationalstaates. Die Bundesrepublik ist längst kein substantieller Torso mehr, sie erscheint mir auch nicht als ‹perfektes Provisorium›; sie ist ein europäischer Staat mit unbestimmt gehaltener Identität.»

Die «Hochland«-Debatte von 1967/68 machte deutlich, daß sich die «politische Klasse» der Bundesrepublik in einem Prozeß des Umdenkens befand. Die konservative Position, Eugen Gerstenmaiers Rückgriff auf den Reichsgedanken, fand kaum noch öffentlichen Zuspruch. Dagegen durfte Walter Scheel, der Repräsentant des reformierten Liberalismus, mit seiner

Absage an den «Annexionismus» und seiner europäischen Umdeutung des Provisoriumsvorbehalts auf Beifall bei der antinationalistischen und internationalistischen Linken rechnen. Der Sozialdemokrat Helmut Schmidt vertrat einen historisch und normativ begründeten Standpunkt: Die ungerechte Verteilung der Kriegsfolgen war der Kern der deutschen Frage; weil die Deutschen in der DDR die eigentlichen Opfer der deutschen Teilung waren, schuldeten ihnen die Deutschen in der Bundesrepublik nationale Solidarität.

Schmidt sprach nicht nur für seine Partei, sondern drückte aus, was zu jener Zeit wohl die meisten Deutschen, in der Bundesrepublik wie in der DDR, empfanden. Aber der relative Konsens begann sich aufzulösen. Zwei Politikwissenschaftler, die man am ehesten als «liberalkonservativ» bezeichnen könnte, machten mit ihren Einlassungen deutlich, daß der ebenfalls liberalkonservative Freudenfeld kein Außenseiter war. Hans Buchheim forderte 1967, «unser Nationalbewußtsein ohne jeden Vorbehalt mit diesem Staat», der Bundesrepublik, zu identifizieren. Waldemar Besson erklärte es 1970 in der ersten großen Darstellung der Außenpolitik der Bundesrepublik für nötig, daß die Bundesrepublik auch im Bewußtsein ihrer Bürger als Definitivum anerkannt werde, was die «Entwicklung eines westdeutschen Patriotismus» voraussetze.

Das linksliberale Pendant zum Revisionismus der rechten Mitte waren die «Zehn Gründe zur Anerkennung der DDR», die Peter Bender 1968 vorlegte. «Die staatliche Einheit Deutschlands ist auf absehbare Zeit nicht erreichbar, und die DDR wird sich als zweiter deutscher Staat international immer weiter durchsetzen», lautete der erste Grund. «Für die Bundesrepublik erscheint es deshalb dringend geraten, das Unvermeidliche sich nicht abnötigen zu lassen, sondern es rechtzeitig in die eigene Politik aufzunehmen.» Im zehnten und letzten Grund sprach sich Bender für eine Europäisierung der deutschen Frage aus. Er verstand darunter etwas anderes als Strauß, aber er traf sich mit dem CSU-Vorsitzenden in der Forderung, die nationalstaatliche Betrachtung des deutschen Problems aufzugeben: «Die Teilung Europas kann nur überwunden werden, wenn die DDR als gleichberechtigter Staat an dem Annäherungsprozeß zwischen Ost- und Westeuropäern teilnimmt. Je weiter dieser Prozeß voranschreitet, desto größer werden die Möglichkeiten, auch die Kluft zwischen Ost- und Westdeutschland zu überbrücken.»

Die Freiheit für die Deutschen in der DDR war für die liberalkonservativen wie für die linksliberalen Revisionisten nur noch eine Hoffnung. Eine nationale Pflicht zur Solidarität mit den Deutschen in der DDR ließ sich aus einem «westdeutschen Patriotismus», wie Besson ihn forderte, nicht mehr ableiten. Befürworter einer vorbehaltlosen Anerkennung der DDR wie Bender setzten auf die liberalisierende Wirkung eines solchen Schritts, forderten aber den Einwand heraus, daß die Bundesrepublik nach vollzogener Anerkennung weniger Druckmittel als zuvor besitzen würde, die angestrebten Veränderungen in Gang zu setzen. Die Wiederherstellung eines deutschen Nationalstaates konnte auf absehbare Zeit kein Ziel praktischer Politik sein: Darin stimmten die Kritiker der bisherigen Deutschlandpolitik überein, und darin hatten sie recht. Für die praktische Politik aber war entscheidend, ob die Deutschen in der Bundesrepublik und der DDR sich noch als *eine* Nation verstanden – oder verstehen sollten. Die Revisionisten zogen es in der Regel vor, dieser Frage auszuweichen.[9]

Die allmähliche Abkehr vom Ziel eines deutschen Nationalstaates, die seit Mitte der sechziger Jahre den Diskurs über die deutsche Frage prägte, ging einher mit einem Wandel des bundesrepublikanischen Geschichtsbildes. 1961 erschien das Buch «Griff nach der Weltmacht» des Hamburger Historikers Fritz Fischer. Die Untersuchung der Julikrise von 1914 und der Kriegszielpolitik des kaiserlichen Deutschland zwischen 1914 und 1918 hatte die Wirkung eines Befreiungsschlages: Sie entzog der überkommenen deutschnationalen Lesart, wonach das Deutsche Reich keine spezifische Schuld am Ersten Weltkrieg trug, die wissenschaftliche Grundlage. Auf dem 26. Deutschen Historikertag, der im Oktober 1964 in West-Berlin stattfand, setzte sich Fischers Interpretation nach intensiven Debatten weitgehend durch. Auf demselben Kongreß wurde erstmals die Rolle der Arbeiter- und Soldatenräte in der deutschen Revolution von 1918/19 diskutiert – mit dem Ergebnis, daß die bisher herrschende Auffassung ins Wanken geriet, es habe damals nur die Alternative zwischen dem Bolschewismus und *der* Politik bestanden, die die Volksbeauftragten um Ebert tatsächlich betrieben. Zwei Jahre später, 1966, legten überwiegend jüngere Historiker eine Sammlung von Aufsätzen vor, in denen sie sich kritisch mit den außen- und innenpolitischen Vorstellungen der konservativen Opposition gegen Hitler auseinandersetzten. Sie wandten sich damit nicht nur gegen die bis dahin vorwiegende Meinung der Geschichtswissenschaft, sondern erschütterten zugleich einen Gründungsmythos der Bundesrepublik: die Legitimation des neuen Staates aus dem einseitig auf diesen Zweck hin gedeuteten Geist des 20. Juli 1944.

Der Soziologe Ralf Dahrendorf, Sohn eines sozialdemokratischen Widerstandskämpfers und selbst Wortführer eines reformierten Liberalismus, nannte den 20. Juli in seinem 1965 erschienenen Buch «Gesellschaft und Demokratie in Deutschland» den «tragischen Endpunkt der sozialen Revolution», die das nationalsozialistische Regime in Deutschland mit sich gebracht habe. «Erst nach dem 20. Juli 1944 war der deutschen Gesellschaft die Rückkehr zum Kaiserreich endgültig versperrt... Der 20. Juli und die durch seinen Fehlschlag ausgelösten Verfolgungen markieren das Ende einer deutschen politischen Elite. Mit ihr ging zumindest die Realität jenes Gedankens dahin, der sich vielen im Namen Preußens symbolisiert. Preußische Disziplin, Rechtlichkeit, Moralität, aber auch preußische Illiberalität, die ehrliche Direktheit, aber auch der Autoritarismus der preußischen Tradition, die Humanität, aber auch die gewollte Unmündigkeit der

Vielen in der politischen Praxis preußischer Vergangenheit – dies alles fand im 20. Juli 1944 seinen letzten Aufschwung. Gegen die nationalsozialistische Willkür wurden vor allem moralische Werte, häufig deren Wirklichkeit in der deutschen Vergangenheit beschworen; das alte Regime war in der Tat eine moralisch bessere Welt; aber sein Aufstand scheiterte und der brutale Weg in die Modernität nahm seinen weiteren Lauf.»

1967, zwei Jahre nach dem Erscheinen von Dahrendorfs «Gesellschaft und Demokratie in Deutschland», legten zwei Psychoanalytiker, Alexander und Margarete Mitscherlich, ihre Streitschrift «Die Unfähigkeit zu trauern» vor. Auch sie sprachen von der Zerstörung der Tradition durch den Nationalsozialismus. Aber als ungewollte Modernisierung konnten sie das Ergebnis des Zerstörungswerks schon deswegen nicht ansehen, weil die Trauerarbeit im Sinne Freuds noch kaum begonnen hatte. Die Deutschen, so die Diagnose der Mitscherlichs, hatten zu Hitler in einer narzistischen Beziehung gestanden. Auf den Sturz des Idols reagierten sie infantil, nämlich mit der Abschiebung der Schuld auf den übermächtigen «Führer». Die kollektive Abwehr kollektiv entstandener Schuld wirkte entlastend; sie verhinderte nach 1945 eine schwere Melancholie. Zur Befreiung aber konnte nur Trauerarbeit führen, eine unvermeidlich mit den Schmerzen der Erinnerung verbundene Anstrengung. «Die Trauerarbeit ist nicht auf Restitution schlechthin aus, sie bringt uns langsam dazu, die definitive Veränderung der Realität durch den Verlust des Objektes zu akzeptieren. In dieser Arbeit kann auch die Ambivalenz der Beziehung nacherlebt und anerkannt werden. Das hat zur Folge, daß am Ende der Trauerarbeit das Individuum verändert, das heißt gereift, mit einer größeren Fähigkeit, die Realität zu ertragen, aus ihr hervorgeht.»[10]

Das Buch der Mitscherlichs erschien zu einem Zeitpunkt, als die Titelthese nur noch für eine Minderheit der Deutschen zutraf – für *den* Teil der «Erlebnis»- und «Tätergeneration», der sich einer selbstkritischen Auseinandersetzung mit dem eigenen Denken, Tun und Unterlassen in den Jahren 1933 bis 1945 verweigerte. Die jüngeren Deutschen, die zur Zeit des «Dritten Reiches» nicht schuldfähig oder noch gar nicht geboren waren, brauchten sich von dem Vorwurf, sie «verdrängten» ihre Vergangenheit, nicht mehr getroffen fühlen. Wohl aber konnten sie ihn gegen die Generation ihrer Eltern und Lehrer erheben.

In der deutschen Studentenbewegung, die sich seit Mitte der sechziger Jahre herauszubilden begann, fiel die Analyse von Alexander und Margarete Mitscherlich auf einen fruchtbaren Boden. Im Wintersemester 1964/65 hatte die Universität Tübingen, auf eine studentische Initiative hin, die erste Ringvorlesung über das Verhältnis von Hochschule und Nationalsozialismus veranstaltet; andere Universitäten folgten, und 1966 befaßte sich der Deutsche Germanistentag in München mit der Rolle der Germanistik als «deutscher Wissenschaft» in der Zeit des Nationalsozialismus. 1967 aber veröffentlichte der Herausgeber der linken Berliner Theoriezeitschrift

«Das Argument», Wolfgang Fritz Haug, eine Schrift, in der er Universität und Wissenschaft einen «hilflosen Antifaschismus» vorhielt. Die gesellschaftlichen Bedingungen und die gesellschaftliche Funktion des Faschismus, so lautete die Kernthese, hätten auch die allenfalls vordergründig selbstkritischen Professoren noch immer nicht erkannt. Was ihnen abging und wogegen sie sich sperrten, war die von Haug zitierte Einsicht des marxistischen Philosophen Max Horkheimer aus dem Jahr 1939: «Wer aber vom Kapitalismus nicht reden will, sollte auch vom Faschismus schweigen.»

In den Heften des «Argument» schlug sich nieder, was im Umfeld des Sozialistischen Deutschen Studentenbundes (SDS) gedacht wurde. Der ehemalige Studentenverband der SPD hatte die reformistische Wende von Godesberg bekämpft und damit Gegenmaßnahmen der Partei ausgelöst: Im Mai 1960 förderte die SPD die Gründung einer konkurrierenden Studentenorganisation, des Sozialdemokratischen Hochschulbundes; zwei Monate später brach sie die Beziehungen zum SDS ab; im November 1961 wurden die im SDS und der ihn unterstützenden Sozialistischen Fördergesellschaft verbliebenen Parteimitglieder, an ihrer Spitze der Marburger Politologe Wolfgang Abendroth, aus der SPD ausgeschlossen. Der Anziehungskraft, die der SDS auf junge Intellektuelle ausübte, tat das keinen Abbruch. Er galt fortan mehr denn je als die Speerspitze neomarxistischen Denkens in der Bundesrepublik und als Sprachrohr der «Kritischen Theorie», wie sie, in jeweils unterschiedlicher Ausprägung, die beiden aus dem amerikanischen Exil zurückgekehrten Väter der «Frankfurter Schule», Theodor W. Adorno und Max Horkheimer, der ebenfalls aus dem alten Frankfurter Institut für Sozialforschung stammende, in Berkeley lehrende Herbert Marcuse und der sehr viel jüngere Jürgen Habermas vertraten. Den Anspruch des SDS, die «Kritische Theorie» in die Tat umzusetzen, unterstützte freilich nur Marcuse; Adorno, Horkheimer und Habermas bestritten dem linken Studentenbund das Recht, sich bei seinen Aktionen auf sie zu berufen.

«Es genügt nicht, daß der Gedanke zur Verwirklichung drängt, die Wirklichkeit muß sich selbst zum Gedanken drängen», hatte Marx 1843/44 in der Einleitung zur Kritik der Hegelschen Rechtsphilosophie geschrieben. Zum Erfolg des SDS trug nichts so sehr bei wie die Verhältnisse, die er anprangerte und die seine Kritik zu rechtfertigen schienen. Die Bundesrepublik stellte sich als Rechtsnachfolgerin des Deutschen Reiches dar; der SDS verwies auf die Kontinuität der kapitalistischen Produktionsverhältnisse, aus denen in den zwanziger und dreißiger Jahren der «deutsche Faschismus» hervorgegangen war. Die Bundesrepublik begriff sich als ein antitotalitäres Gemeinwesen; der SDS sah im Begriff «Totalitarismus» eine diffamierende Gleichsetzung von «rot» und «braun», eine Kampfansage an den Antifaschismus der Linken und einen Versuch, den Antikommunismus in jeglicher Gestalt, also auch der faschistischen, historisch zu legitimieren.

Die Bundesrepublik bekannte sich zur Freundschaft mit den Vereinigten Staaten; der SDS warf ihr eine Komplizenrolle beim Krieg des amerikanischen Imperialismus gegen das vietnamesische Volk vor, das unter der Führung Ho Chi Minhs um seine nationale und soziale Befreiung kämpfe.[11]

Der Vietnamkrieg polarisierte alle westlichen Länder, und zuallererst die USA selbst. Die Mittel, die Amerika im Kampf gegen den Vietcong einsetzte, darunter Napalmbomben und die chemische Entlaubung des Dschungels, führten zu weltweiten Protesten. Die Linke sah in den bewaffneten Anhängern Ho Chi Minhs antikolonialistische Freiheitskämpfer, was sie zumindest *auch* waren: Sie genossen die Unterstützung großer Teile der bäuerlichen Bevölkerung, und auch daran war nicht zu deuteln, daß die gesamtvietnamesischen Wahlen, wie sie das Genfer Waffenstillstandsabkommen von 1954 vorsah, am Widerstand der von Washington unterstützten Saigoner Regierung gescheitert waren. Amerika war, so gesehen, in die Fußstapfen der militärisch geschlagenen Kolonialmacht Frankreich getreten; es kämpfte gegen ein Land der Dritten Welt, das unabhängig sein wollte, und untergrub so den eigenen Anspruch, die Vormacht von Freiheit und Demokratie zu sein.

Die Gegnerschaft zum Krieg, den die USA in Südostasien führten, verband die studentischen Protestbewegungen von Berkeley über Paris bis Berlin. Gemeinsam war ihnen auch das antiautoritäre Aufbegehren gegen den Lebensstil der älteren Generation, gegen die Beherrschung der Universitäten durch die Professoren, gegen das «Establishment» und seine nur scheinbare, in Wirklichkeit «repressive Toleranz». In der Bundesrepublik gab es noch andere Anlässe zum Protest. Der wichtigste war die «Verdrängung der Vergangenheit» und das, was ihr vermeintlich zugrunde lag: die als «Restauration» gedeutete Kontinuität der gesellschaftlichen Machtverhältnisse. Dazu kam seit Ende 1966 die Kehrseite der Großen Koalition: der Wegfall einer parlamentarischen Opposition von links. Der Studentenbewegung und ihrem «harten Kern», dem SDS, erwuchs daraus die Chance, sich als Außerparlamentarische Opposition (APO) darzustellen und der Sozialdemokratie dasselbe anzulasten, was ihr die radikale Linke seit 1914 immer wieder vorgeworfen hatte: «Verrat» an ihren Grundsätzen.

Ein Vorhaben der Großen Koalition eignete sich besonders, um die außerparlamentarische «Neue Linke» gegen sie aufzubringen: die Notstandsgesetze. Nach dem Deutschlandvertrag vom 5. Mai 1955 konnten die drei Westalliierten im Fall eines inneren und äußeren Notstands zum Schutz der Sicherheit ihrer Streitkräfte so lange aus eigener Machtvollkommenheit tätig werden, wie die Bundesrepublik die entsprechenden gesetzlichen Vorkehrungen noch nicht getroffen hatte. Vorarbeiten hierzu gab es seit langem, aber erst seit der Bildung der Großen Koalition verfügte eine Bundesregierung, theoretisch jedenfalls, über die für Verfassungsänderungen erforderliche Zweidrittelmehrheit. Die Sozialdemokraten nutzten ihren neuen Status als Regierungspartei, um ein ausgefeiltes Regelwerk durchzusetzen, das auch im Notstandsfall ein Höchstmaß an parlamentarischer und richterlicher Kontrolle der Exekutive erlaubte und sich eben dadurch von den eher «obrigkeitsstaatlich» zu nennenden Vorstellungen des früheren Bundesinnenministers Gerhard Schröder unterschied.

Die APO sah das anders. Für sie waren die Notstandsgesetze, polemisch «NS-Gesetze» abgekürzt, eine Weichenstellung in Richtung eines autoritären Staates, wenn nicht gar, wie einflußreiche Theoretiker der «Neuen Linken» behaupteten, des Faschismus. An den Aktivitäten des «Kuratoriums Notstand der Demokratie» beteiligten sich außer Studenten auch Gewerkschafter, Schriftsteller, Künstler, Pfarrer und Professoren. Am 11. April 1968, wenige Wochen vor der geplanten Verabschiedung der Notstandsgesetze, trat ein Ereignis ein, das nicht nur die Studenten, sondern die Öffentlichkeit insgesamt schockierte: Der vorbestrafte Anstreicher Josef Bachmann schoß, aufgestachelt von den Anti-APO-Parolen der «Bild-Zeitung», auf dem Kurfürstendamm in Berlin auf den bekanntesten, intellektuell, rhetorisch und agitatorisch hochbegabten Studentenführer Rudi Dutschke und verletzte ihn lebensgefährlich. Das Opfer überlebte den Anschlag, die schweren Gehirnschäden aber verheilten nie ganz; im Dezember 1979 starb Dutschke an den Spätfolgen des Attentats.

Rudi Dutschke war nicht der erste Märtyrer der APO. Am 2. Juni 1967 hatte ein Berliner Polizist, Karl-Heinz Kurras, den Studenten Benno Ohnesorg, einen Teilnehmer der vom SDS organisierten großen Demonstration gegen den Staatsbesuch Reza Pahlewis, des Schahs von Persien, durch einen Kopfschuß getötet. Der Mordanschlag auf Dutschke löste Demonstrationen und gewalttätige Ausschreitungen in vielen Groß- und Universitätsstädten aus. In Berlin, Hamburg, München und Frankfurt versuchten aufgebrachte Anhänger des SDS die Auslieferung von Zeitungen des Verlagshauses Axel Cäsar Springer, in dem auch die «Bild-Zeitung» erschien, zu verhindern. Vier Wochen später, am 11. Mai, veranstaltete das «Kuratorium Notstand der Demokratie» einen «Sternmarsch» auf Bonn, an dem zwischen 30 000 und 70 000 Menschen teilnahmen. Am gleichen Tag demonstrierten auch die Gewerkschaften gegen die Notstandsgesetze, aber bewußt nicht zusammen mit der intellektuellen Linken, sondern auf einer eigenen Kundgebung in Dortmund. Sein Ziel erreichte der Protest nicht: Am 30. Mai 1968 nahm der Bundestag mit 384 gegen 100 Stimmen bei einer Enthaltung die «Notstandsverfassung» mitsamt den dazugehörigen Gesetzen zur Beschränkung des Brief-, Post- und Fernmeldegeheimnisses an.

Die Kampagne gegen die Notstandsgesetze war der Höhepunkt der «68er-Bewegung». Wenig später setzte ihr Niedergang ein. Das Scheitern des Versuchs, den Bundestag zur Abkehr von dem bekämpften Vorhaben zu bewegen, wirkte auf die Masse derer, die sich in dieser Auseinandersetzung erstmals politisch engagiert hatten, ernüchternd und veranlaßte viele zum Rückzug von außerparlamentarischen Aktionen. Zügellose Gewalttaten wie die vom Berliner SDS bewußt provozierte «Schlacht am Tegeler Weg» am 4. November 1968 taten das Ihre, um die «revolutionäre Avantgarde» der Studentenbewegung zu diskreditieren und zu isolieren.

Als die SPD im Vorfeld der Bundestagswahl von 1969 begann, sich vom größeren Koalitionspartner wieder deutlich abzuheben (eine «Strategie des begrenzten Konflikts» nannte das damals der Staatssekretär im Bundesjustizministerium, Horst Ehmke), stieg ihre Anziehungskraft auf Studenten und junge Akademiker spürbar an. Der SDS zerfiel; im März 1970 löste er sich auf. Viele seiner Mitglieder betätigten sich mittlerweile in rivalisierenden kommunistischen Sekten, die als «K-Gruppen» in die Geschichte der radikalen Linken eingingen. Eine kleine Minderheit wählte den Weg in den terroristischen Untergrund: Das Fanal setzten Andreas Baader und Gudrun Ensslin zusammen mit einigen Gesinnungsfreunden, als sie in der Nacht vom 2. zum 3. April 1968, eine Woche vor dem Attentat auf Dutschke, Brandanschläge auf zwei Frankfurter Kaufhäuser verübten, um so gegen den «Konsumterror» zu protestieren.

Die Wirkungen der Studentenbewegung waren zwiespältig und großteils ungewollt. Die Aktivisten der APO waren entschiedene Gegner dessen, was sie «US-Imperialismus» nannten. Aber indem sie Protestformen der amerikanischen Studentenbewegung wie «Sit-in» und «Go-in» übernahmen, halfen sie den Westen Deutschlands weiter zu verwestlichen und zu «amerikanisieren». Sie bekämpften den Pluralismus als Ideologie zur Verschleierung der kapitalistischen Klassenherrschaft und trugen dazu bei, daß die Bundesrepublik nach 1968 pluralistischer war als zuvor. Sie griffen das parlamentarische System mit rätedemokratischen Parolen an und bewiesen durch die Praxis, daß ihr Modell auf die Manipulation der «unaufgeklärten» Mehrheit durch die «aufgeklärte» Minderheit hinauslief. Sie trieben die Aufarbeitung der nationalsozialistischen Vergangenheit voran und entleerten gleichzeitig den Begriff «Faschismus» so lange, bis sie ihn sowohl auf das «Dritte Reich» als auch auf die «spätkapitalistische» Bundesrepublik anwenden konnten. Ihr Protest war oft von extremer Intoleranz, und doch ist das, was man als «Protestkultur» der Bundesrepublik bezeichnet, ohne 1968 nicht zu erklären. Die Theoretiker des SDS vertraten eine dogmatische Spielart des Marxismus, die sich im Zuge ihrer Verbreitung in einen platten Vulgärmarxismus verwandelte. Zugleich aber gaben sie einen Anstoß zur überfälligen kritischen Auseinandersetzung mit dem Werk von Marx und Engels.

Vieles von dem, was im Rückblick als Verdienst der «Achtundsechziger» erscheint, war *auch* das Ergebnis der Kritik an ihnen. Die Studentenbewegung schöpfte Kraft aus dem utopischen Glauben an eine herrschaftsfreie Gesellschaft, aber was sie bewirkte, waren Reformen, von denen manche, zumal im Bereich der Universitäten, nur in dem Maß Bestand hatten, wie sie ihrerseits reformiert werden konnten. Die APO bewies, was sie zu widerlegen trachtete: die Reformfähigkeit des demokratischen Systems. Und sie wäre schwerlich imstande gewesen, so viele gesellschaftliche Verkrustungen aufzubrechen und überkommene Autoritäten einem bisher ungekannten Legitimationszwang zu unterwerfen, wenn die Liberalisierung der Bundesrepublik nicht lange vor 1968 begonnen hätte.

Anders als Frankreich geriet die Bundesrepublik 1968 nicht in eine Staatskrise. In Paris machten im Mai jenes Jahres nicht nur rebellierende Studenten und Schüler, sondern, im Zeichen eines Generalstreiks, auch die Arbeiter Front gegen die bestehende Ordnung: die einen durch den Bau von Barrikaden im Quartier Latin, die anderen durch die Besetzung von Fabriken. Zusammen brachten die neue und die alte Linke das Land an den Rand einer Revolution: Die Fünfte Republik wurde in ihren Grundfesten erschüttert; General de Gaulle begab sich auf dem Höhepunkt der Unruhen, am 29. Mai, außer Landes, zum Kommandeur der 5. französischen Armee, General Massu, nach Baden-Baden, und dachte zeitweilig an Rücktritt. Erst die Auflösung der Nationalversammlung und die Ausschreibung von Neuwahlen, von de Gaulle am 30. Mai im Fernsehen als «appel au peuple» verkündet, schuf die Voraussetzungen, um den Protest in verfassungsmäßige Kanäle zu lenken und die Staatskrise zu überwinden.

In der Bundesrepublik kam es nicht zum Schulterschluß zwischen Studenten und Arbeitern. Die westdeutschen Arbeiter besaßen ein Maß an betrieblicher und überbetrieblicher Mitbestimmung, das sie unempfänglich machte für die Parole «autogestion» («Selbstverwaltung»), die im Frankreich des Jahres 1968 starken Widerhall, aber kein Gehör bei der Wählermehrheit fand. Überdies war die parlamentarische Linke in der Bundesrepublik, anders als in Frankreich, an der Macht beteiligt: Die Große Koalition hatte zwar die Radikalisierung an den Rändern gefördert, aber nicht zu einer Polarisierung der Gesellschaft geführt. Auch deswegen erlebte die Bundesrepublik einen sehr viel milderen «Mai 1968» als Frankreich.

Links wie rechts des Rheins veränderten die Ereignisse und Erfahrungen von 1968 die politische wie die Alltagskultur. «Individualistisch und sozialistisch zugleich, begehrte die Neue Linke gegen die Entfremdung in der Produktions- und Alltagsphäre auf», urteilt die Historikerin Ingrid Gilcher-Holtey. «Im Kampf gegen die Entfremdung brach sie Tabus, Normen und überkommene Werte. Sie verletzte Regeln, um zu provozieren und die Sanktionsinstanzen zu entlegitimieren... Subkulturen differenzierten sich heraus, in denen die Aufbruchsstimmung, die am Anfang der Neuen Linken stand, noch lange nachwirkte, doch in denen das politische Programm mehr und mehr dem Kult individueller Betroffenheit wich. So mündete der Aufbruch von 1968 für viele in die Ausprägung alternativer Lebensstile, in die Individualisierung von Lebenschancen und Lebensrisiken, doch damit auch in Privatheit und politischen Rückzug.»

Einer der Faktoren, die der westdeutschen Neuen Linken in der zweiten Hälfte der sechziger Jahre zugute kamen, war der Zulauf zu den rechtsradikalen Nationaldemokraten. Die NPD war aus der Sicht der APO ein schlagender Beweis, daß die Gefahr eines neuen Faschismus nicht nur nicht ausgestanden war, sondern wuchs. Tatsächlich erhielt die neue Rechtspartei, die sich bemühte, eher den Deutschnationalen als den Nationalsozialisten ähnlich zu sehen, bei den Landtagswahlen vom 23. April 1967 in Schleswig-Holstein 5,8 und in Rheinland-Pfalz 6,9 %. Am 4. Juni 1967 kam sie in Niedersachsen auf 7,0 %, am 1. Oktober 1967 in Bremen auf 8,8 % und am 28. April 1968 in Baden-Württemberg sogar auf 9,8 %.

Die Wahl zum Stuttgarter Landtag fand zwei Wochen nach den Krawallen statt, mit denen empörte Anhänger der Neuen Linken auf das Attentat auf Rudi Dutschke geantwortet hatten. Der Zusammenhang zwischen den Ausschreitungen und dem Wahlergebnis war offenkundig: Die NPD zog in ähnlicher Weise Nutzen aus der verbreiteten Angst vor einer gewaltbereiten äußersten Linken, wie diese von der Furcht vor dem Faschismus profitierte. Beide Extreme schaukelten sich also gegenseitig hoch.

Jedenfalls galt das bis zum Frühjahr 1968. In der zweiten Hälfte des Jahres 1968 zeigte sich, daß nicht nur die APO, sondern auch die NPD ihren Zenit überschritten hatte. Seit dem Oktober gingen die Stimmenanteile der Nationaldemokraten bei den Kommunalwahlen in mehreren Ländern merklich zurück. Mittlerweile hatte sich die Konjunktur wieder erholt, und das wirkte sich in der allgemeinen Stimmungslage und im Wahlverhalten aus. Wenn die günstige wirtschaftliche Entwicklung anhielt, war noch nicht ausgemacht, daß bei der Bundestagswahl im September 1969 wirklich eintreten würde, was viele befürchteten: ein Einzug der Rechtsradikalen in die Volksvertretung der Bundesrepublik.[12]

Die größte Herausforderung für die Große Koalition war, als sie im Dezember 1966 ihre Arbeit aufnahm, die Überwindung der Rezession. Das Bruttoinlandsprodukt ging zwar von 1966 auf 1967 nur sehr geringfügig zurück, aber nach Jahren hoher Wachstumsraten war auch ein kleiner Rückschlag bereits Anlaß zu großer Sorge. Am meisten beunruhigte die Öffentlichkeit der Anstieg der Arbeitslosigkeit: 1966 lag die Zahl der Arbeitsuchenden bei 161 100, 1967 bei 459 000: eine Steigerung um 185 %. Die Erwerbslosenquote wuchs in der gleichen Zeit von 0,7 auf 2,1 %. Das war der höchste Stand seit 1959.

Am 5. Januar 1967 tat der Zentralbankrat, was die Bundesregierung sehnlichst erwartete: Er senkte den Diskontsatz, und zwar von 5 auf 4,5 %. Zwei Wochen später, am 20. Januar, legte Bundeskanzler Kiesinger dem Bundestag den Entwurf eines ausgeglichenen Bundestagshaushalts für 1967 vor. Das «Loch» von nunmehr 4,6 Milliarden DM wurde durch den Abbau von Steuervergünstigungen und umfassende Ausgabenkürzungen geschlossen. Den Kontrapunkt zu den Einsparungen bildeten zwei Regierungsvorlagen, die der Bundestag am 23. Februar 1967 verabschiedete. Ein Sofortprogramm sah Ausgaben in Höhe von 850 Millionen DM zur

Finanzierung besonders dringlicher Ausgaben in den Bereichen Verkehrs-
bau, Bundesbahn, Bundespost, Wissenschaft und Forschung vor. Ein Kre-
ditfinanzierungsgesetz ermächtigte den Bundesfinanzminister, zur Durchführung von Investitionsprogrammen Kredite in Höhe von 2,5 Milliarden
DM aufzunehmen.

Am 6. September folgte ein zweites Investitionsprogramm in Höhe von
5,3 Milliarden DM, aus dem die Länder 2,8 Milliarden und die Gemeinden
500 Millionen DM erhielten. Die antizyklische Konjunkturpolitik im Sinne
von Keynes war ein Gemeinschaftswerk von Schiller und Strauß: Der sozialdemokratische Wirtschafts- und der christlich-soziale Finanzminister
zogen beim Kampf gegen die Rezession an einem Strang. Der Zentralbankrat unterstützte die Bundesregierung, indem er den Diskontsatz
schrittweise weiter senkte: Am 12. Mai 1967 war mit 3 % der tiefste Stand
seit 1961 erreicht.

Schillers «Magna Charta» aber war das Gesetz zur Förderung der Stabilität und des Wachstums der Wirtschaft, das am 14. Juni 1967 in Kraft trat.
Es legte die Bundesregierung darauf fest, im Rahmen der marktwirtschaft-
lichen Ordnung Preisstabilität, Vollbeschäftigung sowie ein außenwirt-
schaftliches Gleichgewicht bei angemessenem und stetigem Wirtschaftswachstum zu sichern. Außerdem verpflichtete sich die Bundesregierung,
Bundestag und Bundesrat jeweils im Januar einen Jahreswirtschaftsbericht
zu unterbreiten, in dem sie die gesamtwirtschaftliche Lage und ihre wirt-
schafts- und finanzpolitischen Ziele darlegte. Eine Änderung des Grundgesetzes schuf die Möglichkeit, die Haushaltspolitik von Bund und
Ländern so aufeinander abzustimmen, daß das gesamtwirtschaftliche
Gleichgewicht gewahrt blieb. Kurz darauf, am 6. Juli, beschloß das Kabinett den Entwurf eines Gesetzes über die mittelfristige Finanzplanung für
die Jahre 1967 bis 1971, kurz «Mifrifi» genannt. Am 6. September nahm der
Bundestag das Gesetz an.

Um seine ehrgeizigen wirtschaftspolitischen Ziele zu erreichen, wollte
Schiller auch die Tarifpartner einspannen. Im Rahmen der «Konzertierten
Aktion» sollten sich Unternehmer, Gewerkschaften und Staat auf ein Verhalten verständigen, das einen «Aufschwung nach Maß» und «soziale Sym-
metrie» verbürgte. Da die Regierung die Tarifautonomie nicht antasten
wollte, hatten die Gesprächsrunden der «Konzertierten Aktion» in erster
Linie eine atmosphärische oder psychologische Bedeutung. Aber sie trugen, als sich die Konjunktur in der zweiten Hälfte des Jahres 1968 spürbar
belebte, zu dem Eindruck bei, daß die Große Koalition eine erfolgreiche
Politik betrieb. Das reale Bruttoinlandsprodukt stieg 1968 um 7,3 und 1969
um 8,2 %. Gleichzeitig fielen die Arbeitslosenzahlen: 1968 auf 323 000 und
1969 auf 178 000. Die Zahl der offenen Stellen nahm hingegen zu; 1969 belief sie sich auf 747 000. Die Rezession war einem neuen Boom gewichen;
ja, es gab erste Anzeichen einer neuen konjunkturellen Überhitzung wie
den Anstieg der Inflationsrate (von 1,5 % im Jahre 1968 auf 2,7 % im Jahr

darauf). Für den Zentralbankrat war das ein Anlaß, nunmehr kräftig gegenzusteuern. Am 18. April 1969 erhöhte er den Diskontsatz auf 4 %, am 19. Juni auf 5 % und am 11. September auf 6 %.

Den Kampf gegen die Rezession hatte die Große Koalition, als das letzte Jahr der Legislaturperiode begann, gewonnen. Von den angestrebten großen Strukturreformen im Bereich der Finanzpolitik war aber erst die im August 1967 verabschiedete Mittelfristige Finanzplanung unter Dach und Fach. Im April und Mai 1969 stimmten schließlich nach jahrelangen Vorarbeiten Bundestag und Bundesrat der Finanzreform zu. Sie umfaßte auch eine Reihe von Änderungen des Grundgesetzes. Die wichtigsten betrafen die neu eingeführten «Gemeinschaftsaufgaben» von Bund und Ländern. Als solche wurden der Ausbau und Neubau von wissenschaftlichen Hochschulen, die regionale Wirtschaftsstruktur, die Verbesserung der Agrarstruktur und des Küstenschutzes in die Verfassung aufgenommen. Auf dem Gebiet der Bildungsplanung und Forschung erhielten Bund und Länder die Möglichkeit, ihr Zusammenwirken und die Aufteilung der Kosten durch Vereinbarungen zu regeln.

Die Bundesrepublik wurde durch die Haushalts- und Finanzreform kein zentralistischer Staat. Aber die bundesstaatliche Ordnung entwickelte sich doch über den Stand von 1949 hinaus – in Richtung dessen, was seit Kiesingers erster Regierungserklärung «kooperativer Föderalismus» genannt wurde. Die Exekutive gewann im Gefolge des Stabilitätsgesetzes, der Mittelfristigen Finanzplanung und der Koordinierung der Haushalte von Bund und Ländern an Macht. Aber die Legislative hätte die Funktionen nicht ausüben können, die die Regierung neu übernahm. Von einer Selbstausschaltung des Parlaments konnte daher, entgegen der Kritik in der liberalen Presse und bei der APO, keine Rede sein. Die Große Koalition machte das demokratische System krisentauglicher – das war *ihr* Verdienst.

Der Finanzreform folgte die Strafrechtsreform auf dem Fuß. Am 9. Mai 1969 verabschiedete der Bundestag mit großer Mehrheit zwei Gesetze, die mit dem herkömmlichen Grundsatz brachen, wonach das Hauptziel der Strafe die Bestrafung der Schuld war. Künftig sollte die Strafe vor allem dazu dienen, die Täter, wo immer möglich, in die Gesellschaft zurückzuführen. Die Reform brachte der Bundesrepublik einen kräftigen Liberalisierungsschub: Das Zuchthaus wurde abgeschafft; fortan gab es nur noch einheitliche Freiheitsstrafen; mehr als bisher hatten die Gerichte die Möglichkeit, Strafen auf Bewährung auszusetzen. Manche kleineren Übertretungen wurden zu Ordnungswidrigkeiten herabgestuft; Gotteslästerung, Ehebruch und Homosexualität zwischen Erwachsenen waren nicht mehr strafbar. Am 26. Juni folgte ein weiteres Strafrechtsänderungsgesetz: Der Bundestag hob die Verjährung für Verbrechen des Völkermords generell auf und verlängerte die Strafverfolgung von Verbrechen, die mit lebenslangen Freiheitsstrafen bedroht waren, von zwanzig auf dreißig Jahre. Der Gesetzgeber zog damit einen vorläufigen Schlußstrich – aber nicht unter die

Vergangenheit, sondern unter die langjährige Debatte über die Verjährung von Verbrechen aus der Zeit des Nationalsozialismus. (Zehn Jahre später, im Juli 1979, hob der Bundestag die Verjährung von Mord auf, so daß diese Verbrechen auch nach Ablauf der 1969 beschlossenen Frist geahndet werden konnten.)

Eine Reform, die Bundeskanzler Kiesinger in seiner Regierungserklärung vom 13. Dezember 1966 besonders hervorgehoben hatte, kam nicht zustande: die des Wahlrechts. Der Hauptgrund war, daß die Sozialdemokraten das Interesse an der Einführung eines Mehrheitswahlrechts fortschreitend verloren. Auf ihrem Parteitag in Nürnberg vertagten sie im März 1968 eine Entscheidung über die Wahlrechtsänderung bis zu ihrem nächsten ordentlichen Parteitag im Jahr 1970 – also auf die Zeit nach Ablauf der Legislaturperiode des fünften Deutschen Bundestages. Die abwartende Haltung, die einem Nein zum Verwechseln ähnlich sah, hatte ihrerseits damit zu tun, daß sich die FDP unter ihrem neuen, Ende Januar 1968 auf dem Freiburger Parteitag gewählten Vorsitzenden Walter Scheel deutlich nach links bewegte und damit als künftiger Partner einer sozialliberalen Koalition empfahl. Der Verzicht auf das Mehrheitswahlrecht war ein Signal an die Liberalen, die diese Reform politisch nicht überlebt hätten.

Der entschiedenste Vorkämpfer des Mehrheitswahlrechts in der Union, Innenminister Paul Lücke, zog aus der Umorientierung der SPD eine politische und persönliche Schlußfolgerung: Am 26. März 1968 reichte er seinen Rücktritt ein. Am 2. April wurde der Berliner CDU-Abgeordnete Ernst Benda, bisher Lückes Parlamentarischer Staatssekretär, zum neuen Bundesminister des Innern ernannt. (Parlamentarische Staatssekretäre oder Beigeordnete von Bundesministern gab es seit April 1967: auch dies eine Neuerung, die auf die Große Koalition zurückgeht.)

Am schwersten tat sich die Große Koalition mit der Außenpolitik. Auch auf diesem Gebiet gab es Übereinstimmungen zwischen Union und Sozialdemokratie, Kanzler und Außenminister: Kiesinger und Brandt legten Wert darauf, zu den Vereinigten Staaten und zu Frankreich gute Beziehungen zu unterhalten und sich nicht vom einen Partner gegen den anderen ausspielen zu lassen. Beide waren sich der Gefahr der außenpolitischen Isolierung bewußt – einer Gefahr, die unter der Kanzlerschaft Erhards daraus erwachsen war, daß die Bundesrepublik eine «wirkliche» Entspannung zwischen Ost und West von der Wiedervereinigung Deutschlands abhängig machte, während Johnson und de Gaulle, bei aller Unterschiedlichkeit ihrer Vorstellungen von «détente», sich darin einig waren, daß Bonn ihre Ostpolitik nicht stören durfte.

Eine großangelegte Rede des amerikanischen Präsidenten am 7. Oktober 1966 machte deutlich, daß Washington im Vietnamkrieg keinen Grund sah, auch in Europa auf Konfrontation mit dem Kommunismus zu setzen. Johnson forderte vielmehr ausdrücklich die «Aussöhnung mit dem Osten» und den «Übergang von der engen Konzeption der Koexistenz zu der größeren Vision des friedlichen Engagements». Charles de Gaulle war seit seiner Reise in die Sowjetunion im Juli 1966, die er als «Besuch des ewigen Frankreich im ewigen Rußland» bezeichnete, auch den «deutschen Gaullisten» suspekt geworden. Die deutschen «Atlantiker» forderte der General durch die scharfe Kritik heraus, die er am 1. September 1966 von der kambodschanischen Hauptstadt Pnom Penh aus an der Politik und Kriegführung der Amerikaner in Vietnam übte. Da jedoch beide, Paris und Washington, ihr Verhältnis zu Moskau verbessern wollten, mußte auch Bonn seine Positionen überprüfen. Wenn die Bundesrepublik nicht einer «Einkreisung» Vorschub leisten wollte, blieb ihr nichts anderes übrig, als jenen «deutschen Sonderkonflikt mit dem Osten» zu bereinigen oder doch zu entschärfen, den Richard Löwenthal einige Jahre später, 1974, als Spezialfall des allgemeinen Ost-West-Konflikts diagnostizierte.

Im Prinzip waren sich beide Koalitionspartner einig: Die Bundesrepublik mußte neue Wege in der Ostpolitik beschreiten. In der Praxis entstanden Probleme daraus, daß die Sozialdemokraten bereit waren, dabei sehr viel weiter zu gehen als die Union. CDU und CSU wollten von der Hallstein-Doktrin so viel wie möglich bewahren, die SPD wollte sich von dieser Fessel befreien. Die Union sträubte sich, der DDR die Eigenschaft eines Staates zuzugestehen; die SPD hielt es zunehmend für geboten, die DDR in dem Maß anzuerkennen, das die völkerrechtliche Situation des geteilten Deutschland gestattete. Man müsse auf der Suche nach weiteren positiven Lösungen als «Modus vivendi» ein «qualifiziertes, geregeltes und zeitlich begrenztes Nebeneinander der beiden Gebiete Deutschlands» ins Auge fassen: So lautete die Formel, die Brandt Anfang Juni 1966 auf dem Dortmunder Parteitag der SPD geprägt hatte.

Kiesinger stand, als er Kanzler wurde, nicht im Ruf, ein ostpolitischer «hardliner» zu sein. Er galt als vergleichsweise flexibel, und das zu Recht. Seit dem 24. Mai 1967 war er auch Vorsitzender der CDU; sein Vorgänger Ludwig Erhard wurde auf dem Braunschweiger Parteitag, der den Bundeskanzler in das höchste Parteiamt wählte, mit dem Titel eines Ehrenvorsitzenden abgefunden; in dieser Funktion trat Erhard die Nachfolge Konrad Adenauers an, der am 19. April im Alter von 91 Jahren in seinem Haus in Rhöndorf gestorben war.

Der Parteivorsitz stärkte Kiesingers Stellung in der CDU. Er konnte es sich infolgedessen leisten, am 13. Juni 1967 etwas zu tun, was kurz zuvor noch undenkbar gewesen war: Er beantwortete einen Brief Willi Stophs, des Vorsitzenden des Ministerrates der DDR, der dieses Amt nach dem Tode Otto Grotewohls im September 1964 angetreten hatte. Doch in der Sache erbrachte der Briefwechsel keine Fortschritte: Stoph verlangte direkte Verhandlungen zur Normalisierung der Beziehungen und die Anerkennung der bestehenden Grenzen; Kiesinger schlug vor, den inneren Zusammenhalt des deutschen Volkes dadurch zu stärken, daß Bevollmächtigte beider Seiten Gespräche über eine Erleichterung des alltäglichen

Lebens, über mehr wirtschaftliche Zusammenarbeit und kulturellen Austausch führten.

Die historische Perspektive, in der Kiesinger das Verhältnis zur DDR und die ungelöste deutsche Frage sah, legte er am 17. Juni 1967 anläßlich des Staatsaktes zum Tag der deutschen Einheit im Bundestag dar. Die völlige Unterwerfung des anderen unter den eigenen Standpunkt sei keine förderliche Taktik, weil sie den Eindruck erwecke, es gehe darum, Gespräche und Zusammenarbeit zu verhindern, sagte er, an die Adresse Ost-Berlins gerichtet. «Wir dagegen halten es für eine bewährte Methode, zunächst Gelände zu suchen, das man gemeinsam betreten kann, um die großen Streitfragen vorerst auszuklammern... Entspannung darf nicht auf eine resignierende Hinnahme oder gar auf eine Besiegelung des Status quo hinauslaufen. Wo immer in der Welt eine Politik des Status quo bei widerstreitenden Lebensinteressen der betroffenen Völker als dauerhafte Befriedung mißverstanden wird, schafft man einen Krankheitsherd, der jeden Augenblick epidemisch werden kann. Darum müssen wir nach Methoden der Entspannung suchen, die den Herd der Krankheit durch eine geduldige Therapie eingrenzen und schließlich beseitigen.»

Es folgte eine bemerkenswerte, von einem Kanzler der Bundesrepublik Deutschland so noch nie ausgesprochene Erkenntnis: «Deutschland, ein wiedervereinigtes Deutschland, hat eine kritische Größenordnung. Es ist zu groß, um in der Balance der Kräfte keine Rolle zu spielen, und zu klein, um die Kräfte um sich herum im Gleichgewicht zu halten. Es ist daher in der Tat nur schwer vorstellbar, daß sich ganz Deutschland bei einer Fortdauer der gegenwärtigen politischen Struktur in Europa der einen oder der anderen Seite ohne weiteres zugesellen könnte. Eben darum kann man das Zusammenwachsen der getrennten Deutschlands nur eingebettet sehen in den Prozeß der Überwindung des Ost-West-Konflikts in Europa.»

Was das Verhältnis zur DDR betraf, die er nicht bei ihrem offiziellen Namen, aber auch nicht «Sowjetzone» oder «Zone» nannte, lehnte Kiesinger «die politische und rechtliche Anerkennung eines zweiten deutschen Staates, also die Besiegelung der Teilung Deutschlands», ab. «Was aber zwischen uns und den Verantwortlichen im anderen Teil Deutschlands möglich ist, das sind Gespräche und Vereinbarungen, welche die durch die erzwungene Spaltung geschaffene Not lindern und die menschlichen, wirtschaftlichen und geistigen Beziehungen zwischen den Deutschen bessern sollen, welche verhindern sollen, daß das deutsche Volk sich von Jahr zu Jahr weiter auseinanderlebt. Diese innere Entkrampfung oder Entgiftung entspräche unserem großen Entwurf einer künftigen europäischen Friedensordnung, sie könnte ihr hilfreich dienen.»

Vieles von dem, was der Bundeskanzler am 17. Juni 1967 vortrug, war den Sozialdemokraten seit langem vertraut – vertrauter als Kiesingers eigener Partei. Doch auch in der Union hatten mittlerweile die Befürworter von Realismus in der Ostpolitik an Boden gewonnen. So sollte der im Auswärtigen Amt, noch unter Schröder, entwickelten «Geburtsfehlertheorie» zufolge die Hallstein-Doktrin nicht gegenüber Staaten gelten, die von Anfang an diplomatische Beziehungen zur DDR unterhalten hatten. Der erste Anwendungsfall war Rumänien: Am 31. Januar 1967 nahm die Bundesrepublik mit dem südosteuropäischen Land diplomatische Beziehungen auf. Rumänien hatte seit 1960, erst unter dem Parteisekretär Georghiu-Dej, dann unter seinem Nachfolger Ceausescu eine betont «nationale» Linie verfolgt und seine Unabhängigkeit gegenüber Moskau mehrfach demonstrativ unterstrichen. Ebendeshalb reagierte Moskau scharf ablehnend auf das Zusammenspiel zwischen Bonn und Bukarest. Auf einer Tagung der Mitgliedstaaten des Warschauer Pakts in der polnischen Hauptstadt, an der Rumänien nicht teilnahm, beantwortete das «sozialistische Lager» die Ostpolitik der Großen Koalition mit einem «Njet»: Diplomatische Beziehungen mit der Bundesrepublik wollten die Mitglieder des östlichen Militärbündnisses demnach nur aufnehmen, wenn sie auf eine atomare Bewaffnung verzichtete, die DDR und die bestehenden Grenzen in Europa anerkannte und den Alleinvertretungsanspruch aufgab.

Die Botschaft war so klar wie ihre Folgen: Während der Regierungszeit der Großen Koalition konnte die Bundesrepublik mit keinem weiteren Staat des Warschauer Pakts diplomatische Beziehungen aufnehmen; lediglich Wirtschaftsverhandlungen mit der Tschechoslowakei kamen im August 1967 zu einem erfolgreichen Abschluß. Die Hallstein-Doktrin aber wurde am 31. Januar 1968 faktisch fallengelassen: An diesem Tag nahm Bonn die diplomatischen Beziehungen zu Belgrad wieder auf, die im Oktober 1957 abgebrochen worden waren, nachdem Jugoslawien seinerseits diplomatische Beziehungen zur DDR aufgenommen hatte. Mit der «Geburtsfehlertheorie» konnte die Bundesregierung im Fall Belgrads nicht argumentieren: Jugoslawien hatte erst die Bundesrepublik und dann die DDR anerkannt. Aber Kiesinger war nach einer Asienreise im November 1967 zu der Einsicht gelangt, daß eine Aufweichung der Hallstein-Doktrin nicht notwendigerweise zu einer Welle von Anerkennungen der DDR durch Staaten der «Dritten Welt» führen würde.

Im Mai 1969 trat dann doch ein, was Bonn verhindern wollte: Kambodscha, der Irak und der Sudan erkannten die DDR an. Zum Irak und zum Sudan gab es seit dem Mai 1965 keine diplomatischen Beziehungen mehr, wohl aber zu Kambodscha. Nach heftigen Auseinandersetzungen innerhalb der Großen Koalition – Kiesinger und die Union waren für eine «harte», Brandt und die Sozialdemokraten für eine «weiche» Reaktion – beantwortete die Bundesregierung am 4. Juni die Entscheidung Pnom Penhs mit dem «Einfrieren» der diplomatischen Beziehungen zu Kambodscha. Das war ein Kompromiß, der Zweifel aufkommen ließ, ob die Große Koalition auf dem Gebiet der auswärtigen Politik im Wahljahr 1969 überhaupt noch handlungsfähig war; die oppositionelle FDP spottete über das «Kambodschieren» der schwarz-roten Regierung. Kambodscha aber versetzte Bonn eine schallende Ohrfeige: Es brach am 11. Juni die diplomatischen Beziehungen zur Bundesrepublik ab.

Die allgemeine Schlußfolgerung, die die Große Koalition aus der Aufwertung der DDR durch Staaten der «Dritten Welt» zog, war eine, am 30. Mai verkündete, die neuere Praxis rechtfertigende Doktrin: Jede Anerkennung der DDR sei ein unfreundlicher Akt. Die Haltung, die die Bundesregierung in einem solchen Fall einnehme, werde sie jeweils von den besonderen Umständen abhängig machen. Damit war der Automatismus der Hallstein-Doktrin – Abbruch der Beziehungen bei Anerkennung der DDR – auch formell aufgegeben. Als Riegel gegen weitere Anerkennungen Ost-Berlins aber wirkte die Erklärung vom 30. Mai nicht. Im Juni erkannten zwei arabische Staaten, Syrien und Süd-Jemen, die DDR an. Nur zu Süd-Jemen unterhielt Bonn diplomatische Beziehungen. Am 2. Juli beschloß die Bundesregierung, diese Beziehungen zu suspendieren und den Botschafter abzuberufen. Am 27. Oktober wurde die Botschaft der Bundesrepublik in Aden geschlossen.

Nach Westen hin bekam der Bundesrepublik der Übergang von der christlich-liberalen zur Großen Koalition alles in allem gut. Dem mächtigsten Verbündeten gegenüber demonstrierte die neue Bundesregierung in einer Weise Selbstbewußtsein, die zunächst allenthalben verblüffte. Am 1. Februar 1967 erklärte Außenminister Brandt, die Bundesregierung werde den Vertrag über die Nichtweiterverbreitung von Atomwaffen («Non-Proliferation Treaty»), über den die USA, Großbritannien und die Sowjetunion in Genf verhandelten, nur dann unterschreiben, wenn er die nichtnuklearen Mächte nicht diskriminiere.

Der Regierungschef ging noch sehr viel weiter. Am 27. Februar monierte er vor dem Verein der Unions-Presse, zwischen den USA und der Bundesrepublik rede man nur noch über Streitfragen und nicht über gemeinsame Politik. Es gelte nun festzustellen, «inwieweit die amerikanischen Interessen mit den unseren, den deutschen und den europäischen, übereinstimmten und inwieweit nicht oder nicht mehr». Auf dem Höhepunkt des Kalten Krieges seien diese Interessen weithin identisch gewesen, doch inzwischen habe sich «so eine Form des atomaren ‹Komplizentums›» zwischen Washington und Moskau herausgebildet. Wie der stellvertretende Bundespressechef Conrad Ahlers ein paar Tage später erläuterte, waren es vor allem die fehlenden Konsultationen in Sachen Atomwaffensperrvertrag, die die Kritik des Kanzlers ausgelöst hatten.

Die undiplomatische, an de Gaulle erinnernde Sprache Kiesingers war in der Sache nur zum Teil begründet und nicht zuletzt von innenpolitischen und taktischen Überlegungen bestimmt: Der Kanzler glaubte der scharfen Ablehnung des Sperrvertrags durch Konrad Adenauer und Franz Josef Strauß Rechnung tragen zu müssen. Der Altkanzler behauptete, das geplante Abkommen sei ein «Morgenthau-Plan im Quadrat» (womit er auf Roosevelts Finanzminister Henry Morgenthau anspielte, der 1944 die Umwandlung Deutschlands in einen Agrarstaat gefordert hatte). Der Vorsitzende der CSU nannte das Vorhaben noch im Juni 1968 ein «Versailles von kosmischen Ausmaßen».

Kiesinger stand dem Vertragsprojekt skeptischer gegenüber als Brandt, hielt aber ein Bonner Nein für illusorisch, weil außenpolitisch nicht durchsetzbar. Wie dem Außenminister ging es auch dem Kanzler vor allem darum, das Interesse der Bundesrepublik an einer ungehinderten Nutzung der Kernenergie für friedliche Zwecke mit den gleichartigen Interessen anderer Nichtnuklearmächte wie Japan zu verknüpfen, was in den folgenden Monaten auch gelang.

Bei der westlichen Führungsmacht zeitigten die unwirschen Kommentare aus Bonn sehr rasch die erwünschte Wirkung: Im März 1967 gingen die USA dazu über, die Bundesrepublik ausführlich über die Genfer Verhandlungen zu unterrichten. Sie waren überdies bereit, der Bundesregierung bei der Lösung der umstrittenen Frage der Ausgleichszahlungen für die Stationierung der amerikanischen Streitkräfte entgegenzukommen. Die Beziehungen zu Washington waren nach dem Zwischenspiel von Anfang 1967 besser als zuvor: Die selbstbewußte Wahrnehmung bundesrepublikanischer Interessen durch die Regierung der Großen Koalition hatte dem Verhältnis zu Amerika nicht geschadet, sondern genutzt.

Der französische Staatspräsident ließ währenddessen nicht davon ab, um die Bundesrepublik zu werben. In Gesprächen mit Kiesinger, die er Mitte Januar 1967 in Paris führte, sprach sich de Gaulle für ein wiedervereinigtes Deutschland in den Grenzen von 1945 und ohne Atomwaffen aus. Er befürwortete weiterhin eine deutsch-französische Union und ließ keinen Zweifel daran, daß diese ihr Zentrum nur in Paris haben konnte. Den Beitritt Englands zur Europäischen Wirtschaftsgemeinschaft, den inzwischen auch Franz Josef Strauß, vordem ein entschiedener «deutscher Gaullist», unterstützte, lehnte der General nach wie vor ab. Auf eine verstärkte Zusammenarbeit mit Paris in Fragen der Ost- und Deutschlandpolitik konnten sich Kiesinger und Brandt einlassen, nicht jedoch auf eine ausschließliche Verbindung mit Frankreich. Sie setzten sich für einen Beitritt Englands zur EWG ein, vermieden es aber beharrlich, sich an die Spitze einer kontinentalen Anti-de-Gaulle-Front zu stellen. Den Balanceakt durchzuhalten war schwierig, aber fürs erste gelang der Versuch: Das Verhältnis zwischen Paris und Bonn war unter der Großen Koalition zunächst besser als unter Erhard.

Keinen Dissens zwischen den beiden Ländern gab es im Hinblick auf die 1965 vertraglich vereinbarte Fusion der Europäischen Gemeinschaften: Am 1. Juli 1967 gingen die Europäischen Wirtschaftsgemeinschaft, die Europäische Gemeinschaft für Kohle und Stahl und die Europäische Atomgemeinschaft in der Europäischen Gemeinschaft auf. Fortan gab es *eine* Europäische Kommission und *einen* Europäischen Ministerrat mit Sitz in Brüssel. (Das Europäische Parlament und der Europäische Gerichtshof waren schon seit Anfang 1958 für alle drei Gemeinschaften zuständig.) Eine der ersten wichtigen Entscheidungen des Europäischen Rates war eine Nicht-Entscheidung: Am 14. Dezember 1967 kam im Europäischen Rat auf Grund der französischen Haltung kein einstimmiger Beschluß über die Aufnahme von Beitrittsverhandlungen mit Großbritannien, Irland, Dänemark und Norwegen zustande. Grundsätzliche Einwände gegen eine Erweiterung der EG erhob bei dieser Gelegenheit aber auch Paris nicht mehr, so daß der britische Antrag auf der Tagesordnung blieb.

Im atlantischen Bündnis gewann die Bundesrepublik nach dem Bonner Regierungswechsel weiter an Gewicht. Im Dezember 1966 wurde sie Ständiges Mitglied der Nuklearen Planungsgruppe: ein Ausgleich für das gescheiterte MLF-Projekt und ein Stück atomarer Mitbestimmung. Am 9. Mai 1967 beschlossen die Verteidigungsminister der NATO, ohne den französischen, die Ablösung des alten Verteidigungskonzepts durch ein neues: Der Grundsatz der «massiven Vergeltung» («massive retaliation») wurde nunmehr offiziell durch den der «abgestuften flexiblen Erwiderung» («graduated, flexible response») ersetzt. Die Bundesregierung der Großen Koalition trug die Kursänderung mit und wich damit von der Haltung der vorangegangenen Kabinette ab, die bei der Planung des Ernstfalls immer darauf gedrängt hatten, jeden östlichen Angriff, auch einen mit konventionellen Waffen, sogleich atomar zu beantworten.

Sehr viel wichtiger war die politische Neuorientierung der Allianz. Am 14. Dezember 1967 verabschiedeten die Außenminister der NATO ein nach dem belgischen Außenminister Pierre Harmel benanntes Kommuniqué, das eine klare Botschaft in Richtung Osten enthielt, aber so ausgewogen formuliert war, daß ihm beide Bonner Regierungsparteien zustimmen konnten. Der Harmel-Bericht schrieb dem Bündnis *zwei* Funktionen zu: *erstens*, wie bisher, die Aufrechterhaltung hinreichender militärischer Stärke und politischer Solidarität, um gegenüber Aggressionen und anderen Formen von Druckanwendung abschreckend zu wirken, *zweitens*, und das war neu, das Bemühen um Entspannung. Beide Aufgaben widersprächen sich nicht, sie ergänzten sich vielmehr gegenseitig. Ganz ausdrücklich legten sich die Verbündeten im Harmel-Bericht auch auf die laufende Prüfung politischer Maßnahmen fest, «die darauf gerichtet sind, eine gerechte und dauerhafte Ordnung in Europa zu erreichen, die Teilung Deutschlands zu überwinden und die europäische Sicherheit zu fördern».

Ein halbes Jahr später, am 25. Juni 1968, folgte das «Signal von Reykjavik»: Von der isländischen Hauptstadt aus sprach sich der NATO-Rat, der Linie des Harmel-Berichts folgend, für den schrittweisen Aufbau einer dauerhaften Friedensordnung in Europa aus; dem Warschauer Pakt bot das atlantische Bündnis Verhandlungen über eine beiderseitige und ausgewogene Truppenverminderung an. Außenminister Brandt hatte allen Anlaß, mit dem Appell zufrieden zu sein: Er war an seiner Formulierung maßgeblich beteiligt.

In den bilateralen Beziehungen zwischen Bonn und Moskau hatte sich bis zu diesem Zeitpunkt wenig bewegt: Gespräche und Noten über einen Gewaltverzicht waren ohne greifbare Folgen geblieben; der Kreml beharrte sogar auf den «Feindstaatenklauseln» in der Satzung der Vereinten Nationen von 1945 und leitete daraus ein Recht auf Intervention in der Bundesrepublik ab. Am 5. Juli 1968 veröffentlichte die Sowjetunion einseitig, unter Bruch der vereinbarten Vertraulichkeit, einen Teil der einschlägigen Dokumente, warf der Bundesrepublik vor, sie verfolge unverändert revanchistische Pläne, und brach die Verhandlungen damit faktisch ab. Die DDR tat, in Abstimmung mit der Moskauer Führung, das Ihre, um die ostpolitischen Bemühungen der Großen Koalition zu durchkreuzen: Im April 1968 verbot das Innenministerium der DDR Mitgliedern und leitenden Beamten der Bundesregierung die Benutzung der Transitwege nach West-Berlin; im Juni erließ die DDR Verordnungen, wonach die Paß- und Visumspflicht im innerdeutschen Reiseverkehr künftig auch für Transitreisen zwischen West-Berlin und dem Bundesgebiet galt und für die Benutzung der Straßen und Wasserwege der DDR Abgaben zu entrichten waren.

Am 9. August aber schien es dann plötzlich, als sei die DDR dabei, ihre Position gegenüber Bonn zu überdenken. In seiner Eigenschaft als Vorsitzender des Staatsrats legte Ulbricht der Volkskammer Vorschläge zur Normalisierung der Beziehungen zwischen beiden deutschen Staaten vor. Die Volkskammer faßte daraufhin einen Beschluß, der den Ministerrat zu Verhandlungen über einen völkerrechtlich gültigen Vertrag ermächtigte, sobald zwei Vorbedingungen erfüllt waren: Die Bundesrepublik mußte auf die «Alleinvertretungsanmaßung» und die Hallstein-Doktrin verzichten. Das Interessante am Vorstoß des Ersten Sekretärs der SED war aber nicht die alte Forderung nach völkerrechtlicher Anerkennung, sondern die Bemerkung, in der Zwischenzeit könnten die Wirtschaftsminister der Bundesrepublik und der DDR bereits Verhandlungen über Fragen von gemeinsamem Interesse aufnehmen. In einer ersten Stellungnahme erteilte die Bundesregierung den Ost-Berliner Vorbedingungen für die Aufnahme von Gesprächen eine Absage. Sie schloß aber nicht aus, daß es in den Vorschlägen Ulbrichts neben den Wiederholungen der bekannten Vorwürfe «möglicherweise auch neue Nuancen» gebe. «Wenn sich dies bestätigen sollte, dann würde die Bundesregierung sicher nicht negativ reagieren.»

Zu irgendwelchen Verhandlungen zwischen Bonn und Ost-Berlin kam es aber nicht. Am 21. August 1968 besetzten Truppen des Warschauer Pakts die Tschechoslowakische Sozialistische Republik, um dem «Prager Frühling» ein Ende zu bereiten. Der Versuch tschechischer und slowakischer Reformkommunisten um den Ersten Sekretär der KPC Alexander Dubček, die leninistische Parteidiktatur zu überwinden und einen «Sozialismus mit menschlichem Antlitz» zu verwirklichen, hatte aus Moskauer Sicht eine magische Grenze überschritten: Der Zusammenhalt des «sozialistischen Lagers» war in Gefahr. Am 15. Juli 1968 hatten die Staaten des Warschauer

Pakts mit Ausnahme Rumäniens der Prager Führung ein Ultimatum gestellt und dies mit der – im Westen so genannten – «Breschnew-Doktrin» begründet: Die Mitgliedschaft im Warschauer Pakt bedeutete demnach einen Verzicht auf unbeschränkte nationale Souveränität – was auf ein Interventionsrecht des Pakts hinauslief. Ulbricht, der in Dubček zunächst einen Politiker gesehen hatte, der ähnlichen Vorstellungen von der Erneuerung des Sozialismus anhing wie er selbst, gehörte im Sommer 1968 zu den Verfechtern einer harten Linie. Die DDR beteiligte sich an der Intervention; die Nationale Volksarmee sicherte aber lediglich den Nachschub und das Hinterland, ohne die Grenze zur ČSSR zu überschreiten.

Die Niederwerfung des «Prager Frühlings», von allen im Bundestag vertretenen Parteien einhellig verurteilt, beendete fürs erste die Ostpolitik der Großen Koalition. Da Moskau die westdeutschen «Imperialisten» für die tschechoslowakische Krise verantwortlich machte, stellten sich viele Akteure und Beobachter auf eine längere «Eiszeit» in den Ost-West-Beziehungen und namentlich im Verhältnis zwischen der Bundesrepublik und der Sowjetunion ein. An ein definitives Scheitern der Entspannungspolitik mochten aber die Sozialdemokraten und die Freien Demokraten nicht glauben – und sie sollten recht behalten.

Am 10. Januar 1969 erklärte der sowjetische Botschafter Zarapkin in einem Gespräch mit Außenminister Brandt, sein Land wünsche bessere Beziehungen zur Bundesrepublik und eine Wiederaufnahme der Verhandlungen, die im Juli 1968 abgebrochen worden waren. Am 23. Februar ließ Zarapkin Bundeskanzler Kiesinger wissen, die DDR werde zu neuen Passierscheinverhandlungen bereit sein, wenn der neue Bundespräsident nicht, wie geplant, am 5. März in Berlin gewählt werde. Dieses Angebot lehnte die Bundesregierung tags darauf ab, aber wenig später kam ein neues Entspannungssignal aus dem Osten. Am 17. März schlugen die Staaten des Warschauer Pakts, die zu ihrer Jahrestagung in der ungarischen Hauptstadt zusammengetroffen waren, die Einberufung einer europäischen Sicherheitskonferenz vor. An dieser sollten die Mitglieder der NATO und des Warschauer Pakts sowie die neutralen Staaten teilnehmen.

Von einem europäischen Sicherheitssystem, das an die Stelle der bestehenden Allianzen treten sollte, war, anders als noch drei Jahres zuvor in einem Beschluß der Bukarester Konferenz des Warschauer Pakts, nicht mehr die Rede. Die Budapester Erklärung wiederholte zwar die Forderung, die Bundesrepublik müsse die bestehenden Grenzen und die «Existenz der DDR» anerkennen. Aber dabei handelte es sich nicht mehr um Vorbedingungen von Verhandlungen, sondern um Voraussetzungen künftiger europäischer Sicherheit – so wie der Warschauer Pakt sie auffaßte. Und die «Anerkennung der Existenz der DDR» war eine bescheidenere Forderung als die nach der völkerrechtlichen Anerkennung der DDR. Die Sowjetunion war offenkundig bereit, der Bundesrepublik ein gutes Stück entgegenzukommen.

Die Kurskorrektur hatte, mindestens, zwei Ursachen. Die Lage in der Tschechoslowakei war äußerlich wieder stabil: Moskautreue Kommunisten hatten, gestützt auf die Präsenz eines starken sowjetischen Truppenkontingents, das Land unter Kontrolle; die Reformkommunisten waren aus der Partei, aus Ministerien, Hochschulen und wissenschaftlichen Instituten systematisch entfernt worden. An der «Westfront» herrschte also Ruhe. An der «Ostfront» hingegen wurde geschossen: Am 2. März 1969 entluden sich die Spannungen zwischen der Sowjetunion und China erstmals in militärischen Kampfhandlungen am Grenzfluß Ussuri. Die dramatische Zuspitzung des Konflikts im Fernen Osten ließ dem Kreml eine Entspannung im Westen erstrebenswert erscheinen; die gewaltsame Beendigung des tschechoslowakischen Reformversuchs minderte die Risiken einer solchen Politik erheblich.

Veränderungen gab es auch bei der westlichen Führungsmacht. Seit dem 20. Januar 1969 stand an der Spitze der USA der Republikaner Richard Nixon, der sich als Senator von Kalifornien und Vizepräsident unter Eisenhower den Ruf eines entschiedenen Antikommunisten erworben hatte. Inzwischen aber war Nixon vor allem eines: Realpolitiker. Unter dem Einfluß seines Sicherheitsberaters Henry A. Kissinger, eines aus dem fränkischen Fürth stammenden Historikers, dessen Familie wegen der nationalsozialistischen Judenverfolgung nach Amerika emigriert war, bemühte sich der neue Präsident um eine rasche Beendigung des Vietnamkrieges. Dort waren zu dem Zeitpunkt, als Nixon in das Weiße Haus einzog, über 31 000 amerikanische Soldaten gefallen; mehr als eine halbe Million «GI's» standen in dem südostasiatischen Land. Um in Vietnam einen Frieden zu schließen, der mit der Ehre Amerikas zu vereinbaren war, arbeiteten Nixon und Kissinger auf eine Normalisierung des Verhältnisses mit dem kommunistischen China hin. Um desselben Zieles willen, aber nicht nur aus diesem Grund, lag ihnen an der Fortsetzung der Entspannungspolitik in Europa.

Die Bedingungen der «Détente» sollten freilich, was den Westen betraf, die Vereinigten Staaten und nicht ihre Verbündeten jeder für sich festlegen: Das machte Nixon auf der Jubiläumssitzung des NATO-Rats am 10. und 11. April 1969, zwanzig Jahre nach der Gründung des Bündnisses, deutlich. Der Außenminister der Bundesrepublik begrüßte den amerikanischen Wunsch nach Entspannung, wurde aber konkreter als Nixon. Brandt forderte, unterstützt von seinem italienischen Amtskollegen, dem Sozialisten Pietro Nenni, der Westen solle auf den Budapester Vorschlag einer europäischen Sicherheitskonferenz konstruktiv eingehen und zunächst Teilaspekte der europäischen Sicherheit öffentlich zur Diskussion stellen. Diese Linie setzte sich durch: Sie wurde, wie Brandt 1989 rückblickend bemerkte, «ohne sonderlichen Elan, doch immerhin, die Marschroute des westlichen Bündnisses».

Zweieinhalb Wochen nach dem Treffen in Washington, am 28. April 1969, trat der Mann von der politischen Bühne ab, der drei Jahre zuvor sein

Land aus der Militärorganisation der NATO ausgegliedert und damit das Bündnis in seine bislang schwerste Krise gestürzt hatte: Charles de Gaulle. Das Scheitern eines Referendums über eine Senats- und Regionalreform, das er zu einem Plebiszit über seine Politik insgesamt gemacht hatte, war der Anlaß für den Rücktritt. Er fiel in eine Zeit, in der das Verhältnis zwischen Paris und Bonn auf einem neuen Tiefpunkt angelangt war. Ursache war die Währungskrise vom November 1968: Die Bundesrepublik hatte sich unter der gemeinsamen Ägide von Schiller und Strauß erfolgreich dem Druck von Amerikanern, Briten und Franzosen widersetzt, die allesamt die Schwäche ihrer Währungen durch eine Aufwertung der Deutschen Mark ausgleichen wollten; Frankreich, das Land mit der schwächsten Währung, war der eigentliche Verlierer dieser Auseinandersetzung.

Der Abgang de Gaulles wurde in der Bundesrepublik überwiegend mit Erleichterung aufgenommen. «Deutsche Gaullisten» gab es im Frühjahr 1969 nicht mehr; der General hatte, seit er zum Entspannungspolitiker geworden war, seine Anhänger rechts des Rheins mitunter noch mehr irritiert als seine Gegner. Frankreich mußte die «Größe», zu der es nach de Gaulles Überzeugung vorherbestimmt war, teuer bezahlen; das ehrgeizige atomare Rüstungsprogramm der «Force de frappe» hatte nicht wenig zur Schwäche des Franc beigetragen. Die Schadenfreude in der Bundesrepublik war beträchtlich und nahm im Herbst 1968 gelegentlich chauvinistische Züge an: «Jetzt sind die Deutschen Nummer 1 in Europa!» lautete die Schlagzeile der «Bild-Zeitung» vom 23. November, als sich Bonn in der Währungskrise durchgesetzt hatte. Doch die wirtschaftliche Stärke der Bundesrepublik hatte ihre Kehrseite. Ende 1968 zeichnete sich erneut eine Gefahr ab, die die Große Koalition schon gebannt zu haben schien: Die Bundesrepublik war drauf und dran, mit ihren wichtigsten Verbündeten zur gleichen Zeit in ein gespanntes Verhältnis zu geraten.[13]

Die Große Koalition war im Winter 1966/67 unter lebhaftem intellektuellem und publizistischem Protest ins Leben getreten. Der Herausgeber des «Spiegel», Rudolf Augstein, nannte es die «erklärte Absicht» des Regierungsbündnisses, «oppositionelle Kräfte durch Wahlgesetzänderungen zu entmutigen, dann aus der Bundespolitik auszuschalten»; der Philosoph Karl Jaspers beklagte den «Zerfall einer Demokratie»; der Staatsrechtler Harold Rasch sprach gar von einem «verkappten Staatsstreich», durch den die Verfassung «faktisch außer Kraft gesetzt» worden sei.

Die unbestreitbaren gesetzgeberischen Leistungen und außenpolitischen Erfolge der Regierung Kiesinger-Brandt nahmen den Kritikern bald den Wind aus den Segeln. Doch es blieb ein verbreitetes Unbehagen an neuen, im Grundgesetz nicht vorgesehenen Entscheidungsgremien wie dem «Kreßbronner Kreis» – benannt nach Kiesingers Feriendomizil am Bodensee, wo sich die wichtigsten Politiker der beiden Koalitionsparteien im August 1967 erstmals trafen, um frühzeitig Lösungen für strittige Fragen von besonderer Bedeutung zu finden. In der alltäglichen Regierungsarbeit sorgten die beiden Fraktionsvorsitzenden – Rainer Barzel für die CDU/CSU, Helmut Schmidt für die SPD – für das Funktionieren des Zweckbündnisses. Die Folge war ein stiller Verfassungswandel: Das Plenum des Bundestages und die parlamentarische Opposition verloren an Bedeutung; der Bundeskanzler konnte sich nicht mehr auf seine Richtlinienkompetenz berufen, sondern nur noch, wie Conrad Ahlers formulierte, als «wandelnder Vermittlungsausschuß» tätig werden. Die zeitgenössische Kritik war in dieser Hinsicht wohlbegründet: Die Entscheidungsprozesse der Großen Koalition mochten effizient sein, aber sie waren nicht transparent; von einer wirksamen parlamentarischen Kontrolle der Exekutive konnte nicht mehr die Rede sein; die repräsentative Demokratie drohte zur bloßen Fassade zu werden, wenn die Bundesrepublik über einen längeren Zeitraum hinweg von einer Großen Koalition regiert wurde.

Im Frühjahr 1969 mehrten sich die Anzeichen, die dafür sprachen, daß die Große Koalition die Bundestagswahl im Herbst nicht überdauern würde. Auf außenpolitischem Gebiet waren die Gegensätze zwischen Sozialdemokratie und Union nicht mehr zu übersehen: Die SPD wollte im Verhältnis zur Sowjetunion und den anderen Staaten des Warschauer Pakts, namentlich aber zur DDR, weiter gehen, als es im Zusammenspiel mit CDU und CSU möglich war. Die innenpolitischen Reformvorhaben waren zwar noch nicht alle in Gesetzesform gebracht, aber ein Abschluß war in Sicht. Und schließlich hatte sich die dritte Partei, die FDP, seit ihrem Freiburger Parteitag vom Januar 1968 sowohl in ost- und deutschlandpolitischer Hinsicht als auch im Bereich der inneren Reformen ein derart «progressives» Profil verschafft, daß sie sachlich mehr mit der SPD als mit den Unionsparteien verband.

Im September 1968 weigerte sich die FDP, in eine Entschließung des Bundestags zur Deutschlandpolitik auch den Alleinvertretungsanspruch der Bundesrepublik aufzunehmen (was die CDU gefordert und die SPD nicht abgelehnt hatte). Im Januar 1969 legten die Freien Demokraten den Entwurf eines Grundlagenvertrags zwischen beiden deutschen Staaten vor, der unter anderem Vereinbarungen über einen wechselseitigen Gewaltverzicht, ein Höchstmaß an freiem Reiseverkehr und die Befreiung der politischen Gefangenen enthielt. Die Bundesregierung der Großen Koalition lehnte zwar Ausgestaltung und Zeitpunkt des Entwurfs ab. Herbert Wehner, der Bundesminister für gesamtdeutsche Fragen, ließ aber Ende April 1969 doch mehrfach erkennen, daß er mit der Idee eines deutsch-deutschen Vertrags sympathisierte.

Zur Probe aufs Exempel für ein Zusammengehen von SPD und FDP mußte die Bundespräsidentenwahl am 5. März 1969 werden. Sie war vorgezogen worden, weil Heinrich Lübke, der den Anforderungen seines Amtes geistig immer weniger gewachsen war, im Oktober 1968 angekündigt hatte, er werde zum 30. Juni 1969 zurücktreten, damit die Wahl seines

Nachfolgers in einem gewissen zeitlichen Abstand zur Bundestagswahl stattfinden könne. Die Unionsparteien stellten daraufhin Verteidigungsminister Gerhard Schröder, die Sozialdemokraten Justizminister Gustav Heinemann als ihren Kandidaten für das Amt des Bundespräsidenten auf. Schröder war ein Konservativer, was seine Chancen minderte, von der FDP gewählt zu werden. Heinemanns Ansichten waren den meisten Liberalen sehr viel sympathischer. Aber entschieden war am Abend des 4. März noch nichts, als die Wahlmänner und Wahlfrauen der FDP unter dem Vorsitz Walter Scheels zu einer Besprechung in Berlin zusammentrafen.

Der rechte Flügel um den früheren Parteivorsitzenden Erich Mende sprach sich für Schröder aus, blieb aber in der Minderheit. Die engagierten Befürworter Heinemanns kamen wie Scheel meist aus Nordrhein-Westfalen, wo seit Dezember 1966 eine sozialliberale Koalition unter dem sozialdemokratischen Ministerpräsidenten Heinz Kühn regierte. Ein gewichtiges Argument für die Wahl des Bundesjustizministers trug der Düsseldorfer Landesvorsitzende und Innenminister Willi Weyer vor: Drei maßgebliche Sozialdemokraten – Herbert Wehner, Willy Brandt und Heinz Kühn – hätten ihn ermächtigt zu erklären, das Mehrheitswahlrecht sei «ein für allemal vom Tisch, wenn morgen Gustav Heinemann mit Hilfe der FDP zum Bundespräsidenten gewählt wird». In der Schlußabstimmung entschieden sich 77 von 82 anwesenden Freien Demokraten für, 5 gegen Heinemann. Dem Kandidaten Schröder war hingegen die Unterstützung einer anderen Partei sicher: der NPD.

Am 5. März 1969 trat, ungeachtet wochenlanger Behinderungen des Berlin-Verkehrs durch die DDR, in der Ostpreußenhalle auf dem Messegelände am Berliner Funkturm die fünfte Bundesversammlung zusammen. Von den 1036 Wahlfrauen und Wahlmännern gehörten 482 der CDU/CSU, 449 der SPD, 83 der FDP und 22 der NPD an. 1023 Mitglieder der Bundesversammlung nahmen an der Wahl teil. Erst im dritten Wahlgang, bei dem nur die relative Mehrheit erforderlich war, fiel die Entscheidung: Auf Heinemann entfielen 512, auf Schröder 506 Stimmen.

Wäre Schröder mit Hilfe rechtsradikaler Stimmen gewählt worden, hätte dies die Bundesrepublik in ihren Grundfesten erschüttert, ihr internationales Ansehen und die Autorität des neuen Staatsoberhaupts schwer beschädigt. Heinemanns Wahl war, wie er selbst wenige Tage danach in einem Interview mit der «Stuttgarter Zeitung» erklärte, «ein Stück Machtwechsel». Das war, aus dem Munde des künftigen, zur Überparteilichkeit verpflichteten Bundespräsidenten, eine unglückliche Wortwahl, in der Sache aber nicht falsch. Die FDP hatte die Wahl eines sozialdemokratischen Bundespräsidenten ermöglicht, und das erlaubte Rückschlüsse auf die nächste Regierungsbildung – sofern die Bundestagswahl so ausfiel, daß SPD und FDP eine Koalition eingehen konnten.

Heinemanns Wahl war in mehrfacher Hinsicht ein Signal: Er stand für die Öffnung der Sozialdemokratie zum Bürgertum; er bewies, daß in der

SPD kirchentreue Protestanten und sogar solche, die zuvor der CDU angehört hatten, willkommen waren; er war ein unbequemer, aber gerade
darum glaubwürdiger Gesprächspartner der rebellierenden Studenten. Sie
hatte er am 14. April 1968, nach dem Attentat auf Rudi Dutschke, über
Rundfunk und Fernsehen zur «Selbstbeherrschung» aufgerufen, gleichzeitig aber auch «uns alle» gefragt, «was wir selber in der Vergangenheit dazu
beigetragen haben könnten, daß Antikommunismus sich bis zum Mordanschlag steigerte, und Demonstranten sich in Gewalttaten bis zur Brandstiftung verloren haben». Vier Wochen später, am 10. Mai 1968, verteidigte er
im Bundestag die Notstandsgesetze mit einem schwer widerlegbaren, von
der Außerparlamentarischen Opposition aber unwillig aufgenommenen
Argument: «Wer gegen eine klare Notstandsregelung in der Verfassung agitiert, kann ebensogut positiv sagen: Ich bin für eine neue außerparlamentarische Notstandsvorsorge nur durch die Regierung, die kein Bürger eher
erfährt, als bis der Tag X da ist!... Ich frage: Womit wollen diese Gegner
aus Grundsatz eigentlich ihre Rechte verteidigen, wenn alles auf ungeschriebenes Notstandshandeln zurückfällt?»

Am 1. Juli 1969, drei Wochen vor seinem 70. Geburtstag, trat Heinemann
das Amt an, in das er am 5. März gewählt worden war. Die Rede, die er aus
diesem Anlaß hielt, war ein Aufruf zum Umdenken. Nicht der Krieg, sondern der Friede sei der Ernstfall, sagte er. Heinemann bekannte sich zur
Bundeswehr, fügte aber hinzu, sie sei nicht Selbstzweck. Er verwies darauf,
daß es neben dem Ost-West-Konflikt auch einen Nord-Süd-Konflikt gebe,
und dankte seinem Amtsvorgänger Heinrich Lübke dafür, daß er das immer wieder ins Bewußtsein gerückt habe. Im Zentrum der Ansprache stand
das Postulat, daß die freiheitliche Demokratie «endlich das Lebenselement
unserer Gesellschaft werden» müsse. «Einige hängen immer noch am Obrigkeitsstaat. Er war lange genug unser Unglück und hat uns zuletzt in das
Verhängnis des Dritten Reiches geführt... Nicht weniger, sondern mehr
Demokratie – das ist die Forderung, das ist das große Ziel, dem wir uns alle
und zumal die Jugend zu verschreiben haben. Es gibt schwierige Vaterländer. Eines davon ist Deutschland. Aber es ist *unser* Vaterland.»

Vielen Konservativen mußte vieles von dem, was Heinemann sagte, als
Zumutung erscheinen. In der Tat war seine Ansprache die politischste
Rede, die je ein Bundespräsident bei seiner Amtsübernahme gehalten hatte,
und zugleich das wohl eindrucksvollste Zeugnis der geistigen Aufbruchstimmung der späten sechziger Jahre. Adenauers ehemaliger Innenminister
zog einen Schlußstrich unter die Ära Adenauer. In seinem Appell an den
«mündig mitbestimmenden Bürger» drückte sich ein anderes, aktiveres
Demokratieverständnis aus als jenes, das die fünfziger Jahre geprägt hatte
und immer noch fortwirkte. Heinemann war von Hause aus ein bürgerlicher Demokrat, der gern und häufig an die freiheitlichen Traditionen der
deutschen Geschichte, von den Bauernkriegen des 16. Jahrhunderts über
das Hambacher Fest von 1832 bis zur Revolution von 1848, und nament-

lich an den badischen Aufstand von 1849 erinnerte, in dem einige seiner Vorfahren mitgekämpft hatten. Er wollte damit auch der Inanspruchnahme revolutionärer Überlieferungen durch die DDR entgegenwirken, der er bei der Eröffnung der Erinnerungsstätte für die Freiheitsbewegungen in der deutschen Geschichte in Rastatt im Juni 1974 vorwarf, sie verfremde diese Überlieferungen in Entwicklungsstufen zum kommunistischen Zwangsstaat.

Zum 100. Jahrestag der Reichsgründung sagte er am 17. Januar 1971 im Fernsehen, 1871 sei «eine äußere Einheit ohne volle innere Freiheit der Bürger» erreicht worden. «Hundert Jahre Deutsches Reich – das heißt eben nicht einmal Versailles, sondern zweimal Versailles, 1871 und 1919, und das heißt auch Auschwitz, Stalingrad und bedingungslose Kapitulation von 1945.» Zur deutschen Geschichte seit 1871 gehörten aber auch Bismarcks liberale, katholische und sozialdemokratische Gegner und ihre politischen Erben: die Parteien, die die Weimarer Republik getragen hatten. Sie und nur sie standen für *das* Deutschland, das aus Heinemanns Sicht noch eine Zukunft hatte.

Der dritte Bundespräsident betrieb bewußt Geschichtspolitik und forderte mit manchen Einseitigkeiten und Vergröberungen seiner pädagogischen Bemühungen neben parteipolitischer Polemik auch begründete Kritik heraus. Aber der Versuch, den immer noch weitverbreiteten, ja «offiziösen» nationalkonservativen Deutungen der deutschen Geschichte ein kritisches, an den Werten der Freiheit und der Demokratie orientiertes Geschichtsbild entgegenzusetzen, war überfällig. Das «schwierige Vaterland» hatte in Heinemann einen patriotischen Sprecher gefunden, der sich seinen Patriotismus intellektuell nicht leicht machte.

Zwei Tage nach Heinemanns Antrittsrede, am 3. Juli 1969, fand die letzte Sitzung des fünften Deutschen Bundestages statt. Danach begann die «heiße Phase» des Wahlkampfs. Die CDU setzte auf die Popularität Kiesingers und warb mit der Parole: «Auf den Kanzler kommt es an.» Die SPD versprach: «Wir schaffen das moderne Deutschland.» Die FDP, die sich neuerdings durch drei Punkte von den anderen Parteien abzuheben versuchte und «F. D. P.» schrieb, kündigte ebenfalls eine durchgreifende Erneuerung von Staat und Gesellschaft an und brachte ihr Wahlprogramm auf die Formel «Wir schaffen die alten Zöpfe ab».

Streit gab es in den Sommermonaten zwischen den bisherigen Koalitionspartnern vor allem um die Frage einer Aufwertung der DM. Finanzminister Strauß, die Exportbranchen und die Landwirtschaft lehnten sie nach wie vor ab, Wirtschaftsminister Schiller und die meisten Wirtschaftswissenschaftler waren dafür. Die Gegner der Aufwertung verwiesen auf Nachteile für die Ausfuhr und die Bauern, die Befürworter auf eine für alle spürbare Folge der Unterbewertung der Mark: den Preisanstieg vor allem bei importierten Waren, also eine Verteuerung der Lebensverhältnisse. Kurz vor der Wahl machte das Thema «Aufwertung» noch einmal Schlagzeilen: Auf Vorschlag der Bundesbank ordnete die Bundesregierung am 25. September die vorübergehende Schließung der Devisenbörsen der Bundesrepublik an. Auf diese Weise wollten beide einem spekulativen Zustrom von Devisen zuvorkommen – ausgelöst durch die Erwartung einer Aufwertung der Deutschen Mark nach der Wahl.

Am 28. September 1969 wurde der sechste Deutsche Bundestag gewählt. Die Unionsparteien blieben mit 46,1 % die stärkste politische Kraft, verloren aber 1,5 %. Die SPD erreichte mit 42,7 % ihr bislang bestes Ergebnis; gegenüber 1965 gewann sie 3,4 % hinzu. Die FDP sank von 9,5 auf 5,8 % (– 3,7 %): ihr bisher schlechtestes Ergebnis, das gefährlich nahe bei der Fünfprozenthürde lag. Die NPD verfehlte den Einzug in den Bundestag mit 4,3 % nur knapp. Eine im Jahr zuvor, im Oktober 1968, gegründete Linkspartei war bei dieser Wahl noch nicht angetreten: die Deutsche Kommunistische Partei (DKP). Anders als die 1956 verbotene KPD versprach sie, «die sozialistische Gesellschafts- und Staatsordnung im Rahmen des Grundgesetzes zu verwirklichen». Die Gründung war mit Zustimmung der Bundesregierung erfolgt, die sich von der faktischen Revision des Verbotsurteils Vorteile für das Verhältnis zur Sowjetunion versprach.

Die Botschaft der Wähler ließ viele Deutungen zu. Unbestreitbar war, daß sich die Anziehungskraft des Rechtsradikalismus abgeschwächt und das Vertrauen in die demokratischen Parteien wieder gefestigt hatte. Die Große Koalition war nicht nur mit einer Wirtschaftskrise fertig geworden, sie hatte auch viele überfällige Reformen durchgesetzt. Das politische System des Grundgesetzes war also sehr viel mehr als eine «Schönwetterdemokratie», es hatte seine erste große Bewährungsprobe bestanden.

Ein Plebiszit gegen die Große Koalition war das Wahlergebnis nicht. Dazu waren die Stimmenverluste der Union zu gering und die Stimmengewinne der Sozialdemokratie zu hoch. Hätten die Wähler der NPD gewußt, daß die von ihnen bevorzugte Partei ihr Wahlziel nicht erreichen würde, hätten sie vermutlich in erheblicher Zahl für die Union gestimmt und dieser zur absoluten Mehrheit verholfen. Die Wahlentscheidung war auch kein klarer Auftrag zur Bildung einer sozialliberalen Koalition. Andernfalls hätte die FDP nach ihrer Linksschwenkung zumindest nicht so viele Wähler, nämlich fast 40 % ihres Bestandes von 1965, verlieren dürfen.

Doch auch daran gab es nichts zu deuten: Die Wahlentscheidung erlaubte, numerisch jedenfalls, den «Machtwechsel», die Ablösung der Großen durch eine sozialliberale Koalition. Der Vorsitzende der FDP, Walter Scheel, hatte sich einige Tage vor der Wahl, in einer Sendung des Zweiten Deutschen Fernsehens mit den Vorsitzenden der vier im Bundestag vertretenen Parteien am 25. September, für ein solches Bündnis ausgesprochen. Aber man mußte davon ausgehen, daß nicht alle Abgeordneten der FDP für einen sozialdemokratischen Bundeskanzler stimmen würden. Wenn dieser alle 224 Stimmen der eigenen Partei und alle 30 Stimmen der FDP erhielt, hatte er 12 Stimmen mehr als die CDU/CSU, die über 242 Mandate verfügte, und 5 Stimmen mehr, als zur absoluten oder «Kanzlermehrheit» erforderlich waren.

Herbert Wehner und Helmut Schmidt hielten diese Mehrheit für nicht ausreichend und die Freien Demokraten nicht für zuverlässig; Wehner nannte die FDP in der Wahlnacht abschätzig «die alte Pendlerpartei». Karl Schiller hingegen, dessen Popularität die SPD einen beträchtlichen Teil ihrer Stimmengewinne verdankte, lehnte eine abermalige Koalition mit der Union ab: Der Aufwertungsstreit hatte das Verhältnis zwischen dem sozialdemokratischen Wirtschafts- und dem christlich-sozialen Finanzminister so belastet, daß an eine ersprießliche Zusammenarbeit nicht mehr zu denken war.

Ausschlaggebend war die Haltung des Parteivorsitzenden. Willy Brandt war aus Gründen der Ost- und Deutschlandpolitik entschlossen, das Wagnis einer sozialliberalen Koalition einzugehen: Auf diesem Gebiet hatte die Große Koalition am wenigsten bewirkt; mit der Union, so lautete seine Folgerung, gab es keine Chance, die Stagnation zu überwinden, wohl aber mit der FDP. Noch in der Wahlnacht stellte Brandt in einem Telefongespräch mit Scheel die Weichen in der von ihm gewünschten Richtung. Kiesinger, dem Präsident Nixon schon telefonisch zum Wahlsieg gratuliert hatte, mußte damit rechnen, daß er doch noch als der Verlierer des 28. September in die Geschichte eingehen würde.

Einen Tag nach der Wahl stellte die Bundesbank auf Wunsch der Bundesregierung ihre Interventionen an den Devisenbörsen ein, gab also den Wechselkurs der DM frei. Der Dollarkurs hatte zuvor bei 4 DM gelegen. Nach der Freigabe der Wechselkurse notierte er zunächst bei 3,84 DM, was einer Aufwertung der Deutschen Mark um 4 % entsprach.

Die Koalitionsverhandlungen zwischen SPD und FDP verliefen zügig. Bereits am 3. Oktober konnten Brandt und Scheel Bundespräsident Heinemann ihre Absicht mitteilen, zusammen eine Regierung zu bilden. In der Außen- und Deutschlandpolitik fiel die Einigung besonders leicht. In der Wirtschaftspolitik akzeptierte die SPD den von der FDP geforderten Verzicht auf einen Ausbau der paritätischen Mitbestimmung. Zwei Schlüsselressorts fielen an die FDP: das Auswärtige Amt an Walter Scheel, der auch Vizekanzler wurde, das Innenministerium an den Abgeordneten Hans-Dietrich Genscher, der aus Halle stammte und 1952 aus der DDR in die Bundesrepublik geflüchtet war. Das dritte Kabinettsmitglied der FDP war Landwirtschaftsminister Josef Ertl aus Bayern, der zum rechten Parteiflügel gehörte und noch nach der Wahl einem Bündnis mit der SPD zunächst entschieden widersprochen hatte.

Die übrigen elf Ressorts fielen an die SPD, dazu der Posten des Chefs des Bundeskanzleramts im Rang eines Bundesministers für besondere Aufgaben: eine Funktion, die der Freiburger Staatsrechtler Horst Ehmke, ein gebürtiger Danziger, übernahm, der im März 1969, nach Heinemanns Wahl zum Bundespräsidenten, dessen Nachfolge als Justizminister angetreten hatte. Eines der Ministerien, das für Bildung und Wissenschaft, übertrug Brandt dem parteilosen Professor für technische Mechanik, Hans Leussink. Karl Schiller blieb Wirtschafts-, Georg Leber Verkehrsminister, Lauritz Lauritzen Wohnungsbauminister. Der Generaldirektor der Karlsruher Lebensversicherung und Landesvorsitzende der baden-württembergischen SPD, Alex Möller, übernahm das Finanz-, der bisherige Fraktionsvorsitzende Helmut Schmidt das Verteidigungs-, der Jurist Gerhard Jahn das Justiz-, der Vorsitzende der Industriegewerkschaft Bergbau, Walter Arendt, das Arbeitsministerium. Neuer Bundesminister für innerdeutsche Beziehungen (und nicht mehr, wie es bis dahin geheißen hatte, «gesamtdeutsche Fragen») wurde der Niedersachse Egon Franke. (Sein Amtsvorgänger Herbert Wehner übernahm den Fraktionsvorsitz der SPD.) Entwicklungsminister oder, wie der offizielle Titel lautete, «Bundesminister für wirtschaftliche Zusammenarbeit», wurde wieder der Schwabe Erhard Eppler, der dieses Ressort schon im Oktober 1968 als Nachfolger von Hans-Jürgen Wischnewski übernommen hatte, als dieser in das Amt des Bundesgeschäftsführers der SPD überwechselte.

Am 21. Oktober 1969 wählte der Bundestag Willy Brandt zum Bundeskanzler. Er erhielt 251 der abgegebenen 495 Stimmen; 235 Abgeordnete stimmten mit Nein; 5 enthielten sich; 4 gaben ungültige Stimmkarten ab; einer der 496 stimmberechtigten Abgeordneten nahm an der Abstimmung nicht teil. Die Zahl der Abgeordneten, die für Brandt gestimmt hatten, lag um zwei oberhalb der erforderlichen absoluten Mehrheit und um drei unterhalb der Mandatszahl, über die die neue sozialliberale Koalition verfügte. Unter den gegebenen Umständen war das Ergebnis befriedigend, in jedem Fall aber ausreichend. Zum ersten Mal seit dem Sturz des Reichskanzlers Hermann Müller am 27. März 1930 gab es in Deutschland wieder einen sozialdemokratischen Kanzler.[14]

Die DDR baute in der zweiten Hälfte der sechziger Jahre ihre Eigenstaatlichkeit aus und das, was es noch an gesamtdeutschen Bindungen und Bezügen gab, ab. Der verschärfte Kurs gegenüber der Bundesrepublik war die Antwort der SED auf die ersten Schritte, die die Große Koalition in Richtung einer neuen Ostpolitik tat. Anfang Februar 1967 wurde das Staatssekretariat für gesamtdeutsche Fragen demonstrativ in Staatssekretariat für westdeutsche Fragen umbenannt. Im gleichen Monat beschlossen die Staaten des Warschauer Pakts in der polnischen Hauptstadt eine Art umgekehrter Hallstein-Doktrin, die im Westen so genannte «Ulbricht-Doktrin»: Kein Mitgliedsland des Bündnisses durfte die Bundesrepublik anerkennen, solange diese nicht die bestehenden Grenzen und die Existenz zweier deutscher Staaten anerkannt hatte. Damit sollte verhindert werden, daß das Beispiel Rumäniens, das Ende Januar diplomatische Beziehungen zu Bonn aufgenommen hatte, Schule machte. Kurz darauf, am 20. Februar 1967, beschloß die Volkskammer ein Gesetz, das eine besondere «Staatsbürgerschaft der DDR» einführte. Im April folgte der Widerruf des Projekts einer deutschen Konföderation durch den 7. Parteitag der SED: Das Vorhaben war zu gesamtdeutsch, um mit der neuen Linie vereinbar zu sein.

Das Gegenstück zur Absage an gesamtdeutsche Gemeinsamkeiten war das Bemühen, der DDR einen besonders herausgehobenen Platz im Kreis der sozialistischen Staaten zu verschaffen. Am 12. September 1967 hielt Ulbricht ein Referat über das Thema «Die Bedeutung des Werkes ‹Das Kapital› von Karl Marx für die Schaffung des entwickelten sozialistischen Systems in der DDR». Ausgangspunkt war das «strategische Ziel» des 7. Parteitags, «das entwickelte gesellschaftliche System des Sozialismus zu gestalten und so den Sozialismus zu vollenden». Ulbrichts Kernthese lautete, «daß der Sozialismus nicht eine kurzfristige Übergangsphase in der Entwicklung der Gesellschaft ist, sondern eine relativ selbständige sozialökonomische Formation in der historischen Epoche des Übergangs vom Kapitalismus zum Kommunismus im Weltmaßstab».

Der Erste Sekretär der SED korrigierte damit nicht nur Marx und Lenin, er forderte auch die Sowjetunion heraus, die seit 1936 für sich in Anspruch nahm, bereits auf dem Weg vom Sozialismus zum Kommunismus und damit den anderen sozialistischen Ländern um eine ganze historische Epoche voraus zu sein. Ulbricht bewertete diese sowjetische Selbsteinschätzung indirekt als unrichtig. Wenn aber beide Gesellschaften, die sowjetische und die der DDR, sich in der gleichen sozialökonomischen Formation, der des Sozialismus, befanden, gab es in dieser Hinsicht keinen qualitativen Vorsprung der Sowjetunion mehr. Im Mai 1968 kennzeichnete Ulbricht anläßlich des 150. Geburtstags von Karl Marx den Sozialismus der DDR als «Sozialismus in einem modernen, industriell hochentwickelten Lande», was den Anspruch auf einen Modellcharakter dieses Sozialismus in sich schloß.

1968 erhielt die DDR ein neues Strafgesetzbuch und eine neue Verfassung. Das Strafgesetzbuch vom 12. Januar 1968 brachte einige Neuerungen, die im Jahr darauf auch in der Bundesrepublik Gesetzeskraft erlangten. Die Zuchthausstrafe wurde abgeschafft, die Bewährungsstrafe ebenso wie der Gedanke der Resozialisierung wurden aufgewertet, das Sexualstrafrecht liberalisiert, der Paragraph über Gotteslästerung gestrichen. Ganz anders verfuhr der Gesetzgeber im Bereich des politischen Strafrechts: Es wurde ausgeweitet und verschärft. Die Liste der Straftatbestände umfaßte «Verbrechen gegen die Souveränität der DDR, den Frieden, die Menschlichkeit und die Menschenrechte», die «Sammlung von Nachrichten», «Sabotage», «staatsfeindlichen Menschenhandel» und «staatsfeindliche Hetze». Letztere war, wie Christoph Kleßmann urteilt, so allgemein definiert, «daß sich jede Oppositionsregung darunter subsumieren ließ». Auf einige Verbrechen drohte noch immer die Todesstrafe. Das neue Strafgesetzbuch sprach zwar von der «Unabhängigkeit der Richter», die in ihrer Rechtsprechung nur der Verfassung und dem Gesetz unterworfen seien. Aber der Zusatz, daß sie «der Volksvertretung für die Erfüllung der mit ihrer Wahl über-

nommenen Verpflichtungen verantwortlich» seien, schuf Klarheit: Der
DDR lag nichts ferner als der Gedanke, sich an den Maßstäben des «bürgerlichen» Rechtsstaats messen zu lassen.

Im Februar 1968 begann die «Volksaussprache» über den Entwurf einer
neuen, «sozialistischen» Verfassung. Einige Anregungen wurden aufgegriffen und in die endgültige Fassung eingefügt, so die Grundrechte der Glaubens- und Gewissensfreiheit sowie des religiösen Bekenntnisses und die
Immunität der Volkskammerabgeordneten. Am 6. April fand ein Volksentscheid statt: 94,5 % der Wahlberechtigten stimmten der Verfassung zu. Ihr
erster Artikel entsprach der Wirklichkeit sehr viel besser als jener der alten
Verfassung von 1949, in dem es noch geheißen hatte: «Deutschland ist eine
unteilbare demokratische Republik; sie baut sich auf den Ländern auf.» Die
neue Verfassung begann mit der Feststellung: «Die Deutsche Demokratische Republik ist ein sozialistischer Staat deutscher Nation. Sie ist die politische Organisation der Werktätigen in Stadt und Land, die gemeinsam
unter Führung der Arbeiterklasse und ihrer marxistisch-leninistischen
Partei den Sozialismus verwirklichen.» Im Lichte dieser Staatszielbestimmung waren auch die Grundrechte zu bewerten, wie etwa das auf
Meinungsfreiheit, das in Artikel 27 verbürgt war: «Jeder Bürger der Deutschen Demokratischen Republik hat das Recht, den Grundsätzen dieser
Verfassung gemäß seine Meinung frei und öffentlich zu äußern. Dieses
Recht wird durch kein Dienst- oder Arbeitsverhältnis beschränkt. Niemand darf benachteiligt werden, wenn er von diesem Recht Gebrauch
macht.»

Was dieses Grundrecht in der Praxis wert war, erfuhren im Sommer und
Herbst 1968 zahlreiche, vor allem jüngere Bürger der DDR, die mit dem
«Prager Frühling» sympathisierten und nach dem 21. August gegen seine
Niederschlagung protestierten. Der Widerstand schlug sich in Losungen an
Hauswänden und auf dem Straßenbelag, in Flugblättern und Unterschriftensammlungen nieder. Immer wieder wurden Parallelen zum Jahr 1938 gezogen, in dem die Wehrmacht in die Tschechoslowakei einmarschiert war.
Bis zum 29. August zählte das Innenministerium 1 112 Fälle von «staatsgefährdender Hetze» und «Staatsverleumdung». Das Ministerium für Staatssicherheit registrierte bis zum 20. November aus dem gleichen Anlaß über
2 000 «feindliche Handlungen». Unter den Protestierenden waren Arbeiter,
Oberschüler, Studenten und Intellektuelle, darunter auch Mitglieder der
SED.

Die genauen Zahlen derer, die zu Freiheitsstrafen verurteilt und von den
Universitäten verwiesen wurden, sind nicht bekannt. Dagegen läßt sich das
Ausmaß von Verstößen gegen die Parteidisziplin der SED beziffern. Nach
einem parteiamtlichen Bericht vom 12. Dezember 1968 gab es 3 358 Fälle
von «unklaren Auffassungen», «schwankendem Verhalten», «parteischädigendem Auftreten» und «parteifeindlichen Handlungen» in 2 500 Parteigliederungen. Die disziplinarischen Konsequenzen faßt der Bericht wie

folgt zusammen: «Bisher wurden 522 Parteistrafen beschlossen, davon 223 Ausschlüsse, 55 Streichungen, 109 strenge Rügen und 135 Rügen. 297 Mitglieder und Kandidaten erhielten Verwarnungen und Mißbilligungen. Bei 2017 Genossen wurden die politisch-ideologischen Aussprachen und Klärungen in den Parteiorganisationen ohne parteierzieherische Maßnahmen abgeschlossen.»

Das Jahr 1968 hinterließ auch in der DDR tiefe Spuren. Die Vision eines «Sozialismus mit menschlichem Antlitz» hatte eine ganze Generation beflügelt. Die «brüderliche Hilfe», die die Staaten des Warschauer Pakts der orthodoxen Minderheit in der Kommunistischen Partei der Tschechoslowakei zukommen ließen, zerstörte diese Hoffnung. An die Reformierbarkeit einer kommunistischen Parteidiktatur zu glauben war fortan nicht mehr möglich. Wer die herrschenden Verhältnisse ablehnte, konnte nur noch auf den Zusammenbruch der bestehenden Ordnung, ihre revolutionäre Beseitigung oder auf eine allmähliche Milderung der Repression im Gefolge außenpolitischer Entspannung setzen.

Die Wirkungen von «1968» waren mithin in der DDR ganz andere als in der Bundesrepublik. Im Westen Deutschlands wandelte sich der studentische Protest, was die Hauptrichtung anging, von einer radikalen Anti-System-Opposition zur reformistischen Systemveränderung von innen, nicht zuletzt innerhalb der Sozialdemokratie. In der DDR gab es im Frühjahr 1968 eine breite Welle der Sympathie für die Prager Reformen und die Hoffnung auf eine ähnliche Entwicklung im eigenen Staat. Bis zum Herbst setzte sich die Einsicht durch, daß kommunistische Systeme unter der Ägide Moskaus zu grundlegenden Reformen nicht fähig waren. Was in West und Ost blieb, war die Erfahrung von eigenem Aufbegehren. Im einen Fall, dem westlichen, waren die Proteste teilweise erfolgreich, im anderen, dem östlichen, vergeblich. Eine Chance, zum Mythos zu werden, hatte «1968» nur im Westen.

1969 jährte sich die Gründung der DDR zum zwanzigsten Mal. In den Thesen, die ein aus diesem Anlaß eingesetztes Komitee im Januar vorlegte, wurde die DDR als «der durch die vielhundertjährige Geschichte unseres Volkes legitimierte Staat des Friedens und der Freiheit, der Menschlichkeit und der sozialen Gerechtigkeit» bezeichnet. Die Autoren zogen eine Linie von den Bauernkriegen über die Erhebungen von 1813 und 1848, die revolutionäre Arbeiterbewegung und den antifaschistischen Widerstand bis zur Deutschen Demokratischen Republik. «In der DDR werden alle großen, progressiven Ideen, die das deutsche Volk je hervorgebracht hat, wird das Vermächtnis aller Kämpfe um ein Reich des Friedens und der sozialen Sicherheit, der Menschenwürde und Brüderlichkeit erfüllt.»

Ulbricht war das offenbar noch zu wenig. In einer Rede vom 22. März 1969 führte er näher aus, was unter der «sozialistischen Menschengemeinschaft» zu verstehen war, deren Entwicklung er auf dem 7. Parteitag der SED im April 1967 propagiert hatte. Die «sozialistische Menschengemeinschaft», die in der DDR entstand, ging dem Ersten Sekretär des Zentralkomitees der SED und Vorsitzenden des Staatsrats zufolge weit über das alte humanistische Ideal hinaus. «Sie bedeutet nicht nur Hilfsbereitschaft, Güte, Brüderlichkeit, Liebe zu den Mitmenschen. Sie umfaßt sowohl die Entwicklung der einzelnen zu sozialistischen Persönlichkeiten als auch der vielen zu sozialistischen Gemeinschaften im Prozeß der gemeinsamen Arbeit, des Lernens, der Teilnahme an der Planung und Leitung der gesellschaftlichen Entwicklung... In der Welt hat sich herumgesprochen, daß das ‹deutsche Wunder›, das sich in unserer Republik ereignet hat, nicht einfach ein ‹Wirtschaftswunder› ist, sondern vor allem in der großen Wandlung der Menschen besteht.»

Die Formel von der «sozialistischen Menschengemeinschaft» klang so harmonisch, als sei in der DDR die klassenlose Gesellschaft schon fast erreicht – und mit ihr der «neue Mensch», den es nach der Lehre des Marxismus-Leninismus doch erst im Kommunismus geben durfte. Anklänge an die «Volksgemeinschaft» der Nationalsozialisten waren nicht gewollt und doch schwer zu überhören. Soziale Geborgenheit als Ausgleich für das Fehlen politischer Freiheit: das war im einen wie im andern Fall ein Herrschaftsmechanismus, der dem Regime die Loyalität der Massen sichern sollte. Der Nachteil der Formel von der «sozialistischen Menschengemeinschaft» lag auf der Hand: Sie konnte leicht dazu führen, daß die Partei die Schwierigkeiten unterschätzte, die noch vor ihr lagen. Einstweilen mußte der Begriff aber wohl in erster Linie einen anderen ersetzen: Da die SED den Begriff einer «deutschen Nation» noch nicht aufgegeben, vielmehr in die Verfassung von 1968 aufgenommen hatte, konnte sie nicht von einer Nation der DDR sprechen. Diese Lücke sollte die «sozialistische Menschengemeinschaft» füllen, indem sie dazu beitrug, das «Wir-Gefühl» der Bürgerinnen und Bürger der DDR zu stärken.

Ein Vierteljahr nach Ulbrichts Rede über die «sozialistische Menschengemeinschaft» zerbrach eine der letzten gesamtdeutschen Institutionen: die Evangelische Kirche in Deutschland. Am 10. Juni 1969 fand die letzte Konferenz der Evangelischen Kirchenleitungen in der DDR statt. Zweck des Treffens war zum einen die Unterzeichnung der Bundesordnung des neuen Bundes der Evangelischen Kirchen in der DDR, der, anders als seine Vorgängerin, kein regionales Gremium unter dem Dach der EKD, sondern organisatorisch selbständig war, zum anderen die Berufung von zehn Synodalen für die konstituierende Synode des Bundes im September. Mit der Loslösung von der EKD, vorbereitet vom Bischof von Berlin-Brandenburg, Albrecht Schönherr, und dem Kirchenjuristen Manfred Stolpe, dem Leiter der Geschäftsstelle der Evangelischen Kirchenleitungen in der DDR und designierten Sekretär des neuen Kirchenbundes, tat die Kirche, was der Staat von ihr erwartete und worauf er massiv gedrängt hatte. Die organisatorische Verselbständigung erschien ihren Befürwortern notwendig, um das Verhältnis zum Staat im Interesse der Kirche zu verbessern. Die

Zusammenfassung zum Bund der Evangelischen Kirchen in der DDR hingegen war von der SED nicht gewollt; die offizielle Anerkennung durch das Regime erfolgte denn auch erst 1971.

Wäre es nach Ulbricht gegangen, hätte er im Sommer 1969, noch während des Bundestagswahlkampfes, einen Brief an Bundespräsident Heinemann geschrieben, um Verhandlungen über friedenssichernde Maßnahmen anzuregen und durch eine solche «nationale Friedensinitiative» den Weg frei zu machen «für gutnachbarliche Beziehungen zwischen beiden souveränen deutschen Staaten». Doch die Sowjetunion wollte die Initiative gegenüber der Bundesrepublik nicht aus der Hand geben und versprach lediglich, die Interessen der DDR voll zu berücksichtigen. Am 12. September, rund zwei Wochen vor der Wahl, schlug Moskau der Bundesrepublik in einem Aide-mémoire die Wiederaufnahme von Gesprächen über einen Gewaltverzicht vor. Am 22. September, sechs Tage vor der Wahl, bestätigte Außenminister Brandt bei einem Gespräch mit seinem sowjetischen Amtskollegen Gromyko in New York den Empfang der Note. Die inhaltliche Antwort werde die neue Bundesregierung geben. Er selbst habe keinen Zweifel, daß sie auf den sowjetischen Vorschlag eingehen werde; jedenfalls werde dies seine Empfehlung sein.[15]

Der neuen Bundesregierung konnte Brandt mehr als nur Empfehlungen geben. Das Grundgesetz erlaubte ihm, ihre Richtlinien zu bestimmen. Eine der ersten Entscheidungen des Kabinetts Brandt betraf die Währungspolitik. Nachdem die DM seit dem 29. September freigegeben war, beschloß die Bundesregierung am 24. Oktober eine Aufwertung um 8,5 %, die am 27. Oktober in Kraft trat. Am gleichen Tag erörterte der Ministerrat der Europäischen Gemeinschaft in stundenlangen, fast die ganze Nacht während Beratungen die Frage, wie der deutschen Landwirtschaft Nachteile im Gefolge der Aufwertung erspart werden könnten. (Da die deutschen Agrarpreise an die Rechnungseinheit der EG gebunden waren, sank ihr Gegenwert in DM im Maß der Aufwertung.) Am 12. November beschloß der Ministerrat einen Kompromiß, auf dessen Umrisse man sich schon am frühen Morgen des 28. Oktober verständigt hatte: Vier Jahre lang durfte die Bundesregierung die deutschen Landwirte voll für die – auf 1,7 Milliarden DM geschätzten – Einbußen entschädigen; sie erhielt dafür Zuschüsse aus dem Agrarfonds der EG.

Am 28. Oktober 1969 gab Brandt seine erste Regierungserklärung als Bundeskanzler ab. Sie wurde, ähnlich wie Heinemanns Antrittsrede, zu einem Manifest des Aufbruchs zu neuen Ufern. «Wir wollen mehr Demokratie wagen», lautete der programmatische Kernsatz des innenpolitischen Teils. An die Spitze der Reformen stellte der Kanzler Bildung und Ausbildung, Wissenschaft und Forschung. Er kündigte einen langfristigen Bildungsplan für die nächsten 15 bis 20 Jahre an, der die vier Hauptbereiche des Bildungswesens – Schule, Hochschule, Berufsausbildung, Erwach-

senenbildung – nach einer durchsichtigen und rationalen Konzeption ko-
ordinieren sollte. Als weitere Ziele nannte Brandt ein nationales Bildungs-
budget für einen Zeitraum von 5 bis 15 Jahren und ein Hochschulrahmen-
gesetz, das, unter anderem, die «Überwindung überalterter hierarchischer
Strukturen» bezweckte. Der einprägsamste Satz des bildungspolitischen
Abschnitts war eine beziehungsreiche Abwandlung des preußischen
Spruchs, dem zufolge das Heer die Schule der Nation war: «Die Schule der
Nation ist die Schule.»

Im wirtschaftspolitischen Teil der Regierungserklärung lauteten die
wichtigsten Ziele: «Stabilisierung ohne Stagnation», Stärkung des Wettbewerbs und gezielte Vermögensbildung. Auf dem Gebiet der Rechtspolitik
hob der Bundeskanzler die Reform des Eherechts, die Vollendung der
Strafrechtsreform und die weitere Reform des Strafvollzugs hervor. Zu den
dringlichen Aufgaben rechnete er auch eine Verwaltungsreform, eine Reform des öffentlichen Dienstes und hier vor allem eine Laufbahnreform, die
das Leistungsprinzip in den Vordergrund rückte. An prominenter Stelle,
nämlich als erstes gesetzgeberisches Vorhaben, versprach der Regierungschef die Vorlage eines Gesetzes, das das aktive Wahlalter von 21 auf
18 Jahre, das passive Wahlalter von 25 auf 21 Jahre herabsetzen werde.

Der größten Aufmerksamkeit im In- und Ausland durfte Brandt gewiß
sein, als er sich der Deutschland- und Außenpolitik zuwandte. Zwanzig
Jahre nach Gründung der Bundesrepublik und der DDR gelte es, ein weiteres Auseinanderleben der deutschen Nation zu verhindern, also zu versuchen, «über ein geregeltes Nebeneinander zu einem Miteinander zu kommen». Dem Ministerrat der DDR bot der Bundeskanzler, unter Hinweis
auf die Bemühungen der Großen Koalition, «erneut Verhandlungen beiderseits ohne Diskriminierung auf der Ebene der Regierungen an, die zu
vertraglich vereinbarter Zusammenarbeit führen sollen. Eine völkerrechtliche Anerkennung der DDR durch die Bundesregierung kann nicht in Be-
tracht kommen. Auch wenn zwei Staaten in Deutschland existieren, sind
sie doch für einander nicht Ausland; ihre Beziehungen zueinander können
nur von besonderer Art sein.»

In Richtung der «sozialistischen Staaten» ganz allgemein, aber unter ausdrücklicher Einbeziehung der DDR, sprach sich Brandt für Abkommen
über einen Gewaltverzicht, einen Abbau der militärischen Konfrontation
und eine Konferenz über europäische Sicherheit aus. Gegenüber der
Tschechoslowakei sei die Bundesregierung zu Abmachungen bereit, «die
über die Vergangenheit hinausführen». Der Regierung der Volksrepublik
Polen werde die Bundesregierung einen «Vorschlag zur Aufnahme von
Gesprächen zugehen lassen, mit dem sie die Ausführungen Wladyslaw
Gomulkas vom 17. Mai dieses Jahres beantwortet». (An diesem Tag hatte
der Erste Sekretär der Polnischen Vereinigten Arbeiterpartei erklärt, für die
endgültige Anerkennung der bestehenden polnischen Grenze durch die
Bundesrepublik gebe es keine Hindernisse rechtlicher Art; Polen sei jeder-

zeit bereit, mit der Bundesrepublik einen solchen internationalen Vertrag zu schließen.)

Dem Vorsitzenden der Fraktion der CDU/CSU, Rainer Barzel, klangen Brandts knappe Bemerkungen zum Thema Polen zu vage. «Dazu hätte das Parlament gern etwas gehört», rief er dem Kanzler zu. Dieser befand jedoch, er habe «dazu gesagt, was heute im Rahmen einer Regierungserklärung zu sagen ist», und schloß seine Regierungserklärung mit Worten, die «anhaltenden, lebhaften Beifall bei den Regierungsparteien», aber auch Proteste bei der Opposition auslösten: «Wir stehen nicht am Ende unserer Demokratie, wir fangen erst richtig an. Wir wollen ein Volk der guten Nachbarn sein und werden im Innern und nach außen.»

Die hohe Bedeutung, die Brandt der Bildungspolitik beimaß, trug dem Kanzler viel öffentlichen Beifall ein, und sie war in der Tat zeitgemäß. Bereits im Jahre 1964 hatte der Pädagoge Georg Picht die, an internationalen Maßstäben gemessene, niedrige Zahl von Abiturienten, Studierenden und Lehrern sowie den geringen Anteil der Bildungsausgaben an den öffentlichen Haushalten beklagt und in diesem Zusammenhang von einer «deutschen Bildungskatastrophe» gesprochen. Der Soziologe Ralf Dahrendorf, der 1969 für die FDP in den Bundestag gewählt wurde und in der Regierung Brandt-Scheel zeitweilig das Amt des Parlamentarischen Staatssekretärs im Auswärtigen Amt innehatte, forderte seit 1965 «Bildung als Bürgerrecht» – ein Recht, das auch den bisher benachteiligten Gruppen, nämlich Land- und Arbeiterkindern, Mädchen und Katholiken, zugute kommen müsse.

Studenten und Assistenten rückten ein anderes Problem in den Vordergrund: An den Universitäten hatten immer noch die Ordinarien das Sagen, obwohl die Lehre zu erheblichen Teilen längst auf den Schultern anderer – der Nichtordinarien unter den Professoren, der Privatdozenten und der Assistenten – lag. Eine Mitbestimmung aller Gruppen der Lehrenden, aber auch der Studierenden und des nichtwissenschaftlichen Personals verlangten in den späten sechziger Jahren viele Bildungsreformer, die 1967 gegründete Bundesassistentenkonferenz und die Außerparlamentarische Opposition. Besonderer Popularität erfreute sich der Gedanke der «Drittelparität» der sogenannten «funktionalen Gruppen»: Ein Drittel der Sitze in den Organen der akademischen Selbstverwaltung sollte den Professoren, ein Drittel den wissenschaftlichen und nichtwissenschaftlichen Mitarbeitern und ein Drittel den Studierenden zufallen. «Demokratisierung der Hochschule» lautete die bündige Formel, in der diese Forderungen zusammengefaßt wurden.

Da die Hochschulpolitik vorrangig Ländersache war, waren die Länder die eigentlichen Adressaten des Postulats «Gruppenuniversität». Soweit sie sozialdemokratisch regiert wurden, kamen sie der Forderung nach drittelparitätisch besetzten Gremien mehr oder minder weitgehend nach. In der Praxis lief das neue Modell indes weniger auf eine Demokratisierung als auf

eine Feudalisierung der Hochschule hinaus: Manche Universitätspräsiden-
ten beanspruchten den demokratisch legitimierten Parlamenten und Regierungen gegenüber den Rang von Gleichen unter Gleichen; Angehörige des
Mittelbaus drängten auf Lebenszeitstellungen, die sie zum Nachteil der folgenden Generation vielfach auch erhielten; Leistungs- und Prüfungsstan-
dards wurden, vor allem in einigen sozialwissenschaftlichen Fächern, gesenkt und so umdefiniert, daß sie auch ein rein «marxistisches» Studium
zuließen.

Am 29. Mai 1973 fällte das Bundesverfassungsgericht ein Urteil, das den
Professoren auf Lebenszeit in Fragen von Lehre und Forschung ausschlag-
gebendes Gewicht in den Gremien zugestand. Nicht nur das unmittelbar
betroffene Vorschaltgesetz zu einem niedersächsischen Gesamthochschulgesetz, sondern alle Landeshochschulgesetze, die gegen dieses Prinzip ver-
stießen, mußten entsprechend geändert werden, und auch das Hochschulrahmengesetz vom Januar 1976 trug dem Karlsruher Urteil Rechnung. Die
«Gruppenuniversität» bestand in stark modifizierter Form fort; sie erlaubte
ein von Land zu Land verschiedenes Maß an Mitbestimmung der «funktionalen Gruppen». Das Ergebnis war keine Rückkehr zur Ordinarien-
Universität, aber doch eine Abkehr von den Utopien der «neuen Linken».
An den Hochschulen hatte sich gezeigt, daß eine konsequente «Demokratisierung der Gesellschaft» von einem gewissen Punkt ab mit der Demokratie des Grundgesetzes in Konflikt geraten mußte: Öffentlich finanzierte
Einrichtungen hatten sich unter Berufung auf *ihr* Verständnis von Demokratie der Kontrolle demokratisch legitimierter Instanzen so weit entzogen, daß im Extremfall nur noch sie selbst bestimmten, was ihr gesellschaftlicher Auftrag war. Die Folgen waren korrigierende und regulierende
Eingriffe des Staates, die zu einer Bürokratisierung der Universitäten führten. Die Leistungskraft der Hochschulen wurde dadurch nicht gesteigert
und ihre Fähigkeit, sich selbst zu reformieren, auch nicht.

Sehr viel weniger umstritten als die «Demokratisierung» der Universitäten war die Förderung der individuellen Ausbildung im Schul- und Hoch-
schulbereich sowie des wissenschaftlichen Nachwuchses – niedergelegt in
zwei Gesetzen vom September 1971, dem Bundesausbildungsförderungs-
gesetz und dem Graduiertenförderungsgesetz, kurz «Bafög» und «Grafög»
genannt. Das erste Gesetz sollte Kindern aus einkommensschwachen Familien den Zugang zu höherer Bildung erleichtern, das zweite besonders
qualifizierten Hochschulabsolventen die Promotion oder ein Aufbaustu-
dium ermöglichen und so den akademischen Nachwuchs fördern. Breiten
Konsens fand auch der im gemeinsamen Planungsausschuß vereinbarte Erste Rahmenplan für den Hochschulbau vom Juli 1971: Bund und Länder
legten sich darauf fest, bis zum Jahre 1975 je zur Hälfte die Summe von
16 Milliarden DM aufzubringen, um mit dem erwarteten Anstieg der Studentenzahlen Schritt zu halten. Auf insgesamt 665 000 schätzten die Experten die Zahl der Studierenden im Jahr 1975–45 % mehr als 1969.

Die sozialliberalen Hochschulreformen waren nicht die einzige Antwort auf den studentischen Protest. Auch in der Rechtspolitik schlug sich das Aufbegehren der akademischen Jugend nieder. Im Mai 1970 verabschiedete der Bundestag mit den Stimmen der Koalition das Dritte Gesetz zur Reform des Strafrechts, das das Demonstrationsrecht liberalisierte. Flankiert wurde die Novelle von einem Straffreiheitsgesetz, das für kleinere Delikte im Zusammenhang mit Demonstrationen Amnestie gewährte. Um die Stimmen der jungen Generation warben Koalition und Opposition, als sie im Juli 1970 mit verfassungsändernder Mehrheit das Wahlalter herabsetzten: Fortan war wahlberechtigt, wer das 18. Lebensjahr vollendet hatte, und wählbar, wer das Alter erreicht hatte, mit dem die Volljährigkeit eintrat. (Das Volljährigkeitsalter wurde erst später, durch ein Gesetz vom März 1974, herabgesetzt, und zwar von 21 auf 18 Jahre.)

Die Wirtschafts- und Finanzpolitik stand zwischen 1969 und 1973 nicht im Zeichen von Reformgesetzen, sondern von immer neuen Versuchen, sich der aktuellen Lage anzupassen. Um der Gefahr einer konjunkturellen Überhitzung vorzubeugen, beschloß die Bundesregierung im Januar 1970 ein binnenwirtschaftliches Stabilitätsprogramm mit einer Haushaltssperre im Bund in Höhe von 2,7 Milliarden DM und einer gemeinsamen Rücklage für den Konjunkturausgleich von Bund und Ländern in Höhe von 2,5 Milliarden DM. Im Juli 1970 folgte die Einführung eines Konjunkturzuschlags zur Lohn-, Einkommens- und Körperschaftssteuer (der nach dem Juni 1972 zurückgezahlt wurde). Als der Preisauftrieb in den ersten Monaten des Jahres 1971 dennoch weiter anstieg, beschloß die Bundesregierung die abermalige Freigabe der Wechselkurse und ein weiteres Stabilitätsprogramm, das Bund und Länder verpflichtete, die Haushaltsausgaben zu kürzen, die Rücklagen für den Konjunkturausgleich aufzustocken und die Kreditaufnahme zu begrenzen.

Es war der letzte, zumindest scheinbare Erfolg des sozialdemokratischen Finanzministers Alex Möller. Als die Ressortchefs sich beharrlich weigerten, Reformen zugunsten von Einsparungen zurückzustellen, trat Möller am 13. Mai 1971 zurück. Bundeskanzler Brandt, in wirtschafts- und finanzpolitischen Fragen nicht sonderlich beschlagen, tat nichts, um seinen Finanzminister von diesem Schritt abzuhalten. Zu seinem Nachfolger ernannte der Kanzler einen notorischen Widersacher und persönlichen Rivalen Möllers, Wirtschaftsminister Karl Schiller. Dieser übernahm das neue Amt zusätzlich zu seinem alten, was ihn zum «Superminister» machte – eine, im Hinblick auf Schillers ausgeprägten Hang zur Selbstdarstellung gefährliche Entscheidung.

Brandts vorrangiges Interesse galt der Außenpolitik, und auf diesem Gebiet setzte das sozialliberale Kabinett sogleich neue Akzente. Am 15. November 1969, drei Wochen nach Abgabe der Regierungserklärung, vereinbarte die Bundesregierung mit der Sowjetunion die Aufnahme von Verhandlungen über einen Gewaltverzicht. Eine Woche danach, am 21. und

22. November, verständigten sich Bonn und Warschau auf Gespräche über ihre wechselseitigen Beziehungen. Abermals eine Woche später, am 28. November, unterzeichneten die Botschafter der Bundesrepublik in Washington, Moskau und London den Atomwaffensperrvertrag.

Anfang Dezember schlug Brandt auf einer Konferenz der Staats- und Regierungschefs der EG in Den Haag die Erweiterung der Gemeinschaft und eine engere Zusammenarbeit in den Bereichen Wirtschafts-, Währungs- und Außenpolitik vor. Charles de Gaulles gaullistischer Nachfolger, Staatspräsident Georges Pompidou, brach mit der Linie seines Vorgängers: Er befürwortete, im Einklang mit den anderen Teilnehmern des Treffens, die Vorbereitung von Beitrittsverhandlungen mit Großbritannien, Dänemark, Norwegen und Irland und die Ausarbeitung eines Stufenplans für die Errichtung einer Wirtschafts- und Währungsunion.

Zwei Tage nach dem Haager Gipfeltreffen, am 4. Dezember, trat in Brüssel der NATO-Rat zusammen. Er schlug den Staaten des Warschauer Pakts Verhandlungen über eine ausgewogene beiderseitige Truppenverminderung in Europa vor und gab der Bundesregierung volle Rückendeckung für die Initiativen, die sie gegenüber Moskau und Warschau ergriffen hatte. Am 16. Dezember schlugen die drei Westmächte der Sowjetunion Gespräche über Berlin und die Zugangswege nach Berlin vor. Vier Tage später beantwortete Bundespräsident Heinemann einen Brief Ulbrichts. Darin hatte der Staatsratsvorsitzende Verhandlungen über den, seinem Schreiben beigefügten Entwurf eines Vertrags über die Aufnahme «gleichberechtigter Beziehungen» mit den bekannten Maximalforderungen, darunter der völkerrechtlichen Anerkennung der DDR und der Behandlung West-Berlins als «selbständiger politischer Einheit», vorgeschlagen. Heinemann teilte mit, er habe Brief und Vertragsentwurf an das zuständige Verfassungsorgan, die Bundesregierung, weitergeleitet. Das war ein Akt der Höflichkeit, aber zugleich ein politisches Signal. Die DDR konnte davon ausgehen, daß die Bundesregierung auf den Brief zurückkommen würde.

Brandt antwortete am 22. Januar 1970, aber nicht dem Vorsitzenden des Staatsrats, sondern, protokollarisch korrekt, dem Vorsitzenden des Ministerrats. Er schlug Stoph Verhandlungen über einen Austausch von Gewaltverzichtserklärungen vor. Diese Verhandlungen sollten nach dem Grundsatz der «Nichtdiskriminierung» geführt werden und die Gelegenheit zur Erörterung aller Fragen geben, die zwischen beiden Staaten anstanden. In seiner Erwiderung vom 11. Februar schlug Stoph ein baldiges Treffen vor.

Brandt willigte ein und fuhr, nachdem die technischen Einzelheiten geklärt waren, am 19. März 1970 nach Erfurt. Es war das erste Treffen von zwei deutschen Regierungschefs seit der Gründung der beiden deutschen Staaten, und es verlief anders, als die Führung der DDR geplant hatte. Vor dem Tagungsort, dem Hotel «Erfurter Hof», hatte sich eine große Menschenmenge versammelt, die Willy Brandt in Sprechchören ans Fenster rief und ihm, als er kurz erschien, Ovationen darbrachte. Es war ein Augenblick, der sich den Deutschen in Ost und West tief einprägte. Auch die Regierenden der DDR vergaßen das Ereignis von Erfurt nicht: Nie wieder durfte es, soweit es nach ihnen ging, zu einer solchen Bekundung gesamtdeutscher Gefühle kommen.

Sachlich brachte die Zusammenkunft keine Fortschritte. Beide Seiten tauschten ihre Standpunkte aus und vereinbarten ein weiteres Treffen. Nachdem das erste im Westen der DDR stattgefunden hatte, wurde für das zweite eine Stadt im Osten der Bundesrepublik ausgewählt: Kassel. Bei dieser Begegnung trug Brandt am 21. Mai ein in zwanzig Punkte gegliedertes Programm für die vertragliche Regelung der Beziehungen «zwischen den beiden Staaten in Deutschland» vor. Wie in Erfurt war auch in Kassel ein Kompromiß nicht in Sicht: Die DDR verlangte die Aufnahme völkerrechtlicher Beziehungen, die Bundesrepublik bestand darauf, daß es weiterhin *eine* deutsche Nation gab, weshalb die Beziehungen zwischen beiden deutschen Staaten nicht solche zwischen zwei souveränen Subjekten des Völkerrechts sein konnten.

Die Bedeutung der beiden Gespräche zwischen Brandt und Stoph lag nicht in ihrem Inhalt. Die Tatsache, *daß* sie stattfanden, war das Novum. Es bedurfte wohl eines spektakulären Auftakts in Gestalt von zwei Zusammenkünften auf höchster Ebene, um deutlich zu machen: Die Bundesrepublik und die DDR machten die deutsche Zweistaatlichkeit zum Ausgangspunkt ihrer künftigen Beziehungen. Unbeschadet unterschiedlicher Rechtspositionen, ja eines unaufhebbaren Gegensatzes der politischen Systeme bahnte sich nach einem Vierteljahrhundert des Kalten Krieges eine wechselseitige Anerkennung der beiden deutschen Staaten an. Der Modus dieser Anerkennung war nach wie vor strittig und nicht nur ein deutsches, sondern ein weltpolitisches Problem. Eben deshalb konnten Erfurt und Kassel nur die ersten Stationen auf dem langen Weg zum Abbau der Spannungen in Mitteleuropa sein.

Ob die «neue Ostpolitik» der sozialliberalen Koalition zu einem Erfolg werden würde, hing in erster Linie von den beiden Supermächten ab. Washington hatte seine zustimmende Haltung bereits im Dezember 1969 signalisiert, als es im NATO-Rat die Initiativen von Brandt und Scheel gegenüber der Sowjetunion und Polen unterstützte. Für das Amerika Nixons und Kissingers war es in der Tat ein Fortschritt, daß die Bundesrepublik sich anschickte, den «deutschen Sonderkonflikt mit dem Osten» beizulegen und sich an der Entspannung zwischen West und Ost zu beteiligen. Allerdings durften die ostpolitischen Aktivitäten der neuen sozialliberalen Bundesregierung auch nicht zu weit gehen: Richtung und Ausmaß der «Détente» wollten die Vereinigten Staaten bestimmen, und das in einer Weise, die keinen Zweifel daran aufkommen ließ, wer die Führungsmacht des westlichen Bündnisses war. Auf positive Reaktionen bei der Führungsmacht des östlichen Paktsystems durfte der Westen rechnen: Moskau hatte seit dem Frühjahr 1969 zu erkennen gegeben, daß ihm an Entspannung lag. Das entsprach nüchternem Kalkül. Die dramatische Zuspitzung der Auseinandersetzungen mit dem kommunistischen China am Ussuri legte es Breschnew nahe, sich an der Westflanke des sowjetischen Imperiums Entlastung zu verschaffen.

Unter diesen Vorzeichen begann Ende Januar 1970 die erste Runde der Verhandlungen, die Egon Bahr in Moskau mit Außenminister Gromyko führte. Bahr war 1966 mit Brandt von Berlin nach Bonn gegangen, wo er die Leitung des neugebildeten Planungsstabs im Auswärtigen Amt übernahm. Seit der Bildung der neuen Bundesregierung im Oktober 1969 war er Staatssekretär im Bundeskanzleramt, und seit dieser Zeit verfügte er auch über einen streng geheimen, vom sowjetischen KGB eingerichteten «Kanal» zum Kreml. Die größte Schwierigkeit seiner Moskauer Gespräche bestand für Bahr darin, am deutschen Anspruch auf Selbstbestimmung und Wiedervereinigung in einer Form festzuhalten, die die Sowjetunion akzeptieren konnte. Da Gromyko es strikt ablehnte, diesen Anspruch in einen Vertrag aufzunehmen, kam nur eine einseitige, aber von der sowjetischen Seite zur Kenntnis genommene Erklärung der Bundesregierung in Frage – der «Brief zur deutschen Einheit», auf den sich auch jedes künftige Bonner Kabinett berufen konnte.

Ein anderes Problem lag in der Verzahnung und zeitlichen Abfolge der einzelnen Ostverträge. Die Bonner Position war klar: Die Verträge, die die Bundesrepublik mit der Sowjetunion und mit Polen abzuschließen gedachte, konnten erst in Kraft treten, wenn die vier Siegermächte sich auf eine befriedigende Regelung über Berlin verständigt hatten. Ein Berlin-Abkommen war wiederum die Voraussetzung für eine umfassende vertragliche Regelung des Verhältnisses zwischen der Bundesrepublik und der DDR.

Nicht ganz so dringlich erschien der Vertrag mit Prag: Im Verhältnis zur ČSSR gab es, anders im Fall Polens, keine strittigen Grenzfragen und damit kein Problem, das *vor* dem Inkrafttreten der übrigen Verträge gelöst werden mußte. Um so komplizierter waren Rechtsfragen im Zusammenhang mit dem Münchner Abkommen von 1938 – auch das ein Grund, die Beziehungen zur Tschechoslowakei erst später zu regeln. Einen weiteren Grund nennt Brandt in seinen «Erinnerungen»: Es waren die «Nachwirkungen des August 1968, die die Prager Politik weithin lähmten» – und noch spürbar waren, als der Vertrag schließlich im Dezember 1973 unterzeichnet wurde.

Am 22. Mai 1970 gelang Bahr der Durchbruch in Moskau. Gromyko akzeptierte, wogegen er sich bis dahin gesträubt hatte: die Entgegennahme eines Briefes, in dem die Bundesregierung ihre Position zum Selbstbestimmungsrecht des deutschen Volkes darlegte. Auch die Veröffentlichung des strategisch wichtigen, streng vertraulichen «Bahr-Papiers» durch die Illustrierte «Quick» im Juni 1970, ein Störmanöver von beamteten Parteigängern der Opposition, ja ein klarer Fall von Geheimnisverrat, konnte diesen Erfolg nicht mehr ernsthaft gefährden. Genaugenommen waren Bahrs Verhandlungen freilich nur Vorverhandlungen. Die offiziellen Verhandlungen führte, auf dieser Grundlage, eine Delegation unter Außenminister Scheel, der auch Bahr angehörte, Ende Juli und Anfang August in der sowjetischen Hauptstadt. Der «Brief zur deutschen Einheit» enthielt in seiner endgültigen Fassung die ausdrückliche Feststellung, «daß dieser Vertrag nicht im Widerspruch zu dem politischen Ziel der Bundesrepublik Deutschland steht, auf einen Zustand des Friedens in Europa hinzuwirken, in dem das deutsche Volk in freier Selbstbestimmung seine Einheit wiedererlangt».

Die Bonner Option auf eine friedliche Änderung der innerdeutschen Grenze konnten Scheel und Bahr dadurch wahren, daß der Vertrag nicht, wie die sowjetische Seite formuliert hatte, von der «Unveränderbarkeit», sondern von der «Unverletzlichkeit der Grenzen» sprach. Zwischen der Respektierung der bestehenden Grenzen und dem Verzicht auf die Androhung und Anwendung von Gewalt wurde damit jener direkte Zusammenhang hergestellt, auf dem die Unterhändler der Bundesrepublik bestanden. Bei der Paraphierung am 7. August erklärte Scheel formell, daß der Vertrag nicht in Kraft treten könne, ehe sich die Vier Mächte auf eine Regelung für Berlin geeinigt hätten. Am 11. August billigte das Bundeskabinett den «Vertrag über Gewaltverzicht und Zusammenarbeit». Tags darauf unterzeichneten Brandt und Scheel den Moskauer Vertrag im Kreml. Die sozialliberale Koalition hatte die erste Hürde der Ostpolitik genommen.

Der zweite Ostvertrag war der Warschauer Vertrag zwischen der Bundesrepublik Deutschland und der Volksrepublik Polen. Er war von Anfang an umstrittener als der Moskauer Vertrag, weil viele Deutsche, namentlich Heimatvertriebene, sich noch immer gegen jedwede Art der Anerkennung der Oder-Neiße-Linie auflehnten. Meinungsumfragen zufolge hatte sich im November 1967 erstmals eine relative Mehrheit der Bundesbürger von 46 % für die endgültige Hinnahme dieser Grenze ausgesprochen; 35 % waren dagegen. Bis zum März 1970 stieg die Zahl der Befürworter auf 58 %, während die Zahl der Gegner auf 25 % sank. Mit dem Nein einer starken Minderheit mußten Brandt und Scheel also rechnen, als sie am 7. Dezember 1970 in der polnischen Hauptstadt den Warschauer Vertrag unterzeichneten. Beide Seiten stellten darin fest, daß die Oder-Neiße-Linie die westliche Staatsgrenze der Volksrepublik Polen bilde. Sie bekräftigten die «Unverletzlichkeit ihrer bestehenden Grenzen jetzt und in Zukunft» und erklärten, daß sie gegeneinander keinerlei Gebietsansprüche hätten und solche auch in Zukunft nicht erheben würden.

Schon anläßlich der Unterzeichnung des Moskauer Vertrages hatten die Bundesrepublik und die Westmächte Erklärungen ausgetauscht und der Sowjetunion mitgeteilt, wonach der Vertrag die Rechte der Vier Mächte in bezug auf Deutschland als Ganzes und auf Berlin nicht berühre, da eine friedensvertragliche Regelung noch ausstehe. Entsprechend verfuhren Bonn, Washington, London und Paris auch beim Warschauer Vertrag. In dem Notenwechsel, der am 20. November der polnischen Regierung zur Kenntnis gebracht wurde, stellten alle Beteiligten fest, daß die Bundesregierung lediglich im Namen der Bundesrepublik Deutschland handeln könne und der Vertrag die Rechte und die Verantwortlichkeiten der vier Siegermächte nicht berühre. Damit war der Vorbehalt der endgültigen Festlegung der deutsch-polnischen Grenze durch einen Friedensvertrag formell gewahrt. Die polnische Regierung erklärte sich ihrerseits in einer «Information» aus humanitären Gründen bereit, in gewissem Umfang Personen, die unbestreitbar deutscher Volkszugehörigkeit seien, in die Bundesrepublik ausreisen zu lassen – ein Versprechen, um dessen Einlösung in der Folgezeit hart gerungen werden mußte.

Brandt versicherte noch von Warschau aus in einer Fernsehrede, der «Vertrag über die Grundlagen der Normalisierung der gegenseitigen Beziehungen» gebe «nichts preis, was nicht längst verspielt worden» sei, und zwar nicht von denen, die in der Bundesrepublik Verantwortung trügen, «sondern von einem verbrecherischen Regime, dem Nationalsozialismus». Was aber in der Bundesrepublik, und nicht nur dort, mehr beachtet wurde als alle Ansprachen und diplomatischen Verlautbarungen, war eine persönliche Geste des Bundeskanzlers, die als Bild um die Welt ging: Brandt gedachte der Opfer des Aufstands im Warschauer Ghetto vom Frühjahr 1943, indem er nach der Kranzniederlegung an der Gedenkstätte für die gefallenen und ermordeten Juden niederkniete.

Das deutsche Echo war geteilt. Rechts der Mitte empfand man den Kniefall als übertrieben, wenn nicht gar als Ausdruck deutscher Selbsterniedrigung; links der Mitte gab es eine breite Welle des Respekts, der Sympathie, ja der Bewunderung für den Kanzler, der eine Schuld auf sich nahm, die nicht die seine war. Brandt selbst schrieb später in seinen «Erinnerungen», er habe vor der Kranzniederlegung «nichts geplant», aber doch das Gefühl gehabt, «die Besonderheit des Gedenkens am Ghetto-Monument zum Ausdruck bringen zu müssen. Am Abgrund der deutschen Geschichte und unter der Last der Millionen Ermordeten tat ich, was Menschen tun, wenn die Sprache versagt.»

Der dritte Ostvertrag, von dessen Zustandekommen das Inkrafttreten des Moskauer und des Warschauer Vertrages abhing, betraf Berlin und fiel in die Zuständigkeit der Vier Mächte. Die Botschafter der drei Westmächte in der Bundesrepublik und der sowjetische Botschafter in der DDR nahmen ihre Verhandlungen am 26. März 1970 im Gebäude des Alliierten Kontrollrats, dem ehemaligen Kammergericht, im amerikanischen Sektor auf. Bis zum Jahresende standen Fragen des Status im Vordergrund, was zur Folge hatte, daß es zu keiner Annäherung der Standpunkte kam. Im Frühjahr 1971, rund ein Jahr nach dem Beginn der Verhandlungen, verständigten sich die vier Botschafter dann auf ein «agree to disagree», also die Ausklammerung der Statusfragen, und machten sich an die Lösung praktischer Probleme, wobei im Hintergrund Bahr eine höchst aktive Rolle spielte. Am 3. September 1971 wurde das Viermächteabkommen über Berlin (in dessen Titel «Berlin» nicht vorkam, weil es aus sowjetischer Sicht nur um West-Berlin ging) unterzeichnet. Der Rahmenvertrag, der noch der Ergänzung durch Vereinbarungen zwischen der Bundesrepublik und der DDR bedurfte, gewährleistete den ungehinderten Verkehr zwischen dem Bundesgebiet und West-Berlin und verbesserte die Besuchsmöglichkeiten für West-Berliner in Ost-Berlin und der DDR. Einer Erklärung der Westmächte zufolge, die Teil des Abkommens war, sollten die Bindungen zwischen den Westsektoren von Berlin und der Bundesrepublik «aufrechterhalten und entwickelt» werden, wobei die drei Mächte aber berücksichtigten, «daß diese Sektoren wie bisher kein Bestandteil (konstitutiver Teil) der Bundesrepublik Deutschland sind und auch weiterhin nicht von ihr regiert werden».

Bestimmungen des Grundgesetzes und der Verfassung von West-Berlin, die dieser Erklärung widersprachen, blieben suspendiert. Die Bundesrepublik durfte West-Berlin nach außen und seine Bewohner konsularisch vertreten. Völkerrechtliche Vereinbarungen und Abmachungen der Bundesrepublik konnten West-Berliner einschließen, *wenn* diese Ausdehnung jeweils ausdrücklich erwähnt wurde. Inkrafttreten sollte das Abkommen am 3. Juni 1972 – *nachdem* der Moskauer und der Warschauer Vertrag ratifiziert und die deutsch-deutschen Zusatzvereinbarungen, darunter die über den Transitverkehr von und nach Berlin und die über Reise- und Besuchsmöglichkeiten für West-Berliner, abgeschlossen waren.

Das Berlin-Abkommen enttäuschte in Ost und West jene, die mehr erwartet hatten, und befriedigte die Realisten aller Richtungen. Eine «selbständige politische Einheit» war West-Berlin nicht; dieser Formel Chruschtschows widersprach die Vereinbarung. Aber es war nicht falsch, wenn die Sowjetunion West-Berlin fortan als «Einheit mit besonderem politischem Status» bezeichnete. Die gewachsenen «Bindungen» zwischen der Bundesrepublik und West-Berlin wurden jetzt auch von der Sowjetunion anerkannt (obwohl Moskau und Ost-Berlin in diesem Zusammenhang beharrlich den schwächeren Begriff «Verbindungen» benutzten). Auf der anderen Seite hatten Hoheitsakte von Verfassungsorganen der Bundesrepublik in West-Berlin künftig zu unterbleiben: Die Bundesversammlung, der Bundestag und die Bundesregierung durften hier nicht mehr tagen, wohl aber Ausschüsse des Bundestags und Fraktionen.

Die Lebensfähigkeit West-Berlins war auf diese Weise gesichert; «Berlin-Krisen» waren nach menschlichem Ermessen für die Zukunft ausgeschlossen. Das «Berlin-Junktim» der Bundesregierung, das die Ratifizierung des Moskauer und des Warschauer Vertrags an eine befriedigende Berlin-Regelung knüpfte, hatte sich ausgezahlt. Allerdings gab es nun auch ein vertraglich gesichertes östliches Gegen-Junktim: Das Berlin-Abkommen trat erst in Kraft, wenn die beiden Ostverträge ratifiziert waren.[16]

Die Annäherung zwischen Bonn und Moskau konnte nicht ohne Auswirkungen auf das Verhältnis zwischen Bonn und Ost-Berlin und auf das Verhältnis zwischen West- und Ostdeutschen bleiben. Im Kreml sah man diesen Zusammenhang, aber man sah ihn «dialektisch». Die größte Gefahr lag aus sowjetischer Sicht darin, daß die Verbesserung der zwischenstaatlichen Beziehungen – erst zwischen der Sowjetunion und der Bundesrepublik, dann zwischen der Bundesrepublik und der DDR – zur Aufweichung des ideologischen Gegensatzes zwischen dem «sozialistischen» und dem «kapitalistischen» deutschen Staat führte. Eine solche Entwicklung hätte der Existenz der DDR früher oder später den Boden entzogen, durfte also nicht eintreten. Folglich kam es darauf an, die Normalisierung der Beziehungen zwischen den beiden deutschen Staaten zu ergänzen durch eine Verschärfung der ideologischen Auseinandersetzung. An dieser mußten sich neben der DDR auch die anderen Staaten des Warschauer Pakts beteiligen. Denn der Zusammenhalt des «sozialistischen Lagers» war gefährdet, wenn sich der unerwünschte Eindruck verbreitete, vom westdeutschen «Imperialismus» gehe keine Bedrohung mehr aus.

Unmittelbar vor und noch einige Zeit nach der Bundestagswahl vom September 1969 hatte Ulbricht, auf Weisung Moskaus, aber durchaus im Einklang mit seinen eigenen Wünschen, die westdeutsche Sozialdemokratie auffallend freundlich behandelt: Sie galt nun, verglichen mit der CDU und namentlich der CSU, als relativ fortschrittlich und friedliebend. Eine Zusammenarbeit mit der neuen sozialliberalen Bundesregierung erschien dem Ersten Sekretär der SED vor allem aus wirtschaftlichen Gründen zweckmäßig. Auf diese Weise hoffte er die DDR weiter modernisieren zu können, wobei er das ehrgeizige Ziel des 5. Parteitags von 1958, die Bundesrepublik bis 1961 auf allen Gebieten «einzuholen und zu überholen», auf verblüffende Weise korrigierte: Am 23. Februar 1970 verkündete er die Parole «Überholen ohne einzuholen». Diese Formel, so erläuterte er, drücke aus, «daß es nicht darum gehen kann, uns allmählich an den gegenwärtigen Höchststand heranzupirschen. Ein solches Verhalten würde uns nicht die erforderliche Steigerung der Arbeitsproduktivität sichern. Die These ‹Überholen ohne einzuholen› orientiert vielmehr darauf, unabhängig vom gegenwärtigen wissenschaftlich-technischen Höchststand, gewissermaßen an ihm vorbei, völlig neue Wirk- und Arbeitsprinzipien, neue technologische Verfahren auszuarbeiten und praktisch zu beherrschen, die dazu erforderlichen neuen Maschinensysteme und Produktionsinstrumente zu entwickeln und auf diese Weise einen neuen wissenschaftlich-technischen Höchststand zu bestimmen.»

Während Ulbricht für eine kalkulierte, taktische Zusammenarbeit mit der Sozialdemokratie eintrat, waren andere Mitglieder des Politbüros mit dem Zweiten Sekretär Erich Honecker an der Spitze für Abgrenzung. Im Oktober 1969 setzte sich Ulbrichts Linie nochmals durch. Vor dem zweiten deutsch-deutschen Treffen in Kassel im Mai 1970 drängte Breschnew dann aber darauf, Brandts Formel von der «Erleichterung der menschlichen Beziehungen» eine «harte Antwort» zu erteilen und ihm zu einer «Denkpause» zu verhelfen – also den Dialog zu unterbrechen. Als Ulbricht Anfang Juli seinen mittlerweile gefährlichsten innerparteilichen Widersacher, den bedingungslos moskautreuen Honecker, von seinem Posten als Zweiten Sekretär ablöste, intervenierte Breschnew und erzwang die Wiedereinsetzung des «Kronprinzen».

Ulbrichts Position als Erster Sekretär wurde dadurch nachhaltig geschwächt. Durch ideologische Eigenmächtigkeiten und demonstrative Herausstellung eines besonders «entwickelten» Sozialismus der DDR hatte er die sowjetische Parteiführung seit geraumer Zeit immer wieder herausgefordert. Seit dem Sommer 1970 setzte Breschnew ganz auf Honecker, dem er Ende Juli einschärfte, es dürfe zu keinem «Prozeß der Annäherung zwischen der DDR + der BRD» kommen. Brandt wolle eine «Sozialdemokratisierung der DDR», und die ökonomisch starke Bundesrepublik versuche, «in der DDR Einfluß zu gewinnen, die DDR zu schlucken, so oder so. Wir, die SU, die soz(ialistischen) Länder werden das Ergebnis des Sieges sichern. Wir werden nicht zulassen – eine Entwicklung, (durch) die unsere Position in der DDR geschwächt, gefährdet wird, (werden) nicht zulassen den Anschluß (der) DDR an W(est)D(eutschland). Im Gegenteil – die Abgrenzung, der Graben zwischen DDR + BRD wird noch tiefer werden.»

Am 20. August 1970, acht Tage nach der Unterzeichnung des Moskauer Vertrages, wurde Breschnew gegenüber Honecker und anderen Mitgliedern einer Delegation der SED noch deutlicher. In Abwesenheit Ulbrichts kritisierte der Generalsekretär der KPdSU dessen Formel «Überholen ohne einzuholen», da es im kapitalistischen Westen nichts einzuholen gebe, der Sozialismus vielmehr eine Gesellschaftsordnung «von einem anderen, von einem höheren Typ» sei. «Die DDR ist nicht nur eure, sie ist unsere gemeinsame Sache. Die DDR ist für uns etwas, das man nicht erschüttern darf… Deutschland gibt es nicht mehr. Das ist gut so. Es gibt die sozialistische DDR und die kapitalistische Bundesrepublik. Das ist so… Ohne SU gibt es keine DDR.»

Seine Einwilligung in einen Sturz Ulbrichts gab Breschnew im Sommer 1970 aber nicht, obwohl Honecker massiv darauf drängte. Entscheidend war nach Meinung des Generalsekretärs der KPdSU, daß die tatsächliche Macht im Politbüro der SED an Honecker und die ihn stützenden Kräfte überging; Ulbricht, dem Breschnew einige Verdienste anrechnete, sollte nach gewisser Zeit selbst den Antrag stellen, sich künftig ganz auf das Amt des Staatsratsvorsitzenden konzentrieren zu dürfen. In der Sache ging es Breschnew darum, daß Ulbricht fortan nichts mehr unternehmen konnte, was sowjetischen Vorstellungen zuwiderlief.

In den folgenden Monaten herrschte zwischen Ulbricht und der Fronde im Politbüro, zu der auch Stoph und der für Wirtschaftsfragen zuständige ZK-Sekretär Günter Mittag gehörten, «Kalter Krieg». Die Gruppe um Honecker verhinderte sogar die Veröffentlichung des Schlußworts von Ulbricht auf dem 14. Plenum des ZK im Dezember – die bisher schwerste Demütigung des Ersten Sekretärs. Kurz zuvor hatte Ulbricht, nunmehr 77 Jahre alt und durch Krankheit geschwächt, schon selbst an den Verzicht auf sein Parteiamt gedacht, war aber von Breschnew unter Hinweis auf die unruhige Situation in Polen gebeten worden, diesen Schritt noch aufzuschieben.

Als es im Januar 1971 so schien, als könne Ulbricht seine Position wieder festigen, richteten 13 der insgesamt 20 Mitglieder und Kandidaten des Politbüros mit Honecker an der Spitze ein Hilfeersuchen an Breschnew: Er möge Ulbricht zum Rücktritt veranlassen. Der Ruf blieb unerhört. Im April endlich fiel die Entscheidung in einem Gespräch zwischen Breschnew und Ulbricht an Rande des 24. Parteitags der KPdSU in Moskau: Ulbricht würde sein Parteiamt aufgeben, das Staatsamt aber weiter ausüben. Auf dem 16. Plenum des ZK der SED am 3. Mai bat er dann, für die Öffentlichkeit überraschend, das ZK möge ihn aus Altersgründen von seiner Funktion als Erster Sekretär entbinden und Honecker zu seinem Nachfolger wählen. Das ZK kam diesem «Wunsch» nach; Ulbricht blieb Staatsratsvorsitzender und durfte auch, wie er es gegenüber Breschnew angeregt hatte, ein «Amt» bekleiden, das im Statut der SED gar nicht vorgesehen war: das eines «Vorsitzenden» der SED ehrenhalber.

Ulbrichts alles in allem eher unfreiwillige Ablösung war ein tiefer Einschnitt für die DDR. Der erste Mann der SED hatte dem «ersten deutschen Arbeiter- und Bauernstaat», seit es ihn gab, seinen Stempel aufgedrückt. Er war zu Stalins Zeiten ein Stalinist gewesen und blieb danach ein überzeugter «Marxist-Leninist». Gegenüber Moskau erlaubte er sich nach dem Bau der Mauer manches, was auf Selbstüberschätzung schließen ließ und den Kreml irritierte. Am 21. August 1970 ging er bei Verhandlungen einer Delegation der SED mit dem Politbüro der KPdSU so weit, Breschnew und den anderen sowjetischen Genossen eine Lektion zu erteilen. Die DDR, sagte er, wolle, um die wissenschaftlich-technische Revolution zu meistern, eng mit der Sowjetunion zusammenarbeiten. Doch dann fügte er mahnend hinzu: «Wir wollen uns so in der Kooperation als echter deutscher Staat entwickeln. Wir sind nicht Bjelorußland, wir sind kein Sowjetstaat. Also echte Kooperation.»

Ulbricht wollte nicht Vertreter eines Satellitenregimes, sondern *des* sozialistischen Staates sein, der zum wichtigsten Verbündeten der Sowjetunion geworden war. Er war bei der Modernisierung seines Staates undogmatisch vorgegangen, hatte aber immer darauf geachtet, daß die Wirtschaftsreformen das Machtmonopol der Partei nicht antasteten, sondern festigten. Infolgedessen konnte niemand im Kreml auf den Gedanken kommen, die DDR werde eine ähnliche Bahn einschlagen wie die ČSSR vor dem August 1968. Als Ulbricht am 17. Dezember 1970 erstmals von einem «Prozeß der Herausbildung einer sozialistischen Nation» in der DDR sprach, handelte er in Übereinstimmung mit Breschnew, der den Ersten Sekretär der SED am 21. Oktober 1970 aufgefordert hatte, Leitsätze über «das Schmieden des sozialistischen Patriotismus und letzten Endes über die Formierung der sozialistischen Nation in der DDR» zu erarbeiten. Aber Ulbricht verstieß damit nicht gegen seine eigene Überzeugung und nicht gegen das Interesse der DDR, so wie er es verstand. Schon am 19. Januar 1970 hatte er die DDR einen «sozialistischen deutschen Nationalstaat» und die Bundesrepublik einen «kapitalistischen NATO-Staat» genannt. Was beide deutsche Staaten voneinander trennte, ging nach Meinung des Staatsratsvorsitzenden so tief, daß es eine *Wieder*vereinigung nicht mehr geben konnte. Der Entschluß, den eigenen Staat als Nationalstaat und seine Bewohner als Nation neuen Typs zu charakterisieren, war ein Versuch Ulbrichts, sein Lebenswerk unumkehrbar zu machen, indem er die Brücken in die gesamtdeutsche Vergangenheit abbrach.

Sein Nachfolger Erich Honecker, 1912 im saarländischen Neunkirchen geboren und in Wiebelskirchen aufgewachsen, war gelernter Dachdecker und seit frühester Jugend in der kommunistischen Bewegung aktiv. Ein nationalsozialistischer Volksgerichtshof hatte ihn 1937 wegen Vorbereitung zum Hochverrat zu zehn Jahren Zuchthaus verurteilt, die er in Brandenburg-Görden verbrachte. Anfang 1945 flüchtete er während eines Einsatzes in einem Außenkommando, kehrte aber freiwillig zurück und wurde Ende April von der Roten Armee befreit. Die erste Station seiner politischen Nachkriegskarriere war 1946 die des Vorsitzenden der Freien Deutschen Jugend – ein Amt, das er bis 1955 innehatte. 1958 wurde er Mitglied des Politbüros und zugleich ZK-Sekretär für Sicherheit.

Was Ulbricht sich in der zweiten Hälfte der sechziger Jahre an ideologischen Eigenwilligkeiten erlaubte, erregte Honeckers Mißfallen. Er tat alles, um zwischen SED und KPdSU nahtlose Übereinstimmung herzustellen, und wurde so zum Vertrauensmann Breschnews. Nachdem er im Mai 1971 in die entscheidende Machtposition gelangt war, gab er sich, zumal gegenüber der Jugend, den Schriftstellern und Künstlern weniger doktrinär als zuvor. Westliche Beatmusik, seit 1965 als Ausdruck kapitalistischer Unkultur verpönt, durfte nun wieder gespielt, die populären «Blue Jeans» durften jetzt auch in der DDR verkauft werden; Bärte, lange Haare und kurze Röcke galten fortan nicht mehr als unsozialistisch; dem Empfang westdeutscher Fernsehprogramme, seit 1967 in Farbe ausgestrahlt, setzte die Führung in Ost-Berlin seit 1973 nichts mehr entgegen, dem Umlauf von DM als «Zweitwährung» ebensowenig. Honecker, der «unauffällige Buchhaltertyp mit der schiefsitzenden Kassenbrille» (so der Historiker Stefan Wolle), war ein noch schlechterer Redner als Ulbricht. Aber wer die hölzerne Verlautbarungsprosa des neuen Ersten Sekretärs hörte, mochte sie

doch als Fortschritt gegenüber den kämpferischen, mit Fistelstimme vorgetragenen Tiraden des Amtsvorgängers empfinden: Honecker wirkte
«sachlicher», freilich auch sehr viel bürokratischer als Ulbricht.
Auf dem 8. Parteitag im Juni 1971 nahm die SED endgültig Abschied von
Ulbrichts ehrgeizigem Programm einer grundlegenden Modernisierung
der Wirtschaft, das seit dem 7. Parteitag im April 1967 «Ökonomisches System des Sozialismus» genannt wurde. Das ZK bezeichnete in seinem von
Honecker vorgetragenen Bericht die Wirtschaft als «ein Mittel zum Zweck,
Mittel zur immer besseren Befriedigung der wachsenden materiellen und
kulturellen Bedürfnisse des werktätigen Volkes». Besonders dringlich und
wesentlich sei dabei «die Versorgung der Bevölkerung mit Waren des täg-
lichen Bedarfs, mit Konsumgütern, Ersatzteilen und Dienstleistungen».
Der neue Fünfjahrplan für die Jahre 1971 bis 1975 bezeichnete folgerichtig
die «weitere Erhöhung des materiellen und kulturellen Lebensniveaus des
Volkes» als «Hauptaufgabe».

Ulbrichts Begriff der «sozialistischen Menschengemeinschaft» wurde
auf dem 8. Parteitag nicht mehr verwendet, weil er, wie Kurt Hager, der
neue Chefideologe der SED, im Oktober 1971 erläuterte, «die tatsächlich
noch vorhandenen Klassenunterschiede verwischt und den tatsächlich erreichten Stand der Annäherung der Klassen und Schichten überschätzt».
Dasselbe Schicksal erlitt Ulbrichts Theorie, der zufolge der Sozialismus
eine relativ selbständige Gesellschaftsformation war. Diese Behauptung
verwische, so Hager, «die Tatsache, daß der Sozialismus die erste, niedere
Phase der kommunistischen Gesellschaftsformation ist». Richtig sei es, von
einer «entwickelten sozialistischen Gesellschaft» zu sprechen, die zuerst
von der Sowjetunion errichtet worden sei.

Was «Nation» und «Nationalstaat» betraf, so brauchte der 8. Parteitag
Ulbricht nicht zu revidieren, weil dieser selbst bereits im Dezember 1970
Breschnews neue Sprachregelung von der Herausbildung einer «sozialisti-
schen Nation» in der DDR übernommen hatte. «Mit der Errichtung der
Arbeiter- und Bauern-Macht und dem Aufbau der sozialistischen Gesellschaft entwickelt sich ein neuer Typus der Nation, die sozialistische
Nation», hieß es in dem von Honecker vorgetragenen Bericht des Zentralkomitees an den 8. Parteitag. «Im Gegensatz zur BRD, wo die bürgerliche
Nation fortbesteht und wo die nationale Frage durch den unversöhnlichen
Klassenwiderspruch zwischen der Bourgeoisie und den werktätigen Massen bestimmt wird, der – davon sind wir überzeugt – im Verlauf des welt-
historischen Prozesses des Übergangs vom Kapitalismus zum Sozialismus
seine Lösung finden wird, entwickelt sich bei uns in der Deutschen Demokratischen Republik, im sozialistischen deutschen Staat, die sozialistische
Nation.»

Am 6. Januar 1972 ging Honecker noch einen Schritt weiter. In einer
Rede vor Angehörigen der Nationalen Volksarmee auf Rügen erklärte er,
«unsere Republik und die BRD» verhielten sich zueinander wie jeder von

ihnen zu einem dritten Staat. «Die BRD ist somit Ausland, und noch mehr: Sie ist imperialistisches Ausland.» Die radikale Absage an gesamtdeutsche Bindungen und Gemeinsamkeiten drückte sich auch in einer Reihe von Umbenennungen aus. Der «Deutschlandsender» verwandelte sich 1971 in die «Stimme der DDR»; die «Deutsche Akademie der Wissenschaften» hieß seit 1972 «Akademie der Wissenschaften der DDR»; die National-hymne «Auferstanden aus Ruinen», verfaßt von Johannes R. Becher und komponiert von Hanns Eisler, durfte nur noch gespielt, aber nicht mehr ge-sungen werden: Die Zeile «Deutschland einig Vaterland» verstieß gegen die neue Theorie, wonach es keine einheitliche deutsche Nation mehr gab.

Die Zwei-Nationen-Theorie war die von der KPdSU vorformulierte Antwort der SED auf die von der SPD vertretene Auffassung von den zwei Staaten einer Nation. Die Abkehr vom deutschen Nationalstaat und von der deutschen Nation hatte 1970/71, hundert Jahre nach Bismarcks Reichs-gründung, in der DDR einen vorläufigen Abschluß gefunden. Künftig konnte sich die DDR *nur noch* ideologisch, also als Ideologiestaat, definie-ren und von der deutschen Vergangenheit lediglich das übernehmen, was mit den jeweiligen ideologischen Vorgaben vereinbar war. Die Verfassung von 1968, die die DDR als «sozialistischen Staat deutscher Nation» be-zeichnete, war in diesem Punkt bereits drei Jahre nach ihrer Verabschie-dung überholt. Es war nur noch eine Frage der Zeit, bis die Verfassung den neuesten Parteibeschlüssen der SED angepaßt wurde.

Die Lockerungen, die Honecker in der Jugendpolitik vornahm, waren nicht als Signal einer allgemeinen Liberalisierung gedacht. «Er war der Mann der Staatssicherheit», schreibt Stefan Wolle, «und mit seinem Macht-antritt vollzog sich auch der Aufstieg Erich Mielkes ins oberste Gremium der Macht. Für das MfS (Ministerium für Staatssicherheit, H. A. W.) be-deutete das eine politische Aufwertung und die Möglichkeit zum unge-hemmten personellen, technischen und ‹flächendeckenden› Ausbau. Mit Honecker begann auch eine neue Welle der Militarisierung der Gesell-schaft, insbesondere des Bildungswesens von den Kindergärten bis zu den Universitäten... Neue Klassenkampfparolen lösten das parteioffizielle Harmoniegesäusel von der ‹sozialistischen Menschengemeinschaft› ab. Der unterschwellig verbreitete DDR-Stolz wurde in den Medien zugunsten ei-ner starken Betonung der Vormachtstellung der Sowjetunion verdrängt. Die Zeichen standen also auch rein ideologisch auf Verknöcherung des Systems.»

Der Klassenkampf, wie Honecker ihn propagierte, verlangte die Aus-schaltung des privaten Eigentums, soweit es noch vorhanden war. 1972 fand die letzte große Verstaatlichungswelle statt. Zweck der Aktion war die Zurückdrängung des gewerblichen Mittelstands, von dem nur noch kleine Handwerksbetriebe übrigbleiben sollten – und übrigblieben. Halbstaat-liche Betriebe, also Betriebe mit staatlicher Beteiligung, private Industrie-und Baubetriebe, größere Produktionsgenossenschaften, die industriell arbeiteten, wurden in Volkseigene Betriebe umgewandelt. Die Eigentümer erhielten eine geringfügige Entschädigung und durften, wenn die Belegschaft zustimmte, in den neuen VEB als Betriebsleiter weiterarbeiten. Die Leistungskraft der Wirtschaft stieg durch die Ausschaltung der Reste von privatem Unternehmertum nicht – im Gegenteil: Die Versorgungslage verschlechterte sich. Aber ähnlich wie bei der gleichzeitig forciert vorangetriebenen Industrialisierung der Landwirtschaft ging es der SED der Nach-Ulbricht-Zeit auch gar nicht in erster Linie um die Steigerung von wirtschaftlicher Effizienz. Im Vordergrund stand die Anpassung an das Vorbild der Sowjetunion. Je näher die DDR diesem Ziel kam, desto weiter entfernte sie sich von der Gesellschaftsordnung der Bundesrepublik. Eben darauf kam es der SED unter Führung Erich Honeckers zu Beginn der siebziger Jahre an.[17]

Die verschärfte Abgrenzung gegenüber Bonn, die Breschnew der DDR auferlegte, war eines. Ein anderes war seine geradezu demonstrative Annäherung an Brandt. Vom 16. bis 18. September 1971, zwei Wochen nach der Unterzeichnung des Berlin-Abkommens, empfing der Generalsekretär der KPdSU den deutschen Bundeskanzler zu einem Meinungsaustausch in Oreanda auf der Krim. In den etwa 16 Stunden, die beide miteinander sprachen, entwickelte sich ein bemerkenswertes persönliches Vertrauensverhältnis. Der politische Ertrag war ein gewisses Maß an Übereinstimmung über die Fortführung der Entspannungspolitik auf militärischem Gebiet, wobei Brandt besonders auf die Verwirklichung des westlichen Projekts einer gegenseitigen, ausgewogenen Truppenverminderung drängte – die Mutual Balanced Force Reduction (MBFR), wie der englische Fachausdruck lautete.

Die intensiven Beratungen widersprachen in keinem Punkt den Bündnispflichten der Bundesrepublik. Aber vor dem Hintergrund der jüngsten Vergangenheit wirkten sie doch sensationell und ließen mancherorts den Verdacht keimen, zwischen Bonn und Moskau könne es nach dem Ende des «deutschen Sonderkonflikts mit dem Osten» zu einer neuen Sonderbeziehung im Stil von Rapallo (oder dem, was sich mit diesem Namen verband) kommen. In den westlichen Hauptstädten, vor allem in Washington, wurden solche Befürchtungen eher hinter vorgehaltener Hand, aber durchaus vernehmbar geäußert. Henry Kissinger schätzte Egon Bahr persönlich, mißtraute ihm aber zugleich, weil er ihn für einen deutschen Nationalisten, wenn nicht gar für einen Neutralisten hielt; Nixon hatte starke Vorbehalte gegenüber Brandt. Die Bonner Unionsparteien standen mit Brandts konservativen Kritikern auf der anderen Seite des Atlantik in reger Verbindung und taten alles, um diese in ihrem Argwohn gegenüber Bahr und Brandt zu bekräftigen.

Als Bundestagspräsident Kai-Uwe von Hassel am 20. Oktober 1971 in einer Plenarsitzung des Hohen Hauses bekanntgab, daß das Nobelkomitee des norwegischen Parlaments Bundeskanzler Willy Brandt den Friedenspreis zuerkannt habe, applaudierte auch die Opposition. Vor Brandt hatten drei Deutsche diesen Preis erhalten: 1926 Außenminister Gustav Stresemann (zusammen mit seinem französischen Kollegen Aristide Briand), 1927 der Historiker und Publizist Ludwig Quidde (zusammen mit dem französischen Pädagogen und sozialistischen Politiker Ferdinand Buisson), 1935 der Publizist Carl von Ossietzky, damals Häftling im Konzentrationslager Papenburg-Esterwegen. Doch der obligatorische Beifall für Brandt, der am 10. Dezember die Auszeichnung in Oslo entgegennahm, hatte keinen Einfluß auf die innenpolitischen Frontstellungen beim Streit um die Ostpolitik. Am 24. Januar 1972 beschloß der Bundesausschuß der CDU einstimmig die Ablehnung der Ostverträge. Bei den entscheidenden Forderungen habe die Bundesregierung der anderen Seite einseitige Zugeständnisse gemacht, lautete der Vorwurf.

Vom 23. bis 25. Februar 1972 debattierte der Bundestag in erster Lesung die Ostverträge. Rainer Barzel – seit dem 4. Oktober 1971 Vorsitzender der CDU und seit dem 10. Dezember auch gemeinsamer Kanzlerkandidat der beiden Unionsparteien – wollte den Verträgen «so nicht» zustimmen, schloß aber ein positives Votum seiner Fraktion nicht aus, falls die Sowjetunion in den Bereichen Haltung zur Europäischen Gemeinschaft, Selbstbestimmungsrecht des deutschen Volkes, Freizügigkeit in Deutschland der Bundesrepublik entgegenkomme und den vorläufigen Charakter des Vertragswerks deutlich mache.

Das numerische Gewicht der Opposition war zu diesem Zeitpunkt erheblich stärker als bei der Bildung der sozialliberalen Koalition im Oktober 1969. Im Oktober 1970 waren die FDP-Abgeordneten Erich Mende, Heinz Starke und Siegfried Zoglmann, die alle drei dem rechten Parteiflügel angehörten, zur Fraktion der CDU/CSU übergetreten. Ein Jahr später tat der Sozialdemokrat Klaus-Peter Schulz, der als Berliner Abgeordneter allerdings über kein volles Stimmrecht verfügte, denselben Schritt. Am 29. Januar 1972 wechselte der sozialdemokratische Abgeordnete Herbert Hupka, Vorsitzender der Landsmannschaft Schlesien und stellvertretender Vorsitzender des Bundes der Vertriebenen, zur CDU. Das Regierungslager zählte jetzt nur noch 250, die Opposition 246 voll stimmberechtigte Abgeordnete. Von zwei Stimmen hing das Schicksal der Ostverträge und das der Regierung ab.

Doch die Serie der Parteiübertritte hatte Ende Februar 1972 noch nicht ihr Ende erreicht. Die beiden «rechten», der Industrie nahestehenden FDP-Abgeordneten Gerhard Kienbaum und Knut von Kühlmann-Stumm galten als potentielle «Überläufer», ebenso der Münchner SPD-Abgeordnete Günther Müller, der mit der weit nach links gerückten SPD in der bayerischen Landeshauptstadt in Fehde lag. Am 23. April errang die CDU einen triumphalen Wahlsieg in Baden-Württemberg, wo sie (nicht zuletzt dank einer entsprechenden Wahlempfehlung der NPD) gegenüber 1968 8,7 %

hinzugewann und mit 52,9 % die absolute Mehrheit der Stimmen und Mandate eroberte. Am gleichen Abend erklärte der Bundestagsabgeordnete Wilhelm Helms seinen Austritt aus der FDP: Der niedersächsische Landwirt wußte, daß er bei der nächsten Bundestagswahl keinen Listenplatz mehr erhalten würde, was ihm den Abschied von der Partei Walter Scheels erleichterte. Da Barzel mit der Unterstützung von Kienbaum und Kühlmann-Stumm rechnen durfte, konnte er es nunmehr wagen, ein konstruktives Mißtrauensvotum gegen Bundeskanzler Brandt einzubringen. Die Koalition schien jedenfalls ihre Mehrheit verloren zu haben.

Zwei Tage später, am 25. April 1972, stellte die Fraktion der CDU/CSU den Antrag, der Bundestag möge Bundeskanzler Willy Brandt das Mißtrauen aussprechen und den Abgeordneten Rainer Barzel zum Bundeskanzler wählen. Am 27. April mußte der Bundestag über den Antrag, das erste konstruktive Mißtrauensvotum in der Geschichte der Bundesrepublik, abstimmen. Die meisten rechneten mit der Abwahl der Regierung, auch Vizekanzler Scheel. Die Rede, die ihm Karl-Hermann Flach, der Generalsekretär der FDP, aufgesetzt hatte, war ganz auf Abschied und Anklage abgestellt. Scheel deutete an, daß manche Parteiübertritte etwas mit der Aussicht materieller Vorteile zu tun gehabt haben könnten: «Die Sicherung der persönlichen politischen Zukunft ist keine Gewissensfrage ...» Brandt hingegen gab sich überzeugt: «Wir werden auch nach dieser Abstimmung weiterregieren.» Er sollte recht behalten. Als Bundestagspräsident von Hassel das Ergebnis der Abstimmung bekanntgab, jubelten SPD und FDP, während die Union betreten schwieg. Barzel hatte nur 247 Stimmen erhalten – zwei zu wenig für den Kanzlersturz.

Da Kienbaum und Kühlmann-Stumm glaubhaft versicherten, sie hätten für Barzel gestimmt, und nur bei Helms offen ist, ob er dasselbe getan oder sich der Stimme enthalten hat, müssen mindestens zwei, vielleicht aber auch drei Abgeordnete der CDU/CSU Barzel ihre Stimme verweigert haben. 28 Jahre nach dem Mißtrauensvotum, Ende November 2000, meldete der «Spiegel», daß die Bundesanwaltschaft einen hochrangigen Spion der DDR enttarnt habe: Der einstige Fraktionsgeschäftsführer der CDU/CSU, der CSU-Abgeordnete Leo Wagner, wurde von 1976 bis 1983 von der Stasi als Inoffizieller Mitarbeiter «Löwe» geführt. 1972 erhielt der hochverschuldete Wagner von einer zunächst unbekannten Quelle 50 000 DM. Später behauptete ein Freund Wagners, er habe dem Abgeordneten ein «Darlehen» in dieser Höhe gewährt. Vieles spricht jedoch für die Vermutung, daß das Geld vom Ministerium für Staatssicherheit in Ost-Berlin stammte und dazu diente, den Mißtrauensantrag der CDU/CSU scheitern zu lassen.

Von einem anderen Parlamentarier der Union, dem baden-württembergischen CDU-Abgeordneten Julius Steiner, weiß man seit langem, daß er nicht für Barzel gestimmt und für sein von der Fraktionslinie abweichendes Votum Geld erhalten hat. Daß der Fraktionsgeschäftsführer der SPD, Karl Wienand, mit Wissen des Fraktionsvorsitzenden Herbert Wehner auf

Steiner eingewirkt hat, ist erwiesen. Steiner hat sich im Frühjahr 1973 selbst bezichtigt, von Wienand 50 000 DM erhalten zu haben. Wienand bestritt das, auch vor einem parlamentarischen Untersuchungsausschuß, der von Juni 1973 bis März 1974 tagte, ohne viel Licht in das Dunkel zu bringen. Wehner hingegen ließ sehr viel später, in einem Fernsehinterview im Norddeutschen Rundfunk am 5. Januar 1980, durchblicken, daß Geld an Steiner geflossen war und Wienand und er selbst Bescheid wußten.

Sicher ist, daß Steiner, der zeitweilig als ost-westlicher Doppelagent arbeitete, vom Ministerium für Staatssicherheit in Ost-Berlin 50 000 DM erhalten hat, um gegen Barzel und für Brandt zu stimmen. Wenn seine Selbstbezichtigung zutrifft, hat er entweder zweimal Geld in der gleichen Höhe oder über Wienand *die* Summe erhalten, die von der Stasi stammte. Ob Wienand, der vom MfS um 1970 auf Grund einer Gesprächsbeziehung zu einem Mitarbeiter des Hauses den Decknamen «Streit» erhielt, von Steiners Agententätigkeit wußte und damit Möglichkeiten besaß, Druck auf den CDU-Abgeordneten auszuüben, muß offenbleiben. In jedem Fall haben Geld und geldwerte Leistungen bei der Abstimmung vom 27. April 1972 eine maßgebliche Rolle gespielt, wobei vor allem die Akteure auf sozialdemokratischer Seite mit bemerkenswerter Skrupellosigkeit ans Werk gingen. Für Wehner, Wienand und mutmaßlich auch für Alfred Nau, den Schatzmeister der SPD, schienen die Zwecke, also der Machterhalt und die Durchsetzung der Ostpolitik, Mittel zu rechtfertigen, die ungesetzlich und verwerflich waren. Den Schaden für die politische Kultur der Bundesrepublik nahmen sie billigend in Kauf. Und es war an jenem Tag nicht das letzte Mal, daß die DDR tief in die innere Entwicklung der Bundesrepublik eingriff.

Vor dem Mißtrauensvotum hatten in zahlreichen Städten Demonstrationen gegen das Vorhaben der Opposition und für die sozialliberale Regierung stattgefunden; die Ablehnung des Antrags löste eine Welle von Sympathiekundgebungen für Brandt aus. Am Tag danach, dem 28. April, stimmte der Bundestag im Rahmen der Haushaltsberatungen in zweiter Lesung über den Etat des Bundeskanzlers ab. Es gab ein Patt von 247 zu 247 Stimmen, womit der Einzeltitel abgelehnt war. Der Bundestag unterbrach daraufhin die Haushaltsberatungen auf unbestimmte Zeit.

In den folgenden Tagen verhandelten die Spitzen von Regierung und Opposition über einen Ausweg aus der Krise. Er wurde, was die Ostverträge anging, am 9. Mai in einer Entschließung des Bundestags gefunden, die die Grundlagen und Ziele der Außen- und Deutschlandpolitik der Bundesrepublik darlegte. An der Erarbeitung des Textes nahm der sowjetische Botschafter Falin teil, wodurch der auswärtige Hauptadressat des Dokuments, Moskau, zum Mitautor wurde.

Die Entschließung hob im Sinne Barzels hervor, daß die Verträge einen «Modus vivendi» mit den östlichen Nachbarn bezweckten, eine friedensvertragliche Regelung nicht vorwegnähmen und «keine Rechtsgrundlage für die heute bestehenden Grenzen» schüfen. Außerdem wurden die Rechte und Verantwortlichkeiten der Vier Mächte in bezug auf Deutschland als Ganzes und auf Berlin, die Zugehörigkeit der Bundesrepublik zum atlantischen Bündnis und ihr Wille zur weiteren Einigung Europas betont. Die sowjetische Regierung erklärte sich bereit, die Entschließung als offizielles Dokument der Bundesrepublik und als zusätzliches Mittel der Vertragsauslegung zu akzeptieren und sie dem Obersten Sowjet noch vor der Ratifizierung zuzuleiten. Mehr konnte die Vormacht des östlichen Bündnisses kaum tun, um der Bonner Opposition ein Ja zu ermöglichen.

Innenpolitisch richtete sich die gemeinsame Entschließung vor allem an die Heimatvertriebenen, als deren Fürsprecher die Union auftrat: Wenn *sie* die Ostverträge hinnahmen und die zusätzlichen Klarstellungen der parlamentarischen Opposition zugute hielten, war die Gefahr einer Radikalisierung dieses Teils der konservativen Wählerschaft gebannt. Innerhalb der CDU war eine starke Gruppierung, angeführt vom Partei- und Fraktionsvorsitzenden Barzel und dem deutschlandpolitischen Sprecher der Fraktion, Richard von Weizsäcker, der Meinung, daß nun die Voraussetzungen für ein Ja gegeben seien. Andere Abgeordnete, darunter Gerhard Schröder, Bruno Heck und die meisten Vertriebenenpolitiker, lehnten hingegen eine Zustimmung weiterhin ab; die CSU unter Franz Josef Strauß tat dies geschlossen.

Das Ergebnis harter Auseinandersetzungen in der Fraktion war ein Kompromiß: Die Union wollte sich der Stimme enthalten, die Verträge also passieren lassen, ohne durch ein Ja den Eindruck des «Umfallens» herauszufordern. Bei der Abstimmung am 17. Mai hielten sich die meisten Abgeordneten der CDU/CSU – mit Ausnahme von 10, die gegen den Moskauer, und 17, die gegen den Warschauer Vertrag stimmten – an diese von Barzel und der Mehrheit befürwortete Linie und sicherten so die Verabschiedung beider Verträge. Die gemeinsame Entschließung zu den Ostverträgen wurde fast einstimmig, mit 491 Stimmen bei 5 Enthaltungen, angenommen.

Zwei Tage später, am 19. Mai, verabschiedete auch der Bundesrat die beiden Verträge, wobei sich die von der Union regierten Länder, die die Mehrheit stellten, der Stimme enthielten. Am 23. Mai unterzeichnete Bundespräsident Heinemann die Ratifizierungsgesetze. Am 3. Juni 1972 traten, nachdem inzwischen auch die Sowjetunion und Polen die Verträge ratifiziert hatten, der Moskauer und der Warschauer Vertrag in Kraft. Polen und die Bundesrepublik nahmen am gleichen Tag diplomatische Beziehungen auf.

Am gleichen 3. Juni 1972 unterzeichneten die Außenminister der USA, der Sowjetunion, Großbritanniens und Frankreichs in West-Berlin das Schlußprotokoll des Viermächte-Abkommens vom 3. September 1971, das damit in Kraft trat. Am folgenden Tag traten zwei innerdeutsche Vereinbarungen und ein Abkommen in Kraft, die am 11. Dezember 1971 paraphiert worden waren und der Ausfüllung des Berlin-Abkommens dienten. Die erste der beiden Vereinbarungen betraf Erleichterungen und Verbesserungen des Reise- und Besuchsverkehrs und legte unter anderem fest, daß West-Berliner an dreißig Tagen im Jahr den Ostteil von Berlin und die DDR besuchen konnten. Die zweite Vereinbarung regelte die «Frage von Enklaven durch Gebietsaustausch». Davon war vor allem die Enklave Steinstücken betroffen, die zum West-Berliner Bezirk Zehlendorf gehörte, aber bislang völlig vom Gebiet der DDR umgeben war: Durch einen Korridor wurde der Ortsteil nun mit West-Berlin verbunden. Das Abkommen regelte den Güter- und Personenverkehr zwischen dem Bundesgebiet und West-Berlin. Die wichtigsten Erleichterungen bestanden darin, daß die Gebühren für die Durchreisevisa künftig pauschal abgegolten und die Kontrollen zügig und am Fahrzeug durchgeführt wurden.

Die Ostpolitik der sozialliberalen Koalition war damit noch nicht abgeschlossen: Ein Verkehrsvertrag mit der DDR war zwar am 26. Mai 1972 unterzeichnet worden, aber er trat erst am 17. Oktober in Kraft; über den Grundlagenvertrag zwischen der Bundesrepublik und der DDR wurde seit dem 15. Juni zwischen den Staatssekretären Egon Bahr und Michael Kohl verhandelt; die Verhandlungen mit der Tschechoslowakei hatten noch nicht begonnen. Doch die schwierigsten Hürden hatte die Regierung Brandt genommen. Im Verhältnis zur Sowjetunion und Polen gab es nun ein bis vor kurzem für undenkbar gehaltenes Maß an Normalität. Nicht normal, aber doch normaler als zuvor war auch die Situation von West-Berlin. Die Bundesrepublik hatte an außenpolitischem Handlungsspielraum gewonnen, ohne sich dem Westen zu entfremden. Sie war im Gefolge der neuen Ostpolitik sogar «westlicher» geworden: Seit sie selbst aktive Entspannungspolitik trieb, unterschied sie sich weniger als vor dem Machtwechsel des Jahres 1969 von ihren westlichen Verbündeten.[18]

Das Ringen um die Ostverträge stellte in der ersten Hälfte des Jahres 1972 alles in den Schatten, was sonst noch in der Bundesrepublik oder mit ihrer Beteiligung geschah. Das galt auch für die Bonner Westpolitik. Brandt hatte den Beitritt Großbritanniens zur Europäischen Gemeinschaft befürwortet, weil er sich ein Europa ohne England nicht vorstellen konnte. Der französische Staatspräsident Pompidou verfolgte dasselbe Ziel, weil er das Erstarken der Bundesrepublik mit Hilfe Englands ausgleichen wollte. Am 22. Januar 1972 unterzeichneten Großbritannien, Irland, Dänemark und Norwegen die Abkommen über ihren Beitritt zur EG. Doch nur drei dieser Länder gehörten, als die Erweiterung am 1. Januar 1973 in Kraft trat, der Europäischen Gemeinschaft tatsächlich an: In Norwegen hatte sich im September 1972 die Mehrheit der Bevölkerung gegen den Beitritt entschieden.

Eine folgenreiche innenpolitische Entscheidung fiel am 28. Januar 1972: Bundeskanzler Brandt und die Regierungschefs der Länder unterzeichneten in Bonn die «Grundsätze für die Mitgliedschaft von Beamten in extremen Organisationen». Der sogenannte «Radikalenerlaß» schuf kein neues Recht, sondern bezweckte die einheitliche Handhabung geltender Bestimmungen. Ausgelöst wurde der Beschluß durch radikale, zum Teil in kommunistischen Organisationen tätige Universitätsabsolventen, die in den öffentlichen Dienst und vorzugsweise in den Schuldienst strebten oder bereits in diesen eingetreten waren. Die Zahl linksextremer Organisationen, einschließlich der kommunistischen «K-Gruppen», bezifferte das Bundesinnenministerium 1971 mit 392, die Zahl ihrer Mitglieder mit 67 000. Die Regierungschefs von Bund und Ländern hielten es in dieser Situation für angebracht, an die Bestimmungen des Beamtenrechts zu erinnern: Eine Einstellung in den öffentlichen Dienst setze voraus, «daß der Bewerber die Gewähr dafür bietet, daß er jederzeit für die freiheitlich-demokratische Grundordnung im Sinne des Grundgesetzes eintritt. Bestehen hieran begründete Zweifel, so berechtigen diese in der Regel eine Ablehnung.»

Von Beamten Loyalität gegenüber der verfassungsmäßigen Ordnung zu verlangen und diese Forderung durchzusetzen war legitim und notwendig. Die Mittel, die zu diesem Zweck eingesetzt wurden, riefen dagegen berechtigte Kritik hervor. Die «Regelanfrage» bei den Landesämtern für Verfassungsschutz, eine nunmehr *jeder* Stellenbesetzung vorgeschaltete Prozedur, entsprach bürokratischen Vorstellungen von wirksamer Kontrolle, aber nicht dem Grundsatz der Verhältnismäßigkeit. Die Betroffenen und ihre Sympathisanten sprachen von «Berufsverboten» und fanden damit auch außerhalb der Bundesrepublik Zustimmung. Tatsächlich vertrug sich die Überwachungspraxis, wie sie sich im Zeichen des «Radikalenerlasses» entwickelte, nicht mit dem rechtsstaatlichen Selbstverständnis der sozialliberalen Koalition. Sozialdemokraten und Freie Demokraten waren denn auch die ersten Parteien, erst auf Landes-, dann auch auf Bundesebene, die Konsequenzen aus dem zogen, was sie, ungewollt, mit der Vereinbarung vom Januar 1972 in Gang gesetzt hatten: Am 17. Januar 1979, unter der Kanzlerschaft Helmut Schmidts, verabschiedete das Bundeskabinett neue Grundsätze für die Prüfung der Verfassungstreue im öffentlichen Dienst. Anfragen bei der Verfassungsschutzbehörde durfte es fortan nicht mehr routinemäßig, sondern nur noch dann geben, wenn tatsächlich Anhaltspunkte eine solche Anfrage rechtfertigten.

Dem «Radikalenerlaß» war ein «Abgrenzungsbeschluß» der SPD vorausgegangen. Am 14. November 1970 hatten die sozialdemokratischen Führungsgremien eine (vom Parteirat am 26. Februar 1971 nochmals ausdrücklich bestätigte) Erklärung verabschiedet, in der die SPD die «friedliche Koexistenz» zwischen Staaten unterschiedlicher Gesellschaftsordnung bejahte, einer «ideologischen Koexistenz» mit den Kommunisten aber eine scharfe Absage erteilte. Die deutsche Sozialdemokratie nehme die kommunistische Herausforderung an, hieß es in dem von Richard Löwenthal formulierten Text. An allen Kreuzwegen der deutschen Geschichte, vor und auch nach 1945, habe sich die SPD für die Demokratie und gegen die Zusammenarbeit mit den Anhängern der kommunistischen Diktatur entschieden. «Freiheitliche Demokratie auf der einen, kommunistische Parteidiktatur auf der anderen Seite: Keine Friedenspolitik, keine außenpolitische Annäherung kann diesen Gegensatz der Systeme beseitigen, keine darf ihn übersehen. Der Friede, den wir erstreben, soll nicht nur allein das Leben schützen. Er muß unserem Volk das Recht sichern, die Formen seines politischen und gesellschaftlichen Lebens auch weiterhin in Freiheit selbst zu bestimmen. Das kommunistische System der DDR ist auch heute keine annehmbare Alternative zu unserer freiheitlichen Ordnung. Die Sozialdemokratie bekennt sich erneut zu der Aufgabe, diese Ordnung kompromißlos gegen alle kommunistischen Irrlehren zu verteidigen.»

Das «Löwenthal-Papier» war in erster Linie eine Antwort an die Jungsozialisten, die die Abgrenzung gegenüber den Kommunisten nicht nur außen-, sondern auch innenpolitisch für überholt hielten und an zahlreichen Universitäten Aktionsbündnisse mit weiter links stehenden Gruppen, darunter der Studentengruppe der DKP, dem «Marxistischen Studentenbund Spartakus», eingegangen waren. Die SPD hatte sich nach 1968 der von Hause aus alles andere als proletarischen «rebellischen Jugend» geöffnet und mußte nun mit den paradoxen Folgen einer so nicht gewollten «Verbürgerlichung» fertig werden: einer von jungen Akademikern betriebenen Redogmatisierung unter Berufung auf Marx. Ein innerparteilicher Linksruck, der von den Universitätsstädten ausging, aber sich nicht mehr auf sie beschränkte, war unverkennbar. Wenn sich diese Tendenz durchsetzte, geriet die Sozialdemokratie in Gefahr, die neugewonnenen Wähler aus der politischen Mitte wieder zu verlieren. Mit dem Abgrenzungsbeschluß vom November 1970 versuchte die SPD, sich dieser Entwicklung entgegenzustemmen.

Die «Jusos» waren ein doktrinärer, aber friedlicher Sproß der «68er-Bewegung». Ein anderer, gewaltsamer Sproß war der organisierte Terrorismus. Zu seinen Initiatoren gehörten Andreas Baader, ein berufsloser Gymnasiast, und Gudrun Ensslin, eine schwäbische Pfarrerstochter und ausgebildete Lehrerin. Im April 1968 hatten sie in Frankfurt zwei Kaufhäuser in Brand gesteckt, waren deswegen im Herbst 1968 zu drei Jahren Zuchthaus verurteilt worden, aber schon im Juni 1969 in den Genuß von Haftverschonung bis zur Revisionsverhandlung gekommen. Die wiedergewonnene Freiheit nutzten sie für den Aufbau einer terroristischen Untergrundorganisation, der «Roten Armee Fraktion» («RAF»). Der erneuten Verhaftung Baaders im April 1970 folgte am 14. Mai seine gewaltsame Befreiung aus dem Justizgewahrsam im Deutschen Zentralinstitut für soziale Fragen in Berlin. Treibende Kraft dieser Aktion, bei der ein Institutsangestellter durch Pistolenschüsse lebensgefährlich verletzt wurde, war die Journalistin Ulrike Meinhof. Im Frühsommer 1970 flogen die Gründer der RAF über den Ost-Berliner Flughafen Schönefeld nach Syrien, wo sie sich von der «Volksfront für die Befreiung Palästinas» militärisch ausbilden ließen.

Die Schulung trug ihre Früchte. Im Mai 1972 verübte die RAF, deren «harter Kern» aus etwa 25 Personen bestand, eine Serie von Anschlägen, darunter einen auf das Hauptquartier des 5. amerikanischen Armeekorps in Frankfurt und einen auf das europäische Hauptquartier der amerikanischen Armee in Heidelberg. Dabei wurden vier amerikanische Soldaten getötet und viele Menschen schwer verletzt. Zwischen den beiden Anschlägen auf amerikanische Einrichtungen lag einer auf das Springer-Hochhaus in Hamburg, bei dem 17 Personen verletzt wurden. Am 1. Juni gelang der Polizei schließlich die Festnahme von drei führenden Mitgliedern der «Baader-Meinhof-Gruppe», Andreas Baader, Holger Meins und Jan-Carl Raspe. Es folgten die Verhaftungen von Gudrun Ensslin am 7. und von Ulrike Meinhof am 15. Juni. Das war zwar ein Schlag gegen den Terrorismus von links, aber noch nicht seine Zerschlagung. Denn die Verhafteten verfügten inzwischen über eine beträchtliche Zahl von Mitkämpfern, die entschlossen waren, auf dem Weg der Gewalt weiter voranzuschreiten.

Die Bundesrepublik Deutschland war eines von zwei europäischen Ländern, in denen nach 1968 eine terroristische Untergrundbewegung von links entstand, die Staat und Gesellschaft über Jahre hinweg herausforderte. Das andere Land war Italien. In beiden Ländern waren in der Zwischenkriegszeit faschistische Regime an die Macht gelangt; in beiden Ländern begründete die terroristische Linke ihre Gewalt damit, daß der Faschismus ungeachtet demokratischer Fassaden dem Wesen nach noch immer an der Macht war. Theoretiker der Neuen Linken hatten dieser Interpretation Vorschub geleistet, indem sie den «spätkapitalistischen» Staat der Gegenwart zu einer dem Faschismus wesensverwandten, wenn auch vergleichsweise modernen Erscheinungsform ein und derselben «korporatistischen» und autoritären Herrschaft erklärten. («Korporatistisch» und damit zumindest im Ansatz faschistisch war aus dieser Sicht jedwedes staatlich regulierte Zusammenwirken von Unternehmerverbänden und Gewerkschaften, von Mussolinis «stato corporativo» bis zu Karl Schillers «Konzertierter Aktion».) Wer von einer solchen substantiellen Kontinuität «bürgerlicher Herrschaft» ausging, mußte daraus nicht dieselben Konsequenzen ziehen wie die RAF, war aber doch häufig geneigt, ihrem Kampf ein gewisses Verständnis entgegenzubringen. Dieses verbreitete Verständnis schuf das Klima, in dem sich der Aufstieg des linken Terrorismus vollzog – eines Terrorismus, der sich als Antifaschismus ausgab, in seiner Mentalität und seinen Methoden aber mit dem historischen Faschismus vieles gemein hatte.

Für den blutigsten Terrorakt des Jahres 1972 war nicht die RAF, sondern der «Schwarze September» verantwortlich: eine mit der Palästinensischen Befreiungsorganisation PLO verbundene Geheimorganisation. Sie nutzte die 20. Olympischen Sommerspiele in München für den Versuch, die Freilassung von über 200 arabischen Häftlingen in Israel zu erzwingen: Am 5. September überfielen acht Mitglieder des «Schwarzen September» das Quartier der israelischen Mannschaft, ermordeten zwei Sportler und nahmen neun als Geiseln.

Nachdem die israelische Regierung es abgelehnt hatte, den Forderungen der Terroristen nachzukommen, verlangten diese, mit ihren Geiseln in ein arabisches Land ausgeflogen zu werden. Die deutschen Stellen gingen darauf zum Schein ein und stellten eine Maschine der Lufthansa für den Flug nach Kairo zur Verfügung. Auf dem Militärflugplatz Fürstenfeldbruck, wo die Maschine starten sollte, versuchte die bayerische Polizei, die Geiseln zu befreien, verursachte aber ein Blutbad, bei dem alle Geiseln und fünf Geiselnehmer getötet wurden. Die überlebenden drei Geiselnehmer blieben nur kurze Zeit im Gewahrsam der Bundesrepublik. Am 29. Oktober wurde eine Lufthansa-Maschine auf dem Flug von Damaskus nach Frankfurt entführt, um die drei Attentäter freizupressen. Um Passagiere und Besatzung freizubekommen, gab die Bundesregierung nach und ließ die inhaftierten Araber nach Zagreb ausreisen, wo sie das dort wartende Flugzeug besteigen und nach Syrien weiterfliegen konnten. Im Kampf gegen den internationalen Terrorismus hatte der Rechtsstaat eine Schlacht verloren.

Eine ganz andere Schlacht verlor im Sommer 1972 der Bundeswirtschafts- und Finanzminister Karl Schiller. Am 29. Juni scheiterte er im Bundeskabinett mit dem Versuch, die von Bundesbankpräsident Karl Klasen geforderten Devisenkontrollen gegen den Zufluß von Auslandskapital zu verhindern. Der Kapitalzustrom hing mit dem Verfall des Dollars und dieser mit dem kostspieligen Krieg in Vietnam zusammen. Am 15. August 1971 hatten die USA einseitig die Verpflichtung aufgekündigt, den Dollar in Gold umzutauschen, und damit den Grundpfeiler des im Juli 1944 in Bretton Woods vereinbarten Weltwährungssystems zum Einsturz gebracht. Vier Monate später, am 17. und 18. Dezember 1971, einigten sich die zehn wichtigsten Wirtschaftsländer in Washington auf eine Neuordnung der Wechselkurse, die den Dollar ab- und die westeuropäischen Währungen aufwertete. Für die DM kam dabei eine Aufwertung gegenüber dem Gold um 4,6 und gegenüber dem Dollar um 13,6 % heraus. Im März 1972 führten die Mitgliedstaaten der EG die sogenannte «Währungsschlange» ein: Die Wechselkurse ihrer Währungen sollten künftig nur noch um maximal 2,25 % voneinander abweichen dürfen. Der spekulative Kapitalzustrom nach Europa aber hielt an, weil die Ursache der Turbulenzen, das Zahlungs- und Handelsbilanzdefizit der USA, erhalten blieb. Das war der Hintergrund des Vorstoßes von Karl Klasen und der Niederlage von Karl Schiller.

Da er im Kabinett von keinem seiner Kollegen unterstützt worden war, entschloß sich der «Superminister» zum Rücktritt. Am 2. Juli schrieb er in diesem Sinne an den Bundeskanzler und bat um seine Entlassung zum

7. Juli, unmittelbar nach dem Ende deutsch-französischer Konsultationen und dem Abschluß eines Handelsvertrags mit der Sowjetunion. Der Streit um die Devisenkontrollen war indes nicht der einzige Grund für das Rücktrittsgesuch. Schiller verwies auf die Weigerung der übrigen Minister, seinen finanzpolitischen Vorgaben zu folgen, und erhob einen Vorwurf, den der Kanzler auch auf sich beziehen mußte: Er, Schiller, sei nicht bereit, «eine Politik zu unterstützen, die nach außen den Eindruck erweckt, die Regierung lebe nach dem Motto: ‹Nach uns die Sintflut!›». Schiller hätte auch die anhaltenden Konflikte mit dem machtbewußten Verteidigungsminister Helmut Schmidt, mit Entwicklungshilfeminister Erhard Eppler, einem Befürworter drastischer Steuererhöhungen, oder Kanzleramtsminister Horst Ehmke nennen können, der Brandt jetzt riet, er möge Schiller nicht zum Bleiben bewegen. Die sozialdemokratischen Kabinettsmitglieder waren des Doppelministers und seiner belehrenden Art überdrüssig, und sie meinten, davon ausgehen zu können, daß sein Rückhalt in der Öffentlichkeit längst nicht mehr so stark war wie 1969.

Brandt folgte Ehmkes Rat und bat Bundespräsident Heinemann um die Entlassung Schillers. Zu seinem Nachfolger in beiden Ämtern, dem des Wirtschafts- und des Finanzministers, ernannte der Bundespräsident auf Vorschlag des Bundeskanzlers den schärfsten Kritiker Schillers, den bisherigen Verteidigungsminister Helmut Schmidt. Georg Leber, bislang Verkehrs- und Postminister, übernahm das Verteidigungsministerium, Wohnungsbauminister Lauritz Lauritzen zusätzlich das Doppelressort Verkehr und Post. Am 7. Juli, dem Tag von Schillers Rücktritt, war die Kabinettsumbildung abgeschlossen.

Im Bundestag gab es bis zu diesem Zeitpunkt jenes Patt zwischen Regierungsparteien und Opposition, das erstmals bei der Abstimmung über den Kanzleretat am 28. April in Erscheinung getreten war. Im Mai waren die beiden «rechten» FDP-Abgeordneten Kienbaum und von Kühlmann-Stumm aus dem Parlament ausgeschieden; die beiden Nachrücker unterstützten die Regierung. Im gleichen Monat hatte die SPD ihren Abgeordneten Günther Müller aus der Partei ausgeschlossen, weil dieser sich weigerte, die von ihm gegründete Vereinigung «Soziale Demokratie 72» zu verlassen. Müller trat im September in die CSU ein und war spätestens seit seinem Parteiausschluß der Opposition zuzurechnen. Die beiden Lager verfügten also jeweils über 248 Abgeordnete. Da Schiller nach seinem Rücktritt nicht mehr an Sitzungen des Bundestags teilnahm, veränderte sich das Kräfteverhältnis nunmehr zugunsten der Opposition: Sie konnte, theoretisch jedenfalls, auf einen Abgeordneten mehr zählen als die Regierung. Die «Kanzlermehrheit» von 249 Stimmen aber erreichten weder Koalition noch Opposition.

Die Situation war unhaltbar und nur durch Neuwahlen zu überwinden. Die Union hätte diese Lösung gern über den Rücktritt des Bundeskanzlers erreicht, hatte aber keine Mittel, Brandt zu diesem Schritt zu zwingen. Der

Kanzler setzte seit Juni, in Absprache mit Scheel, auf die Ablehnung einer Vertrauensfrage, die er nach der Sommerpause stellen wollte. In diesem Fall konnte der Bundespräsident nach Artikel 68 des Grundgesetzes den Bundestag auf Vorschlag des Bundeskanzlers auflösen, sofern der Bundestag nicht mit der Mehrheit seiner Mitglieder einen anderen Bundeskanzler wählte.

Am 20. September stellte Brandt die Vertrauensfrage. Nach Artikel 68 mußten zwischen Antrag und Abstimmung 48 Stunden liegen. Am 22. September fand die Abstimmung statt. Um die Ablehnung sicherzustellen, nahmen die Mitglieder der Bundesregierung an der Abstimmung nicht teil. 248 Abgeordnete stimmten mit Nein, 233 mit Ja, einer enthielt sich. Unmittelbar nach der Ablehnung der Vertrauensfrage schlug Brandt dem Bundespräsidenten vor, den Bundestag aufzulösen und die Neuwahlen am 19. November 1972 abzuhalten. Die Opposition verzichtete auf den Versuch, einen anderen Bundeskanzler zu wählen. Auf Heinemanns Frage, ob er Brandts Vorschlag zustimme, antwortete Barzel am 22. September mit Ja. Daraufhin löste der Bundespräsident den sechsten Deutschen Bundestag auf. Zum ersten Mal in der Geschichte der Bundesrepublik endete eine Legislaturperiode vorzeitig.

Am 25. September, drei Tage nach der Auflösung des Bundestags, hielten Bundeskanzler Brandt und Außenminister Scheel eine gemeinsame Pressekonferenz ab. Im Vordergrund stand die Außenpolitik der kommenden Wochen und Monate. Scheel kündigte einen Besuch in Peking in der Zeit vom 10. bis 14. Oktober und die Aufnahme diplomatischer Beziehungen mit der Volksrepublik China an. Brandt befaßte sich vor allem mit den laufenden Verhandlungen über den Grundlagenvertrag zwischen der Bundesrepublik und der DDR. Ob diese Verhandlungen vor der Bundestagswahl abgeschlossen werden könnten, war am 25. September allerdings noch nicht sicher. Am gleichen 10. Oktober, an dem Scheel nach Peking flog, empfing Breschnew Bahr zu einem mehrstündigen Gespräch im Kreml. Danach zeigte sich die DDR in einigen strittigen Fragen beweglicher als vorher. Am 6. November konnten die Verhandlungen abgeschlossen werden. Am 7. November billigte das Bundeskabinett das Ergebnis. Am 8. November wurde der Grundlagenvertrag von den Staatssekretären Egon Bahr und Michael Kohl in Bonn paraphiert und nebst Zusatzprotokoll, Protokollvermerken, mehreren Briefwechseln und einer (schriftlichen) «Mündlichen Vereinbarung über politische Konsultationen» der Öffentlichkeit übergeben.

Durch den «Vertrag über die Grundlagen der Beziehungen zwischen der Bundesrepublik Deutschland und der Deutschen Demokratischen Republik», so der offizielle Titel, verpflichteten sich beide Seiten, zueinander gutnachbarliche Beziehungen auf der Grundlage der Gleichberechtigung zu entwickeln, sich von den Zielen und Prinzipien der Vereinten Nationen leiten zu lassen, ihre Streitfragen ausschließlich mit friedlichen Mitteln zu lösen und sich der Drohung mit Gewalt oder Anwendung von Gewalt zu enthalten. Sie bekräftigten die «Unverletzlichkeit der zwischen ihnen bestehenden Grenzen jetzt und in der Zukunft» und verpflichteten sich zur «uneingeschränkten Achtung ihrer territorialen Integrität». Beide Staaten gingen davon aus, daß keiner von ihnen «den anderen international vertreten oder in seinem Namen handeln kann». Sie bekannten sich zu dem Grundsatz, «daß die Hoheitsgewalt jedes der beiden Staaten sich auf sein Staatsgebiet beschränkt», und respektierten die «Unabhängigkeit und Selbständigkeit jedes der beiden Staaten in seinen inneren und äußeren Angelegenheiten».

«Praktische und humanitäre Fragen» wurden erwähnt, aber in der wenig verbindlichen Form, daß beide Staaten sie «im Zuge der Normalisierung ihrer Beziehungen» regeln wollten. Für die Zusammenarbeit auf einer Vielzahl von Gebieten, von der Wirtschaft über Kultur und Sport bis zum Umweltschutz, sah der Grundlagenvertrag, seinem Namen entsprechend, besondere Verträge vor. Am Sitz der jeweils anderen Regierung wollten die Bundesrepublik und die DDR «ständige Vertretungen» errichten, also nicht, wie die DDR das immer gefordert hatte, «Botschaften» wie in einer Hauptstadt des Auslands. Eine Erwähnung des Ziels der deutschen Einheit hatte Bahr nicht durchsetzen können. Statt dessen sprach die Präambel des Vertrags, im Sinne eines «agree to disagree», von «unterschiedlichen Auffassungen... zu grundsätzlichen Fragen, darunter zur nationalen Frage». Beide Seiten verständigten sich aber auf Erklärungen gegenüber den Vier Mächten, wonach deren Rechte und Verantwortlichkeit durch den Vertrag nicht berührt wurden. Dies bekräftigten die Vier Mächte ihrerseits in einer gemeinsamen Erklärung vom 9. November, in der sie zugleich die Aufnahme der beiden deutschen Staaten in die Vereinten Nationen empfahlen.

Obwohl von einer «friedensvertraglichen Regelung» und von «Deutschland als Ganzem» weder im Grundlagenvertrag noch in der Erklärung der Vier Mächte die Rede war, gab es damit einen Völkerrechtsvorbehalt zum deutsch-deutschen Vertrag. Die beiden deutschen Staaten handelten unter dem Dach fortdauernder alliierter Rechte und Pflichten; ihre Beziehungen zueinander waren, wie Brandt das in seiner Regierungserklärung vom 28. Oktober 1969 formuliert hatte, «von besonderer Art»; sie hatten staatsrechtlichen, aber nicht völkerrechtlichen Charakter. Bundesrepublik und DDR wurden durch den Vertrag füreinander also nicht «Ausland». Der Grundlagenvertrag war ein Vertrag zwischen zwei *deutschen* Staaten, von denen freilich nur einer, die Bundesrepublik, auf diesem Unterschied zu anderen zwischenstaatlichen Verträgen beharrte, während der andere, die DDR, diesen Unterschied zu verwischen gedachte.

Im Bundestagswahlkampf hatte die Ostpolitik von Anfang an einen herausragenden Platz eingenommen. Nach dem 8. November zeichnete sich ab, daß die siebte Bundestagswahl auch zu einem Plebiszit über den Grundlagenvertrag werden würde, der paraphiert, aber noch nicht unterzeichnet war. Die Koalition würdigte den Vertrag als Fortschritt für Deutschland und als Beitrag zur Sicherung des Friedens in Europa; die Opposition gab zu erkennen, daß sie den Vertrag «so nicht» billigen würde. Rainer Barzel kleidete sein Nein in einer Fernsehdiskussion mit den Vorsitzenden der vier im Bundestag vertretenen Parteien am 15. November in die Form eines negativen Bedingungssatzes: Er würde nach einem Wahlsieg der Union den Grundlagenvertrag nicht unterzeichnen, wenn die DDR nicht sofort aufhöre, auf Flüchtlinge zu schießen.

In der bundesrepublikanischen Öffentlichkeit überwog jedoch 1972 die Überzeugung, daß unerfüllbare Forderungen, wie Barzel sie aufstellte, weder den Deutschen in der DDR noch der Bundesrepublik halfen. Schon im April, vor den entscheidenden Abstimmungen im Bundestag, hatten sich namhafte Historiker und Politikwissenschaftler, vom marxistischen Wolfgang Abendroth bis zum konservativen Hans Rothfels, in einer von Hans Mommsen verfaßten Erklärung für die Ostpolitik der sozialliberalen Koalition ausgesprochen. Zu den rund 200 Unterzeichnern gehörten Karl Dietrich Bracher, Theodor Eschenburg, Fritz Fischer, Ernst Fraenkel, Hermann Heimpel, Eugen Kogon, Reinhart Koselleck, Richard Löwenthal, Golo Mann, Thomas Nipperdey und Reinhard Wittram. Jetzt, im Wahlkampf des Spätjahres, riefen Wählerinitiativen von Intellektuellen, Schriftstellern und Künstlern wie schon 1965 und 1969, aber diesmal mit noch größerem Engagement und breiterer Beteiligung, zur Wahl Willy Brandts auf, und wie bei den beiden vorangegangenen Wahlen war Günter Grass der prominenteste Autor, der in ungezählten Veranstaltungen für die Sozialdemokratie und die Fortsetzung der Ostpolitik warb. Innerhalb der SPD war die Unterstützung für den Kanzler so stark wie nie zuvor. Auch die Jungsozialisten schlugen sich, ungeachtet der innenpolitischen Meinungsverschiedenheiten, für Brandt und die Sache, für die er stand.

Der von Brandt selbst formulierte Wahlslogan «Deutsche, wir können stolz sein auf unser Land!» traf eine verbreitete Stimmung. Die Bundesrepublik hatte infolge der neuen Ostpolitik international an Gewicht und Ansehen gewonnen; wirtschaftlich ging es ihr gut; das gab der Koalition Anlaß zur Hoffnung, die Wählerinnen und Wähler würden die Erfolge am Wahltag zu würdigen wissen. Die Union dagegen versprach sich Vorteile von einer Anzeigenkampagne, in der zwei bisherige Kontrahenten, der «Vater des Wirtschaftswunders», Ludwig Erhard, und der zurückgetretene sozialdemokratische Wirtschaftsminister Karl Schiller, gemeinsam gegen die Wirtschafts- und Finanzpolitik der sozialliberalen Bundesregierung auftraten und für die «Soziale Marktwirtschaft» und damit für die Stimmabgabe zugunsten von CDU und CSU warben.

Am Abend des 19. November 1972 stand fest, daß die SPD das beste Ergebnis ihrer Geschichte erzielt hatte. Mit 45,8 % wurde sie erstmals die stärkste Partei; ihre Stimmengewinne gegenüber 1969 beliefen sich auf 3,1 %. Die CDU und die CSU kamen zusammen auf 44,9 %; das war ein

Verlust von 1,2 %. Zu den Gewinnern gehörte der liberale Partner der Sozialdemokraten: Die FDP erreichte 8,4 % und konnte damit einen Zuwachs
von 2,6 % verbuchen. Der Wählerauftrag war eindeutig: Die sozialliberale
Koalition sollte ihre Arbeit fortsetzen, die Union in der Opposition verbleiben.[19]

Der 19. November 1972 war der größte Triumph im Leben Willy Brandts.
Unmittelbar danach begann der politische Stern des ersten sozialdemokratischen Bundeskanzlers zu sinken. Brandt mußte sich einer Operation der
Stimmbänder unterziehen und das Rauchen abgewöhnen; er durfte über
längere Zeit nicht mehr sprechen und konnte infolgedessen nur schriftlich,
vom Krankenbett aus, an den Koalitionsverhandlungen und der Regierungsbildung mitwirken. Dazu kam eine jener spätherbstlichen Depressio-
nen, in die er auch in früheren Jahren verfallen war, die aber diesmal schwerer war und länger als sonst anhielt. Brandt hatte seit 1969 auf *ein* Ziel
hingearbeitet: die Durchsetzung der neuen Ostpolitik. Als dieses Ziel im
wesentlichen erreicht war, fehlte ein neues Ziel, das den Charismatiker in
ihm auf ähnliche Weise hätte fordern können. Die Aussicht auf die Routine
des Regierungsalltags hatte nichts Faszinierendes an sich. Das machte es
schwer für Brandt, den Zustand der Erschöpfung zu überwinden und die
alte Spannkraft zurückzugewinnen.

Am 13. Dezember 1972 trat der siebte Deutsche Bundestag zu seiner
konstituierenden Sitzung zusammen. Erstmals wählten die Abgeordneten
eine Frau ins Präsidentenamt: die Sozialdemokratin Annemarie Renger, die
langjährige engste Mitarbeiterin Kurt Schumachers. Am Tag darauf wurde
Willy Brandt zum zweiten Mal zum Bundeskanzler gewählt; er erhielt 269
von 493 abgegebenen Stimmen.

Dem neuen Kabinett, das Brandt am 15. Dezember vorstellte, gehörten
13 Sozialdemokraten und fünf Freie Demokraten an. Das «Superministe-
rium» wurde geteilt: Helmut Schmidt blieb Chef des Finanzministeriums,
dem einige Bereiche des Wirtschaftsministeriums, darunter der für Geld-,
Kredit- und Währungswesen, zugeschlagen wurden; der FDP-Politiker
Hans Friderichs wurde Wirtschaftsminister. Weitere Neulinge im Kabinett
waren Katharina Focke (SPD) als Ministerin für Jugend, Familie und Gesundheit, der bisherige Münchner Oberbürgermeister Hans-Jochen Vogel
(SPD) als Minister für Raumordnung, Bauwesen und Städtebau und der
Rechtsprofessor Werner Maihofer (FDP) als Bundesminister für besondere
Aufgaben. Den Rang eines Bundesministers für besondere Aufgaben er-
hielt auch Egon Bahr, der weiterhin im Kanzleramt arbeitete. Horst Ehmke
wechselte vom Kanzleramt in das neugebildete Ministerium für Forschung
und Technologie und leitete in Personalunion auch das Postministerium.
Der Sozialdemokrat Klaus von Dohnanyi, der im März 1972, nach dem
Rücktritt des parteilosen Hans Leussink, Minister für Bildung und Wissenschaft geworden war, behielt dieses Ressort. Alle anderen Mitglieder der

Bundesregierung leiteten die gleichen Geschäftsbereiche wie im ersten Kabinett Brandt.

Am 19. Dezember holte der neue Bundestag nach, was seinem Vorgänger mangels Mehrheit nicht gelungen war: Er verabschiedete den Bundeshaushalt 1972. Damit endete der in Artikel 112 des Grundgesetzes geregelte Zustand der Haushaltsüberschreitung: Danach bedurften überplanmäßige Ausgaben der Zustimmung des Bundesministers der Finanzen, die aber nur im Falle eines unvorhergesehenen und unabweisbaren Bedürfnisses erteilt werden durfte. Die neue Bundesregierung begann ihre Arbeit also mit der Rückkehr zur haushaltsrechtlichen Normalität.

Am 18. Januar 1973 gab Brandt seine Regierungserklärung ab. Sie stand ganz im Zeichen des «Willens zur Kontinuität». Der Kanzler sprach, auf weiten Strecken einer Vorlage seines publizistischen Beraters Klaus Harpprecht folgend, von einem «gewandelten Bürgertypus», der sich seit der Zeit der Gewaltherrschaft herausgebildet habe und der «seine Freiheit auch im Geflecht der sozialen und wirtschaftlichen Abhängigkeiten behaupten» wolle. Die «produktive Unruhe aus den Reihen der Jungen und die Einsicht der Älteren» strömten ein «in das, was sich als die neue Mitte darstellt: die soziale und die liberale Mitte... Wir sind dem angelsächsischen Citoyen geistig nähergerückt, und vielleicht kann man sagen, die Bundesrepublik sei insofern ‹westlicher› geworden – sogar in einer Zeit, die im Zeichen der sogenannten ‹Ostpolitik› stand.»

Unter den innenpolitischen Reformen räumte Brandt wie im Oktober 1969 Bildung und Wissenschaft den ersten Rang ein. Mit Blick auf die Entwicklung an vielen Hochschulen warnte er in diesem Zusammenhang vor Intoleranz und erklärte ausdrücklich: «Die Stätten der Lehre und Forschung dürfen nicht in politische Kampfstätten umfunktioniert werden.» Im gesellschaftspolitischen Teil seiner Rede kündigte er den Ausbau der Mitbestimmung an, die zur «Substanz des Demokratisierungsprozesses unserer Gesellschaft» gehöre. Bei aller Unterschiedlichkeit der Auffassungen gingen die Regierungsparteien doch schon jetzt vom «Grundsatz der Gleichberechtigung und Gleichgewichtigkeit von Arbeitnehmern und Anteilseignern» aus.

Als erstes außenpolitisches Ziel nannte er die europäische Union. Er bekannte sich zur atlantischen Allianz und zur Friedenspolitik in Europa und betonte die Entschlossenheit der Bundesregierung, den Grundlagenvertrag mit der DDR, der am 21. Dezember von Bahr und Kohl in Ost-Berlin unterzeichnet worden war, «politisch und rechtlich konsequent durchzuführen und im Interesse der Menschen in beiden Staaten auszufüllen... Das Regierungs- und Gesellschaftssystem der DDR haben wir immer abgelehnt, und dabei bleibt es... Aber beide Regierungen haben durch Vertrag beschlossen, sich trotz dieser Gegensätze ihrer Verantwortung zu stellen und auf die Anwendung von Gewalt zu verzichten. Beide müssen den Frieden höher stellen als alle Differenzen. Das bedeutet für uns: die Erhaltung des Friedens rangiert noch vor der Frage der Nation. Dies ist ein Dienst, den das deutsche Volk den europäischen Völkern leistet.»

Die Regierungserklärung vom Januar 1973 war, trotz mancher pathetischer und wolkiger, fast schon an den späten Ludwig Erhard erinnernder Passagen, im Ton insgesamt vorsichtiger und in den Zielen weniger ehrgeizig als die vom Oktober 1969. Brandt betonte den «langen Atem», den die angestoßenen Reformen bräuchten; er verwies auf die «neuen Schnittlinien progressiver und bewahrender Interessen», die der «vitale Bürgergeist» zu erkennen sensibel genug sei. Der ausgleichende Charakter der Rede konnte die Jungsozialisten in der Partei des Kanzlers schwerlich befriedigen. Aber die Koalition der «neuen Mitte» stand für das, worin sie übereinstimmte, und nicht für die utopischen Hoffnungen der Linken, die in den Wahlsieg der SPD mit eingeflossen waren.

Wie die Koalition so setzte auch die Opposition auf Kontinuität, zumindest in Sachen Deutschlandpolitik: Sie blieb bei dem Nein, das sie dem Grundlagenvertrag nach seiner Paraphierung am 8. November 1972 entgegengestellt hatte. Am 2. Februar 1973 billigte der Bundesrat mit der Mehrheit der von den Unionsparteien regierten Länder einen Antrag, der die Ablehnung des Vertrags forderte. Am gleichen Tag sprach sich der Bundesrat einstimmig für den Beitritt der Bundesrepublik zu den Vereinten Nationen aus. Dieser Beitritt setzte freilich die Ratifizierung des Grundlagenvertrags und den gleichzeitigen Beitritt der DDR voraus. Auf ebendieses Junktim hatten sich die Vier Mächte durch ihre Erklärung vom 9. November 1972 festgelegt. Im übrigen wäre eine Aufnahme der Bundesrepublik ohne gleichzeitige Aufnahme der DDR an einem sowjetischen Veto im Sicherheitsrat gescheitert. Die Haltung von CDU und CSU war also höchst widersprüchlich.

Am 9. Mai begann die abschließende Debatte über das Ratifizierungsgesetz zum Grundlagenvertrag im Bundestag. Am gleichen Tag legte Rainer Barzel das Amt des Vorsitzenden der Bundestagsfraktion der CDU/CSU nieder. Der Rücktritt war die Reaktion darauf, daß die Fraktion tags zuvor mit knapper Mehrheit, darunter sämtlichen Stimmen der CSU, Barzels Antrag abgelehnt hatte, die Union solle dem Beitritt der Bundesrepublik zu den Vereinten Nationen zustimmen.

Die Position des Partei- und Fraktionsvorsitzenden war seit der Wahlniederlage vom 19. November 1972 geschwächt. Am 28. Januar 1973 kündigte der Ministerpräsident von Rheinland-Pfalz, Helmut Kohl, der auf dem Saarbrücker Parteitag der CDU vom November 1971 im Kampf um den Parteivorsitz Barzel unterlegen war, abermals seine Kandidatur für den Parteivorsitz an. Am 17. Mai wählte die Bundestagsfraktion der CDU/CSU den Abgeordneten Karl Carstens, der 1968/69 unter Kiesinger Staatssekretär im Bundeskanzleramt gewesen war, zu ihrem neuen Vorsitzenden. Tags zuvor hatte Barzel auch auf eine Kandidatur für den Parteivorsitz verzichtet. Zu seinem Nachfolger in diesem Amt wählte ein Sonderparteitag der CDU in Bonn am 12. Juni mit großer Mehrheit Helmut Kohl. Daß Barzels Rückzug aus der Fraktions- und Parteiführung durch einen Beratervertrag der Firma Flick wesentlich erleichtert worden war, erfuhr die Öffentlichkeit erst elf Jahre später.

Auf die Ratifizierung des Grundlagenvertrags durch den Bundestag hatte die Führungskrise in der CDU keinen Einfluß. Am 11. Mai nahm das Parlament das Ratifizierungsgesetz in dritter Lesung mit 268 gegen 217 Stimmen an. Vier der Ja-Stimmen, aber alle Nein-Stimmen kamen von der Opposition. Bei der Abstimmung über den Beitritt der Bundesrepublik zur Charta der Vereinten Nationen zerfiel die Union in zwei Lager: Unter den 364 Ja-Stimmen waren auch 99 aus der CDU; die 121 Gegenstimmen kamen hingegen ausschließlich aus der Union. Der Grundlagenvertrag war aber damit noch nicht unter Dach und Fach. Am 22. Mai, drei Tage vor der Ratifizierungsdebatte im Bundesrat, beschloß die Bayerische Staatsregierung, den Grundlagenvertrag vom Bundesverfassungsgericht auf seine Vereinbarkeit mit dem Grundgesetz prüfen zu lassen. Gleichzeitig stellte sie den Antrag, das Bundesverfassungsgericht möge eine einstweilige Anordnung dahin erlassen, daß der Bundespräsident die Gegenzeichnung des Grundlagenvertrags so lange auszusetzen habe, bis das Gericht über die Normenkontrollklage der Bayerischen Staatsregierung entschieden habe.

Damit wurde der Streit um den Grundlagenvertrag von Bonn nach Karlsruhe verlagert, eine politische Frage in eine Rechtsfrage verwandelt. Am 25. Mai verzichtete der Bundesrat, in dem die von der Union regierten Länder die Mehrheit hatten, auf einen Einspruch gegen den Grundlagenvertrag und stimmte dem Gesetz über den Beitritt zu den Vereinten Nationen zu. Am 18. Juni lehnte das Bundesverfassungsgericht den Erlaß einer einstweiligen Anordnung gegen das Inkrafttreten des Grundlagenvertrags ab. Zwei Tage später tauschten Bundesminister Egon Bahr und der Staatssekretär beim Ministerrat der DDR, Michael Kohl, in Bonn Noten aus, in denen sich beide Regierungen wechselseitig mitteilten, daß das Ratifizierungsverfahren abgeschlossen sei. Am 21. Juni 1973 traten der Grundlagenvertrag und die ihn begleitenden zusätzlichen Vereinbarungen in Kraft.

Sein Urteil in dem von der Bayerischen Staatsregierung angestrengten Normenkontrollverfahren fällte das Bundesverfassungsgericht am 31. Juli 1973. Der Grundlagenvertrag war demnach mit dem Grundgesetz vereinbar. Zugleich betonte das Gericht aber im Einklang mit seiner bisherigen Rechtsprechung, daß das Deutsche Reich fortbestehe und die Bundesrepublik als Staat mit ihm identisch, in bezug auf seine räumliche Ausdehnung allerdings nur «teilidentisch» sei. Die Verfassungsorgane durften die Wiederherstellung der staatlichen Einheit folglich als politisches Ziel nicht aufgeben, sondern waren verpflichtet, in ihrer Politik auf die Erreichung dieses Ziels hinzuwirken und alles zu unterlassen, was die Wiedervereinigung vereiteln würde. Die DDR war als Teil Deutschlands Inland und nicht Ausland; die Grenzen zwischen beiden deutschen Staaten waren demnach den Grenzen zwischen Ländern der Bundesrepublik «ähnlich»; Bürger der DDR, die in den Schutzbereich der Bundesrepublik und ihrer Verfassung gerieten, waren wie Bürger der Bundesrepublik zu behandeln. Zusammenfassend bescheinigte das Gericht dem Grundlagenvertrag einen «Doppelcharakter»: «Er ist seiner Art nach ein völkerrechtlicher Vertrag, seinem spezifischen Inhalt nach ein Vertrag, der vor allem inter-se-Beziehungen regelt.»

Damit war die nationalstaatliche Lösung der deutschen Frage in verbindlicherer und restriktiverer Form festgeschrieben, als das 1949 durch den Parlamentarischen Rat geschehen war. Die Bayerische Staatsregierung und die Union konnten darin einen Erfolg sehen. Aber es entbehrte nicht der Ironie, daß das Karlsruher Urteil von einer Regierung der CSU erstritten wurde – jener Partei, deren Vorsitzender Franz Josef Strauß sechs Jahre zuvor als erster deutscher Politiker einem deutschen Nationalstaat, und sei es auch nur in den Grenzen der vier Besatzungszonen, eine klare Absage erteilt hatte.

Eine Wirkung des Grundlagenvertrags war schon eingetreten, bevor er in Kraft trat. Noch im Dezember 1972 konnte die DDR zu zwanzig Staaten, von denen sie bisher nicht anerkannt worden war, diplomatische Beziehungen aufnehmen. Im Januar 1973 folgten weitere 13 Staaten, darunter Mitglieder der NATO wie Italien und die Niederlande. 1974 erkannten auch die USA die DDR an. 1978 unterhielt die DDR mit insgesamt 123 Staaten diplomatische Beziehungen.

Am 18. September 1973 wurden die DDR als 133. und die Bundesrepublik als 134. Staat in die Vereinten Nationen aufgenommen. Die deutsche Zweistaatlichkeit war nun von Ost und West international anerkannt. Die beiden deutschen Staaten konnten fortan keinen Druck mehr auf dritte Staaten ausüben, die diplomatische Beziehungen zum jeweils anderen deutschen Staat aufzunehmen gedachten. Die Bundesrepublik und die DDR waren damit aber auch weniger als zuvor vom Wohlverhalten anderer Staaten abhängig. Beide gewannen an außenpolitischem Handlungsspielraum; beide verabschiedeten sich, wie es schien, endgültig vom provisorischen Charakter ihrer Gründung im Jahre 1949. Wie sie ihr Verhältnis zueinander gestalten würden: diese Frage war mit dem Inkrafttreten des Grundlagenvertrags noch nicht entschieden.[20]

4.
Annäherung und Entfremdung:
1973–1989

Am 18. Mai 1973, eine Woche nachdem der Bundestag das Ratifizierungsgesetz zum Grundlagenvertrag mit der DDR verabschiedet hatte, traf Leonid Breschnew an der Spitze einer großen Delegation zu einem Besuch in Bonn ein. Dem Generalsekretär der KPdSU lag vor allem am Ausbau der wirtschaftlichen, industriellen und technischen Zusammenarbeit mit der Bundesrepublik. Entsprechende Abkommen sowie ein weiteres, das die kulturellen Beziehungen betraf, wurden am 19. Mai unterzeichnet. Brandt und Breschnew sprachen über die Konferenz über Sicherheit und Zusammenarbeit in Europa, die Ende Juni in Helsinki begann (und dort zwei Jahre später ihren Abschluß fand) sowie über die bevorstehenden Wiener Verhandlungen über eine beiderseitige ausgewogene Truppenverminderung. Mit dem Thema «Berlin» befaßten sich Gromyko und Bahr.

Im Abschlußkommuniqué hieß es dazu, die «strikte Einhaltung und volle Anwendung» des Berlin-Abkommens sei «eine wesentliche Voraussetzung für eine dauerhafte Entspannung im Zentrum Europas und für eine Verbesserung der Beziehungen zwischen den entsprechenden Staaten, insbesondere zwischen der Bundesrepublik Deutschland und der Sowjetunion». Brandt sah in dieser Formel einen Fortschritt. Doch die Praxis rechtfertigte den Optimismus des Kanzlers nicht. Die Sowjetunion behandelte West-Berlin weiter als besondere politische Einheit und weigerte sich etwa, Bundesinstitute, die im Westteil der Stadt ansässig waren, in einen Vertrag über die wissenschaftlich-technische Zusammenarbeit einzubeziehen. Zur Begründung verwies die Sowjetunion auf die Absicht der Bundesregierung, das Umweltbundesamt in Berlin zu errichten – ein Vorhaben, das Moskau als Provokation bewertete. Der wirkliche Grund der harten Haltung lag klar zutage: Der Kreml nahm Rücksicht auf die Wünsche der DDR.

Die Führung der DDR war im Grundlagenvertrag nach eigener Einschätzung nicht nur Bonn, sondern auch Moskau weit entgegengekommen. Nachdem der Vertrag unterzeichnet war, ging es Ost-Berlin darum, die Beziehungen zum anderen deutschen Staat in eigene Regie zu nehmen. Der Bundesregierung mußte also klargemacht werden, daß sie mit der DDR und nicht mit der Sowjetunion zu verhandeln hatte, wenn sie das Verhältnis zwischen beiden Staaten verbessern wollte. Als Druckmittel eigneten sich hierfür aus der Sicht der SED besonders humanitäre Fragen wie die Zusammenführung getrennter Familien und der Freikauf politischer Häftlinge – Probleme, die seit vielen Jahren zwischen dem Bundesministerium für gesamtdeutsche Fragen, seit 1969 für innerdeutsche Beziehungen, und dem Ost-Berliner Rechtsanwalt Wolfgang Vogel geregelt wurden.

Seit der Unterzeichnung des Grundlagenvertrages im Dezember 1972 geschah auf der «Anwaltsebene» nichts mehr. Die von Bahr angestrebte, von der DDR zunächst zugesagte Neuregelung, die auf verbindlich vereinbarte Ausreisequoten hinauslaufen sollte, kam nicht zustande. Betroffen waren 2 000 Bürger der DDR, die den ostdeutschen Staat nicht verlassen durften, obwohl ihnen die Ausreise Ende Dezember 1972 genehmigt worden war – die sogenannten «Notfälle». Zu ihrem Anwalt machte sich Herbert Wehner, seit seiner Zeit als Bundesminister für gesamtdeutsche Fragen mit den Ausreiseproblemen bestens vertraut. Erich Honecker, der den jetzigen Fraktionsvorsitzenden der SPD aus der Zeit nach 1933 kannte, in der beide als Kommunisten gegen den Anschluß des Saargebiets gekämpft hatten, ließ Wehner im Februar 1973 die Botschaft zukommen, er, Honecker, würde gern mit ihm über die Vorbereitung eines deutsch-deutschen Gipfeltreffens sprechen. Im April wurde die Einladung erneuert. Am 30. Mai fuhr Wehner in die DDR. Informiert waren Brandt, Schmidt und Scheel sowie Wolfgang Mischnick, der Fraktionsvorsitzende der FDP, der wie Wehner aus Dresden stammte, aus privaten Gründen um dieselbe Zeit in der DDR weilte und von Wehner gebeten worden war, ebenfalls mit Honecker zu sprechen.

Am Abend des 30. Mai traf sich Wehner in Ost-Berlin mit Abgeordneten der Volkskammer zu einem Abendessen, bei dem er sich abschätzig über eine Parteifreundin, die Präsidentin des Deutschen Bundestages, Annemarie Renger, äußerte und die aufschlußreiche Mitteilung machte, nach der Invasion der Warschauer-Pakt-Staaten in der Tschechoslowakei am 21. August 1968 habe er im Kabinett Kiesinger die folgende Einschätzung vorgetragen: «Er habe die Dinge kommen sehen und damit gerechnet, denn es gelte auch für die Warschauer-Paktstaaten, wenn es an die Substanz geht, müsse man alle Machtmittel einsetzen. Die Dubček-Anhänger in der BRD hätten im Grunde genommen auf das falsche Pferd gesetzt.»

Tags darauf fand bei Wandlitz in der Schorfheide das Treffen zwischen Honecker und Wehner statt, zu denen später auch noch Mischnick hinzustieß. Als der Staatsratsvorsitzende während des Gesprächs mit Wehner jene Formeln in der Regierungserklärung Brandts kritisierte, die auf die Einheit der deutschen Nation und das «Sonderverhältnis» zwischen beiden deutschen Staaten abzielten, erwiderte der Fraktionsvorsitzende Honeckers Aufzeichnung zufolge, «er billige diese Darlegungen Willy Brandts nicht und halte sie für einen Fehler, aber auf Grund seiner Loyalität gegenüber dem Bundeskanzler müsse er sagen, daß Brandt mit diesen Ausführungen das Beste, wenn auch mit illusionären Absichten verfolge. Ihm sei klar, so erklärte er, daß mit dem geschaffenen Vertragssystem alle Probleme geregelt wären und jeder Versuch, die bestehenden Realitäten ändern zu wollen, ins Abenteurertum führen würde.»

Wehner kam der DDR, ohne dazu von der Bundesregierung ermächtigt zu sein, sehr viel weiter entgegen, als diese für verantwortbar hielt. Ihm erschien es falsch und gefährlich, daß Brandt und Bahr ihre Ost- und Deutschlandpolitik auch nach der Unterzeichnung des Grundlagenvertrages ganz auf Moskau und nicht auf Ost-Berlin ausrichteten, daß andere Sozialdemokraten wie der Regierende Bürgermeister von Berlin, Klaus Schütz, und die Bundestagspräsidentin Renger neuerdings das volle Stimmrecht für die Berliner Bundestagsabgeordneten forderten und damit, so sah *er* es, das Berlin-Abkommen politisch noch mehr überfrachteten als Brandt und Bahr mit ihrem Vorhaben, das Umweltbundesamt in West-Berlin zu errichten. Die deutsch-deutschen Beziehungen waren dadurch nach Wehners Meinung in eine Krise geraten, und die wollte er durch seine Gespräche in der DDR überwinden helfen.

Als Motiv seiner «Nebenaußenpolitik» spielten bei Wehner humanitäre Fragen gewiß eine wichtige, nicht bloß vorgeschobene Rolle, und auf diesem Gebiet konnte er auch einen Erfolg verbuchen: Der Häftlingsfreikauf und die Zusammenführung getrennter Familien kamen nach seiner Begegnung mit Honecker wieder in Gang. Aber längerfristig ging es dem zur Sozialdemokratie konvertierten ehemaligen Kommunisten offenkundig um sehr viel mehr als um menschliche Erleichterungen und ein besseres Verhältnis zwischen Bonn und Ost-Berlin. Durch Verzicht auf alles, was nach seiner Meinung für die SED nicht zumutbar war, darunter auch das Festhalten am Begriff der *einen* deutschen Nation, wollte er dazu beitragen, daß die gespaltene deutsche Arbeiterklasse allmählich wieder zusammenwuchs.

Der Preis, den Wehner für seine Vision einer durch Klasseneinheit vermittelten nationalen Einheit zahlte, war hoch. Er gab nicht nur Rechtspositionen der Bundesrepublik, sondern auch moralische Positionen des Westens preis. Er ließ die «andere Seite» wissen, daß er, im Interesse der Stabilität der Ost-West-Beziehungen und namentlich des deutsch-deutschen Verhältnisses, volles Verständnis auch für die gewaltsame Niederschlagung freiheitlicher Bestrebungen im Bereich des Warschauer Pakts habe. Der Dialektiker Wehner versuchte sich an einem dialektischen Umschlag: Er schickte sich an, den alten Sonderkonflikt der Bundesrepublik mit dem Osten durch einen neuen Sonderkonsens abzulösen und so den Wechsel von einer «konservativen» zu einer spezifisch «sozialdemokratischen» Außen- und Deutschlandpolitik zu vollenden.

Dem Bundeskanzler Willy Brandt gegenüber tat er im Mai 1973 genau das, was er in Abrede stellte: Er verhielt sich illoyal. Brandt und andere Sozialdemokraten erfuhren damals nicht, was Wehner in der DDR über sie gesagt hatte – ebensowenig, was er sich seitens seiner Gesprächspartner angehört hatte, ohne ihnen zu widersprechen. Wie weit Wehner in Berlin und in der Schorfheide tatsächlich gegangen war, kam der Nachwelt erst geraume Zeit nach seinem Tod am 19. Januar 1990 zur Kenntnis – im Gefolge der Öffnung der Archive der DDR nach der Wiedervereinigung.

Wehners Besuch in der DDR folgte Ende September eine Reise, die ihn als Mitglied einer Delegation des Bundestages nach Moskau führte. Es war sein erstes Wiedersehen mit der Stadt, in der er in der Zeit Hitlers und Stalins, von 1935 bis 1942, gelebt hatte, bevor er von der Komintern nach Schweden geschickt wurde (wo er mit dem Kommunismus brach). Äußerungen, die er vor dem Abflug gegenüber Mischnick tat, lassen darauf schließen, daß er sich vor dieser Reise und den damit verbundenen Erinnerungen fürchtete. Kaum in Moskau angelangt, kritisierte er am 24. September in einem Fernsehinterview die Berlinpolitik der Bundesregierung. In den Tagen danach machte Wehner in Gegenwart von Journalisten hämische, ja verächtliche Bemerkungen über Willy Brandt. Die «Nummer eins» sei «entrückt» und «abgeschlafft», vernahmen die Zuhörer; der Kanzler bade «gern lau – so in einem Schaumbad». Der «Spiegel» zitierte einen weiteren Satz, der in der Bundesrepublik größtes Aufsehen erregte: «Was der Regierung fehlt, ist ein Kopf.» Das bezog sich allerdings nicht auf Brandt, sondern auf einen hochrangigen, unabhängigen Kontaktmann zum Osten, den es, was Wehner beklagte, nicht gab.

Als Brandt von Wehners Moskauer Ausfällen erfuhr, befand er sich in Amerika. Anlaß der Reise war die Aufnahme der Bundesrepublik in die Vereinten Nationen. Am 26. September hatte der Kanzler eine Rede vor der Vollversammlung gehalten; die Agenturmeldung aus Moskau erreichte ihn tags darauf bei einer Zwischenlandung auf dem Flug von Chicago nach Aspen in Colorado, wo er einen Preis des Aspen-Instituts entgegennehmen sollte. Brandt kehrte früher als geplant nach Bonn zurück – entschlossen, Wehners Ablösung vom Fraktionsvorsitz zu verlangen. Dies wäre in der Tat die angemessene Antwort auf Wehners Herausforderung und eine einzigartige Gelegenheit gewesen, der Partei und der Öffentlichkeit zu beweisen, daß Brandt noch über das verfügte, was viele seit Ende 1972 an ihm vermißten: Führungsstärke. Doch der offene Bruch blieb aus. Der Fraktionsvorsitzende zeigte sich reuig, und sein Rückhalt in Partei und Fraktion war immer noch beträchtlich. Brandt scheute den offenen Konflikt und bestätigte damit das Bild, das Wehner von ihm gezeichnet hatte.

Der Herbst 1973 stand ganz im Zeichen eines neuen Nahostkrieges, des Jom-Kippur-Krieges, der am 6. Oktober ausbrach, und seiner unmittelbaren Folge: des Beschlusses der erdölproduzierenden arabischen Länder vom 17. Oktober, die israelfreundliche Politik der westlichen Staaten mit einer Drosselung der Ölexporte zu beantworten. Am 4. November folgte der Beschluß der arabischen Erdölländer, die Ölförderung so lange um 25 % einzuschränken, bis die von Israel im Sechstagekrieg von 1967 besetzten Gebiete geräumt und die Rechte des palästinensischen Volkes wiederhergestellt waren. Bundesregierung und Bundestag reagierten mit einem Energiesicherungsgesetz, das am 10. November in Kraft trat und Verbrauchsbeschränkungen für Mineralöl und Erdgas erlaubte. Am 19. November ordnete Bundeswirtschaftsminister Friderichs für die folgenden vier Sonntage Fahrverbote für Kraftfahrzeuge und für die folgenden sechs Monate Geschwindigkeitsbeschränkungen auf Autobahnen und Landstraßen an: Maßnahmen, die viel dazu beitrugen, daß der «Ölpreisschock» sich dem kollektiven Bewußtsein der Bundesbürger tief einprägte. Eine der Folgen von Jom-Kippur-Krieg und Ölkrise war eine Krise der transatlantischen Beziehungen. Die neun Regierungen der Europäischen Gemeinschaft hatten bereits am 13. Oktober die kämpfenden Parteien in Nahost zur Einstellung der Feindseligkeiten aufgefordert. Am 6. November folgte die Erklärung, Israel solle, den einschlägigen Resolutionen des Sicherheitsrates der Vereinten Nationen entsprechend, die 1967 besetzten Gebiete räumen. Beide Verlautbarungen lagen auf der Linie der 1970 vereinbarten «Europäischen Politischen Zusammenarbeit», ließen aber auch das materielle Interesse Westeuropas an preisgünstigen Erdöllieferungen aus den arabischen Ländern erkennen.

Die USA, die Israel unterstützten, stellten daraufhin klar, daß sie nicht bereit seien, weitere derartige Demonstrationen von «europäischer Identität» hinzunehmen. In den folgenden Monaten wurden die Staaten der Europäischen Gemeinschaft mehrfach nachdrücklich daran erinnert, wem sie ihre Freiheit und ihre Sicherheit vor allem verdankten. Außerdem mußte sich die EG sagen lassen, daß sie lediglich regionale, die USA hingegen globale Interessen wahrzunehmen hätten.

Was Ende 1973 sonst noch geschah, fand deutlich weniger Aufmerksamkeit als die Nahost- und die Ölkrise. Am 11. Dezember unterzeichneten Bundeskanzler Brandt und Ministerpräsident Strougal zusammen mit den Außenministern Scheel und Chnoupek den letzten der Ostverträge, den Prager Vertrag. Er beendete die langwierige Auseinandersetzung um die völkerrechtliche Bewertung des Münchner Abkommens von 1938. Beide Seiten einigten sich darauf, daß dieses, unter Hitlers erpresserischem Druck unterzeichnete Abkommen «im Hinblick auf ihre gegenseitigen Beziehungen nach Maßgabe dieses Vertrages als nichtig» zu betrachten sei. Diese Formel blieb hinter der von Prag lange geforderten Nichtigkeit «ex tunc», also von Anfang an, zurück und trug der Position der Bundesrepublik Rechnung, wonach der Vertrag fortwirkende Rechtswirkungen des Münchner Abkommens wie die Staatsangehörigkeit der Sudetendeutschen nicht berühren und materielle Ansprüche der ČSSR an die Bundesrepublik nicht begründen durfte. Artikel II hielt das denn auch ausdrücklich fest. Noch am gleichen Tag nahmen Prag und Bonn diplomatische Beziehungen auf. Am 21. Dezember folgte die Aufnahme diplomatischer Beziehungen zu Bulgarien und Ungarn.

Zufrieden konnte die Bundesregierung mit dem Stand der Ostpolitik am Jahresende dennoch nicht sein. Am 30. Dezember beklagte sich Bundeskanzler Brandt in einem Brief an Generalsekretär Breschnew, daß die Beziehungen zwischen der Bundesrepublik und der Sowjetunion noch viel zu wünschen übrig ließen. Brandt nannte den anhaltenden Streit um die Ein-

beziehung West-Berlins in mehrere Abkommen. Die größte Sorge aber bereitete dem Kanzler die Entwicklung des Verhältnisses zur DDR. «Wir stehen unter dem Eindruck, daß die DDR seit ihrem Beitritt zu den Vereinten
Nationen kaum noch geneigt ist, irgendwelche Anstrengungen zu machen,
um zu einer Normalisierung mit der Bundesrepublik Deutschland zu kommen.»

Als Beispiel führte Brandt die Verdoppelung des Mindestumtausches für
Besucher der DDR am 15. November an – eine Regelung, die besonders
Rentner hart traf und die Zahl der Einreisen aus der Bundesrepublik und
West-Berlin in die DDR halbierte. «Der sowjetischen Seite mag nicht bewußt sein», schrieb Brandt, «wie negativ der Eindruck ist, den diese und
andere Maßnahmen der DDR auf unsere Öffentlichkeit gemacht haben.
Die Situation, die sich ergeben hat, zwingt mich, Sie auf die Gefahr hinzu-
weisen, daß eine derart negative Entwicklung die Bemühungen meiner Regierung um die Erweiterung der Politik der Entspannung erheblich gefährden könnte.» An Breschnew erging die Bitte, auf die DDR im Sinne der
Bonner Erwartungen einzuwirken.

Der Aufruf fand kein Gehör. Als die Bundesrepublik Anfang 1974 das
Umweltbundesamt in West-Berlin errichtete, ging die DDR unter Verletzung des Transitabkommens dazu über, den Verkehr zwischen der Bundesrepublik und West-Berlin zu behindern. Seit Juli verweigerte sie Angehörigen des Umweltbundesamtes die Durchreise von und nach West-Berlin.
Wie in früheren Jahren konnte sich die DDR dabei der vollen Rückendeckung der Sowjetunion sicher sein.[1]

Die Rückschläge auf dem Gebiet der Ostpolitik waren nur eine der Entwicklungen, die dem Prestige des Kanzlers Abbruch taten. Von Juni 1973
bis März 1974 tagte der parlamentarische Untersuchungsausschuß, der
Licht in die Steiner-Wienand-Affäre bringen sollte. Er förderte zwar, auch
auf Grund der Mehrheitsverhältnisse, keine eindeutigen Ergebnisse zutage.
Aber es blieb der dringende Verdacht, daß Brandt am 27. April 1972, dem
Tag des Mißtrauensantrags der CDU/CSU, auf Grund von Geldzahlungen
an mindestens einen Abgeordneten der Opposition Kanzler geblieben war,
und das verstörte viele seiner Anhänger.

Dazu kam der Eindruck einer hilflosen Regierung – hervorgerufen durch
die Fluglotsen, beamtete Angehörige des öffentlichen Dienstes, die ein halbes Jahr lang und zwar zur Haupturlaubszeit, von Ende Mai bis Ende November 1973, für chaotische Zustände auf den Flughäfen sorgten, um auf
diese Weise ihrer Forderung nach höheren Gehältern Nachdruck zu verleihen. Der Eindruck von Führungsschwäche verfestigte sich, als die öffentlichen Arbeitgeber am 13. Februar 1974, nach einer Serie von Warn-
streiks und schließlich einem bundesweiten Streik, den Arbeitnehmern des
öffentlichen Dienstes eine Steigerung von Löhnen und Gehältern um 11 %
gewährten. Da Brandt die in der Tat maßlosen Forderungen der Gewerkschaft Öffentliche Dienste, Transport und Verkehr zuvor scharf zurückge-

wiesen hatte, konnte die Öffentlichkeit das Nachgeben der Bundesregierung nur als Kapitulation empfinden. «Der Verlust an Staatsautorität... läßt sich auf keine Weise rechtfertigen», schrieb der Journalist Rolf Zundel am 15. Februar 1974 in der «Zeit».»Und er wiegt noch schwerer als das ramponierte Ansehen der gegenwärtigen Regierung.»

Einem Autoritätsverfall sah sich Brandt 1973/74 nicht nur als Bundeskanzler, sondern auch als Parteivorsitzender ausgesetzt. Aus dem Hannoveraner Parteitag im April 1973 war er politisch gestärkt hervorgegangen. Das anhaltende Drängen der Jungsozialisten auf «systemverändernde Reformen» nach Art des in Hannover beschlossenen Berufsverbots für Makler überforderte aber auf die Dauer seinen Willen und seine Fähigkeit zur Integration der jungen Rebellen. Am 9. September 1973 warnte er im Parteivorstand ausdrücklich vor «selbstzerstörerischen Tendenzen» und «Selbstzerfleischung», ja vor der Gefahr einer Parteispaltung.

Als die Jungsozialisten sich im Januar 1974 auf ihrem Münchner Bundeskongreß auf eine, innerhalb und außerhalb der SPD zu verfolgende, sozialistische «Doppelstrategie» festlegten, antwortete der Parteivorstand mit einer scharfen Zurechtweisung. Am 2. April ging Brandt mit einer vom Parteivorstand gebilligten, in zehn Punkte gegliederten Erklärung, den sogenannten «Aprilthesen», erneut an die Öffentlichkeit. «Eine Doppelstrategie gegen die eigene Partei darf es nicht geben», hieß es darin. «Die Mehrheitsmeinung der Partei hat Grundlage ihrer Öffentlichkeitsarbeit zu sein.» Die Kernaussage lautete: «Ohne die Mitte gibt es in der Demokratie keine Mehrheit. Wer die Mitte preisgibt, opfert seine Regierungsfähigkeit. Sozialdemokratische Entschlossenheit bedeutet, die Mitte zu behaupten.»

Brandt war wieder in die Offensive gegangen. Er wirkte kämpferischer als in den Monaten zuvor, und sein Optimismus begann auf die Partei auszustrahlen. Am 19. April brach er zu einem offiziellen Besuch in zwei arabische Länder, Algerien und Ägypten, auf. Am 25. April, einem Tag nach seiner Rückkehr, erfuhr die Öffentlichkeit durch die Bundesanwaltschaft von einem Ereignis, dessen Folgen zunächst noch nicht absehbar waren: Ein enger Mitarbeiter Brandts im Bundeskanzleramt, Günter Guillaume, war unter dem Verdacht der Spionage für die DDR festgenommen worden.

Guillaume, hauptamtlicher Mitarbeiter des Ost-Berliner Ministeriums für Staatssicherheit im Rang eines «Offiziers im besonderen Einsatz» und Offizier der Nationalen Volksarmee, war 1956, als Flüchtling getarnt, zusammen mit seiner Frau Christel in die Bundesrepublik gekommen und seitdem für die DDR nachrichtendienstlich tätig. 1957 trat er in Frankfurt in die SPD ein, die ihn bald mit einer Reihe von Aufgaben und Ämtern betraute. Seit Anfang 1970 arbeitete der erfolgreiche Funktionär im Bundeskanzleramt, wo er, wie das Presse- und Informationsamt der Bundesregierung mitteilte, mit der Organisation von Parteiterminen des Bundeskanzlers sowie mit dem Schriftverkehr mit Gliederungen der SPD befaßt war. Kurz darauf kam noch sehr viel mehr heraus. Guillaume hatte Brandt

1973 in den Sommerurlaub nach Norwegen begleitet und dort Zugang zu streng geheimen Dokumenten der NATO gehabt. Als Begleiter auf vielen Reisen war er auch mit Brandts Privatleben vertraut; die Boulevardpresse sprach in diesem Zusammenhang genüßlich von einer Reihe von «Frauengeschichten».

Verdacht gegen Guillaume war im Bundesamt für Verfassungsschutz schon im Mai 1973 aufgekommen. Der Präsident des Amtes, Günther Nollau, informierte Ende Mai, wenn auch nur in sehr allgemeiner Form, Bundesinnenminister Genscher; dieser setzte Brandt in Kenntnis. Nach Rücksprache mit Nollau empfahl Genscher dem Kanzler, Guillaume, wie geplant, mit nach Norwegen zu nehmen. Die Motive der beiden Ratgeber waren unterschiedlicher Natur: Der Innenminister nahm den Verdacht nicht besonders ernst; der Präsident des Bundesamtes für Verfassungsschutz wollte den Bundeskanzler als Lockvogel einsetzen, um Guillaume der Agententätigkeit zu überführen. Da Brandt von der Angelegenheit lange nichts mehr hörte, kam er zu dem Schluß, daß der Verdacht offenbar unbegründet war – und vergaß ihn. Erst am 1. März 1974 erfuhr er von Nollau, daß Guillaume in den nächsten zwei bis drei Wochen verhaftet werden solle.

Fahrlässigkeit in der Affäre Guillaume hatten sich viele vorzuwerfen: der ehemalige Chef des Kanzleramts, Horst Ehmke, der Guillaume trotz fehlender fachlicher Voraussetzungen eingestellt hatte; sein Nachfolger Horst Grabert, der, nachdem er von Brandt über den Verdacht gegen seinen Referenten informiert worden war, keine Sicherheitsvorkehrungen gegen Guillaume veranlaßte; Nollau, der die Verdachtsmomente, die gegen Guillaume sprachen, bewußt untertrieb; Genscher, der Nollaus unverantwortliche Empfehlung, den Urlaub in Norwegen betreffend, befürwortend an den Kanzler weitergab und von sich aus nichts tat, um dem Verrat militärischer und anderer Staatsgeheimnisse vorzubeugen; Brandt selbst, der sich im Fall Guillaume von Anfang an leichtfertig verhielt.

Im Rückblick, nach der Verhaftung Guillaumes, beurteilte der Bundeskanzler seine Rolle sehr selbstkritisch. Der Gedanke an Rücktritt kam ihm, Tagebuchnotizen zufolge, schon am 29. April. Doch zunächst wollte er tun, was auch seine engsten Berater für aussichtsreich und geboten hielten: die Affäre kämpferisch durchstehen. Am 4. Mai wendete sich das Blatt. In der Tagungsstätte der Friedrich-Ebert-Stiftung in Bad Münstereifel berichtete ihm Herbert Wehner über das, was er tags zuvor von seinem sächsischen Landsmann Nollau über das «Privatleben» des Kanzlers erfahren hatte. Wehner forderte zwar nicht direkt den Verzicht auf das Kanzleramt, ließ jedoch keinen Zweifel daran, daß das aus seiner Sicht die nächstliegende, wenn nicht die einzig realistische Lösung war.

Damit waren für Brandt die Würfel gefallen. Er faßte den Entschluß, von seinem Staatsamt zurückzutreten, und ließ sich auch von engen politischen Freunden wie Holger Börner, dem Bundesgeschäftsführer der SPD, und

Karl Ravens, dem Parlamentarischen Staatssekretär im Bundeskanzleramt, nicht mehr umstimmen. Am 5. Mai teilte er seine Entscheidung den in Münstereifel versammelten führenden Sozialdemokraten mit. Als Nachfolger benannte er Helmut Schmidt, der Brandt in den Monaten zuvor Führungsschwäche vorgeworfen hatte, ihn aber jetzt zum Ausharren aufforderte. Am 6. Mai bat Brandt Bundespräsident Heinemann um seine Entlassung aus dem Amt des Bundeskanzlers. «Ich übernehme die politische Verantwortung für Fahrlässigkeiten im Zusammenhang mit der Agentenaffäre Guillaume»: So lautete die Begründung des Schritts, der weltweit als Sensation empfunden wurde.

Von der Verantwortung anderer sprach Brandt in seinem Brief an Heinemann nicht. Hans-Dietrich Genscher war in höherem Maß als er selbst für die Entwicklung der Affäre verantwortlich, konnte aber nicht zurücktreten, ohne die sozialliberale Koalition in eine schwere Krise zu stürzen. Denn am 15. Mai stand die Wahl eines Nachfolgers von Gustav Heinemann an, der aus Altersgründen auf eine zweite Amtszeit verzichtet hatte. Kandidat der Koalition für das Amt des Bundespräsidenten war Außenminister Walter Scheel; Kandidat für die Nachfolge Scheels als Außenminister und Vorsitzender der FDP war Genscher.

Theoretisch mußte Brandt nicht die Konsequenzen aus dem Fall Guillaume ziehen, für die er sich am 4. Mai entschied. Wenn er nach der Bundestagswahl vom November 1972 mehr Fortüne gehabt und mehr Kampfwillen bewiesen hätte, wäre er wohl imstande gewesen, die Enttarnung und Verhaftung seines Referenten als Regierungschef zu überleben. Ein politisch starker Willy Brandt hätte die SPD im Herbst 1973, nach Wehners Moskauer Eklat, vor die Alternative gestellt, sich zwischen dem Fraktionsvorsitzenden und ihm zu entscheiden. Er wäre nach Lage der Dinge als Sieger aus diesem politischen Zweikampf hervorgegangen und im Mai 1974 nicht vom Willen oder Unwillen Wehners abhängig gewesen. Aber so wie die Verhältnisse sich seit dem Spätjahr 1972 entwickelt hatten, blieb Brandt in der Tat nur der Rücktritt vom Amt des Bundeskanzlers übrig. Es war für ihn die einzige Möglichkeit, sein persönliches Ansehen zu bewahren und das Amt des Parteivorsitzenden zu behalten.

In der Regierungszeit des Bundeskanzlers Willy Brandt hatte sich das Gesicht der Bundesrepublik gründlicher verändert als unter seinen Vorgängern Kiesinger und Erhard. Der Historiker Manfred Görtemaker hat mit Recht von einer «Umgründung der Republik» nach 1968 gesprochen. Auch die Weimarer Republik hatte eine «Umgründung» erlebt, freilich in anderer Richtung und mit anderer Wirkung. 1925 leitete Hindenburgs Wahl zum Reichspräsidenten eine konservative Umwandlung der ersten deutschen Demokratie ein – einen Prozeß, der schließlich in die Auflösung der Republik mündete. Brandts Wahl zum Bundeskanzler im Jahr 1969 stand am Beginn einer sozialliberalen Erneuerung und Festigung der zweiten deutschen Demokratie: Die inneren Reformen der Ära Brandt blieben zwar hinter den Erwartungen vieler Wähler zurück, und sie hatten nicht durchweg Bestand. Aber sie bewiesen doch die Fähigkeit des demokratischen Systems, sich auf gesellschaftliche Veränderungen einzustellen und diese voranzutreiben – eine Fähigkeit, die die Außerparlamentarische Opposition der Bundesrepublik weithin abgesprochen hatte.

Die tiefsten Spuren hinterließ Brandt auf außenpolitischem Gebiet. Das Fundament der Westintegration, das Adenauer gelegt hatte, war der sichere Boden, auf dem Brandt zwischen 1969 und 1973 die Öffnung nach Osten vollzog. Die Bundesrepublik wurde im Rahmen des Möglichen ein «normaler» westlicher Staat, weil sie den von Richard Löwenthal 1974, im Jahr des Rücktritts von Brandt, so genannten «Sonderkonflikt der Bundesrepublik mit der Sowjetunion und dem Sowjetblock» überwand und dadurch eine Gefahr bannte, in die Bonn seit der zweiten Hälfte der fünfziger Jahre immer wieder geraten war: die Gefahr der außenpolitischen Isolierung.

Brandts politische Biographie trug wesentlich zum Erfolg seiner Ostpolitik bei. Niemand konnte daran zweifeln, daß er stets ein aktiver Gegner Hitlers gewesen war. Das half ihm als Bundeskanzler ebenso wie das gleichermaßen «nationale» wie «westliche» Profil, das er sich als Regierender Bürgermeister von Berlin erworben hatte. Das internationale Vertrauen, das ihm als Außenminister und als Bundeskanzler zuwuchs, festigte das demokratische Selbstvertrauen der Bundesrepublik. Und obwohl er nur knapp fünf Jahre an der Spitze der Bundesregierung stand, ist sein historischer Rang doch längst dem Parteienstreit entzogen: Er war der bedeutendste Kanzler seit Adenauer.[2]

Brandts Rücktritt war das ungewollte Werk der DDR. Günter Guillaume und seine Frau Christel, die den ersten sozialdemokratischen Kanzler zu Fall brachten, hatten mit ihrer Agententätigkeit im selben Jahr 1956 begonnen, in dem das Bundesverfassungsgericht auf Antrag der Bundesregierung die KPD verbot. Die KPD hatte schon in der Weimarer Republik in ihren illegalen Apparaten die Methoden entwickelt, mit denen Guillaumes Auftraggeber, das Ministerium für Staatssicherheit der DDR, den «Klassenfeind» im Westen Deutschlands bekämpfte: «Zersetzung» durch Verbreitung gefälschter Nachrichten (etwa über den Bundespräsidenten Heinrich Lübke als «KZ-Baumeister»), gezielte Provokationen (wie die Vortäuschung antisemitischer Umtriebe), verdeckte Unterstützung von Terrorakten Dritter (in diesem Fall der RAF) und flächendeckende Spionage.

Spionage wurde nicht nur von hauptamtlichen Agenten wie Guillaume betrieben, sondern auch von 20 000 bis 30 000 Bundesbürgern, die zwischen 1950 und 1990 als Inoffizielle Mitarbeiter für das Ministerium für Staatssicherheit tätig wurden. Viele waren ehemalige Bürger der DDR, die im Auftrag des MfS in die Bundesrepublik übergesiedelt waren; die meisten aber waren «geborene» Bundesbürger. Sympathie mit dem anderen, dem «antifaschistischen» deutschen Staat war, vor allem seit der Linksschwenkung an den Hochschulen in der zweiten Hälfte der sechziger Jahre, das Hauptmotiv nachrichtendienstlicher Arbeit für die DDR. «Germany's Cold Civil War» hat der englische Historiker Patrick Major den Gegensatz zwischen Kommunismus und Antikommunismus im geteilten Deutschland genannt. Die Einschleusung Guillaumes in das Bonner Kanzleramt war der spektakulärste Erfolg der DDR in diesem kalten Bürgerkrieg. Den Sturz des Kanzlers Willy Brandt hatten die SED und ihr Geheimdienst allerdings nicht beabsichtigt, und das schon deshalb nicht, weil sich Ost-Berlin und Moskau von einer Bundesregierung unter dem mutmaßlichen Nachfolger Brandts, Helmut Schmidt, eher Nachteile als Vorteile versprachen. So gesehen lagen Erfolg und Mißerfolg nahe beieinander. Bei Abwägung aller Umstände bedeutete die Bilanz der Agententätigkeit von Günter und Christel Guillaume eine Niederlage für die DDR.

Doch wer immer in Bonn an der Spitze der Bundesregierung stand, für die SED kam es nach der Unterzeichnung des Grundlagenvertrages mehr denn je darauf an, den ideologischen Gegensatz zwischen der DDR und der Bundesrepublik scharf herauszuarbeiten, um der Gefahr einer schleichenden Sozialdemokratisierung der eigenen Bevölkerung vorzubeugen. Ende Januar 1973 verneinte Kurt Hager, der Chefideologe der SED, die These vom Fortbestand einer einheitlichen deutschen «Kulturnation». Mitte März sprach er vom «unüberbrückbaren Gegensatz» zwischen der «sozialistischen Nation in der DDR» und der «fortbestehenden kapitalistischen Nation» in der «BRD». Zwei Monate später, Ende Mai 1973, prägte Hager die Formel vom «realexistierenden Sozialismus», zu dem es keine Alternative gebe. Damit grenzte sich die SED sowohl vom «demokratischen Sozialismus» der SPD wie vom utopischen Sozialismus der westdeutschen Neuen Linken ab.

Am 27. September 1974 änderte die Volkskammer die Verfassung von 1968. Die DDR war nun nicht mehr ein «sozialistischer Staat deutscher Nation», sondern ein «sozialistischer Staat der Arbeiter und Bauern». Sechs Jahre zuvor waren die «Herstellung und Pflege normaler Beziehungen und die Zusammenarbeit der beiden deutschen Staaten auf der Grundlage der Gleichberechtigung... nationales Anliegen der Deutschen Demokratischen Republik». Dieses Bekenntnis wurde ebenso gestrichen wie die anschließende Versicherung: «Die Deutsche Demokratische Republik und ihre Bürger erstreben darüber hinaus die Überwindung der vom Imperialismus der deutschen Nation aufgezwungenen Spaltung Deutschlands, die schrittweise Annäherung der beiden deutschen Staaten bis zu ihrer Vereinigung auf der Grundlage der Demokratie und des Sozialismus.» Dafür wurden die Bindungen an die Sowjetunion und die anderen Staaten des Warschauer Pakts 1974 noch markanter hervorgehoben als 1968. «Die Deutsche Demokratische Republik ist für immer und unwiderruflich mit der Union der Sozialistischen Sowjetrepubliken verbündet», hieß es nun. «Die Deutsche Demokratische Republik ist untrennbarer Bestandteil der

sozialistischen Staatengemeinschaft. Sie trägt getreu den Prinzipien des sozialistischen Internationalismus zu ihrer Stärkung bei, pflegt und entwickelt die Freundschaft, die allseitige Zusammenarbeit und den gegenseitigen Beistand mit allen Staaten der sozialistischen Gemeinschaft.»

Die theoretische und geschichtliche Untermauerung der These von der
Herausbildung von zwei deutschen Nationen oblag Philosophen und Historikern. In der «Einheit», der theoretischen Zeitschrift der SED, hielten
der Philosoph Alfred Kosing und der Historiker Walter Schmidt 1974
daran fest, daß die Spaltung und Zerstörung der Einheit der deutschen Nation das Werk des Imperialismus sei. Gleichzeitig betonten sie aber, die
Herausbildung der sozialistischen Nation in der DDR sei die «gesetz-
mäßige Konsequenz der unter Führung der Arbeiterklasse nach 1945
durchgeführten gesellschaftlichen Umwälzungen».

Den Inhalt und Charakter einer Nation bestimmten Kosing und Schmidt
zufolge «nicht in erster Linie gewisse ethnische, sprachliche oder sozialpsychologische Momente, sondern die jeweiligen ökonomischen Grundlagen der Gesellschaft, die Klassenverhältnisse und das geschichtliche Handeln der Klassen, insbesondere der jeweils herrschenden, die Gesellschaft
und Nation leitenden Klasse». Selbst «bürgerliche Autoren der BRD» kä-
men nicht umhin, im Hinblick auf die «Bevölkerung der DDR und der
BRD» von einer «Bi-Nationalisierung» zu sprechen. Die Entwicklung des
neuen, sozialistischen Nationalbewußtseins in der DDR verlaufe seit fast
drei Jahrzehnten «nicht nur als ein Prozeß der fortschreitenden Abgrenzung von der imperialistischen BRD, sondern vor allem in wachsender Gemeinsamkeit und sich vertiefendem Zusammenwirken mit den Ländern der
sozialistischen Staatengemeinschaft unter Führung der Sowjetunion». Daraus folgte: «Mit dem gesetzmäßigen Prozeß der Annäherung der sozialistischen Nationen entstanden und entstehen zugleich neue, das Denken bestimmende Werte, die das sozialistische Nationalbewußtsein der DDR
internationalistisch ausprägen.»

Die Autoren beriefen sich bei ihrer Deutung des historischen Prozesses
auf Erich Honecker. Sie hätten, wäre dies im Einklang mit der Parteilinie
gewesen, auch Walter Ulbricht zitieren können. Der frühere Erste Sekretär
der SED und Vorsitzende des Staatsrats der DDR hatte im Dezember 1970,
noch vor Honecker, von der Herausbildung einer sozialistischen Nation in
der DDR gesprochen. Doch Ulbricht war bald nach seinem Tod am 1. August 1973 zur «Unperson» geworden, die keinen Platz in der verordneten
kollektiven Erinnerung der DDR hatte. Die These vom unaufhebbaren Gegensatz zwischen der neuen sozialistischen und der alten kapitalistischen
deutschen Nation aber überlebte ihn, weil sie nicht *seine* These war, sondern die der Kommunistischen Partei der Sowjetunion. Die SED und ihre
Theoretiker vollzogen nach, was ihnen die führende Partei der «sozialistischen Staatengemeinschaft» vorgab: Als «sozialistische Nation» sollte die
DDR jene ideologische Identität entwickeln, auf die sie mangels einer ge-

wachsenen nationalen Identität wie kein zweites Mitgliedsland des Warschauer Pakts angewiesen war.[3]

Am 15. Mai 1974, neun Tage nach dem Rücktritt des Bundeskanzlers Willy Brandt, wählte die Bundesversammlung den bisherigen Außenminister Walter Scheel im ersten Wahlgang als Nachfolger Gustav Heinemanns zum vierten Bundespräsidenten der Bundesrepublik Deutschland. Auf Scheel, den Kandidaten der sozialliberalen Koalition, entfielen 530, auf Richard von Weizsäcker, den Bewerber der Unionsparteien, 498 Stimmen. Es war das erste Mal seit dem 12. September 1949, daß die Bundesversammlung nicht in Berlin, sondern in Bonn zusammentrat: ein Tribut an das Viermächteabkommen von 1971, das es den obersten Verfassungsorganen der Bundesrepublik verwehrte, im Westteil der Viersektorenstadt hoheitlich tätig zu werden.

Walter Scheel, 1919 in Solingen geboren, nach dem Abitur im Bankfach ausgebildet, im Zweiten Weltkrieg zuletzt Oberleutnant der Luftwaffe, war nach 1945 in der freien Wirtschaft, unter anderem als Geschäftsführer einer Stahlwarenfabrik, tätig gewesen. 1946 trat er in die Partei ein, deren Vorsitz er 1968 übernahm: die FDP. Als Außenminister der sozialliberalen Koalition hatte er maßgeblichen Anteil an der Ostpolitik, die die Nachwelt eher mit dem Namen Brandt und Bahr verbindet.

In seiner Antrittsrede als Bundespräsident am 1. Juli 1974 machte Scheel einige Anmerkungen zum Thema «Provisorium», die fast «dialektisch» klangen, aber, vielleicht gerade deshalb, breite Zustimmung fanden: «Ein Vierteljahrhundert hat manches geklärt. Aber eines ist nicht provisorisch: die politischen Kräfte in diesem Land werden auch in Zukunft nicht darauf verzichten, einen Zustand des Friedens in Europa anzustreben, in dem das deutsche Volk auf der Grundlage des Selbstbestimmungsrechtes seine Einheit wiedererlangt. Wenn wir dieses Ziel erreichen wollen, brauchen wir die Bundesrepublik Deutschland als Staat im vollen Sinne des Wortes. Wenn auch die Verwirklichung des Selbstbestimmungsrechtes in historischen Dimensionen gedacht werden muß, so brauchen wir dafür doch ein auf Dauer angelegtes Instrument. Dies ist unser Staat, die Bundesrepublik Deutschland.»

Die Ansprache anläßlich des 25. Jahrestages des Inkrafttretens des Grundgesetzes hielt am 24. Mai 1974 der noch amtierende Bundespräsident. Heinemann erinnerte an die Absicht des Parlamentarischen Rates, «dem staatlichen Leben für eine Übergangszeit eine neue Ordnung zu geben». Daß diese Übergangszeit nun schon ein Vierteljahrhundert dauere und die Aufforderung des Grundgesetzes, «in freier Selbstbestimmung die Einheit und Freiheit Deutschlands zu vollenden», bisher unerfüllt sei, müsse man «mit Trauer und Enttäuschung» feststellen. Doch der «Bürgerpräsident», als der Heinemann sich gern bezeichnen ließ, sah doch auch Anlaß zu Stolz und Freude. Das Grundgesetz sei nicht papierner Text geblieben. «Es ist in seinen Wertfestsetzungen und seiner Staatsordnung in unser Denken eingedrungen. Es ist die erste deutsche Verfassung, die die Zustimmung der weit überwiegenden Mehrheit unseres Volkes gefunden hat... Die Einwurzelung des Grundgesetzes in unser Bewußtsein war auch deshalb nicht selbstverständlich, weil die Demokratie zweimal nach verlorenen Kriegen und in Anlehnung an ausländische Vorbilder eingeführt worden ist. Diese Belastung der Demokratie ist überwunden... Das Inkrafttreten des Grundgesetzes vor 25 Jahren zählt zu den Sternstunden unserer Geschichte. Es unterbreitet uns das große Angebot, zum ersten Mal eine freiheitlich-rechtsstaatliche und soziale Demokratie zu verwirklichen.»

Heinemann wäre nicht er selbst gewesen, hätte er nicht auch aus diesem Anlaß auf den Unterschied zwischen Sein und Sollen hingewiesen. «Diese Ordnung ist kein Heilsplan, sondern wie alles irdische Tun nur unvollkommenes Menschenwerk. Ihre Würdigung kann auch nicht verschweigen, daß außerdem zwischen Verfassungsaussage und Verfassungswirklichkeit ein Graben klafft. Es gehört sogar zum Wesen freiheitlich-demokratischer Ordnung, daß sie von keinem Zustand behauptet, er stimme mit dem Ideal überein, daß sie vielmehr die jeweiligen Verhältnisse für ständig verbesserungsbedürftig, aber eben auch verbesserungsfähig hält und uns damit die nie zu Ende kommende Aufgabe stellt, die Wirklichkeit in beharrlicher Annäherung auf das Leitbild der Verfassung hin fortzuentwickeln. Es wäre das Ende aller Politik, wenn Bestehendes nur noch verwaltet, aber nicht mehr verbessert würde. Die Einheit von Demokratie, Rechtsstaat und Sozialstaat bedarf ständiger Bemühung.»

Der Nachfolger Willy Brandts war zu dem Zeitpunkt, als Heinemann seine Rede auf das Grundgesetz hielt, schon über eine Woche im Amt. Am 16. Mai hatte der Bundestag Helmut Schmidt mit 267 gegen 225 Stimmen zum fünften Bundeskanzler der Bundesrepublik Deutschland gewählt. Tags darauf stellte Schmidt sein Kabinett vor. Sieben der insgesamt fünfzehn Minister behielten ihre Posten. Hans-Dietrich Genscher, der neue Vizekanzler, wechselte vom Innenministerium ins Auswärtige Amt. Sein Nachfolger im alten Ressort war der Rechtsphilosoph Werner Maihofer (FDP), zuvor Bundesminister für besondere Aufgaben. Hans-Jochen Vogel (SPD) übergab sein Amt als Bundesminister für Bauwesen und Raumordnung an Karl Ravens und wurde selbst Justizminister. Neuer Finanzminister war ein persönlicher Freund des neuen Kanzlers, der Volkswirt Hans Apel aus Hamburg, der seit 1972 Parlamentarischer Staatssekretär im Auswärtigen Amt gewesen war. Für Forschung war fortan Hans Matthöfer, für Bildung Helmut Rohde, für Verkehr und Post Kurt Gscheidle zuständig.

Alle Kabinettsneulinge waren Sozialdemokraten. Matthöfer und Gscheidle kamen aus den Gewerkschaften, Rohde aus der sozialdemokratischen Arbeitsgemeinschaft für Arbeitnehmerfragen. Horst Ehmke, Klaus von Dohnanyi und Egon Bahr, drei intellektuelle «Stars» des Kabinetts Brandt, gehörten der Regierung Schmidt nicht mehr an. Bahr kehrte freilich schon bald wieder zurück – als Nachfolger von Entwicklungsminister Erhard Eppler, der am 4. Juli 1974 aus Protest gegen Kürzungen seines Etats zurücktrat.

Der neue Bundeskanzler, am 23. Dezember 1918 in Hamburg geboren, bekennender Protestant, hatte 1937 Abitur gemacht und von 1939 bis 1945 am Zweiten Weltkrieg teilgenommen, zuletzt als Oberleutnant und Batteriechef. 1946 trat Schmidt in die SPD ein. Sein Studium der Staatswissenschaften schloß er 1949 als Diplomvolkswirt ab. 1953 wurde er in den Bundestag gewählt, wo er sich als ebenso sachkundiger wie scharfzüngiger Debattenredner rasch den Beinamen «Schmidt-Schnauze» erwarb. Von 1961 bis 1965 war er Innensenator in Hamburg, von 1967 bis 1969 Vorsitzender der sozialdemokratischen Bundestagsfraktion, von 1969 bis 1972 Bundesverteidigungsminister, seit 1972 Bundesfinanzminister, in den Monaten Juli bis Dezember 1972 als Nachfolger Karl Schillers in Personalunion auch Bundeswirtschaftsminister.

Schmidts Verständnis von Politik war nüchterner als das seines Vorgängers: Dem politischen Visionär folgte ein pragmatischer Verantwortungsethiker, der sich an Kants Auffassung von Pflicht und an Karl Poppers Kritik des utopischen Denkens orientierte. Brandt war in erster Linie Außenpolitiker gewesen; Schmidt verfügte in nahezu allen Bereichen der Politik und namentlich auf den Gebieten Wirtschaft und Finanzen sowie Außen- und Sicherheitspolitik über profundes Fachwissen. Brandt hatte als Parteivorsitzender «zentristische», also ausgleichende Positionen bezogen; Schmidt, seit 1968 stellvertretender Vorsitzender der SPD, war der führende Sprecher des rechten Parteiflügels. Als solcher kritisierte er nicht nur die «Neue Linke», sondern auch Brandts Neigung, der rebellischen Generation der «68er» sehr viel mehr Verständnis entgegenzubringen, als der Sozialdemokratie nach Schmidts Überzeugung gut tat. Spannungen zwischen dem Kanzler und dem Parteivorsitzenden waren im Frühjahr 1974 also leicht vorhersagbar; sie waren in der Persönlichkeit der Akteure ebenso angelegt wie in der Unterschiedlichkeit ihrer Aufgaben.

Die Regierungserklärung, die Schmidt am 17. Mai 1974 abgab, baute auf derjenigen Brandts vom 18. Januar 1973 auf und sollte, wie der Kanzler untertreibend ankündigte, nur eine «Zwischenbilanz» sein. Als wichtigste Reformaufgaben, die die Bundesregierung noch während der laufenden Legislaturperiode bewältigen wollte, nannte er die Steuer- und Kindergeldreform, ein neues Mitbestimmungsrecht, das Bodenrecht, den Umweltschutz und die berufliche Bildung. Im außenpolitischen Teil betonte Schmidt, daß das Gleichgewicht in der Welt und die Sicherheit Westeuropas von der militärischen und der politischen Präsenz der USA in Europa abhängig seien. «Übereinstimmende sicherheitspolitische Interessen bestimmen das europäisch-amerikanische Verhältnis. Die Bundesregierung ist entschlossen, zusammen mit ihren Verbündeten eine Politik der Rüstungskontrolle und Rüstungsverminderung fortzusetzen und zu unterstützen, um die Gefahr machtpolitischer und militärpolitischer Pressionen einzuschränken.» Es folgte ein Satz, der den Vorsitzenden der Fraktion der CDU/CSU zu dem Zwischenruf veranlaßte, die Erkenntnis komme spät: «In diesem Zusammenhang betrachtet sie (die Bundesregierung, H. A. W.) nicht ohne Sorge die wachsenden Rüstungsanstrengungen im Warschauer Pakt.»

Schmidt fügte hinzu, deshalb wünsche die Bundesregierung auch den Erfolg der amerikanisch-sowjetischen Bemühungen um die Begrenzung der nuklear-strategischen Waffensysteme, kurz «SALT» genannt («Strategic Arms Limitation Talks»). Sie selbst werde ihre eigenen Anstrengungen für eine ausgewogene, beiderseitige Verminderung von Truppen und Rüstungen («Mutual Balanced Force Reduction») bei den MBFR-Verhandlungen in Wien mit dem Willen zum Erfolg fortsetzen. «Vertrauensbildende Bedeutung» maß der Kanzler auch der Konferenz über Sicherheit und Zusammenarbeit in Europa (KSZE) bei, die ihre Beratungen im Juli 1973 in Helsinki aufgenommen hatte und mittlerweile in Genf fortführte. Schmidt bekannte sich zur Verbesserung der Beziehungen zur DDR, mahnte die Führung in Ost-Berlin aber zugleich: «Beide Vertragspartner müssen sich auch an den Geist der abgeschlossenen Verträge halten.» Der jüngste «schwerwiegende Spionagefall» sei mit diesem Geist nicht vereinbar und eine ernste Belastung des Verhältnisses zwischen den beiden Vertragspartnern. Der Kanzler schloß seine erste Regierungserklärung unter Berufung auf den ersten Bundespräsidenten Theodor Heuss mit den Worten: «Demokratie ist Herrschaft auf Frist. Binnen zweieinhalb Jahren wird sich das sozialliberale Bündnis der Entscheidung der Bürger stellen. Bis dahin ist vieles zu tun.»

Seit der Regierungserklärung Brandts waren nur sechzehn Monate vergangen, und doch lag zwischen beiden Reden sehr viel mehr als diese kurze Zeitspanne. Brandt hatte sich an einer neuen Sinnstiftung des sozialliberalen Bündnisses versucht; sein Nachfolger betonte die «fortgeltende Richtigkeit und Notwendigkeit sozialliberaler Politik in unserem Lande», schloß daran aber sogleich die Feststellung an: «In einer Zeit weltweit wachsender Probleme konzentrieren wir uns in Realismus und Nüchternheit auf das Wesentliche, auf das, was jetzt notwendig ist, und lassen anderes beiseite.» Die Zeit der großen Reformen war abgelaufen, das Pathos des Aufbruchs hatte sich verflüchtigt. SPD und FDP bildeten nicht mehr eine durch eine gemeinsame Philosophie verbundene «neue Mitte», sondern eine Zweckgemeinschaft zur Lösung drängender Probleme – zusammengehalten nicht zuletzt durch eine parlamentarische Opposition, die, solange sie die Ostpolitik bekämpfte, weder für die FDP noch für die SPD eine Alternative zum derzeitigen Koalitionspartner sein konnte.

Die «weltweit wachsenden Probleme», von denen Schmidt sprach, waren vor allem solche der Weltwirtschaft. Sie stand seit dem Herbst 1973 im

Zeichen des «Ölschocks». In der Bundesrepublik folgte dem Rückgang der Inlandsnachfrage im Spätsommer 1974 ein scharfer Rückgang der Auslandsnachfrage. 1975 erlebten die Bundesbürger die bislang schärfste Rezession seit dem Zweiten Weltkrieg. Das Brutto-Inlandsprodukt sank real um 1,6 %; die Zahl der Arbeitslosen wuchs von 580 000 auf fast 1,1 Millionen. Gleichzeitig stiegen die Verbraucherpreise. Setzt man das Preisniveau von 1976 gleich 100, lagen die Verkaufspreise im Einzelhandel 1973 bei 85,7, 1974 bei 91,9 und 1975 bei 96,9.

Da die Krise der Weltwirtschaft nicht bloß eine konjunkturelle, sondern auch eine strukturelle war und die Arbeitsplätze in der Bundesrepublik sehr viel mehr als noch um 1960 vom Export abhingen (damals hatte das von jedem siebten Arbeitsplatz gegolten, inzwischen war es jeder fünfte), gab es begründete Zweifel, ob die alten keynesianischen Rezepte einer Belebung der Binnennachfrage noch taugten. Die Regierung Schmidt versuchte es mit einer Mischung aus Konjunkturbelebung und Haushaltskonsolidierung sowie, um den Politikwissenschaftler Wolfgang Jäger zu zitieren, mit einem «Mittelweg zwischen der angebotsorientierten und der nachfrageorientierten Wirtschaftspolitik». Die Nachfrage wurde durch Steuerentlastungen in Höhe von 22 Milliarden DM im Zuge der Einkommensteuerreform vom 1. August 1974 belebt, deren Hauptzweck eine gerechtere Verteilung der Steuerlast war. 1975 folgte ein Programm zur Investitionsförderung, das vor allem der Bauwirtschaft zugute kam. Es wurde von Sparmaßnahmen flankiert, die alle Ressorts trafen. Als sich die Konjunktur 1976 verbesserte, verschärfte die Regierung den Konsolidierungskurs durch eine Reduzierung der Kreditaufnahme. Trotz der konjunkturellen Belebung sanken die Arbeitslosenzahlen bis 1977 aber nicht unter die Millionengrenze, und die Arbeitslosenquote ging nur langsam zurück: von 4,7 % im Jahre 1975 auf 4,3 % im Jahre 1978.

Neben den Rahmenbedingungen der Weltwirtschaft hatten sich auch jene der Weltpolitik seit Anfang 1973 stark verändert. Am 27. Januar 1973 unterzeichneten die USA und das kommunistische Nordvietnam in Paris ein Waffenstillstandsabkommen; zwei Monate später verließen die letzten amerikanischen Soldaten das südostasiatische Land. Der in langen Geheimgesprächen ausgehandelte Rückzug war ein diplomatischer Erfolg für Henry Kissinger und seinen Chef, Richard Nixon (der im Jahr darauf, um einem Amtsenthebungsverfahren wegen der «Watergate-Affäre» zu entgehen, als erster Präsident der Vereinigten Staaten von seinem Amt zurücktrat). Für die USA aber blieb das Ende des Vietnamkriegs eine traumatische Erfahrung: Das mächtigste Land der Welt hatte ein kleines Land der «Dritten Welt» militärisch nicht bezwingen können, was einer politischen und moralischen Niederlage gleichkam. Sie wurde noch schmerzhafter dadurch, daß Nordvietnam und der Vietcong sich nicht an die Bedingungen des Waffenstillstands hielten und Ende April 1975 Saigon einnahmen.

Die politischen Nutznießer des Vietnamkrieges waren die beiden kommunistischen Großmächte. Im Oktober 1971 wurde die Volksrepublik China in die Vereinten Nationen aufgenommen, wo sie den Platz der «Republik China», also Taiwans, als ständiges Mitglied des Sicherheitsrats einnahm; im Februar 1972 vereinbarten die USA und die Volksrepublik China anläßlich eines Besuchs von Präsident Nixon in Peking die Regelung ihrer Beziehungen (die wegen der fortdauernden Gegensätze in der Taiwan-Frage erst 1979 in volle diplomatische Beziehungen umgewandelt wurden). China war damit von den USA als Weltmacht anerkannt; es versprach seinerseits im Gegenzug Zurückhaltung gegenüber dem Krieg in Vietnam.

Die Annäherung zwischen Washington und Peking kam Moskau nicht gelegen. Aber schon um diesen Prozeß nicht noch weiter voranzutreiben, durfte Breschnew Amerikas Bemühungen um einen Waffenstillstand in Vietnam nicht behindern. Mittelbar war der Ausgang des Krieges ein sowjetischer Erfolg: Der kapitalistische Erzrivale hatte weltweit, und vor allem in Europa, an Ansehen verloren. Hier, auf dem alten Kontinent, sah die Sowjetunion die Chance, ihre militärstrategische Position auszubauen, und zwar auf einem Gebiet, über das es bisher noch keine Vereinbarungen, ja nicht einmal Verhandlungen mit dem Westen gab: den Mittelstreckenraketen.

Über eine Verminderung von Truppen und konventioneller Rüstung verhandelten unter dem Kürzel «MBFR» in Wien seit Oktober 1973, bislang ohne greifbaren Erfolg, die sieben Staaten des Warschauer Pakts und zwölf NATO-Staaten (ohne Frankreich und Island). Um eine Beschränkung der Raketenabwehrsysteme und ein Bauverbot für neue landgestützte Interkontinentalraketen sowie U-Boot-gestützte Raketen ging es seit 1969 bei den SALT-Verhandlungen zwischen den USA und der Sowjetunion. Im Mai 1972 unterzeichneten Präsident Nixon und Generalsekretär Breschnew in Moskau einen entsprechenden Vertrag, das SALT-Abkommen. Die für Westeuropa besonders bedrohlichen, weil auf europäische Ziele gerichteten sowjetischen Mittelstreckenraketen waren aber ebensowenig ein Thema von MBFR, wie sie ein Gegenstand von SALT I gewesen waren.

Ende Oktober 1974 trug Bundeskanzler Schmidt das Thema sowjetische Mittelstreckenraketen erstmals bei einem offiziellen Besuch in Moskau Generalsekretär Breschnew direkt und mit großem Nachdruck vor. Die amerikanischen Verbündeten drängte der Kanzler, die «eurostrategischen» Waffen in die SALT II-Verhandlungen einzubeziehen, die im November 1972 begonnen hatten. Mitte Mai 1975 erhielt er, wie er in seinem Buch «Menschen und Mächte» schreibt, eine entsprechende mündliche Zusage von Nixons Nachfolger Gerald Ford, als beide sich anläßlich einer Tagung des Nordatlantikrats in Brüssel zu einem Gespräch unter vier Augen trafen. Schriftlich fixiert wurde die Absprache allerdings nicht.

Zweieinhalb Monate später trat die KSZE-Schlußkonferenz zusammen. Die Konferenz über Sicherheit und Zusammenarbeit in Europa war in gewisser Weise der krönende Abschluß der Brandtschen Ostpolitik. Einerseits wäre das Treffen von 35 europäischen und zwei nordamerikanischen Staaten, den USA und Kanada, ohne die Ostverträge gar nicht denkbar gewesen: Die Mitwirkung der beiden deutschen Staaten war eine Bedingung für das Gelingen des Vorhabens, und erst durch das Vertragswerk der soziliberalen Koalition wurde diese Mitwirkung möglich. Andererseits wären die Ostverträge ohne gesamteuropäische Einbettung ein Fragment geblieben. Die Verträge wiesen über sich selbst hinaus; Entspannung in Europa war nur über Entspannung in und um Deutschland zu erreichen; die Entspannung in diesem Teil Europas aber war erst dann dauerhaft gesichert, wenn Ost und West sich auf eine umfassende Neuregelung ihres Verhältnisses verständigten.

Die Schlußkonferenz der KSZE tagte nach zweijährigen Verhandlungen vom 30. Juli bis 1. August 1975 in Helsinki. Zu den Teilnehmern gehörten der amerikanische Präsident Gerald Ford, der sowjetische Parteichef Leonid Breschnew, der französische Staatspräsident Valéry Giscard d'Estaing, der britische Premierminister Harold Wilson, Bundeskanzler Helmut Schmidt und der Erste Sekretär des ZK der SED, Erich Honecker. Schmidt nutzte die Gelegenheit zu einer Vielzahl bilateraler Gipfelgespräche. Mit Honecker verständigte er sich darauf, daß im Hinblick auf Berlin keine Seite versuchen sollte, die Belastbarkeit des Viermächteabkommens zu erproben. Mit Eduard Gierek, dem Ersten Sekretär der Polnischen Vereinigten Arbeiterpartei, vereinbarte er ein Abkommen, das im Oktober 1975 von Außenminister Genscher in Warschau unterzeichnet und im Februar und März 1976 von Bundestag und Bundesrat gebilligt wurde: Polen erhielt einen Finanzkredit in Höhe von 1 Milliarde DM und eine pauschale Abgeltung von Rentenansprüchen polnischer Bürger in Höhe von 1,3 Milliarden DM. Die polnische Gegenleistung war die Verpflichtung, im Laufe von vier Jahren 120 000 bis 125 000 deutschstämmigen Bürgern die Genehmigung zur Ausreise zu erteilen.

Die Schlußakte von Helsinki, der eigentliche Tagungszweck, bestand aus drei sogenannten «Körben».»Korb 1» enthielt eine Erklärung über zehn Prinzipien, von denen sich die Teilnehmerstaaten bei ihren Beziehungen leiten lassen wollten, sowie ein Dokument über vertrauensbildende Maßnahmen im militärischen Bereich, darunter die rechtzeitige Ankündigung von Manövern und den Austausch von Manöverbeobachtern. «Korb 2» regelte die Zusammenarbeit auf den Gebieten Wirtschaft, Wissenschaft, Technik und Umwelt. Zu «Korb 3» gehörten eine Erklärung über Fragen der Sicherheit und Zusammenarbeit im Mittelmeerraum sowie eine Erklärung über die Zusammenarbeit in humanitären und anderen Bereichen. Folgekonferenzen sollten von 1977 ab überprüfen, ob und inwieweit die Absichtserklärungen inzwischen verwirklicht waren.

Als Gewinner von Helsinki konnten sich West und Ost, die Mitglieder der NATO wie die des Warschauer Pakts, betrachten. Das Schlußdokument betonte die Unverletzlichkeit der bestehenden Grenzen und das Prinzip der Nichteinmischung in die inneren Angelegenheiten der Unterzeichnerstaaten. Für die Sowjetunion bedeutete das eine Anerkennung ihrer Vormachtstellung im östlichen Europa durch den Westen. Der Westen aber hatte in «Korb 1» die Aussagen über das Selbstbestimmungsrecht der Völker und die «Achtung der Menschenrechte und Grundfreiheiten, einschließlich der Gedanken-, Gewissens-, Religions- oder Überzeugungsfreiheit» sowie in «Korb 3» die Bestimmungen über «menschliche Kontakte» und die «Verbesserung der Verbreitung von, des Zugangs zu und des Austausches von Informationen» durchgesetzt. Daraus ließ sich eine Art von moralischem Interventionsrecht ableiten: Verletzungen der Menschenrechte durften angeprangert werden, ohne daß dies als eine Einmischung in innere Angelegenheit zurückgewiesen werden konnte. Das war jedenfalls die *westliche* Lesart, und auf die politische Wirksamkeit dieser Lesart konnten fortan die Bürgerrechtler in den «sozialistischen Staaten» hoffen.

Die Bundesrepublik konnte, wenn sie wollte, sich auch gegenüber der DDR auf das berufen, was die Schlußakte der KSZE zu den Menschenrechten sagte. Die DDR mochte es als Erfolg verbuchen, daß die Bundesrepublik im Schlußdokument von Helsinki abermals, wie schon im Grundlagenvertrag, die Unverletzlichkeit auch der innerdeutschen Grenze anerkannt hatte. Aber Unverletzlichkeit hieß nicht Unabänderlichkeit. Vielmehr hielt «Korb 1» (auf Drängen der Bundesregierung) ausdrücklich die gemeinsame Auffassung der Unterzeichnerstaaten fest, «daß ihre Grenzen, in Übereinstimmung mit dem Völkerrecht, durch friedliche Mittel und durch Vereinbarung verändert werden können». Die Schlußakte ging also über die Ostverträge, was die Sicherheit der Grenzen betraf, nicht hinaus. In der Frage der Menschenrechte aber bedeutete Helsinki einen großen Schritt nach vorn – sofern der Westen entschlossen war, auf der Einhaltung der östlichen Zusagen zu bestehen, und der Osten ernsthaft an Entspannung interessiert war. Von beiden Voraussetzungen hing es ab, ob die Konferenz von Helsinki als endgültige Überwindung des «Kalten Krieges» in die Geschichte eingehen würde – oder nur als Beginn einer neuen Phase desselben.

Das Treffen in der finnischen Hauptstadt bot nicht nur die Gelegenheit zu zahlreichen Ost-West-Gesprächen, sondern auch zu Aussprachen zwischen den Allianzpartnern. Bundeskanzler Schmidt gelang es in Helsinki, den anfangs zögerlichen amerikanischen Präsidenten für ein Projekt zu gewinnen, das auf den neuen französischen Staatspräsidenten zurückging: einen Weltwirtschaftsgipfel. Schmidt und Giscard d'Estaing kannten sich seit der Zeit, in der sie beide Finanzminister gewesen waren; mittlerweile waren sie persönliche Freunde. Als der liberale Giscard im Mai 1974 zum französischen Staatspräsidenten gewählt wurde und damit die Nachfolge des im Februar verstorbenen Georges Pompidou antrat, begann eine neue Ära der Beziehungen zwischen Paris und Bonn. In der Regel zogen Giscard und Schmidt an einem Strang. Das galt auch für das erste Treffen der Staats- und

Regierungschefs der sechs führenden Industrieländer – der USA, Großbritanniens, Frankreichs, der Bundesrepublik Deutschland, Italiens und Japans –, das Mitte November 1975 in Schloß Rambouillet bei Paris stattfand. Das Ergebnis war eine Festlegung auf gemeinsame wirtschaftspolitische Ziele: die Bekämpfung der Arbeitslosigkeit und der Inflation, die Herbeiführung eines soliden Wirtschaftsaufschwungs und die Aufrechterhaltung eines freien Welthandels. Was immer die «Großen Sechs» (die sich auf dem dritten Weltwirtschaftsgipfel in London vom Mai 1977, durch die Einbeziehung Kanadas, in die «Großen Sieben» verwandelten) aus ihren Absichtserklärungen machten: Es stärkte die innenpolitische Position Helmut Schmidts, daß er sich auf den Weltwirtschaftsgipfeln von Anfang an durch ökonomischen Sachverstand und politisches Urteilsvermögen weltweit Respekt verschaffte. Mehr noch: dem «Tandem» Schmidt-Giscard wuchs bald eine internationale Autorität zu, die geeignet war, Schwächen der amerikanischen Führungsmacht in der Zeit nach dem Vietnamkrieg und der Watergate-Affäre zu einem gewissen Grad auszugleichen.

Außen- und Außenwirtschaftspolitik waren die Bereiche, in denen Schmidt seine Fähigkeiten am stärksten zur Geltung bringen konnte. In den meisten anderen Bereichen fiel es der Koalition zunehmend schwerer, gemeinsame Lösungen zu erarbeiten, Mehrheiten im Bundesrat zu finden oder sich vor dem Bundesverfassungsgericht gegenüber der Opposition zu behaupten. Das Hochschulrahmengesetz, das der Bundestag im Dezember 1975 verabschiedete, war ein mühsam ausgehandelter Kompromiß zwischen der Bundesregierung und den von der Union regierten Ländern. Das Ergebnis der langwierigen Verhandlungen war so etwas wie der kleinste gemeinsame Nenner in den umstrittenen Fragen des Hochschulzugangs, der Zulassungsbeschränkungen, der Studienreform und der Personalstruktur. Hätte das Bundesverfassungsgericht nicht im Mai 1973 durch sein Urteil zu einem niedersächsischen Gesamthochschulgesetz einer Majorisierung der hauptamtlichen Professoren in Fragen von Lehre und Forschung einen Riegel vorgeschoben, wäre das Hochschulrahmengesetz entweder nicht zustande gekommen oder aus dem Gesetzgebungsverfahren nur noch als substanzloses Paragraphengerippe hervorgegangen.

Eine herbe Niederlage erlitt die sozialliberale Koalition im Rechtsstreit um die Neuregelung von Schwangerschaftsabbrüchen. Am 26. April 1974 hatte der Bundestag im 5. Gesetz zur Reform des Strafrechts den § 218 des Strafgesetzbuches im Sinne der Fristenlösung geändert: Nach vorheriger Beratung blieben Schwangerschaftsabbrüche in den ersten drei Monaten straffrei. Am 25. Februar 1975 verwarf das Bundesverfassungsgericht auf Antrag der von der Union regierten Länder die Fristenlösung als verfassungswidrig und empfahl dem Gesetzgeber statt dessen ein Indikationenmodell. Ein Jahr später, am 12. Februar 1976, verabschiedete der Bundestag eine Neufassung des § 218, die dieser Vorgabe folgte: Ein Schwangerschaftsabbruch blieb nur dann straffrei, wenn eine medizinische,

eugenische, ethische oder eine soziale Indikation vorlag. Die soziale oder
Notlagenindikation war von Anfang an politisch umstritten: Sie konnte
eng oder weit ausgelegt werden, und entsprechend unterschiedlich entwickelte sich fortan die Praxis von Schwangerschaftsabbrüchen in den
Bundesländern.

Als Erfolg konnten SPD und FDP das Gesetz über die Mitbestimmung
der Arbeitnehmer bewerten, das am 18. März 1976 vom Bundestag verabschiedet wurde und am 1. Juli 1976 in Kraft trat. In keiner Frage hatten
beide Parteien beim Beginn ihrer gemeinsamen Regierungsarbeit so weit
auseinander gelegen wie in dieser. Die Ausgangsposition der Sozialdemokraten war klar: Sie wollten den Arbeitnehmern in den Aufsichtsräten aller
industriellen Unternehmungen ebensoviele Sitze zugestehen wie den Arbeitgebern, also das seit Mai 1951 gültige Montanmodell auf die anderen In-
dustriezweige übertragen. Die Freien Demokraten, die die paritätische
Mitbestimmung jahrzehntelang bekämpft hatten, stellten sich in ihren
«Freiburger Thesen» vom Oktober 1971 zwar auf den Boden der Parität
von Kapitaleignern und Arbeitnehmern, rechneten aber auch die leitenden
Angestellten zu letzteren und wollten ihnen ein Drittel der Arbeitnehmer-
sitze eingeräumt wissen.

Das Gesetz von 1976 enthielt *beides*: das Prinzip der Parität von Arbeitgebern und Arbeitnehmern *und* die Anerkennung der leitenden Angestellten als einer besonderen Gruppe von Arbeitnehmern mit Recht auf eigene
Vertretung im Aufsichtsrat. In den Aufsichtsräten von Unternehmen mit
mehr als 2 000 Beschäftigten waren auf der «Arbeitnehmerbank» Arbeiter,
Angestellte und leitende Angestellte entsprechend ihrem Anteil an der Ge-
samtbelegschaft, mindestens aber mit *einem* Sitz vertreten. Der Proporz
galt jedoch nur für *den* Teil der Aufsichtsratssitze, der nicht den Gewerkschaften zustand. Alle Arbeitnehmervertreter, auch die von den Gewerkschaften vorgeschlagenen, wurden von den Arbeitnehmern gewählt (wobei
sie sich zwischen einer Direktwahl und der Wahl durch ein Wahlmänner-
gremium entscheiden konnten). Bei einem Patt im Aufsichtsrat konnte der
Vorsitzende, der von den Arbeitgebern gestellt wurde, die Abstimmung
wiederholen und dabei eine zweite Stimme abgeben.

Von den Tarifpartnern war keiner mit dem Gesetz zufrieden: die Gewerkschaften nicht, weil es hinter der vollen Parität, so wie sie sie verstanden, zurückblieb; die Arbeitgeber, weil der Gesetzgeber nach ihrer Meinung in die Rechte des haftenden Eigentums eingegriffen und die
Tarifautonomie ausgehöhlt hatte. Ende Juni 1977 erhoben aus ebendiesen
Gründen die Verbände der Arbeitgeber und neun Unternehmen beim Bundesverfassungsgericht Verfassungsbeschwerde gegen das Mitbestimmungs-
gesetz, was den Deutschen Gewerkschaftsbund veranlaßte, seine Mitarbeit
an den Gesprächsrunden der «Konzertierten Aktion» einzustellen. Am 1.
März 1979 erging das Urteil. Das Bundesverfassungsgericht erklärte das
Gesetz für verfassungskonform; es verletze weder die Eigentumsgarantie

noch die Vertragsfreiheit noch die wirtschaftliche Betätigungsfreiheit oder die Koalitionsfreiheit. Damit war das letzte Wort gesprochen: Die Mitbestimmung der Arbeitnehmer, die in keinem anderen Land so umfassend geregelt war wie in der Bundesrepublik, hatte den juristischen Härtetest bestanden. Zwischen Marktwirtschaft und Wirtschaftsdemokratie war ein Ausgleich möglich: Von dieser Maxime war die sozialliberale Koalition ausgegangen, und darin wurde sie durch das Karlsruher Urteil bestätigt.

Bei den rechtspolitischen Reformen im engeren Sinn war der sozialliberalen Koalition in der Ära Brandt die Einigung im allgemeinen leicht gefallen. Unter dem zweiten sozialdemokratischen Kanzler stand aber nicht mehr die weitere Liberalisierung des geltenden Rechts im Vordergrund, sondern die Verteidigung der bestehenden Ordnung gegenüber dem Terrorismus. Am 10. November 1974 wurde in Berlin der Kammergerichtsrat Günter von Drenkmann in seiner Wohnung erschossen; zu der Tat bekannte sich eine Gruppe, die sich «Rote Armee/Aufbauorganisation» nannte. Am 21. Februar 1975 wurde der Vorsitzende der Berliner CDU, Peter Lorenz, von Mitgliedern der «Bewegung 2. Juni» entführt und erst wieder freigelassen, nachdem ein ad hoc gebildeter, vom Bundeskanzler geleiteter Krisenstab die Forderung der Entführer erfüllt hatte: Fünf freigepreßte Terroristen wurden aus verschiedenen Haftanstalten in die Volksrepublik Jemen ausgeflogen. Am 24. April 1975 besetzte ein «Kommando Holger Meins» die Botschaft der Bundesrepublik in Stockholm und erschoß zwei deutsche Diplomaten, den Militärattaché Andreas von Mirbach und den Botschaftsrat Heinz Hillegaard.

Diesmal blieb Bonn hart. Ein «Großer Krisenstab», dem, wie nach der Entführung von Peter Lorenz, der Bundeskanzler, die zuständigen Bundesminister, die Partei- und Fraktionsvorsitzenden der im Bundestag vertretenen Parteien und die Ministerpräsidenten der Bundesländer angehörten, lehnte die Forderung der Terroristen ab, 26 in Gefängnissen einsitzende Angehörige der RAF, darunter Andreas Baader und Ulrike Meinhof, freizulassen. Daraufhin brachten die Botschaftsbesetzer Sprengladungen zur Explosion. Zwei Terroristen kamen dabei um; die anderen wurden festgenommen.

Am 25. April erklärte Bundeskanzler Schmidt im Bundestag, die Bundesregierung hätte vor der Aufgabe des Staates, «das Leben und die Freiheit aller seiner Bürger zu schützen», versagt, wenn sie der Forderung nachgekommen wäre, die «anarchistischen Banditen» freizulassen. Deren Rückkehr in die Bundesrepublik hätte nämlich das «Ende aller Sicherheit» bedeutet.

Am 9. Mai 1976 nahm sich Ulrike Meinhof in ihrer Zelle in der Vollzugsanstalt Stuttgart-Stammheim das Leben. Anhänger der RAF antworteten mit Anschlägen auf deutsche Einrichtungen im Ausland, darunter Goethe-Institute. Die Antwort des Bundestags auf die neuerliche Eskalation der Gewalt war das Anti-Terror-Gesetz vom 24. Juni 1976. Es enthielt mehrere Bestimmungen zur Ergänzung des Strafgesetzbuches und der Strafprozeßordnung, darunter die Schaffung eines Straftatbestandes, der die wirksamere Bekämpfung terroristischer Vereinigungen erlaubte, die Erweiterung der Ermittlungszuständigkeit des Generalbundesanwalts und die Überwachung des Verkehrs eines Verteidigers mit einem Beschuldigten, der sich wegen Verdachts der Bildung einer kriminellen Vereinigung in Haft befand. Die letzte Bestimmung hatte ihren Grund darin, daß Anwälte einsitzender Terroristen sich als Kuriere zwischen den Häftlingen und ihren im Untergrund operierenden Organisationen betätigt hatten. Die rechtsstaatlichen Bedenken gegen die Kontrolle der Verteidiger lagen auf der Hand, mußten aber hinter noch höheren Rechtsgütern zurücktreten: Der Rechtsstaat hätte seine Autorität verspielt, wäre er der Begünstigung von Verbrechen nicht mit der gebotenen Entschiedenheit entgegengetreten.

1976 war ein Wahljahr, und auch diesem Faktum mußte die Koalition aus SPD und FDP Rechnung tragen. Die Regierungsparteien durften nicht den Eindruck aufkommen lassen, sie seien im Kampf gegen den Terrorismus von links weniger entschlossen als die Unionsparteien. Deren Kanzlerkandidat war der Vorsitzende der CDU und Ministerpräsident von Rheinland-Pfalz, Helmut Kohl. Vielleicht hätte der Kandidat Franz Josef Strauß geheißen, wäre nicht am 10. März 1975 im «Spiegel» jene Rede nachzulesen gewesen, die der Vorsitzende der CSU im November 1974 auf einer Tagung seiner Partei in Sonthofen gehalten hatte. Der Kernsatz lautete, die Union könne gar «nicht genug an allgemeiner Konfrontierung schaffen». Zur Strategie der Konfrontation gehörte nach Meinung von Strauß vor allem die Gleichsetzung von Sozialdemokratie, Sozialismus und Unfreiheit, ebenso die Behauptung, daß die Politik der Sozialdemokratie auf die Hegemonie der Sowjetunion über Westeuropa hinauslaufe. Mit solchen Parolen die politische Mitte zu gewinnen war unmöglich. Das war der Grund, weshalb die CDU am 12. Mai 1975 Kohl im Alleingang zum Kanzlerkandidaten ausrief. Die CSU fügte sich grollend, nicht ohne öffentlich zu erklären, daß sie weiterhin Strauß für den geeigneten Kandidaten hielt.

Kohl galt innerhalb der CDU als Reformer. Die Ostverträge hatte er abgelehnt, betonte aber seitdem immer wieder, daß sie geltendes Recht seien. Unter seiner Verantwortung forderte die CDU/CSU am 25. Juli 1975 die Bundesregierung in einer Sondersitzung des Bundestages auf, die Schlußakte von Helsinki nicht zu unterzeichnen, weil diese die Ausübung des Selbstbestimmungsrechts des ganzen deutschen Volkes erschwere und einer weltweiten Täuschung über die wahre Sicherheitslage in der Welt diene. Gleichzeitig pflegte Kohl über den Schatzmeister der CDU, Walther Leisler Kiep, Kontakte zum Leiter der Westabteilung im ZK der SED, Herbert Häber, der am 26. Juni 1975 vom Vertrauten des CDU-Vorsitzenden zu hören bekam, «die DDR würde angenehm überrascht sein, wie vernünftig eine CDU-Regierung Politik machen würde».

Die Wahlkampfparole der CDU lautete «Freiheit statt Sozialismus», die der CSU «Freiheit oder Sozialismus». In beiden Varianten zielte die vermeintliche Alternative auf Konfrontation und Polarisierung. Aber nicht alle Politiker der CDU glaubten an den Erfolg dieser Strategie. Es werde nach seiner Meinung «der CDU nicht gelingen, Schmidt als einen Sozialisten hinzustellen», erklärte Kiep am 25. Juni 1975 seinem Gesprächspartner Häber. «Der sei alles andere als das.»

Bei der achten Bundestagswahl am 3. Oktober 1976 kam die CDU/CSU mit 48,6 % der abgegebenen gültigen Stimmen, einem Plus von 2,8 % gegenüber 1972, und 243 Mandaten nahe an die absolute Mehrheit heran, die bei 249 Mandaten lag. Die SPD erreichte 42,6 % und damit 2,3 % weniger als vier Jahre zuvor. Die FDP erzielte 7,9 %, was einen Verlust von 0,5 % bedeutete. Zusammen verfügten SPD und FDP über zehn Sitze mehr als die Union. Da sich beide Parteien im Wahlkampf für ein neuerliches Regierungsbündnis ausgesprochen hatten, gab es keinen Zweifel, daß der Kanzler wieder Helmut Schmidt heißen würde. Beide Seiten, Koalition und Opposition, hatten die Wahl zu einem Plebiszit über die Frage «Kohl oder Schmidt?» gemacht. Der Ausgang war knapp, aber eindeutig: Die Mehrheit der Wähler wollte keinen Machtwechsel.[4]

Für die politische Führung der DDR stand von Anfang an fest, daß die Schlußakte von Helsinki nicht nur Chancen, sondern auch beträchtliche Gefahren für den «Arbeiter- und Bauernstaat» in sich barg. Das Ministerium für Staatssicherheit sprach von «verschärften Klassenkampfformen des Imperialismus seit Helsinki» und forderte eine neue Taktik gegenüber «kritischen Personen». Sie sollten künftig in der Regel abgeschoben und ausgebürgert und nur noch in besonders schweren oder Ausnahmefällen inhaftiert und verurteilt werden. Der Abschiebung und Ausbürgerung hatten «Maßnahmen der Zersetzung» vorauszugehen. Die wichtigsten führten das MfS im Januar 1976 in seiner Richtlinie «Nr. 1/76» auf: «Systematische Diskreditierung des öffentlichen Rufs, des Ansehens und des Prestiges auf der Grundlage miteinander verbundener wahrer, überprüfbarer und diskreditierender sowie unwahrer, glaubhafter, nicht widerlegbarer und damit ebenfalls diskreditierender Angaben; systematische Organisierung beruflicher und gesellschaftlicher Mißerfolge zur Untergrabung des Selbstvertrauens einzelner Personen; zielstrebige Untergrabung von Überzeugungen im Zusammenhang von bestimmten Idealen, Vorbildern usw. und die Erzeugung von Zweifeln an der persönlichen Perspektive; Erzeugen von Mißtrauen innerhalb von Gruppen, Gruppierungen und Organisationen.» Als «bewährte Mittel und Methoden der Zersetzung» nannte das MfS unter anderem anonyme Briefe, kompromittierende Fotos und die gezielte Verbreitung von Gerüchten.

Das mit Abstand prominenteste und populärste Opfer einer Ausbürgerungsaktion war Wolf Biermann. Der Liedermacher, Systemkritiker und

immer noch überzeugte Sozialist war im November 1976 mit Genehmigung der DDR-Behörden zu einer Konzertreise in die Bundesrepublik aufgebrochen. Nach einem vom Fernsehen übertragenen Auftritt in Köln
wurde ihm die Staatsbürgerschaft der DDR entzogen und damit die Rückkehr unmöglich gemacht. Zahlreiche Intellektuelle und Künstler protestierten gegen die Ausbürgerung Biermanns, unter ihnen die Schriftsteller
Jurek Becker, Volker Braun, Franz Fühmann, Stephan Hermlin, Stefan
Heym, Sarah Kirsch, Günter Kunert, Heiner Müller, Rolf Schneider und
Christa Wolf. Einige derer, die sich mit Biermann solidarisierten, wurden
aus der SED ausgeschlossen, andere verwarnt, wiederum andere gezwungen, die DDR zu verlassen. Zu den letzteren gehörte der Schriftsteller Jürgen Fuchs, ein enger Freund Biermanns.

Das politische Signal der SED war klar: Sie dachte nicht daran, ihr System im Sinne des Dokuments von Helsinki zu ändern. Wer vom Recht der
freien Meinungsäußerung Gebrauch machte, mußte also weiterhin mit
scharfen Sanktionen von Partei und Staat rechnen. Die Sanktionen waren
weniger brutal als unter Stalin, aber nicht weniger wirksam. Mit der Ausbürgerung Biermanns ging die kulturpolitische Entspannung zu Ende, die
Honecker nach seiner Wahl zum Ersten Sekretär der SED angekündigt und
verwirklicht hatte. Alle, die erwartet hatten, daß »Helsinki» zu einer Liberalisierung der «real existierenden Sozialismus» führen würde, mußten umlernen. Fürs erste war das Gegenteil des Erhofften eingetreten: eine neue
Verhärtung.

Ein Vierteljahr vor der Ausbürgerung Biermanns, am 18. August 1976,
hatte ein anderes Ereignis der DDR weltweit zu höchst unerwünschten
Schlagzeilen verholfen: die Selbstverbrennung des evangelischen Pfarrers
Oskar Brüsewitz vor der Michaeliskirche in Zeitz. Der Selbstmord war ein
Protest gegen das kommunistische System der Unterdrückung, aber auch
gegen das, was Brüsewitz als Unterwerfung der Kirche unter die Diktatur
empfand. Im Juli 1971 hatte die Eisenacher Synode des Bundes der Evangelischen Kirchen der DDR die Formel «Nicht Kirche neben, nicht gegen,
sondern im Sozialismus» geprägt. Das war ein auch innerkirchlich umstrit-
tenes Stück kirchlicher Realpolitik, das viele Deutungen zuließ und in der
Praxis auf einen Balanceakt zwischen Selbstbehauptung und Anpassung
hinauslief. Der Freitod von Brüsewitz brachte die Kirche von diesem Kurs
nicht ab und die SED schließlich zu der Einsicht, daß ein gewisses Maß an
kirchlicher Autonomie der Stabilität der DDR eher förderlich als abträglich war. Eine «Kirche im Sozialismus» war zwar weniger als eine «Kirche
für den Sozialismus», wie sie regimenahe Theologen forderten, aber doch
eine ausreichende Basis für eine «friedliche Koexistenz» zwischen der atheistischen Partei und der evangelischen Kirche.

Im Mai 1976 hielt die SED ihren 9. Parteitag ab. Die «führende Partei»
der DDR gab sich bei dieser Gelegenheit ein neues Programm, das jenes
von 1963 ablöste und sehr viel stärker, als das unter dem späten Ulbricht

üblich gewesen war, die Allgemeingültigkeit des sowjetischen Gesellschaftsmodells betonte. Der Kommunismus galt nun wieder eindeutig als «Ziel», die «entwickelte sozialistische Gesellschaft» lediglich als «ein historischer Schritt auf dem Weg zum Kommunismus».

Von den Zielvorstellungen deutlich abgehoben waren die Gegenwartsforderungen des Programms. Die Beziehungen zur «kapitalistischen Bundesrepublik Deutschland» sollten als «Beziehungen zwischen souveränen Staaten unterschiedlicher Gesellschaftsordnung auf der Grundlage der Prinzipien der friedlichen Koexistenz und der Normen des Völkerrechts entwickelt werden». Zur «sozialistischen Nation», die sich in der DDR entwickle, hieß es, ihre Wesenszüge präge die Arbeiterklasse. «Die sozialistische Nation ist eine von antagonistischen Widersprüchen freie, stabile Gemeinschaft freundschaftlich verbundener Klassen und Schichten, die von der Arbeiterklasse und ihrer marxistisch-leninistischen Partei geführt wird.» Der Bevölkerung der DDR sagte die SED die Erhöhung des materiellen und kulturellen Lebensniveaus im Zeichen der «Einheit von Wirtschafts- und Sozialpolitik» zu, wobei als vordringliche Ziele der Wohnungsbau, eine stabile Versorgung mit Konsumgütern und die 40-Stunden-Woche genannt wurden.

Doch damit versprach die SED mehr, als sie aus eigener Kraft halten konnte. Die Versorgung mit langlebigen Konsumgütern wie Personenkraftwagen, Kühlschränken und Fernsehgeräten hatte sich zwar unter Honecker deutlich verbessert. Aber um das zu erreichen, hatte sich die DDR zunehmend im westlichen Ausland verschuldet. Die Formel von der «Einheit von Wirtschafts- und Sozialpolitik» verschleierte die Tatsache, daß die DDR über ihre Verhältnisse lebte. Gegenüber den «kapitalistischen» Ländern blieb die Handelsbilanz passiv, und das mit steigender Tendenz: Zwischen 1966 und 1970 hatte der negative Saldo 2,2 Milliarden Valutamark betragen; zwischen 1971 und 1975 wuchs er auf fast 13 Milliarden an. Die Erwerbstätigkeit nahm zu, vor allem bei den Frauen, von denen 1975 77,5 % einen Beruf ausübten; am Produktivitätsrückstand gegenüber der Bundesrepublik aber änderte sich kaum etwas: Die DDR erreichte 1970 32,2 und 1975 33 % des westdeutschen Produktivitätsniveaus.

Seit dem 9. Parteitag führte Erich Honecker denselben Titel wie Ulbricht in den Jahren 1950 bis 1953: den des Generalsekretärs des ZK der SED. Am 29. Okober 1976 – kurz nach einer Volkskammerwahl, bei der auf den Wahlvorschlag der Nationalen Front 99,86 % der gültigen Stimmen entfallen waren – übernahm Honecker auch das Amt des Staatsratsvorsitzenden, das nach Ulbrichts Tod im August 1973 Willi Stoph zugefallen war. Stoph wechselte nun wieder zurück in sein früheres Amt als Vorsitzender des Ministerrats; sein Vorgänger in diesem Amt, Horst Sindermann, wurde zum Präsidenten der Volkskammer gewählt. Honecker war seitdem auch nach den Maßstäben des internationalen Protokolls der erste Mann der DDR, und da der von ihm repräsentierte Staat inzwischen zu fast allen Ländern

der Welt diplomatische Beziehungen unterhielt, zählte das mehr als zu der
Zeit, in der Walter Ulbricht Erster Sekretär der SED und Vorsitzender des
Staatsrats der DDR gewesen war.[5]

Am 19. November 1976, sieben Wochen nach der Bundestagswahl, faßte
die CSU-Landesgruppe auf einer Tagung in Wildbad Kreuth einen Beschluß, der in Bonn wie eine Bombe einschlug: Um die Unionsparteien
1980 zur absoluten Mehrheit zu führen, werde die CSU die Fraktionsge-
meinschaft mit der CDU im achten Bundestag nicht fortsetzen. Das Kalkül des Parteivorsitzenden Franz Josef Strauß lag offen zutage: Trat die
CSU künftig auch außerhalb Bayerns zur Wahl an, würde sie konservative
Wähler an sich binden können, denen die CDU zu links war. Die CSU
stellte mit ihrer Entscheidung einen Wahlspruch der alten Arbeiterbewegung gewissermaßen auf den Kopf. Das Motto der Union sollte nicht lauten «Vereint sind wir stark», sondern «Getrennt sind wir stärker».

Ein paar Tage nach dem Kreuther Treffen nutzte Strauß eine Zusammenkunft des Landesausschusses der Jungen Union in der Münchner Zentrale der Restaurantkette «Wienerwald», um seine Meinung über Helmut
Kohl darzulegen. Er sprach dem Vorsitzenden der CDU die Eignung für
das Kanzleramt rundweg ab. «Er ist total unfähig, ihm fehlen die charak-
terlichen, die geistigen und die politischen Voraussetzungen. Ihm fehlt alles dafür… Und glauben Sie mir eines, der Helmut Kohl wird nie Kanzler
werden, der wird mit 90 Jahren die Memoiren schreiben: ‹Ich war 40 Jahre
Kanzlerkandidat, Lehren und Erfahrungen aus einer bitteren Epoche›.
Vielleicht ist das letzte Kapitel in Sibirien geschrieben worden oder wo.»
Am 29. November war die «Wienerwald-Rede» im «Spiegel» nachzulesen.

Der Bundesvorstand der CDU hielt den Kreuther Vorstoß für abenteuerlich. Am 22. November erging die Aufforderung an die CSU, die Einheit
wiederherzustellen. Für den Fall, daß die bayerische Schwesterpartei diesem Appell nicht folgen sollte, kündigte die CDU die Gründung eines
bayerischen Landesverbandes an. Die Drohung zeitigte die gewünschte
Wirkung. Am 12. Dezember beschlossen CDU und CSU, doch wieder eine
gemeinsame Fraktion zu bilden. Um ein gewichtiges Zugeständnis kam die
CDU aber nicht herum: Eine paritätisch besetzte Kommission sollte die
Oppositionsstrategie für die Bundestagswahl 1980 festlegen.

Für die Koalition verlief die Zeit zwischen der Bundestagswahl und der
Konstituierung des achten Deutschen Bundestages womöglich noch un-
glücklicher als für die Opposition. Als das schwierigste Problem der
Koalitionsverhandlungen zwischen SPD und FDP erwies sich die Liqui-
ditätslücke bei der Rentenversicherung. Schließlich einigten sich die Delegationen beider Parteien auf eine Lösung, die auf den Bruch eines Wahlver-
sprechens hinauslief: der Ankündigung, die Renten würden auf der
bisherigen Berechnungsgrundlage, den Bruttolöhnen, zum 1. Juli 1977 erhöht. Wegen der Finanzprobleme sollten die Renten erst ein halbes Jahr spä-

ter erhöht, die Beiträge der Rentenversicherungsträger an die Krankenkassen von 17 auf 11 % gesenkt und von 1979 ab die Nettoeinkünfte und nicht mehr die Bruttoeinkünfte der Anpassung der Renten zugrunde gelegt werden. Die Empörung war nahezu allgemein. Die Opposition sprach von «Rentenbetrug»; in der liberalen Presse wurde den Koalitionspartnern «Vertrauensbruch» und «Regierungspfusch» vorgeworfen; in der sozialdemokratischen Bundestagsfraktion drohten einige Abgeordnete mit der Ablehnung der Koalitionsvereinbarung. Unter dem Eindruck dieses Trommelfeuers traten die Koalitionsspitzen den Rückzug an: Die Renten sollten, wie vor der Wahl versprochen, zum 1. Juli 1977 der Steigerung der Bruttolöhne entsprechend um 9,9 % erhöht und ein Beitrag der Rentner zur Krankenversicherung (zunächst) nicht eingeführt werden. Es blieb bei den Neurenten bei der Bruttolohnbezogenheit, freilich auch bei der Absicht, vom 1. Januar 1979 ab die laufenden Renten nicht mehr auf der Basis der Brutto-, sondern der Nettolöhne zu erhöhen. (Tatsächlich setzte das 21. Rentenanpassungsgesetz von 1. Juli 1978 für 1979 eine Rentenerhöhung um 4,5 % fest. Der Beitragssatz zur Rentenversicherung sollte 1981 um 0,5 % steigen; die Rentner hatten ab 1982 einen individuellen Beitrag zur Krankenversicherung zu leisten, der die persönlichen Einkommensverhältnisse berücksichtigte.)

Am 15. Dezember 1976 wählte der Bundestag Helmut Schmidt zum zweiten Mal zum Bundeskanzler. Er erhielt 250 Stimmen – eine mehr als erforderlich. Unmittelbar danach erklärte Arbeitsminister Arendt, daß er dem neuen Kabinett nicht mehr angehören werde. Der zuständige Ressortchef machte sich damit selbst zum Sündenbock des Rentendebakels. Sein Nachfolger wurde der sozialdemokratische Abgeordnete Herbert Ehrenberg, wie Arendt ein Mann der Gewerkschaften. An die Stelle von Entwicklungshilfeminister Egon Bahr, der das Amt des Bundesgeschäftsführers der SPD übernahm, trat Marie Schlei, Abgeordnete der SPD und seit 1974 Parlamentarische Staatssekretärin im Bundeskanzleramt; Nachfolgerin von Katharina Focke als Familienministerin wurde Antje Huber, die seit 1969 der SPD-Fraktion des Bundestags angehörte. Im übrigen unterschied sich das zweite Kabinett Schmidt nicht vom ersten.

Am 16. Dezember gab Helmut Schmidt seine Regierungserklärung ab. Sie begann mit einer Entschuldigung wegen des «Rententhemas», das zu einer «ernsthaften Beunruhigung und zu einer Belastung des Vertrauens in die sozialliberale Koalition und in die Bundesregierung» geführt habe. Es folgte eine Auflistung von innenpolitischen Bekenntnissen, die allgemein als glanzlos empfunden wurde. Die Koalition aus SPD und FDP wollte eine Vielzahl von Vorhaben in Angriff nehmen, Fehlentwicklungen wie beispielsweise beim «Radikalenerlaß» korrigieren, die Bündnispflichten der Bundesrepublik erfüllen und den Frieden sicherer machen. Die Regierung bekannte sich zu «Liberalität, weil sie der Kern der Demokratie ist, und Solidarität, weil sie Gerechtigkeit erst möglich macht». Von neuen Horizonten und Herausforderungen war nicht die Rede. Dem Kanzler mußte es vor allem darauf ankommen, Vertrauen für sich und seine Regierung zurückzugewinnen. Zukunftsvisionen hätten da eher als Versuch einer Flucht nach vorn gewirkt.

Daß Schmidt in seiner Regierungserklärung den Problemen der inneren Sicherheit besondere Aufmerksamkeit widmen würde, verstand sich nach den Ereignissen der letzten Jahre von selbst. Bei der Bekämpfung terroristischer Gewaltverbrecher komme der internationalen Zusammenarbeit eine immer größere Bedeutung zu, lautete eine seiner Feststellungen. Zwei Wochen später begann das Jahr, das als das Jahr des Terrors in die Annalen der Bundesrepublik eingehen sollte.

Am 7. April 1977 wurde Generalbundesanwalt Siegfried Buback von Mitgliedern eines «Kommandos Ulrike Meinhof – Rote Armee Fraktion» in Karlsruhe ermordet. Mit ihm starb sein Fahrer; ein Justizwachtmeister erlag sechs Tage danach seinen Verletzungen. Beim Staatsakt für Buback und die beiden anderen Mordopfer in der Evangelischen Stadtkirche zu Karlsruhe sagte Bundeskanzler Schmidt am 13. April, die Schüsse auf den Generalbundesanwalt hätten nicht nur diesem, sondern dem Rechtsstaat überhaupt gegolten. «Die Mörder wollen ein allgemeines Gefühl der Ohnmacht erzeugen... Sie wollen schließlich die Organe des Grundgesetzes verleiten, sich von den freiheitlichen und rechtsstaatlichen Grundsätzen abzukehren. Sie hoffen, daß ihre Gewalt eine bloß emotional gesteuerte, eine undifferenzierte, eine unkontrollierte Gegengewalt hervorbringe, damit sie alsdann unser Land als faschistische Diktatur denunzieren können. Aber diese Erwartungen werden sich nicht erfüllen, denn unsere freiheitliche Gesellschaftsordnung könnte nur durch uns selbst aufgegeben werden. Der Rechtsstaat bleibt unverwundbar, solange er in uns lebt. Und er lebt in uns, nun gerade und nun erst recht.»

Das nächste Opfer war der Vorstandsvorsitzende der Dresdner Bank, Jürgen Ponto. Er wurde am 30. Juli 1977 bei einem Entführungsversuch in seinem Haus in Oberursel bei Frankfurt ermordet. Am 5. September folgte der Anschlag auf den Vorsitzenden der Bundesvereinigung der Deutschen Arbeitgeberverbände und des Bundesverbandes der Deutschen Industrie, Hanns Martin Schleyer, in Köln. Sein Fahrer und die drei Polizeibeamten, die ihn begleiteten, wurden auf der Stelle erschossen, Schleyer selbst entführt. Am Tag darauf forderte ein «Kommando Siegfried Hausner RAF» die Freilassung von elf einsitzenden Terroristen im Austausch gegen Schleyer, außerdem die Zahlung von 100 000 DM für jeden der Freigelassenen und die sofortige Einstellung aller Fahndungsmaßnahmen.

Mit der Entführung Schleyers begann die schwerste innere Krise, die die Bundesrepublik bis dahin erlebt hatte. Für die Dauer von sechs Wochen fielen die wichtigsten Entscheidungen in zwei ad hoc gebildeten Gremien, der «Kleinen Lage» und dem «Großen Politischen Beratungskreis». Der «Kleinen Lage», die täglich zusammentraf, gehörten an: der Bundeskanzler, die

Bundesminister des Auswärtigen, des Innern und der Justiz, der Staatsminister und der Staatssekretär des Bundeskanzleramtes, der Pressesprecher der Bundesregierung, der Generalbundesanwalt und der Präsident des Bundeskriminalamtes. Im «Großen Politischen Beratungskreis» kamen ein bis zweimal in der Woche außer den Teilnehmern der «Kleinen Lage» die Vorsitzenden der im Bundestag vertretenen Parteien und Fraktionen und die Ministerpräsidenten der Länder zusammen, in denen Terroristen inhaftiert waren.

Bundeskanzler Schmidt war, wie er am 15. September erklärte, entschlossen, bei der Bekämpfung des Terrorismus bis an die Grenze dessen zu gehen, was der Rechtsstaat erlaubte. Um Zeit zu gewinnen und die verdeckte Fahndung möglichst rasch zum Erfolg zu führen, verhängte die Bundesregierung eine Nachrichtensperre, die von fast allen Medien respektiert wurde. Am 28. September brachte die Regierung im Bundestag ein «Kontaktsperregesetz» ein, das jede Verbindung zwischen den einsitzenden Terroristen untereinander und mit der Außenwelt unterbinden, also auch Kontakte zwischen den Häftlingen und ihren Anwälten unmöglich machen sollte. Der Entwurf ging in der Tat hart bis an die Grenze dessen, was rechtsstaatlich vertretbar war, entsprach aber dem Ernst der terroristischen Herausforderung. Im Eilverfahren verabschiedet, trat das Gesetz bereits am 2. Oktober in Kraft. Es wurde sofort auf die Häftlinge angewandt, die die Entführer Schleyers freipressen wollten.

Elf Tage später wurde die Bonner Verschleppungstaktik durch einen neuen Terrorakt durchkreuzt: Vier arabische Luftpiraten, die sich «Kommando Martyr Halimeh» nannten, kaperten die Lufthansa-Maschine «Landshut» mit 86 Passagieren und fünf Besatzungsmitgliedern an Bord auf dem Flug von Palma de Mallorca nach Frankfurt. Statt in die Bundesrepublik mußte die Boeing 737 über Rom und Zypern nach Dubai und von dort nach Aden fliegen. Dort wurde, bevor die Maschine nach Mogadischu, der Hauptstadt von Somalia, weiterflog, Flugkapitän Jürgen Schumann von den Luftpiraten erschossen. Zweck der Flugzeugentführung war die Freilassung der Terroristen, die das «Kommando Siegfried Hausner» freipressen wollte, sowie einiger in der Türkei inhaftierter Gesinnungsgenossen.

Die Verantwortlichen in Bonn mit dem Bundeskanzler an der Spitze befanden sich in einem tragischen Dilemma. Sie durften der Erpressung der Flugzeugentführer so wenig nachgeben wie der Erpressung der Entführer von Hanns Martin Schleyer. Hätten sie es getan, wäre dies eine Kapitulation vor dem internationalen Terrorismus und die Preisgabe des Rechtsstaates gewesen. Bei einer Abwägung der Rechtsgüter mußte die Rechtssicherheit der Bundesrepublik und ihrer Bürger Vorrang haben vor dem Recht Schleyers und der anderen Geiseln auf Leben und körperliche Unversehrtheit. Eindeutig war auch das Ergebnis einer anderen Güterabwägung: Die Bundesregierung mußte versuchen, die Geiseln auf dem Flughafen von Mogadischu zu befreien, auch wenn dies für Schleyer das sichere Todesurteil bedeutete. Schlug der Versuch fehl, gab es für Schmidt keinen Zweifel an der Konsequenz, die er dann ziehen mußte: Er würde als Bundeskanzler zurücktreten.

Am 16. Oktober lehnte das Bundesverfassungsgericht einen Antrag der Familie Schleyer ab, durch eine Einstweilige Anordnung die Bundesregierung zur Erfüllung der Forderungen der Terroristen zu zwingen. Zwei Tage später, am 18. Oktober, kurz nach Mitternacht, wurden die Geiseln auf dem Flughafen von Mogadischu von einem Sonderkommando des Bundesgrenzschutzes, der «GSG 9», befreit. Der Staatsminister im Bundeskanzleramt, Hans-Jürgen Wischnewski, hatte in Verhandlungen mit dem somalischen Staatspräsidenten Siad Barre dessen Genehmigung für die Aktion erlangt. Drei der Entführer wurden bei der Operation getötet, eine Terroristin schwer verletzt. Unter den Geiseln und ihren Befreiern gab es keine Opfer. Sieben Minuten nach Beginn der Aktion konnte Wischnewski dem Kanzler telefonisch melden: «Die Arbeit ist erledigt.»

Wenige Stunden nach der guten Nachricht aus Mogadischu kam aus Stuttgart die Meldung, die Gefangenen Andreas Baader, Gudrun Ensslin und Jan-Carl Raspe hätten sich in der Vollzugsanstalt Stammheim das Leben genommen; eine andere Terroristin, Irmgard Möller, habe sich bei einem Selbstmordversuch lebensgefährlich verletzt. Alle Beteiligten hatten sich bemüht, ihrer Selbsttötung den Anschein eines politisch motivierten Mordes zu geben. Bei Teilen der äußersten Linken innerhalb und außerhalb der Bundesrepublik fand diese Version Glauben. In einigen Städten des europäischen Auslands kam es auf Grund der Ereignisse in Stuttgart-Stammheim zu antideutschen Demonstrationen und zu Anschlägen auf Einrichtungen der Bundesrepublik und auf Filialen deutscher Unternehmen.

Am Abend des 18. Oktober rief Bundespräsident Walter Scheel über Rundfunk und Fernsehen die Entführer Schleyers auf, ihre Geisel freizulassen und mit der «sinnlosen Eskalation von Gewalt und Tod» Schluß zu machen. Der Appell war vergeblich. Tags darauf antworteten die Entführer mit einer Erklärung, in der es hieß, sie hätten «nach 43 Tagen Hanns Martin Schleyers klägliche und korruptive Existenz beendet... Andreas, Gudrun, Jan, Irmgard und uns überrascht die faschistische Dramaturgie der Imperialisten zur Vernichtung der Befreiungsbewegungen nicht. Wir werden Schmidt und den ihn unterstützenden Imperialisten nie das vergossene Blut vergessen. Der Kampf hat erst begonnen. Freiheit durch bewaffneten anti-imperialistischen Kampf.» Am Abend des 19. Oktober wurde Schleyers Leiche an dem Ort gefunden, den die Entführer genannt hatten: im Kofferraum eines Autos in der Rue Charles Péguy im elsässischen Mülhausen.

Am folgenden Tag gab Bundeskanzler Schmidt im Bundestag eine Erklärung zu den Ereignissen seit dem 5. September ab. Die «befreiende Tat in Somalia» habe «ein Beispiel für die Bedeutung unserer Grundwerte» gegeben, sagte er. Es sei auch ein Zeichen gesetzt worden «für die Zusammenarbeit unter den Völkern und Staaten der Welt und für die gemeinsame Überwindung der Geißel des internationalen, lebenverachtenden, gemeinschaftszerstörenden Terrorismus». Die Rolle Somalias und seines Präsidenten Siad Barre umschrieb der Kanzler mit einem biblischen Gleichnis. «Unser schwarzer Bruder war der barmherzige Samariter, der die unter die Räuber gefallenen Weißen aus ihrem Elend errettete.»

Gegen Ende seiner Rede wandte sich Schmidt vor allem den jüngeren Deutschen zu. Es gebe kein politisches Prinzip, sagte er unter dem Beifall aller Fraktionen, mit dem der Rückfall von der Menschlichkeit in die Barbarei sittlich gerechtfertigt werden könnte. Die Demokratie bestehe nicht allein aus dem Prinzip der Bildung von Mehrheiten. «Ihre, letztlich existentielle, Begründung findet Demokratie in der Humanisierung der Politik, das heißt in der Humanisierung des unvermeidlichen Umgangs mit der Macht. Indem die demokratische Verfassung von der Würde des Menschen ausgeht und nicht nur dem Staat, sondern auch dem einzelnen verbietet, mit der Existenz und der Würde des Menschen nach Belieben und Willkür zu verfahren, schreibt sie uns allen die Grenzen unseres Handelns vor.»

Die letzten Worte des Kanzlers waren sehr persönlich gehalten. Sie handelten von der Verantwortung dessen, der für andere und über andere entscheiden muß.» Wer weiß, daß er so oder so, trotz allen Bemühens, mit Versäumnis und Schuld belastet sein wird, wie immer er handelt, der wird von sich selbst nicht sagen wollen, er habe alles getan, und alles sei richtig gewesen. Er wird nicht versuchen, Schuld und Versäumnis den anderen zuzuschreiben; denn er weiß: Die anderen stehen vor der gleichen unausweichlichen Verstrickung. Wohl aber wird er sagen dürfen: Dieses und dieses haben wir entschieden, jenes und jenes haben wir aus diesen oder jenen Gründen unterlassen. Alles dies haben wir zu verantworten... Zu dieser Verantwortung stehen wir auch in Zukunft. Gott helfe uns!»

In der Erinnerung der außerparlamentarischen Linken lebte der «deutsche Herbst» von 1977 als Höhepunkt einer kollektiven Hysterie nach, in der alle, die «links» standen oder «links» fühlten, der Sympathie mit dem Terrorismus verdächtigt wurden. Es *gab* solche Verdächtigungen, vor allem von seiten des CSU-Vorsitzenden Franz Josef Strauß und konservativer Politiker der CDU wie Karl Carstens – Verdächtigungen, von denen die Schriftsteller Heinrich Böll und Günter Grass, ein linksstehender Theologe wie Helmut Gollwitzer, aber auch Sozialdemokraten wie Willy Brandt und Helmut Schmidt betroffen waren. Es *gab* aber auch eine linke «Sympathisantenszene», die zumindest den Motiven der Terroristen applaudierte. Nach dem Mord an Siegfried Buback bekannte sich ein studentischer Autor aus Göttingen, der sich hinter dem Pseudonym «Mescalero» versteckte, in einem Pamphlet zu seiner «klammheimlichen Freude» über die Tat. Er sprach nicht nur für sich, sondern für nicht wenige werdende Akademiker seiner Generation.

Die außerparlamentarische Linke warnte mit Recht vor zunehmender politischer Intoleranz und der Gefahr, daß ad-hoc-Gesetze gegen den Terror zu einem dauerhaften Abbau von Rechtsstaatlichkeit führen konnten. Die Kritik wäre freilich überzeugender ausgefallen, hätte sie ihr Gegenstück in Selbstkritik gefunden. Die außerparlamentarische Linke hätte allen Grund gehabt, nach *ihrer* Verantwortung für das geistige Klima zu fragen, in dem der Faschismusvorwurf gegenüber der Bundesrepublik gedeihen konnte. Eine solche selbstkritische Auseinandersetzung fand aber auch nach dem Herbst 1977 nicht statt.

Die äußerste Linke blieb vielmehr beim Generalverdacht gegenüber dem «System», dem sie auch den Mord an den Häftlingen von Stammheim zutraute. Dazu kam die Neigung, den Terror der RAF und ihrer Erben als Reaktion auf das Fortwirken der nationalsozialistischen Vergangenheit «verständlich» zu machen. Auch dafür eignete sich der Fall Schleyer: Der höchste Industriefunktionär der Bundesrepublik hatte einst der SS angehört und war maßgeblich an der wirtschaftlichen Ausbeutung des Protektorats Böhmen und Mähren beteiligt gewesen. Auf der anderen Seite trug gerade die Ermordung Schleyers entschieden dazu bei, die gewaltsame Abart von «Antifaschismus» nachhaltig zu diskreditieren. Der Herbst 1977 markierte nicht das Ende, wohl aber den Höhepunkt des Terrorismus von links. Das Kalkül der Terroristen, ihre Gewalt werde «faschistische» Gegengewalt herausfordern und dadurch dem Kampf gegen das herrschende «spätkapitalistische» System neue, revolutionäre Energie zuführen, war nicht aufgegangen. Die Krise vom Herbst 1977 hinterließ eine geschwächte Fundamentalopposition von links und eine bundesrepublikanische Demokratie, der aus ihrem Triumph über den Terrorismus neues Selbstbewußtsein erwuchs.[6]

Mitten in der Krise, die durch die Entführung Hanns Martin Schleyers ausgelöst worden war, mußte Bundeskanzler Schmidt einen Kabinettsposten neu besetzen: Am 7. Oktober trat Bundeswirtschaftsminister Hans Friderichs zurück, um die Nachfolge des ermordeten Jürgen Ponto als Vorstandssprecher der Dresdner Bank anzutreten. Friderichs' Nachfolger als Bundeswirtschaftsminister wurde der Abgeordnete Otto Graf Lambsdorff, der von 1968 bis 1978 auch Schatzmeister der nordrhein-westfälischen FDP war. Vier Monate später, am 2. Februar 1978, trat ein weiteres Mitglied der Regierung Schmidt zurück: Bundesverteidigungsminister Georg Leber übernahm damit die Verantwortung für illegale Abhöraktionen des Militärischen Abschirmdienstes und Pannen im Zusammenhang mit einer Spionageaffäre.

Schmidt nahm den Rücktritt seines Parteifreundes zum Anlaß einer Kabinettsumbildung. Am 3. Februar kündigte er das Revirement an; am 16. Februar trat es in Kraft: Finanzminister Hans Apel wechselte ins Verteidigungsministerium; Apels bisheriges Ressort übertrug der Kanzler dem Minister für Forschung und Technologie, Hans Matthöfer, dessen Ministerium dem Abgeordneten Volker Hauff, der bis dahin Parlamentarischer Staatssekretär dieses Hauses gewesen war. Hauff, Jahrgang 1940, war einer von vier jüngeren sozialdemokratischen Abgeordneten, die von Schmidt neu ins Bundeskabinett geholt wurden. Jürgen Schmude, geboren 1936, löste Helmut Rohde als Bildungsminister ab; Dieter Haack, Jahrgang 1934, wurde als Nachfolger von Karl Ravens Bauminister; Rainer Offergeld, geboren 1937, fiel die Aufgabe zu, an Stelle von Marie Schlei das Entwicklungshilfeministerium zu leiten. Die Verjüngung des Kabinetts sollte Signalwirkung haben: Schmidt wollte den Eindruck einer Regierungskrise gar nicht erst aufkommen lassen und einige Monate vor der Mitte der Legislaturperiode ein Beispiel von Dynamik und Führungsstärke geben.

Doch just an dem Tag, an dem die neuen Minister ihren Amtseid ablegten, entkam die Regierung Schmidt nur mit knapper Not einer schweren Niederlage. Mit 245 gegen 244 Stimmen, also der denkbar geringsten Mehrheit, verabschiedete der Bundestag ein Anti-Terror-Gesetz, das strafprozessuale Maßnahmen zur inneren Sicherheit beinhaltete – darunter die obligatorische Einführung einer Trennscheibe zwecks Isolierung inhaftierter terroristischer Gewalttäter, Erleichterungen bei der Durchsuchung von Gebäuden sowie Handhaben für die Errichtung von Kontrollstellen und für die Identitätsfeststellung. Der Opposition ging das Gesetz nicht weit genug, weshalb sie dagegen stimmte; vier Abgeordnete des linken Flügels der SPD taten dasselbe, weil es ihnen zu weit ging. Die Koalition mußte um ihren Bestand bangen, wenn vergleichbare Vorlagen zur Abstimmung gelangten.

Zu einem Problem der inneren Sicherheit wurde in der zweiten Hälfte der siebziger Jahre auch der Bürgerprotest gegen die Kernenergie. Anfang Oktober 1973 hatte die Regierung Brandt den Bau von fast 100 neuen Großkraftwerken für erforderlich erklärt, wobei Kernkraftwerke für die Hälfte des zusätzlichen Bedarfs aufkommen sollten. Seit der Ölkrise, die kurz darauf begann, galt die Kernenergie bei denen, auf die es in Politik und Wirtschaft ankam, erst recht als *die* Energie der Zukunft. Doch was den Regierenden als zwingendes Gebot erschien, erfüllte unzählige Menschen mit geradezu apokalyptischer Angst. 1975 kam es zu gewaltsamen Auseinandersetzungen um die Errichtung eines Kernkraftwerks im badischen Wyhl; im November 1976 gaben noch sehr viel martialischere Szenen, diesmal unter Beteiligung bewaffneter und vermummter kommunistischer Gruppen, im schleswig-holsteinischen Brokdorf der Hamburger «Zeit» Anlaß, vom «Bürgerkrieg in der Wilster Marsch» zu sprechen; im Frühjahr 1980 begann der Kampf gegen den Plan, bei Gorleben im niedersächsischen Wendland durch eine Tiefenbohrung die Möglichkeit einer Endlagerung von radioaktiven Abfällen zu prüfen.

Die breite Ablehnung der Kernenergie war Ausdruck zunehmender Skepsis gegenüber der Beherrschbarkeit des technischen Fortschritts und wachsender Sorge um die Bewahrung der natürlichen Umwelt. 1972 hatte der «Club of Rome», eine lockere Vereinigung von Wissenschaftlern, Politikern und Wirtschaftsführern, seinen Bericht über die «Grenzen des Wachstums» vorgelegt: eine düstere Prognose der Folgen, die es für die Menschheit haben mußte, wenn die gegenwärtige Zunahme der Weltbevölkerung, der Umweltverschmutzung, der Nahrungsmittelproduktion und der Ausbeutung von Rohstoffen unverändert anhielt. Seitdem verbreitete sich die Furcht vor einer allmählichen Selbstvernichtung der Menschheit in allen Industriegesellschaften, aber wohl kaum irgendwo so stark wie im Westen Deutschlands. Die Bundesrepublik entwickelte sich zum Land mit der erfolgreichsten Umweltbewegung; sie war aber auch das Land, in dem das Ja oder Nein zur Kernenergie sogleich den Rang einer Glaubensfrage erlangte.

Der Streit spaltete, ausgelöst durch die «Schlacht von Brokdorf», seit Ende 1976 auch die beiden Bonner Regierungsparteien. In der SPD standen Anhängern einer friedlichen Nutzung der Kernenergie, unter ihnen der Kanzler, entschiedene Gegner mit dem früheren Entwicklungshilfeminister Erhard Eppler an der Spitze gegenüber, der 1975 ein vielbeachtetes, an den Bericht des «Club of Rome» anknüpfendes Buch unter dem bewußt dramatisierenden Titel «Ende oder Wende. Von der Machbarkeit des Notwendigen» veröffentlicht hatte. Auf dem Hamburger Bundesparteitag vom November 1977 konnte Schmidt noch einen Kompromiß durchsetzen, der die Optionen für die Kernenergie ebenso offenhielt wie die Möglichkeit eines späteren Verzichts auf sie, grundsätzlich aber der Kohle Vorrang bei der Energieversorgung einräumte. Der Konflikt war damit lediglich vertagt. Ein Jahr später, am 14. Dezember 1978, mußten Außenminister Genscher mit dem Rücktritt und Bundeskanzler Schmidt mit der Vertrauensfrage drohen, um sechs liberale Atomkritiker davon abzuhalten, gegen einen Antrag zu stimmen, der der nordrhein-westfälischen Landesregierung den Weiterbau des «Schnellen Brüters» von Kalkar, eines Plutonium-Brutreaktors, empfahl.

Für die Sozialdemokraten ging es beim Streit um die Kernenergie um nichts Geringeres als um ihre Zukunft als Volkspartei. Eine entschiedene Absage an diese Energiequelle hätte Ende der siebziger Jahre einen Konflikt mit den Gewerkschaften heraufbeschworen; ein unbedingtes Ja verbaute der SPD die Chance, einen Teil der antinuklearen Bewegung, die vor allem eine Bewegung der jungen Generation war, an sich zu binden. Der Parteivorsitzende Brandt neigte bei dieser Kontroverse mehr Eppler als Schmidt zu; bereits im September 1977 warnte er im Parteivorstand vor den Gefahren, die den Sozialdemokraten aus der Gründung einer Grünen Partei erwachsen müßten, und forderte die SPD auf, «selbst ein Stück Grüner Partei zu sein».

Schmidt erschien der Gedanke, die ökologischen Fundamentalisten oder auch nur einen Teil von ihnen in die SPD zu «integrieren», aberwitzig und gefährlich, weil Zugeständnisse an das «grüne», von ihm als zutiefst irrational empfundene Politikverständnis, die Glaubwürdigkeit der SPD im Innern und nach außen erschüttern mußten. Als die OPEC, die Organisation erdölproduzierender Staaten, am 17. Dezember 1978 den Ölpreis für das kommende Jahr um durchschnittlich 10 % anhob und damit den zweiten Ölschock nach 1973 auslöste, wirkte sich das innerhalb und außerhalb der SPD als Argument gegen den Ausstieg aus der Kernenergie und damit zugunsten des Regierungschefs aus. Der Kanzler konnte sich gegen Eppler durchsetzen, mußte aber wie die SPD insgesamt den Preis seiner Konsequenz bezahlen: Im Januar 1980 konstituierten sich in Karlsruhe «Die Grünen» auf Bundesebene als Partei, und für keine andere der «etablierten Parteien» sollten sie in einem solchen Maß zur Konkurrenz werden wie für die SPD.

Die Grünen waren in ihrer Frühzeit ein buntscheckiges Gebilde. Sie reichten von ganz links bis ganz rechts: von ehemaligen Aktivisten kommunistischer «K-Gruppen» um Thomas Ebermann in Hamburg über den Heros der Berliner Studentenrevolte, Rudi Dutschke, und die Frankfurter «Spontis» um Joschka Fischer bis zum ehemaligen CDU-Bundestagsabgeordneten Herbert Gruhl, Autor des 1975 erschienenen Bestsellers «Ein Planet wird geplündert» und einige Jahre lang Vorsitzender des Bundes für Umwelt und Naturschutz, dem konservativen «Biobauern» Baldur Springmann aus Schleswig-Holstein und dem Bayern August Haußleiter, 1946 Gründungsmitglied der CSU und 1950 der rechtsstehenden «Deutschen Gemeinschaft», die er 1965 mit der zwischen links und rechts pendelnden «Aktionsgemeinschaft Unabhängiger Deutscher» verband.

Auf dem Saarbrücker Programmparteitag vom März 1980 hatten die Linken noch keine Mehrheit, sie traten jedoch geschlossener auf und agierten erfolgreicher als die Konservativen. Die Einigung auf die vier Grundsätze «ökologisch, sozial, basisdemokratisch und gewaltfrei» erwies sich als Formelkompromiß, der den Linken zugute kam. «Basisdemokratie» hieß Ämterrotation, Trennung von Abgeordnetenmandat und Parteiamt, Annäherung an das imperative Mandat, also Lenkung und Kontrolle der Parlamentarier durch die aktiven Parteimitglieder. Das Bekenntnis zur Gewaltfreiheit schloß «Gewalt gegen Sachen» nicht aus und kalkulierte Gesetzesverletzungen bewußt ein. Die Grünen waren, seit die ökopazifistische Linke den Ton angab, eine Partei der Systemveränderung in der Tradition von 1968. Sie hatten massive Vorbehalte gegen die repräsentative Demokratie und das Gewaltmonopol des Staates und waren für die Abschaffung von Warschauer Pakt und NATO sowie eine «soziale Verteidigung» mit nichtmilitärischen Mitteln.

Die APO war antikapitalistisch gewesen; viele Grünen gingen weiter und betrachteten, wie ihnen der sozialdemokratische Theoretiker Richard Löwenthal in einem Thesenpapier Ende 1981 vorhielt, die Industriegesellschaft als einen «geschichtlichen Irrweg der Menschheit». Die Grünen sammelten Minderheiten, denen die beiden großen Volksparteien der Mitte nichts oder nichts mehr zu sagen hatten; sie sprachen vor allem jüngere Akademiker an, die das Reformpathos Willy Brandts in die SPD geführt hatte, die der nüchterne Pragmatismus Helmut Schmidts aber abstieß. Die Grünen trugen viel dazu bei, das Umweltbewußtsein bei den «etablierten Parteien» zu schärfen; sie erzwangen, zumindest bei den Sozialdemokraten, ein Ernstnehmen der Risiken der Kernenergie; sie förderten die Gleichberechtigung der Frauen und das Verständnis für gleichgeschlechtliche Lebensgemeinschaften und «alternative» Lebensformen. Doch solange sie eine fundamentalistische Systemopposition betrieben, wesentliche Elemente des Rechtsstaats und die Westbindung der Bundesrepublik ablehnten, solange sie als Vorhut der Friedensbewegung die einseitige Abrüstung des Westens und die Abschaffung jedweder bewaffneten Macht forderten, konnten sie für die Sozialdemokratie kein Partner, und schon gar kein Koalitionspartner auf Bundesebene, sein.

Die SPD verstand sich als Partei des Friedens, aber nicht als pazifistische Partei. Sie bekannte sich zum atlantischen Bündnis und stellte den Bundeskanzler, der im Oktober 1976 in einem Interview mit dem «Spiegel» seinen Standpunkt wie folgt formulierte: «Die Aufrechterhaltung des militärischen Gleichgewichts in Europa ist eine Lebensbedingung für unsere demokratische Ordnung. Das klingt nach einer Überschrift, ist aber todernst gemeint.» Den Ökopazifismus politisch zu integrieren, war der Sozialdemokratie unmöglich, solange sie hinter Helmut Schmidt stand und entschlossen war, eine Partei des Westens zu bleiben.

Die Führungsmacht des Westens machte es der SPD in den späten siebziger Jahren allerdings nicht leicht, ihre atlantische Linie durchzuhalten. Seit Anfang 1977 hieß der amerikanische Präsident Jimmy Carter. Das Verhältnis Helmut Schmidts zu dem Südstaatendemokraten war von Anfang an gespannt. Der ehemalige Gouverneur von Georgia war außenpolitisch unerfahren. Der Sowjetunion gegenüber betrieb er unter dem Einfluß seines Sicherheitsberaters Zbigniew Brzezinski eine öffentliche Menschenrechtskampagne, die Schmidt als naiv, ja gefährlich empfand. Am 12. Juli 1977, dem Vorabend eines Besuches des Bundeskanzlers in den USA, erklärte Carter in einer Pressekonferenz, er habe der Bereitstellung von Mitteln zum Bau einer Neutronenwaffe zugestimmt. Eine endgültige Entscheidung werde er aber erst treffen, nachdem das Verteidigungsministerium die Auswirkungen auf die Bemühungen um Rüstungskontrolle geprüft habe.

Die Neutronenbombe vernichtete durch radioaktive Strahlung Menschenleben in weitem Umkreis, während sie Gebäude weitgehend intakt ließ. Der Bundesgeschäftsführer der SPD, Egon Bahr, nannte die neue Waffe daher in einem scharf polemischen Beitrag für den «Vorwärts» ein «Symbol der Perversion des Denkens». Der Bundeskanzler hingegen wollte die Neutronenwaffe als taktisches Druckmittel bei den Abrüstungsverhandlungen einsetzen, hielt Bahrs Vorstoß aber auch aus einem anderen Grund für fatal: Der Aufsatz in der sozialdemokratischen Wochenzeitung war geeignet, antiamerikanische Stimmungen zu erzeugen und der Bundesregierung außenpolitisch zu schaden.

Seine eigene Position zu den Fragen von Rüstung und Abrüstung legte Schmidt am 28. Oktober in einer Rede vor dem Londoner Institut für strategische Studien dar. Der Kanzler warnte davor, die strategische Rüstung der beiden Supermächte *ohne* gleichzeitigen Abbau der Disparitäten in Europa zu verringern. Die Sicherheit der europäischen Partner der USA werde gefährdet, wenn nichts geschehe, um die Überlegenheit der Sowjetunion auf dem Gebiet der konventionellen Waffen und der taktischen Atomwaffen abzubauen. Einseitige Einbußen an Sicherheit seien aber für keine Seite annehmbar. Schmidt gab der beiderseitigen Abrüstung den Vorzug vor einer Nachrüstung des atlantischen Bündnisses, hielt diese aber für unausweichlich, wenn es nicht gelang, sich auf niedrigere Gesamtstärken in Ost und West zu verständigen. «Die Allianz muß bereit sein, für die gültige Strategie ausreichende und richtige Mittel bereitzustellen und allen Entwicklungen vorzubeugen, die unserer unverändert richtigen Strategie die Grundlage entziehen könnten.»

Was Schmidt in seinen Gesprächen mit Carter nicht gelungen war, schien er mit seiner Londoner Rede erreicht zu haben: In Washington begann ein Prozeß des Umdenkens. Ende November 1977 schlug der amerikanische Präsident den westeuropäischen Verbündeten vor, nach einer amerikanischen Produktionsentscheidung auf die Aufstellung der Neutronenwaffe dann zu verzichten, wenn die Sowjetunion bereit war, auf die Stationierung der «eurostrategischen» SS-20-Raketen zu verzichten. Schmidt fiel es schwer, die sozialdemokratische Bundestagsfraktion auf diese Linie einzuschwören, doch er erhielt schließlich die Rückendeckung, die er brauchte, um Anfang Februar 1978 dem amerikanischen Junktim zuzustimmen.

Doch die Mühe war vergeblich: Carter dachte erneut um. Am 7. April gab der Präsident auf einer Pressekonferenz bekannt, daß er die Entscheidung über die Produktion der Neutronenwaffe auf unbestimmte Zeit verschoben habe. Damit war wieder völlig offen, wie der Westen auf die sowjetischen Mittelstreckenraketen reagieren sollte. Sie in die SALT-II-Verhandlungen einzubeziehen war Carter nicht bereit; die entsprechende mündliche Zusage, die Schmidt von Präsident Ford im Mai 1975 erhalten hatte, band seinen Nachfolger nicht. Die Produktion der SS-20 konnte infolgedessen ungehindert weitergehen, was Generalsekretär Breschnew nicht daran hinderte, anläßlich eines Besuchs in der Bundesrepublik im Mai 1978 zu beteuern, daß es keinerlei sowjetische Bedrohung Westeuropas gebe.

Im Spätjahr 1978 zeitigten die Warnungen des Bundeskanzlers dann doch noch die erhoffte Wirkung: Präsident Carter schlug ein westliches Vierertreffen zur Erörterung außen- und sicherheitspolitischer Fragen vor.

Es fand am 5. und 6. Januar 1979 auf der französischen Karibikinsel Gouadeloupe statt. Teilnehmer waren Präsident Carter, Staatspräsident Giscard d'Estaing, Premierminister Callaghan und, als einziger Vertreter eines Nichtnuklearstaates, Bundeskanzler Schmidt, der damit als einer der «großen Vier» des Westens anerkannt wurde.

Carter schlug zunächst die einseitige Stationierung amerikanischer Mittelstreckenraketen in Westeuropa vor; Callaghan wollte die Stationierung vom Ausgang von Verhandlungen mit der Sowjetunion abhängig machen; Giscard forderte eine Frist für den Abschluß der Verhandlungen; Schmidt verlangte, daß bei einem negativen Ausgang derselben die amerikanischen Systeme nicht nur in der Bundesrepublik aufgestellt werden dürften, weil sich andernfalls die sowjetische Propaganda ganz auf dieses Land konzentrieren würde. Carter akzeptierte die Vorschläge seiner Verbündeten. Damit wurde die Konferenz von Gouadeloupe, wie Schmidt rückblickend schrieb, zur «Geburtsstunde des späteren sogenannten Doppelbeschlusses».

Während des Treffens auf der Antilleninsel hatte Schmidt bereits darauf aufmerksam gemacht, daß der Doppelbeschluß in Europa und in seiner eigenen Partei nicht auf ungeteilte Zustimmung stoßen würde. Das war eine Untertreibung. Im Februar 1979 erklärte der Fraktionsvorsitzende der SPD im Bundestag, Herbert Wehner, in der sozialdemokratischen Zeitschrift «Die Neue Gesellschaft», es entspreche nicht der «realen Lage der Bundesrepublik, mit der vorgeblichen Notwendigkeit zusätzlicher Waffensysteme zu argumentieren und dabei die Gefahr heraufzubeschwören, daß die Bundesrepublik zum Träger solcher zusätzlichen Waffen gemacht würde, statt die Kräfte des Bündnisses in die Waagschale von Rüstungsbegrenzung und Rüstungsabbau zu bringen». Im gleichen Monat behauptete Wehner, die sowjetische Rüstung sei «defensiv und nicht Aggression».

Bei einer Besprechung im Kanzleramt am 19. Mai 1979, zu der Schmidt die Führungsspitze der Sozialdemokraten eingeladen hatte, hielt sich Wehner ebenso zurück wie der Parteivorsitzende Brandt, der, dem Zeugnis Horst Ehmkes zufolge, zum Thema Mittelstreckenraketen anmerkte, «er verstehe von der Sache nichts, Helmut Schmidt sei ja der Fachmann». Egon Bahr hingegen kündigte an, «er würde die Modernisierung (der amerikanischen Raketen, H. A. W.) nicht mitmachen. Die Ostpolitik sei dann zu Ende, und ohne sie könnten wir die nächste Wahl nicht gewinnen.» Am Ende der Beratung stand dann doch ein Ja zur Eventualität einer Nachrüstung – unter der Bedingung, daß die Verhandlungskomponente den unbedingten Vorrang vor der Modernisierungsoption haben sollte.

Bahrs massive Vorbehalte gegenüber der Linie des Kanzlers ergaben sich schon aus dem Fernziel, das er seit den Tagen der Großen Koalition verfolgte: der Schaffung eines europäischen Sicherheitssystems, das an die Stelle von NATO und Warschauer Pakt treten sollte. Brandt und Wehner hielten, so sehr sie sich sonst voneinander unterschieden, die Ost- und

Deutschlandpolitik für wichtiger als die Bündnisräson, und zumindest insoweit stimmten sie mit dem Bundesgeschäftsführer der SPD überein. Zwischen der Sozialdemokratischen Partei, vertreten durch Brandt, Wehner und Bahr, auf der einen, dem sozialdemokratischen Bundeskanzler Helmut Schmidt und dem sozialdemokratischen Verteidigungsminister Hans Apel auf der anderen Seite, verlief spätestens seit dem Gipfel von Gouadeloupe eine sicherheitspolitische Trennlinie. Sie ließ sich durch Formelkompromisse überbrücken, solange noch Hoffnung bestand, daß Verhandlungen zum Erfolg – im Optimalfall zu einer (doppelten) «Nullösung», also einem Verzicht auf Mittelstreckenraketen in Ost und West – führen könnten. Blieb der Erfolg aus, mußte der Bruch innerhalb der SPD offen in Erscheinung treten.

Der Gedanke an die nächste Bundestagswahl, auf die Bahr bei der Besprechung im Kanzleramt hinwies, lag im Frühjahr 1979 nicht mehr fern. Gewisse Anzeichen deuteten darauf hin, daß die Freien Demokraten nicht mehr so fest zur Erneuerung der sozialliberalen Koalition entschlossen waren wie 1976. Im Mai 1979 stand die Neuwahl des Bundespräsidenten an. Da die CDU/CSU in der Bundesversammlung über die absolute Mehrheit verfügte und der Amtsinhaber Walter Scheel nicht mehr kandidierte, lief alles auf die Wahl eines Bewerbers der Union hinaus. Die stärkste Fraktion stellte am 5. März Karl Carstens auf, der seit 1976 Präsident des Bundestages war. Die FDP wollte weder den konservativen Carstens noch einen sozialdemokratischen Zählkandidaten unterstützen, mit dessen Nominierung fest zu rechnen war. Am 23. Mai 1979, dem 30. Jahrestag der Verkündung des Grundgesetzes, wurde Carstens im ersten Wahlgang mit 528 Stimmen zum fünften Bundespräsidenten gewählt. Auf die Sozialdemokratin Annemarie Renger entfielen 431 Stimmen. Die Wahlfrauen und Wahlmänner der FDP hatten sich der Stimme enthalten, was nach dem Urteil Wolfgang Jägers «nur als Distanzierung vom Bündnis mit den Sozialdemokraten interpretiert werden konnte».

Ein Koalitionsbruch war indes im Sommer 1979 unwahrscheinlicher als zwei Jahre zuvor, als SPD und FDP in Fragen der Steuer- und der Wirtschaftspolitik hart aneinandergeraten waren. Nachdem sich die Koalition im September 1977 von der Politik der Haushaltskonsolidierung abgewandt und für eine höhere Staatsverschuldung zum Zweck der Nachfragebelebung entschieden hatte, hörte die Wirtschaftspolitik auf, polarisierend zu wirken. In der Innenpolitik zeigte die FDP unter dem zuständigen Minister Gerhart Rudolf Baum (sein Vorgänger Werner Maihofer war wegen einer spät aufgedeckten Fahndungspanne im Entführungsfall Schleyer Anfang Juni 1978 zurückgetreten) ein klares linksliberales Profil, das auch bei den Sozialdemokraten Anklang fand. In der Außen- und Sicherheitspolitik schließlich war Hans Dietrich Genscher ein zuverlässiger Partner des sozialdemokratischen Bundeskanzlers und des sozialdemokratischen Verteidigungsministers.

Das galt auch für die Frage einer eventuellen Nachrüstung, die unter den Freien Demokraten sehr viel weniger umstritten war als in der SPD. Am 13. August 1979, dem 18. Jahrestag des Mauerbaus, sprach sich das Präsidium der FDP für ein ausgefeiltes Konzept des «Doppelbeschlusses» aus: Es umfaßte auf der einen Seite die Entscheidung für die Stationierung von amerikanischen Mittelstreckenraketen, der «Pershing II» und der Marschflugkörper «Cruise Missiles», und auf der anderen Seite ein Verhandlungsangebot über die schrittweise oder auch gänzliche Beseitigung der nuklearen Mittelstreckenraketen, die sogenannte «Nullösung». Dem schloß sich bald darauf auch die Bundestagsfraktion der FDP an.

Die Sozialdemokraten trafen ihre Entscheidung erst einige Monate später. Am 6. Dezember 1979 nahm der Bundesparteitag der SPD in Berlin einen vom Parteivorstand vorgelegten Leitantrag zur Sicherheitspolitik an, der die Aufstellung neuer Mittelstreckenraketen unter der «auflösenden Bedingung» gestattete, «daß auf deren Einführung verzichtet wird, wenn Rüstungskontrollverhandlungen zu befriedigenden Ergebnissen führen». Ziel der Verhandlungen sei es, «durch eine Verringerung der sowjetischen und eine für Ost und West in Europa insgesamt vereinbarte gemeinsame Begrenzung der Mittelstreckenwaffen die Einführung zusätzlicher Mittelstreckenwaffen in Westeuropa überflüssig zu machen».

Die Mehrheit war deutlich, aber das vor allem auch deshalb, weil der Antrag die Verhandlungen in den Vordergrund rückte und als deren Ziel die Nullösung nannte. Der wichtigste Grund für den taktischen Erfolg Helmut Schmidts aber war die Tatsache, daß seit fünf Monaten feststand, gegen wen er im folgenden Jahr die Kanzlerschaft verteidigen mußte: Am 2. Juli 1979 hatte sich die Bundestagsfraktion der CDU/CSU für Franz Josef Strauß, seit November 1978 Ministerpräsident des Freistaates Bayern, als gemeinsamen Kanzlerkandidaten von CDU und CSU entschieden. Auch die Kritiker von Schmidts Sicherheitspolitik in der SPD konnten nicht ernsthaft wollen, daß der sozialdemokratische Bundeskanzler auf dem Parteitag eine Niederlage erlitt, die seine Wahlchancen minderte oder ihn gar zum Rücktritt nötigte. Eine Ablehnung des Leitantrags oder die Annahme des von Gerhard Schröder, dem Bundesvorsitzenden der Jungsozialisten, begründeten Antrags, der jeder Stationierung von Mittelstreckenraketen in Europa eine Absage erteilte, hätte die zweite Konsequenz gehabt. Aus ebendiesem Grund war der Ausgang der Abstimmung über den Leitantrag keine Überraschung.

Am 12. Dezember 1979, fünf Tage nach Abschluß des sozialdemokratischen Parteitags, traten die Außen- und Verteidigungsminister der 14 Staaten, die an der militärischen Integration der NATO teilnahmen, zu einer Sonderkonferenz in Brüssel zusammen, um den Doppelbeschluß offiziell zu verabschieden. Im Nachrüstungsteil sah er die Ersetzung der technisch veralteten Pershing Ia durch 108 Raketen vom Typ Pershing II und 464 bodenständige Marschflugkörper («Cruise Missiles») vor. Gleichzeitig wollten die USA 1 000 nukleare Gefechtskörper aus Europa abziehen. Die neuen Systeme sollten zunächst nur in drei Ländern – der Bundesrepublik, Großbritannien und Italien – stationiert werden. Belgien und die Niederlande wollten ihre Entscheidung zu einem späteren Zeitpunkt treffen. Im Verhandlungsteil unterstützten die Bündnispartner die Absicht der USA, zum frühestmöglichen Zeitpunkt mit der Sowjetunion in Verhandlungen über eine Beschränkung der eurostrategischen Waffen einzutreten.

Der Doppelbeschluß konnte und sollte nach dem Willen der Allianz ein Hebel sein, um «durch Rüstungskontrolle ein stabileres, umfassendes Gleichgewicht bei geringeren Beständen an Nuklearwaffen auf beiden Seiten zu erreichen». Um die europäischen Interessen zu wahren, wurde eine «Special Consultative Group» gebildet, in der auch die Bundesrepublik vertreten war. In kontinuierlicher Zusammenarbeit mit der westlichen Führungsmacht sollte dieses Gremium mittelbar auf die Verhandlungen zwischen Washington und Moskau einwirken können. Die Frist, die das atlantische Bündnis für einen Abschluß der Verhandlungen setzte, war das Jahr, von dem ab die neuen amerikanischen Raketen zur Verfügung standen: 1983.

Der Westen hatte damit auf die neue sowjetische Herausforderung geantwortet – indem er die Antwort ankündigte, die er geben würde, wenn die Sowjetunion weiterhin zu keiner Verständigung in der Frage der Mittelstreckenraketen bereit war. Der Kampf um den Doppelbeschluß hörte mit der Brüsseler Tagung nicht auf; er begann erst richtig. So viel war schon Mitte Dezember 1979 vorherzusehen: Die Auseinandersetzungen um die Wiederherstellung des gestörten Gleichgewichts in Europa würden weit über das Feld des Militärischen hinausreichen. Im Kern ging es um die Selbstbehauptung Westeuropas gegenüber *politischen* Pressionen mittels sowjetischer Mittelstreckenraketen. Daß die Bundesrepublik von solchen Pressionen besonders bedroht war, hatte nicht nur geographische Gründe. Es lag auch daran, daß Deutschland geteilt war und die beiden deutschen Staaten unterschiedlichen Bündnissystemen angehörten.[7]

In den Weihnachtstagen des Jahres 1979, knapp zwei Wochen nach der Brüsseler Sondersitzung der NATO, griff die Sowjetunion mit mehreren Divisionen in Afghanistan ein, das seit einem kommunistischen Putsch im Vorjahr von einem Bürgerkrieg erschüttert wurde, und führte einen Regimewechsel in Kabul herbei. Moskau wollte damit vor allem dem militanten Islamismus entgegentreten, der durch die Revolution im Iran vom Frühjahr 1979 kräftigen Auftrieb erhalten hatte und, so sah es wohl die Kremlführung, leicht auch auf die zentralasiatischen Sowjetrepubliken übergreifen konnte. Dazu kam das Interesse Moskaus, über die Beherrschung Afghanistans dem Persischen Golf näherzurücken – jener erdölreichen Region, von der die westlichen Industrieländer in hohem Maß abhängig waren.

Aus der Sicht Washingtons bedeutete die Invasion im Hindukusch das Ende der Entspannungspolitik. Carters erste Reaktion bestand darin, daß er den amerikanischen Botschafter in Moskau nach Washington zurückrief. Am 3. Januar 1980 ersuchte der Präsident den Senat, die Ratifizierungsdebatte über den SALT-II-Vertrag, den er am 18. Juni 1979 zusammen mit Leonid Breschnew in Wien unterzeichnet hatte, zu verschieben. Am nämlichen 3. Januar teilte der sowjetische Geschäftsträger in Washington dem State Department mit, daß seine Regierung das amerikanische Angebot von Verhandlungen über die eurostrategischen Waffen abgelehnt habe. Drei Tage später verhängte der amerikanische Präsident ein begrenztes Wirtschaftsembargo gegen die Sowjetunion, das eine drastische Beschränkung der Getreidelieferungen und ein Ausfuhrverbot für hochentwickelte Technologien in sich schloß, und kündigte weitere Sanktionen an. Am 23. Januar verkündete der Präsident vor dem Kongreß die «Carter-Doktrin»: Amerika werde jeden Versuch einer auswärtigen Macht, die Kontrolle über die Region am Persischen Golf zu gewinnen, als Angriff auf die lebenswichtigen Interessen der USA betrachten und mit allen, auch militärischen Mitteln zurückweisen.

Die sowjetische Intervention in Afghanistan löste nicht nur eine schwere Krise im Verhältnis zwischen Ost und West aus, sie belastete auch die Beziehungen zwischen den Vereinigten Staaten und ihren wichtigsten kontinentaleuropäischen Verbündeten. Das Weiße Haus ging von der Unteilbarkeit der Entspannung aus; Paris und Bonn hingegen wollten weiterer Entspannung in Europa auch dann noch eine Chance geben, wenn die beiden Supermächte in anderen Teilen der Welt in einen scharfen Interessengegensatz gerieten. Am 5. Februar 1980 erklärten Staatspräsident Giscard d'Estaing und Bundeskanzler Schmidt in einer gemeinsamen Verlautbarund, «daß die Entspannung einem neuen Schlag gleicher Art nicht standhalten würde» – woraus sich entnehmen ließ, daß beide die Politik der Détente trotz der Ereignisse in Afghanistan noch nicht für gescheitert hielten. Carters Sicherheitsberater Brzezinski und der Präsident selbst sprachen von der Notwendigkeit, die Sowjetunion zu «bestrafen». Schmidt erinnerte den amerikanischen Außenminister Cyrus Vance am 20. März 1980 daran, «daß sechzehn Millionen Deutsche in der DDR unter sowjetischer Oberhoheit und zwei Millionen Deutsche in West-Berlin leben; wer von einer Bestrafung der Sowjetunion spreche, der müsse wissen, daß es für die Sowjets ziemlich einfach sei, ihrerseits die Deutschen zu bestrafen».

Einer der amerikanischen Sanktionen, dem (ohne Konsultation der Verbündeten verkündeten) Boykott der bevorstehenden Olympischen Sommerspiele in Moskau, schloß sich die Bundesregierung im April widerstrebend an. Am 15. Mai 1980 folgte der entsprechende Beschluß des Nationalen Olympischen Komitees der Bundesrepublik. Das Verhältnis zwischen Washington und Bonn, Carter und Schmidt verbesserte sich dadurch aber kaum. Am 6. März hatte der Kanzler nach kontrovers verlaufenen Gesprächen mit Carter in einem Vortrag in New York öffentliche Kritik an der amerikanischen Außenpolitik geübt; am 12. Juni rügte der Präsident den Bundeskanzler brieflich wegen seines Vorschlags, den dieser am 11. April auf einer Landesdelegiertenkonferenz der Hamburger SPD gemacht hatte: Ost und West sollten für eine bestimmte Zahl von Jahren auf eine Aufstellung von Mittelstreckenraketen verzichten und die Zeit für Verhandlungen nutzen. Daß Carters Brief sogleich in die Öffentlichkeit gelangte, verstand Schmidt zu Recht als gezielte Herausforderung. Am Vorabend des sechsten Weltwirtschaftsgipfels, der am 12. und 13. Juni 1980 in Venedig stattfand, verwahrte sich der Kanzler im Gespräch mit Carter und Brzezinski derart scharf gegen Zweifel an seiner Bündnistreue, daß sich der amerikanische Präsident genötigt sah, Schmidt öffentlich seines Vertrauens zu versichern und die beiderseitige Übereinstimmung in der Frage der Raketenstationierung zu betonen.

Der Bundeskanzler konnte Ende Juni sogar mit der Zustimmung der westlichen Führungsmacht, ja mit einem informellen Mandat der wichtigsten westlichen Industriestaaten zu einem seit längerem geplanten Besuch nach Moskau fliegen und dort erkunden, ob die Sowjetunion bereit war, ohne Vorbedingungen in Verhandlungen über die eurostrategischen Waffen einzutreten. Was Schmidt im Vorjahr in mehreren Gesprächen mit der sowjetischen Führung – mit Kossygin und Gromyko im Juni in Moskau, mit Gromyko im November in Bonn – nicht gelungen war, erreichte er jetzt: Breschnew, seit 1977 auch Vorsitzender des Präsidiums des Obersten Sowjets und damit Staatsoberhaupt der Sowjetunion, stimmte nach interner Beratung mit den anwesenden Mitgliedern des Politbüros bilateralen Verhandlungen mit den Vereinigten Staaten über die Beschränkung der Mittelstreckenraketen der Sowjetunion und die vorgeschobenen Nuklearsysteme («Forward Based Systems») der USA zu, und zwar *vor* der Ratifizierung des SALT-II-Vertrages und *vor* der Aufnahme von umfassenden Verhandlungen über alle weiterreichenden taktischen Atomwaffen («SALT III»).

Die Festigkeit des Westens und namentlich die von Helmut Schmidt hatte sich ausgezahlt. Präsident Carter äußerte am 3. Juli «Anerkennung und Bewunderung» für den deutschen Bundeskanzler – ein Lob, das Schmidt im Bundestagswahlkampf des Jahres 1980 durchaus nützlich war. Doch der diplomatische Erfolg des Kanzlers bedeutete noch keinen Durchbruch in der Sache. Am 17. Oktober nahmen zwar Delegationen der USA und der Sowjetunion in Genf Verhandlungen über eine Beschränkung ihrer Mittelstreckenraketen in Europa auf. Nachdem aber bei den Präsidentschaftswahlen vom 4. November 1980 der konservative Republikaner Ronald Reagan über den demokratischen Amtsinhaber Jimmy Carter gesiegt hatte, wurden die Gespräche am 17. November erst einmal unterbrochen. Es sollte noch mehr als ein Jahr vergehen, bis die beiden Weltmächte am 30. November 1981 wieder an den Verhandlungstisch zurückkehrten.

Schmidt wäre vor der Bundestagswahl gern noch in einen anderen Staat des Warschauer Pakts gereist: die DDR. Das seit langem geplante Gipfeltreffen mit Erich Honecker sollte Ende August 1980 stattfinden, wurde jedoch am 22. August vom Bundeskanzler kurzfristig abgesagt. Der Grund war eine politische Streikbewegung in Polen, von der man in Bonn fürchtete, sie könne rasch außer Kontrolle geraten und in eine schwere internationale Krise umschlagen. Eine sowjetische Intervention in Polen wäre jener zweite Schlag nach dem Einmarsch in Afghanistan gewesen, den die Entspannung gemäß der gemeinsamen Erklärung von Giscard und Schmidt vom 5. Februar nicht mehr überleben konnte.

Der unmittelbare Anlaß der Streikwelle in Polen waren Preiserhöhungen für einige Sorten von Fleisch und Wurst am 1. Juli. Zum Aktionszentrum entwickelte sich das Streikkomitee an der Danziger Leninwerft unter Lech Walesa, das sich binnen weniger Tage zu einem Überbetrieblichen Streikkomitee erweiterte. Am 18. August übergab dieses Komitee dem Wojewoden von Danzig eine Liste mit 21 Forderungen. Die Kernpunkte betrafen die Einrichtung freier, von der Partei und den staatlichen Arbeitgebern unabhängiger Gewerkschaften, das Streikrecht sowie Meinungs- und Pressefreiheit. Am 20. August forderten 64 bekannte polnische Intellektuelle, unter ihnen der katholische Publizist Tadeusz Mazowiecki und die Historiker Bronislaw Geremek und Wladyslaw Bartoszewski, die Regierung auf, das Danziger Komitee als Verhandlungspartner anzuerkennen.

In den folgenden Tagen weiteten sich die Streiks und Betriebsbesetzungen von der Ostseeküste über das ganze Land aus. Nach einer Phase des Schwankens ließ sich die politische Führung auf Verhandlungen ein und machte schließlich am 31. August in Danzig die entscheidenden Zugeständnisse: Sie gestattete die Gründung «neuer, sich selbst verwaltender Gewerkschaften..., die authentische Repräsentanten der arbeitenden Klasse sind», versprach die Einschränkung der Zensur sowie Meinungsfreiheit, Pluralismus in den Medien und die Freilassung von oppositionellen Intellektuellen, die am 20. August und in den Tagen danach verhaftet worden waren. Das war der Durchbruch. Am 17. September wurde in Danzig auf einem Treffen von Arbeitervertretern aus ganz Polen die «Unabhängige Gewerkschaft Solidarność» («Solidarität») gegründet. Den Vorsitz übernahm der Streikführer der Leninwerft, Lech Walesa. Am 24. Oktober 1980 wurde «Solidarność» offiziell registriert.

Eine parteiunabhängige Gewerkschaft in einem kommunistischen Staat war ein Widerspruch in sich selbst. Lenin hatte in den Gewerkschaften «Transmissionsriemen» zwischen der kommunistischen Partei und den Arbeitermassen gesehen, ihnen also nur die Rolle eines Machtinstruments der Partei zuerkannt. Die Danziger 21 Forderungen vom 18. August 1980 waren mithin eine Kampfansage an jenen «demokratischen Zentralismus», an dem sich, entsprechend den 21 Bedingungen für die Aufnahme in die Kommunistische Internationale vom 6. August 1920, kommunistische Parteien auszurichten hatten. Die Komintern war zwar im Mai 1943 formell aufgelöst worden, der «demokratische Zentralismus» aber bestand fort und mit ihm das Dogma von der Parteiabhängigkeit der Gewerkschaften. Was sich in Polen im Sommer 1980 abspielte, hatte folglich revolutionäre (oder, aus der Sicht orthodoxer «Marxisten-Leninisten», konterrevolutionäre) Qualität.

Der Zustand der «Doppelherrschaft», in den Polen damals eintrat, konnte nicht von Dauer sein; der Widerspruch zwischen dem freiheitlichen Charakter der neuen Gewerkschaft und dem diktatorischen Charakter der Staatsgewalt drängte auf eine Lösung; die «Machtfrage» mußte früher oder später geklärt werden. Wie die Sowjetunion sich gegenüber der polnischen Krise verhalten würde, war 1980 noch offen. Klar zu erkennen war hingegen auch schon zu jener Zeit eine der tieferen Ursachen des neuen polnischen Freiheitskampfes: Das Selbstbewußtsein, mit dem die streikenden Arbeiter Staat und Partei gegenübertraten, stützte sich auch auf die Tatsache, daß es seit dem Oktober 1978 in Rom einen polnischen Papst gab.

Als Johannes Paul II., der vormalige Kardinal von Krakau, Karol Wojtyla, im Juni 1979 erstmals wieder in sein Heimatland kam, mobilisierte er Massen in einem Ausmaß, das das Regime das Fürchten lehrte. Schon einmal, neun Jahrhunderte zuvor, hatte es eine «Papstrevolution» gegeben, die die weltliche Macht herausforderte. Anders als sein Vorgänger, Gregor VII., im «Dictatus Papae» von 1075 beanspruchte Johannes Paul II. nicht das Recht, weltliche Herrscher abzusetzen. Aber er führte der kommunistischen Staatsgewalt vor Augen, daß er im immer noch katholischen Polen einen breiteren Rückhalt im Volk hatte als sie. Die zweite Papstrevolution der Geschichte war, innerkirchlich gesehen, eine konservative Revolution. Ihre weltlichen Wirkungen aber waren freiheitlich. Sie trugen, weit über Polen hinaus, entscheidend zur Aushöhlung der kommunistischen Herrschaft und schließlich zu ihrem Zusammenbruch bei.

Helmut Schmidt nahm, als er am 22. August sein Treffen mit Honecker absagte, nicht nur Rücksicht auf die westlichen Verbündeten, die ihm eine Demonstration deutsch-deutscher Entspannung auf dem Höhepunkt der Polenkrise verübelt hätten. Er hatte auch einzukalkulieren, daß sein Besuch eine von ihm durchaus nicht gewünschte Folge haben konnte: ein Überschwappen der polnischen Unruhen auf die DDR. Er mußte des weiteren damit rechnen, daß die Reise mit einem Fehlschlag oder gar mit einem Eklat endete. Eine Intervention des Warschauer Pakts in Polen hätte ihn zum sofortigen Abbruch des Besuchs gezwungen. Das wäre für die Ost- und Deutschlandpolitik und vor allem für die Deutschen in der DDR fatal gewesen. Der politische Rückschlag, den der Verzicht auf den deutsch-deutschen Gipfel bedeutete, wog demgegenüber weniger schwer.

Schließlich hätte Schmidts politisches Ansehen gelitten, wenn die Begegnung mit Honecker mit einem negativen Ergebnis zu Ende gegangen wäre.

Kurz vor der Bundestagswahl aber kam es vor allem darauf an, den «Kanzlerbonus» nicht zu gefährden, über den Schmidt in reichem Maß verfügte. In weiten Kreisen galt er als der erfolgreichste Krisenmanager unter den westlichen Regierungschefs. Er war eine, wenn nicht *die* beherrschende Figur auf den Weltwirtschaftsgipfeln. Er hatte, zusammen mit seinem Freund Giscard d'Estaing, die Einigung Westeuropas ein gutes Stück vorangebracht. Im März 1979 waren das im Jahr zuvor beschlossene Europäische Währungssystem mitsamt der Europäischen Währungseinheit, dem «ECU», in Kraft getreten; im Juni 1979 hatten die ersten Direktwahlen zum Europäischen Parlament stattgefunden. Schmidt war dem amerikanischen Präsidenten ebenso selbstbewußt gegenübergetreten wie dem Generalsekretär der KPdSU; ihm wurde es von vielen als Verdienst angerechnet, daß die Bundesrepublik mit der zweiten Welle der Ölpreissteigerungen von 1978 bis 1980, wie es schien, wirtschaftlich gut fertig geworden war.

Der sozialdemokratische Bundeskanzler war sehr viel populärer als seine Partei. Diese mochte zu großen Teilen mit Schmidts harter Haltung in der Frage des militärischen Gleichgewichts hadern; verglichen mit dem Kanzlerkandidaten von CDU und CSU, Franz Josef Strauß, erschien Schmidt auch weit links stehenden Sozialdemokraten als das mit Abstand kleinere Übel. Strauß und der Generalsekretär der CSU, Edmund Stoiber, hatten im Herbst 1979 eine antisozialdemokratische Kampagne ausgelöst, in deren Mittelpunkt die Behauptung stand, auch die Nationalsozialisten seien in erster Linie Sozialisten gewesen; der Wahlkampf der Union stand 1980 unter dem Slogan «Gegen den SPD-Staat – Stoppt den Sozialismus». Für die Annahme, daß solche Parolen Wähler der Mitte ansprechen würden, sprach wenig, solange der Bundeskanzler Helmut Schmidt hieß. Die SPD setzte denn auch ihrerseits ganz auf die Alternative «Schmidt oder Strauß», und die FDP verhielt sich in der letzten Phase des Wahlkampfs nicht viel anders: Die Liberalen stellten sich als die Partei dar, die Schmidt im Grunde näher stand als die Sozialdemokraten.

Aus der neunten Bundestagswahl am 5. Oktober 1980 ging die Union mit 44,5 % zwar wieder als stärkste politische Kraft hervor; gegenüber 1976 aber verlor sie 4,1 %. Die SPD schnitt geringfügig besser ab als vier Jahre zuvor: Sie steigerte ihren Anteil von 42,6 auf 42,9 %. Deutlich stärker war der Zuwachs der FDP. Sie hatte bei der letzten Bundestagswahl 7,9 % erlangt und kam jetzt auf 10,6 %. Die Grünen, die erstmals bei einer Bundestagswahl antraten, erzielten 1,5 %, sonstige Parteien 0,5 %. Die Mandatsmehrheit der bisherigen Koalition war eindrucksvoll: Zusammen verfügten SPD und FDP über 271, die Unionsparteien über 226 Sitze. Am wichtigsten Grund ihres Erfolges konnten Sozialdemokraten und Liberale keinen Zweifel haben: Die Wahl war zum erstrebten Plebiszit *gegen* Strauß geworden, und davon hatte die FDP, die viele bisherige Wähler der CDU zu sich herüberziehen konnte, noch mehr profitiert als die SPD. Vor diesem Hintergrund fiel die Vorhersage leicht, daß es für die Freien Demokraten vorerst keine Alternative zur Fortsetzung des Bündnisses mit den Sozialdemokraten geben würde.[8]

Nicht nur die «kapitalistischen» Staaten wurden durch die mehrfachen drastischen Erhöhungen der Ölpreise seit 1973 hart getroffen. Auch die «sozialistischen» Staaten hatten mit den Folgen zu kämpfen, und offenkundig fiel es ihnen schwerer als den westlichen Industrieländern, sich auf die Verknappung der fossilen Energien einzustellen. Dabei verfügte die Sowjetunion über riesige, unerschlossene Öl- und Gasvorkommen in Sibirien. Doch um diese Ressourcen in großem Stil auszubeuten, fehlte es an Kapital und der erforderlichen Technologie. Durch verstärkte Zusammenarbeit mit dem Westen hätte sich dieser Mangel beheben lassen. Einstweilen standen einer solchen Kooperation aber zwei Hindernisse entgegen: die sowjetische Raketenrüstung in Europa und der Moskauer Expansionskurs in Zentralasien.

Die DDR bekam die Auswirkungen der weltweiten Energiekrise in der zweiten Hälfte der siebziger Jahre massiv zu spüren. Die Zuwachsraten beim Bruttoinlandsprodukt, bei den Konsumgüterindustrien, den Investitionen gingen stark zurück. Da an Honeckers Dogma von der «Einheit von Wirtschafts- und Sozialpolitik» nicht gerüttelt werden durfte, blieb nur der Ausweg weiterer Verschuldung im «nichtsozialistischen Ausland». Die Produktivität sank rapide, und damit verschärfte sich auch das Wettbewerbsgefälle zwischen der Bundesrepublik und der DDR.

Im Dezember 1976 lehnte die Sowjetunion die Bitte der DDR ab, ihr erhöhte Rohölbezüge zum Preis des Rates für Gegenseitige Wirtschaftshilfe, der Wirtschaftsgemeinschaft der «sozialistischen» Länder, und damit weit unter dem Weltmarktpreis zu bewilligen. Die akuten Zahlungsschwierigkeiten, die daraus erwuchsen, veranlaßten den Vorsitzenden der Staatlichen Planungskommission, Gerhard Schürer, und den ZK-Sekretär für Wirtschaft, Günter Mittag, im März 1977 zu dem Vorschlag an Honecker, die DDR möge ihre Exporte in das nichtsozialistische Ausland verstärken und ihre Importe vermindern. Die Antwort des Ersten Sekretärs der SED war abschlägig. Die überfällige Wirtschafts- und Finanzreform fand nicht statt; die Zahlungsfähigkeit der DDR wurde durch neuerliche Verschuldung gesichert.

Weiterreichende Forderungen nach einem Wandel des politischen Systems galten als Angriff auf den Sozialismus und riefen entsprechende Reaktionen der Staatsmacht hervor. Betroffen waren vor allem kritische Intellektuelle, die sich auch nach der Ausbürgerung von Wolf Biermann im November 1976 nicht davon abbringen ließen, eine Demokratisierung der DDR zu fordern. Der Physiker Robert Havemann, entschiedener Befürworter eines demokratischen Sozialismus und enger Freund Biermanns, stand seit dem November 1976 unter Hausarrest, der im August 1978 noch verschärft und erst im Mai 1979 aufgehoben wurde. Rudolf Bahro, ehemaliger Stellvertreter Chefredakteur der FDJ-Studentenzeitung «Forum» und danach Abteilungsleiter in einem Volkseigenen Betrieb, wurde 1978 zu acht Jahren Haft verurteilt, weil er im Jahr zuvor in seinem, in der Bundesrepublik veröffentlichten Buch «Die Alternative» die Praxis des Politbüros mit der kirchlichen Inquisition verglichen und die SED «die eigentliche politische Polizei» genannt hatte; anhaltende westliche Proteste hatten 1979 seine Abschiebung in die Bundesrepublik zur Folge. Im Januar 1978 veröffentlichte der «Spiegel» das Manifest eines «Bundes demokratischer Kommunisten». Urheber war der Berliner Ökonomieprofessor Hermann von Berg, ein früherer «IM» im Bereich der deutsch-deutschen Beziehungen. Berg wurde zeitweilig festgesetzt, wochenlang verhört und durfte schließlich, nach einer Fürsprache Willy Brandts, 1986 in die Bundesrepublik ausreisen.

»Unbelehrbare» Kritiker und Gegner des DDR-Systems in die Bundesrepublik ausreisen zu lassen war für die SED aus zwei Gründen nützlich. Zum einen ließ sich auf diese Weise der innere Reformdruck mindern, der nach der Helsinkikonferenz vom Sommer 1975 spürbar zugenommen hatte. Zum anderen war diese Art des Personentransfers längst zu einer willkommenen, ja unentbehrlichen Devisenquelle geworden. Am 3. Juli 1980 ließ der Bundesminister für innerdeutsche Beziehungen, Egon Franke, die Öffentlichkeit wissen, daß durch «besondere Bemühungen» der Bundesregierung seit 1964 13 000 politische DDR-Häftlinge vorzeitig aus der Haft entlassen worden seien. Im gleichen Zeitraum hätten die verschiedenen Bundesregierungen die Ausreise von mehr als 30 000 Bürgern der DDR innerhalb der Familienzusammenführung erreicht. Insgesamt kauften die Bundesregierungen zwischen 1964 und 1989 33 755 politische Häftlinge frei und zahlten dafür 3,4 Milliarden DM. Der Historiker Stefan Wolle hat diesen «Handel mit Landeskindern» mit dem Soldatenverkauf zur Zeit des Absolutismus verglichen und das ebenso scharfe wie treffende Urteil gefällt: «Der Menschenhandel bedeutete einen der lukrativsten Posten in der Bilanz des SED-Staates und gleichzeitig eine Art politischer Giftmüllentsorgung».

Als belehrbar und unter Umständen sogar nützlich galten in der zweiten Hälfte der siebziger Jahre die Kirchen. Der SED konnten sie, aus deren Sicht, vor allem auf *einem* Gebiet wertvolle Dienste leisten: der «Friedenspolitik». Als Erich Honecker am 6. März 1978 den Vorstand der Konferenz der Kirchenleitungen des Bundes der Evangelischen Kirchen in der DDR mit dem Bischof von Berlin-Brandenburg, Albrecht Schönherr, an der Spitze empfing, zeichnete sich bereits der Kampf um die Nachrüstung der NATO ab. Infolgedessen würdigte der Staatsratsvorsitzende demonstrativ «das Friedensengagement, zu dem sich die Kirchen gemäß den christlichen Maximen der Achtung vor dem Leben und des Dienstes am Nächsten gerufen wissen». Er hob die «große Bedeutung des Beitrages der Kirchen zur Beendigung des Wettrüstens, zum Verbot der Massenvernichtungsmittel, vor allem der Neutronenwaffe» hervor. Und er äußerte eine Erwartung, der kein Kirchenvertreter widersprach: «Für uns und gewiß auch für Sie ist es beunruhigend, daß trotz der Fortschritte in der Entspannung das Wettrüsten von imperialistischer Seite ständig forciert wird...»

Von der sowjetischen Vorrüstung sprach Honecker am 6. März 1978 nicht, und ebensowenig von der Einführung eines neuen Schulfaches, über das er Schönherr ein Vierteljahr später, am 1. Juni, unterrichtete: der «Sozialistischen Wehrerziehung». Im Jahr 1979 verschärfte das «sozialistische Lager» die Kampagne gegen die Nachrüstungspläne des atlantischen Bündnisses. Anläßlich der Feiern zum 30. Jahrestag der Gründung der DDR drohte Breschnew am 6. Oktober in Ost-Berlin, eine Stationierung amerikanischer Mittelstreckenraketen auf dem Boden der Bundesrepublik werde im Kriegsfall «auch die Gefahr eines Gegenschlages gegen die BRD selbst um ein Vielfaches erhöhen». Honecker schloß sich dieser Linie an. Am 1. November sagte er in Sofia negative Folgen für die Beziehungen zwischen der DDR und der Bundesrepublik voraus, falls die NATO sich für eine Raketenstationierung entscheiden sollte.

Am 13. Dezember 1979 aber, einen Tag nach dem entsprechenden Beschluß der Brüsseler NATO-Tagung, hörte man aus Ost-Berlin ganz andere Töne. Auf der 11. Tagung des ZK der SED kündigte der Generalsekretär einen Besuch des Bundeskanzlers in der DDR für den Beginn des nächsten Jahres an. Vorausgegangen waren ein ausführliches Telefongespräch zwischen Honecker und Schmidt am 28. November, eine schriftliche Darlegung des Bundeskanzlers, die Honecker am 3. Dezember vom Ständigen Vertreter der Bundesrepublik in der DDR, Günter Gaus, überreicht wurde, und Kontakte, die über den Ost-Berliner Rechtsanwalt Wolfgang Vogel, den Unterhändler der DDR in Sachen Freikauf von Häftlingen und sonstige Ausreisefragen, liefen.

Ende Januar 1980, vier Wochen nach dem sowjetischen Einmarsch in Afghanistan, wurde der Besuch, der am 27. Februar stattfinden sollte, dann auf Honeckers Wunsch verschoben. Doch es gab keinen Zweifel, daß der Staatsratsvorsitzende größtes Interesse an einem baldigen deutsch-deutschen Gipfel hatte. Honecker verfolgte gegenüber Bonn eine Doppelstrategie: scharfe ideologische und propagandistische Auseinandersetzung auf der einen, enge wirtschaftliche Zusammenarbeit auf der anderen Seite. Die DDR war mittlerweile von der Bundesrepublik so abhängig, daß diese scheinbar widersprüchliche Politik durchaus ihre innere Logik besaß. Die DDR profitierte vom «Swing», dem zinslosen Überziehungskredit im innerdeutschen Handel, der seit 1969 jeweils in Höhe von 25 % der Lieferungen und Dienstleistungen des Vorjahres neu festgesetzt wurde. Dadurch sparte die DDR rund 50 Millionen Zinskosten jährlich. Der äußerste Kreditrahmen pro Jahr lag seit November 1974 bei 850 Millionen (statt zuvor bei 660 Millionen) DM: ein Entgegenkommen der Bundesrepublik, das die DDR mit der Befreiung der Rentner vom Zwangsumtausch bei Besuchen in Ost-Berlin und der DDR honorierte. Noch immer galt das Abkommen über den Interzonenhandel vom Oktober 1949, das von Deutschland als wirtschaftlicher Einheit ausging. Es gestattete der DDR, an den Fortschritten des Gemeinsamen Marktes teilzunehmen, ohne dessen Kosten mittragen zu müssen. Das ließ sich zwar kaum mit der Doktrin von der Herausbildung von zwei deutschen Nationen vereinbaren, war aber wirtschaftlich vorteilhaft.

Als ökonomisch nützlich für die DDR erwies sich auch die Zusammenarbeit beider Staaten im Bereich des Verkehrswesens. Einen Durchbruch bildete hier der im November 1978 vereinbarte Bau der Autobahn Berlin-Hamburg, an dem sich die Bundesrepublik mit 1,2 Milliarden DM beteiligte. Am 19. Februar 1980 verständigten sich Schmidt und Honecker telefonisch darauf, einige weitere Verkehrsprojekte in Angriff zu nehmen, die den Berlinverkehr erleichtern sollten. Zwei Monate danach, am 17. April, kam Günter Mittag, der ZK-Sekretär für Wirtschaft, nach Bonn, um dort, unter anderem mit dem Bundeskanzler, die noch strittigen Fragen zu besprechen. Am 30. April wurden eine Reihe von Vereinbarungen unterzeichnet. Sie betrafen namentlich den Autobahnausbau zwischen dem Grenzübergang Wartha/Herleshausen und Eisenach, den Ausbau des Mittellandkanals und Baumaßnahmen bei der Eisenbahn. Die Kostenbeteiligung der Bundesrepublik belief sich auf 500 Millionen DM. Eine Woche später, am 8. Mai 1980, trafen Schmidt und Honecker zum ersten Mal seit der Helsinki-Konferenz von 1975 wieder zu einem Meinungsaustausch zusammen – diesmal in Belgrad, wo sich aus Anlaß der Beisetzungsfeierlichkeiten für Marschall Tito Staats- und Regierungschefs aus aller Welt versammelt hatten.

Den «Hardlinern» in der Führung der SED erschien die deutsch-deutsche Politik von Honecker und Mittag zunehmend verdächtig. Zwei Mitglieder des Politbüros, die das besondere Vertrauen des Kreml genossen, der Vorsitzende des Ministerrats, Willi Stoph, und sein Stellvertreter Werner Krolikowski, behaupteten ihren Moskauer Vertrauensleuten gegenüber, bei seinem Gespräch mit Schmidt sei Mittag «nicht als ein Vertreter der festgefügten sozialistischen Staatengemeinschaft und ihrer einheitlichen Außenpolitik, sondern als Teilnehmer eines deutsch-deutschen Techtelmechtels aufgetreten». Sie warnten vor den politischen Folgen des Transitprojekts, das «eine bedeutende Geldspritze für die DDR» sei, ja «eine der größten Kapitalinvestitionen der BRD in der DDR, die neue politische und ökonomische Abhängigkeiten schaffen würde». Daß Stoph und Krolikowski vom «konspirativen Charakter dieses Kontakts mit dem Feind» sprachen, machte vollends deutlich, worauf ihre Vorwürfe hinausliefen: Sie unterstellten der Gruppe um Honecker, sie bekenne sich zwar offiziell zur gemeinsamen Strategie der sozialistischen Gemeinschaft, arbeite aber insgeheim mit dem imperialistischen Klassenfeind zusammen.

Völlig falsch war die Beschuldigung nicht. In gewisser Weise betrieben sogar *beide* deutschen Staaten im Schatten der Ost-West-Konfrontation der frühen achtziger Jahre ein «doppeltes Spiel». Honecker wollte bei aller Loyalität gegenüber dem östlichen Bündnis und seiner Vormacht nicht die besondere Beziehung zu Bonn gefährden, ohne die sich die ökonomisch ruinöse «Einheit von Wirtschafts- und Sozialpolitik» nicht aufrechterhalten ließ. Schmidt vertrat die Bündnisräson der atlantischen Allianz womöglich noch glaubwürdiger als die westliche Führungsmacht. Zu keinem Zeitpunkt aber konnte er davon absehen, daß die Deutschen die Hauptbetroffenen einer Abkehr von der Entspannungspolitik sein würden. Im Bundestagswahlkampf von 1980 sprach er mit Blick auf die Deutschen in der DDR von den sechzehn Millionen «Geiseln, die sich nicht frei entscheiden» könnten und denen gegenüber die Bundesregierung mit ihrer Ostpolitik in der Pflicht stehe. Noch am Abend des Wahltages, dem 5. Oktober, schrieb er an Honecker, die neue Bundesregierung werde «die Bemühungen um den Ausbau der bilateralen Beziehungen aktiv fortsetzen und weiterhin Vereinbarungen anstreben, die für die Menschen in beiden Staaten nützlich sind». Dem schloß sich ein Credo an, das mehr Mahnung und Hoffnung als Lagebeschreibung war: Die beiden deutschen Staaten könnten «angesichts der gefährlichen Krisenherde in der Welt einen wichtigen Beitrag zur Stabilisierung der internationalen Lage leisten».

Die Aufmerksamkeit der Partei- und Staatsführung in Ost-Berlin wurde zu diesem Zeitpunkt ganz von der Entwicklung in Polen in Anspruch genommen. Am 2. Oktober, vier Wochen nach der Ablösung des Ersten Sekretärs der Polnischen Vereinigten Arbeiterpartei, Eduard Gierek, durch den als liberal geltenden Stanislaw Kania, ging der Minister für Staatssicherheit, Erich Mielke, in einer Dienstbesprechung auf die Krise im östlichen Nachbarland ein. Die Ereignisse dort seien gefährlich, handle es sich doch «um das konzentrierte Wirken konterrevolutionärer Kräfte inmitten unserer Staatengemeinschaft mit allen daraus für die DDR entstehenden Gefahren... Was in Polen geschieht, das ist auch für uns in der DDR eine Kernfrage, eine Lebensfrage. Deshalb ist höchste Wachsamkeit geboten.»

Die Abteilung des ZK für Internationale Beziehungen unter Hermann Axen hatte schon Ende September 1980 einen Vergleich zwischen «den Programmen und konkreten Forderungen der antisozialistischen Kräfte in Polen 1980 und in der ČSSR 1968» gezogen und war zu dem Schluß gelangt, daß «im Wesen und in den Zielstellungen weitgehende Übereinstimmung» bestehe: «Beiden konterrevolutionären Bewegungen ist gemeinsam, daß sie keine frontale Alternative zum Sozialismus deklarieren, sondern ihre antisozialistischen Zielstellungen mit der Behauptung verschleiern, den Sozialismus verbessern zu wollen.» Der für die Agitation und Propaganda zuständige ZK-Sekretär Joachim Herrmann meinte Ende Oktober gegenüber einem sowjetischen Gesprächspartner, dem ZK-Sekretär Michail V. Zimjanin, die Lage in Polen sei sogar «schlimmer als 1968 in der ČSSR, schlimmer als unter Dubček»; die Konterrevolution sei weiter auf dem Vormarsch. Die Schlußfolgerungen der SED ergaben sich aus dieser Lagebeurteilung von selbst. Am 20. November ermahnte Honecker den scheidenden polnischen Botschafter Stefan Olszowski, der Mitglied des Politbüros der PVAP war und dort zur «Betonfraktion» gehörte, die polnische Partei dürfe notfalls auch vor Blutvergießen nicht zurückschrecken. «Es ist das letzte Mittel. Aber auch dieses letzte Mittel muß angewandt werden, wenn die Arbeiter- und Bauernmacht verteidigt werden muß. Das sind unsere Erfahrungen von 1953, das zeigen die Ereignisse 1956 in Ungarn und 1968 in der Tschechoslowakei.»

Eine knappe Woche später, am 26. November, bat Honecker Breschnew in dringlicher Form um die Einberufung einer Konferenz der Staaten des Warschauer Paktes, auf der «kollektive Hilfemaßnahmen für die polnischen Freunde bei der Überwindung der Krise» ausgearbeitet werden sollten. Jede Verzögerung sei «dem Tode gleich – dem Tod des sozialistischen Polen. Gestern wären unsere gemeinsamen Maßnahmen vielleicht vorzeitig gewesen, heute sind sie notwendig, aber morgen können sie verspätet sein.»

Das von Honecker, aber auch von den bulgarischen und tschechoslowakischen Parteiführern, Todor Schiwkow und Gustav Husák, geforderte Treffen fand am 5. Dezember 1980 in Moskau statt. Schon am Vorabend war in informellen Gesprächen die Entscheidung gefallen, vorerst noch nicht in Polen militärisch zu intervenieren, sondern auf eine «polnische» Lösung der Krise, gegebenenfalls durch Verhängung des Kriegsrechts, zu setzen. Offenbar spielte dabei die ablehnende Haltung von János Kádár und Nicolae Ceausescu, den Parteichefs von Ungarn und Rumänien, ebenso eine Rolle wie politische Bedenken der sowjetischen Führung, die das Verhältnis zum Westen nicht noch stärker belasten wollte, als es ohnehin schon seit dem Einmarsch in Afghanistan der Fall war.

Gleichzeitig wurden jedoch die Vorbereitungen für die ultima ratio, ein Eingreifen des Warschauer Paktes, intensiviert. Das verschleiernde Kennwort, dessen sich auch das Ministerium für Nationale Verteidigung der DDR in einem Befehl vom 6. Dezember 1980 bediente, hieß «Vorbereitung und Durchführung einer gemeinsamen Ausbildungsmaßnahme der Vereinten Streitkräfte der Teilnehmerstaaten des Warschauer Vertrages auf dem Territorium der Volksrepublik Polen». Vier Tage danach unterzeichnete Honecker als Vorsitzender des Nationalen Verteidigungsrates einen Befehl, der bis zum April 1982 in Kraft blieb. Die Weisung ermächtigte den Minister für Nationale Verteidigung, Armeegeneral Hoffmann, für die NVA die notwendigen Festlegungen zu treffen und über erforderliche Mobilmachungsmaßnahmen zu entscheiden. Noch am gleichen Tag meldete Hoffmann, alle Vorbereitungsmaßnahmen seien abgeschlossen.

Die polnische Krise wirkte sich auch auf das Verhältnis Ost-Berlins zu Bonn aus. Die SED konnte von Moskau keinen harten Kurs gegenüber den ideologischen Aufweichungen in Polen verlangen, wenn sie nicht gleichzeitig der Bundesrepublik gegenüber ideologische Härte bewies. Am 9. Oktober, vier Tage nach der Bundestagswahl, verfügte die DDR eine drastische Erhöhung der Mindestumtauschsätze für Besucher aus dem «nichtsozialistischen Ausland»: Für jeden Besuch in Ost-Berlin und der DDR mußten nun pro Tag und Person 25 DM gezahlt werden. (Bislang waren für Besuche in der DDR 13 DM und für Tagesaufenthalte in Ost-Berlin 6,50 DM zu entrichten gewesen.) Die neue Regelung galt auch für Rentner, die im Dezember 1974 vom Zwangsumtausch befreit worden waren, und für Jugendliche ab 15 Jahren.

Am 13. Oktober 1980 trat die Verordnung in Kraft. Am gleichen Tag setzte sich Erich Honecker in einer Rede in Gera mit der von ihm behaupteten «Widersprüchlichkeit der BRD-Politik» auseinander. Man könne, so sagte er, nicht «aktiv die Politik des westlichen Bündnisses vertreten, aus Solidarität mit den USA die Olympischen Spiele in Moskau boykottieren, als Erfinder und Einpeitscher des Brüsseler Raketenbeschlusses auftreten und gleichzeitig so tun, als brauche man mit der DDR nur über Reiseerleichterungen zu sprechen». In den Beziehungen zwischen der DDR und der Bundesrepublik könnte sich «nur dann etwas vorwärtsbewegen, wenn ohne jeden Vorbehalt von der Existenz zweier souveräner voneinander unabhängiger Staaten mit unterschiedlicher Gesellschaftsordnung ausgegangen wird. Jegliches Streben nach einer Revision der europäischen Nachkriegsordnung muß die Normalisierung des Verhältnisses zwischen beiden deutschen Staaten belasten, ja in Frage stellen.»

Es folgten die vier sogenannten «Geraer Forderungen». Der Generalsekretär verlangte erstens die Anerkennung der Staatsbürgerschaft der DDR durch die Bundesrepublik, zweitens die Umwandlung der Ständigen Vertretungen in Ost-Berlin und Bonn in reguläre Botschaften, drittens die verbindliche Regelung des Grenzverlaufs auf der Elbe, nämlich durchgängig in der Flußmitte, viertens die Auflösung der Zentralen Erfassungsstelle der Landesjustizverwaltungen in Salzgitter, die Straftaten von Behörden und Organen der DDR dokumentierte. Zumindest die ersten beiden Forderungen waren, wie Honecker sehr wohl wußte, für die Bundesrepublik aus verfassungsrechtlichen Gründen unannehmbar. Die Erhöhung des Mindestumtausches und die Geraer Rede schoben mithin der Verbesserung der innerdeutschen Beziehungen fürs erste einen Riegel vor.

Seine innerparteilichen Gegner konnte der Generalsekretär mit der Geraer Rede nicht überzeugen. Am 13. November 1980 rügte Erich Mielke im Gespräch mit Willi Stoph, «im Verhältnis zur BRD sei sichtbar, daß er (Honecker, H. A. W.) öffentlich provokativ auftritt, während er intern gegenüber der BRD für sein öffentliches Verhalten Entschuldigungen abgibt... EH (Erich Honecker, H. A. W.) verschaukelt uns und die sowjetischen Freunde.» Einen Monat später, am 16. Dezember, behauptete Werner Krolikowski in einer Notiz für seine sowjetischen Verbindungsleute, Honecker treibe im Verhältnis zur Bundesrepublik eine «unverantwortliche doppelgesichtige Zick-Zack-Politik». Der Geraer Rede mit ihren richtigen Forderungen sei (am 3. November, H. A. W.) ein Gespräch mit dem Ständigen Vertreter der Bundesrepublik in der DDR, Günter Gaus, gefolgt, in dem Honecker die «Fortsetzung der deutsch-deutschen Sonderbeziehungen signalisiert» habe. «So kann man nicht Außenpolitik gegenüber der BRD machen, wie das EH tut. Wir schlagen der sowjetischen Seite vor, EH's Handlungen in der Außenpolitik gegenüber der BRD sorgfältig zu analysieren und mit ihm über die gemachten Fehler zu sprechen, damit die Grundlage für einen prinzipiell klaren außenpolitischen Kurs gegenüber der BRD erarbeitet und dem X. Parteitag (im April 1981, H. A. W.) zur Beschlußfassung vorgeschlagen wird.»

Um seine Position mußte Honecker aber noch nicht fürchten. Mielke nannte Stoph gegenüber einen Grund: «... alle haben Angst vor EH.» In der sowjetischen Parteiführung mochten die deutsch-deutschen Eigenwilligkeiten des Ost-Berliner Generalsekretärs zwar gelegentlich Unbehagen hervorrufen. Aber zu dem Argwohn, daß Honecker ernsthaft versuchen könnte, sich ihrer Kontrolle zu entziehen, hatte sie keinen Anlaß. Einstweilen konnte der erste Mann der SED davon ausgehen, daß seine «Zick-Zack-Politik» gegenüber Bonn nicht in Gefahr war.[9]

Am 5. November 1980, einen Monat nach der Wahl des neunten Deutschen Bundestages, wurde Helmut Schmidt erneut zum Bundeskanzler gewählt. Er erhielt 266 Stimmen und blieb damit um fünf Stimmen hinter der Gesamtzahl der Abgeordneten von SPD und FDP zurück. Das neue Kabinett unterschied sich kaum vom alten. Veränderungen gab es nur bei den Sozialdemokraten. Forschungsminister Volker Hauff wechselte ins Verkehrsressort, das bisher Postminister Kurt Gscheidle in Personalunion geleitet hatte. Gscheidle blieb Postminister; neuer Forschungsminister wurde Andreas von Bülow, bislang Parlamentarischer Staatssekretär im Verteidigungsministerium. Größere Bedeutung hatten zwei andere Personalentscheidungen: Regierungssprecher Klaus Bölling, ein enger Vertrauter Schmidts, löste als Ständiger Vertreter der Bundesrepublik in der DDR Günter Gaus ab, der sich die Vorstellungen der SED-Führung des öfteren in höherem Maß zu eigen gemacht hatte, als es dem Kanzler vertretbar erschien. Böllings Nachfolge in Bonn trat der parteilose Kurt Becker, Redakteur der Hamburger «Zeit», an. Staatssekretär im Kanzleramt wurde der bisherige Staatssekretär des Finanzministeriums, Manfred Lahnstein. Sein Vorgänger Manfred Schüler übernahm die Leitung der Kreditanstalt für Wiederaufbau in Frankfurt.

Schmidts Regierungserklärung vom 24. November 1980 entbehrte der großen Linien und der zündenden Parolen. Sie listete die Vorhaben auf, auf die sich die Koalitionsparteien in schwierigen Verhandlungen verständigt hatten – nicht mehr und nicht weniger. Einem Versuch, das Regierungsbündnis auf eine neue programmatische Grundlage zu stellen, wäre freilich auch kein Erfolg beschieden gewesen. Sozialdemokraten und Freie Demokraten hatten den Vorrat ihrer Gemeinsamkeiten weitgehend verbraucht. Selbst der gemeinsame Gegensatz zu Franz Josef Strauß verbürgte längerfristig keinen Zusammenhalt mehr. Nachdem die Unionsparteien die Bundestagswahl mit und wegen Strauß verloren hatten, mußte man für 1984 nicht mit einer abermaligen Kandidatur des bayerischen Ministerpräsidenten rechnen. Der wahrscheinlichste Bewerber war vielmehr der CDU-Vorsitzende Helmut Kohl, der vier Jahre zuvor die absolute Mehrheit nur knapp verfehlt hatte. Eine von Strauß geführte Koalition aus CDU/CSU und FDP war unvorstellbar; der Gedanke an einen von den Liberalen gewählten Bundeskanzler Kohl erforderte sehr viel weniger politische Phantasie.

Vor der Wahl war den wenigsten bewußt gewesen, daß sich die wirtschaftliche Lage der Bundesrepublik mittlerweile deutlich verschlechtert hatte. Erst danach gewann die Einsicht an Boden, daß die Folgen des zweiten Erdölschocks von 1978/79 noch längst nicht bewältigt waren. Zwischen dem Oktober 1980 und dem Oktober 1981 wuchs die Zahl der Arbeitslosen um 400000 auf 1,37 Millionen. Die Produktion sank 1981 um 0,5 %, während die Verbraucherpreise um 7 % stiegen. Nach oben ging auch die Zahl der Firmenzusammenbrüche: 1980 hatte sie sich auf 6300 belaufen; im Jahr darauf lag sie bei 8500.

Die Rezession förderte eine allgemeine Krisenstimmung, und aus dieser nährten sich Angstgefühle, die zu Beginn der achtziger Jahre immer häufiger in Aggression umschlugen. Bevorzugte Zielscheiben waren in Deutschland lebende Ausländer. Insgesamt lebten 1981 in der Bundesrepublik 61,7 Millionen Menschen; 4,6 Millionen (= 7,5 %) waren Ausländer; von diesen stammte ein knappes Drittel (1,5 Millionen) aus der Türkei. Zu den erwerbstätigen Ausländern und ihren Familien kamen etwa 100000 Asylbewerber, zur Hälfte ebenfalls aus der Türkei, zur Hälfte aus anderen Ländern Asiens und aus Afrika. Gegen die Türken, die großenteils schon seit langem in der Bundesrepublik lebten und arbeiteten, richtete sich der Vorwurf, sie nähmen den Deutschen die Arbeitsplätze weg; über die Asylbewerber hieß es nicht nur an Stammtischen, sondern auch bei konservativen Politikern, sie seien nicht politisch Verfolgte, sondern «Wirtschafts-» oder «Scheinasylanten» und mißbrauchten das deutsche Sozialsystem. Je niedriger der Bildungsgrad, desto stärker war demoskopischen Untersuchungen zufolge die Abneigung gegen Ausländer. Das Institut für angewandte Sozialwissenschaft («infas») in Bonn stellte Ende 1981 sogar bei knapp der Hälfte der Bundesbürger eine zumindest latente Ausländerfeindlichkeit fest.

Fremdenfeindschaft war eine «rechte» Erscheinungsform von Angst. Bei der politischen Linken äußerte sich Angst anders: im Protest gegen die Kernkraft, gegen technische Großprojekte und gegen die Nachrüstung. Im Februar 1981 fand wieder eine Massendemonstration gegen den Weiterbau des Kernkraftwerks Brokdorf statt; Ende Januar 1982 kam es zu schweren Ausschreitungen um den Bau der Startbahn West des Frankfurter Flughafens. Gewalt wurde dabei nur von militanten Minderheiten ausgeübt, aber diese waren fast überall zur Stelle, wo protestiert wurde. Die Anlässe schienen auswechselbar: Polizeieinsätze zur Räumung besetzter Häuser, vom Berliner «Problembezirk» Kreuzberg über die Hamburger Hafenstraße bis zum «Schwarzwaldhof» im idyllischen Freiburg, wirkten ähnlich mobilisierend wie öffentliche Gelöbnisse der Bundeswehr, beginnend mit jenem in Bremen vom Mai 1980, oder Auftritte amerikanischer Politiker. Am 13. und 14. September 1981 wurde ein Besuch von Außenminister Alexander Haig, einem ehemaligen General, in West-Berlin von heftigen Krawallen begleitet. Einen Tag später verübten Angehörige der wiedererstandenen RAF ein Attentat auf den amerikanischen General Frederick James Kroesen, bei dem dieser aber nur leicht verletzt wurde.

Antiamerikanismus war spätestens seit dem Vietnamkrieg ein hervorstechendes Merkmal der außerparlamentarischen Linken. Kräftigen Auftrieb erhielt er durch den Doppelbeschluß der NATO vom Dezember 1979 und die Wahl Ronald Reagans zum Präsidenten der USA im November 1980. Der frühere Filmschauspieler und nachmalige Gouverneur von Kalifornien hatte sich als entschiedener Antikommunist hervorgetan, aber noch kein klares außenpolitisches Profil gewonnen. Als Helmut Schmidt anläßlich seines Abschiedsbesuches bei Jimmy Carter Ende November mit dem «President elect» zusammentraf, versprach der konservative Republikaner, er werde die Abrüstungsverhandlungen nachdrücklich und mit größter Entschiedenheit und Zielstrebigkeit führen. Am 22. Mai 1981 bekannte er sich in einer gemeinsamen Erklärung mit Schmidt, der ihm damals seinen ersten offiziellen Besuch im Weißen Haus abstattete, zu beiden Teilen des Doppelbeschlusses: dem Verhandlungs- und dem Nachrüstungsteil. Am 18. November 1981, wenige Tage vor einem Besuch des sowjetischen Staats- und Parteichefs in der Bundesrepublik, gab Reagan bekannt, daß er Breschnew vorgeschlagen habe, Ende des Monats in Genf Verhandlungen über eine substantielle Verringerung der strategischen Waffen («Strategic Arms Reduction Talks» oder abgekürzt «START») zu führen und bei den Verhandlungen über die Mittelstreckenraketen eine «Nullösung» anzustreben: den Verzicht auf die Stationierung von «Pershing II» und «Cruises Missiles», wenn die Sowjetunion ihrerseits die «SS 20» und die Raketen des älteren Typs «SS 4» und «SS 5» verschrotte.

Daß Reagan die Nachrüstungsgegner in der Bundesrepublik mit seinen moderaten Äußerungen nicht beeindrucken konnte, lag auch an ihm selbst. Immer wieder verfiel er in seine alte antikommunistische Rhetorik – am schrillsten in einer Rede in Orlando, Florida, vom 8. März 1983, in der er die Sowjetunion als «Reich des Bösen» bezeichnete. Für die Kräfte, die sich in der deutschen und internationalen Friedensbewegung zusammengeschlossen hatten, war das eine Bestätigung ihrer Überzeugung: Der amerikanische Präsident wollte gar nicht ernsthaft abrüsten. Das Projekt einer «Strategic Defense Initiative» (SDI), das Reagan am 23. März 1983 ankündigte, war erneut Wasser auf die Mühlen der Pazifisten. Das langfristig angelegte Raketenabwehrprogramm, auch «Star Wars» genannt, hätte der Sowjetunion die Möglichkeit eines atomaren Zweitschlags genommen, den Amerikanern freilich auch gegenüber den Westeuropäern einen privilegierten Schutz verschafft. Die Reagan-Administration wollte das Wettrüsten gewinnen, und sie war sich sicher, daß Amerika auf Grund seiner materiellen, politischen und moralischen Überlegenheit als Sieger aus diesem Duell hervorgehen würde.

Die bundesdeutsche Friedensbewegung der achtziger Jahre erhielt ihre erste programmatische Plattform im «Krefelder Appell» vom 16. November 1980. Nur wenige wußten, von wem diese Initiative zum Kampf gegen die Nachrüstung der NATO ausging: vom Ministerium für Staatssicherheit der DDR. Die «Hauptabteilung Aufklärung» unter Markus Wolf bediente sich dabei der Deutschen Friedensunion, einer kommunistischen Tarnorganisation, und der Deutschen Kommunistischen Partei. Da den Urhebern daran lag, eine möglichst große Zahl von Nichtkommunisten anzusprechen, befleißigte sich der Aufruf einer bewußt klassenübergreifenden Sprache. Zwei prominente Grüne, das Gründungsmitglied der neuen Partei Petra Kelly und der ehemalige Bundeswehrgeneral Gert Bastian, gehörten zu den ersten Unterzeichnern. Insgesamt unterschrieben nach Angaben der Initiatoren bis zum Herbst 1983 4,7 Millionen Menschen das Manifest.

Besonders viele Unterschriften wurden auf den Deutschen Evangelischen Kirchentagen in Hamburg im Juni 1981 und in Hannover im Juni 1983 gesammelt. Bundesverteidigungsminister Apel wurde in Hamburg ausgebuht und niedergeschrien, als er den Doppelbeschluß der NATO verteidigte, und auch Bundeskanzler Schmidt hatte auf dem Kirchentag einen schweren Stand: Er mußte sich des Vorwurfs erwehren, seine Sicherheitspolitik verstoße gegen die Bergpredigt. Ein anderer Sozialdemokrat wurde dagegen stürmisch bejubelt: Erhard Eppler, Präsident des Kirchentages und scharfer Kritiker des Doppelbeschlusses. Der deutsche Protestantismus, wie er sich auf den Kirchentagen darstellte, hatte ein überwiegend antiwestliches, ein sehr deutsches Gesicht: Er stieß sich nicht an der Entfremdung von den Demokratien des Westens und auch nicht an der Nähe seiner Forderungen zu denen des Warschauer Pakts; er verweigerte unter Berufung auf das eigene Gewissen die Auseinandersetzung mit den Argumenten der Andersdenkenden; er war ganz und gar innerlicher, ja fundamentalistischer Protest.

Für den Kanzler besonders bedrohlich war die unübersehbare Annäherung zwischen der eigenen Partei und der Friedensbewegung. Im Dezember 1980 bezeichneten 150 Mandatsträger der SPD in einer «Bielefelder Erklärung» den Doppelbeschluß als «verhängnisvolle Fehlentscheidung». Am 16. und 17. Mai drohte Schmidt auf zwei Parteiveranstaltungen erstmals öffentlich mit seinem Rücktritt als Bundeskanzler, falls die Sozialdemokratie den Doppelbeschluß nicht mehr unterstützen sollte.

Die Warnung richtete sich nicht nur an die Jungsozialisten, an Eppler und seine Verbündeten wie den Saarbrücker Oberbürgermeister Oskar Lafontaine, sondern auch an den Parteivorsitzenden. Brandt nahm die politischen Gefahren, die von der sowjetischen Raketenstationierung ausgingen, bei weitem nicht so ernst wie Schmidt. Nach außen stützte er zwar den Kanzler, aber er ließ doch immer wieder durchblicken, daß er das Wettrüsten mit zunehmender Sorge verfolge und als Vorsitzender der SPD das größte Interesse daran habe, die Friedensbewegung nicht den Grünen zu überlassen. Von einer Reise nach Moskau, wo er auch mit dem (gesundheitlich inzwischen sehr geschwächten) Generalsekretär der KPdSU gesprochen hatte, kam Brandt Anfang Juli 1981 mit dem Eindruck zurück: «Die wollen verhandeln. Und man kann über Breschnew sagen, was man will: Er zittert, wo es um den Weltfrieden geht. Da ist subjektiv überhaupt kein Zweifel.»

Ende September versuchte Schmidt, einen Auftritt Epplers auf der für den 10. Oktober geplanten Kundgebung der Friedensbewegung in Bonn mit dem Argument zu verhindern, daß solche Demonstrationen den Handlungsspielraum der Regierung einschränkten, konnte sich damit aber im Parteipräsidium nicht durchsetzen. Von Brandt ermutigt, sprach Eppler auf der bislang größten Veranstaltung der Nachrüstungsgegner. Unter den rund 250 000 Teilnehmern waren auch mehr als fünfzig Bundestagsabgeordnete der SPD.[10]

Nicht nur die eigene Partei, auch der Koalitionspartner machte dem Kanzler 1981 das Regieren schwer. SPD und FDP waren sich zwar im Grundsatz einig: Der Haushalt 1982 durfte nicht durch neue Schulden, er mußte vor allem durch Einsparungen finanziert werden. Über das «Wie» und «Wo» des Sparens aber gingen die Meinungen auseinander. Die Freien Demokraten wollten die Sozialleistungen sehr viel stärker einschränken als die Sozialdemokraten; diese forderten hingegen eine Ergänzungsabgabe zur Lohn- und Einkommensteuer, um mit dem Ertrag ein Beschäftigungsprogramm finanzieren zu können.

Am 20. August 1981, pünktlich zum Ende der parlamentarischen Sommerpause, meldete sich der Vorsitzende der FDP, Vizekanzler und Außenminister Hans-Dietrich Genscher, mit seinem alsbald so genannten «Wendebrief» an die Mitglieder seiner Partei zu Wort. Genscher sah die Bundesrepublik an einem «Scheideweg» angelangt und verglich die anstehenden Entscheidungen mit denen der Zeit des Wiederaufbaus nach dem Zweiten Weltkrieg. Die «Anspruchsmentalität» müsse gebrochen werden; weitere Eingriffe in die Leistungsgesetze seien unumgänglich. Eine Verständigung mit den Sozialdemokraten erklärte Genscher «trotz grundsätzlich unterschiedlicher Positionen der beiden Regierungsparteien in wichtigen wirtschaftlichen und gesellschaftspolitischen Fragen» für möglich.

Mit ebendieser Feststellung machte er aber deutlich, daß er auch ein baldiges Ende der jetzigen Koalition und ein Regierungsbündnis von CDU/CSU und FDP nicht ausschloß.
Das Ergebnis erbitterter Auseinandersetzungen war ein Kompromiß. Beide Seiten verzichteten Anfang September auf ihre Maximalforderungen: die SPD auf die Ergänzungsabgabe, die FDP auf die «Karenztage», durch die sie die Kosten für die (von der Großen Koalition im Juli 1969 eingeführte) Lohnfortzahlung im Krankheitsfall senken wollte. In der Sitzung der sozialdemokratischen Bundestagsfraktion vom 8. September 1981 stellte der Parteivorsitzende aber klar, daß er der FDP nicht weiter nachzugeben gedachte und den Zusammenhalt von Sozialdemokratie und Gewerkschaften für wichtiger hielt als den Fortbestand der jetzigen Koalition. Als Schmidt, um den Ernst der Lage zu unterstreichen, an das Ende der letzten parlamentarischen Mehrheitsregierung der Weimarer Republik, der Großen Koalition unter dem sozialdemokratischen Reichskanzler Hermann Müller am 27. März 1930, erinnerte und das Verhalten der damaligen SPD als leichtfertig kritisierte, widersprach ihm Brandt. Nicht die Sozialdemokraten, sondern die Liberalen der Deutschen Volkspartei hätten im Frühjahr 1930 aus der Koalition herausgestrebt. Beiden Kontrahenten war bewußt, daß sie in Wirklichkeit nicht über ein Ereignis stritten, das über ein halbes Jahrhundert zurücklag: Sie waren uneins über die Bedeutung, die der Besitz der Regierungsmacht für die Sozialdemokratie und für die Bundesrepublik insgesamt hatte.

Anders als 1930 stand zu Beginn der achtziger Jahre bei einem Auseinanderbrechen der Koalition aus SPD und FDP nicht die Zukunft des parlamentarischen Systems auf dem Spiel: Eine andere Form von Mehrheitsregierung war möglich. Und doch ist es auch im Rückblick keine Übertreibung, von einer Krise zu sprechen, in die die zweite deutsche Demokratie drei Jahrzehnte nach ihrer Gründung geraten war. Die Krise hing mit dem Niedergang der Konjunktur allenfalls mittelbar zusammen. Im Kern ging es vielmehr um die Rolle und das Selbstverständnis der politischen Parteien und namentlich um ihr Verhältnis zu Recht und Gesetz.

Die Weimarer Reichsverfassung hatte die Parteien nur in einem negativen Zusammenhang erwähnt: In Artikel 130 hieß es, die Beamten seien «Diener der Gesamtheit, nicht einer Partei». Das Grundgesetz schrieb den Parteien, und zwar auf Grund der Weimarer Erfahrungen, in Artikel 21 eine positive Aufgabe zu, machte ihnen aber auch Auflagen: «Die Parteien wirken bei der politischen Willensbildung des Volkes mit. Ihre Gründung ist frei. Ihre innere Ordnung muß demokratischen Grundsätzen entsprechen. Sie müssen über die Herkunft ihrer Mittel öffentlich Rechenschaft geben.»

In der Praxis «wirkten» die Parteien längst nicht mehr nur an der politischen Willensbildung des Volks «mit»; sie lenkten sie. Zusammen mit den großen gesellschaftlichen Verbänden und Religionsgemeinschaften bestimmten sie beispielsweise über die personelle Zusammensetzung der Aufsichtsgremien der für die Meinungsbildung besonders wichtigen öffentlich-rechtlichen Rundfunk- und Fernsehanstalten und hatten damit ausschlaggebenden Einfluß auf die Vergabe von Leitungspositionen in den Sendern. Wo immer die Parteien über längere Zeit hinweg Regierungsmacht ausübten, neigten sie dazu, Positionen im öffentlichen Dienst bis hin zum Schulleiter als Pfründen zu betrachten. So entwickelten sich, nach dem Urteil der Soziologen Erwin K. und Ute Scheuch, «Seilschaften zu Feudalsystemen» fort, die, von den Kommunen an aufwärts bis zur Bundesebene, «Privilegien gegen Treue» tauschten. Und was die «innere Ordnung» der Parteien betraf, so galt auch in der Bundesrepublik jenes «eherne Gesetz der Oligarchie», von dem Robert Michels, ein Schüler Max Webers, schon 1911 in seinem inzwischen klassischen Buch «Zur Soziologie des Parteiwesens in der modernen Demokratie» gesprochen hatte: Die tatsächliche Macht lag mehr denn je bei Funktionsträgern, die hauptberuflich für die Politik und damit auch von der Politik lebten.

Der eigentlich neuralgische Punkt aber war das Finanzgebaren der Parteien. Schon vor der ersten Bundestagswahl von 1949 hatten sich Wirtschaftsverbände im «Pyrmonter Abkommen» zusammengeschlossen, um *die* Parteien finanziell zu unterstützen, die hinter der Wirtschaftspolitik von Ludwig Erhard standen; auf die CDU entfielen dabei knapp zwei Drittel der Gesamtsumme von 2 Millionen DM. 1954 gründeten Industrielle und Bankiers unter aktiver Beteiligung von Konrad Adenauer, dem mit ihm befreundeten Kölner Bankier Robert Pferdmenges und dem Vorsitzenden des Bundesverbandes der Deutschen Industrie, Fritz Berg, die «Staatsbürgerliche Vereinigung 1954 e. V.», die CDU, CSU, FDP und andere bürgerliche Parteien mit Spenden versorgte: Zwischen 1969 und 1980 flossen ihnen insgesamt etwa 214 Millionen DM zu.

Da seit einer Änderung des Einkommen- und des Körperschaftsteuergesetzes im Dezember 1954 Spenden an Parteien «zur Förderung staatspolitischer Ziele» steuerlich begünstigt waren, verzichtete der Staat damit zugunsten von Spendern und Spendenempfängern auf Steuereinnahmen. Daß diese Praxis dem Grundgesetz widersprach, wußten die Akteure spätestens seit 1958: Am 24. Juni jenes Jahres erklärte das Bundesverfassungsgericht die progressive steuerliche Abzugsfähigkeit von Parteispenden für verfassungswidrig, weil sie einseitig Parteien begünstigte, die kapitalkräftige Kreise besonders ansprachen, also das Prinzip der Gleichheit vor dem Gesetz nach Artikel 3 des Grundgesetzes verletzte.

Die unmittelbaren Parteispenden gingen auf Grund des Karlsruher Urteils stark zurück, die mittelbaren Spenden über die Staatsbürgerlichen Vereinigungen auf Bundes- und Landesebene sowie ähnliche, als «gemeinnützig» anerkannte Organisationen flossen aber weiter. Da diese mittelbaren Spenden als Beiträge für Berufsverbände und damit als Werbungskosten oder als Spenden für gemeinnützige Organisationen galten, waren sie nach wie vor steuerlich absetzbar. Den Spendenausfall glichen die Parteien durch kontinuierliche Erhöhung der Mittel aus dem Bundeshaushalt aus.

Am 19. Juli 1966 aber schaltete sich erneut das Bundesverfassungsgericht ein. Es erklärte die seit 1959 praktizierte staatliche Parteienfinanzierung, die Förderung der politischen Bildungsarbeit der Parteien aus Haushaltsmitteln, für verfassungswidrig. Erst auf Grund dieses Urteils verabschiedete der Bundestag am 28. Juni 1967, also zur Zeit der Großen Koalition, das vom Grundgesetz geforderte Parteiengesetz. Sowohl für die Erstattung von Wahlkampfkosten aus dem Bundeshaushalt als auch für das Spendenwesen gab es nun eine verbindliche Rechtsgrundlage.

Um der Abhängigkeit vom «großen Geld» einen Riegel vorzuschieben, waren die Parteien fortan verpflichtet, in ihren Rechenschaftsberichten die Namen der Spender und die Höhe der Spenden zu verzeichnen, sofern der Gesamtwert der Spende in einem Kalenderjahr bei einer natürlichen Person 20 000 DM, bei einer juristischen Person 200 000 DM überstieg. Auch andere Einnahmen mußten die Parteien in ihren Rechenschaftsberichten in voller Höhe ausweisen. Die Parteien unterlagen der Pflicht der Buchführung und einer Finanzkontrolle durch Prüfer, die ihrerseits zu gewissenhafter und unparteiischer Wahrnehmung ihrer Aufgaben verpflichtet waren.

Daß die Parteien sich nicht an die Finanzbestimmungen des Parteiengesetzes hielten, sondern diese systematisch umgingen, war in Bonn ein offenes Geheimnis. An der sogenannten «Umwegfinanzierung» beteiligten sich die Parlamentsfraktionen und die parteinahen Stiftungen, die Konrad-Adenauer-Stiftung der CDU, die Friedrich-Ebert-Stiftung der SPD, die Friedrich-Naumann-Stiftung der FDP und die Hanns-Seidel-Stiftung der CSU. Die Stiftungen, die ihrerseits zum größten Teil aus dem Bundeshaushalt finanziert wurden, sprangen namentlich bei der politischen Schulung von Funktionären in die Bresche, seit das Bundesverfassungsgericht 1966 den Parteien untersagt hatte, für diese Zwecke Mittel des Bundeshaushalts in Anspruch zu nehmen.

»Umwegfinanzierung» betrieb auch die «Europäische Unternehmensberatungs-Anstalt» in Liechtenstein. Sie stellte für die «Bezahlung» fiktiver oder wertloser Gutachten Quittungen aus, die von den Auftraggebern als «Betriebsausgaben» verbucht wurden, aber in Wirklichkeit Spenden an die CDU waren. Entsprechungen auf sozialdemokratischer Seite waren zum einen Quittungen für nie erschienene oder zu einem überhöhten Preis bezahlte Inserate in parteieigenen Zeitschriften, zum anderen die israelische Fritz-Naphtali-Stiftung und eine «Briefkastenfirma» namens «Institut für Internationale Beziehungen» in Zürich, die vermutlich als Spendenwaschanlagen der Friedrich-Ebert-Stiftung und damit der SPD dienten.

Der FDP flossen von einem parteinahen Kartell «gemeinnütziger» Organisationen wie dem «Internationalen Wirtschaftsclub e. V., Bonn» oder der «Wirtschaftspolitischen Vereinigung e. V., Köln» steuerbegünstigte

Mittel zu, die auf Auslandskonten in Miami, London oder Genf «gewaschen» wurden. Schwarze Auslandskonten unterhielt auch die CDU, und das seit Adenauers Zeiten. Bei Schweizer Banken speicherte sie Gelder, die sie von der Staatsbürgerlichen Vereinigung erhalten hatte: ein Sachverhalt, der erst Anfang des Jahres 2000 bekannt wurde. Und schließlich gab es den dringenden, nie restlos aufgeklärten Verdacht gigantischer Schmiergeldzahlungen: Im Bundestagswahlkampf 1957 sollen der CDU 50 Millionen DM zugeflossen sein, die aus dem Ankauf eines Schützenpanzers («HS 30») der Firma Hispano Suiza zu einem um 200 Millionen DM überhöhten Preis stammten.

Daß sich aus dem Gewohnheitsunrecht im Jahre 1981 ein politischer Skandal entwickelte, lag an staatsanwaltschaftlichen Ermittlungen, die ins Jahr 1977 zurückreichten und von denen auch ein Mitglied der Bundesregierung betroffen war: Bundeswirtschaftsminister Otto Graf Lambsdorff, der von 1968 bis 1978 Schatzmeister der nordrhein-westfälischen FDP gewesen war. Ihm wurde vorgeworfen, sich in diesem Amt der Steuerhinterziehung durch verdeckte Parteifinanzierung schuldig gemacht zu haben. Neben Lambsdorff gehörten auch der Schatzmeister der CDU, Walther Leisler Kiep, und der frühere Schatzmeister der SPD, Alfred Nau, zu den Personen, gegen die ermittelt wurde.

Da alle im Bundestag vertretenen Parteien betroffen waren, lag der Versuch nahe, die strafrechtlichen Folgen der «Umwegfinanzierung» durch eine große Amnestiekoalition abzuwenden. Für die SPD stand überdies die Regierungsmacht auf dem Spiel: Von Genscher war zu hören, daß die FDP einen Sturz Lambsdorffs nicht hinnehmen würde. Mitte Dezember 1981 einigten sich die Spitzen der Fraktionen auf einen von dem sozialdemokratischen Abgeordneten Fritz-Joachim Gnädinger, einem ehemaligen Staatsanwalt, erarbeiteten Gesetzentwurf, der unter bestimmten, leicht zu erfüllenden Bedingungen Straffreiheit für alle Straftaten im Zusammenhang mit der illegalen Parteifinanzierung, darunter Untreue, Unterschlagung und Betrug, gewährte. Flankierend wollten die Parteivorsitzenden Kohl, Brandt, Genscher und Strauß ein öffentliches Schuldbekenntnis ablegen.

Doch dazu kam es nicht: Die Amnestie, die den Rechtsstaat ins Wanken gebracht hätte, scheiterte am Widerstand der Bundestagsfraktion der SPD und am Veto des neuen sozialdemokratischen Bundesjustizministers Jürgen Schmude. Der vierundvierzigjährige Jurist, zuvor Bundesminister für Bildung und Wissenschaft, hatte dieses Amt am 22. Januar 1981 als Nachfolger von Hans-Jochen Vogel übernommen, der am folgenden Tag zum Regierenden Bürgermeister von Berlin gewählt wurde.

Das Straffreiheitsgesetz mußte folglich fürs erste ad acta gelegt werden. Die Spendenaffäre aber ging nicht nur weiter, sie erhielt, wie Wolfgang Jäger in seiner Darstellung der Innenpolitik der «Ära Schmidt» schreibt, just um jene Zeit «eine schärfere Würze». Wenige Tage vor dem Fehlschlag des Amnestieplanes wurde nämlich bekannt, daß die Bonner Staatsanwaltschaft auch gegen den Flick-Konzern und dessen persönlich haftenden Gesellschafter Eberhard von Brauchitsch ermittelte. Der Konzern hatte im Januar 1975 einen Teil seiner Daimler-Benz-Aktien im Wert von 2,1 Milliarden DM an die Deutsche Bank verkauft und dabei einen Erlös von 1,9 Milliarden DM erzielt. Für den reinvestierten Teil, 1,5 Milliarden DM, beantragte Flick Steuerbefreiung. Die gesetzliche Handhabe bot § 6b des Einkommensteuergesetzes, der aus dem Jahre 1964, mithin der Regierungszeit Ludwig Erhards, stammte. Demnach konnte der Staat Steuerfreiheit gewähren, wenn Gewinne auf «volkswirtschaftlich besonders förderungswürdige» Weise wieder angelegt wurden. Der amtliche Ermessensspielraum war mithin beträchtlich.

Für mehrere Investitionsvorhaben konnte Brauchitsch die Steuerbefreiung durchsetzen, zuletzt, 1981, für die Beteiligung Flicks am Versicherungskonzern Gerling. Kabinettsmitglieder aus beiden Koalitionsparteien – Bundeswirtschaftsminister Friderichs und sein Nachfolger Lambsdorff, Bundesfinanzminister Apel und sein Nachfolger Matthöfer – hatten an den Entscheidungen mitgewirkt. Der Verdacht, daß die Steuerbefreiung etwas mit Geldzahlungen aus dem Haus Flick, also, juristisch gesprochen, mit Vorteilsannahme und Vorteilsgewährung, zu tun gehabt haben könnte, führte Ende Februar 1982 zu staatsanwaltschaftlichen Ermittlungsverfahren gegen Friderichs, Lambsdorff, Matthöfer, den ehemaligen Staatssekretär im Bundesfinanzministerium und nachmaligen Chef des Bundeskanzleramtes, Manfred Lahnstein, den nordrhein-westfälischen Wirtschaftsminister Horst-Ludwig Riemer (FDP), den baden-württembergischen Wirtschaftsminister Rudolf Eberle (CDU) sowie, aus der Leitung des Flick-Konzerns, den Unternehmenschef Friedrich Karl Flick und die beiden leitenden Manager Eberhard von Brauchitsch und Manfred Nemitz.

Damit begann die Flick-Affäre, die sich über Jahre hinzog und die Glaubwürdigkeit aller Parteien mit Ausnahme der Grünen erschütterte. Die Ausmaße des Skandals ließen sich um die Jahreswende 1981/82 noch nicht absehen. So viel aber war schon damals zu erkennen: Die ohnehin angespannten Beziehungen zwischen den beiden Koalitionsparteien wurden zusätzlich dadurch belastet, daß das überparteiliche Projekt eines Amnestiegesetzes am Widerstand der SPD gescheitert war. Da keine Partei von den drohenden Prozessen so stark betroffen war wie die FDP, lag die Vermutung nahe, daß die Liberalen nach Mitteln und Wegen suchen würden, ihrer Enttäuschung und Verbitterung wirksam Ausdruck zu verleihen.[11]

Während die Öffentlichkeit in der Bundesrepublik Deutschland sich mit illegalen Parteispenden befaßte, spitzte sich in der Volksrepublik Polen der Konflikt zwischen dem kommunistischen Regime und der Unabhängigen Gewerkschaft «Solidarność» zu. Ende März 1981 wurde ein Generalstreik durch Verhandlungen zwischen Vertretern von «Solidarność» und der neuen, seit Februar von General Jaruzelski geführten Regierung in letzter

Stunde abgewendet, wobei die Drohung mit der Proklamation des Kriegsrechts ihre Wirkung nicht verfehlte. Vor allem die intellektuellen Berater
Walesas, an ihrer Spitze Bronislaw Geremek und Tadeusz Mazowiecki, hatten auf die Vermeidung des großen Kräftemessens gedrängt und dabei auch
die Möglichkeit eines sowjetischen Eingreifens im Blick gehabt. Die
Klärung der «Machtfrage» war damit aber lediglich vertagt.

Am 5. Juni erhielt die Führung der Polnischen Vereinigten Arbeiterpartei einen Brief des ZK der KPdSU, der scharfe Kritik an den «nicht endenden Zugeständnissen gegenüber den antisozialistischen Kräften» übte, ja
der PVAP ein schrittweises Zurückweichen vor dem «Druck der inneren
Konterrevolution» vorwarf; die Situation in Polen sei dadurch an einen
«kritischen Punkt» angelangt. Im Monat darauf, Mitte Juli 1981, wurde Stanislaw Kania vom 9. Parteitag der PVAP erneut zum Ersten Sekretär gewählt. In seiner Abschlußrede warnte Kania vor «Anarchie» und «Konterrevolution».

Ende Juli und Anfang August kam es in Polen zu Massendemonstrationen gegen die immer schlechtere Versorgung mit Lebensmitteln. Darauf
erhöhte die Sowjetunion ihren Druck. Am 8. August traf sich der Ober-
kommandierende des Warschauer Pakts, Marschall Kulikow, mit Ministerpräsident Jaruzelski; am 14. August begaben sich Kania und Jaruzelski zu
einer Besprechung mit Breschnew auf die Krim. Der Generalsekretär der
KPdSU forderte die polnischen Kommunisten einerseits auf, alles zu tun,
damit es dem Klassenfeind nicht gelinge, das Land in das kapitalistische Lager zu bringen. Andererseits sagte er Polen zusätzliche Warenlieferungen
und einen Aufschub bei der Tilgung seiner Schulden zu. Auf dem 3. Plenum des ZK der PVAP am 2. und 3. September warnte Parteichef Kania vor
der Annahme der «Feinde», «daß die Regierung ganz sicher nicht den Ausnahmezustand über Polen verhängen wird». Vielmehr werde die Regierung
zur Verteidigung des Sozialismus alle Mittel einsetzen, die dafür notwendig seien. Vermutlich deutete er damit an, worauf er und Jaruzelski sich mit
Breschnew auf der Krim verständigt hatten.

Am 9. September trat in Danzig der erste Delegiertenkongreß der «Unabhängigen, sich selbst verwaltenden Gewerkschaft Solidarność» zusammen. Die 896 Delegierten sprachen für etwa 9,5 Millionen Mitglieder. Die
Vertreter radikaler Positionen waren in der Mehrheit, was sich unter anderem in einem Appell an die Arbeiter Osteuropas niederschlug, ebenfalls für
eine freie Gewerkschaftsbewegung zu kämpfen. Geremek, einer der Wortführer der Gemäßigten, stellte daraufhin fest, «Solidarność» habe im Hinblick auf die bisher geübte Selbstbeschränkung eine gewisse Grenze überschritten; es sei «eine Situation entstanden, in der die Sicherheit des Landes
in gewisser Weise bedroht ist». Das Politbüro warf «Solidarność» vor, sie
habe «abenteuerliche Tendenzen und Erscheinungen» zum Programm erhoben, und drohte erneut in kaum verschlüsselter Form mit der Verhängung des Ausnahmezustands oder des Kriegsrechts. In der zweiten Kon-

greßrunde, die Ende September und Anfang Oktober stattfand, wurde Walesa wieder zum Vorsitzenden gewählt, was einen Erfolg der Gemäßigten bedeutete.

Auf Seiten der Parteiführung zeichnete sich seit Mitte Oktober deutlicher denn je der Wille zu einer gewaltsamen Konfliktlösung ab. Auf dem 4. Plenum des ZK kündigte Kania am 16. Oktober die Erteilung von Sondervollmachten an die Regierung an. Den Hintergrund bildeten lokale Streiks gegen die immer katastrophalere Lebensmittelversorgung, denen «Solidarność» sogleich Einhalt zu gebieten versuchte. Am 18. Oktober beschrieb das ZK in einem Beschluß die Situation als «akute Bedrohung der Existenz der Nation sowie eine Gefährdung des Staates». Infolgedessen müßten «die höchsten Organe der Volksrepublik Polen im Falle äußerster Notwendigkeit von ihren verfassungsmäßigen Vollmachten Gebrauch machen, um die lebenswichtigsten Interessen von Nation und Staat zu verteidigen». Am gleichen Tag löste Ministerpräsident Wojciech Jaruzelski Stanislaw Kania als Erster Sekretär der PVAP ab. Wann immer die Entscheidung für die Machtkonzentration bei dem Armeegeneral gefallen war (vermutlich schon im August auf der Krim): alles spricht dafür, daß sie im Einvernehmen mit Breschnew erfolgte.

Gespräche zwischen Jaruzelski, Walesa und Erzbischof Glemp, dem Primas der katholischen Kirche in Polen, am 4. November und Verhandlungen einer Delegation von «Solidarność» und der Regierung am 17. November brachten keine Entspannung: Die Protestaktionen im Lande gingen weiter; einige Streiks wurden eingestellt, andere fortgesetzt oder erst danach ausgerufen. Auf dem 6. Plenum des ZK am 27. und 28. November kündigte Jaruzelski ein Gesetz über den Ausnahmezustand an. Die Landeskommission von «Solidarność» antwortete am 3. Dezember, gegen den Rat Walesas, mit einer scharfen Erklärung: Für den Fall, daß der Sejm, das polnische Parlament, der Regierung außerordentliche Vollmachten bewilligte, sollte ein ganztägiger Proteststreik, im Falle der Proklamation des Ausnahmezustands ein unbefristeter Streik ausgerufen werden. Am 8. Dezember forderte Primas Glemp den Sejm, Jaruzelski und Walesa zur Mäßigung und Kompromißbereitschaft auf. Das Parlament zeigte sich geneigt, dem Aufruf zu folgen: Es stellte die Beratungen des Gesetzentwurfs über den Ausnahmezustand ein. Einen Augenblick lang schien es, als ob die polnische Krise doch noch gewaltlos gelöst werden könnte.

In ebendieser Situation brach der Bundeskanzler am 11. Dezember zu seinem seit langem geplanten, mehrfach aufgeschobenen Besuch in die DDR auf. Am 30. Oktober hatten Schmidt und Honecker sich auf einen Termin Mitte Dezember verständigt. Am Abend des Ankunftstages führten beide im Jagdschloß Hubertusstock am Werbellinsee in der uckermärkischen Schorfheide ein vierstündiges Gespräch, das alle strittigen Fragen berührte: die Raketenrüstung, den innerdeutschen Handel, den Mindestumtausch, humanitäre Angelegenheiten und Honeckers «Geraer Forderungen», also die «Respektierung» der DDR-Staatsbürgerschaft, die Elb-grenze, die Erfassungsstelle in Salzgitter und den Status der beiderseitigen Vertretungen. Die einzige der vier Forderungen, bei der der Kanzler die Möglichkeit eines Entgegenkommens sah, war die Grenzfrage: Die Bundesrepublik könnte, so meinte er, nach den niedersächsischen Landtagswahlen im März 1982 von ihrem Standpunkt abrücken, wonach die Grenze streckenweise am Ostufer (und nicht, so die Auffassung der DDR, durchgängig in der Mitte des Flusses) verlief. In der Frage des Staatsbürgerschaftsrechts hatte hingegen Honecker seine Forderung abgemildert: «Respektierung» blieb hinter der bisher verlangten «Anerkennung» zurück.

Schmidt bekannte freimütig, «er gehe davon aus, daß jedenfalls in diesem Jahrhundert eine Wiedervereinigung nicht mehr zustande kommt». Vernünftige, gut nachbarliche Beziehungen zwischen beiden deutschen Staaten aber seien erreichbar, und dazu wolle er mit seinem Besuch beitragen. «Den Begriff ‹Normalität› verwende er nicht. Denn schon das Grenzregime sei nicht normal.» Auf die Lage in Polen kam das Gespräch nur kurz. Von Schmidt nach seiner Einschätzung gefragt, erwiderte Honecker, «es gebe kein Land der Welt, das auf Dauer leben könne, ohne zu arbeiten».

Am Vormittag des 12. Dezember wurden die Gespräche, nunmehr im größeren Rahmen eines Treffens der beiden Delegationen, im Gästehaus des Staatsrats am Großen Döllnsee fortgesetzt. Schmidt versuchte das Verhältnis zwischen der Bundesrepublik und der DDR historisch einzuordnen: Nicht zum ersten Mal in der Geschichte gebe es mehrere deutsche Staaten, sagte der Kanzler unter ausdrücklicher Zustimmung seines Gastgebers. «Wenn man die Geschichte Deutschlands über die letzten tausend Jahre oder die letzten Jahrhunderte verfolgt, dann ist das alles nicht so furchtbar neu. Trotzdem müssen die Deutschen auf beiden Seiten miteinander auskommen wollen, sogar gut auskommen wollen.» Die beiden deutschen Staaten könnten und sollten zur Verbesserung oder Entschärfung der Weltlage beitragen. Beide untertrieben ihre Rolle allzu sehr. «In Wirklichkeit haben wir beide in unseren Bündnis- und Wirtschaftssystemen ein großes Gewicht, und wir haben auch einen Anspruch darauf, dieses Gewicht in die Waagschale zu werfen, denn es ist das Kerngebiet Europas, in dem ein dritter Weltkrieg stattfinden würde, wo am meisten zerstört würde, wenn er tatsächlich entstünde. Wir sind verpflichtet, im Namen der Menschen unser Gewicht in die Waagschale zu werfen.»

Auf den Appell des Kanzlers, die beiden deutschen Staaten sollten in einer Art Parallelaktion ihre jeweiligen Führungsmächte auf den Weg des Ausgleichs und der Verständigung drängen, konnte und wollte Honecker nicht eingehen. Hätte er es getan, wäre er von seinen innerparteilichen Widersachern abermals der Kollaboration mit dem Klassenfeind bezichtigt und in Moskau denunziert worden. Honecker begnügte sich also mit der Darlegung altbekannter Standpunkte, darunter einer erneuten Kritik des Doppelbeschlusses der NATO.

Ein substantielles Entgegenkommen der DDR war auf keinem Gebiet zu erkennen und nach Lage der Dinge auch nicht zu erwarten gewesen. Staatssekretär Klaus Bölling, der Leiter der Ständigen Vertretung der Bundesrepublik in der DDR, der an den Verhandlungen teilnahm, hat rückblickend eingeräumt: «Vielleicht ist einigen von uns erst am Großen Döllnsee richtig klargeworden, wie unsinnig die Vorstellung ist, wir könnten die DDR-Führer allmählich, womöglich so subtil, daß diese es gar nicht richtig merkten, zu unseren Positionen bewegen und ihre dabei schweigend übergehen. Bei keinem anderen kommunistisch geführten Staat haben wir eine solche Illusion genährt. Gegenüber der DDR meinten wir lange Zeit, uns diese Selbsttäuschung leisten zu können.»

Am frühen Morgen des 13. Dezember wurde die Bonner Delegation von einer Nachricht aus Warschau aufgeschreckt: General Jaruzelski hatte das Kriegsrecht über Polen verhängt. Die parlamentarischen Arbeiten am Gesetz über den Ausnahmezustand waren eine Finte gewesen; die Aussetzung der Beratungen im Sejm hatte das In- und Ausland täuschen sollen und diese Wirkung auch erreicht. In einer Nacht-und-Nebel-Aktion wurden alle Aktivisten von «Solidarność», deren die Polizei habhaft werden konnte, festgenommen und die intellektuellen Sympathisanten der unabhängigen Gewerkschaft, obenan die Berater Walesas, in Internierungslager verbracht. Die Gesamtzahl der Verhafteten belief sich nach westlichen Informationen auf über 5 000. Seiner realen Verfassung nach war Polen nunmehr eine kommunistische Militärdiktatur.

In das Erschrecken des Kanzlers mischte sich aber auch sogleich Erleichterung: Die Verhängung des Kriegsrechts war eine «polnische» Krisenlösung und damit ein kleineres Übel als eine Intervention des Warschauer Pakts wie im August 1968 bei der Niederschlagung des «Prager Frühlings». Ein Einmarsch fremder Truppen unter sowjetischem Oberbefehl hätte das Ende der Entspannung bedeutet, eine Beteiligung der Nationalen Volksarmee der DDR der weiteren deutsch-deutschen Zusammenarbeit auf absehbare Zeit den Boden entzogen. In einem Telefongespräch mit Jaruzelski behauptete Honecker am 16. Dezember, der Bundeskanzler habe ihm gegenüber sogar erklärt: «Es wird höchste Zeit, daß man begonnen hat, in Polen Ordnung zu machen.» Als eine Niederschrift dieses Gesprächs im Oktober 1993 bekannt wurde, hat Schmidt die ihm zugeschriebene Äußerung sofort scharf dementiert. Eine andere Stellungnahme zu den polnischen Ereignissen trug der Bundeskanzler am 13. Dezember in einem Fernsehinterview nach Abschluß seiner Gespräche in der Schorfheide vor: «Herr Honecker ist genauso bestürzt gewesen wie ich, daß dies nun notwendig war.»

Bevor Schmidt sich der Kritik an dieser fatalen Formulierung stellen konnte, mußte er noch den letzten Teil seines Besuchsprogramms absolvieren. Er bestand aus einem Abstecher ins mecklenburgische Güstrow, den der Kanzler gewünscht hatte, um dem Werk des Bildhauers Ernst Barlach seine Reverenz zu erweisen. Doch es ging ihm dabei noch um mehr: Seine Reise sollte nicht als deutsch-deutsche Gipfeldiplomatie unter Ausschluß der Bevölkerung erscheinen. Die SED-Führung indes fürchtete im Zusammenhang mit dem Besuch Schmidts nichts so sehr wie eine Wiederholung jener spontanen Sympathiebekundungen, wie sie Willy Brandt im März 1970 in Erfurt zuteil geworden waren. Infolgedessen hatte das Ministerium für Staatssicherheit dafür gesorgt, daß Schmidt am Nachmittag des 13. Dezember nicht mit der Bevölkerung von Güstrow in Berührung kam, sondern lediglich mit einem riesigen Polizeiaufgebot und sorgfältig ausgewählten Statisten, die Erich Honecker zujubelten. Tausende von Bürgern hatten sich schriftlich verpflichten müssen, ihre Häuser nicht zu verlassen, solange der Kanzler in Güstrow weilte.

Die gespenstischen Bilder aus Mecklenburg führten aller Welt vor Augen, wie wenig «normal» die Beziehungen zwischen der Bundesrepublik und der DDR waren. Vor dem Hintergrund dessen, was zur gleichen Zeit in Polen geschah, wirkte der gemeinsame Besuch von Schmidt und Honecker im Dom zu Güstrow wie eine Demonstration deutsch-deutschen Nichtbetroffenseins. Die Reise des Kanzlers hatte kaum sachliche Fortschritte gebracht; sie war zu *diesem* Zeitpunkt ein Fehler. Denn soviel war schon Anfang Dezember 1981 vorhersehbar: Die Krise in Polen hatte sich derart zugespitzt, daß man jederzeit mit einer gewaltsamen Konfliktlösung rechnen mußte. Die SED-Führung wußte seit dem 4. Dezember, daß die Verhängung des Kriegsrechts unmittelbar bevorstand. So gesehen hatte Franz Josef Strauß nicht einmal unrecht, wenn er am 14. Dezember behauptete, Schmidt sei mit seinem Besuch in der DDR «in eine Falle gegangen».

Nachdem der Kanzler in die DDR gefahren war, konnte er freilich nicht tun, was ihm Strauß nachträglich empfahl: nämlich den Besuch am Morgen des 13. Dezember abrupt abbrechen. Wäre er einem solchen Impuls gefolgt, hätte er eine «Eiszeit» im deutsch-deutschen Verhältnis heraufbeschworen und damit den Deutschen in der DDR schweren Schaden zugefügt. Schmidt hatte 1980 mehrfach von den 16 Millionen «Geiseln» in der DDR gesprochen. Am 13. Dezember 1981 wurde er selbst für die Dauer einiger Stunden zu einer Geisel seines Bemühens, den Landsleuten in der DDR zu helfen.

Am 18. Dezember befaßte sich der Bundestag mit dem Besuch des Bundeskanzlers in der DDR und der Lage in Polen. Helmut Schmidt tat alles, um den Eindruck zu korrigieren, als billige er das Vorgehen des Generals Jaruzelski. Die Entwicklung in Polen und die Verhängung des Kriegsrechts erfüllten ihn mit tiefer Sorge, sagte er. «Ich stehe mit ganzem Herzen auf der Seite der Arbeiter. Wir alle wünschen von ganzem Herzen, daß der Kriegszustand in Polen alsbald beendet werde.» Ein anderer Satz aber war in hohem Maß mißverständlich: «Deutsche dürfen sich noch immer nicht zum Richter über Polen aufwerfen, noch immer nicht!» Die Bemerkung

des Kanzlers gab dem Oppositionsführer Helmut Kohl Anlaß zu der Erwiderung: «Wenn wir jetzt über Polen reden und den Polen unsere Sympathie bekunden, dann sind wir nicht die Richter Polens, sondern wir
möchten die Freunde Polens sein.»

Nach Abschluß der Debatte nahmen die Abgeordneten einstimmig bei
einer Stimmenthaltung einen interfraktionellen, mit der Bundesregierung
abgestimmten Antrag an. Darin bekundete der Bundestag «in diesem
schicksalhaften Augenblick seine Solidarität mit dem leidgeprüften polnischen Volk und seinem Ringen um Menschenwürde, Rechtsstaatlichkeit
und Demokratie». An die «polnische Militärregierung» erging der Appell,
alle Inhaftierten freizulassen, die erreichten Freiheiten wiederherzustellen
und im Geist der Schlußakte von Helsinki den Dialog mit den reformwil-
ligen und den patriotischen Kräften des polnischen Volkes wieder aufzunehmen. Die Bundesregierung wurde aufgefordert, die staatliche Wirtschaftshilfe an die Volksrepublik Polen solange zu suspendieren, wie die
Unterdrückungsmaßnahmen des derzeitigen Regimes andauerten.

Die Solidarität mit Polen drückte sich, was die Deutschen in der Bundesrepublik betraf, im Winter 1981/82 vor allem in Millionen von Lebens-
mittelpaketen aus. Der Protest gegen das Kriegsrecht aber war im Westen
Deutschlands verhaltener als bei den westeuropäischen Nachbarn und in
den USA. Die Annahme, General Jaruzelski sei durch seinen Coup vom 13.
Dezember lediglich einer militärischen Intervention des Warschauer Pakts
zuvorgekommen, war weitverbreitet und wurde auch von Schmidt geteilt.
Beweisen ließ sich diese Einschätzung nicht. Tatsächlich war der Moskauer
Druck auf die polnische Staats- und Parteiführung massiv; vor einem Ein-
marsch aber schreckte der Kreml aus Sorge vor einer scharfen Ost-West-
Konfrontation und wegen der Uneinigkeit des Warschauer Pakts zurück:
Ungarn und Rumänien verhinderten Anfang Dezember die von Jaruzelski
erbetene, von der Sowjetunion und der DDR befürwortete Interventions-
drohung.

Doch was immer sich zwischen Moskau, Warschau und Ost-Berlin in
der zweiten Hälfte des Jahres 1981 abspielte, große Teile der bundesdeutschen Linken hatten bereits zuvor Vorbehalte gegenüber dem neuesten
Freiheitskampf der Polen gehabt. Die Sympathie für «Solidarność» hielt
sich schon deshalb in engen Grenzen, weil die neue Gewerkschaft nicht
links und sozialistisch, sondern national und katholisch war. Im Verlauf des
Jahres 1981 wurde «Solidarność» zunehmend als Störfaktor wahrgenommen, der nicht nur in Polen Chaos hervorrief, sondern die Stabilität in Europa, ja den Weltfrieden bedrohte. Von jeder Verschlechterung des Verhältnisses zwischen West und Ost war die Bundesrepublik aber infolge der
deutschen Teilung stärker betroffen als irgendein anderes Mitgliedsland des
westlichen Bündnissystems. Der ideologische wie der spezifisch deutsche
Vorbehalt gegenüber «Solidarność» trugen dazu bei, daß die linke Militärdiktatur des «tragischen Patrioten» Jaruzelski in der Bundesrepublik so gut

wie keinen Massenprotest auslöste – ganz anders als die rechte Militärdiktatur, die der antimarxistische General Pinochet 1973 in Chile errichtet
hatte.

Mitunter diente auch der Hinweis auf die Verbrechen des Nationalsozialismus als Argument, um fehlendes Engagement für die verfolgten Gewerkschafter und Intellektuellen im östlichen Nachbarland zu verteidigen.
Als Willy Brandt im Februar 1982 in einem Interview mit der «Zeit» auf
französische Kritik an seiner milden Beurteilung des polnischen Kriegsrechts angesprochen wurde, rechtfertigte er sich mit den Worten: «Es ist ja
kein Zufall, daß ein Deutscher zurückhaltender ist und wohl auch sein muß
als andere, wenn von Lagern in Polen die Rede ist. Denn wenn er davon
spräche, würde er sofort die Frage herausfordern, was es sonst schon an Lagern in Polen gegeben hat. Die Befangenheit, diese aus der Vergangenheit
herrührende besondere Betroffenheit ist für die Franzosen kein Problem.»

Herbert Wehner, der Fraktionsvorsitzende der SPD, hatte, Tagebuchnotizen von Markus Wolf, dem Leiter der Hauptabteilung Aufklärung im
Ost-Berliner Ministerium für Staatssicherheit, zufolge, schon im August
1981 die DDR über Rechtsanwalt Wolfgang Vogel, der ihn in seinem Feriendomizil auf Öland besuchte, zu «entschlossenen Maßnahmen gegenüber Polen» gedrängt. «Je eher, desto besser... Polen gefährlicher ‹Ermun-
terungssog›. Es geht nicht ohne innere Gewalt, leider. Es ist eine halbe
Minute vor 12.»

Ende Oktober und Anfang November 1981 stand Egon Bahr zwei In-
terviewpartnern Rede und Antwort, die seine Ansichten zur Lage Deutschlands und der Welt in einem Buch bündeln wollten. Der Architekt der sozialdemokratischen Ostpolitik entwickelte dabei seine Vorstellungen von
der Notwendigkeit einer «gemeinsamen Sicherheit» – eines Denkens, von
dem die Sowjetunion und die DDR noch genauso weit entfernt seien wie
die USA und die Bundesrepublik. Bahr aber war überzeugt, daß «es nur gemeinsame Sicherheit gibt..., gemeinsam mit dem Gegner, gemeinsam in
den Bündnissen, gemeinsam mit den jeweiligen Führungsmächten. Wir
können Sicherheit nicht mehr isoliert für den einzelnen bekommen. Wir
kriegen sie nur gemeinsam. Auf unsere Situation übertragen: ich erlange Sicherheit als Bundesrepublik nur noch zusammen mit der DDR. Denn sonst
wäre auch das eine Lösung der deutschen Frage: im Untergang wären wir
vereint.»

Die beiden Gesprächspartner deuteten Bahrs Feststellung so, daß nach
seiner Meinung das Recht Polens «auf eine selbstbestimmte geschichtliche
Zukunft notfalls dieser Vorstellung und dieser Art von Sicherheit geopfert
werden muß und – sollte die Mitgliedschaft Polens im Warschauer Pakt in
Frage gestellt werden – eine solche Entwicklung im Interesse der Stabilität,
für die Sie plädieren, gewaltsam abgeschnitten werden könnte, ja müßte».

Bahr bestätigte diese Schlußfolgerung. «Aber selbstverständlich. Wir haben vorhin definiert, daß die Selbstbestimmung der Nation der Erhaltung

des Friedens untergeordnet sein muß. Das gilt dann auch für die Polen. Auch die nationalen Ambitionen der Polen müssen dem Interesse der Erhaltung des Friedens untergeordnet sein. Ich verlange dies von der Bundesrepublik, ich kann dies auch von Amerika verlangen. Nur unterhalb dieses obersten Zieles sollen die Nationen, die Staaten, die Möglichkeit ihrer eigenen Entfaltung bekommen, aber das sollen sie dann auch.» Als das sicherheitspolitische Credo Bahrs im März 1982 gedruckt erschien, herrschte in Polen bereits seit einem Vierteljahr Kriegsrecht. Nicht die Sowjetunion hatte in Polen interveniert, ein polnischer Partei- und Regierungschef, der zugleich General war, hatte in Absprache mit Moskau eine Entwicklung gewaltsam abgeschnitten, die den Verfechtern einer harten Linie als Bedrohung der Gesamtheit der Staaten des Warschauer Pakts erschienen war.

Einem anderen Vertreter der sozialdemokratischen Ostpolitik, dem Publizisten Günter Gaus, diente die «polnische» Krisenlösung als Argument gegen alle jene, die die Entspannungspolitik nunmehr als definitiv gescheitert ansahen. «In Polen, wo es jeden Tag noch viel schlimmer werden kann», so schrieb der ehemalige Leiter der Ständigen Vertretung der Bundesrepublik in der DDR am 22. Januar 1982 in der «Zeit», «hat die Sowjetunion auch nach dem 13. Dezember 1981 noch genug Gründe gesehen, bisher auf das Herbeiführen von Friedhofsruhe zu verzichten... In Polen erweist sich derzeit nicht das Scheitern einer ideologiefreien (nicht wertfreien) Ostpolitik; vielmehr wird der Nachweis für den Satz erbracht, daß erst die Anerkennung des Status quo in Europa – der erste, unumgängliche Schritt der Entspannung – seine Überwindung ermöglicht und wohl auch bewirken wird... Entspannungspolitik ist eine schwierige Kunst, weil sie ihre Erfolge nur erzielen kann, wenn der Partner stark ist... Die Anerkennung des heutigen europäischen Status quo geht nicht von der irrigen Annahme aus, es könne einen Stillstand in der Politik geben. Aber sie ist die notwendige Absage an einen Verbalradikalismus, der ein lebensgefährliches Tempo der Veränderungen und eine Art des Wandels gutheißt, die auf die Niederlage der anderen Seite abzielen. Westeuropa braucht zum Überleben ein stabiles Osteuropa – und umgekehrt.»

Um den historischen Rang der Entspannungspolitik herauszuarbeiten, griff Gaus tief in die Geschichte zurück, die er freilich höchst eigenwillig deutete. «Entspannungspolitik in Europa ist das schwierige Unterfangen, sozusagen den Augsburger Religionsfrieden von 1555 einem Religionskrieg vorwegzunehmen. Auch das damalige Toleranzedikt klang ziemlich schäbig: Cuius regio, eius religio.»

Dem Augsburger Religionsfrieden zufolge entschieden die weltlichen Reichsstände und die reichsunmittelbare Reichsritterschaft über die Religion ihrer Untertanen, was man schwerlich als «Toleranzedikt» bezeichnen kann. Ins 20. Jahrhundert übertragen, ergaben sich aus dem Prinzip von Augsburg die Konsequenzen von Jalta. Der Reichstagsabschied von 1555 hatte den Aufschub eines Religions- und Bürgerkriegs bewirkt, der dann

1618 doch ausbrach. Gaus sah Europa 1981/1982 offenbar am Rande eines solchen Krieges. Die, wie er meinte, milde Unterdrückung des polnischen Freiheitskampfes war aus seiner Sicht gerechtfertigt, weil sie dieser Gefahr fürs erste einen Riegel vorschob. Die Milde der Sowjetunion wiederum war ihm Beweis dafür, daß verantwortbarer Wandel den Verzicht auf Auflehnung voraussetzte. Das war die Quintessenz der Botschaft, die Gaus von den Polen, aber nicht nur von ihnen, fortan beherzigt sehen wollte.

Peter Bender, schon in den sechziger Jahren publizistischer Pionier der Entspannungspolitik, beurteilte die Chancen des friedlichen Wandels in kommunistischen Regimen im Frühjahr 1982 sehr viel skeptischer als Gaus. «Nicht in den Formen, wohl aber nach Bedeutung und Dimension vollzog sich in Polen eine Revolution – aber der Fall war in Bonn nicht vorgesehen. Die sozialliberalen Ostpolitiker haben so sehr auf evolutionären Wandel gesetzt und den revolutionären so sehr gefürchtet, daß sie damit nicht umzugehen wußten. Ihre Politik aber begünstigt, obwohl ungewollt, beides, auch die revolutionäre Änderung... Nicht erst das polnische Beispiel zwingt zu der Frage, ob im kommunistischen Europa evolutionäre Veränderung überhaupt so weit möglich ist, wie sie nötig ist – nötig zur Absicherung gegen wirtschaftliche und politische Katastrophen.»

Die polnische Entwicklung der Jahre 1980/81 sprach nach Benders Meinung eher für eine verneinende Antwort. «Falls das stimmt, ist die ostpolitische Lehre des 13. Dezember, daß wir uns künftig auf revolutionäre Bewegungen im sowjetischen Machtbereich einstellen müssen. Bisher dauerte es jeweils zwölf Jahre, bis es wieder losging: von 1956 bis 1968 und von 1968 bis 1980. Wie lange die abschreckende Wirkung diesmal anhält, weiß niemand; alle Fachleute sind sich aber einig: die wirtschaftlichen Schwierigkeiten werden im ganzen Osten Europas erheblich zunehmen, und der Widerspruch zwischen dem gänzlich veralteten System und den neuen, schärferen Anforderungen der Ökonomie und Politik wird größere Sprengkraft entwickeln. Mit Aufruhr ist also künftig eher mehr als weniger zu rechnen.»

Die Verteidiger der Ostpolitik mit Helmut Schmidt an der Spitze hatten nach dem 13. Dezember 1981 gute Gründe, sich von der schrillen Polemik aus dem Amerika Ronald Reagans abzusetzen und Washingtons Forderung nach einschneidenden Handels- und Kreditsanktionen gegen Polen entgegenzutreten, die nur eines bewirken konnten: eine Steigerung des Elends und eine noch stärkere Abhängigkeit des Landes von der Sowjetunion. Eine maßvolle Sprache gegenüber Warschau und Moskau mußte im übrigen keineswegs Hinnahme der politischen Unterdrückung in Polen bedeuten: Die Bundesregierung versuchte auf einer Vielzahl von Ebenen, auch der deutsch-deutschen, Druck auf das Regime Jaruzelskis auszuüben.

In einem Telefongespräch mit Honecker warnte Bundeskanzler Schmidt am 12. Januar 1982, je länger der Kriegszustand in Warschau andauere, desto stärker werde das West-Ost-Verhältnis mitbeeinträchtigt werden.

«Meine dringende Empfehlung ist, dafür einzutreten, daß in großer Zahl Gefangene entlassen werden. Was uns angeht, hier in Bonn: Wir nehmen gegenüber unseren westlichen Partnern und Freunden, aber auch öffentlich... den General Jaruzelski beim Wort, der ja damals, am 13. Dezember und danach, öffentlich erklärt hat, er wolle (den) Reformkurs usw. wieder aufnehmen, wieder rückkehren dahin. Ich kann nicht beurteilen, wie lange Zeit er noch braucht und wie frei er ist. Aber wir warten hier sehr auf bestimmte Signale in dieser Richtung. Also d. h. Freilassung der Gefangenen, Außerkrafttreten des Kriegsrechts oder Kriegszustandes oder, wie das auf deutsch heißen muß, Wiederaufnahme des Dialogs mit der Kirche, mit der Gewerkschaft.»

Die Bundesrepublik durfte nicht leichtfertig aufs Spiel setzen, was seit dem Abschluß der Ostverträge an menschlichen Erleichterungen im geteilten Deutschland erreicht worden war: Von dieser Maxime ging Schmidt aus; sie war für ihn ebenso wie die Zugehörigkeit zum westlichen Bündnis ein Teil der Staatsräson der Bundesrepublik. In seinem Buch «Menschen und Mächte» hat Schmidt 1987 im Zusammenhang mit der Polenkrise von dem «schrecklichen, unlösbar tragischen Dilemma» gesprochen, das darin bestehe, «sich sittlich zum Eingreifen gedrängt zu wissen, politisch aber nichts Wesentliches tun zu können». Bei anderen Sozialdemokraten war zu Beginn der achtziger Jahre von diesem moralischen Dilemma kaum noch etwas zu spüren. Für Wehner, Bahr und Gaus war das Interesse an außenpolitischer Stabilität mittlerweile zum einzig legitimen Interesse geworden, woraus folgte, daß der Drang nach Freiheit in dem Augenblick illegitim wurde, wo er mit der Stabilität der Nachkriegsordnung in Widerspruch geriet. Die Polen waren die ersten, die mit dieser Logik sozialdemokratischen Sicherheitsdenkens konfrontiert wurden. Wenn Benders These von der Reformunfähigkeit kommunistischer Regime zutraf, mußte man damit rechnen, daß die Polen mit dieser Erfahrung nicht lange allein bleiben würden.[12]

Am 5. Februar 1982 stellte erstmals in der Geschichte der Bundesrepublik ein Kanzler eine «echte» Vertrauensfrage. Als Brandt am 22. September 1972 *seine* Vertrauensfrage stellte, geschah das, um den fehlenden parlamentarischen Rückhalt der Bundesregierung und damit die Notwendigkeit von Neuwahlen zu beweisen. Schmidt tat den gleichen Schritt, um politische Stärke zu demonstrieren. Da die Koalitionspartner sich unmittelbar davor auf ein Programm zur Beschäftigungsförderung verständigt hatten, war ein Zerbrechen des Regierungsbündnisses zu diesem Zeitpunkt und aus diesem Anlaß nicht zu befürchten. Nach den Konflikten um Haushaltssanierung und Amnestiegesetz wollte Schmidt jedoch die Freien Demokraten zwingen, Farbe zu bekennen, und gleichzeitig den linken Flügel der eigenen Partei disziplinieren, der vor allem auf dem Gebiet der Sicherheitspolitik in Opposition zum Kanzler stand. Das Kalkül ging auf: Der Bundestag sprach Schmidt mit 269 gegen 224 Stimmen das Vertrauen aus.

Dennoch war der 5. Februar kein Tag des Triumphes für den Kanzler. Daß er die Vertrauensfrage stellte, war ein Zeichen für die innere Brüchigkeit der Koalition. Eine rasche Wiederholung dieser Kraftprobe konnte Schmidt sich kaum leisten.

Eine andere Kraftprobe gewann der Kanzler im April. Auf dem Parteitag der SPD in München erhielt Schmidt in den besonders umstrittenen Fragen der Sicherheits- und Energiepolitik deutliche Mehrheiten für seine Linie. Ein knappes Drittel der Delegierten immerhin sprach sich für das von Erhard Eppler und Oskar Lafontaine geforderte unbefristete und unbedingte Moratorium bei der Stationierung von Mittelstreckenraketen aus, bezog also eine Position, die auf ein Nein zum Doppelbeschluß hinauslief. Die vom Parteitag verabschiedete «Münchner Erklärung» enthielt ein Bekenntnis zum westlichen Bündnis und zur «Sicherheitspartnerschaft mit den Staaten des Ostens».

Ein «linkes» Profil zeigte der Parteitag nur in der Wirtschaftspolitik. Die Delegierten befürworteten ein staatliches Beschäftigungsprogramm, das teilweise durch eine zeitlich befristete Ergänzungsabgabe für höhere Einkommen und eine Arbeitsmarktabgabe finanziert werden sollte, außerdem den Abbau ungerechtfertigter Steuervorteile für Abschreibungsgesellschaften und die Verschärfung der Besteuerung des Bodenwertzuwachses – Forderungen, die, wie die Sozialdemokraten wohl wußten, in einer Koalition mit der FDP nicht zu verwirklichen waren.

Dem Parteitag der SPD folgte am 28. April eine Kabinettsumbildung, ausgelöst durch den Rücktritt der sozialdemokratischen Familienministerin Antje Huber. An ihre Stelle trat die Abgeordnete Anke Fuchs. Hans Matthöfer, der aus Gesundheitsgründen das Finanzministerium abgeben wollte, wurde durch Manfred Lahnstein, den bisherigen Chef des Kanzleramts, ersetzt und übernahm selbst das Postministerium, das zuvor Kurt Gscheidle geleitet hatte. Neuer Arbeitsminister wurde als Nachfolger von Herbert Ehrenberg der Abgeordnete Heinz Westphal. Klaus Bölling übergab sein Amt als Leiter der Ständigen Vertretung in der DDR an den parteilosen Karrierediplomaten Hans-Otto Bräutigam und wurde wieder Leiter des Presse- und Informationsamtes der Bundesregierung. Ein anderer Rückkehrer war Hans-Jürgen Wischnewski als Staatsminister im Kanzleramt: eine Funktion, die er bereits von 1976 bis 1979 innegehabt hatte. Schmidt wollte offenkundig auf altbewährte Mitarbeiter zurückgreifen, was den Bonner Korrespondenten der «Zeit», Rolf Zundel, veranlaßte, von einem «erstaunlichen Hang zur Nostalgie» zu sprechen. Aber ein Aufbruchsignal gab der Kanzler mit dem Revirement vom April 1982 nicht. Die «Neue Zürcher Zeitung» beschrieb Schmidts neues Kabinett als das «letzte Aufgebot» und gab damit den Tenor der meisten Kommentare wieder.

Auf außenpolitischem Gebiet konnte die Bundesregierung in der ersten Hälfte des Jahres 1982 keine großen Erfolge erringen. Bei einem Besuch von Bundeskanzler Schmidt in den Vereinigten Staaten Anfang Januar standen gegensätzliche Auffassungen über die Polenkrise im Vordergrund. Die Reagan-Administration hatte von den europäischen Verbündeten verlangt, sie sollten sich den (ohne Absprache verhängten) amerikanischen Handelssanktionen gegen Polen und die Sowjetunion anschließen, was die Außenminister der Europäischen Gemeinschaft am 4. Januar ablehnten. Schmidt wurde in der amerikanischen Presse seit seinem Besuch bei Honecker als Führer eines Landes dargestellt, das vom Osten fasziniert und nicht mehr in der Lage sei, «die Welt mit klaren Augen zu sehen» (so die «New York Times» am 28. Dezember), wenn es nicht gar (so das «Wall Street Journal» am 4. Januar) auf dem Weg zu einem «finnlandisierten Vasallen eines totalitären Reiches» war. Im persönlichen Gespräch mit dem Bundeskanzler bedauerte Reagan am 6. Januar, daß Schmidt von amerikanischen Zeitungen ungerecht behandelt worden sei. Das anschließende gemeinsame Kommuniqué ließ von den Differenzen nichts erkennen. Aber sie bestanden, was alle Beteiligten wußten, unvermindert fort.

Zu den Meinungsverschiedenheiten über den richtigen Umgang mit dem Osten kam ein langanhaltender Streit um die Währungspolitik. Die USA betrieben unter Reagan eine Kombination aus «deficit spending» und Hochzinspolitik, die Kapital aus aller Welt anzog. Die europäischen Notenbanken sahen sich dadurch ihrerseits genötigt, die Zinsen zu erhöhen, was sich negativ auf die ohnehin schwache Konjunktur auswirkte. Ende Februar 1982 protestierten Bundeskanzler Schmidt und François Mitterrand, der neue, im Mai 1981 gewählte französische Staatspräsident, in einer gemeinsamen Erklärung gegen die Finanz- und Wirtschaftspolitik der Vereinigten Staaten, bewirkten damit aber keine Änderung.

Erfolgreicher waren beide, als sie im Sommer 1982, mit der konservativen britischen Premierministerin Margaret Thatcher als Dritter im Bunde, dem Versuch der USA entgegentraten, das deutsch-britisch-französisch-sowjetische Projekt einer Erdgasleitung aus Sibirien, das sogenannte «Erdgas-Röhren-Geschäft», durch ein Ausfuhrverbot für Ausrüstungsgüter zu Fall zu bringen. Im Dezember 1982, als Schmidt schon nicht mehr Kanzler war, hob Reagan das Verbot auf. Der währungspolitische Graben zwischen beiden Seiten des Atlantik aber blieb tief.

Kein außenpolitisches Thema war für Schmidt so sehr mit bundesdeutscher Innenpolitik verknüpft wie die Genfer INF-Verhandlungen – die am 30. November 1981 wieder aufgenommenen amerikanisch-sowjetischen Gespräche über Mittelstreckenraketen («Intermediate-Range Nuclear Forces»). Im Mai 1981 hatte Schmidt erstmals öffentlich sein politisches Schicksal als Bundeskanzler mit der Unterstützung des NATO-Doppelbeschlusses durch die eigene Partei verbunden. Auf dem Münchner Parteitag im April 1982 hatte er diese Unterstützung nochmals erhalten, allerdings mit dem Vorbehalt, daß die Entscheidung über eine Stationierung von amerikanischen Raketen damit noch nicht gefallen sei. Da aus Genf nichts verlautete, was auf eine Annäherung der Standpunkte schließen ließ, wuchs der Zulauf zur Friedensbewegung – und gleichzeitig die Neigung vieler Sozialdemokraten, eine westliche Nachrüstung unter allen Umständen abzulehnen.

Am 16. Juli 1982 unternahmen die beiden Genfer Chefunterhändler, Paul H. Nitze auf amerikanischer, Julij A. Kwizinski auf sowjetischer Seite, den berühmten «Waldspaziergang», bei dem sie sich auf einen Kompromiß verständigten: Beide Seiten sollten sich auf 75 «Systeme» beschränken. Das hätte einen Abbau bereits stationierter sowjetischer Mittelstreckenraketen bedeutet und die USA veranlaßt, weniger Raketen als geplant aufzustellen. Schmidt und Genscher wären mit dieser Lösung einverstanden gewesen. Aber die Verbündeten erfuhren erst nachträglich, im Herbst 1982, und auch dann nicht offiziell, sondern durch amerikanische Zeitungsmeldungen vom Ergebnis des «Waldspaziergangs» – zu einem Zeitpunkt, als Washington und Moskau die Nitze-Kwizinski-Formel bereits verworfen hatten. Eine westliche Nachrüstung in dem Umfang, wie er im Dezember 1979 beschlossen worden war, wurde immer wahrscheinlicher.

Der Stillstand bei den Verhandlungen über die eurostrategischen Waffen hinderte die USA und die Sowjetunion nicht, im Sommer 1982 in eine andere Kategorie von Abrüstungsverhandlungen einzutreten: Am 29. Juni begannen in Genf die START-Gespräche. Bei den Strategic Arms Reduction Talks ging es nicht nur wie bei den SALT-Verhandlungen um eine Beschränkung, sondern um die Verringerung der nuklearen Waffenarsenale der beiden Supermächte. Für die Sicherheit des alten Kontinents aber waren die INF-Verhandlungen ungleich wichtiger. Das Scheitern des Kompromisses vom 16. Juli 1982 ließ nur den Schluß zu, daß Washington unter Ronald Reagan und Moskau unter Leonid Breschnew ein anderes Ziel verfolgten als die Regierung Schmidt in Bonn: Die zwei mächtigsten Staaten der Welt erstrebten kein wie immer definiertes strategisches Gleichgewicht, sondern militärische und politische Vorherrschaft.[13]

Im Sommer 1982 mehrten sich die Anzeichen für den Zerfall des Regierungsbündnisses von SPD und FDP. Am 6. Juni mußten beide Koalitionsparteien bei der Hamburger Bürgerschaftswahl schwere Verluste hinnehmen: Die Sozialdemokraten sanken von 51,5 % auf 43,2 %, büßten also 8,3 % ein; die Freien Demokraten fielen von 6,6 % auf 4,9 %, was zwar «nur» ein Minus von 1,7 %, aber den Sturz unter die Fünfprozentmarke und damit das Ausscheiden aus dem Parlament bedeutete. Wenige Tage danach entschied sich die hessische FDP in Absprache mit der Bonner Parteispitze, nach der Landtagswahl vom 26. September den Koalitionspartner zu wechseln und nicht mehr mit der SPD, sondern mit der CDU zu regieren.

Die Nachrichten aus Hamburg und Wiesbaden belasteten das Koalitionsklima just zu einer Zeit, in der schwierige Verhandlungen über den Bundeshaushalt 1983 anstanden. Sie führten am 30. Juni zu einer, von vielen Beobachtern kaum noch erwarteten Einigung. Das Ergebnis verriet eher eine liberale als eine sozialdemokratische Handschrift: Die Unterhändler der SPD hatten in eine Selbstbeteiligung bei Kuren und Krankenhausaufenthalten sowie in Krankenversicherungsbeiträge der Rentner eingewilligt. Infolgedessen fiel es Bundeskanzler Schmidt nicht leicht, die eigene Fraktion auf die Regierungslinie einzuschwören. Er räumte ein, daß die Vereinbarungen, was die Bekämpfung der Arbeitslosigkeit anging, unbefriedigend seien. Doch dafür machte er nicht die FDP verantwortlich, sondern beschrieb ein sozialdemokratisches Dilemma: «Wer mehr tun will, muß in die Geld- und Sozialleistungen tiefer hineinschneiden, als es in dem Kompromißpaket von mir vorgeschlagen wurde. Von den beiden Möglichkeiten scheitert die eine, es nämlich durch höhere Kreditaufnahmen zu finanzieren, an mir. Ich kann das nicht verantworten. Die zweite Möglichkeit scheitert an euch. Wer mehr für die beschäftigungswirksamen Ausgaben des Staates tun will, muß tiefer, noch viel tiefer als hier in die Sozialleistungen reinschneiden.»

Zwei Wochen später, am 15. Juli, konnten die Leser des Hamburger Magazins «Stern» lesen, was einer von Schmidts innerparteilichen Gegnern vom Bonner Koalitionskompromiß hielt. «Was hat sich denn mit der Einigung zwischen SPD und FDP über den Haushalt 1983 in Bonn geändert?», fragte der Vorsitzende der saarländischen SPD und Saarbrücker Oberbürgermeister Oskar Lafontaine rhetorisch. Seine Antwort lautete: «Helmut Schmidt spricht weiter von Pflichtgefühl, Berechenbarkeit, Machbarkeit, Standhaftigkeit. Das sind Sekundärtugenden. Ganz präzis gesagt: Damit kann man auch ein KZ betreiben. Das sind Sekundärtugenden, auf die man zurückgreift, wenn innerlich nicht bewältigt ist, worum es geht, nämlich um die Bewahrung des Lebens.»

An der Richtung, die die Sozialdemokratie jetzt einzuschlagen hatte, gab es für Lafontaine keinen Zweifel. «Die SPD muß raus aus der Regierung in Bonn. So wie die Dinge liegen, ist Regeneration der Partei nur in der Opposition möglich. Nur dann werden wir ein den Erfordernissen der Zukunft genügendes neues gesellschaftliches Konzept finden.» Zur «Regeneration» gehörte auch eine klare Absage an den Doppelbeschluß der NATO. «Das Gerede von der Notwendigkeit einer Nachrüstung ist Augenwischerei: Es gibt eine so hohe Zahl von atomaren Waffen, daß Unterlegensein gar nicht mehr möglich ist. Statt dessen gerät uns die Waffentechnologie außer Kontrolle, und wir sind drauf und dran, unfreiwillig in einen atomaren Holocaust hineinzuschlittern. Deshalb hat Willy Brandt recht. Leider ist das Ziel mit Helmut Schmidt nicht zu erreichen. Er begreift nicht, was in der Jugend vor sich geht.»

Lafontaines persönliche Angriffe empörten den Kanzler auch deshalb, weil sie in der SPD, abgesehen vom «Seeheimer Kreis» der Parteirechten, nur verhaltenen Protest auslösten. Noch gefährlicher waren für den Regierungschef Kampfansagen aus dem gewerkschaftlichen Lager, auf das Schmidt sich in der Vergangenheit meist hatte stützen können. Der Vorsitzende des Deutschen Gewerkschaftsbundes, Ernst Breit, kündigte Ende Juli Aktionen gegen die politische Umsetzung des Haushaltskompromisses an; Karl-Heinz Janzen, Mitglied des Bundesvorstands der Industriegewerkschaft Metall, warnte im Augustheft der sozialdemokratischen Zeitschrift «Die Neue Gesellschaft» vor einem «tiefen Bruch in der historisch begründeten guten Beziehung zwischen SPD und Gewerkschaften», falls die Beschlüsse vom 30. Juni verwirklicht würden.

Im August waren auch aus der FDP Stimmen zu hören, die sich nur als Kampfansagen verstehen ließen. In einem Interview mit dem Hessischen Rundfunk nannte es der Parteivorsitzende, Außenminister Hans-Dietrich Genscher, am 15. August die «große Aufgabe», eine «Wende zur Vernunft, zur Verantwortung, zu mehr Gestaltungsräumen für den einzelnen» durchzusetzen. Er griff die SPD und namentlich den hessischen Ministerpräsidenten Holger Börner wegen angeblicher «sozialistischer» Neigungen scharf an und sprach dann von «neuen Mehrheiten» und von Aufgaben, die «sich ihre eigenen Mehrheiten suchen». Zwei Wochen später erhob Bundeswirtschaftsminister Graf Lambsdorff in einem Interview mit der «Bild-Zeitung» die Hessenwahl in den Rang eines Plebiszits über einen Regierungswechsel am Rhein: «Der hessische Wähler entscheidet, was er von einem Wechsel der FDP in eine andere Koalition hält. Das würde für uns in Bonn eine wichtige Erkenntnis sein.»

Helmut Schmidt hatte bereits in der Sitzung der sozialdemokratischen Bundestagsfraktion am 22. Juni einen bemerkenswerten Satz ausgesprochen: «Nach meiner festen Überzeugung dürfen wir nicht diejenigen sein, die das Risiko eines Scheiterns und die Schuld für ein Scheitern auf unsere Schultern laden.» Der Kanzler trug damit die Schlußfolgerung vor, die er aus dem Bruch der Großen Koalition unter Hermann Müller im März 1930 gezogen hatte; es war ein Ereignis, auf das er immer wieder, so auch in der Fraktionssitzung vom 30. Juni, Bezug nahm. An die Lehre aus Weimar hielt er sich, seit es an den Absichten der FDP-Führung nichts mehr zu deuten gab: Er war entschlossen, die Verantwortung der Liberalen für das Ende der Koalition so scharf wie nur möglich herauszuarbeiten. Am 1. September erteilte er Lambsdorff im Bundeskabinett eine Rüge, die er sogleich durch Staatssekretär Bölling der Presse bekanntgeben ließ, und forderte den Bundeswirtschaftsminister auf, ihm, dem Bundeskanzler, seine wirtschaftspolitischen Vorstellungen in schriftlicher Form vorzulegen.

Noch bevor Lambsdorff diesem Auftrag nachkam, stellte Schmidt die FDP öffentlich vor die Koalitionsfrage. Der Kanzler nutzte den alljährlichen «Bericht zur Lage der Nation», den er am Vormittag des 9. September im Bundestag abgab, um den Vorsitzenden der Fraktion der CDU/CSU, Helmut Kohl, zu einem konstruktiven Mißtrauensvotum aufzufordern. Den entsprechenden Passus seiner Rede leitete er mit der Bemerkung ein, er beanspruche im folgenden nicht, für die Bundesregierung als ganze zu sprechen, sondern berufe sich dabei auf die Rechte, die das Grundgesetz dem Bundeskanzler einräume. An Kohl gewandt und indirekt auch Genscher ansprechend, sagte Schmidt: «Wenn sich im Bundestag eine andere Mehrheit für eine andere Politik finden sollte: Bitte sehr, dafür hält das Grundgesetz den Art. 67 bereit. Machen Sie von Art. 67 Gebrauch! Bringen Sie den Antrag auf ein konstruktives Mißtrauensvotum ein, Herr Dr. Kohl! Lassen Sie uns nächste Woche darüber abstimmen!... Die Bürger haben Anspruch auf Klarheit, Herr Dr. Kohl!»

Wenn Kohl in geheimer Wahl vom Bundestag zu seinem Nachfolger gewählt werden sollte, müsse er allerdings Neuwahlen erzwingen, und zwar aus zwei Gründen. «Erstens: Weil ein Bundeskanzler nicht nur grundgesetzliche Legalität braucht, sondern auch – über jede verschleierte Vorbereitung eines konstruktiven Mißtrauensantrags hinaus – die geschichtliche Legitimierung, die nur der Wähler ihm geben kann; und zweitens: weil Sie dem Volke vorher sagen müssen, was Sie tatsächlich anders machen wollen... Wenn eine geschichtliche Epoche in der Entwicklung unseres Staates abgebrochen werden soll, dann bitte mit offenem Visier und mit einem klaren Willensentscheid derjenigen, die das wollen, mit einer Begründung, die vor der Geschichte unseres Staates Bestand hat, und nicht mit nebensächlichen, künstlichen Argumenten.»

Nachdem Schmidt geendet hatte, erhoben sich die Abgeordneten der SPD applaudierend von ihren Plätzen. Sie dankten dem Kanzler für eine Rede, die sie als befreiend empfanden und die in der Tat klärend wirkte. Die FDP konnte nun nicht länger zwischen den beiden großen Volksparteien lavieren und damit die Autorität der von ihr mitgetragenen Bundesregierung untergraben; sie mußte sich entscheiden.

Der Kanzler *hatte* sich entschieden: für seine Partei, deren Verdienste um «Freiheit und Gerechtigkeit in Deutschland» er mit eindringlichen Worten würdigte, aber auch, was noch wichtiger war, für die Sache der parlamentarischen Demokratie. *Sie* drohte Schaden zu nehmen, wenn die Krise der Koalition anhielt und die Bundesregierung ihre Handlungsfähigkeit fortschreitend verlor.

Indem Schmidt Neuwahlen nach einem konstruktiven Mißtrauensvotum forderte, rief er das Volk auf, über den Ausgang des Bonner Machtkampfs zu entscheiden. Da der Bundestag nicht über das Recht der Selbstauflösung verfügte, sondern nur vom Bundespräsidenten aufgelöst werden konnte, wenn der Bundestag zuvor eine Vertrauensfrage des Bundeskanzlers abgelehnt hatte, warf die von Schmidt vorgeschlagene Krisenlösung verfassungsrechtliche Probleme auf. Das Verständnis von demokratischer Legitimität, wie es sich seit 1949 entwickelt hatte, ließ aber einen «appel au peuple» unumgänglich erscheinen.

Den anschließenden Debattenreden von Kohl und Genscher war noch nicht zu entnehmen, wie sie auf die Herausforderung reagieren würden. Als

Antwort der FDP las sich hingegen das von Schmidt angeforderte Memorandum des Bundeswirtschaftsministers, das der Kanzler am Abend des 9. September erhielt. Es war ein in sich schlüssiges Manifest des Wirtschaftsliberalismus, ein Plädoyer für eine angebotsorientierte und gegen eine nachfrageorientierte Politik, für die Förderung der privaten Investitionstätigkeit und die «Anpassung der sozialen Sicherungssysteme an die veränderten Wachstumsmöglichkeiten und eine längerfristige Sicherung ihrer Finanzierung» – also das, was Sozialdemokraten gern auf die Formeln «Sozialabbau», «Umverteilung von unten nach oben» oder «Ellbogengesellschaft» zu bringen pflegten.

Lambsdorff verwahrte sich dagegen, die von ihm verlangte Politik als «soziale Demontage», als «sozial unausgewogen» oder gar als «unsozial» zu diffamieren, da sie «in Wirklichkeit der Gesundung und Erneuerung des wirtschaftlichen Fundaments für unser Sozialsystem» diene. Der Bundeswirtschaftsminister wußte, daß er ebendiese Vorwürfe nicht nur von den Sozialdemokraten, sondern auch vom Arbeitnehmerflügel der Union, ja wohl selbst von den Führungen von CDU und CSU zu hören bekommen würde. Seine Vorstellungen waren also großteils politisch nicht durchsetzbar.

Für den strategischen Zweck der Denkschrift war das jedoch ohne Belang. Lambsdorff *wollte* das Bündnis mit der SPD aufkündigen; das war der Sinn seiner Formel von der «wichtigen Wegkreuzung», vor der die Bundesrepublik jetzt stehe. Nachdem Schmidt sich am 9. September im Bundestag zur sozialdemokratischen Tradition und zu seiner Verbundenheit mit den Gewerkschaften bekannt hatte, war klar, daß Lambsdorffs Papier vom gleichen Tag als liberales Gegenstück zum sozialdemokratischen Credo des Regierungschefs und damit ebenfalls als Schlußstrich unter die Zusammenarbeit von SPD und FDP verstanden werden würde – und genau so war das Memorandum gemeint.

In der Kabinettsitzung vom 15. September stellte der Bundeskanzler fest, daß das vom Bundeswirtschaftsminister vertretene Konzept nicht mit der Regierungspolitik übereinstimme, und fragte Lambsdorff, ob sein Papier als «Scheidungsbrief» gemeint sei. Dieser beteuerte zwar, daß er lediglich seine Vorstellungen zur Lösung von Sachfragen habe darlegen wollen, konnte aber damit seine anderslautenden öffentlichen Äußerungen nicht ungeschehen machen. Schmidt ließ Lambsdorff noch zwei Tage Zeit, um Klarheit zu schaffen. Er selbst entschied sich am gleichen Tag, die vier Minister der FDP nach Ablauf des faktischen Ultimatums am 17. September zu entlassen und ihre Ressorts sozialdemokratischen Kabinettsmitgliedern zu übertragen.

Da Kohl auf seinen Vorschlag vom 9. September bisher nicht eingegangen war, wollte Schmidt nun einen anderen Weg beschreiten, um zu Neuwahlen zu gelangen. In Absprache mit der Opposition, die in diesem Fall aber auf ein konstruktives Mißtrauensvotum ausdrücklich verzichten

mußte, wollte er als Kanzler eines Minderheitskabinetts die Vertrauensfrage stellen und deren Ablehnung durch Stimmenthaltung der Sozialdemokraten gewährleisten. Nach Auflösung des Bundestages konnten Neuwahlen dann im November, gegen Ende der vom Grundgesetz festgelegten
Frist von sechzig Tagen, stattfinden. Als Urheber der innenpolitischen
Krise gedachte Schmidt, einem Rat von Klaus Bölling folgend, nicht
Lambsdorff hinzustellen, der seine Ziele immerhin offen und ehrlich vertrat, sondern Genscher. Der Außenminister und Vorsitzende der FDP
sollte als derjenige angeprangert werden, der seit langem hinter den Kulissen auf den Koalitionsbruch hingearbeitet habe.

Am Morgen des 17. September bat Genscher, in Kenntnis von Schmidts
Absicht, den Bundeskanzler um seine Entlassung; die drei anderen Minister der FDP, Graf Lambsdorff, Baum und Ertl, schlossen sich kurz
darauf an. Schmidt schlug daraufhin dem Bundespräsidenten vor, bis zur
Neuwahl des Bundestages ihn selbst in Personalunion zum Außenminister, Finanzminister Lahnstein zum Wirtschaftsminister, Justizminister
Schmude zum Innenminister und Bildungsminister Engholm zum Landwirtschaftsminister zu ernennen. (Der Schleswig-Holsteiner Björn Engholm hatte im Januar 1981 das Bildungsressort von Jürgen Schmude übernommen, als dieser die Nachfolge von Justizminister Hans-Jochen Vogel
antrat.)

Mit der Entlassung der vier Minister der FDP und der Ernennung der
vier sozialdemokratischen Doppelminister war das Regierungsbündnis
von SPD und FDP, das die beiden Parteien dreizehn Jahre zuvor, im Oktober 1969, eingegangen waren, beendet. Von einer «sozialliberalen Koalition» hatte man, streng genommen, schon seit Mitte der siebziger Jahre
nicht mehr sprechen können: Dazu hatten sich die beiden Regierungsparteien zu sehr auseinanderentwickelt; Reformimpulse waren von ihrer Zusammenarbeit unter der Kanzlerschaft Helmut Schmidts kaum noch ausgegangen.

Auf der anderen Seite gab es keinen Sozialdemokraten, der die Koalition
so lange hätte zusammenhalten können wie Schmidt, dem der Staat stets
wichtiger war als die Partei. Seine Regierung war nicht nur an einem, sie
war an beiden Partnern gescheitert. Die Sozialdemokraten waren zur Politik ihres Kanzlers in der Nachrüstungsfrage zunehmend auf Distanz gegangen; die Beschlüsse des Münchner Parteitags vom April zur Wirt-
schafts- und Finanzpolitik belasteten das Verhältnis zur FDP. In beiden
Bereichen hatten die Freien Demokraten mittlerweile mehr Gemeinsamkeiten mit der Union als mit der SPD; das fand seinen Niederschlag in der
Wiesbadener Koalitionsaussage und den öffentlichen Äußerungen von
Genscher und Lambsdorff. Außerdem durfte die FDP hoffen, daß das Amnestiegesetz für Straftaten im Zusammenhang mit illegalen Parteispenden,
das im Dezember 1981 an der Sozialdemokratie gescheitert war, mit Hilfe
der CDU/CSU doch noch zustandekommen würde. Daß auch die großin-

dustriellen Spender ein Interesse am Machtwechsel hatten, lag auf der Hand.

Als Schmidt am 17. September zum ersten Mal als Kanzler einer sozial-demokratischen Minderheitsregierung ans Rednerpult des Bundestages trat, ging es ihm auch um die Würdigung der eben zu Ende gegangenen Ära. «Wenn jetzt... eine geschichtliche Epoche in der Entfaltung unseres de-mokratischen Gemeinwesens beendet wird, wenn jetzt die Zukunft dieser Entfaltung ungewiß ist, so will ich in diesem Zusammenhang meinen Stolz auf das in der sozialliberalen Koalition Geleistete noch einmal hervorhe-ben. Das gilt für die Aufarbeitung des Reformdefizits, das wir 1969 vorge-funden haben, das gilt für den Ausbau des Sozialstaats, das gilt ebenso für unsere Friedenspolitik im Verein mit unseren Nachbarn im Osten. Ich bin stolz auf diese gemeinsame Leistung, und ich werde sie mit großem Einsatz verteidigen.»

Der Hauptzweck der Rede aber war eine Verständigung mit der Oppo-sition über den vom Kanzler angestrebten Ausweg aus der inneren Krise – und damit hatte Schmidt keinen Erfolg. Für ein konstruktives Mißtrauens-votum gab es jetzt, nach der Aufkündigung der bisherigen Koalition, sehr viel bessere Aussichten als in den Tagen zuvor. Hätten Kohl und Genscher darauf verzichtet, wäre der populäre Schmidt in der Lage gewesen, mit dem «Amtsbonus» des Bundeskanzlers in den Wahlkampf zu ziehen. Deswegen konnte es für beide nur darum gehen, möglichst rasch zu einer politischen Einigung zu gelangen und dann den Antrag nach Artikel 67 des Grundge-setzes zu stellen. Zunächst aber mußte der Vorsitzende der FDP die eigene Partei und Fraktion für Koalitionsverhandlungen mit der CDU/CSU ge-winnen. In der Fraktion stimmten am Nachmittag des 17. September 33 Abgeordnete für solche Gespräche; 18 waren dagegen; einer enthielt sich. Noch knapper war am Abend das Ergebnis im Bundesvorstand: 18 Mit-glieder unterstützten Genschers Linie, 15 lehnten sie ab. Die FDP stand vor einer Zerreißprobe.

Während die Union und die Freien Demokraten über ein neues Regie-rungsbündnis verhandelten, strebte der hessische Landtagswahlkampf sei-nem Ende entgegen. Schmidt wurde, wo immer er auftrat, bejubelt; der Vorwurf des Verrats, den er gegen Genscher und die FDP erhob, fand große Zustimmung. Das Wahlergebnis vom 26. September war eine Sensation: Die CDU erhielt 45,6 %, das waren 0,4 % weniger als vier Jahre zuvor. Die SPD kam auf 42,8 %, ein Minus von 1,5 %, aber sehr viel mehr, als die Mei-nungsumfragen vom Sommer hatten erwarten lassen. Die große Verliererin der Wahl war die FDP. Sie erreichte nur noch 3,1 % (- 3,5 %) und kam nicht mehr in den Landtag. Die Gewinner waren die Grünen, die einen Anteil von 8 % erlangten.

Die «Bestrafung» der FDP war dem Kanzler in Hessen gelungen; inso-weit hatte sein meisterhaftes Krisenmanagement bereits sichtbar Früchte getragen. Mit wem aber wollte die SPD künftig Politik machen, wenn sie selbst keine Mehrheit hatte und die Freien Demokraten nicht mehr in den Parlamenten vertreten waren? Als Willy Brandt am Abend der Hessenwahl im Fernsehen unter Hinweis auf die Erfolge der Grünen von «der Mehrheit diesseits der Union» sprach, deutete er die von *ihm* längerfristig angestrebte «Lagerbildung» an. Für Schmidt kam eine Zusammenarbeit mit den Ökopazifisten aus außen- und innenpolitischen Gründen nicht in Frage. Im Parteipräsidium prallten am 27. September die Meinungen des Kanzlers und des Parteivorsitzenden hart aufeinander. Die Alternative zu «rot-grün» konnte aber nur «rot-schwarz» (oder «schwarz-rot») sein – eine Konstellation, die Schmidt, zur Zeit der Großen Koalition Fraktionsvorsitzender der SPD, in guter Erinnerung hatte. Eine Rückkehr zu dieser Art von Mehrheitsregierung war jedoch, solange Kohl die Union führte, undenkbar: Der Vorsitzende der CDU hatte sich auf ein «bürgerliches» Bündnis festgelegt.

Kohl gehörte trotz der Stimmenverluste seiner Partei zu den Gewinnern der hessischen Landtagswahl. Das Wiesbadener Ergebnis schwächte nämlich seinen gefährlichsten Kontrahenten: Strauß, der eine Koalition mit der FDP nach wie vor gern vermieden hätte, hatte vor dem 26. September auf baldige Neuwahlen, ohne vorherigen Kanzlersturz, gesetzt und keinen Zweifel daran gelassen, daß er in diesem Fall mit einer absoluten Mehrheit der CDU/CSU rechnete. Nach dem 26. September ließ sich diese Taktik nicht mehr aufrechterhalten. Kohls künftige Partner Genscher und Lambsdorff hatten in Hessen zwar alles andere als den erhofften Auftrag für einen Koalitionswechsel in Bonn erhalten. Da es aber ein Zurück für sie nicht mehr gab, mußte ihnen nun an einem raschen Abschluß der Koalitionsverhandlungen mit der Union liegen. Bereits am Abend des 27. September war dieses Ziel erreicht: Die Sachgespräche konnten erfolgreich beendet werden. Selbst über den Termin für die Neuwahl des Bundestags hatte man sich inoffiziell verständigt: Es war der 6. März 1983.

Am 28. September fielen in der Bundestagsfraktion und im Parteivorstand der FDP die Entscheidungen. Von den 54 Bundestagsabgeordneten (den einen Abgeordneten aus Berlin mitgerechnet) stimmten 34 für und 18 gegen ein konstruktives Mißtrauensvotum, also die Ablösung von Helmut Schmidt durch Helmut Kohl; zwei Abgeordnete enthielten sich der Stimme. Im Parteivorstand waren die «Sozialliberalen», die Genschers Kurs ablehnten, noch deutlich stärker. Mit nur einer Stimme Mehrheit lehnte das Gremium einen Antrag ab, die Entscheidung über die Koalition einem außerordentlichen Parteitag zu überlassen. Für das konstruktive Mißtrauensvotum stimmten 19, dagegen 16 Mitglieder des Parteivorstands.

Noch am Abend des 28. September brachten die Fraktionen von CDU/CSU und FDP den Antrag ein, der Bundestag möge Bundeskanzler Helmut Schmidt das Mißtrauen aussprechen und als seinen Nachfolger den Abgeordneten Helmut Kohl zum Bundeskanzler wählen. Am Morgen des 1. Oktober 1982 stand dieser Antrag als einziger Punkt auf der Tagesordnung der 118. Sitzung des neunten Deutschen Bundestages. Als erster sprach Helmut Schmidt. Er erinnerte daran, daß Genscher im Bundestagswahlkampf von 1980 mit der Parole um Stimmen geworben habe: «Wer FDP wählt, garantiert, daß Schmidt Bundeskanzler bleibt...» Daraus folgerte der Kanzler, an die neue Mehrheit gewandt: «Dieser Regierungswechsel, den Sie anstreben, berührt die Glaubwürdigkeit unserer demokratischen Institutionen.» Nachdem er in zwölf Punkten nochmals die Leitlinien seiner Politik zusammengefaßt hatte, sprach Schmidt in den letzten Sätzen die eigene Partei an. Die Sozialdemokraten seien dankbar für das Vertrauen, das ihrer Politik der guten Nachbarschaft und ihrer Friedenspolitik von den Deutschen in der Bundesrepublik und der DDR entgegengebracht werde: «Wir werden es auch in Zukunft nicht enttäuschen. Jedermann darf und jedermann muß mit unserer Stetigkeit rechnen.»

Die Begründung des Antrags nach Artikel 67 hatte die Unionsfraktion dem früheren Parteivorsitzenden Rainer Barzel übertragen. Er betonte die Legitimität des konstruktiven Mißtrauens: «Unser Volk wählt Abgeordnete. Unser Volk wählt am Wahltag nicht den Kanzler... Wenn wir heute also einen anderen Bundeskanzler wählen, so machen wir legitimen Gebrauch von Art. 67 des Grundgesetzes.» Den Sozialdemokraten rief Barzel zu: «Nun gehen Sie, weil Sie ein blühendes Gemeinwesen, das Sie übernahmen, in ein krisengeschütteltes Land verwandelt haben. Das ist die Lage.»

Besondere Aufmerksamkeit fanden die Reden der Sprecher aus den Reihen der Freien Demokraten. Der Fraktionsvorsitzende Wolfgang Mischnick, der das Regierungsbündnis von SPD und FDP bis zuletzt loyal unterstützt hatte, war der einzige Redner, der der Auflösung und Neuwahl des Bundestages unter Berufung auf das Grundgesetz widersprach. Mischnick würdigte erst die Leistungen der bisherigen Koalition und verteidigte dann deren Beendigung damit, «daß es sachlich keine Gemeinsamkeit in vielen Fragen mehr gibt». «Mehr Eigenverantwortung» und «Ausstieg aus der Anspruchsmentalität»: das waren die Schlüsselbegriffe, mit denen er den Koalitionswechsel zu rechtfertigen versuchte.

Der frühere Bundesinnenminister Gerhart Rudolf Baum, der für die Minderheit sprach, konnte hingegen keine «inhaltliche Begründung» für den Koalitionswechsel erkennen und stellte fest: «Das Verfahren, das zu der beantragten Abwahl des Bundeskanzlers Helmut Schmidt geführt hat, kann, so befürchten wir, eine Veränderung der politischen Kultur in diesem Lande bewirken.» Hildegard Hamm-Brücher, auch sie eine Vertreterin der Minderheitsposition, weigerte sich, dem Kanzler, dem sie noch vor wenigen Monaten das Vertrauen ausgesprochen habe, jetzt das Mißtrauen auszusprechen. «Ich finde, daß beide dies nicht verdient haben, Helmut Schmidt, ohne Wählervotum gestürzt zu werden, und Sie, Helmut Kohl, ohne Wählervotum zur Kanzlerschaft zu gelangen. Zweifellos sind die beiden sich bedingenden Vorgänge verfassungskonform. Aber sie haben nach

meinem Empfinden doch das Odium des verletzten demokratischen An-
stands... Sie beschädigen quasi die moralisch-sittliche Integrität von
Machtwechseln.»

Um 15 Uhr 10 gab Bundestagspräsident Richard Stücklen (CSU) das Ergebnis der Abstimmung bekannt. Von den 495 abgegebenen Stimmen waren alle gültig. Mit Ja hatten 256 gestimmt, mit Nein 235 Abgeordnete; vier
Abgeordnete hatten sich der Stimme enthalten. Damit war der Abgeordnete Helmut Kohl durch das erste erfolgreiche konstruktive Mißtrauensvotum in der Geschichte der Bundesrepublik zum Bundeskanzler gewählt.
Zu den ersten, die ihm ihre Glückwünsche aussprachen, gehörte sein soeben abgewählter Amtsvorgänger Helmut Schmidt.

Von den Abgeordneten der FDP, die gegen den Koalitionswechsel waren
und gegen das konstruktive Mißtrauensvotum gestimmt hatten, verließen
im November 1982, nachdem Hans-Dietrich Genscher auf dem Parteitag
in Berlin mit knapper Mehrheit wieder zum Parteivorsitzenden gewählt
worden war, vier ihre bisherige Partei: Ingrid Matthäus-Maier, Friedrich
Hölscher, Andreas von Schoeler und Helga Schuchardt. Matthäus-Maier
und Schoeler verzichteten im Dezember auf ihre Mandate und traten in die
SPD ein. Zu den Sozialdemokraten ging auch Günter Verheugen, der schon
am 29. September sein Amt als Generalsekretär der FDP unter Protest niedergelegt hatte. Ein anderes prominentes Mitglied der FDP, der ehemalige
Alterspräsident des Bundestages, William Borm (ein früherer politischer
Häftling, von dem später bekannt wurde, daß er seit 1957/58 für das Ost-
Berliner Ministerium für Staatssicherheit arbeitete), gründete Ende November die Partei «Liberale Demokraten», der jedoch jedweder Erfolg versagt blieb.

Das Ansehen Helmut Schmidts litt nicht durch seinen Sturz – im Gegenteil. Die Brillanz, mit der er die Koalitionskrise vom Herbst 1982 zu
Ende brachte, nötigte auch seinen Gegnern Bewunderung ab. Kein Bundeskanzler vor ihm hatte auf so vielen Gebieten mit so viel Sachverstand
und Urteilsvermögen aufwarten können wie er. Daß er andere, ohne Ansehen von Person und Amt, seine intellektuelle Überlegenheit spüren ließ,
war die Schwäche des Politikers Helmut Schmidt.

Die großen Grundentscheidungen hatte die Bundesrepublik freilich
schon getroffen, bevor Schmidt im Mai 1974 Kanzler wurde: die Entscheidungen für die Soziale Marktwirtschaft, die Westbindung, die Öffnung
nach Osten. Anders als Adenauer und Brandt schrieb sich Schmidt nicht als
Vorkämpfer einer neuen Politik in das Buch der Geschichte ein, sondern als
Staatsmann, der das Erreichte verteidigte und ausbaute. Er half der Bundesrepublik, mit den Folgen des Terrorismus und einer Weltwirtschaftskrise fertig zu werden; er hatte entscheidenden Anteil an der Abwehr des
sowjetischen Versuchs, Westeuropa mit Hilfe von Mittelstreckenraketen
politisch erpreßbar zu machen; er legte zusammen mit Giscard d'Estaing
den Grund für die Europäische Währungsunion.

Der fünfte Bundeskanzler war ein «Pragmatiker» aus Überzeugung, und diese Überzeugung begründete er in seinem letzten «Bericht zur Lage der Nation» am 9. September 1982 so, daß es nach einem politischen Testament klang. «Politisches Handeln ergibt sich nicht schon ohne weiteres aus Moral, Ethik oder Theologie. Politisches pragmatisches Handeln bedeutet die vernunftgemäße Nutzung von Mitteln zu einem moralisch gerechtfertigten Ziel, und die Mittel dürfen auch nicht unmoralisch sein. Das heißt: Politischer Pragmatismus vergißt über dem Tagesgeschäft nicht das Ziel, und er versäumt über dem Ziel und dem Reden über das Ziel auch nicht, das heute und jeden Tag Mögliche zu verwirklichen. Ich denke oft, daß Politik insgesamt die Anwendung feststehender sittlicher Grundsätze auf sehr wechselhafte Situationen sein muß. Deshalb darf es auch kein pragmatisches, kein praktisches Handeln ohne die Pflicht, ohne die Bindung an sittliche Grundsätze und Grundwerte geben.»

Als die achtjährige Regierungszeit Helmut Schmidts zu Ende ging, gab es Entwicklungen, die dringend einer Korrektur bedurften. Helmut Kohls Wort von der «geistig-moralischen Erneuerung» war vor allem in einem Bereich angemessen, an den Schmidts Nachfolger freilich am wenigsten dachte: Die Bundesrepublik mußte aus den Skandalen um die Parteienfinanzierung Schlußfolgerungen ziehen, die zur Abkehr von der bisherigen, rechtsstaatswidrigen Praxis führten. Ansonsten ging es um eine umfassende Überprüfung von Besitzständen, die aus besseren Tagen stammten. Der Sozialstaat, so wie er sich entwickelt hatte, mußte umgebaut werden, um finanzierbar zu bleiben; in diesem Punkt hatte die Kritik der Liberalen ihren berechtigten Kern. Das Steuersystem enthielt zahllose ungerechtfertigte Privilegien und «Schlupflöcher», die den oberen Einkommensgruppen zustatten kamen und zu Lasten der Gesamtheit gingen; diesen Mißstand prangerte die Sozialdemokratie zu Recht an.

Beide gesellschaftspolitischen Reformaufgaben hätten, schon aus Gründen der Gerechtigkeit, gleichzeitig in Angriff genommen werden müssen, und dazu waren SPD und FDP nicht willens oder nicht fähig. Ob das neue Regierungsbündnis aus Union und Freien Demokraten auf diesen Gebieten mehr bewirken würde als die zerbrochene Koalition aus SPD und FDP: das war im Herbst 1982 so wenig vorherzusagen wie die Zukunft insgesamt.[14]

Am späten Nachmittag des 1. Oktober 1982 wurde der sechste Bundeskanzler der Bundesrepublik Deutschland von Bundestagspräsident Richard Stücklen vereidigt. Helmut Kohl sprach die Eidesformel nach Artikel 56 des Grundgesetzes mitsamt der freiwilligen religiösen Beteuerung, mit der auch alle seine Vorgänger den Eid bekräftigt hatten: «Ich schwöre, daß ich meine Kraft dem Wohle des deutschen Volkes widmen, seinen Nutzen mehren, Schaden von ihm wenden, das Grundgesetz und die Gesetze des Bundes wahren und verteidigen, meine Pflichten gewissenhaft erfüllen und Gerechtigkeit gegen jedermann üben werde. So wahr mir Gott helfe.»

Der neue Kanzler, am 3. April 1930 in Ludwigshafen am Rhein geboren, promovierter Historiker und von früher Jugend auf in der CDU aktiv, war in vielem das Gegenteil seines Amtsvorgängers. Schmidt beeindruckte durch scharfe Analysen, umfassendes Sachwissen und glänzende Rhetorik. Der «Generalist» Kohl ließ sich von seinem Instinkt und seinen Erfahrungen leiten; sein Sprechen offenbarte, wie einer seiner Biographen, Jürgen Busche, schreibt, «ein Fehlen von intellektueller Selbstkontrolle bei der Formulierung der Sätze und Wahl der Bilder, wie es in der öffentlichen Rede bis dahin unvorstellbar gewesen war». Die Unbeholfenheit des Redners Kohl trug viel dazu bei, daß er beharrlich unterschätzt und von Intellektuellen lange belächelt wurde. Was ihm niemand absprechen konnte, war ein hochentwickeltes Gespür für die Erfordernisse von Machterwerb und Machterhalt. Kohl war, als er Kanzler wurde, bereits seit neun Jahren Vorsitzender der CDU; er beherrschte seine Partei noch nicht, aber auf dem Weg zu diesem Ziel hatte er bereits eine große Strecke zurückgelegt. Er verfügte damit als Regierungschef von Anfang an über eine Machtgrundlage, wie Schmidt sie nie gehabt hatte.

Die Partei Konrad Adenauers war für Kohl die eigentliche Staatsgründungspartei der Bundesrepublik und schon darum in höherem Maß als alle anderen Parteien legitimiert, diesen Staat zu führen. Wie sein Vorbild Adenauer war er zutiefst von der Unumkehrbarkeit der Westbindung und der Notwendigkeit der politischen Einigung Westeuropas überzeugt. Zugleich war der Pfälzer Helmut Kohl auf ungebrochene Weise ein deutscher Patriot in der Tradition des Hambacher Festes von 1832, und anders als Adenauer empfand er eine starke Zuneigung für Berlin, das für ihn immer die deutsche Hauptstadt blieb.

Da er alles, was ihm an Macht zufiel, für gerechtfertigt hielt, galt das auch für die Mittel, die er anwandte, um an der Macht zu bleiben. Wie weit er dabei ging, wurde der Öffentlichkeit erst nach dem Ende seiner Kanzlerschaft bewußt. Der Amtseid, den er mehrfach beschwor, hinderte ihn nicht, vorsätzlich gegen Gesetze zu verstoßen, die er selbst unterzeichnet hatte. Als er über Jahre hinweg Spenden entgegennahm, die später in keinem Rechenschaftsbericht der CDU auftauchten, verletzte er das Grundgesetz und das Parteiengesetz. Er nutzte die Spenden, um Zwecke zu fördern, die er für gut hielt, und um persönliche Abhängigkeiten zu schaffen, die seine Position festigten. Er hatte keine Bedenken gehabt, sich von einem Großunternehmen wie Flick fördern zu lassen, als er noch nach dem Kanzleramt strebte. Als Kanzler nahm er illegales Geld in Empfang, um Kanzler zu bleiben. Den Schaden, den er damit der politischen Kultur zufügte, nahm er nicht wahr. Es fehlte ihm an Respekt vor den Normen und Institutionen des Rechtsstaates – einem Respekt, den er als Bundeskanzler von den Bürgern der Bundesrepublik fordern mußte und forderte.

Am 4. Oktober, drei Tage nach seiner Wahl und Vereidigung, konnte Kohl das neue Kabinett vorstellen. Von den vier Ministern der FDP kehrten drei in die Ämter zurück, die sie bis zum 17. September innegehabt hatten: Vizekanzler und Außenminister Hans-Dietrich Genscher, Wirtschaftsminister Otto Graf Lambsdorff und Landwirtschaftsminister Josef Ertl. Das vierte Kabinettsmitglied der Freien Demokraten war ein Neuling: der Münchner Rechtsanwalt Hans A. Engelhard als Justizminister. Die Nachfolge von Gerhart Rudolf Baum als Bundesminister des Innern trat der bisherige Chef der CSU-Landesgruppe, Friedrich Zimmermann, an. Er war der mit Abstand umstrittenste deutsche Politiker: Im Juni 1960 war er im Zusammenhang mit einer Aussage im Münchner Spielbankenprozeß wegen fahrlässigen Falscheids verurteilt, dann 1961 auf Grund eines medizinischen Gutachtens, das ihm eine verminderte körperliche und seelische Verfassung bescheinigte, freigesprochen worden. Den Spitznamen «Old Schwurhand» wurde er durch das zweite Urteil nicht los.

Die übrigen Kabinettsmitglieder waren: Gerhard Stoltenberg (CDU) für Finanzen, Norbert Blüm (CDU) für Arbeit und Sozialordnung, Manfred Wörner (CDU) für Verteidigung, Heiner Geißler (CDU), der in Personalunion Generalsekretär seiner Partei blieb, für Jugend, Familie und Gesundheit, Werner Dollinger (CSU) für Verkehr, Christian Schwarz-Schilling (CDU) für das Post- und Fernmeldewesen, Oscar Schneider (CSU) für Raumordnung, Bauwesen und Städtebau, Rainer Barzel (CDU) für innerdeutsche Beziehungen, Heinz Riesenhuber (CDU) für Forschung und Technologie, Dorothee Wilms (CDU) für Bildung und Wissenschaft und Jürgen Warnke (CSU) für Wirtschaftliche Zusammenarbeit.

In seiner Regierungserklärung, die er am 13. Oktober im Bundestag abgab, zeichnete Kohl zunächst ein düsteres Bild der wirtschaftlichen und finanziellen Lage, um dann die Schwerpunkte und Grundsätze einer «Politik der Erneuerung» darzulegen. Er kündigte einerseits an, daß die Mehreinnahmen des Bundes aus der (von der bisherigen Regierung beschlossenen) Erhöhung der Mehrwertsteuer zum 1. Juli 1983 Bürgern und Betrieben zurückgegeben würden. Andererseits gab er bekannt, daß die nächste Rentenanpassung um ein halbes Jahr auf den 1. Juli 1983 verschoben werde. «Wir werden den Sozialstaat erhalten, indem wir seine wirtschaftlichen Fundamente festigen», lautete einer der programmatischen Schlüsselsätze zur Gesellschaftspolitik. Einen ähnlich hohen Rang hatte das Credo: «Die Frage der Zukunft lautet nicht, wieviel mehr der Staat für seine Bürger tun kann. Die Frage der Zukunft lautet, wie sich Freiheit, Dynamik und Selbstverantwortung neu entfalten können. Auf diese Idee gründet die Koalition der Mitte.»

Im außenpolitischen Teil der Rede legte der Kanzler Wert auf eine Feststellung, die «Unruhe bei der SPD» auslöste: «Das Bündnis ist der Kernpunkt deutscher Staatsräson.» Es folgten die Parole, es gelte «Frieden (zu) schaffen mit immer weniger Waffen», ein Bekenntnis zum Doppelbeschluß der NATO und die Versicherung, daß «aktive Friedenspolitik gegenüber den Staaten Mittel- und Osteuropas» eine bleibende Aufgabe deutscher

Außenpolitik sei. In diesem Zusammenhang nannte Kohl die Schlußakte von Helsinki, die die CDU/CSU 1975 abgelehnt hatte, «eine Chance, eine Charta für das Zusammenleben der Staaten in Europa». Durch die Ostverträge sei ein Modus vivendi mit dem Osten vereinbart. «Wir stehen zu diesen Verträgen, und wir werden sie nutzen als Instrumente aktiver Friedenspolitik.»

Zur Deutschlandpolitik sagte Kohl unter anderem: «Der Nationalstaat der Deutschen ist zerbrochen. Die deutsche Nation ist geblieben, und sie wird fortbestehen.» Der Begriff «Wiedervereinigung» kam in der Regierungserklärung nicht vor. Wohl aber zitierte Kohl den «Brief zur deutschen Einheit» von 1970, wonach es das Ziel deutscher Politik war, «auf einen Zustand des Friedens in Europa hinzuwirken, in dem das deutsche Volk in freier Selbstbestimmung seine Einheit wiedererlangt». Das Versprechen der Erneuerung im Innern wurde also flankiert von der Zusicherung, in der Außen- und Deutschlandpolitik Kontinuität zu wahren und etwaige Zweifel an der Zuverlässigkeit der Bundesrepublik als Mitglied des atlantischen Bündnisses auszuräumen: Das war die Botschaft, die der neue Kanzler am 13. Oktober 1982 an die Deutschen und an die übrige Welt richtete.

Was den Termin für die vorgezogene Neuwahl des Bundestages anging, sollte es bei dem zwischen den Koalitionsparteien vereinbarten Tag, dem 6. März 1983, bleiben. Doch auf dem Weg dorthin gab es noch ein Hindernis: die verfassungsrechtlichen Bedenken des Bundespräsidenten Karl Carstens, der als habilitierter Jurist zeitweilig Staats- und Völkerrecht an der Universität Köln gelehrt hatte. Am 10. November 1982 bestand Carstens in einer Unterredung mit dem Bundeskanzler darauf, daß er, der Bundespräsident, vor der Auflösung des Bundestages durch Gespräche mit den Koalitionspartnern zu der Überzeugung gelangt sein müsse, «daß die Bundesregierung in wichtigen Fragen der Innen- und Außenpolitik keine Mehrheit im Parlament habe».

Die Vorbehalte des Staatsoberhaupts gegen eine unechte Vertrauensfrage waren noch nicht ausgeräumt, als Kohl am 13. Dezember den Antrag nach Artikel 68 des Grundgesetzes stellte. Tags darauf wurde der Antrag als Drucksache verteilt. Am 16. Dezember verabschiedete der Bundestag den Bundeshaushalt, womit erneut bewiesen war, daß die Bundesregierung über eine parlamentarische Mehrheit verfügte. Am 17. Dezember stand die Vertrauensfrage auf der Tagesordnung. Die Festlegung auf den Wahltermin 6. März 1983 machte eine Abstimmung an diesem Tag notwendig. Der Bundespräsident hatte nämlich nach Artikel 68 binnen 21 Tagen zu entscheiden, ob er den Bundestag auflösen wollte oder nicht. Löste er am 7. Januar, dem letztmöglichen Tag, den Bundestag auf, mußten innerhalb von 60 Tagen Neuwahlen stattfinden. Der letztmögliche Termin war Sonntag, der 6. März 1983. Für den Wahlkampf blieben dann gerade zwei Monate. Ein solcher Zeitraum war aber auch erforderlich, um den Bestimmungen des Bundeswahlgesetzes und der Bundeswahlordnung Genüge zu tun.

In der Debatte, die der Abstimmung über die Vertrauensfrage des Bundeskanzlers vorausging, erklärte Kohl, die Koalition brauche als «Grundlage für die notwendige, langfristige und breit angelegte Politik der Erneuerung eine Entscheidung des Wählers»; alle im Bundestag vertretenen Parteien und die große Mehrheit der Bevölkerung wollten Neuwahlen. Die Sozialdemokraten hätten, wie ihr Parteivorsitzender Willy Brandt betonte, einen anderen Weg zu Neuwahlen vorgezogen: den «verfassungsrechtlich ganz unproblematischen Rücktritt» des Bundeskanzlers. Brandt warf Kohl (verfassungsrechtlich zu Recht) vor, dieser habe durch Nennung des Wahltermins den Bundespräsidenten unter öffentlichen Druck gesetzt, machte aber zugleich deutlich, daß die SPD auf Neuwahlen am 6. März bestand. Schwerste verfassungsrechtliche Bedenken gegen die unechte Vertrauensfrage trugen der FDP-Abgeordnete Hansheinrich Schmidt aus Kempten und die aus der FDP ausgetretene, jetzt fraktionslose Abgeordnete Helga Schuchardt vor. Am Ausgang der Abstimmung konnten diese Vorbehalte nichts ändern. Da sich die meisten Abgeordneten von CDU/CSU und FDP gemäß einer Koalitionsabsprache der Stimme enthielten und die Sozialdemokraten mit Nein stimmten, fand der Antrag des Bundeskanzlers Helmut Kohl, der Bundestag möge ihm das Vertrauen aussprechen, keine Mehrheit. Von den voll stimmberechtigten Abgeordneten stimmten 218 mit Nein; 248 enthielten sich der Stimme; 8 stimmten mit Ja.

Am 6. Januar 1983 unterzeichnete Bundespräsident Carstens zwei Anordnungen. In der ersten löste er den neunten Deutschen Bundestag auf, in der zweiten bestimmte er als Termin der Neuwahl den 6. März 1983. Tags darauf wandte er sich über Rundfunk und Fernsehen an die Bevölkerung, um seine Entscheidung zu begründen. Die wichtigsten Argumente waren, daß es im Bundestag keine Mehrheit gebe, die sich durch die Neuwahl Vorteile unter Verletzung der Interessen einer Minderheit verschaffen würde. Vielmehr hätten sich Koalition und Opposition für Neuwahlen am 6. März ausgesprochen. Der Vorsitzende der Fraktion der CDU/CSU habe überdies erklärt, daß seine Fraktion die Regierung ohne Neuwahl nicht mehr unterstützen würde. Ferner berief sich der Bundespräsident auf eine Erklärung des Sprechers der FDP, daß der für das verabredete Regierungsprogramm ausgestellte Vertrauensbonus aufgebraucht sei. Aus diesen Tatsachen ergebe sich für ihn, Carstens, die Überzeugung, «daß eine handlungsfähige parlamentarische Mehrheit zur Unterstützung der Regierungspolitik nicht mehr vorhanden ist. In dieser kritischen Situation, die in der Geschichte der Bundesrepublik Deutschland einmalig ist, erscheint mir die von allen Parteien erhobene Forderung nach Neuwahlen auch politisch begründet.»

Der Bundespräsident war das höchste, aber nicht das letzte Verfassungsorgan, das sich mit der Auflösung und Neuwahl des Bundestages zu befassen hatte. Das Bundesverfassungsgericht mußte noch über eine Organklage von vier Bundestagsabgeordneten entscheiden, die sich durch die vorzeitige Auflösung des Bundestages in ihren Rechten verletzt sahen. Das Gericht wies die Klage am 16. Februar ab. Es gestand dem Bundespräsidenten, dem Bundestag und dem Bundeskanzler die Befugnis zur Konkretisierung einer «offenen Verfassungsnorm» wie des Artikels 68 zu, wobei es ähnlich argumentierte wie der Bundespräsident. In der Presse wurde das Urteil kontrovers kommentiert, aber seit dem 16. Februar stand unverrückbar fest, daß die Wahl des zehnten Deutschen Bundestages am 6. März 1983 stattfinden würde.

Da der Bundestag nicht das Recht besaß, sich selbst aufzulösen, war die Auflösung über eine unechte Vertrauensfrage eine Notlösung. Anders als im September 1972, als dieser Weg angesichts eines parlamentarischen Patts von Bundeskanzler Brandt erstmals beschritten wurde, verfügte die Regierung Kohl im Dezember 1982 über eine Mehrheit im Bundestag. In einem aber waren sich Kohl und sein Vorgänger Schmidt, Koalition wie Opposition einig: So wie sich die «Kanzlerdemokratie» seit 1949 entwickelt hatte, reichte ein konstruktives Mißtrauensvotum nicht aus, einen Regierungswechsel über einen längeren Zeitraum hinweg in der öffentlichen Meinung zu legitimieren. «Eine demokratische Republik braucht beides: Legalität und Legitimität», schrieb der Chefredakteur der «Zeit», Theo Sommer, am 12. November 1983 in der liberalen Wochenzeitung. «Legalität, die keine Legitimität genießt, ist so zerstörerisch wie Legitimität, die der Legalität den Rücken kehrt. Aber der Legalität wird kein Abbruch getan, wenn Helmut Kohl auf dem Umweg über den Artikel 68 Neuwahlen anbahnt.»

Daß der sozialdemokratische Herausforderer Kohls bei der Bundestagswahl nicht Helmut Schmidt heißen würde, stand seit Ende Oktober fest. Für den Altkanzler gab es gesundheitliche und politische Gründe, sich gegen eine erneute Kanzlerkandidatur zu entscheiden, zu der die Parteiführung ihn drängte. Im Herbst 1981 hatte er sich einen Herzschrittmacher einpflanzen lassen müssen, und noch ein Jahr danach war sein Gesundheitszustand labil. Er wußte aber auch und sprach es am 26. Oktober 1982 vor der Bundestagsfraktion offen aus, daß die SPD in Fragen von großer Bedeutung wie dem Doppelbeschluß der NATO und der Kernenergie wegstrebte von der Politik, die *er* für richtig hielt. Nach Schmidts Absage bat Brandt den Bundesgeschäftsführer Peter Glotz, die Frage der Kanzlerkandidatur mit zwei denkbaren Bewerbern zu besprechen: Johannes Rau, der seit 1978 Ministerpräsident von Nordrhein-Westfalen war, und Hans-Jochen Vogel, der Ende Januar 1981 zum Regierenden Bürgermeister von Berlin gewählt worden war, dieses Amt aber nach einer vorgezogenen Wahl zum Abgeordnetenhaus bereits im Juni desselben Jahres an Richard von Weizsäcker (CDU) hatte abgeben müssen.

Da Rau verzichtete, nominierte der Parteivorstand am 29. Oktober Vogel. Drei Wochen später, am 19. November, bestätigte ein «Kleiner Parteitag» in Kiel diese Entscheidung. Sein Wahlprogramm faßte Vogel anschließend wie folgt zusammen: «Wir wollen vorhandene Arbeitsplätze erhalten und neue schaffen; den äußeren Frieden sichern und alles uns Mögliche tun, damit der Rüstungswettlauf ein Ende findet; den Frieden mit der Natur suchen und die Umwelt erhalten; die Liberalität und die Schutzfähigkeit unseres Rechtsstaates behaupten und den sozialen Frieden wahren.»

In seiner Zeit als Münchner Oberbürgermeister, in den Jahren 1960 bis 1972, hatte Vogel als «rechter» Sozialdemokrat und zuletzt als härtester Widersacher der «Jusos» in der gesamten SPD gegolten. Mittlerweile war er der klassische «Zentrist»: auf Ausgleich der auseinanderstrebenden Parteiflügel bedacht und von allen Richtungen respektiert; ein Brückenschläger, der den Anhängern Schmidts und Epplers das Gefühl zu vermitteln versuchte, sie beide zu verstehen und beiden gleich nahe zu sein. Hans Apel, der ihm kritisch gegenüberstand, fand anerkennende Worte für die Energie, mit der der Kanzlerkandidat «die verluderte Fraktion und die Baracke (die Parteizentrale der SPD, H. A. W.) auf Trab» brachte. Vogels Führungsstil aber empfand Apel als bürokratisch und autoritär. Der ehemalige Verteidigungsminister vermißte noch mehr an dem Mann, der die Sozialdemokraten im März 1983 wieder an die Regierung bringen sollte: «Politische Zielvorgaben kommen von ihm nicht. In meiner ersten Rede für die Fraktion nach der Wende sage ich in Richtung Genscher, er verwechsle Politik und Meteorologie. Er will eben nicht politisch gestalten, notfalls auch hart am Wind segeln; er folgt dem Wetter, stellt es dar und paßt sich an. Aber ist Vogel nicht genauso? Entweder fehlen ihm politische Visionen und damit Zielvorgaben, oder er folgt der Mehrheit, weil er nicht kämpfen mag. Politisch kommt das auf das gleiche heraus.»

Das Wahlkampfmotto der Sozialdemokraten lautete «Im deutschen Interesse». Die Stoßrichtung der Parole war klar: Der Regierung Kohl-Genscher wurde unterstellt, sie ordne deutsche Interessen im Zweifelsfalle amerikanischen Interessen unter; sie nehme den Nachrüstungsteil des Doppelbeschlusses ernster als den Verhandlungsteil; sie lasse den verbissenen Antikommunisten Reagan gewähren anstatt ihm zu widersprechen. Die SPD hatte sich nach der Abwahl Helmut Schmidts der Friedensbewegung angenähert und führte im Frühjahr 1983 einen «Raketenwahlkampf»: «Wer Kohl wählt, bekommt automatisch neue Raketen», behauptete eine Anzeige.

Kohl ließ sich seinerseits von einem Wahlhelfer unterstützen, wie er der SPD nicht unangenehmer hätte sein können: Am 20. Januar 1983 sprach Frankreichs sozialistischer Staatspräsident François Mitterrand anläßlich des 20. Jahrestages der Unterzeichnung des deutsch-französischen Freundschaftsvertrages in der letzten Plenarsitzung des neunten Deutschen Bundestages und setzte sich bei dieser Gelegenheit demonstrativ für die konsequente Verwirklichung des Doppelbeschlusses ein. Ansonsten vertraute der Kanzler auf die Wirksamkeit des Wahlslogans der Union «Aufwärts mit Deutschland – jetzt den Aufschwung wählen» – und auf Warnungen des

Generalsekretärs der CDU, Heiner Geißler, wie diese: «Wer am 6. März SPD wählt, gefährdet seinen eigenen Arbeitsplatz.»

Das Ergebnis der Bundestagswahl vom 6. März 1983 bedeutete für die Union einen Triumph und für die Sozialdemokratie eine schwere Niederlage. Die CDU und die CSU gewannen zusammen 48,8 % und damit 4,3 % mehr als 1980. Die SPD sank von 42,9 auf 38,2 %, verlor also 4,7 % und erreichte damit den schwächsten Stimmenanteil seit 1961. Die FDP kam auf 7 %: ein Minus von 3,6 % gegenüber der letzten Bundestagswahl. Die Grünen übersprangen mit 5,6 % erstmals die Fünfprozenthürde; im Oktober 1980 waren 1,5 % auf sie entfallen. Union und Grüne profitierten von den Verlusten der SPD, die durch ihren Ruck nach links Wähler der politischen Mitte abgestoßen hatte, ohne diese Einbußen auf der Linken ausgleichen zu können. Die FDP hatte «sozialliberale» Wähler verloren, aber deutlich besser abgeschnitten, als ihr das unmittelbar nach dem Koalitionswechsel vorhergesagt worden war. Die «Wende» vom Herbst 1982 war ein halbes Jahr danach vom Wahlvolk legitimiert worden: An diesem Befund gab es nichts zu deuten.

Am 30. März konnte Kohl sein zweites Kabinett vorstellen. Die FDP mußte sich auf Grund ihrer Verluste mit drei Ministerien begnügen; ihr viertes Ressort, die Landwirtschaft, ging an den CSU-Abgeordneten Ignaz Kiechle. Der andere Neuling im Kabinett war Heinrich Windelen (CDU) als Minister für innerdeutsche Beziehungen. Sein Amtsvorgänger Rainer Barzel war am 29. März zum Präsidenten des Deutschen Bundestages gewählt worden. Am 4. Mai gab Kohl seine zweite Regierungserklärung ab. Es war eine detaillierte Zusammenfassung dessen, was die einzelnen Bundesministerien sich an Aufgaben für die nächste Legislaturperiode vorgenommen hatten. Große Perspektiven aber waren nicht zu erkennen. Der Wille zur «geistigen Erneuerung» erschöpfte sich in formelhaften Bekenntnissen wie dem zu einer «Gesellschaft mit menschlichem Gesicht», die sich durch «Mitmenschlichkeit» im Sinne von «praktiziertem Bürgersinn» auszeichnen sollte.[15]

Am 19. Mai 1983, rund zwei Wochen nach der Regierungserklärung des Bundeskanzlers, setzte der zehnte Deutsche Bundestag einen Untersuchungsausschuß zur Aufklärung der Flick-Parteispenden-Affäre ein. Vorausgegangen waren staatsanwaltschaftliche Ermittlungen und mehrere gründlich recherchierte Titelgeschichten des «Spiegel». Durch Presse, Untersuchungsausschuß und Gerichtsverhandlungen erfuhr die Öffentlichkeit erstmals umfassend von den Praktiken, mit denen ein großer deutscher Konzern auf die Politik eingewirkt hatte.

Das Geld, das Flick dabei einsetzte, war großteils Schwarzgeld: Es stammte aus angeblichen Spenden an die Steyler Missionsgesellschaft in St. Augustin bei Bonn, die als Geldwaschanlage des Konzerns diente. Die von Rudolf Diehl, dem obersten Buchhalter des Unternehmens, festgehaltenen

Zahlungen «wg. Dr. Friderichs»,»wg. Graf Lambsdorff»,»wg. FJS», also wegen Franz Josef Strauß, oder «wg. Matthöfer» bedeuteten nicht oder jedenfalls nicht notwendigerweise, daß Gelder an die betreffenden Politiker geflossen wären. Vielmehr ging es dem Konzern um das, was Eberhard von Brauchitsch, der Chefmanager des Hauses, in einem Vermerk für Friedrich Karl Flick vom 2. April 1979 die «Pflege der Bonner Landschaft» nannte.

Die illegalen Zahlungen, grundsätzlich in bar und dem Empfänger in einem verschlossenen Couvert überreicht, sollten die politischen Akteure und ihre Parteien günstig stimmen. Im Fall der Sozialdemokratie lief die «Landschaftspflege» vorzugsweise über Alfred Nau, der von 1946 bis 1975 Schatzmeister der SPD und bis zu seinem Tod im Mai 1983 Vorstandsvorsitzender der Friedrich-Ebert-Stiftung war. Die Vorsitzenden von CDU und CSU, Kohl und Strauß, erhielten Geld direkt und zur freien Verfügung. Ob sie es an die Schatzmeisterei ihrer Partei weiterleiteten oder irgendwelchen «Sonderfonds» zuführten, war ihre Sache. Zum schwarzen Bargeld kamen die Mittel, die den Parteien über angeblich gemeinnützige Organisationen wie die Staatsbürgerliche Vereinigung zuflossen, und legale Spenden. Insgesamt spendete Flick zwischen 1969 und 1980 26 Millionen DM an die im Bundestag vertretenen Parteien, davon 15 Millionen an die CDU/CSU, 6,5 Millionen an die FDP und 4,5 Millionen an die SPD. Der Endzweck der Zahlungen war immer derselbe: Sie sollten ein «Klima» entstehen lassen, in dem es schwer fiel, Wünsche des Konzerns nicht zu erfüllen.

Aus den Enthüllungen der frühen achtziger Jahre erwuchs der verbreitete Eindruck, in Bonn seien politische Entscheidungen, wenn nur die nötige Spendenbereitschaft vorhanden war, käuflich. «Die gekaufte Republik»: so lautete 1983 der Untertitel eines Buches von zwei Redakteuren des «Spiegel», Hans Werner Kilz und Joachim Preuss, über die Flick-Affäre. In der Tat verloren Politiker, die sich von Großunternehmen fördern ließen, fortschreitend die Fähigkeit, den Interessen ihrer Geldgeber entgegenzuhandeln. In der Bundesrepublik hatten sich unter der Decke von Rechtsstaat und Demokratie materielle Abhängigkeitsverhältnisse herausgebildet, die mit dem Verfassungsgrundsatz, daß alle Staatsgewalt vom Volk ausgeht, nicht zu vereinbaren waren.

Am 29. November 1983 erhob die Bonner Staatsanwaltschaft Anklage gegen den früheren Bundeswirtschaftsminister Hans Friderichs (FDP), den nordrhein-westfälischen Wirtschaftsminister Horst-Ludwig Riemer (FDP) sowie die beiden Flick-Manager Eberhard von Brauchitsch und Manfred Nemitz, Anfang Dezember, nach Aufhebung seiner parlamentarischen Immunität, auch gegen Bundeswirtschaftsminister Otto Graf Lambsdorff (FDP). Gegen zwei Verdächtige konnte keine Anklage mehr erhoben werden: Am 11. Mai 1981 hatten Terroristen der «Revolutionären Zellen» den Bundesschatzmeister der FDP und hessischen Wirtschaftsminister Heinz Herbert Karry ermordet; am 18. Mai 1983 war der frühere Schatzmeister der SPD, Alfred Nau, gestorben. Nau nahm viele Geheimnisse mit ins Grab. So blieb etwa die Herkunft jener von ihm arrangierten «Sammelspende» von 7,6 Millionen DM im Dunkeln, die im Rechenschaftsbericht der SPD für 1982 auftauchte. Es gab und gibt Spekulationen, daß dieses Geld zum Teil aus Spenden von Flick stammen könnte. Aber da Nau zu schweigen verstand, blieb dieser Vorgang ebenso unaufgeklärt wie die näheren Umstände der Bestechung des CDU-Abgeordneten Julius Steiner im April 1972, die dazu beigetragen hatte, das Mißtrauensvotum gegen Willy Brandt zu Fall zu bringen. Als der Untersuchungsausschuß des Bundestages zur Flick-Affäre im März 1985 die Beweisaufnahme vorzeitig abbrach, geschah das auf übereinstimmenden Wunsch von CDU/CSU, FDP und SPD: Auch die Sozialdemokraten hatten nur ein begrenztes Interesse an der Aufklärung illegaler Parteispenden.

Bevor es zum Strafprozeß in Sachen Flick kam, unternahmen die Führungen von CDU, CSU und FDP im Mai 1984 einen zweiten Versuch, Verurteilungen mit einem Amnestiegesetz zuvorzukommen. Er scheiterte nach wenigen Tagen am verheerenden Echo in den Medien und am Widerstand von Teilen der FDP. Am 27. Juni 1984 verzichtete Otto Graf Lambsdorff auf sein Amt als Bundeswirtschaftsminister; er reagierte damit auf den bevorstehenden Strafprozeß gegen ihn. Vier Monate später, am 25. Oktober, trat Bundestagspräsident Rainer Barzel zurück. Anlaß war eine Enthüllung des «Spiegel», die Barzel bei einer Anhörung im Untersuchungsausschuß nicht widerlegen konnte: Der Flick-Konzern hatte dem CDU-Politiker 1973 den Verzicht auf den Fraktions- und Parteivorsitz durch einen hochdotierten Beratervertrag mit einer Frankfurter Anwaltskanzlei erleichtert.

Anfang 1986 geriet auch Helmut Kohl, der Nutznießer von Barzels Entmachtung, im Zusammenhang mit illegalen Parteispenden in schwere Bedrängnis. Vor dem Untersuchungsausschuß des Mainzer Landtags hatte der Bundeskanzler im Juli 1985 erklärt, ihm sei in seiner Zeit als Ministerpräsident von Rheinland-Pfalz nicht bekannt gewesen, welche Rolle die Staatsbürgerliche Vereinigung bei der Beschaffung von Spenden für die CDU gespielt habe: eine Behauptung, die in Widerspruch zu Kohls Aussagen vor dem Untersuchungsausschuß des Bundestages stand. Außerdem verschwieg der Kanzler Bargeldzahlungen des Hauses Flick in Höhe von insgesamt 55 000 DM vom Dezember 1977 und März 1979. Am 29. Januar 1986 erstattete der Bundestagsabgeordnete der Grünen, Otto Schily, Strafanzeige gegen Kohl wegen uneidlicher Falschaussage. Heiner Geißler, der Generalsekretär der CDU, versuchte Mitte Februar in einem Fernsehstreitgespräch mit Schily Kohl zu entschuldigen: Bei dieser Aussage habe der Bundeskanzler möglicherweise einen «blackout» gehabt.

Im März 1986 wurden die durch Schilys Anzeigen ausgelösten Ermittlungsverfahren eingestellt. Sehr viel später erst, im Februar 2000, erfuhr die

Öffentlichkeit von den Hintergründen dieser Entscheidung. Uwe Lüthje, von 1971 bis 1992 Generalbevollmächtigter bei der Schatzmeisterei der CDU, berichtete der «Süddeutschen Zeitung» zufolge in kleinem Kreis, Schatzmeister Walther Leisler Kiep, der Finanzberater Horst Weyrauch und er selbst, Lüthje, hätten bei den Vernehmungen der Staatsanwaltschaft Kohl durch Falschaussagen entlastet, damit dieser Kanzler bleiben konnte.

Im August 1985 begann der «Flick-Prozeß» gegen Lambsdorff, Friderichs und Brauchitsch wegen Bestechlichkeit, Steuerhinterziehung beziehungsweise Beihilfe zur Steuerhinterziehung vor dem Bonner Landgericht. Im Februar 1987 wurden Lambsdorff und Friderichs wegen Steuerhinterziehung zu hohen Geldstrafen verurteilt, vom Vorwurf der Bestechlichkeit aber freigesprochen. Brauchitsch erhielt eine Freiheitsstrafe, die gegen eine Geldbuße von 550000 DM zur Bewährung ausgesetzt wurde. Die juristische Aufarbeitung der Parteispendenaffäre aber war damit noch nicht abgeschlossen. Im Mai 1990 begann vor dem Landgericht Düsseldorf der Prozeß gegen den Schatzmeister der CDU, Walther Leisler Kiep, und seinen Generalbevollmächtigten Uwe Lüthje wegen fortgesetzter Beihilfe zur Steuerhinterziehung. Im Mai 1991 wurde Kiep zu einer Geldstrafe von 675000 DM verurteilt. Im September 1992 hob der Bundesgerichtshof das Urteil wegen Verjährung auf. 1993 wurde im letzten, noch nicht verjährten Spendenfall das Verfahren gegen Kiep wegen geringer Schuld gegen eine Geldstrafe eingestellt.

Nicht nur die Gerichtsbarkeit, auch der Gesetzgeber befaßte sich in den achtziger Jahren erneut mit der Parteienfinanzierung. Im April 1983 legte eine von Bundespräsident Carstens im März des Vorjahres eingesetzte Sachverständigenkommission ein Gutachten zur Finanzierung der Parteien vor. Auf der Grundlage dieses Gutachtens beschloß der Bundestag am 1. Dezember 1983 gegen die Stimmen der Grünen eine Neuordnung der Parteienfinanzierung. Der Artikel 21 des Grundgesetzes wurde durch die Bestimmung ergänzt, daß die Parteien fortan nicht nur über die Herkunft ihrer Mittel, sondern auch über ihr Vermögen öffentlich Rechenschaft ablegen mußten. Geändert wurde auch das Parteiengesetz: Der Bundestag erhöhte die Wahlkampfkostenpauschale, verschärfte die Bestimmungen bei rechtswidrig erlangten Spenden, verbot die Annahme von Spenden politischer Stiftungen und gemeinnütziger Organisationen, und erweiterte die steuerliche Begünstigung von «Großspenden»: Spenden an Parteien waren bis zur Höhe von 5 % des Einkommens des Spenders oder bis zur Höhe von 2 % der Summe der Umsätze, der Löhne und Gehälter eines Unternehmens als Sonderausgaben steuerlich absetzbar, wenn der Spender im Rechenschaftsbericht genannt wurde. Da «kapitalfreundliche» Parteien durch die zuletzt genannte Regelung begünstigt wurden, sorgte das Gesetz für einen «Chancenausgleich» durch Staatszuschüsse für *die* Parteien, die, gemessen an ihrem Stimmenanteil, bei den Spenden benachteiligt wurden.

Die Grünen begnügten sich nicht mit der Ablehnung des Gesetzes zur

Änderung des Parteiengesetzes; am 18. April 1984 reichten sie beim Bundesverfassungsgericht eine Klage ein. Am 14. Juli 1986 erging das Urteil. Das Gericht legte eine einheitliche Obergrenze von 100 000 DM für die steuerliche Absetzbarkeit von Parteispenden fest; es schränkte also die progressive Wirkung der Steuerentlastung einerseits ein, zeigte sich aber andererseits hinsichtlich der Obergrenze überraschend großzügig. Die Neuregelung, die der Bundestag am 9. Dezember 1988, abermals gegen die Stimmen der Grünen, beschloß, erweiterte die Wahlkampfkostenerstattung um «Sockelbeträge» für Parteien mit mehr als 2 % Zweitstimmenanteil, regelte den «Chancenausgleich» neu und hob die Veröffentlichungspflicht für «Großspenden» von 20 000 auf 40 000 DM an.

Auch über diese Neuregelung mußte Karlsruhe entscheiden. Am 23. Mai reichten die Grünen eine Klage ein; am 9. April 1992 sprach das Bundesverfassungsgericht sein Urteil. Der Tenor der neuen Entscheidung war ein deutlich anderer als der des Richterspruchs von 1986: Der «Chancenausgleich» und der «Sockelbetrag» wurden für verfassungswidrig erklärt, ebenso die vom Bundestag 1988 eingeführte Obergrenze der Steuerabzugsfähigkeit von Parteispenden bei 60 000 DM, die steuerliche Begünstigung von Parteispenden juristischer Personen und die Anhebung der Veröffentlichungspflicht von 20 000 auf 40 000 DM. Hingegen erklärte das Gericht die allgemeine, über die Erstattung von Wahlkampfkosten hinausgehende staatliche Parteienfinanzierung erstmals ausdrücklich für verfassungsmäßig. Das Gesamtvolumen staatlicher Zuwendungen an eine Partei durfte jedoch die selbsterwirtschafteten Einnahmen nicht übersteigen.

Der Bundestag reagierte darauf mit dem Sechsten Gesetz zur Änderung des Parteiengesetzes und anderer Gesetze vom 28. Januar 1994. Es brachte eine Neuregelung von Grundsätzen und Umfang der staatlichen Parteienfinanzierung sowie des Verhältnisses von staatlicher und Selbstfinanzierung der Parteien entsprechend dem neuesten Karlsruher Urteil. Für die Zuschüsse aus dem Bundeshaushalt waren jetzt nur noch die Stimmenanteile der Parteien maßgeblich. Parteispenden waren fortan bis zu einer Obergrenze von 3 000 DM beziehungsweise, bei gemeinsamer Veranlagung von Ehepaaren, von 6 000 DM steuerlich abzugsfähig. (Eine Sachverständigenkommission hatte noch niedrigere Obergrenzen, nämlich 2 000 DM und 4 000 DM, vorgeschlagen.)

Der Preis für den Versuch, den politischen Einfluß wirtschaftlicher Macht zurückzudrängen, war der stetige Anstieg des Staatsanteils an den Parteifinanzen. Und was immer der Bundestag beschloß: wer gewillt war, das Parteiengesetz in seiner jeweils neuesten Fassung zu umgehen, fand Mittel und Wege, dies zu tun. Um die Jahrtausendwende wurde bekannt, daß Bundeskanzler Kohl vor wie nach der Neuordnung der Parteienfinanzierung illegale Spenden entgegengenommen und illegalen Sonderkonten zugeführt hatte; daß er ein angebliches Versprechen, die Namen der Spender nicht zu nennen, für ein höheres Gut hielt als seinen Amtseid, der ihn zur Wahrung des Grundgesetzes und der Gesetze des Bundes verpflichtete; daß die hessische CDU 1983, vor dem Inkrafttreten des neuen Parteienfinanzierungsgesetzes, Millionenbeträge in die Schweiz transferiert hatte, um der Pflicht zur Offenlegung des Parteivermögens zu entgehen; daß sie später unter der Verantwortung ihres Vorsitzenden, des Bundesinnenministers der Jahre 1993 bis 1998, Manfred Kanther, mit diesen illegalen Mitteln Wahlkämpfe finanzierte; daß die Bundes-CDU, ähnlich wie ihr hessischer Landesverband, sich einer fiktiven Liechtensteiner Stiftung bediente, um ihre illegalen Auslandstransaktionen zu verschleiern.

Zumindest bei *einer* Partei hatten die Flick- und die Parteispendenaffäre also keine Abkehr von der bis dahin allgemein üblichen Praxis bewirkt. Die Tatsache, daß Verstöße gegen das Parteiengesetz nicht strafbar sind, sondern lediglich materielle Sanktionen gegen die betreffende Partei nach sich ziehen, trug ebenso wie die milden Gerichtsurteile der Jahre 1987 bis 1993 dazu bei, die Parteispendenaffäre um ihren reinigenden Charakter zu bringen. Infolgedessen schwelte die Krise weiter.

Begonnen hatten die Mißstände in der Ära Adenauer. Doch erst nach dem Ende der Ära Kohl ließ sich der politische und moralische Schaden ermessen, den die beharrliche Mißachtung von Gesetz und Verfassung der lange Zeit tonangebenden Partei, der Christlich-Demokratischen Union Deutschlands, zugefügt hatte. Daß eine Demokratie auf große demokratische Parteien angewiesen ist, blieb auch danach richtig. Daß demokratische Parteien die politische Kultur der Demokratie gefährden können, wenn sie sich zum Instrument von Führern machen, die sich über Recht und Gesetz erhaben fühlen: das war eine Erkenntnis, die sich der Bundesrepublik erst aufdrängte, nachdem ihr sechster Kanzler nach sechzehn Jahren Kanzlerschaft von den Wählern aus der Regierungsmacht entlassen worden war.[16]

Die Bundestagswahl vom 6. März 1983 war nicht zu jenem Plebiszit gegen eine «automatische» Nachrüstung geworden, das sich die SPD erhofft hatte. Da aus Genf keine Nachrichten kamen, die auf einen Erfolg bei den INF-Verhandlungen hindeuteten, wurde die Aufstellung amerikanischer Mittelstreckenraketen im Herbst 1983, nach Ablauf der von der NATO im Dezember 1979 gesetzten Frist, immer wahrscheinlicher. Am 19. November 1983 entschied sich die SPD auf einem außerordentlichen Parteitag in Köln mit überwältigender Mehrheit gegen die Aufstellung neuer Raketen. Nur 14 von knapp 400 abstimmenden Delegierten stützten den Kurs des früheren Bundeskanzlers Schmidt.

Zu den Wortführern des Nein gehörte der Parteivorsitzende Willy Brandt, der schon am 22. Oktober auf der bislang größten Kundgebung der Friedensbewegung in Bonn klargestellt hatte, daß nach seiner Überzeugung der Reagan-Administration das «Aufstellen von Pershing II» wichtiger war als das «Wegbringen von SS 20». In der Bundestagsdebatte über die Verwirklichung des Doppelbeschlusses der NATO am 22. November stellte sich Brandt auf die Seite der «großen Mehrheit der Menschen», die «Nachverhandeln statt Nachrüsten» forderte. Bei der Abstimmung stimmten 286 Abgeordnete der Koalitionsparteien CDU/CSU und FDP für die Aufstellung amerikanischer Raketen, 225 dagegen. Tags darauf brach die Sowjetunion die INF-Verhandlungen, am 8. Dezember auch die START-Verhandlungen ab. Anfang Januar 1984 begann die Stationierung der Mittelstreckenraketen vom Typ Pershing II und von Marschflugkörpern («Cruise Missiles») in der Bundesrepublik. Die Proteste der Friedensbewegung verfehlten ihr Ziel: die Verhinderung der Nachrüstung. Der Mißerfolg wirkte demoralisierend; im Herbst setzte der Verfall der Friedensbewegung ein.

Einige Wochen nach der Bundestagswahl, am 28. Mai 1983, hatten zehn sozialdemokratische Hochschullehrer in einer öffentlichen Erklärung scharfe Kritik am neuen Kurs ihrer Partei geübt. In dem von zwei Politikwissenschaftlern, Karl Kaiser und Gesine Schwan, und einem Historiker, Heinrich August Winkler, verfaßten Manifest hieß es, es sei nicht verwunderlich, daß außerhalb der Bundesrepublik wieder von «deutschen Ungewißheiten» gesprochen werde. «Anders als zur Regierungszeit Helmut Schmidts hat die SPD im Wahlkampf des Jahres 1983 den Zweck der sowjetischen Raketenrüstung nicht mehr offen ausgesprochen: nämlich kurzfristig Ausübung von Druck auf die Westeuropäer, mittelfristig ihre Abkoppelung von den USA, langfristig eine Veränderung der europäischen Verhältnisse zugunsten einer sowjetischen Vormachtstellung... Eine Politik der Konfrontation kann die Sowjetunion nicht zur Abrüstung bewegen. Aber es ist eine Illusion zu glauben, daß einseitige Vorleistungen oder vertrauensbildende Maßnahmen allein zu diesem Ziel führen können. Wie die Geschichte zeigt, ist ohne Festigkeit und westliche Solidarität ein sowjetisches Einlenken nicht zu erwarten.»

Ein halbes Jahr nach der Erklärung der zehn Professoren, am 19. November 1983, sah sich Helmut Schmidt auf dem Kölner «Raketenparteitag» der SPD zu ähnlichen Warnungen veranlaßt. Er erinnerte an den Beschluß der sozialdemokratischen Führungsgremien vom 14. November 1970, in dem der Satz stand, daß keine Friedenspolitik den Gegensatz zwischen freiheitlicher Demokratie und kommunistischer Diktatur übersehen dürfe. Der Altkanzler verwies auf das Urteil eines ausländischen Beobachters, «Deutschland sei wie eh und je ein wandelbares, ein proteisches, ein unberechenbares Land, gefährlich vor allem dann, wenn es unglücklich ist». Und dann zitierte er aus Heines «Deutschland. Ein Wintermärchen»:

Franzosen und Russen gehört das Land,
Das Meer gehört den Briten.
Wir aber besitzen im Luftreich des Traums
Die Herrschaft, unbestritten.
Hier üben wir die Hegemonie,

Hier sind wir unzerstückelt;
Die anderen Völker haben sich
Auf platter Erde entwickelt.

Abermals unter Berufung auf ausländische Beobachter meinte Schmidt, «die Thesen der Friedensbewegung drückten unbewußt etwas Tieferliegendes aus; in Wirklichkeit handle es sich um die durch die Teilung des Landes und das Fehlen nationaler Identität hervorgerufene Angst... Diese Angst manifestiert sich heute an Raketen.» Der Redner nannte diese Angst «sehr begreiflich», fügte aber mahnend hinzu: «Wer die Angst größer schreibt als die Hoffnung, der gefährdet seine Seele; er gefährdet auch die Fähigkeit zum verantwortlichen Handeln. Ich setze Hoffnung und Vertrauen darein, daß wir es fertigbringen, in Europa die auf Entspannung gerichtete Politik fortzusetzen. Sie bedarf der gemeinsamen äußeren Sicherheit als einer Grundlage. Ich setze meine Hoffnung darein, daß Entspannung schließlich zu einer Friedensordnung in Europa führen wird, in der beide Teile unserer Nation zueinanderfinden können.»

Der Wandel, dem sich die SPD nach dem Abschied von der Macht verschrieb, hatte vor dem Herbst 1982 begonnen. Helmut Schmidt hatte, solange er Kanzler war, nur aufgehalten, was nun mit Macht zum Durchbruch drängte: das Streben nach einer Welt ohne Wettrüsten, ohne Blöcke und ohne Ost-West-Konflikt. Willy Brandt hatte in seiner ersten Regierungserklärung am 28. Oktober 1969 von der Absicht der Deutschen gesprochen, ein «Volk der guten Nachbarn» zu sein. Die SPD der Jahre nach 1982 schloß nach und nach die Möglichkeit aus, daß Nachbarn anders als gut sein könnten. Begriffe wie «Sicherheitspartnerschaft» und «gemeinsame Sicherheit», die die sozialdemokratische Außenpolitik der achtziger Jahre prägten, hatten einen richtigen Kern: Ohne Vereinbarungen mit dem Warschauer Pakt konnte das atlantische Bündnis den Frieden auf dem alten Kontinent nicht sicherer machen. Beide Begriffe konnten aber auch anders gedeutet werden: im Sinne der «Äquidistanz», des gleichen Abstands zu den beiden Supermächten.

Im Zeichen von «Sicherheitspartnerschaft» und «gemeinsamer Sicherheit» begann für viele Sozialdemokraten der Systemgegensatz zu verblassen, von dem Schmidt auf dem Kölner Parteitag gesprochen hatte. Mit der Entspannungs- und Ostpolitik hatte sich ursprünglich die Hoffnung verbunden, sie werde Europa *zwei* Zielen näherbringen: der Festigung des Friedens *und* der Durchsetzung der Menschenrechte dort, wo sie noch immer unterdrückt wurden. Das zweite Ziel trat in den sozialdemokratischen Verlautbarungen der achtziger Jahre hinter dem ersten so stark zurück, daß es kaum noch zu erkennen war. Die «zweite Phase der Ostpolitik», von der als erster der sozialdemokratische Bundestagsabgeordnete Karsten Voigt im Januar 1980 sprach, sollte durch einen schrittweisen Ausstieg aus dem Rüstungswettlauf gekennzeichnet sein. Das war eine notwendige rüstungspolitische Zielsetzung, reichte aber als außenpolitische Zielbeschreibung nicht aus. Freiheitsbestrebungen in den Staaten des Warschauer Pakts waren in der Sicherheitsplanung der SPD nicht vorgesehen. Als Karl Kaiser, der Direktor des Forschungsinstituts der Deutschen Gesellschaft für Auswärtige Politik und einer der Verfasser des Professorenmanifests, Anfang September 1983 vor dem «Seeheimer Kreis» des rechten Parteiflügels die «Ausblendung Osteuropas aus der Menschenrechtsdiskussion der Sozialdemokraten» monierte, wurde er von Egon Bahr öffentlich gerügt. Der Abrüstungsexperte warf Kaiser im «Vorwärts» vor, «die Ideologie in denselben Rang wie die Erhaltung des Friedens zu setzen».

Was Bahr im Oktober 1983 als «Ideologie» bezeichnete, nannte Peter Glotz, Bahrs Nachfolger als Bundesgeschäftsführer der SPD, im März 1984 «Antikommunismus aus Identitätsangst». Die Gegnerschaft zum kommunistischen System wurde von der SPD der achtziger Jahre nicht dementiert, aber kaum noch artikuliert. Ein intellektueller Antikommunismus erschien den intellektuellen Wortführern der Sozialdemokratie als Widerspruch in sich selbst: eine Einschätzung, die mit Veränderungen des geistigen Klimas seit 1968 zusammenhing. 1971 hatte der «Monat» sein Erscheinen eingestellt: eine von dem amerikanischen, in Berlin lebenden Publizisten Melvin J. Lasky redigierte Zeitschrift, die seit 1948 eine tonangebende Stimme im antitotalitären Diskurs gewesen war. Der von Schmidt zitierte Abgrenzungsbeschluß vom November 1970 und Februar 1971, verfaßt von Richard Löwenthal, einem ständigen Mitarbeiter des «Monat», war nie außer Kraft gesetzt worden. Mitte der achtziger Jahre aber stand nur noch eine Minderheit der Sozialdemokraten auf dem Boden dieser Erklärung.

So wenig wie die SPD offiziell mit dem Antikommunismus brach, so wenig kündigte sie ihr Bekenntnis zum atlantischen Bündnis auf. Es gab zwar Sozialdemokraten, die ebendies wollten: 1983 behauptete Oskar Lafontaine in seinem Buch «Angst vor den Freunden», der «Schwenk der SPD auf die Politik der Westintegration Adenauers» mitsamt dem Beitritt zur NATO stehe im Widerspruch zum demokratischen Sozialismus, der eine blockfreie Ideologie sei; die Forderung des saarländischen Landesvorsitzenden, die Bundesrepublik müsse aus der militärischen Integration der NATO ausscheiden, war, wenn man dieser Prämisse folgte, also nur als Etappe auf dem Weg zur Blockfreiheit zu sehen. Doch soweit konnte und wollte die Gesamtpartei nicht gehen. Die Mitgliedschaft in der atlantischen Allianz stand für die SPD nicht zur Debatte, wohl aber die Konsequenzen, die sich daraus ergaben. Mit ihrem Nein zur Nachrüstung stellte die Sozialdemokratie den Zusammenhalt des Bündnisses in Frage. Hätte sie die Verwirklichung des Doppelbeschlusses tatsächlich verhindert, wäre das eine schwere Niederlage des Westens und ein Triumph des Ostens gewesen.

Die Absage an die Politik Helmut Schmidts war der Auftakt zu einer Politik des Als ob – einer hypothetischen Außenpolitik, aus der sich ablesen ließ, was die SPD tun würde, wenn sie in Bonn an der Macht wäre. Die Anfänge dieser «Nebenaußenpolitik» ließen sich bis in die Spätphase der Ära Schmidt zurückverfolgen: Die Reisediplomatie Brandts und Bahrs hatte östlichen Gesprächspartnern das Bild einer Sozialdemokratie vermittelt, die ihren Bundeskanzler keineswegs bedingungslos unterstützte.

Nach dem Regierungswechsel vom Oktober 1982 ging die SPD dazu über, mit der SED Abrüstungsprojekte zu vereinbaren, die weit über den deutsch-deutschen Rahmen hinausreichten. In einem Gespräch zwischen Honecker und dem Vorsitzenden der sozialdemokratischen Bundestagsfraktion, Hans-Jochen Vogel, am 14. März 1984 wurde die Bildung einer gemeinsamen Arbeitsgruppe von SPD und SED verabredet, die die Schaffung einer chemiewaffenfreien Zone in Europa vorbereiten sollte. Das Ergebnis war ein Rahmenabkommen, das im Juni 1985 unterzeichnet wurde. Drei Monate später, im September 1985, verständigten sich Honecker und Brandt, eine Initiative des schwedischen Ministerpräsidenten Olof Palme aufgreifend, auf Verhandlungen über einen atomwaffenfreien Korridor in Europa. Am 21. Juni 1986 legte eine Arbeitsgruppe von SPD und SED entsprechende Grundsätze vor. Langfristiges Ziel aller sozialdemokratischen Vorstöße auf dem Gebiet der Abrüstung war beiderseitige «strukturelle Nichtangriffsfähigkeit». Ost und West sollten ihr militärisches Potential ausschließlich zur Verteidigung einsetzen können.

Die Quasiverträge, die die SPD mit der SED abschloß, waren als Kontrastprogramm zur Hochrüstungspolitik der beiden Supermächte gedacht. Sie fügten sich in das Konzept einer «Europäisierung Europas» ein, das Peter Bender 1981 entworfen hatte. Dem Berliner Publizisten zufolge war das Verhältnis zwischen Ost und West nicht mehr durch ideologische Glaubenskämpfe, sondern nur noch durch machtpolitische Interessenkonflikte bestimmt. Die Rivalität zwischen den Vereinigten Staaten und der Sowjetunion bedrohte Europa, barg aber auch eine Chance in sich. Die alte Welt konnte und mußte ihre Gemeinsamkeit wieder entdecken und eine neue politische Struktur entwickeln: eine gesamteuropäische Verteidigungsgemeinschaft, die schließlich an die Stelle der beiden Militärblöcke treten würde. War dieser Zustand erst erreicht, würden sich eines Tages auch Bundesrepublik und DDR vereinigen oder sich doch zumindest auf einen föderativen Zusammenschluß verständigen können. Im Grunde war Bender damit wieder bei jenem Modell angelangt, das Egon Bahr schon 1968, zur Zeit der Großen Koalition, skizziert, aber damals als einstweilen wenig aussichtsreich zurückgestellt hatte.

Daß es Washington und Moskau um Macht ging, daß beide in den frühen achtziger Jahren Hegemonie und nicht Gleichgewicht anstrebten, war offenkundig. Das «ideologische Zeitalter» aber war durchaus noch nicht beendet, der Gegensatz zwischen pluralistischer Demokratie und kommunistischer Parteidiktatur mitnichten überwunden. Das geteilte Europa hatte keine Möglichkeit, sich zu einer dritten Kraft zu entwickeln, und so wenig

wie Europa insgesamt konnte sich das geteilte Deutschland vom Wettkampf der Systeme abkoppeln. Bestenfalls konnten die Europäer und die
Deutschen in West und Ost den Schaden begrenzen, den der Konfrontationskurs der Supermächte hervorgerufen hatte. Wenn es aber zum Schwur
kam, mußte die Bundesrepublik sich auf die Seite *der* Allianz stellen, der sie
ihre Freiheit und ihre Sicherheit verdankte: des atlantischen Bündnisses.
Und die DDR hatte ihrerseits keine andere Wahl, als *der* Großmacht zu folgen, ohne die es den östlichen deutschen Staat nicht gegeben hätte: der
Sowjetunion.

Bender sprach nicht für die SPD, aber mit ihrem Abrüstungsexperten
Egon Bahr stimmte er nach wie vor in allen wesentlichen Punkten überein.
Auch der Parteivorsitzende Willy Brandt stand Benders Gedanken nicht
fern. In der Nachrüstungsdebatte des Bundestages vom 22. November 1983
bekannte er sich ausdrücklich zur «Europäisierung Europas» und rief in
diesem Zusammenhang dazu auf, «zwischen Ost und West all die Formen
von Kooperation auf den Weg (zu) bringen, die objektiv möglich, wenn
nicht gar geboten sind». Die deutschen Sozialdemokraten der Nach-
Schmidt-Zeit waren nicht gegen die Versuchung gefeit, den politischen
Ernstfall aus den Augen zu verlieren, die Wirklichkeit nur noch aus-
schnittsweise wahrzunehmen und ihr eigenes Gewicht zu überschätzen.
Die Macht im Staat hatten sie verloren; den herrschenden Parteien in den
Staaten des Warschauer Pakts gegenüber verhielten sie sich aber so, als seien
sie die wahren Vertreter der Bundesrepublik: eine Selbsttäuschung, die politischem Wunschdenken entsprang und in West und Ost Zweifel aufkommen ließ, ob die SPD noch eine Partei des Westens war.[17]

Die tatsächliche Regierung der Bundesrepublik konnte mit Recht von
sich behaupten, sie habe mit ihrem Festhalten am Doppelbeschluß der
NATO für außenpolitische Klarheit gesorgt und dazu beigetragen, daß die
Allianz gestärkt aus dem Streit um die Nachrüstung hervorging. Als Helmut Kohl zu Beginn seiner zweiten Regierungserklärung am 4. Mai 1983
den Satz aussprach: «Die Bundesrepublik Deutschland war bündnispoli-
tisch ins Zwielicht geraten», schallte ihm aus den Reihen der Sozialdemokraten der Zuruf «Unsinn!» entgegen. «Erneutes Lachen bei der SPD und
bei den Grünen», aber auch «Beifall bei der CDU/CSU und der FDP» gab
es, als der Kanzler fortfuhr: «Mit unserer Außen- und Bündnispolitik stehen wir dort, wo wir stehen müssen: auf der Seite der Freiheit, an der Seite
unserer Freunde.»

Bündnistreue hieß für die Regierung Kohl-Genscher jedoch nicht Abkehr von der Ost- und Deutschlandpolitik, wie sie die Regierung Schmidt-
Genscher betrieben hatte. Als Bundespräsident Carstens am 14. November
1982 anläßlich der Beisetzungsfeierlichkeiten für den vier Tage zuvor im
Alter von knapp 76 Jahren verstorbenen Generalsekretär der KPdSU, Leonid Breschnew, in Moskau mit Erich Honecker zusammentraf, überbrachte
er dem Generalsekretär der SED nicht nur Grüße des Bundeskanzlers, son-

dern bestätigte auch die von Schmidt ausgesprochene Einladung Honeckers zu einem Besuch in der Bundesrepublik und versicherte, daß Kohl Wert auf «Kontinuität und Dialog» lege. Honeckers Besuch sollte im Verlauf des Jahres 1983 stattfinden, wurde aber Ende April vom Staatsratsvorsitzenden abgesagt, nachdem ein ernster Zwischenfall, der Tod eines Transitreisenden im Gefolge von Verhören durch Grenzorgane der DDR, das Verhältnis der beiden Staaten vorübergehend schwer belastet hatte. Kurz darauf begann jedoch ein anderes, in jeder Hinsicht spektakuläres Kapitel deutsch-deutscher Beziehungen: der erste Milliardenkredit für die DDR, eingefädelt von *dem* Politiker, der im Zusammenhang mit dem jüngsten Vorfall von «Mord» gesprochen hatte – dem bayerischen Ministerpräsidenten Franz Josef Strauß.

Die Kürzung sowjetischer, mit Devisen zu bezahlender Rohöllieferungen hatte die DDR seit dem Herbst 1981 in größte wirtschaftliche Schwierigkeiten gestürzt. Anfang jenes Jahres war Ost-Berlin dazu übergegangen, Heizöl systematisch durch einheimische Braunkohle zu ersetzen und Mineralölerzeugnisse, also veredelte sowjetische Rohstoffe, zwecks Steigerung der Deviseneinnahmen verstärkt in den Westen zu exportieren. Die Umstellung der ostdeutschen Heizwerke und Dampferzeuger von Heizöl auf Braunkohle, ein die Umwelt extrem belastender Vorgang, war eine der Ursachen der wachsenden Westverschuldung der DDR. Bereits am 30. März 1983 sah Werner Krolikowski, Mitglied des Politbüros und Sekretär des ZK der SED, die «Zahlungsfähigkeit der DDR in Gefahr».

Als Strauß Ost-Berlin im Mai und Juni 1983 zu Hilfe kam und damit die DDR vor dem Staatsbankrott bewahrte, mag ihn der Wunsch geleitet haben, das «Image» des unerbittlichen Antikommunisten loszuwerden und seine Befähigung für das Amt des Außenministers unter Beweis zu stellen. In Gesprächen mit Staatssekretär Alexander Schalck-Golodkowski, dem Leiter des Bereichs «Kommerzielle Koordination», wurde jener erste Kredit über 1 Milliarde DM vom 29. Juni 1983 vorbereitet, für den die Bundesrepublik die Bürgschaft übernahm. Ein formelles «Junktim» in Gestalt von Gegenleistungen der DDR gab es nicht. Strauß und die Bundesregierung gaben sich damit zufrieden, daß sich Ost-Berlin bei den Grenzkontrollen freundlicherer Umgangsformen befleißigte.

In seinen «Erinnerungen» hat Strauß das Eingehen auf die Kreditwünsche der DDR mit «Erfahrungen der jüngsten Geschichte» begründet. «1953, 1956, 1968, 1980/81, ob in der DDR, in Ungarn, in der Tschechoslowakei oder zuletzt in Polen – niemals, wenn es zu Aufständen in einem der Ostblockstaaten kam, hat der Westen eingegriffen. Wegen der damit verbundenen Gefahr lebensgefährlicher, kriegerischer Verwicklungen konnten und können Volkserhebungen in den Staaten des Warschauer Pakts nicht unterstützt werden. Es hat deshalb keinen Sinn, die Notsituation dort so zu verschärfen, daß die Belastungen für die Menschen unerträglich werden und es zur Explosion kommt.»

Ein Sozialdemokrat hätte dieselbe Entscheidung mit denselben Worten rechtfertigen können wie der Vorsitzende der CSU. Die Regierung von Union und Freien Demokraten stabilisierte ganz bewußt die DDR, um unkontrollierbaren Entwicklungen im anderen deutschen Staat vorzubeugen. Die Angst vor bürgerkriegsartigen Erschütterungen, die in einen großen Krieg umschlagen konnten, war nicht vorgespiegelt. Es war eine parteiübergreifende, eine sehr deutsche Angst, die viel mit der Geschichte des Landes zu tun hatte – mit der Erinnerung an Weimar, vielleicht sogar an die «Urkatastrophe» des Dreißigjährigen Krieges. Die Wirkung dieser Angst bestand darin, daß die bestehende Ordnung, auch wenn sie unrechtmäßig war, Vorrang vor der Freiheit erhielt. Zwischen Bahr und Strauß gab es in dieser Hinsicht keinen grundlegenden Dissens: Beide betrieben sie europäische Ordnungspolitik im deutschen Interesse – oder dem, was sie für deutsches Interesse hielten. Beide waren sie davon überzeugt, daß sie damit auch im wohlverstandenen Interesse der Deutschen und Europäer handelten, die ihre Meinung nicht frei zum Ausdruck bringen konnten. Und wie Bahr glaubte auch Strauß, daß die Zeit der Ideologien abgelaufen war. Zumindest behauptete er das bei seinem ersten Zusammentreffen mit Erich Honecker am 24. Juli 1983 im Jagdschloß Hubertusstock: «In diesem Jahrhundert trete die Ideologie in den Hintergrund, und praktisch-pragmatische Fragen träten in den Vordergrund.»

Der Milliardenkredit der Bundesrepublik machte die DDR auch im westlichen Ausland wieder kreditwürdig, und die Gesamtheit der Kredite aus den kapitalistischen Staaten erlaubte die Fortsetzung der 1976 proklamierten, aus eigener Kraft nicht bezahlbaren, aber von Honecker für unabdingbar erklärten «Einheit von Wirtschafts- und Sozialpolitik». Weil dem so war, konnte dem Generalsekretär der SED auch nicht daran liegen, nach der Aufstellung von amerikanischen Mittelstreckenraketen jene «neue Eiszeit» in den deutsch-deutschen Beziehungen eintreten zu lassen, vor der er den Bundeskanzler am 5. Oktober 1983 brieflich gewarnt hatte. Eine andere Formel aus dem gleichen Schreiben griff Kohl in seiner Antwort vom 24. Oktober jedoch gern auf: Honecker hatte sich für eine «Koalition der Vernunft» ausgesprochen, die das Abgleiten der Menschheit in eine nukleare Katastrophe verhindern sollte. Die Bundesregierung wolle ihren Beitrag zur Wahrung und Stabilisierung des Gleichgewichts leisten, schrieb Kohl. An Honecker erging die Bitte, er möge seinen ganzen Einfluß bei der Sowjetunion geltend machen, «um zu bewirken, daß die konstruktiven westlichen Vorschläge von ihr gründlich geprüft und nicht voreilig verworfen werden».

In seinem nächsten Brief vom 14. Dezember ging der Bundeskanzler noch weiter. «Die beiden Staaten», so schrieb er an Honecker, «stehen in einer Verantwortungsgemeinschaft vor Europa und vor dem deutschen Volk. Beide können gerade in schwierigen Zeiten des West-Ost-Verhältnisses einen wichtigen Beitrag für Stabilität und Frieden in Europa leisten, wenn sie aufeinander zugehen und das jetzt Machbare an Zusammenarbeit voranbringen... Ein Höchstmaß an Dialog und Zusammenarbeit wird den Entspannungsprozeß in Europa fördern. Das ist gerade dann wichtig, wenn die internationale Lage schwieriger geworden ist.»

Den Begriff einer besonderen «Verantwortungsgemeinschaft» der beiden deutschen Staaten hatte der Göttinger Historiker Rudolf von Thadden 1981 in einer schriftlichen Stellungnahme anläßlich einer öffentlichen Anhörung des Bundestagsausschusses für innerdeutsche Beziehungen geprägt; er war schon von Helmut Schmidt übernommen worden; am 14. März 1984 machte sich auch Honecker in einem Gespräch mit Hans-Jochen Vogel diesen Begriff zu eigen.

Zwischen Honecker und Kohl hatte sich rund ein Jahr nach dem Bonner «Machtwechsel» ein bemerkenswertes Maß an Übereinstimmung entwickelt. In einem ausführlichen Telefongespräch versicherte der Bundeskanzler dem Generalsekretär der SED am 19. Dezember 1983, was dieser noch von keinem anderen Bonner Regierungschef zu hören bekommen hatte: «Und Sie können vor allem davon ausgehen, das glaube ich, ist sehr wichtig: Sie sprechen hier mit einem Mann, der nichts unternehmen wird, um Sie in eine ungute Lage – ich will es nicht näher interpretieren – in eine ungute Lage zu bringen. Mein Interesse ist, daß das, was mühsam aufgebaut wurde und was unendlich schwierig und nur mit kleinen Schritten fortzuentwickeln ist, fortentwickelt wird, das ist das, was ich mir vorgenommen habe.»

Honecker bestätigte Kohl gegen Ende des Gesprächs, daß es auch nach seiner Auffassung eine gemeinsame Pflicht der beiden deutschen Staaten gab, angesichts der Verschlechterung des Verhältnisses zwischen Ost und West eine Politik der Schadensbegrenzung zu betreiben. Er gehe von der Tatsache aus, «daß reale Interessen die Beziehungen zwischen den Staaten entwickeln. Dazu haben wir ja auch selbst eine besondere Verantwortung. Wie Sie mit Recht sagten, vom Standpunkt des Friedens und vom Standpunkt der Geschichte.»

Von «Wiedervereinigung» sprach Kohl weder gegenüber Honecker noch in der Öffentlichkeit. Er beschwor zwar immer wieder die Einheit der Nation, fügte aber bereits im Bundestagswahlkampf 1983 hinzu, diese bedeute nach seiner festen Überzeugung keine Lösung des «Zurück in den Nationalstaat einer vergangenen Zeit». Der 1968 eingeführte alljährliche «Bericht zur Lage der Nation» erhielt unter Kohl wieder den Zusatz «im geteilten Deutschland», auf den die sozialliberalen Bundesregierungen von 1971 bis 1982 verzichtet hatten. Aber wie alle seine Vorgänger seit Adenauer betonte auch Kohl immer wieder, daß die deutsche Frage im Kern eine Frage der Menschenrechte und der Freiheit sei. Der Anspruch des deutschen Volkes auf Selbstbestimmung und staatliche Einheit blieb aufrechterhalten. Im Vordergrund aber stand das Bemühen, «die Folgen der Teilung für die Menschen in Deutschland erträglicher (zu) machen und die Einheit der Nation (zu) wahren». So hieß es wörtlich in einem von Koalitionsparteien und Sozialdemokraten gemeinsam verabschiedeten Beschluß des Bundestags zum Bericht zur Lage der Nation und zur Deutschlandpolitik vom 9. Februar 1984. Vier Tage später, am 13. Februar 1984, trafen sich Kohl und Honecker erstmals persönlich, und zwar in Moskau. Der Anlaß waren die Beisetzungsfeierlichkeiten für Breschnews Nachfolger Jurij Wladimirowitsch Andropow, der am 9. Februar im Alter von 69 Jahren gestorben war. Eines der Themen der deutsch-deutschen Besprechung war der seit langem geplante Besuch des Staatsratsvorsitzenden in der Bundesrepublik. 1984 sollte das Vorhaben endlich verwirklicht werden – doch diesmal legte der neue, bei seinem Amtsantritt zweiundsiebzigjährige Generalsekretär der KPdSU, Konstantin Ustinowitsch Tschernenko, sein Veto ein. Das Moskauer Politbüro mißtraute den deutsch-deutschen Sonderbeziehungen und zwang Honecker, am 4. September seinen Besuch abzusagen.

Unmittelbarer Anlaß für den Eingriff Tschernenkos war die Gewährung eines zweiten, wiederum von Strauß vermittelten «Milliardenkredits» (in Höhe von 950 Millionen DM) für die DDR durch westdeutsche Banken am 25. Juli. Die Beziehungen zwischen Bonn und Ost-Berlin wurden durch die Absage von Honeckers Besuch indes nicht nachhaltig beeinträchtigt. Am 5. Dezember 1984 reiste Wolfgang Schäuble, seit dem 15. November Bundesminister für besondere Aufgaben und Chef des Bundeskanzleramtes, nach Ost-Berlin, um dort mit Außenminister Oskar Fischer, Alexander Schalck-Golodkowski, dem ZK-Sekretär Herbert Häber und Rechtsanwalt Wolfgang Vogel Stand und Entwicklung des deutsch-deutschen Verhältnisses zu besprechen. Gewisse Verbesserungen waren nicht zu verkennen: Das galt für die Abfertigung von Transitreisenden, die Erleichterung der Familienzusammenführung, die Ermäßigung des Mindestumtausches für Rentner, die Verlängerung der Aufenthaltsdauer bei Besuchen in der DDR, den Freikauf politischer Häftlinge und die Beseitigung der Selbstschußanlagen und Minenfelder an der innerdeutschen Grenze. Doch Schäuble stellte klar, daß das nicht genug war. Er forderte die allgemeine Senkung des Mindestumtausches, Erleichterungen beim grenznahen sowie beim Post- und Fernmeldeverkehr und, vor allem, die Aufhebung des Schießbefehls. Am 1. Dezember hatten Grenzsoldaten der DDR auf einen Mann geschossen, der über die Mauer nach West-Berlin zu gelangen versuchte, und ihn getötet. Was Schäuble dazu gegenüber Fischer bemerkte, schlug sich auch im Ost-Berliner Gesprächsprotokoll korrekt nieder: «Die unmenschlichen Schüsse an der Mauer, die wieder ein Menschenleben gekostet hätten, würden aufs schärfste verurteilt. Die BRD habe die Veränderung an den Sperranlagen und die Verbesserung des Abfertigungsregimes durch die DDR gewürdigt. Es müsse aber gefordert werden, daß jede Form von Gewaltanwendung aufhöre.»

Am 12. März 1985 trafen Kohl und Honecker ein zweites Mal zusammen – wiederum in Moskau und wie im Februar 1984 aus Anlaß von

Beisetzungsfeierlichkeiten für einen Generalsekretär der KPdSU. Am
10. März war Tschernenko im Alter von 73 Jahren gestorben; tags
darauf wurde der vierundfünfzigjährige Michail Sergejewitsch Gorbatschow zu seinem Nachfolger gewählt. Daß dem Generationswechsel an
der Spitze der Sowjetunion eine dramatische weltpolitische Wende folgen würde, ahnten um diese Zeit nur wenige. Die Wiederaufnahme der
Genfer Verhandlungen über einen Abbau der Mittelstreckenraketen, die
Verminderung der strategischen Nuklearwaffen sowie über Defensiv- und
Weltraumwaffen am 12. März 1985 war zwar noch zur Amtszeit Tschernenkos zwischen den Außenministern der Sowjetunion und der USA,
Andrej Gromyko und George Shultz, vereinbart worden. Gorbatschow, der dem Politbüro seit 1980 angehörte, machte aber schon in
seiner Antrittsrede vor dem ZK der KPdSU deutlich, daß die Verbesserung des Verhältnisses zum Westen eines seiner wichtigsten Ziele sein
würde.

Die zweite Begegnung zwischen Kohl und Honecker verlief erfreulicher
als die erste Begegnung zwischen Kohl und Gorbatschow, bei der vor allem die Differenzen auf dem Gebiet der Sicherheitspolitik zur Sprache kamen. Der Generalsekretär der SED zeigte sich bereit, bei Ausreisen in dringenden Familienangelegenheiten und beim Freikauf von Häftlingen, den
sogenannten «F-Fällen», großzügiger als bisher zu verfahren. Auf konkrete
Zahlen ließ er sich zwar nicht festlegen; aber der Besucher- und Reiseverkehr nahm in der Folgezeit stark zu. Das größte Aufsehen erregte die gemeinsame «Moskauer Erklärung» von Honecker und Kohl. Darin hieß es
unter anderem, die «Unverletzlichkeit der Grenzen und die Achtung der
territorialen Integrität und der Souveränität aller Staaten in Europa in ihren
gegenwärtigen Grenzen» sei «eine grundlegende Bedingung für den Frieden». Übereinstimmung gab es auch im Hinblick auf das Bekenntnis: «Von
deutschem Boden darf nie wieder Krieg, von deutschem Boden muß Frieden ausgehen.»

Kohl hatte diese und ähnliche Formulierungen auch schon zuvor benutzt. Aber die DDR konnte in der «Moskauer Erklärung» doch ein zusätzliches Stück Anerkennung durch die Bundesrepublik erblicken. Der
Bundeskanzler mußte sich deswegen Kritik vom konservativen «Stahl-
helm-Flügel» der Union gefallen lassen. Tatsächlich zahlte er mit der gemeinsamen Verlautbarung, anders als mit den beiden Milliardenkrediten,
nur einen symbolischen Preis, um die SED zu menschlichen Erleichterungen zu bewegen. Gemessen an den bescheiden gewordenen Bonner Erwartungen, war dieses Kalkül realistisch.[18]

Was immer die DDR dazu beigetragen haben mag, daß in der Bundesrepublik Hunderttausende gegen die Aufstellung amerikanischer Raketen protestierten: die Friedensbewegung ließ sich nicht auf Westeuropa beschränken. Auch in der DDR bildeten sich seit Ende der siebziger Jahre

unabhängige Friedens- und Umweltgruppen heraus, die sich gegen die Hochrüstung in West *und* Ost wandten. Das größte Aufsehen erregte im Herbst 1981 ein Offener Brief des prominentesten Bürgerrechtlers der DDR, Robert Havemann, an Leonid Breschnew. Die brisanteste Passage klang auf provozierende Weise gesamtdeutsch und national:»36 Jahre nach Ende des Krieges ist es jetzt zur dringenden Notwendigkeit geworden, die Friedensverträge zu schließen und alle Besatzungstruppen aus beiden Teilen Deutschlands abzuziehen... Wie wir Deutsche unsere nationale Frage dann lösen werden, muß man uns schon selbst überlassen, und niemand sollte sich davor mehr fürchten als vor dem Atomkrieg.»

Zu den Erstunterzeichnern gehörten in der DDR der evangelische Pfarrer Rainer Eppelmann, der Physiker Gerd Poppe und der Schriftsteller Sascha Anderson (von dem damals noch nicht bekannt war, daß er ein Inoffizieller Mitarbeiter des Ministeriums für Staatssicherheit war), in der Bundesrepublik und West-Berlin der frühere Berliner Regierende Bürgermeister Heinrich Albertz (SPD), der evangelische Theologe Helmut Gollwitzer, der Tübinger Professor für Klassische Philologie und Allgemeine Rhetorik Walter Jens, der ehemalige Erste Bürgermeister von Hamburg, Hans Ulrich Klose (SPD), der frühere evangelische Bischof von Berlin-Brandenburg, Kurt Scharf, der Berliner Rechtsanwalt Otto Schily, der bei den Grünen aktiv war, der sozialdemokratische Bundestagsabgeordnete Gert Weisskirchen, die Schriftsteller Martin Walser, Peter-Paul Zahl und Gerhard Zwerenz.

Dem Offenen Brief Robert Havemanns folgten im Januar 1982 der Jenaer «Appell für Abrüstung» und der von Havemann und Eppelmann verfaßte «Berliner Appell» unter dem Motto «Frieden schaffen ohne Waffen», in dem das geteilte Deutschland als «Aufmarschgebiet der beiden großen Atommächte» bezeichnet wurde. Unter den 80 Erstunterzeichnern waren der Pfarrer Hans-Jochen Tschiche, der Schriftsteller Lutz Rathenow und der Physiker Gerd Poppe, der auch den Offenen Brief unterschrieben hatte. Die meisten Unterzeichner kamen aus der Berliner Friedensbewegung und der kirchlichen Jugendarbeit. Eppelmann wurde am 9. Februar verhaftet, auf kirchliches Drängen hin aber drei Tage danach wieder auf freien Fuß gesetzt. Havemann starb am 9. April 1982. Trotz scharfer Kontrollen des MfS gelang es einer größeren Zahl von Oppositionellen, am 17. April an der Trauerfeier in Grünheide bei Berlin teilzunehmen.

Das evangelische Element trat nicht nur in den vielbeachteten Appellen um die Jahreswende 1981/82 stark in Erscheinung. Evangelische Pfarrer breiteten vielerorts in der DDR eine Art Schutzmantel über Friedens- und Umweltgruppen aus; sie bildeten eine moralische Stütze der «Bausoldaten» – der Angehörigen des seit 1964 bestehenden, halbmilitärischen Quasi-Ersatzdienstes für Wehrpflichtige, die den Dienst mit der Waffe verweigerten und diese Weigerung mit einer Vielzahl von beruflichen und gesellschaftlichen Nachteilen bezahlen mußten. Im Umkreis der Kirche wurde auch immer wieder Sympathie für «Solidarność» und Protest gegen das Kriegsrecht in Polen laut; am 1. September 1982 wurde bei einer Solidaritätskundgebung in Jena Roland Jahn, der Initiator der Jenaer «Friedensgemeinschaft», verhaftet. Im Januar 1983 folgte seine Verurteilung zu fast drei Jahren Haft, aus der er aber auf Grund zahlreicher Proteste schon im Februar wieder entlassen wurde. Da er seine Aktivitäten fortsetzte, wurde er am 7. Juni erneut verhaftet und am Tag darauf in gefesseltem Zustand in die Bundesrepublik abgeschoben. Dort nahm er im September des folgenden Jahres an der tagelangen Sitzblockade der Friedensbewegung gegen die Stationierung amerikanischer Raketen im schwäbischen Mutlangen teil, was ihm eine Ordnungsstrafe eintrug.

Unmittelbar kirchlichen Ursprungs war die Bewegung «Schwerter zu Pflugscharen», die sich 1981/82 von Sachsen aus über die ganze DDR verbreitete. Das Symbol der alttestamentarischen Prophezeiung war zunächst ein Lesezeichen auf Vliesstoff, eingeführt anläßlich der ersten «Friedensdekade» im November 1980, wurde dann aber als Aufnäher rasch zum Kennzeichen der ostdeutschen Friedensbewegung. Die staatlichen Gegenmaßnahmen erreichten im März 1982 ihren Höhepunkt: Träger des Aufnähers wurden, wenn sie ihn nicht entfernten, von Oberschulen und Universitäten relegiert, bei Vorliegen eines zusätzlichen Grundes auch verhaftet. Daraufhin traten die Kirchen den Rückzug an. «Um des Friedens willen» verzichtete die Synode des Bundes der Evangelischen Kirchen in der DDR zu Halle im September 1982 auf das Symbol des Friedens, das der Obrigkeit zum Ärgernis geworden war.

Die SED tat sich in den achtziger Jahren mit der kirchlichen und der von Teilen der Kirche geschützten ökopazifistischen Opposition schwerer als zuvor. Das lag zum einen daran, daß die Partei- und Staatsführung der DDR in den Kirchen Partner im Kampf gegen die Nachrüstung der NATO sah und darum vor dem offenen Konflikt mit ihnen zurückscheute. Zum anderen umwarb das Regime die westdeutschen Grünen, die gegen die Verfolgung von Dissidenten und jede Verletzung von Menschenrechten in den Staaten des Warschauer Pakts viel entschiedener zu protestieren pflegten als die Sozialdemokraten. Aus diesem Dilemma ergaben sich Unsicherheiten im Umgang mit Bürgerrechtlern wie Eppelmann und Jahn, aber auch der Vorsatz, oppositionelle Gruppen, solange es vertretbar erschien, lieber durch Infiltration mit Hilfe von Inoffiziellen Mitarbeitern der Staatssicherheit zu zersetzen als sie durch Einsatz brutaler Machtmittel zu zerschlagen.

Einen Kirchenkampf konnte sich die SED zu Beginn der achtziger Jahre auch noch aus einem anderen Grund nicht leisten: 1983 jährte sich nicht nur der 100. Todestag von Karl Marx, sondern auch der 500. Geburtstag von Martin Luther. Beide Ereignisse warfen seit langem ihre Schatten voraus; beide sollten umfassend gewürdigt werden, um aller Welt, namentlich aber den Deutschen in der Bundesrepublik, vor Augen zu führen, daß sich die

DDR über ein verengtes Verständnis von historischem Fortschritt hinausentwickelt hatte und dem großen Reformator wie großen Gestalten der
deutschen Geschichte ganz allgemein gerecht zu werden wußte.

Erich Honecker selbst hatte bereits im Juni 1980 den Vorsitz des Martin-
Luther-Komitees zur Vorbereitung der Feierlichkeiten im Jahre 1983 übernommen. Am 6. Oktober 1983, fünf Wochen vor dem 500. Geburtstag,
veröffentlichte das «Neue Deutschland» ein «Interview», das der Staatsratsvorsitzende den «Lutherischen Monatsheften», einer westdeutschen
Zeitschrift, gegeben hatte. Von der früheren polemischen Gegenüberstellung des «progressiven» Müntzer und des «reaktionären» Luther war so
gut wie nichts mehr übrig geblieben. Luthers Name sei mit der ersten Revolution auf deutschem Boden, der frühbürgerlichen Revolution, verbunden, erklärte Honecker. «Von Luther gingen revolutionäre Impulse aus, die
weit über die damaligen deutschen Staaten hinausreichten... Luther wirkte
förderlich auf die Entwicklung von Schule und Volksbildung, Ehe und
Familie... Indem er vor dem Reichstag zu Worms in den hauptsächlichen
Fragen seinem Gewissen folgte und nicht den offiziellen Doktrinen, befand
sich Luther in voller Übereinstimmung mit der Hauptströmung seiner
Zeit.»

Gewiß: den «Widerspruch zwischen seiner Rolle als Initiator einer
großen revolutionären Bewegung und seinem Unvermögen, deren gesellschaftliche Gesetzmäßigkeit zu erkennen», habe Luther nicht auflösen
können; das sei seine «Tragik» gewesen. «Wir sehen durchaus die Widersprüche in seiner Persönlichkeit und seinem Werk. In hohem Maße widerspiegeln sie die Unreife und Widersprüche des damaligen deutschen Bürgertums und der entstehenden Intelligenz.» Ein «Mitbeweger unserer
Geschichte» war er gleichwohl, und eben darum hatten die Gedenkfeiern
der DDR, unbeschadet aller Unterschiede des theologischen und des marxistisch-leninistischen Luther-Bildes, eine aktuelle Bedeutung: «Die gemeinsame Würdigung der Persönlichkeit und des Werkes Martin Luthers
in unserem Staat widerspiegelt das Zusammenwirken der Bürger unseres
Landes, ungeachtet ihrer Weltanschauung und Religion.» Den Eindruck
der Fragesteller, die DDR integriere deutsche Geschichte, «um ihr Selbstverständnis mit positiven Elementen der Tradition zu verknüpfen», wollte
Honecker so nicht stehen lassen: «Übrigens brauchen wir deutsche Geschichte nicht zu integrieren. Wir kommen aus ihr, stehen in ihr und führen
sie weiter.»

Der Honecker der achtziger Jahre hörte sich deutlich «nationaler» an als
jener der frühen siebziger Jahre. Am 15. Februar 1981 flocht er in eine Rede
vor der Bezirksdelegiertenkonferenz der SED in Berlin eine Passage ein, die
mehrfach starken Beifall und auch im Westen viel Beachtung fand: «Und
wenn heute bestimmte Leute im Westen großdeutsche Sprüche klopfen und
so tun, als ob ihnen die Vereinigung beider deutscher Staaten mehr am Herzen liegen würde als ihre Brieftasche, dann möchten wir ihnen sagen: Seid

vorsichtig! Der Sozialismus klopft eines Tages auch an eure Tür (starker Beifall), und wenn der Tag kommt, an dem die Werktätigen der Bundesrepublik an die sozialistische Umgestaltung der Bundesrepublik gehen, dann steht die Frage der Vereinigung beider deutscher Staaten vollkommen neu. (Starker Beifall). Wie wir uns dann entscheiden, daran dürfte wohl kein Zweifel bestehen. (Anhaltender Beifall).»

Die SED erhoffte sich von der Neuformulierung ihres Verhältnisses zur nationalen Frage und zur deutschen Geschichte einen Zuwachs an Legitimität, den sie angesichts der wirtschaftlichen Krise der DDR in der Tat dringend benötigte. Erstmals seit der Hinwendung zur Theorie von den zwei deutschen Nationen in den Jahren nach 1970 erklärte die führende Partei der DDR die deutsche Einheit wieder als möglich, ja wünschenswert – unter der Bedingung, daß die Bundesrepublik das Gesellschaftssystem der DDR übernahm. Deutlicher konnte das Eingeständnis kaum ausfallen, daß der Versuch, den Bürgern der DDR eine besondere nationale Identität zu verordnen, gescheitert war. Die Kurskorrektur in Sachen Nation fand ihre Entsprechung in einer Korrektur des Geschichtsbildes: Um sich die Zustimmung auch von Nicht-Marxisten zu sichern, «historisierte» die SED die Vergangenheit, räumte ihr also ein gewisses Eigenrecht gegenüber dogmatischen, mithin undialektischen Vorstellungen vom «richtigen» Geschichtsverlauf ein.

Die Rehabilitierung Luthers war nur ein Beispiel der neuen Geschichtspolitik. 1980 ließ Honecker das Reiterdenkmal Friedrichs des Großen, ein Werk des Bildhauers Christian Daniel Rauch, auf der Straße Unter den Linden wieder aufstellen. Bereits ein Jahr zuvor war eine differenziert urteilende, auch das Fortschrittliche am Werk des Hohenzollernkönigs herausarbeitende Biographie Friedrichs II. von Ingrid Mittenzwei erschienen. 1985 veröffentlichte Ernst Engelberg, wie Mittenzwei ein überzeugter Marxist, den ersten Band seiner Biographie Otto von Bismarcks, in der er die deutsche Einigung als «Revolution von oben» interpretierte und dem Reichsgründer große historische Verdienste bescheinigte. Preußen erschien nun nicht mehr als Verkörperung der Reaktion, sondern als ein Staatswesen mit Licht- und Schattenseiten. Auch konservative Gegner Hitlers fanden jetzt eine verständnisvolle Würdigung. Im Hinblick auf die Vergangenheit oder doch zumindest auf Teile derselben gab sich die SED in den achtziger Jahren «Andersdenkenden» gegenüber toleranter und pluralistischer, als es ihrer Herrschaftspraxis entsprach.

Die SED legte Wert auf die Feststellung, daß sich ihre Neubewertung der deutschen Geschichte nicht etwa auf die Geschichte der Gebiete beschränkte, die seit 1949 zur DDR gehörten. Sie begriff vielmehr die deutsche Geschichte insgesamt als Vorgeschichte *beider* deutschen Staaten. Für *ihr* Bild von der deutschen Geschichte beanspruchte sie, daß es das einzig wissenschaftlich begründete und damit den «bürgerlichen» Geschichtsdeutungen der Bundesrepublik qualitativ überlegen war.

Die Auseinandersetzung mit der deutschen Geschichte erfolgte in den
achtziger Jahren unter den Begriffen «Erbe» und «Tradition». «Erbe» bezeichnete alles, was die Vergangenheit der Gegenwart an Positivem und
Negativem hinterlassen hatte. Was fortwirken und darum gepflegt werden sollte, gehörte zur «Tradition». Im Zentrum dieser Tradition stand das
«revolutionäre Erbe» der Arbeiterklasse. Dazu kamen das weitere «huma-
nistisch-progressive Erbe» und alles, was sich sonst noch als «positives
Erbe» bewerten ließ. Der «negative» Teil des Erbes hatte auch seine
Heimstatt, aber nicht in der DDR, sondern dort, wo weder eine «anti-
faschistisch-demokratische Umwälzung» noch der «Aufbau des Sozialismus» stattgefunden hatte, also auch keine «entwickelte sozialistische
Gesellschaft» bestand: in der «kapitalistischen» und «imperialistischen»
Bundesrepublik. So sollten es jedenfalls die Deutschen, und namentlich
die Deutschen in der DDR, sehen. Doch das Ernstnehmen des Erbes
konnte auch eine ganz andere Wirkung zeitigen als die von der SED gewünschte, nämlich eine Wiederentdeckung deutscher Gemeinsamkeiten,
die den ideologischen Alleinvertretungsanspruch der DDR zu untergraben
drohte.

Von «Revision» weithin unberührt blieben die Geschichte von Kommunismus, Sozialdemokratie und «Faschismus» sowie die Geschichte seit
1945 – also die Hauptmasse der deutschen Geschichte des 20. Jahrhunderts.
Die Thesen des Zentralkomitees der SED zum 70. Jahrestag der Gründung
der KPD vom Juni 1988 waren, zum Mißfallen einiger Historiker an der
Akademie der Wissenschaften der DDR und an der Karl-Marx-Universität
Leipzig, so doktrinär parteilich wie eh und je. Die Herrschaft des Nationalsozialismus wurde nach wie vor im Lichte der alten Formeln von der offenen terroristischen Diktatur der reaktionärsten Gruppen des Finanzkapitals abgehandelt. Der Antisemitismus und die Ermordung der
europäischen Juden standen *nicht* im Mittelpunkt der marxistisch-leninistischen Auseinandersetzung mit dem «Faschismus»; noch um 1970 ver-
schwiegen Darstellungen zur Geschichte des Zweiten Weltkriegs, daß
Juden die Hauptopfer der von der SS betriebenen systematischen Menschenvernichtung in Polen waren.

Die Befangenheit gegenüber dem nationalsozialistischen Rassenwahn
und seinen Folgen hatte *einen* Grund in ideologischer Blickverengung: Wer
Politik aus Ökonomie abzuleiten gewohnt war, konnte die zutiefst irratio-
nalen Antriebskräfte des Nationalsozialismus nicht erkennen. Ein *anderer*
Grund war der «Antizionismus» Stalinscher Prägung, den die DDR auch
in den achtziger Jahren noch nicht überwunden hatte. Die SED war die
Erbin der antifaschistischen KPD und die Verbündete der siegreichen
Sowjetunion. Infolgedessen rechnete sie sich und ihren Staat ebenfalls zu
den «Siegern der Geschichte» und sah sich schon deshalb nicht genötigt,
mit der deutschen Vergangenheit der Jahre 1933 bis 1945 selbstkritisch ins
Gericht zu gehen.

Der Entdogmatisierung des Geschichtsbildes waren also enge Grenzen gesetzt. An den Schulen und Hochschulen galten ohnehin unverändert strenge Vorgaben für die Behandlung der Geschichte. Der vom Ministerium für Hoch- und Fachschulwesen erlassene «Studienplan für die Fachrichtung Geschichte in der Grundstudienrichtung Geschichtswissenschaften zur Ausbildung an Universitäten und Hochschulen der DDR» von 1984 beschrieb das «Ausbildungs- und Erziehungsziel» hinreichend deutlich: «Die Studenten der Fachrichtung Geschichte werden befähigt, im Auftrag der Arbeiterklasse und ihrer Partei aktiv und schöpferisch an der Lösung gesellschaftlicher Entwicklungsprobleme mitzuwirken, historische Erfahrungen und Lehren, Erkenntnisse der marxistisch-leninistischen Geschichtswissenschaft zu verbreiten, sich mit der bürgerlichen und der revisionistischen Geschichtsideologie parteilich auseinanderzusetzen und zur Weiterentwicklung der Geschichtswissenschaft beizutragen... Die Studenten werden befähigt, als Propagandisten zur sozialistischen Bewußtseinsbildung beizutragen und dazu erzogen, ihre künftige Tätigkeit als politische Funktion aufzufassen und wahrzunehmen sowie entsprechend den jeweiligen gesellschaftspolitischen Erfordernissen und Aufgaben von Partei und Staatsmacht einsetzbar zu machen.»

Das Geschichtsdeutungsmonopol der SED war ein wesentlicher Teil ihres Wahrheitsmonopols. «Wir kennen nur eine einzige Wissenschaft, die Wissenschaft der Geschichte», hatten Marx und Engels 1845/46 in der «Deutschen Ideologie» geschrieben (und den Absatz, der mit diesem Satz begann, dann wieder gestrichen). Das Institut für Marxismus-Leninismus beim ZK der SED druckte diesen Satz in seiner Ausgabe der Werke von Marx und Engels nicht ab, hatte sich ihn aber zu eigen gemacht. Die herrschenden Marxisten-Leninisten waren noch immer davon überzeugt, mit dem richtigen Geschichtsbewußtsein zugleich auch das richtige Bewußtsein schlechthin zu haben. Ihr Anspruch auf die Durchsetzung dieses Bewußtseins blieb total. Daß die Wirklichkeit sich diesem Anspruch nicht fügen wollte, hielten sie für einen Rückstand der Vergangenheit, die in der Bundesrepublik noch herrschte und von dort aus die DDR für sich zurückzugewinnen strebte. Der Kampf zwischen den widersprüchlichen Teilen des gemeinsamen Erbes war also noch nicht endgültig entschieden. Aber da dieser Kampf nur von der Klasse gewonnen werden konnte, die die Gesetzmäßigkeit des historischen Prozesses erkannt hatte, durfte es für bekennende Marxisten-Leninisten am schließlichen Ausgang dieser Auseinandersetzung keinen Zweifel geben.

Wer im Glauben nicht gefestigt war, mußte freilich von den Zahlen der Menschen irritiert sein, die Ausreiseanträge stellten und ausreisen durften. 1983 erteilte die DDR 11 300, 1984 40 900, 1985 24 900 Ausreisegenehmigungen. Doch auch dieser Abwanderung ließ sich Gutes abgewinnen: Zum einen verlor die DDR mit den Übersiedlern Personen, die dem Staat feindlich gegenüberstanden; die Menschenverluste schwächten also die gegnerischen Kräfte im eigenen Land. Zum anderen zahlte sich eine großzügige Ausreisepraxis aus: Die DDR ließ sich ihr Entgegenkommen von der Bundesrepublik durch Kredite, die Transitpauschale, den «Swing» beim deutsch-deutschen Handel wie durch Freikauf von Häftlingen bezahlen und konnte auf diese Weise weiterhin als sozialistischer Wohlfahrtsstaat in Erscheinung treten. Mochten die Wirtschaftsexperten auch wissen, daß die Wohltaten der DDR nicht von ihr erwirtschaftet waren, für die Gruppe um Honecker zählte nur die vordergründige Wirkung ihrer Westpolitik, und diese Wirkung bestand in einer Stabilisierung des Systems. Daß der kapitalistische Klassenfeind darüber zu einem Träger des Sozialismus wurde, erschien hinnehmbar – vorausgesetzt, man war bereit, die Dinge «dialektisch» zu sehen.[19]

Den Deutschen in der Bundesrepublik war die DDR seit dem Bau der Mauer immer fremder geworden. Sie begingen zwar alljährlich am 17. Juni den «Tag der deutschen Einheit», den Bundespräsident Heinrich Lübke 1963 anläßlich des zehnten Jahrestages des Arbeiteraufstandes in der DDR zum «Nationalen Gedenktag des deutschen Volkes» proklamiert hatte. Aber die offiziellen Veranstaltungen waren schon Mitte der sechziger Jahre Pflichtübungen geworden; zur Zeit der Großen Koalition wurde sogar ernsthaft, wenn auch erfolglos über die Abschaffung des Feiertags beraten; am 20. Jahrestag der Erhebung am 17. Juni 1973 hielt die CDU unter ihrem neuen Vorsitzenden Helmut Kohl eine Kundgebung in Berlin ab, während die sozialliberale Bundesregierung unter Willy Brandt bewußt von offiziellen Gedenkveranstaltungen absah, um die DDR nicht vier Tage vor dem Inkrafttreten des Grundlagenvertrages zu provozieren.

Nach der Verabschiedung der Ostverträge setzte sich links der Mitte mehr und mehr das Bewußtsein durch, daß der souveräne deutsche Nationalstaat der Vergangenheit angehörte. Rechts der Mitte waren die Ostverträge dagegen mit nationalen Parolen bekämpft worden, so daß es in den siebziger Jahren so schien, als sei das alte, in der Ära Adenauer unterbrochene Rollenspiel wiederhergestellt: die Rechte national, die Linke antinationalistisch. Viele Sozialdemokraten, Liberale und Intellektuelle hätten den gesamtdeutschen 17. Juni am liebsten durch einen anderen, rein bundesrepublikanischen Staatsfeiertag ersetzt: den 23. Mai, den Tag der Verkündung des Grundgesetzes im Jahre 1949. Das gelang ihnen zwar nicht: Der 17. Juni blieb der «Tag der deutschen Einheit» und ein Feiertag. Aber er wurde in der Ära Schmidt, seit Mitte der siebziger Jahre also, anders begangen als in den fünfziger Jahren: weniger als Tag der nationalen Sehnsucht, mehr als Tag des «verfassungspatriotischen» Stolzes auf die freiheitliche Demokratie, wie sie in der Bundesrepublik verwirklicht worden war, auf die aber auch die Deutschen in der DDR einen verbrieften Anspruch hatten. Die «Wende» von 1982 brachte, zur Enttäuschung vieler Konservativen, keine dauerhafte Abkehr von diesem Umgang mit dem Symbol «17. Juni».

Von «Verfassungspatriotismus» war in der Bundesrepublik erst in den achtziger Jahren häufiger die Rede. Das erste Mal tauchte der Begriff am 23. Mai 1979, anläßlich des 30. Jahrestags des Inkrafttretens des Grundgesetzes, in einem Leitartikel der «Frankfurter Allgemeinen Zeitung» auf. Autor war Dolf Sternberger. «Das Nationalgefühl bleibt verwundet, wir leben nicht im ganzen Deutschland», schrieb der Politikwissenschaftler und Publizist. «Aber wir leben in einer ganzen Verfassung, in einem ganzen Verfassungsstaat, und das ist selbst eine Art von Vaterland.»

Drei Jahre später, am 29. Juni 1982, führte Sternberger in einer Rede auf der 25-Jahr-Feier der Akademie für Politische Bildung in München den Gedanken weiter aus. Da das Deutsche Reich untergegangen sei, das deutsche Volk oder jedenfalls das Staatsvolk des vormaligen Deutschen Reiches in zwei Staaten lebe, «ihre Wiedervereinigung wegen der Teilung Europas, der Teilung der Welt in eine schmerzliche und mehrdeutige Ferne gerückt» sei, könne und müsse man von neuem fragen: «Was ist des Deutschen Vaterland, nämlich, welches ist unsere Patria in diesem geteilten Land und Volk?» Die Antwort lautete: Es war der Verfassungsstaat des Grundgesetzes, dem die Bürger der Bundesrepublik Loyalität schuldeten.

Sternberger berief sich auf den friderizianisch gesinnten Wahlpreußen Thomas Abbt, den Verfasser der Schrift «Vom Tode für das Vaterland» aus dem Jahr 1761, und sein Wort: «Die Stimme des Vaterlandes kann nicht mehr erschallen, wenn einmal die Luft der Freiheit entzogen ist.» Der Redner zitierte noch einen anderen Passus aus demselben Text: «Wenn mich die Geburt oder meine freie Entschließung mit einem Staate vereinigen, dessen heilsamen Gesetzen ich mich unterwerfe, Gesetzen, die mir nicht mehr von meiner Freiheit entziehen, als zum Besten des ganzen Staates nötig ist, alsdann nenne ich diesen Staat mein Vaterland.»

Abbt habe damit einem «verfassungspolitischen Vaterlandsbegriff» das Wort geredet, sagte Sternberger, wie ihm denn die Schrift aus der Zeit des Siebenjährigen Krieges überhaupt ein Beweis dafür war, daß der Patriotismus älter war als der Nationalismus und die gesamte nationalstaatliche Organisation Europas. Die Schweiz und die Vereinigten Staaten von Amerika, zwei ethnisch gemischte Staatswesen, würden «durch nichts anderes geeinigt als durch ihre Verfassung und durch die patriotischen Gefühle, die ihr, der Verfassung, entgegengebracht» würden.

Der Festredner folgerte aus diesen Beispielen nicht, daß neben der Verfassung nicht auch andere Faktoren wie «geschichtliche Überlieferung, ausgebildete Sprachkultur, dichtere ethnische Zusammengehörigkeit» beim «patriotischen Zusammenhang und Zusammenhalt der Gesellschaft» mitwirkten. «Auch wir Deutschen brauchen unsere nationale Zusammengehörigkeit wahrhaftig nicht zu vergessen, geschweige die Zugehörigkeit derer, die gerade in einem unfreien Staat leben müssen... Aber ich wünsche um so mehr und gerade deswegen, daß wir unseren Platz in dieser unserer Verfassung einnehmen, daß wir mit Krallen und Zähnen daran festhalten, daß wir nicht leichtsinnig und weichmütig etwa die Sicherung wegwerfen oder auch nur wegschieben, in der Erwartung, die Freiheit selber in der Hand behalten zu können. Sie ist anders nicht zu haben als in diesem Panzer! Daß wir uns auch nicht versuchen lassen, auszuziehen aus der Verfassung um der Nation und ihrer Vollständigkeit willen. Ich wünschte zudem, daß wir der Verfassung unsere Anhänglichkeit auch bezeugten... Auch das wäre an der Zeit: die gemeinsame Verfassungsloyalität der Bürger und der Parteien einmal öffentlich sichtbar zu machen.»

Schon lange vor Sternberger hatten in den sechziger Jahren liberalkonservative Publizisten und Politikwissenschaftler wie Burghard Freudenfeld und Hans Buchheim, 1970 dann auch Waldemar Besson, einen bundesrepublikanischen Patriotismus gefordert. Sternberger vermied, im Unterschied zu seinen «Vorläufern», jede Absage an einen gesamtdeutschen Patriotismus, die mit Geist und Wortlaut des Grundgesetzes und seiner Präambel auch nicht vereinbar gewesen wäre. Aber er versuchte doch, der Bundesrepublik zu einem «Wir-Gefühl» zu verhelfen, das ihre Verfassung ähnlich stark in den Mittelpunkt rückte, wie das in den USA geschah. Das Grundgesetz war eine westliche, aber nicht *irgendeine* westliche Verfassung, sondern ein Dokument, in dem sich die Erfahrungen der *deutschen* Geschichte, zumal die der Weimarer Republik und des Nationalsozialismus, niederschlugen; in ihm war die deutsche Verfassungsgeschichte seit 1848/49 im Hegelschen Sinne «aufgehoben»: bewahrt und überwunden zugleich. Sternbergers «Verfassungspatriotismus» war also alles andere als ein ahistorisches Konstrukt.

In einem wesentlichen Punkt widersprach das Grundgesetz jedoch dem schon von Thomas Abbt beschworenen, «verfassungspatriotischen» Ideal. Die Verfassungsschöpfer von 1948/49 definierten den Begriff «Deutscher» so, wie es schon das Staatsangehörigkeitsgesetz von 1913 getan hatte: im Sinne des Besitzes der deutschen Staatsangehörigkeit oder der Tatsache der deutschen Volkszugehörigkeit, also ethnisch und nicht als Ausdruck einer Willensentscheidung, «objektiv» und nicht «subjektiv», im Sinne des «Blutrechtes» («jus sanguinis») und nicht des «Bodenrechtes» («jus soli»), für das der Geburtsort und nicht die Abstammung ausschlaggebend war. Das war nicht zuletzt aus Rücksicht auf Flüchtlinge und Heimatvertriebene aus Gebieten außerhalb der Reichsgrenzen von 1937 geschehen, hatte aber zur Folge, daß Einbürgerungen von Ausländern, die in der Bundesrepublik lebten und Deutsche werden wollten, bis zur grundlegenden Reform des Staatsbürgerschaftsrechtes im Jahre 1999 auf große Schwierigkeiten stießen.

In der Logik von Sternbergers Argumentation hätte es gelegen, eine Verwestlichung des Staatsbürgerschaftsrechtes, mithin eine Ergänzung des «jus sanguinis» durch Elemente des «jus soli», nach dem Vorbild Frankreichs und anderer westlicher Demokratien zu fordern. *Diese* Folgerung zog Sternberger nicht. Doch er verengte den Begriff «deutsche Nation» auch nicht auf die Bundesrepublik; die deutsche Nation schloß aus seiner Sicht die Deutschen in der DDR vielmehr mit ein. Mit dem «Verfassungs-patriotismus», so wie er ihn verstand, wollte dieser Autor zwar den Provi-soriumsvorbehalt des Parlamentarischen Rats von 1949 überwinden, nicht aber einer Ausweitung des Geltungsbereichs des Grundgesetzes auf das Territorium der DDR einen Riegel vorschieben. Eben damit bezog Stern-berger einen Standpunkt, auf den sich die Mehrheit der «politischen Klasse» der Bundesrepublik verständigen konnte.

Von der Lagebeurteilung und den Vorschlägen, die Günter Gaus Ende Januar 1981 der bundesrepublikanischen Öffentlichkeit unterbreitete, konnte man das nicht sagen. In einem Interview mit der «Zeit» beklagte es der Publizist, unmittelbar vor seinem Ausscheiden aus dem Amt als Stän-diger Vertreter Bonns in Ost-Berlin, daß «wir bei uns die DDR innerlich noch nicht anerkannt haben... Wir benutzen die DDR manchmal sehr grobschlächtig wie eine große kommunistische Partei in einer innerstaatli-chen Auseinandersetzung, gleichsam als Ersatz-KP, die wir als ernsthaften Faktor, anders als Frankreich oder Italien, in der Bundesrepublik nicht ha-ben... Wir müssen unseren Dünkel gegenüber den DDR-Bemühungen ab-legen, ihre – für uns nicht akzeptable – Definition von einer DDR-Nation zu entwickeln. Der Dünkel ist ganz unangebracht. Er verstellt uns den Blick darauf, daß auch unser Nation-Begriff historisch und bürgerlich-klassenmäßig entstanden ist.»

Gaus forderte die «selbstkritische Überprüfung der simplen Adaption von 1870/71» und empfahl, «seriös und profund nach(zu)denken über Großdeutschland und Kleindeutschland, über den wirklichen Sinn von Fö-deralismus und auch über das, was die Mitte Europas gewesen ist, im Guten wie im Bösen». Er verlangte, die Bundesrepublik müsse damit aufhören, «die vordergründigen Debatten zu führen über Wiederherstellung der staatlichen Einheit der Nation, wenigstens aber doch Einheit der Kultur-nation». Er fragte rhetorisch: «Müssen wir soviel von der Nation reden?» Die beiden Sätze, die das größte Aufsehen erregten, lauteten: «Wir müssen möglicherweise sogar darauf verzichten, den Begriff der Nation weiter zu verwenden, weil wir uns damit bereits in die Gefahr begeben, wieder Schat-tenboxen zu betreiben. Wir geben damit nämlich wiederum Leuten in der DDR die Möglichkeit, zu sagen: Hier kommt der alte Revanchist um die Ecke, der nicht anerkennen will, daß hier zwei deutsche Staaten unabhän-gig voneinander und jeder souverän für sich existieren.»

Der geborene Braunschweiger vom Jahrgang 1929 argumentierte in der welfischen Tradition, gegen Bismarcks preußische Lösung der deutschen Frage gerichtet, in einem vorpolitisch anmutenden Sinn großdeutsch und nicht kleindeutsch. Im Begriff «Kulturnation» sah er eine «bemerkenswerte Verbesserung der Diskussion», wenn er ihn auch, aus Rücksicht auf die DDR, nicht verwenden wollte. «Unpatriotisch» war das alles nicht, viel-mehr auf eine altertümliche Weise «national». Ernst Moritz Arndts Wort über den Rhein abwandelnd, erklärte Gaus: «Die Elbe ist Deutschlands Strom, nicht Deutschlands Grenze.» Er warb dafür, die DDR nicht als «Polizeistaat» zu sehen, sondern als «deutsches Land», das in mancherlei Hinsicht «deutscher» wirke als die Bundesrepublik. «Es ist weniger eingeschmolzen, weniger nivelliert worden. Es gibt hier eine sehr bewußte Hinwendung zur Geschichte.»

Gaus' Folgerungen lauteten: «Beschäftigung mit deutscher Geschichte, Hinwendung zu den Sachsen und Mecklenburgern; Zuneigung zu diesem Staat, auch wenn er uns nicht gefällt.» Auf die Frage, ob er damit nicht die «Überwindung einer Geschichtslosigkeit» verlange, «unter der wir nicht nur in bezug auf jene Landschaften leiden, die heute die DDR ausmachen», antwortete der scheidende Ständige Vertreter der Bundesrepublik: «Ja, das verlange ich. Ich halte das für die Voraussetzung dafür, daß wir überhaupt bei uns in eine ernsthafte Diskussion dessen eintreten, was über Vertragsabschlüsse hinaus, über ein bißchen mehr Respektierung der DDR-Staatsbürgerschaft hinaus an grundlegender Stabilisierung des europäischen Zustands möglich ist.»

An der lebhaften Kontroverse, die Gaus mit seinem Interview auslöste, beteiligten sich auch zwei Historiker. Hans Mommsen, Professor an der Ruhr-Universität Bochum und Urenkel Theodor Mommsens, hielt eine «Revision des von westdeutscher Seite unreflektiert vertretenen, implizit oder explizit an den Bismarckschen Nationalstaat anknüpfenden Begriffs der deutschen Nation» für überfällig. Er wandte sich daher gegen die anderslautenden «Richtlinien zur Behandlung der deutschen Frage im Unterricht», wie sie die Konferenz der Kultusminister am 23. November 1978 beschlossen hatte. Es bestehe kein Zweifel daran, daß sich «seit längerem ein Prozeß der Bi-Nationalisierung beider Teile Deutschlands» vollziehe. In der Bundesrepublik habe sich bereits ein «nationales Identitätsbewußtsein» entwickelt, während in der DDR ein «gesamtnationales Gefühl» stärker erhalten geblieben sei – ein Faktum, das nach Meinung des Autors mit einem «Rückstand gesellschaftlicher Modernisierung» zusammenhing, aber nicht von Dauer sein konnte. «Auch unabhängig von den Bestrebungen der DDR-Führung, das Bewußtsein einer ‹sozialistischen deutschen Nation› zu fördern, ist dort ein national gefärbtes Sonderstaatsbewußtsein lebendig, das in den westdeutschen DDR-Klischees ständig neue Nahrung findet.»

Das «Festhalten am Leitbild der politischen Nation» widersprach Mommsen zufolge sowohl «dem allgemeinen Entwicklungstrend, der Osteuropa mittelfristig umfaßt, als auch dem historisch-politischen Bewußtsein der mittleren und jüngeren Generation der Bundesrepublik». Der Prozeß der österreichischen Nationsbildung im Zweiten Weltkrieg und danach gehöre in diesen Zusammenhang. «Parallel zu dieser Entwicklung ist eine Freisetzung und nachhaltige Verstärkung kulturnationaler Solidaritäten erkennbar... Die geschichtliche Existenz der deutschen Nation als historisch-ethnische Einheit greift über die beiden deutschen Staaten weit hinaus und umschließt auch diejenigen Minderheiten in aller Welt, die sich einer politischen Loyalität gegenüber dem zweigeteilten Deutschland in keiner Weise bewußt sind. Dieser Begriff der Nation kann nicht Grundlage der deutsch-deutschen Beziehungen sein.»

Mommsen räumte ein, daß es «sicherlich opportun» sei, «an staatsrechtlichen Gegebenheiten festzuhalten, die der Wahrnehmung konkreter nationaler Interessen der Bundesrepublik in bezug auf die DDR dienlich» seien. «Auch steht die geschichtlich begründete Solidarität mit den Deutschen jenseits der Mauer nicht zur Debatte. Nur ist die Legitimierung dieser Beziehungen nicht in der Traditionslinie des Bismarck-Reiches zu suchen, auch nicht in der kleindeutsch verformten Paulskirchen-Verfassung. Paradoxerweise sagt die Belastung der Deutschen durch die Schrecken des Holocaust mehr über die deutsch-deutsche Solidarität aus als die Projizierung von Inhalten der vor-nationalsozialistischen Geschichte.»

Die vielfach geäußerte Klage über die «verlorene nationale Identität» war folglich nach Mommsens Auffassung in keiner Weise gerechtfertigt: Wer in die Klage einstimmte, übersah, daß diese Identität «nur eine kurze Episode in der deutschen Geschichte» darstellte. «Die Bürger der Bundesrepublik empfinden zur bundesrepublikanischen Nation nationale Loyalität; sie wissen um die historisch gewachsenen Bindungen zu den Deutschen in der DDR; sie nehmen teil an der sich entfaltenden, von territorialen Nationalismen gelösten national-kulturellen Gemeinsamkeit... Die Bundesrepublik kann sich auf die Dauer den Luxus nicht leisten, die nationale Solidarität ihrer Bürger mit gesamtdeutschen Zielsetzungen zu belasten, die in den Augen der übergroßen Mehrheit nicht aktuell sind. Deutschland als geschichtliche und kulturelle Einheit wird, wie Günter Gaus dargelegt hat, davon nur gewinnen.»

Der Artikel Hans Mommsens erschien in der «Zeit» vom 6. Februar 1981 unter der Überschrift «Aus Eins mach Zwei». In der folgenden Ausgabe der Hamburger Wochenzeitung antwortete der Freiburger Historiker Heinrich August Winkler seinem Bochumer Kollegen unter dem Titel «Nation – ja, Nationalstaat – nein». «Daß die Deutschen in der DDR eine Nation für sich sein wollen, widerspricht allem, was wir über ihre Wünsche und Empfindungen wissen. Sie haben am Nationalsozialismus nicht mehr Schuld als die Bundesdeutschen, aber sie tragen an den Folgen des Zweiten Weltkriegs viel schwerer als wir. Da, innerdeutsch gesehen, die Bundesdeutschen die Gewinner von 1945 sind, gibt es hierzulande viel mehr Deutsche, die sich mit dem deutschen *status quo* abfinden können als dort, wo die Verlierer leben: in der DDR... Ein einseitiger Ausstieg aus der deutschen Nation wäre ein Triumph des bundesdeutschen Egoismus. Solange die Kriegsfolgen so ungleich verteilt sind, wie es heute noch immer der Fall ist, solange fehlt den Bundesdeutschen die moralische Legitimation, die nationale Solidarität mit den Deutschen in der DDR aufzukündigen.»

Daß das Zeitalter des souveränen Nationalstaates, jedenfalls in Europa, abgelaufen sei, stellte auch Winkler nicht in Abrede. «Nach den Erfahrungen, die Europa in diesem Jahrhundert mit Deutschland gemacht hat, wird es sich mit der Wiederherstellung eines deutschen Reiches, wie immer es genannt werden würde, nicht abfinden – und zwar auch nicht in den Grenzen von 1945. Die Interessen der beiden Weltmächte, der USA und der Sowjetunion, schließen eine solche Restauration ebenfalls aus... Die nationalstaatliche Wiedervereinigung Deutschlands ist also kein realistisches politisches Ziel. Die nationale Solidarität mit den Deutschen in der DDR verlangt von den Bundesdeutschen, daß sie sich einsetzen für Verhältnisse, die es ihren Landsleuten jenseits der Elbe erlauben, ihren Staat *innerlich* zu akzeptieren. Die innerliche Anerkennung der DDR, die Günter Gaus und Hans Mommsen von der Bundesrepublik fordern, kann erst erfolgen, wenn die Deutschen in der DDR uns darin vorausgegangen sind... Sollten die Deutschen in der DDR eines Tages ihren Staat ebenso annehmen wie die Bundesdeutschen den ihren, dann – aber auch erst dann – ist das Deutschland von 1870/71 zu einem abgeschlossenen Stück Geschichte geworden. Dann wäre Bismarcks ‹kleindeutsche Lösung› endgültig zu jener Episode geworden, als die sie sich erweisen mag... Solange das nicht so ist, können und dürfen die Bundesdeutschen sich aus ihrer besonderen nationalen Solidarität mit den Deutschen in der DDR nicht selbst entlassen.»

Die Debatte vom Frühjahr 1981 warf ein Schlaglicht auf jene «unbestimmt gehaltene Identität der Bundesrepublik», von der der Soziologe M. Rainer Lepsius schon 1968 in einem Beitrag zu der vom katholischen «Hochland» angestoßenen Diskussion über das Für und Wider eines bundesdeutschen Nationalgefühls gesprochen hatte. Gaus mochte aus taktischen Gründen auf den *Begriff* «Nation» verzichten; in der *Sache* war er wie Bahr und Bender, die ihm in der «Zeit» Rückendeckung gaben, der Vertreter eines ausgeprägten «Zweistaatlichkeitsnationalismus». Mommsen verband seine Absage an die kleindeutsche, Bundesrepublik und DDR umfassende Staatsnation mit dem Bekenntnis zu einer groß-, ja alldeutschen Kulturnation, befürwortete also die Koexistenz von zwei Nationsbegriffen, die sich nicht miteinander vereinbaren ließen: einem politisch-staatlichen, der sich auf die Bundesrepublik oder die DDR oder Österreich beziehen sollte, und einem völlig entgrenzten sprachlich-kulturellen Begriff von Nation. Winkler führte historische und normative Gründe an, die einstweilen dafür sprachen, an der Idee *einer* deutschen Nation auf dem Restgebiet des einstigen Bismarckreiches festzuhalten, auf die staatliche Zusammenführung dieser Nation aber nicht hinzuarbeiten. Seine Annahme, daß die deutsche Frage in dem Augenblick gelöst sein würde, wo die Deutschen in der DDR über dieselbe «innerstaatliche Freiheit» verfügten wie die Deutschen in der Bundesrepublik, entsprach dem, was Politiker aus allen Lagern seit langem geäußert hatten. Aber so wenig wie diese vermochte er plausibel zu machen, warum die Sowjetunion diese Entwick-

lung fördern und die Deutschen in der DDR sich damit zufrieden geben
sollten.

Wer die These von der «Bi-Nationalisierung» verfocht (außer den Historikern Lutz Niethammer, Hans Mommsen und Jürgen C. Heß etwa der
Politikwissenschaftler Gebhard Schweigler), konnte leicht Beispiele für ein
bundesrepublikanisches Staatsbewußtsein beibringen und sie im Sinne der
eigenen Prämissen als Zeichen von Nationalbewußtsein deuten: Ganz oben
rangierte dabei stets ein hohes Maß an Zustimmung zum politischen und
gesellschaftlichen System der Bundesrepublik. Was die DDR anging, fiel
die Beweisführung hingegen schwer: Subjektive Impressionen mußten hier
die fehlende empirische Evidenz ersetzen. Tatsächlich blieb die DDR auch
in Perioden relativer Entspannung zwischen Regime und Bevölkerung, so
in den ersten Jahren nach dem Wechsel von Ulbricht zu Honecker, eine von
der Bevölkerung nicht legitimierte Parteidiktatur. Infolgedessen stieß die
DDR die meisten Bundesbürger ab, während umgekehrt die Bundesrepublik vielen, wenn nicht den meisten Bürgern der DDR als attraktiv erschien.
In der Bundesrepublik hatte sich im Verlauf der Jahrzehnte eine «Staatsnation» entwickelt, der nichts fehlte als das offizielle Bewußtsein, eine zu sein.
Der DDR hingegen fehlte zur «Staatsnation» alles außer dem Anspruch der
Offiziellen, eine solche zu vertreten.

Die Schwierigkeiten mit dem Begriff «Nation» und seinem Inhalt führten schon in der zweiten Hälfte der siebziger Jahre zu einem damals noch
wenig beachteten Versuch, das Thema als solches, zumindest was Deutschland anbelangte, für abgeschlossen zu erklären. Im Nachwort zur 5. Auflage
seines Buches «Die deutsche Diktatur» bezeichnete der Bonner Politikwissenschaftler und Zeithistoriker Karl Dietrich Bracher die Bundesrepublik
als «post-nationale Demokratie unter Nationalstaaten». Bracher verband
mit dieser Standortbestimmung eine ähnliche Hoffnung wie Burghard
Freudenfeld 1967 in dem Essay, der die «Hochland»-Debatte auslöste: «Indem das ‹Provisorium› von 1949 von der Hypothek des unerfüllten Nationalstaats entlastet wird, ist das Definitivum einer freiheitlich-sozialen Demokratie möglich, die sich aus den deutschen Zwangslagen von 1870 und
1918, 1933 und 1945 bewußt gelöst hat ... Der deutsche Sonderweg ist widerlegt worden und scheint ans Ende gekommen.»

Zehn Jahre später, 1986, wiederholte Bracher die Formel von der «postnationalen Demokratie unter Nationalstaaten» in einem Beitrag zum fünften Band der «Geschichte der Bundesrepublik Deutschland», und diesmal
fand sie stärkere Aufmerksamkeit. «Die Bundesrepublik ist trotz der fortdauernden Bedeutung der deutschen Frage kein Sonderfall, der die Deutschen auf Sonderwege verweist. Ihre geographische Mittellage zu dramatisieren, wie es in der nationalen Identitätsdiskussion immer wieder
geschieht, hieße die wehleidigen Klagen und auch die überheblichen Gedanken aus einer schließlich fehlgegangenen deutschen Vergangenheit zu
wiederholen. Ihre Lage macht die Bundesrepublik vielmehr zu einem offe-

nen, lebendigen Schauplatz für alle zeitgenössischen Tendenzen – und gewiß auch für Ängste und Träume, die in der DDR und Osteuropa nicht ausgetragen werden können... Die Bundesrepublik hat sich über die Turbulenzen seit der Mitte der sechziger Jahre hinweg als ein leistungs- und wandlungsfähiges, stabiles und offenes Gemeinwesen erwiesen... Die europäische und atlantische Gemeinschaft gibt ihr den Rückhalt, um vor der besonderen Herausforderung zu bestehen, unter der sie nach dem Ende der deutschen Diktatur existiert: als postnationale Demokratie unter Nationalstaaten zu leben – und damit, ohnehin begünstigt und privilegiert gegenüber der Bevölkerung der DDR, die Konsequenzen selbstverschuldeter Diktatur und folgender Teilung zu tragen, aber auch den Erfahrungen sowohl der ersten – gescheiterten – wie der neuen erfolgreicheren Demokratie gerecht zu werden.»

Die Hinnahme der deutschen Teilung durch bundesrepublikanische Intellektuelle war Mitte der achtziger Jahre weit fortgeschritten. Die Einsicht, daß der Zweistaatlichkeit deutsche Schuld, nämlich die Entfesselung des Zweiten Weltkriegs, zugrunde lag, war kein spezifisches Merkmal der «Linken»; sie war ein Teil des liberalen Grundkonsenses, der die Bundesrepublik trug. Die DDR geriet darüber immer mehr aus dem Blickfeld; das Schicksal derer, die dort lebten, wurde bedauert, aber nur begrenzt für beeinflußbar gehalten.

Viele Bürgerrechtler in der DDR, zumal die evangelisch geprägten, sahen in der Teilung Deutschlands ebenfalls eine Sühne für das letzte gemeinsame Kapitel der deutschen Vergangenheit, die Zeit des Nationalsozialismus. «Wenn wir heute nach einer deutschen Identität suchen, kann dies nur in der Übernahme der gemeinsamen schuldhaften Vergangenheit beider deutschen Staaten und in der Anerkennung der Zweistaatlichkeit geschehen», hieß es in einer Erklärung der beiden Pfarrer Martin Gutzeit und Markus Meckel zum 40. Jahrestag des 8. Mai 1945. Aber im Unterschied zu den Intellektuellen im Westen waren die ostdeutschen Bürgerrechtler vom Status quo auf eine geradezu existentielle Weise betroffen: Ihnen blieb die Freiheit vorenthalten, die es westdeutschen Intellektuellen leicht machte, das Fehlen der Einheit zu verschmerzen.

Die Formel von der «postnationalen Demokratie unter Nationalstaaten» beschrieb eine Besonderheit der Bundesrepublik, vielleicht sogar einen neuen Sonderweg. Denn die anderen Mitgliedsstaaten der Europäischen Gemeinschaft waren demokratische Nationalstaaten, repräsentierten also den Normalfall. Das hinderte manche bundesdeutschen Intellektuellen, zumal auf der Linken, nicht, in der Überwindung von Nationalstaat und Nation eine westdeutsche Errungenschaft zu sehen – etwas, worin die Bundesrepublik ihren Partnern voraus war, ein Gebiet, auf dem sie die anderen Westeuropäer, frei nach einem bekannten Wort Walter Ulbrichts, überholt hatte, ohne sie einzuholen. Daß die westlichen Nachbarn westdeutschen Ansprüchen auf den zukunftsweisenden Modellcharakter des «postnationalen» Gemeinwesens Bundesrepublik wenig abgewinnen konnten, wurde kaum wahrgenommen. Genauso wenig drang ins intellektuelle Bewußtsein, daß es einen spezifisch deutschen Grund gab, hinter das «postnationale» Selbstverständnis ein Fragezeichen zu setzen: die von Bracher ausdrücklich hervorgehobene Tatsache, daß die Folgelasten der gemeinsamen deutschen Geschichte zwischen den Deutschen im Westen und Osten nach wie vor höchst ungleich verteilt waren.[20]

Die Verbrechen des Nationalsozialismus, an erster Stelle die Ermordung der europäischen Juden, waren in den achtziger Jahren endgültig zum hervorstechenden Merkmal eines selbstkritischen Bewußtseins von deutscher Identität geworden. Vieles hatte dazu beigetragen, jenes halbapologetische Verhältnis zum «Dritten Reich» zu überwinden, das die fünfziger Jahre geprägt hatte und in manchen konservativen Kreisen immer noch nachwirkte: das Heranwachsen neuer Generationen, die die «Schuldfrage» nicht mehr an sich selbst richten mußten; die wissenschaftliche Aufarbeitung der Geschichte der Konzentrationslager und der systematischen Menschenvernichtung; die großen Gerichtsverfahren gegen Mittäter der Ausrottungspolitik, darunter der Prozeß gegen Adolf Eichmann, den Leiter des Judenreferats im Reichssicherheitshauptamt, in Jerusalem 1960/61, der Auschwitz-Prozeß vor dem Frankfurter Schwurgericht in den Jahren 1963 bis 1965 und der Düsseldorfer Treblinka-Prozeß von 1964/65; Dramen wie Rolf Hochhuths «Stellvertreter» von 1963; die Fernsehverfilmung von Hans Scholz' Roman «Am grünen Strand der Spree» im März 1960, in der die massenhafte Erschießung von Juden im besetzten Polen gezeigt wurde; schließlich, an öffentlicher Wirkung alles andere in den Schatten stellend, die Ausstrahlung der amerikanischen Fernsehserie «Holocaust» an vier Abenden einer Woche Ende Januar 1979, von allen dritten Programmen der Arbeitsgemeinschaft der öffentlich-rechtlichen Rundfunkanstalten der Bundesrepublik Deutschland zeitgleich gesendet. Die Statistiker der ARD zählten über 16 Millionen Zuschauer.

Erst nach dem Fernsehereignis von Anfang 1979 setzte sich in der Bundesrepublik der Begriff «Holocaust», der im Altgriechischen «Brandopfer» bedeutet, zur Kennzeichnung des Judenmordes durch; erst in den Jahren danach wurde «Auschwitz» für die Deutschen zum Inbegriff des Grauens, das Deutschland unter Hitler über die Welt gebracht hatte. In den wissenschaftlichen Debatten über die tieferen Gründe der deutschen Teilung stand während der achtziger Jahre der Judenmord, anders als die deutsche Politik, die zu den beiden Weltkriegen geführt hatte, nicht im Vordergrund. Aber im allgemeinen Bewußtsein setzte sich doch in jener Zeit unterschwellig eine Auffassung durch, die sich erst später artikulierte: Die deutsche Zweistaatlichkeit war demnach nicht nur ein Unterpfand des Gleichgewichts von West und Ost in Europa und damit des Weltfriedens, sondern auch Strafe und Sühne für das deutsche Menschheitsverbrechen – für Auschwitz.

Als es im Jahre 1985 galt, sich des 40. Jahrestages der bedingungslosen Kapitulation des Deutschen Reiches zu erinnern, wählte Bundeskanzler Helmut Kohl eine Form des Gedenkens, die im In- und Ausland leidenschaftliche Proteste auslöste: Als Geste der Versöhnung wollte er zusammen mit dem amerikanischen Präsidenten Reagan, der aus Anlaß ebendieses Jahrestages in Europa weilte, den Soldatenfriedhof von Bitburg in der Eifel besuchen. Dort lagen etwa 2 000 deutsche Soldaten begraben, darunter auch, was man in Bonn übersehen hatte, 49 Soldaten der Waffen-SS. Reagan sah sich, seit diese Nachricht um die Welt gegangen war, schweren Angriffen, vor allem von jüdischen Organisationen, ausgesetzt. Kohl aber bestand darauf, das Besuchsprogramm so durchzuführen, wie er es vorgesehen hatte. Am 5. Mai besuchten der amerikanische Präsident und der deutsche Bundeskanzler den Soldatenfriedhof von Bitburg; die pensionierten Generäle Matthew Ridgway und Johannes Steinhoff, zwei ehemalige Frontkämpfer, reichten sich zum Zeichen der Versöhnung die Hand. Hätte Reagan nicht auch dem ehemaligen Konzentrationslager Bergen-Belsen einen Besuch abgestattet, von Bitburg wäre eine makabre Botschaft ausgegangen: Die Bundesrepublik und die Vereinigten Staaten haben sich darauf verständigt, den Zweiten Weltkrieg fortan als europäischen Normalkrieg zu betrachten.

Drei Tage später, am 8. Mai, hielt Richard von Weizsäcker, der ein Jahr zuvor, am 23. Mai 1984, von Koalitionsparteien und Sozialdemokraten im ersten Wahlgang gewählte sechste Bundespräsident, im Bundestag eine Rede, die links und in der Mitte als positiver Kontrast zu Kohls unsensiblem Umgang mit historischen Symbolen empfunden wurde – vom einhellig zustimmenden Echo im Ausland ganz zu schweigen. Weizsäcker sprach aus, «was es heute für uns alle gemeinsam zu sagen gilt: Der 8. Mai war ein Tag der Befreiung. Er hat uns alle befreit von dem menschenverachtenden System der nationalsozialistischen Gewaltherrschaft.» Zwar werde niemand um dieser Befreiung willen vergessen, welche schweren Leiden für viele Menschen mit dem 8. Mai 1945 erst begonnen hätten und danach gefolgt seien. «Aber wir dürfen nicht im Ende des Krieges die Ursache für Flucht, Vertreibung und Unfreiheit sehen. Sie liegt vielmehr in seinem Anfang und im Beginn jener Gewaltherrschaft, die zum Kriege führte. Wir dürfen den 8. Mai 1945 nicht vom 30. Januar 1933 trennen. Wir haben wahrlich keinen Grund, uns am heutigen Tag an Siegesfeiern zu beteiligen. Aber wir haben allen Grund, den 8. Mai 1945 als das Ende eines Irrwegs deutscher Geschichte zu erkennen, das den Keim der Hoffnung auf eine bessere Zukunft barg.»

Der Bundespräsident gedachte der Opfer des deutschen Widerstandes, und zwar «des bürgerlichen, des militärischen und glaubensbegründeten, des Widerstandes in der Arbeiterschaft und bei Gewerkschaften, des Widerstandes der Kommunisten». Er hielt fest, daß es kaum einen Staat gebe, der in seiner Geschichte immer frei von schuldhafter Verstrickung in Krieg und Gewalt geblieben sei, um dann hinzuzufügen: «Der Völkermord an den Juden jedoch ist beispiellos in der Geschichte. Die Ausführung des Verbrechens lag in der Hand weniger. Vor den Augen der Öffentlichkeit wurde es abgeschirmt. Aber jeder Deutsche konnte miterleben, was jüdische Mitbürger erleiden mußten, von kalter Gleichgültigkeit über versteckte Intoleranz bis zu offenem Haß. Wer konnte arglos bleiben nach den Bränden der Synagogen, den Plünderungen, der Stigmatisierung mit dem Judenstern, dem Rechtsentzug, den unaufhörlichen Schändungen der menschlichen Würde?»

Manches, was mit dem 8. Mai 1945 und dem 30. Januar 1933 in engem Zusammenhang stand, blieb auch in dieser Rede ungesagt oder unklar. Weizsäcker beklagte die nationalistischen Leidenschaften, die nach den Friedensverträgen von 1919 erneut aufgeflammt seien und sich mit sozialen Notständen verknüpft hätten. «Auf dem Weg ins Unheil wurde Hitler die treibende Kraft. Er erzeugte und er nutzte Massenwahn. Eine schwache Demokratie war unfähig, ihm Einhalt zu gebieten. Und auch die europäischen Westmächte, nach Churchills Urteil ‹arglos, nicht schuldlos›, trugen durch Schwäche zur verhängnisvollen Entwicklung bei.» Den Anteil, den die alte Oberschicht, Besitz- und Bildungsbürgertum an der Zerstörung der Weimarer Republik, an den Erfolgen des Diktators und am Zweiten Weltkrieg hatten, erwähnte der Bundespräsident, ein Sohn des langjährigen Staatssekretärs im Auswärtigen Amt, Ernst von Weizsäcker, nicht. Dennoch wirkte seine Rede befreiend: Ein Staatsoberhaupt, das aus der Union hervorgegangen war, setzte sich mit konservativen Deutungen deutscher Geschichte beinahe so kritisch auseinander wie eineinhalb Jahrzehnte zuvor der sozialdemokratische Bundespräsident Gustav Heinemann.

Apologetische Lesarten deutscher Geschichte konnte aber auch ein Bundespräsident nicht aus der Welt schaffen. Am 28. Februar 1986 kommentierte Friedrich Karl Fromme in der «Frankfurter Allgemeinen Zeitung» eine Bundestagsdebatte vom Vortag zum Thema «Antisemitismus» mit den Worten: «Andere Nationen könnten fragen, ob ihnen Sympathien vorzuschreiben seien. Die ‹Judenvernichtung›, das Wort gehört zwischen Anführungsstriche, ist im Nazi-Staat diskret vonstatten gegangen; keineswegs war es so, daß über den damaligen Deutschlandsender ein wöchentliches Bulletin ging, in den zurückliegenden Tagen seien soundsoviele Juden zu Tode gebracht worden... Wie unbefangen darf der Deutsche heute sein? Er muß befangen bleiben in dem Sinne, daß die sonst leichthin erlaubte Sonderung der Mitmenschen in solche, die man mag, und andere, die man nicht so sehr mag, gegenüber den Juden untersagt ist... Es gibt viel guten Willen bei den jungen und bei den nicht mehr ganz jungen Deutschen gegenüber den Juden. Einer sich unbefangen fühlenden Generation aber ist zuzubilligen, daß ihre Geduld begrenzt ist. Vernunft und Menschlichkeit, zwei Begriffe, die nicht immer in eins gehen, müssen mit Feingefühl behandelt werden – von allen Seiten.»

Zwei Monate später, am 24. April 1986, befaßte sich ein anderer Redakteur der «FAZ», Ernst-Otto Maetzke, mit der internationalen Auseinandersetzung um die Wahl des österreichischen Bundespräsidenten. Der konservative Bewerber, Kurt Waldheim, hatte der SA angehört; ihm wurde, unter anderem vom Jüdischen Weltkongreß und von amerikanischen Zeitungen, vorgeworfen, als Offizier im Zweiten Weltkrieg an Kriegsverbrechen auf dem Balkan beteiligt gewesen zu sein oder sie zumindest gedeckt zu haben. Maetzke behauptete, möglicherweise zu Recht, die Angriffe gegen Waldheim stünden im Zusammenhang mit der Politik, die Österreich gegenüber dem Staat Israel betreibe, und fuhr dann wörtlich fort: «Sicher ist aber, daß es verwerflich ist, die Toten eines vergangenen Krieges und einer Gewaltherrschaft heuchlerisch zum Betreiben gegenwärtiger politischer Ziele zu mißbrauchen. Daß diese Methode weithin im politischen Kampf als üblich gilt, macht sie nicht besser. Gewöhnliche Leichenfledderer sind vergleichsweise anständige Leute.»

Sehr viel mehr Aufsehen erregte die «Frankfurter Allgemeine Zeitung» am 6. Juni 1986 mit dem Abdruck einer im Wortsinn «ungehaltenen» Rede des Berliner Historikers Ernst Nolte. Was dieser den Lesern der «Zeitung für Deutschland» vortrug, hatte er eigentlich auf den Frankfurter «Römerberg-Gesprächen» sagen wollen, aber nicht sagen können, weil die Veranstalter die Einladung nicht aufrechterhielten. Der Autor mehrerer bedeutender Bücher, darunter eines über den «Faschismus in seiner Epoche», versuchte sich in Hitler hineinzuversetzen. Er schilderte, was der Führer der Nationalsozialisten über den Terror der Bolschewiki und namentlich über die Verhörmethoden ihrer Geheimpolizei wußte, zu denen angeblich die der «chinesischen Tscheka» zugeschriebene Drohung gehörte, eine vor Hunger halb irrsinnig gewordene Ratte aus ihrem Käfig auf den Gefangenen loszulassen, um diesen zu Geständnissen zu zwingen.

Nolte knüpfte hieran einige rhetorische Fragen: «Vollbrachten die Nationalsozialisten, vollbrachte Hitler eine ‹asiatische› Tat vielleicht nur deshalb, weil sie sich und ihresgleichen als potentielle oder wirkliche Opfer einer ‹asiatischen› Tat betrachteten? War nicht der ‹Archipel GULag› ursprünglicher als Auschwitz? War nicht der ‹Klassenmord› der Bolschewiki das logische und faktische Prius des ‹Rassenmords› der Nationalsozialisten? Sind Hitlers geheimste Handlungen nicht gerade auch dadurch zu erklären, daß er den ‹Rattenkäfig› *nicht* vergessen hatte? Rührte Auschwitz vielleicht in seinen Ursprüngen aus einer Vergangenheit her, die nicht vergehen wollte?»

Daß sich «trotz aller Vergleichbarkeit die biologischen Vernichtungsaktionen des Nationalsozialismus qualitativ von der sozialen Vernichtung unterschieden, die der Bolschewismus vornahm», wollte auch Nolte nicht bestreiten. «Aber so wenig wie ein Mord, und gar ein Massenmord, durch einen anderen Mord ‹gerechtfertigt› werden kann, so gründlich führt doch eine Einstellung in die Irre, die nur auf den einen Mord und den einen Massenmord hinblickt und den anderen nicht zur Kenntnis nehmen will, obwohl ein kausaler Nexus wahrscheinlich ist. Wer sich diese Geschichte nicht als Mythologem, sondern in ihren wesentlichen Zusammenhängen vor Augen stellt, der wird zu einer zentralen Forderung getrieben: Wenn sie in all ihrer Dunkelheit und in all ihren Schrecknissen, aber auch in der verwirrenden Neuartigkeit, die man den Handelnden zugute halten muß, einen Sinn für die Nachfahren gehabt hat, dann muß er im Freiwerden von der Tyrannei des kollektivistischen Denkens bestehen... Sofern die Auseinandersetzung mit dem Nationalsozialismus gerade von diesem kollektivistischen Denken geprägt ist, sollte endlich ein Schlußstrich gezogen werden.»

Mit Noltes Artikel begann der «Historikerstreit» um die historische Einzigartigkeit der nationalsozialistischen Judenvernichtung. Der Geschichtsforscher von der Freien Universität Berlin, der von Hause aus Philosoph war, hatte Anstoß daran genommen, daß, wie er meinte, alle Welt nur *ein* Jahrhundertverbrechen als solches betrachtete: den nationalsozialistischen Rassenmord. Dagegen begehrte Nolte als Deutscher und als Bürger auf. Bevor das Jahrhundert zu Ende ging, wollte er die Geschichte zurechtrücken – im Sinne einer angemessenen Berücksichtigung des *anderen*, zeitlich früheren Menschheitsverbrechens, des bolschewistischen Klassenmordes. Nolte stellte das Verhältnis beider Massenmorde so dar, daß Hitler als der Reagierende erschien, der im Zustand der Notwehr handelte oder doch zumindest handeln zu dürfen glaubte. Setzte sich diese Geschichtsdeutung durch, waren Deutschland und mit ihm das europäische Bürgertum, soweit es mit Hitler kollaboriert hatte, teilweise entlastet. Der nationalapologetische und der klassenapologetische Effekt von Noltes Ansatz lagen auf der Hand: Das war die Quintessenz seiner Attacken auf angeblich «kollektivistische» Schuldzuweisungen.

Die schärfste Erwiderung auf Noltes Revision des Geschichtsbildes kam von dem Frankfurter Philosophen Jürgen Habermas. In der «Zeit» vom 11. Juli 1986 warf er dem Berliner Historiker und einigen seiner eher konservativen Kollegen (er nannte Andreas Hillgruber, Michael Stürmer und Klaus Hildebrand) vor, sie betrieben Ideologieplanung zwecks Wiederbelebung des deutschen Nationalbewußtseins. Für Nolte schrumpfe Auschwitz «auf das Format einer technischen Innovation»; es erkläre sich aus der «‹asiatischen› Bedrohung durch einen Feind, der immer noch vor unserer Türe steht». Politisch gefährlich war der Versuch, «die Hypotheken einer glücklich entmoralisierten Vergangenheit *abzuschütteln*», weil er darauf hinauslief, die Bundesrepublik geistig dem Westen zu entfremden. «Die vorbehaltlose Öffnung der Bundesrepublik gegenüber der politischen Kultur des Westens ist die große intellektuelle Leistung unserer Nachkriegszeit, auf die gerade meine Generation stolz sein könnte. Stabilisiert wird das Ergebnis nicht durch eine deutsch-national eingefärbte Natophilosophie... Der einzige Patriotismus, der uns dem Westen nicht entfremdet, ist ein Verfassungspatriotismus. Eine in Überzeugungen verankerte Bindung an universalistische Verfassungsprinzipien hat sich leider in der Kulturnation der Deutschen erst nach – und durch – Auschwitz bilden können. Wer uns mit einer Floskel wie ‹Schuldbesessenheit›… die Schamröte über dieses Faktum austreiben will, wer die Deutschen zu einer konventionellen Form ihrer nationalen Identität zurückrufen will, zerstört die einzig verläßliche Basis unserer Bindung an den Westen.»

Von den Historikern, die sich an der Kontroverse beteiligten, ergriffen die meisten gegen Nolte Partei. Einer von ihnen, Heinrich August Winkler, brachte die «Geschichtspolitik» Noltes und seiner publizistischen Verbündeten, darunter des Mitherausgebers der «Frankfurter Allgemeinen», Joachim Fest, in Verbindung mit der von ebendieser Zeitung seit einiger Zeit verstärkt erhobenen Forderung nach der Wiedervereinigung Deutschlands. «Um heute die Wiederherstellung des Deutschen Reiches fordern zu können, muß die Geschichte in der Tat umgeschrieben werden. Das Regime, das die staatliche Einheit Deutschlands verspielt hat, darf nicht mehr als das erscheinen, was es war: das menschenfeindlichste der Geschichte… Angesichts der Rolle, die Deutschland bei der Entstehung der beiden Weltkriege gespielt hat, kann Europa und sollten die Deutschen ein neues Deutsches Reich, einen souveränen Nationalstaat, nicht mehr wollen. Das ist die Logik der Geschichte, und die ist nach Bismarcks Wort genauer als die preußische Oberrechenkammer… Zu unserem Erbe gehört aber auch die nationale Solidarität mit den Deutschen in der DDR, die an der Last der deutschen Geschichte bis heute ungleich schwerer zu tragen haben als die Bürger der Bundesrepublik.»

Der «Historikerstreit» förderte keine neuen wissenschaftlichen Erkenntnisse zutage, wurde aber wichtig für die politische Kultur der Bundesrepublik: In der Abwehr von Noltes historischer Entlastungsoffensive bildete sich so etwas wie eine «posthume Adenauersche Linke» heraus. Die intellektuelle Linke begann die von ihr einst heftig befehdete Westbindung, das Werk des ersten Bundeskanzlers, als ihre ureigenste Errungenschaft zu betrachten – eine Errungenschaft, die gegen jedweden, wirklichen oder vermeintlichen nationalen «Revisionismus» verteidigt wurde. Auf diese Weise entstand ein spezifisch linker oder linksliberaler bundesrepublikanischer «Verfassungspatriotismus». Der «Verfassungspatriotismus», wie Habermas ihn verstand, unterschied sich freilich von dem Dolf Sternbergers, und zwar vor allem durch seinen höheren Abstraktionsgrad: Der Frankfurter Philosoph nahm nicht auf das Grundgesetz Bezug, sondern auf «universalistische Verfassungsprinzipien» des Westens ganz allgemein. Ob sich darauf *allein* ein Bewußtsein bundesrepublikanischer Identität würde gründen lassen, war zweifelhaft – ganz abgesehen von der Frage, ob es für die «universalistisch» orientierten Bundesbürger noch eine besondere Verpflichtung gegenüber den Deutschen in der DDR gab, die an den westlichen Werten nicht teilhaben durften.

Die Auseinandersetzung mit Nolte war notwendig, und sie war erfolgreich: Die nationalapologetische Revision des deutschen Geschichtsbildes fand nicht statt; die selbstkritische Aufarbeitung deutscher politischer Traditionen ging verstärkt weiter. Doch der Sieg der Aufklärer hatte seinen Preis. Das Arrangement mit dem deutschen Status quo, der für die Westdeutschen bequem, für die meisten Ostdeutschen dagegen bedrückend war, verfestigte sich; das Bewußtsein der moralischen Ambivalenz dieses Zustands wurde immer schwächer. Die These von der Einzigartigkeit des Holocaust wirkte der nivellierenden Einebnung des deutschen Menschheitsverbrechens entgegen, hatte aber auch andere Wirkungen: die Verharmlosung von Verbrechen, die «links» und nicht «rechts» zu verorten waren; die Tabuisierung der Frage, welche Rolle die Angst vor dem Bürgerkrieg, eine von den Kommunisten bewußt erzeugte Angst, beim Aufstieg der faschistischen Bewegungen gespielt hatte; die Weigerung, unterschiedliche Formen von totalitärer Herrschaft miteinander zu vergleichen oder den Begriff «totalitär» überhaupt zu verwenden. «Geschichtspolitik» (der Begriff tauchte erstmals 1986 auf) war mithin kein Monopol von Konservativen wie Nolte; auch Linke und Linksliberale betrieben sie.

Das Wort von Auschwitz als einem «Ursprungsmythos» der Bundesrepublik stammt wohl aus dem Jahr 1997. Erst in den achtziger Jahren gewann der Name des Vernichtungslagers eine solche legitimierende Bedeutung, und erst damals wurden Stimmen laut, die im Holocaust den einzigen gemeinsamen Bezugspunkt von deutsch-deutscher Identität erkennen wollten. Eine derartige Inanspruchnahme des nationalsozialistischen Genozids bedeutete seine geschichtspolitische Instrumentalisierung: Wie die Ermordung der Juden zu deuten war, wofür oder wogegen sie als Argument herangezogen wurde, hing dann vom jeweiligen «deutschen Interesse» ab. Die Scham angesichts des schrecklichsten Verbrechens der deutschen Geschichte konnte in «Sühnestolz» umschlagen und einem negativen Nationalismus Auftrieb geben – einem Gemeinschaftsgefühl mit pseudoreligiösen Zügen, wie sie auch jedem «echten» Nationalismus eignen. Es waren nur Teile der bundesrepublikanischen Linken, bei denen sich eine solche Entwicklung vollzog. Doch wo immer das geschah, nahm der Wille, aus der deutschen Katastrophe zu lernen, den Charakter eines pathologischen Lernprozesses an.

In seiner Rede vom 8. Mai 1985 hatte Bundespräsident von Weizsäcker laut darüber nachgedacht, «warum es 40 Jahre nach Ende des Krieges zu so lebhaften Auseinandersetzungen über die Vergangenheit gekommen ist. Warum lebhafter als nach 25 oder 30 Jahren?» Er beantwortete die Frage mit dem Hinweis, daß 40 Jahre «in der Zeitspanne von Menschenleben und Völkerschicksalen eine große Rolle» spielten, und verwies in diesem Zusammenhang auf das Alte Testament. «40 Jahre sollte Israel in der Wüste bleiben, bevor der neue Abschnitt in der Geschichte mit dem Einzug ins verheißene Land begann. 40 Jahre waren notwendig für einen vollständigen

Wechsel der damals verantwortlichen Vätergeneration... So bedeuten 40 Jahre stets einen großen Einschnitt. Sie wirken sich aus im Bewußtsein der Menschen, sei es als Ende einer dunklen Zeit mit der Zuversicht auf eine neue und gute Zukunft, sei es als Gefahr des Vergessens und als Warnung vor den Folgen.»

Dem 40. Jahrestag der deutschen Kapitulation folgte drei Jahre später der 50. Jahrestag der Pogrome der «Reichskristallnacht» vom 9. November 1938. Die offizielle Gedenkrede hielt am 10. November 1988 der Präsident des Deutschen Bundestages, Philipp Jenninger (CDU). Er versuchte die Gründe für die Popularität Hitlers und des «Dritten Reiches» in den Jahren 1933 bis 1938 darzulegen. Er tat es rhetorisch denkbar ungeschickt, indem er, zum Teil in Frageform, zeitgenössische Vorstellungen und nationalsozialistische Begriffe wie «arisches Eigentum» und «Rassenschande» wiedergab, ohne deutlich zu machen, daß er zitierte und paraphrasierte.

Zahlreiche Abgeordnete der Grünen, aber auch Parlamentarier der SPD und der FDP verließen daraufhin den Plenarsaal, so daß sie nicht mehr hörten, was Jenninger auch noch sagte. «Das Wesentliche wurde gewußt»: Es war ein Wort des verstorbenen sozialdemokratischen Abgeordneten Adolf Arndt, eines «Halbjuden» im Sinne der nationalsozialistischen Rassengesetze, auf das sich der Bundestagspräsident berief, um der verbreiteten Meinung entgegenzutreten, den Deutschen sei die Judenvernichtung während des Zweiten Weltkrieges unbekannt geblieben. Und Jenninger sprach aus, was so schonungslos wohl noch kein Redner im Bundestag gesagt hatte: «An Auschwitz werden sich die Menschen bis ans Ende aller Zeiten als eines Teils unserer deutschen Geschichte erinnern.»

Die Motive derer, die den Saal verließen, dürften unterschiedlicher Natur gewesen sein. Viele meinten aus gutem Grund, die Ansprache sei dem Anlaß nicht angemessen; andere witterten hinter dem Unvermögen des Redners apologetische Absichten, die Jenninger aber ganz fernlagen; einigen ging es vermutlich auch nur darum, sich durch Protest als aufrechte Antifaschisten darzustellen. Die öffentliche Empörung war so groß, daß Jenninger tags darauf die Konsequenzen zog und vom Amt des Bundestagspräsidenten zurücktrat. Am 25. November wurde die bisherige Bundesministerin für Jugend, Familie, Frauen und Gesundheit, Rita Süssmuth, eine Politikerin der CDU, zu seiner Nachfolgerin gewählt.[21]

Die Geschichte der beiden deutschen Staaten scheint einer merkwürdigen Abfolge von Zwölfjahreszyklen unterworfen. Zwölf Jahre nach der Gründung von Bundesrepublik und DDR wurde 1961 die Berliner Mauer gebaut, eine der am schärfsten bewachten Staatsgrenzen der Welt; 1973, zwölf Jahre nach dem Bau der Mauer, trat der Grundlagenvertrag in Kraft, der die Beziehungen zwischen Bonn und Ost-Berlin in eine wechselseitig vereinbarte Rechtsform brachte. Wiederum zwölf Jahre später, im März 1985, kam in Moskau jener Mann an die Macht, der das Verhältnis zwischen West und Ost und damit auch das Verhältnis zwischen den beiden deutschen Staaten dramatisch verändern sollte: Michail Gorbatschow.

Der neue Generalsekretär des Zentralkomitees der Kommunistischen Partei der Sowjetunion besaß kein fertiges Konzept für das, was es innen- und außenpolitisch zu tun galt. Er wußte nur, daß es so wie bisher nicht weitergehen konnte. In den langen Jahren der sogenannten «Stagnation» unter Breschnew waren die überfälligen Reformen im Innern verschleppt worden; stattdessen hatte sich Moskau auf ein ruinöses Wettrüsten und auf gefährliche außenpolitische Abenteuer wie die Intervention in Afghanistan eingelassen. Die Wirtschaft der Sowjetunion befand sich im Zustand des rapiden Niedergangs. Als 1985 die Organisation der erdölproduzierenden Länder, die OPEC, zerfiel und die Preise für Rohöl sanken, verloren die Sowjetunion und ihre Verbündeten, darunter die DDR, auch noch die zeitweiligen Vorteile, die sich aus dem Gefälle zwischen den Rohölpreisen auf dem Weltmarkt und denen innerhalb des Rates für Gegenseitige Wirtschaftshilfe, des RGW, ergeben hatten.

Um der vielen Krisen Herr zu werden, mußte Gorbatschow das Steuer herumwerfen. Innenpolitisch kam es darauf an, den erneuerungswilligen Kräften mehr Spielraum zu verschaffen, die Unternehmen zu Eigenverantwortung und Wettbewerb zu erziehen, die Privatinitiative und private Kleinbetriebe zu fördern. Außenpolitisch gab es keine vernünftige Alternative zu dem Versuch, das Verhältnis zur anderen Supermacht, den USA, zu verbessern, die Entspannungspolitik zu erneuern und durch internationale Abrüstung die Last der Militärausgaben zu mindern.

Die Schlüsselbegriffe für den inneren Wandel hießen «Glasnost» (Öffentlichkeit) und «Perestrojka» (Umbau). Gemeint waren Transparenz und Demokratisierung der Entscheidungsprozesse. Am 28. Januar 1987 sprach Gorbatschow in seinem Schlußwort auf dem Plenum des Zentralkomitees das vielzitierte Wort aus: «Wir brauchen Demokratie wie die Luft zum Atmen». Wohl ohne es zu wissen, zitierte er damit eine Äußerung von Friedrich Engels aus dem Jahre 1865. Ohne Pressefreiheit, Vereins- und Versammlungsrecht sei keine Arbeiterbewegung möglich, hatte der Mitstreiter von Karl Marx damals geschrieben. «Ohne diese Freiheit kann sie selbst (die Arbeiterpartei, H. A. W.) sich nicht frei bewegen; sie kämpft in diesem Kampf für ihr eigenes Lebenselement, für die Luft, die sie zum Atmen nötig hat.» 122 Jahre später wiederholte der Mann an der Spitze der KPdSU diese Feststellung im Sinne einer Forderung, die es erst noch zu verwirklichen galt. Konsequent zu Ende gedacht war der Ruf nach Demokratie freilich nicht. Denn den Führungsanspruch der Kommunistischen Partei wollte Gorbatschow nicht preisgeben, mit dem Leninismus also keineswegs radikal brechen. Demokratie im westlichen Sinn ließ sich auf diese Weise nicht erreichen, aber doch mehr als bloß eine Milderung der Diktatur: Unter dem neuen Generalsekretär hielten individuelle Meinungsfreiheit und Meinungsvielfalt der Medien Einzug in der Sowjetunion.

Außenpolitisch kam Gorbatschow zustatten, daß Ronald Reagan, der im November 1984 ein zweites Mal zum Präsidenten der Vereinigten Staaten gewählt worden war, seinerseits mit dem Umdenken begonnen hatte. *Daß* er es tat, hatte vor allem zwei Gründe: Zum einen drängte ihn die demokratische Mehrheit im Repräsentantenhaus, die Abrüstung gemeinsam mit der Sowjetunion voranzubringen. Zum anderen mußte Reagan daran liegen, eine schwere innenpolitische Krise, die «Iran-Contra-Affäre», zu überwinden. (Mitglieder des Nationalen Sicherheitsrates hatten den vom amerikanischen Geheimdienst CIA verdeckt unterstützten Kampf der rechten «Contras» in Nicaragua gegen die linksgerichtete Regierung der Sandinistischen Befreiungsfront mit illegalen Waffenverkäufen an den Iran finanziert und auf diese Weise auch erreicht, daß Teheran im Iran festgehaltene amerikanische Geiseln freiließ).

Auf einem Gipfeltreffen zwischen Reagan und Gorbatschow in Reykjavik im Oktober 1986 – der zweiten Begegnung der beiden, der eine Zusammenkunft im November 1985 in Genf vorausgegangen war – wäre es fast schon zur Einigung über den vollständigen Abbau der eurostrategischen Waffen gekommen. Doch der positive Abschluß scheiterte zuletzt an der Weigerung des amerikanischen Präsidenten, hinsichtlich des Raketenabwehrprogramms «SDI» auf die Kompromißvorschläge seines Gesprächspartners einzugehen. Im Jahr darauf aber gelang der Durchbruch. Außenpolitisch geschwächt durch die Folgen der Reaktorkatastrophe von Tschernobyl vom April 1986, löste Gorbatschow am 28. Februar 1987 das Junktim zwischen Verhandlungen über Mittelstreckenraketen und SDI beziehungsweise Antiballistic Missiles auf. Fünf Monate später, am 22. Juli, erklärte sich die Sowjetunion zur weltweiten «doppelten Nullösung» bei den atomaren Mittelstreckenraketen größerer und kürzerer Reichweite bereit, *ohne* eine Einigung von amerikanischen Zugeständnissen bei den Weltraum- und Defensivwaffen abhängig zu machen. Sie stellte sich damit praktisch auf den Boden eines Beschlusses, den die Außenminister der NATO im Juni auf ihrer Ratstagung in Reykjavik gefaßt hatten. Da die Sowjetunion sehr viel mehr Mittelstreckenraketen in Europa stationiert hatte als die USA, willigte Moskau also in eine asymmetrische Abrüstung ein.

Am 8. Dezember 1987 unterzeichneten Reagan und Gorbatschow in Washington den INF-Vertrag. Ende Mai 1988, zwei Wochen nachdem Moskau mit dem Abzug seiner Truppen aus Afghanistan begonnen hatte, besuchte Reagan die Sowjetunion und tauschte dort mit Gorbatschow die Ratifizierungsurkunden aus. Die Festigkeit des Westens im Kampf um die eurostrategischen Waffen hatte sich ausgezahlt. Das Ergebnis übertraf die kühnsten Erwartungen der Befürworter *beider* Teile des NATO-Doppelbeschlusses vom Dezember 1979: Europa profitierte von der Bereitschaft der beiden Supermächte, die Konfrontation hinter sich zu lassen und zur Kooperation zurückzukehren.

Das Verhältnis zwischen der Sowjetunion und der Bundesrepublik war nach dem Amtsantritt Gorbatschows starken Schwankungen ausgesetzt. Außenminister Genscher nahm von einem Besuch in Moskau Ende Juli 1986, wo er ausgiebig mit Gorbatschow und dem neuen Außenminister Eduard Schewardnadse hatte sprechen können, den Eindruck mit, daß der sowjetischen Führung an guten Beziehungen zu Bonn lag, ja daß Gorbatschow, nach seinen eigenen Worten, eine «neue Seite» im Verhältnis beider Staaten aufschlagen wollte. Doch dann trat im Herbst durch Verschulden des Bundeskanzlers eine «Zwischeneiszeit» ein: Das amerikanische Nachrichtenmagazin «Newsweek» veröffentlichte ein Gespräch mit Helmut Kohl, in dem dieser den Generalsekretär der KPdSU mit Hitlers Propagandaminister verglich. Gorbatschow, so ließ sich der Regierungschef vernehmen, sei ein moderner kommunistischer Führer, der etwas von Öffentlichkeitsarbeit verstehe, aber das habe Goebbels auch getan. Im Kreml war man empört; auch ein persönlicher Entschuldigungsbrief des Kanzlers konnte die tiefe Verstimmung nicht beheben. Genscher hatte größte Schwierigkeiten, Schewardnadse, den er am 4. November in Wien traf, davon zu überzeugen, daß es Kohl ferngelegen habe, Gorbatschow zu beleidigen.

Ein knappes Vierteljahr später, am 25. Januar 1987, wurde der elfte Deutsche Bundestag gewählt. Die Unionsparteien kamen auf 44,3 %, ein Minus von 4,5 % gegenüber 1983 und ihr schlechtestes Ergebnis seit 1949. Die Sozialdemokraten, die mit dem nordrhein-westfälischen Ministerpräsidenten Johannes Rau als Kanzlerkandidaten und der eher beruhigenden als aufrüttelnden Parole «Versöhnen statt spalten» in den Wahlkampf gezogen waren, gelangten auf 37,0 %, was gegenüber der vorangegangenen Wahl einen Verlust von 1,2 % bedeutete. Gewinne verbuchten die FDP, die sich um 2,1 Prozentpunkte verbesserte und 9,1 % erzielte, und die Grünen, die 8,3 % erhielten – ein Plus von 2,7 % gegenüber 1983. Von der Mandatsverteilung her war absehbar, daß die bisherige Koalition trotz der Verluste der Union auch die neue Regierungsmehrheit bilden würde: CDU/CSU und FDP verfügten über 282, SPD und Grüne über 237 Sitze.

Noch bevor die Wahl des Bundeskanzlers stattfand, nutzte Außenminister Genscher am 1. Februar 1987 eine Rede auf dem Weltwirtschaftsforum in Davos, an dem erstmals auch eine sowjetische Delegation teilnahm, um Moskau ein Signal des Verständigungswillens zu geben. Die Menschheit stehe vor der Entscheidung, in der Konfrontation unterzugehen oder gemeinsam zu überleben, sagte er. «Wer Gorbatschows Erklärungen beim Wort nehmen will, muß zur Zusammenarbeit bereit sein... Unsere Devise kann nur lauten: Nehmen wir Gorbatschow ernst, nehmen wir ihn beim Wort... Sitzen wir nicht mit verschränkten Armen da und warten, was Gorbatschow uns bringt! Versuchen wir vielmehr, die Entwicklung von unserer Seite aus zu beeinflussen, voranzutreiben und zu gestalten... Festigkeit ist geboten, aber eine Politik der Stärke, des Strebens nach Überlegenheit, des In-die-Ecke-Rüstens muß ein für allemal zu den Denkkategorien der Vergangenheit gehören – auch im Westen. Eine solche Haltung müßte die Menschheit in die Katastrophe führen.» Das widersprüchliche Echo auf diese Rede beschreibt Genscher in seinen «Erinnerungen»: «Auf der einen Seite große Zustimmung, auf der anderen außerordentliche Skepsis, ja Ablehnung. Das keineswegs freundlich gemeinte Wort vom ‹Genscherismus› wurde neu belebt. Obwohl ursprünglich von der deutschen Linken als Kritik an meiner realistischen Entspannungspolitik erfunden, kam der Begriff nunmehr aus Amerika und England zurück – mit einem ganz anderen Gehalt freilich. Jetzt beinhaltete er den Vorwurf zu großer Illusionen gegenüber der Sowjetunion. Auch in Deutschland gab es offene und versteckte Kritik, selbst innerhalb der Bundesregierung.»

Helmut Kohl, der am 11. März 1987 mit 253 gegen 225 Stimmen bei drei ungültigen Stimmen und sechs Enthaltungen ein drittes Mal zum Bundeskanzler gewählt wurde, machte sich in seiner Regierungserklärung vom 18. März Genschers Devise zu eigen. «Generalsekretär Gorbatschow spricht von neuem Denken in den internationalen Beziehungen», sagte der Kanzler. «Wir nehmen ihn beim Wort: Wenn sein Kurs Chancen birgt zu mehr Verständigung, zu mehr Zusammenarbeit und vor allem zu konkreten Ergebnissen bei Abrüstung und Rüstungskontrolle, werden wir sie aufgreifen. Wenn er den Weg für Kooperation zwischen allen west- und osteuropäischen Staaten weiter ebnet, dann sind wir entschlossen, dies umfassend zu nutzen – im Rahmen bilateraler Beziehungen wie im Rahmen des West-Ost-Dialogs insgesamt.»

Die Probleme im Ost-West-Verhältnis blieben aber nicht ausgespart. Kohl erwähnte die «erdrückende sowjetische Überlegenheit bei den Mittelstreckenraketen kürzerer Reichweite» und bekannte sich zu dem Ziel, «alle diese Systeme auf ein niedriges Niveau mit gleichen Obergrenzen zu reduzieren». Er forderte verstärkte Anstrengungen, um das konventionelle Ungleichgewicht in Europa zu überwinden, und empfahl den (in diesem Zusammenhang ungenannt bleibenden) Vereinigten Staaten, eine dramatische Verminderung der Offensivwaffen mit einer Überprüfung von «Notwendigkeit und Umfang von Defensivwaffen» zu beantworten. Die DDR versicherte der Kanzler seiner Absicht, «die Beziehungen zwischen den beiden Staaten in Deutschland in einem guten, offenen Klima weiterzuentwickeln» und einen «politischen Dialog auf allen Ebenen» zu führen. Die Bundesrepublik bleibe aber bei ihrem Ziel «Freiheit und Einheit für alle Deutschen» und werde auch weiterhin auf dem Fortbestand einer einheitlichen deutschen Staatsangehörigkeit beharren. Und auch daran ließ Kohl keinen Zweifel: «Wir werden uns niemals mit Mauer und Schießbefehl und Stacheldraht abfinden.»

Das Jahr 1987 brachte für die Bundesrepublik eine Reihe von bemerkenswerten Ost-West-Begegnungen. Vom 6. bis 11. Juli hielt sich Bundespräsident von Weizsäcker in Begleitung von Außenminister Genscher zu

einem Staatsbesuch in Moskau auf. Hauptzweck der Reise war die Überwindung der tiefen Verstimmung, die der Kanzler im Oktober des Vorjahres mit seinem Vergleich zwischen Gorbatschow und Goebbels ausgelöst
hatte. Dieses Ziel erreichte Weizsäcker. In einer Tischrede bei dem Essen,
das ihm Andrej Gromyko, seit Juli 1986 Staatsoberhaupt der Sowjetunion,
gab, stellte der Bundespräsident fest, die Deutschen, die heute in Ost und
West getrennt lebten, hätten nicht aufgehört und würden nicht aufhören,
sich als eine Nation zu fühlen, und fügte dann wörtlich hinzu: «In der Freiheit erfüllt sich die Einheit der Nation.» Die Parteizeitung «Prawda» ließ
bei der «Wiedergabe» der Rede diese und andere sensible Passagen weg. Es
bedurfte einer Intervention Genschers bei seinem Amtskollegen Schewardnadse, um dann doch noch den ungekürzten Abdruck der Rede zu erreichen – allerdings nicht in der «Prawda», sondern mit ein paar Tagen Verzögerung in der Regierungszeitung «Iswestija».

In einem ausführlichen, teilweise harten Gespräch mit Gorbatschow
sprach Weizsäcker dann erneut von der «offenen deutschen Frage», was
den Generalsekretär der KPdSU veranlaßte, die Existenz einer solchen
Frage zunächst zu leugnen. Im weiteren Verlauf der Unterredung empfahl
Gorbatschow dann, die Lösung der deutschen Frage der Geschichte zu
überlassen; niemand wisse, was in hundert Jahren sei. Auf die schmunzelnd
vorgetragene Frage des Bundespräsidenten, ob er, Gorbatschow, denn
wisse, was in fünfzig Jahren passiere, begann auch Gorbatschow zu lächeln.
Genscher, der an dem Gespräch teilnahm, interpretierte die Aussagen des
Generalsekretärs in der anschließenden Nachbetrachtung mit Weizsäcker
auf seine Weise: Damit habe auch Gorbatschow gesagt, daß die deutsche
Frage längerfristig offen sei.

Im Monat darauf erreichte die Zusammenarbeit von SPD und SED
ihren aufsehenerregenden Höhepunkt: Beide Parteien verabschiedeten das
sogenannte «Streitkulturpapier». Im Frühsommer 1984 hatte am Schar-
mützelsee in der Mark Brandenburg das erste Gespräch zwischen zwei Delegationen stattgefunden, an deren Spitze der Vorsitzende der Grundwertekommission der SPD, Erhard Eppler, und der Rektor der Akademie für
Gesellschaftswissenschaften beim ZK der SED, Otto Reinhold, standen.
Das Resultat langwieriger Beratungen war ein Text mit dem Titel «Der
Streit der Ideologien und die gemeinsame Sicherheit», der am 27. August
1987 veröffentlicht wurde. Am 1. September folgte eine vom Fernsehen der
DDR «live» ausgestrahlte Diskussion, an der neben Eppler und Reinhold
die beiden Hauptautoren, Thomas Meyer für die SPD und Rolf Reißig für
die SED, teilnahmen.

Das «Streitkulturpapier» war die erste gemeinsame Grundsatzerklärung
der beiden jahrzehntelang verfeindeten Parteien, die im Gefolge des Ersten
Weltkriegs aus der marxistischen deutschen Arbeiterbewegung hervorgegangen waren. Sozialdemokraten und Kommunisten bekannten sich in der
Verlautbarung zu dem, was sie trennte, obenan gegensätzlichen Auffassun-

gen von Demokratie. Sie hielten aber auch ausdrücklich fest, worauf sie sich verständigt hatten: «Keine Seite darf der anderen die Existenzberechtigung absprechen. Unsere Hoffnung kann sich nicht darauf richten, daß ein System das andere abschafft. Sie richtet sich darauf, daß beide Systeme reformfähig sind und der Wettbewerb der Systeme den Willen zur Reform auf beiden Seiten stärkt... Beide Systeme müssen sich gegenseitig für friedensfähig halten... Beide Gesellschaftsysteme müssen einander Entwicklungsfähigkeit und Reformfähigkeit zugestehen... Die ideologische Auseinandersetzung ist so zu führen, daß eine Einmischung in die inneren Angelegenheiten anderer Staaten unterbleibt. Kritik, auch in scharfer Form, darf nicht als ‹Einmischung in die inneren Angelegenheiten› der anderen Seite zurückgewiesen werden... Die offene Diskussion über den Wettbewerb der Systeme, ihre Erfolge und Mißerfolge, Vorzüge und Nachteile muß innerhalb jedes Systems möglich sein. Wirklicher Wettbewerb setzt sogar voraus, daß diese Diskussion gefördert wird und praktische Ergebnisse hat.»

Die SED ging mit dem «Streitkulturpapier» ein größeres Risiko ein als die SPD. Seit der Text in beiden deutschen Staaten veröffentlicht war, gab es neben der Schlußakte von Helsinki ein weiteres, von der herrschenden Partei der DDR unterzeichnetes Dokument, auf das sich berufen konnte, wer offen über Mißerfolge und Nachteile des «real existierenden Sozialismus» zu sprechen begehrte. Tatsächlich mußten sich die Funktionäre der SED nach dem August 1987 unbequemen Diskussionen, und zwar auch innerhalb der Partei, stellen. Insoweit war die Erklärung ein Erfolg der Sozialdemokraten.

Doch der Text hatte eine Kehrseite: Die SPD ging über die Anerkennung der *staatlichen* Existenz der DDR hinaus, wenn sie die Existenzberechtigung des *Gesellschaftssystems* der DDR ausdrücklich bestätigte. Damit erteilten die Sozialdemokraten der grundsätzlichen Ablehnung dieses Systems, das nicht aufgehört hatte, eine Diktatur zu sein, eine Absage, und mit diesem Zugeständnis konnte die SED einen Erfolg verbuchen. Die These von der Reform- und Entwicklungsfähigkeit beider Systeme verwies die Kritiker des Kommunismus auf den Weg gradueller Verbesserungen. Bislang hatte die SED Kräfte, die solche Forderungen erhoben, unterdrückt. Das Papier «Der Streit der Ideologien und die gemeinsame Sicherheit» enthielt Versprechungen, die in eklatantem Widerspruch zur praktischen Politik der SED standen. Der SPD blieb nur die Hoffnung, daß die Festlegungen ihrer «Gesprächspartner» daran etwas ändern würden.

Weit spektakulärer noch als das gemeinsame Papier von SPD und SED war der protokollarische Höhepunkt in der bisherigen Geschichte der deutsch-deutschen Beziehungen: der offizielle Besuch des Vorsitzenden des Staatsrates der Deutschen Demokratischen Republik und Generalsekretärs der Sozialistischen Einheitspartei Deutschlands, Erich Honecker, in der Bundesrepublik Deutschland vom 7. bis 11. September 1987. Vorausgegangen waren, gewissermaßen als «Probelauf», ein Besuch des Präsidenten der Volkskammer, Horst Sindermann, in Bonn im Februar 1986; die endgültige sowjetische Zustimmung zum Besuch Honeckers, die vermutlich unmittelbar nach Weizsäckers Besuch in Moskau im Juli erfolgte; intensive Verhandlungen zwischen Bonn und Ost-Berlin über Gesprächspartner und Gesprächsinhalte, Tischreden, Stationen der Reise und gemeinsames Abschlußkommuniqué; schließlich inoffizielle Begrüßungsartikel, darunter einer von Altbundeskanzler Helmut Schmidt in der «Zeit» vom 24. Juli. Darin hieß es, auch bei Honecker sei inzwischen «die deutsche Identität, nicht nur das Quentchen Heimweh nach Wiebelskirchen und dem Saarland» zu spüren. «Honecker ist ein Deutscher, der seine Pflicht erfüllen will – seine Pflicht, so wie er diese als ihm auferlegt empfindet... Auch wenn Erich Honecker und wir politisch und parteipolitisch nie Freunde werden können, laßt uns ihn würdig empfangen – empfangt ihn als einen unserer Brüder!»

Einen anderen Gruß aus sozialdemokratischer Feder, zugleich zu seinem 75. Geburtstag am 25. August 1987, erhielt Honecker von seinem saarländischen Landsmann Oskar Lafontaine, der seit 1985 Ministerpräsident des Saarlandes und seit 1986 stellvertretender Vorsitzender der SPD war. Im «Spiegel» vom 24. August, drei Tage vor der Veröffentlichung des gemeinsamen «Streitkulturpapiers» von SPD und SED, porträtierte er den Generalsekretär der SED als einen Mann, der wie alle Saarländer in der Lage sei, «fünfe grade sein zu lassen». Honecker sei im eigenen Land «nicht einmal unbeliebt» und, wenn er auch manchmal gesamtdeutsche Träume haben möge, vor allem eines: Realist. «Der relative Wohlstand, den die DDR in der Ära Honecker erreichte, hat es ihren Bewohnern leichter gemacht, sich mit ihrem Staat zu arrangieren. Die seit den 50er und 60er Jahren gewachsene Zustimmung der Bevölkerung der DDR ermöglichte es dieser, sich nach außen, auch nach Westen hin etwas weiter zu öffnen... Die Anerkennung durch die anderen gibt die Selbstsicherheit, die man zur Eigenständigkeit braucht... Von dem deutschen Kommunisten Erich Honecker darf man freilich nicht verlangen, was er aus seinen ideologischen Überzeugungen, aus seiner Lebenserfahrung heraus nicht tun kann. Es hat wenig Sinn, ihn immer wieder mit unseren Überzeugungen herauszufordern. Es sind nicht die seinen. Seine Werte sind die der kommunistischen Weltanschauung... Man wird Erich Honecker nicht zum Partner haben können, wenn man ihn als Kommunisten nicht respektieren kann. Eingedenk seiner schweren Jugend und seines Widerstandes gegen die faschistische Gewaltherrschaft, sollte auch entschiedenen Gegnern des Kommunismus dieser Respekt möglich sein.»

Das Protokoll für Honeckers Besuch in der Bundesrepublik entsprach, mit einigen absichtsvollen Einschränkungen, dem eines Arbeitsbesuches eines Staats- oder Regierungschefs. Beim Eintreffen auf dem Flughafen Köln-Bonn am 7. September wurde Honecker von Kanzleramtsminister

Schäuble empfangen; vor dem Bundeskanzleramt begrüßte Bundeskanzler Kohl seinen Gast. Die Flaggen beider Staaten waren gehißt; eine Kapelle der Bundeswehr spielte die Nationalhymnen der Bundesrepublik und der DDR; Honecker und Kohl schritten eine Ehrenformation ab. Außenminister Genscher fehlte bei der Begrüßung, um deutlich zu machen, daß die Bundesrepublik die DDR nach wie vor nicht als Ausland betrachtete. Eine Eintragung ins Goldene Buch der Stadt Bonn, wie sie bei Staatsoberhäuptern sonst üblich war, unterblieb, ebenso der Empfang des Diplomatischen Corps.

Honecker fand in der Bundesrepublik aufmerksame Gesprächspartner, von denen einige es ihm leichter machten als andere. Bundespräsident von Weizsäcker vermied kontroverse Themen. Der Ehrenvorsitzende der SPD, Willy Brandt (den Parteivorsitz hatte er Ende März niedergelegt), gab, der östlichen Aufzeichnung zufolge, zu bedenken, «ob man bei dem Trennungsstrich zwischen Sozialdemokraten und Kommunisten von 1918 stehenbleiben müsse, ... ob nicht zwischen Sozialdemokraten und Kommunisten über die Friedensfrage hinaus Gemeinsamkeiten festzustellen seien, die es gelte hervorzuheben». Darüber habe er auch schon mit János Kádár, dem Ersten Sekretär der ungarischen KP, gesprochen, und bei Gorbatschow gebe es ähnliche Gedanken.

Dagegen fragte ein anderer Sozialdemokrat, Johannes Rau, wie Honecker die Entwicklung in der Sowjetunion unter Gorbatschow beurteile, und erfuhr vom Generalsekretär der SED,»was Gorbatschow für die Sowjetunion anstrebe, habe die DDR bereits erreicht». Hans-Jochen Vogel, seit 1983 Fraktionsvorsitzender und seit Juni 1987 auch Parteivorsitzender der SPD, nannte, den Dresdner evangelischen Landesbischof Johannes Hempel zitierend, die Situation an der Grenze eine «blutende Wunde» und bestand auf einer Ausdehnung der Aufenthaltsdauer bei Besuchen von West-Berlinern in Ost-Berlin und der DDR sowie auf Einreisegenehmigungen für ehemalige Bürger der DDR, die in die Bundesrepublik übergesiedelt waren. Der Vorsitzende der Bundestagsfraktion der CDU/CSU, Alfred Dregger, begrüßte Honecker, eine Formel des Bundespräsidenten aufgreifend, als «Deutschen unter Deutschen», fügte aber hinzu, «wenngleich als einen deutschen Kommunisten». Die schärfste Aussage Dreggers lautete: «Der Schießbefehl verletzt die Würde der Deutschen und die Würde der deutschen Nation.» Namens der Grünen bat Petra Kelly Honecker, er möge der mit ihr befreundeten Malerin und Bürgerrechtlerin Bärbel Bohley, einer um die Jahreswende 1983/84 mehrere Wochen lang inhaftierten Mitbegründerin der «Initiative Frauen für den Frieden», erlauben, anläßlich einer Ausstellung ihrer Bilder in die Bundesrepublik zu reisen. (Die Bitte wurde nicht erfüllt.) Andere Grüne, mit Waltraud Schoppe als Sprecherin der Bundestagsfraktion an der Spitze, versicherten Honecker, daß sie für die Zweistaatlichkeit einträten, weil diese die Voraussetzung für einen dauerhaften Frieden in Europa sei. Die Grünen seien aber auch eine pazifistische Partei und stünden deshalb auf der Seite der Friedensgruppen in der DDR, die Repressalien ausgesetzt seien. Als Pazifisten müßten sie auch fragen, warum es in der DDR keinen Wehrersatzdienst gebe.

Die wichtigsten Gespräche, die zwischen Honecker und Kohl, wurden durch Vorleistungen beider Seiten erleichtert. Die DDR hatte sich bei der Genehmigung von Reisen in die Bundesrepublik großzügig gezeigt: Allein in den ersten acht Monaten des Jahres 1987 waren 3,2 Millionen Bürger der DDR in die Bundesrepublik gereist; neben Rentnern, die in der Regel solche Genehmigungen problemlos erhielten, auch 860 000 Menschen, die wegen «dringender Familienangelegenheiten» in die Bundesrepublik reisten (und fast ausnahmslos wieder in die DDR zurückkehrten). Dazu kamen die Abschaffung der Todesstrafe durch Beschluß des Staatsrats am 17. Juni 1987 und die Ankündigung einer umfassenden Amnestie, und zwar auch für politische Gefangene, zum 38. Jahrestag der DDR am 7. Oktober. Die Bundesregierung hatte ihrerseits Ende August, auf Drängen Genschers, der Einbeziehung der Pershing Ia-Raketen in die von den Supermächten gewünschte doppelte Nullösung zugestimmt. Diese Raketen befanden sich im Besitz der Bundeswehr, gehörten also ebensowenig wie die britischen und französischen Raketen zur Genfer Verhandlungsmasse. Die atomaren Sprengköpfe standen allerdings unter amerikanischer Verfügungsgewalt, so daß das Bonner Zugeständnis eher symbolischer Art war.

Der sachliche Ertrag der Gespräche war bescheiden. Bei den meisten strittigen Fragen gab es keine Annäherung. So wollte Honecker auf Kohls Forderung nach Vereinbarungen über die Reinhaltung der Elbe erst eingehen, wenn Bonn bereit war, den Grenzverlauf in der Strommitte anzuerkennen. Dieselbe Antwort erhielt der Bundeskanzler, als er die Einbeziehung von Hannover, Hamburg und Kiel in den (privilegierten) «grenznahen Verkehr» anregte. Einen gewissen Erfolg konnte der Staatsratsvorsitzende immerhin erzielen: Der Bonner Regierungschef stellte, ebenso wie der niedersächsische Ministerpräsident Ernst Albrecht (CDU), baldige Verhandlungen über die Elbgrenze in Aussicht. Von Kohl auf den Schießbefehl angesprochen, erwiderte Honecker, daß es einen solchen Befehl in der DDR nicht gebe; die Regelungen für den Schußwaffengebrauch an der Grenze der DDR entsprächen denen in der Bundesrepublik. Unterzeichnet wurden drei Vereinbarungen über die Zusammenarbeit beim Umweltschutz, auf den Gebieten von Wissenschaft und Technik sowie beim Strahlenschutz – Abmachungen, über die sich die beiden Regierungen vor dem Besuch Honeckers verständigt hatten.

Größte öffentliche Aufmerksamkeit war den Tischreden von Kohl und Honecker am Abend des 7. September in der Godesberger «Redoute» sicher – Reden, die vom Fernsehen beider Staaten direkt übertragen wurden. «Das Bewußtsein für die Einheit der Nation ist wach wie eh und je», erklärte der Bundeskanzler, «ungebrochen ist der Wille, sie zu bewahren... Die deutsche Frage bleibt offen, doch ihre Lösung steht zur Zeit nicht auf der Tagesordnung der Weltgeschichte, und wir werden dazu immer auch das Einverständnis unserer Nachbarn brauchen.» Die Erfahrung lehre, daß die gegensätzlichen Positionen in Grundsatzfragen die praktische Zusammenarbeit zwischen den beiden Staaten in Deutschland nicht behindern müßten. «Konzentrieren wir uns in diesen Tagen auf das Machbare, und bleiben wir uns auch einig, die zur Zeit unlösbaren Fragen nicht in den Vordergrund zu stellen... Die gemeinsame Geschichte, die uns Deutsche im Guten und Bösen unentrinnbar verbindet, hat uns eine wichtige und zentrale Lehre vermittelt: Niemals darf der Mensch als bloßes Mittel für politische Zwecke mißbraucht werden... Jeder Mensch muß über und für sich selbst bestimmen können... Wir wollen Friede in Deutschland, und dazu gehört auch, daß an der Grenze Waffen auf Dauer zum Schweigen gebracht werden... Die Menschen in Deutschland leiden unter der Trennung. Sie leiden an einer Mauer, die ihnen buchstäblich im Wege steht und die sie abstößt. Wenn wir abbauen, was Menschen trennt, tragen wir dem unüberhörbaren Verlangen in Deutschland Rechnung: Sie wollen zueinander kommen können, weil sie zueinander gehören.»

Kohls Rede war ein Balanceakt. Der Bundeskanzler und Bundesvorsitzende der CDU Deutschlands mußte an die Deutschen in West und Ost denken, die vom Besuch Honeckers praktische Ergebnisse erhofften, aber auch an jene, denen die protokollarische und politische Aufwertung der DDR zuwider war. Er konnte keinen Augenblick lang die westlichen Alliierten aus dem Blick verlieren, die seinen Redetext im voraus erhalten hatten und denen er keinen Anlaß bieten durfte, an der Bündnistreue der Bundesrepublik zu zweifeln. Der Kanzler meisterte diese Herausforderung mit bemerkenswertem Geschick. Er zeigte sich prinzipienfest und pragmatisch zugleich; er trug nationalen Gefühlen Rechnung, ohne nationale Illusionen zu wecken; er zitierte die Präambel des Grundgesetzes, die das gesamte deutsche Volk aufforderte, «in freier Selbstbestimmung die Einheit und Freiheit Deutschlands zu vollenden», vermied jedoch den Begriff «Wiedervereinigung»; er wurde Honecker gegenüber deutlich, sagte das Notwendige aber in einer Form, die den Gast nicht bloßstellte. Eine Forderung, wie sie der amerikanische Präsident Ronald Reagan ein Vierteljahr zuvor, am 12. Juni 1987, in Berlin in öffentlicher Rede zwischen dem Reichstagsgebäude und dem Brandenburger Tor erhoben hatte –»Herr Gorbatschow, öffnen Sie dieses Tor! Herr Gorbatschow, reißen Sie diese Mauer nieder!» –, enthielt Kohls Ansprache nicht. Honecker wäre auch nicht der richtige Adressat gewesen.

Der Generalsekretär mußte, als er dem Bundeskanzler antwortete, seinerseits an einen mächtigen Verbündeten denken, der von der DDR Bündnistreue erwartete, aber auch an jene Kräfte in der eigenen Partei, die seiner deutsch-deutschen Politik mit Argwohn begegneten. Er durfte, um sich keine ideologische Blöße zu geben, das Bekenntnis des Bundeskanzlers zu den Menschenrechten (bei dem dieser sich auf die Schlußakte von Helsinki berufen hatte) nicht unbeantwortet lassen. Also verwies der Generalsekretär in seiner Tischrede darauf, daß in der DDR alles Erforderliche verbürgt sei. «Dabei messen wir den humanitären Fragen und den Menschenrechten, die in ihrer Gesamtheit von politischen, zivilen, ökonomischen und sozialen Rechten in der Deutschen Demokratischen Republik im praktischen Leben ihre tägliche Verwirklichung finden, keine geringe Bedeutung bei.»

Ansonsten kannte Honecker nur *ein* Thema: «Heute gibt es nichts Wichtigeres, als über alle Gegensätze und Weltanschauungen, Ideologien und politische Ziele hinweg den Frieden zu bewahren.» Von «Deutschland» und den «Deutschen» war in der Ansprache des Staatsratsvorsitzenden keine Rede, nur vom «deutschen Boden», von dem nie wieder Krieg, sondern stets nur Frieden ausgehen dürfe. Auf diese Formel hatte er sich mit Kohl schon in der «Moskauer Erklärung» vom 12. März 1985 verständigt. Die Formel bei jeder Gelegenheit zu wiederholen war aus zwei Gründen sinnvoll: Sie wirkte erstens auf die Außenwelt beruhigend und konnte zweitens auch von denen nicht abgelehnt werden, die ein anderes Verständnis von Menschenrechten und Selbstbestimmung hatten als die SED. In diesem Sinne war das, was Honecker sagte, zumindest in sich logisch.

Von *einem* bundesrepublikanischen Politiker wurde der Staatsratsvorsitzende für das, was er Kohl erwidert hatte, ausdrücklich gelobt: von Oskar Lafontaine. In der Saarbrücker Staatskanzlei ließ sich der Ministerpräsident des Saarlandes gegenüber Honecker, der an diesem Tag erstmals seit vielen Jahrzehnten seine engere Heimat und sein Geburtshaus in Neunkirchen wiedersah, zu den Reden in der «Redoute» laut Aufzeichnung des DDR-Protokollanten wie folgt aus: «Auf die Rede H. Kohls vom 7. September verweisend, sagte O. Lafontaine, daß E. Honecker gut beraten gewesen sei, so zu reagieren. E. Honecker antwortete, damit sei deutlich geworden, daß sich die SED prinzipiell im Herangehen an die politischen Fragen von der CDU unterscheide.» Im übrigen versicherte er seinem Gastgeber, daß dieser sich «auch zukünftig der Unterstützung durch die DDR sicher sein könne. Eine Veränderung des politischen Kräfteverhältnisses in der BRD zugunsten der SPD hätte eine große Bedeutung für die gesamte Lage in Europa und für die Beziehungen zwischen beiden deutschen Staaten.»

Das Saarland war die vorletzte Station von Honeckers Reise. Vorausgegangen waren Besuche in Köln, Düsseldorf, Essen, in Wuppertal, wo er das Friedrich-Engels-Haus, und Trier, wo er in Begleitung des rheinland-pfälzischen Ministerpräsidenten Bernhard Vogel (CDU) das Geburtshaus von Karl Marx besichtigte. Den Abschluß bildete Bayern. Ministerpräsident Strauß empfing den Staatsratsvorsitzenden mit den höchsten protokollarischen Ehren – dem Abspielen von drei Hymnen, nämlich des Deutschlandliedes, der Hymne der DDR und der Bayernhymne «Gott mit dir, du Land der Bayern», sowie einer großen Polizeieskorte. In einem ausführlichen Gespräch versicherte Strauß seinem Gast, daß er auf keinen Fall für eine Politik sei, die Krieg wieder denkbar erscheinen lasse, und äußerte Wünsche, unter anderem zur Ausfüllung des im Mai 1986 abgeschlossenen deutsch-deutschen Kulturabkommens, zum Grenz- und Reiseverkehr sowie zum Ausbau des Handels zwischen Bayern und der DDR. Von München aus fuhr Honecker ins ehemalige Konzentrationslager Dachau, wo er, wie es im offiziellen Reisebericht der DDR heißt, mit «Antifaschisten aus der BRD» sowie Vertretern der beiden großen christlichen Kirchen und der israelitischen Kultusgemeinde zusammentraf.

Der Prestigegewinn, den der Besuch des Staatsratsvorsitzenden und Generalsekretärs in der Bundesrepublik der DDR als Staat und Honecker als Person einbrachte, war beträchtlich. Im Bonner Bundeskanzleramt wurden besorgt Meinungsumfragen registriert, die zwei Befunde zutage förderten: Erstens war Honeckers Ansehen bei den Bundesbürgern deutlich gestiegen; zweitens wuchs innerhalb der westdeutschen Bevölkerung die Neigung, über den Gegensatz zwischen den politischen Systemen von Bundesrepublik und DDR hinwegzusehen.

Das Ministerium für Staatssicherheit in Ost-Berlin war wegen ganz anderer Beobachtungen alarmiert. Am 16. September 1987 befaßte sich die «Zentrale Auswertungs- und Informationsgruppe» mit «möglichen negativen Auswirkungen dieses Besuches». Zu befürchten waren demnach «ideologische Einbrüche» im Gefolge «des Prozesses der weiteren Normalisierung der Beziehungen DDR – BRD». Die Reden von Bundeskanzler Kohl und «weiteren BRD-Politikern» sowie das gemeinsame Abschlußkommuniqué (das die Grundpositionen *beider* Seiten wiedergab) hätten «Erwartungshaltungen und Spekulationen» verstärkt. «Gegenwärtig zeichnet sich die Tendenz ab, daß geäußerte Erwartungshaltungen noch konkreter geworden sind und vielfach überzogene, unrealistische Vorstellungen enthalten. Die sich in diesem Sinne äußernden Personen repräsentieren alle Klassen und Schichten der Bevölkerung.»

Die Kritik an der Beschränkung der Bewegungsfreiheit wurde offensichtlich immer lauter. «Arbeiter und Angestellte, Mitarbeiter staatlicher Organe und Einrichtungen äußerten des öfteren in diesem Zusammenhang die Ansicht, eine größere Freizügigkeit im Reiseverkehr würde einen Rückgang des ungesetzlichen Verlassens der DDR und von Übersiedlungsersuchen bewirken, da sich die DDR-Bürger von den Realitäten in der BRD überzeugen könnten und ihre gesicherte Existenz in der DDR mehr schätzen würden. In unterschiedlichsten gesellschaftlichen Bereichen tätige Geheimnisträger, darunter Mitarbeiter in Forschungseinrichtungen von Kombinaten und Betrieben sowie Einrichtungen des Verkehrs- und Nachrichtenwesens, erklärten wiederholt, man bringe ihnen zwar Vertrauen im Zusammenhang mit ihrer beruflichen Tätigkeit, nicht aber im Falle beabsichtigter Reisen in das nichtsozialistische Ausland entgegen. Dieser Widerspruch sei unverständlich und wecke den Wunsch nach Entpflichtung als Geheimnisträger.»

Insgesamt überwogen aber aus der Sicht der SED die positiven Aspekte von Honeckers Besuch in der Bundesrepublik die negativen bei weitem. Es entbehrte nicht der Ironie, daß ausgerechnet ein Kanzler aus jener Partei, die die sozialliberalen Ostverträge einst erbittert bekämpft hatte, in Bonn den berühmten «roten Teppich» für den ersten Mann der DDR hatte ausrollen lassen. Dahinter gab es nun kein Zurück mehr: Der kleinere, demokratisch nicht legitimierte deutsche Staat hatte das nach Lage der Dinge höchstmögliche Maß an Anerkennung durch den größeren, demokratisch legitimierten erhalten.

Daß die CDU/CSU die deutsch-deutsche Annäherung zu ihrer eigenen Sache gemacht hatte, war für die DDR wichtig. Mindestens ebenso wichtig, wenn nicht noch wichtiger war es für die Ost-Berliner Führung, die Annäherung von SPD und SED weiter voranzutreiben. Auf diesem Gebiet war schon viel geschehen. Beide Parteien waren zu Quasi-Vertragspartnern in der Sicherheitspolitik geworden und in einen offenen Diskurs über ideologische Fragen eingetreten. Es gab eine unverkennbare Annäherung der Sozialdemokraten an Honeckers «Geraer Forderungen» vom Oktober 1980 in der Frage der Elbgrenze, der Auflösung der «Zentralen Erfassungsstelle» in Salzgitter, die Gewaltakte und Terrorurteile der DDR registrierte, sowie in der Frage des Staatsbürgerschaftsrechts. In Sachen Salzgitter hatte Brandt bereits bei seiner ersten Begegnung mit Honecker am 19. September 1985 in Ost-Berlin bemerkt, wenn Gerhard Schröder Ministerpräsident von Niedersachsen werde, «mache er den Laden dicht». Seit 1985 leistete das von Oskar Lafontaine regierte Saarland, seit 1987 Hamburg unter dem von Klaus von Dohnanyi geführten Senat keine Zahlungen mehr an die Zentralstelle.

Am 9. September 1986 ließ Egon Bahr Honecker im Auftrag Willy Brandts im persönlichen Gespräch wissen, daß die SPD nach Rückkehr in die Regierungsverantwortung die Staatsbürgerschaft der DDR «voll» respektieren werde. Diese Zusicherung war aber mit einer Erwartung verbunden: Die DDR sollte dem Zustrom von Asylanten über den Ost-Berliner Flughafen Schönefeld nach West-Berlin einen Riegel vorschieben und dieses Entgegenkommen als Erfolg von Bemühungen des sozialdemokratischen Kanzlerkandidaten Johannes Rau erscheinen lassen. Honecker übernahm die Rolle des Wahlhelfers der SPD. Am 18. September konnte Rau in Düsseldorf mitteilen, er habe «von der Führung der DDR die Zusage bekommen, daß nur solche Personen im Transit befördert werden, die über ein Anschlußvisum anderer Staaten verfügen». Das «Schlupfloch» West-Berlin war damit verstopft, der Sieg der SPD in der Bundestagswahl vom Januar 1987 aber noch nicht errungen.

Am 23. Oktober 1987, wenige Wochen nach Honeckers Besuch in der Bundesrepublik, trafen am Rande der Feierlichkeiten zum 750jährigen Bestehen von Berlin drei sozialdemokratische Regierungschefs – der saarländische Ministerpräsident Oskar Lafontaine, der Erste Bürgermeister der

Freien und Hansestadt Hamburg, Klaus von Dohnanyi, und der Senats-
präsident und Bürgermeister der Freien Hansestadt Bremen, Klaus Wedemeier – mit dem Generalsekretär der SED zusammen. Dohnanyi lenkte als
erster die Aufmerksamkeit Honeckers auf die nächste Bundestagswahl, die
Ende 1990 anstand. Im Interesse von Frieden und gesellschaftlicher Stabilität müsse die SPD in die Regierung zurückkehren. Gorbatschows Formel
vom «gemeinsamen europäischen Haus» aufgreifend, sprach der Hamburger Bürgermeister von der Aufgabe, «den Grundriß eines gemeinsamen europäischen Hauses aufzuzeichnen» und dabei «mehr deutschland- und
außenpolitische Phantasie» zu entwickeln.

Lafontaine wurde deutlicher. Es wäre gut, meinte der stellvertretende
Vorsitzende der SPD der Ost-Berliner Aufzeichnung des Gesprächs zufolge, «wenn man in naher Zukunft gemeinsame Vorstellungen entwickeln
könnte, welche Vereinbarungen eine von der SPD geführte Regierung mit
der DDR anstreben sollte. Unter Berücksichtigung der grundlegenden Interessen der DDR bei absoluter Anerkennung der Zweistaatlichkeit halte
er es für notwendig zu prüfen, welche Schritte in der Perspektive möglich
sind. In der BRD sei es inzwischen allgemeiner Konsens, daß die Zweistaatlichkeit eine Realität ist, an der niemand vorbei kann. Ebenso gewünscht würden aber grundlegende Verbesserungen vor allem für die Menschen. Deshalb wolle er die Bitte aussprechen, im Jahr 1988 gemeinsam eine
Konzeption zu beraten, was aus der Sicht der DDR-Führung gehe und was
nicht.»

Honecker stimmte zu und erwähnte, daß Hermann Axen, im Politbüro
für internationale Beziehungen zuständig, beauftragt sei, entsprechende
Vorschläge auszuarbeiten. Lafontaine bündelte die sozialdemokratischen
Erwartungen im weiteren Verlauf der Unterredung in der Formel, «daß
man eine Stabilisierung auf der einen Seite koppeln müsse mit einem Maximum an Liberalisierung in den Beziehungen zwischen den beiden deutschen Staaten» auf der anderen Seite. Das Gespräch abschließend, erklärte
Honecker, «vorangehen könne es nur, wenn in der Kernfrage, die die ganze
Menschheit bewegt, der Verhinderung einer nuklearen Katastrophe, Fortschritte erzielt werden. Dazu sei ein Zusammengehen der Arbeiterbewegung unerläßlich. Die alten Fehler sollten nicht wiederholt und die Lehren
aus der Geschichte gezogen werden. Deshalb sind wir auch weiterhin für
eine fruchtbare Zusammenarbeit mit der SPD.»

Die letzten Worte des Generalsekretärs klangen wie ein Echo auf das,
was Willy Brandt ihm am 8. September in Bonn zum Verhältnis von Sozialdemokraten und Kommunisten gesagt hatte. Der Ehrenvorsitzende der
SPD sah seit dem Beginn von «Glasnost» und «Perestrojka» offenbar am
fernen Horizont die Möglichkeit auftauchen, die Spaltung der Arbeiterbewegung in einen sozialdemokratischen und einen kommunistischen Flügel
zu überwinden. In Westeuropa hatten sich seit Mitte der siebziger Jahre einige kommunistische Parteien, allen voran die italienische und die spani-

sche, vom Leninismus losgesagt, bürgerliche Rechte und Freiheit und Demokratie auf ihr Banner geschrieben und sich damit der Sozialdemokratie angenähert. Was Gorbatschow anstrebte, mochte eines Tages in die gleiche, «eurokommunistische» Richtung einmünden. Brandt hielt anscheinend eine solche Entwicklung auch im geteilten Deutschland für möglich. Manches spricht dafür, daß er einen solchen Prozeß durch sozialdemokratische Selbstkritik voranzutreiben gedachte.

Am 11. September 1988 äußerte der Ehrenvorsitzende der SPD in einem Vortrag über «Deutsche Wegmarken» im Rahmen der Reihe «Berliner Lektionen» die Überzeugung, die «Wegmarke des Januar 1933», also die Machtübertragung an Hitler, sei nicht begreifbar ohne die Wegmarke der Jahreswende 1918/19. Brandt nannte die «drohende bolschewistische Gefahr» eine «Legende» und sprach vom «bolschewistischen Schreckgespenst». Der sozialdemokratischen Führungsschicht warf er vor, sie habe damals geglaubt, zwischen «Gärung und Ordnung» wählen zu müssen, und da fiel ihr die Wahl nicht schwer... Der in anderer Hinsicht verdienstvolle und gewiß aller Ehren werte Reichspräsident Friedrich Ebert ließ sich einreden, die junge Republik würde nicht überleben, sichere sie sich nicht die Unterstützung der monarchistischen Rechten.» Von der «Entmachtung einer alten Führungsschicht», des gegenrevolutionären Offizierskorps, habe Ebert nichts wissen wollen; die «reaktionären Kräfte» seien «nicht ernsthaft gestört, geschweige denn aufgebrochen» worden. Dann schlug Brandt den Bogen zum Ende der ersten deutschen Republik. Weimar sei selbst im Sommer 1932 noch nicht total verloren gewesen. «Doch daran, daß die Schwäche und Versäumnisse von 1918/19 zu den Ursachen von 1933 gehören, daran gibt es für mich nicht den geringsten Zweifel.»

Brandts Geschichtsdeutung entsprach einer verbreiteten, eher linken Lesart der Geschichte der Weimarer Republik. Der Ehrenvorsitzende der SPD überschätzte den Handlungsspielraum der Mehrheitssozialdemokraten um die Jahreswende 1918/19, und er unterschätzte die Bürgerkriegsgefahr. In seinem achten Lebensjahrzehnt schien Brandt sich wieder seiner eigenen Jugend anzunähern, in der er in der Sozialistischen Arbeiterpartei aktiv gewesen war – einer linken Splittergruppe, die von der Wiedervereinigung des marxistischen Proletariats träumte. Sechs Jahrzehnte später war der Gegensatz zwischen Sozialdemokraten und Kommunisten in Deutschland noch immer unüberbrückbar. Die SED dachte nicht daran, eine eurokommunistische Partei zu werden oder auch nur den Weg Gorbatschows einzuschlagen. Nicht nur Brandt, sondern viele führenden Sozialdemokraten waren in den achtziger Jahren mitunter in Gefahr, ihre politischen Wünsche mit der Wirklichkeit zu verwechseln.[22]

Zur Wirklichkeit der achtziger Jahre gehörten große Fortschritte im westeuropäischen Integrationsprozeß. 1981 war Griechenland als zehntes Mitglied der Europäischen Gemeinschaft beigetreten; 1986 kamen Spanien und

Portugal hinzu, so daß die EG nun aus zwölf Staaten bestand. Im Februar 1984 billigte das Europäische Parlament mit großer Mehrheit den Entwurf eines Vertrages zur Gründung der Europäischen Union, die einen sehr viel engeren Zusammenschluß bilden sollte als die bisherige EG. Ende Juni 1984 beschloß der Europäische Rat in Fontainebleau eine Einschränkung der Grenzkontrollen. Am 1. Juli 1987 trat die Einheitliche Europäische Akte in Kraft, auf die sich der Europäische Rat im Dezember 1985 in Luxemburg geeinigt hatte. Für Richtlinien des Ministerrats zur Harmonisierung der nationalen Gesetzgebung sollten bis zur Vollendung des europäischen Binnenmarktes am 31. Dezember 1992 gemäß den Luxemburger Beschlüssen im wesentlichen Mehrheitsentscheidungen ausreichen. Das Europäische Parlament gewann neue Rechte hinzu: Es wirkte erstens an Entscheidungen des Rates mit, der aber das letzte Wort behielt; es entschied zweitens mit über den Beitritt neuer Mitglieder und den Abschluß künftiger Assoziationsverträge. Die seit Oktober 1970 praktizierte Europäische Politische Zusammenarbeit sollte zur gemeinsamen europäischen Außenpolitik erweitert werden. Forschung, Technologie und Umweltschutz wurden Teil des Gemeinschaftsrechtes.

Mit seinem wichtigsten europäischen Partner, Frankreich, vereinbarte die Bundesrepublik auf dem 50. Gipfel der beiden Regierungen im November 1987 in Karlsruhe eine engere Sicherheitsgemeinschaft, eine verstärkte Zusammenarbeit in Rüstungs- und Rüstungskonstrollfragen und die Bildung einer deutsch-französischen Brigade, eines gemeinsamen Großverbandes beider Heere. Im Januar 1988 riefen Paris und Bonn zwei neue binationale Gremien ins Leben: einen Verteidigungs- und Sicherheitsrat und einen Finanz- und Wirtschaftsrat. Einen Monat später billigte der Europäische Rat ein vom Präsidenten der Kommission, dem französischen Sozialisten Jacques Delors, vorgelegtes, von Paris und Bonn unterstütztes «Paket» mit Vorschlägen zur Reform der Struktur-, Finanz- und Agrarpolitik. Sein wichtigster Bestandteil war die Reform der Finanzierung der Gemeinschaft: Fortan traten jährlich errechnete Anteile am Bruttosozialprodukt des jeweiligen Mitgliedslandes als neue, vierte Finanzquelle zu den Agrarabschöpfungen, Zolleinnahmen und Anteilen am Mehrwertsteueraufkommen hinzu.

Ende Juni 1989 tat der Europäische Rat in Madrid, trotz des hinhaltenden Widerstandes der Briten, einen wichtigen Schritt in Richtung Wirtschafts- und Währungsunion: Die erste Stufe der Verwirklichung, der Eintritt aller Gemeinschaftswährungen in das bestehende Europäische Währungssystem, sollte am 1. Juli 1990 beginnen; für die folgenden beiden Stufen, die Gründung einer Europäischen Zentralbank und die Schaffung einer einheitlichen Währung, wurden noch keine Termine beschlossen. In jedem Fall sollte den Stufen zwei und drei eine Regierungskonferenz vorangehen, deren Zeitpunkt aber noch offen war: Mitterrand wollte sie in der zweiten Hälfte des Jahres 1990 stattfinden lassen, Kohl aus innenpolitischen Gründen erst nach der im Dezember 1990 anstehenden Bundestags-wahl. Außerdem lag dem Bundeskanzler sehr viel mehr als dem französi-schen Staatspräsidenten daran, parallel zur Währungsunion die Politische Union Europas zu verwirklichen.

Das Verhältnis zwischen Paris und Bonn war unter Mitterrand und Kohl so eng und gut, wie es unter Giscard d'Estaing und Schmidt gewesen war: Die unterschiedliche parteipolitische Herkunft der Staats- beziehungs-weise Regierungschefs beider Länder stand der Entwicklung persönlicher Freundschaften nicht im Weg. Viel komplizierter gestalteten sich die Be-ziehungen zwischen der Bundesrepublik und Großbritannien – ungeachtet der Tatsache, daß an der Spitze beider Regierungen Konservative standen.

Besonders umstritten war zwischen London und Bonn, neben dem Tempo des europäischen Integrationsprozesses, die Sicherheitspolitik des atlantischen Bündnisses. Margaret Thatcher, die Premierministerin der Jahre 1979 bis 1990, setzte sich mit stärkstem Nachdruck für eine Moder-nisierung auf dem Gebiet der Kurzstreckenraketen ein, auf dem die So-wjetunion ein erdrückendes Übergewicht besaß. Hingegen wollte Außen-minister Genscher die Entspannung zwischen Ost und West, die 1987 mit der doppelten Nullösung für Mittelstreckenraketen wiederbelebt worden war, nicht durch eine neue Nachrüstung gefährden. Er forderte deshalb Abrüstungsverhandlungen *vor* einer eventuellen «Modernisierung» der veralteten amerikanischen «Lance»-Raketen.

Innerhalb der Bonner Koalition war die Frage der Kurzstreckenraketen lange heftig umstritten. In der CDU/CSU gab es starke Kräfte, die vor ei-ner «Denuklearisierung» Westeuropas als Folge einer abermaligen Nullö-sung warnten. Franz Josef Strauß, Manfred Wörner, von 1982 bis 1988 Bundesverteidigungsminister und seit Mai 1988 als erster Deutscher Gene-ralsekretär der NATO, und sein Nachfolger im Bonner Amt, Rupert Scholz, gehörten zu dieser Richtung. Bundeskanzler Kohl schloß sich je-doch nach langem Schwanken, um die Koalition nicht zu gefährden, im Fe-bruar 1989 der Position Genschers an. Margaret Thatcher konnte sich ih-rerseits der nahtlosen Übereinstimmung erst mit Ronald Reagan, dann mit der neuen amerikanischen Administration erfreuen: Der Republikaner George Bush, der im Januar 1989 ins Weiße Haus eingezogen war, Außen-minister James A. Baker und Verteidigungsminister Richard B. Cheney wollten das Bündnis auf eine Modernisierung ohne Verzug festlegen. Der Bonner Außenminister galt in Washington einmal mehr als Vertreter einer, die Interessen des Westens gefährdenden weichen Haltung gegenüber Mos-kau – des «Genscherismus».

Der Außenminister der Bundesrepublik fand mit seiner Linie Unter-stützung in Oslo, Kopenhagen, Luxemburg, Brüssel, Rom, Madrid, Athen – und auch in Paris, was aber eher symbolische Bedeutung hatte, da Frank-reich nicht der Militärorganisation der NATO angehörte. Sein entschie-denster Verbündeter war der norwegische Außenminister, der Sozialdemokrat Thorvald Stoltenberg, den Genscher in seinen «Erinnerungen» als «Harmel-Bericht in Person» beschreibt – die Verkörperung jenes, nach dem damaligen belgischen Außenminister Pierre Harmel benannten Dokuments vom Dezember 1967, in dem sich die NATO zu Verteidigung und Entspannung als gleichberechtigten Zielen des Bündnisses bekannt hatte. Auf dem Brüsseler Jubiläumsgipfel der NATO am 29. und 30. Mai 1989, vierzig Jahre nach Gründung der Allianz, mußte die Entscheidung fallen. Die Partner einigten sich schließlich auf eine Lösung, die vordergründig wie ein Kompromiß zwischen den Positionen der angelsächsischen «Falken» und der kontinentaleuropäischen «Tauben» aussah: Auf Vorschlag von Außenminister Baker sprach sich die NATO für Verhandlungen über die Kurzstreckenraketen mit dem Ziel einer «teilweisen Reduzierung» aus. Über Einführung und Stationierung eines Folgesystems für «Lance» solle 1992 im Lichte der sicherheitspolitischen Gesamtentwicklung entschieden werden. Das war ein Beschluß gegen eine Nullösung, die Genscher nicht hatte ausschließen wollen, aber auch gegen eine Modernisierung zu diesem Zeitpunkt.

Der Bonner Außenminister konnte mit dem Ergebnis dennoch zufrieden sein. «Aus einer Verpflichtung zur Modernisierung ohne gleichzeitige Verhandlungen ist eine Verpflichtung zu Verhandlungen ohne gleichzeitige Modernisierung geworden», erklärte er nach Abschluß des Jubiläumsgipfels. Die Bundesregierung durfte es auch als Erfolg verbuchen, daß die NATO in Brüssel erklärt hatte, sie wolle auf «eine neue politische Friedensordnung in Europa» hinarbeiten, die vom Atlantik bis zum Ural reichen sollte. Die positive Bewertung der «bedeutenden Veränderungen» in der Sowjetunion und der Fortschritte in Richtung Demokratie «in einigen Ländern Osteuropas» lag ebenfalls ganz auf der Bonner Linie.

Die Sowjetunion Michail Gorbatschows, der Hauptadressat der Brüsseler Beschlüsse, hatte sich mit dem Westen nicht nur hinsichtlich der Mittelstreckenraketen verständigt. Im September 1986 war in Stockholm die Konferenz über vertrauens- und sicherheitsbildende Maßnahmen und Abrüstung in Europa (KVAE) erfolgreich abgeschlossen worden – eine Konferenz, die 1983 auf dem Madrider Folgetreffen der KSZE, der ersten, 1980 eingeleiteten Runde seit der Helsinki-Konferenz von 1975, vereinbart worden war. Das Ergebnis von Stockholm bedeutete einen wirklichen Durchbruch auf den Gebieten Ankündigung und Beobachtung von Manövern, einschließlich sogenannter «Überraschungsinspektionen».

Bei den Wiener Verhandlungen über eine Verminderung der konventionellen Streitkräfte und Rüstungen (MBFR) hatte sich dagegen seit ihrem Beginn im Oktober 1979 so gut wie nichts bewegt. Am 2. Februar 1989 wurden sie ohne sachlichen Ertrag beendet, nachdem inzwischen feststand, daß im März, ebenfalls in Wien, eine Nachfolgekonferenz ihre Arbeit aufnehmen würde: die Verhandlungen über konventionelle Streitkräfte in Europa (VKSE). Unter radikal veränderten weltpolitischen Bedingungen führten sie im November 1990 zu einer Vereinbarung über die Schaffung eines Gleichgewichts auf niedrigerem Niveau. Ein Jahr später, im Juli 1991, mündeten die Gespräche über den Abbau strategischer Rüstungen (START) nach neunjähriger Verhandlungsdauer in den START-I-Vertrag. Er verpflichtete beide Seiten, jeweils ein Drittel dieser Potentiale zu beseitigen.

Als Genscher sich einer sofortigen Modernisierung der Kurzstreckenraketen widersetzte, hatte er die jüngsten dramatischen Veränderungen in Ostmitteleuropa im Blick – Veränderungen, die er fördern und nicht durch eine weitere Nachrüstung gefährden wollte. In Polen war der «Kriegszustand» zum Jahresende 1982 «ausgesetzt» und im Juli 1983 aufgehoben worden; im September 1986 folgte eine umfassende politische Amnestie. Im Frühjahr 1986 wurde Polen von einer Streikwelle erfaßt, deren Schwerpunkte dort lagen, wo die weiterhin verbotene «Solidarność» 1980/81 stark gewesen war. Nachdem es im Frühjahr und Sommer 1988 zu neuen Streiks, unter anderem auch wieder an der Danziger Leninwerft, gekommen war, traf sich der Innenminister, General Czeslaw Kiszczak, am 31. August mit Lech Walesa, dem legendären Gewerkschaftsführer der Jahre 1980/81. Bei dieser von der katholischen Kirche vermittelten Begegnung wurden erstmals Gespräche zwischen Regime und Opposition am «Runden Tisch» erörtert: Kiszczak griff damit den Gedanken eines nationalen Dialogs auf, für den sich Anfang des Jahres zuerst der Historiker Jerzy Holzer, einer der Intellektuellen von «Solidarność», in einem Offenen Brief an Jaruzelski und Walesa, dann Bronislaw Geremek in einem Zeitungsinterview ausgesprochen hatten. Am 17./18. Januar 1989 sprach sich das Zentralkomitee der Polnischen Vereinigten Arbeiterpartei indirekt auch für eine Wiederzulassung von «Solidarność» aus. Am 6. Februar begannen die Verhandlungen am Runden Tisch. Zu den Vertretern der Opposition gehörten die führenden Köpfe von «Solidarność», darunter Mazowiecki und Geremek. Ihr Nahziel war die Erarbeitung eines «historischen Kompromisses», der Polen aus der Krise herausführen und den Weg in die Demokratie ebnen sollte.

War es in Polen massenhafter Druck von «unten», der einen tiefgreifenden Systemwandel auslöste, so trug die Transformation in Ungarn die Züge einer «Revolution von oben». Im Mai 1988 wurde der langjährige Parteichef János Kádár entmachtet. Sein Nachfolger, der bisherige Ministerpräsident Károly Grósz, gehörte ebenso zu den Reformern wie sein Nachfolger im Amt des Regierungschefs, Miklós Németh. Im April 1989 trat das gesamte Politbüro zurück; die Neuwahl stärkte die Reformkräfte um Németh und Imre Pozsgay. Ungarn nutzte bei seiner wirtschaftlichen und politischen Liberalisierung (die durch einen Bonner Milliardenkredit vom Oktober 1987 eher verlangsamt als beschleunigt wurde) den Spielraum, den Gorbatschow den Staaten des Warschauer Pakts gewährte. Die Breschnew-Doktrin aus dem Jahr 1968, die Lehre von der beschränkten Souveränität der sozialistischen Staaten, war von Gorbatschow im November 1986 faktisch, wenn auch noch nicht formell außer Kraft gesetzt worden. Mitglieder der «Sozialistischen Staatengemeinschaft» konnten fortan *ihre* Vorstellungen von Sozialismus verwirklichen, ohne mit einer Intervention der «Bruderstaaten» rechnen zu müssen.

Während Polen und Ungarn in «Glasnost» und «Perestrojka» die historische Chance sahen, sich endgültig aus der Bevormundung durch Moskau zu befreien, fühlten sich zwei andere kommunistische Staaten Mitteleuropas durch Gorbatschows «neues Denken» zunehmend bedroht. Die Führung der Tschechoslowakei war noch immer vom Trauma des Jahres 1968 geprägt; die orthodoxen Kräfte in Prag fürchteten überdies um den Zusammenhalt des binationalen Staates, sollte sich auch bei ihnen ein liberalerer Geist durchsetzen. Die DDR war in einem noch strikteren Sinn als die ČSSR ein Ideologiestaat. Mangels einer nationalen Identität hatte der Marxismus-Leninismus als identitätsstiftendes Element für die Deutsche Demokratische Republik eine höhere Bedeutung als für irgendeinen anderen Mitgliedsstaat des Warschauer Paktes.

Weder in der ČSSR noch in der DDR gab es eine Massenopposition wie die katholisch geprägte Gewerkschaft «Solidarność» in Polen; es gab hier auch, anders als in Warschau oder Budapest, keine «Eurokommunisten» in der Führung der kommunistischen Parteien. Die KPČ mußte lediglich mit der Tatsache leben, daß sie aus außenpolitischen Rücksichten die intellektuelle Bürgerrechtsbewegung nicht völlig unterdrücken durfte, die sich im Oktober 1977 in der «Charta 77» zusammengeschlossen hatte. Die SED hatte sich mit diffuseren Äußerungen von Widerspruch auseinanderzusetzen – mit Friedens- und Umweltgruppen, die einen gewissen Schutz durch die evangelische Kirche genossen. Aber daß «die» Intellektuellen oder «die» Studenten oppositionell gewesen wären, kann man auch im Rückblick nicht behaupten. Das alte Bildungsbürgertum war bis auf kleine Reste, mit evangelischen Pfarrhäusern als Kristallisationspunkten, in den Westen des geteilten Landes abgewandert, zum Teil auch abgeschoben worden. Unabhängige Geister hatten sich am ehesten in naturwissenschaftlichen und technischen Berufen behaupten können; die «Staatsintelligenz» hingegen bestand zum größten Teil aus sozialen Aufsteigern, die ihre höhere Bildung der «Arbeiter- und Bauernmacht» verdankten oder zu verdanken glaubten. Hatte sich in Polen noch unter der Diktatur eine «Zivilgesellschaft» entwickelt oder wiederbelebt, so konnte davon in der DDR keine Rede sein. Die entschiedenen Oppositionellen waren eine kleine Minderheit, die in kaum einem anderen kommunistischen Land so wenig Rückhalt an Hochschulen und Universitäten besaß wie im Staat Erich Honeckers.

Die Antwort der SED auf Opposition hieß Repression – daran änderte auch Gorbatschows neuer Kurs nichts. Im Juni 1987 gingen Volkspolizei und Ministerium für Staatssicherheit massiv gegen Jugendliche vor, die zum

Brandenburger Tor geeilt waren, um einem Popkonzert auf der Westseite der Mauer zuzuhören. Dabei waren auch Rufe ertönt: «Die Mauer muß weg!» Mitte November 1987 wurde die im Herbst des Vorjahres ins Leben gerufene, regimekritische «Umweltbibliothek» in der Zionskirche im Ost-Berliner Bezirk Mitte durch Staatsanwaltschaft und MfS durchsucht. Der Schlag richtete sich vor allem gegen die Zeitschrift «Grenzfall», das Organ der im Jahr zuvor gegründeten «Initiative Frieden und Menschenrechte». Die Festnahme mehrerer Initiatoren löste Solidaritätsaktionen in vielen Städten der DDR aus. Zusammen mit den Mahnwachen an der Zionskirche erregten die Proteste so viel internationales Aufsehen, daß das Regime schließlich einlenkte und bis zum 29. November alle verhafteten Mitarbeiter der Umweltbibliothek freiließ. Die Ermittlungsverfahren gingen allerdings weiter.

Als am 17. Januar 1988 Angehörige unabhängiger Bürgerrechts- und Friedensgruppen die traditionelle Liebknecht-Luxemburg-Demonstration in Ost-Berlin zum Anlaß nahmen, Transparente mit dem bekanntesten Zitat von Rosa Luxemburg – «Freiheit ist immer die Freiheit der Andersdenkenden» – zu zeigen, wurden viele von ihnen festgenommen. Es folgte eine neue Welle von Verhaftungen und Abschiebungen. Betroffen waren unter anderem die Theaterregisseurin Freya Klier und der Chansonsänger Stephan Krawczyk, die am 2. Februar, nach ihrer Ankunft in der Bundesrepublik, sofort erklärten, daß sie die DDR nicht freiwillig verlassen hätten. Am 18. November 1988 wurde die sowjetische Zeitschrift «Sputnik» von der Postzeitungsliste gestrichen, also den Abonnenten nicht mehr ausgeliefert: Das Blatt hatte in seinem Oktoberheft jenes geheime Zusatzabkommen zum Hitler-Stalin-Pakt von 1939 erwähnt, das die Aufteilung der Interessensphären zwischen dem Deutschen Reich und der Sowjetunion regelte und im August 1988 erstmals im Wortlaut in Moskau veröffentlicht worden war.

Das Verbot des «Sputnik» war die bislang schärfste Absage an «Glasnost» aus der DDR. Die Begründung, wer den heldenhaften Kampf der Antifaschisten gegen den Hitlerfaschismus verleumde und den Sozialismus schmähe, habe «bei uns» keinen Platz, brachte, ebenso wie die Maßnahme selbst, auch langjährige Mitglieder der SED gegen die Parteiführung auf. Die Befürworter der Maßnahme gegen den «Sputnik» seien in der Minderheit, beobachteten die Mitarbeiter des MfS. «Hauptargument der sich mit Unverständnis und Ablehnung äußernden Personen ist, damit werde die Bevölkerung der DDR politisch entmündigt.» Doch das Verbot hatte Methode. Es lag völlig auf der Linie, die Kurt Hager, der Chefideologe der SED, schon Anfang April 1987 in einem Gespräch mit der Hamburger Zeitschrift «Stern» dargelegt hatte. Auf das Verhältnis der DDR zur «Perestrojka» angesprochen, erwiderte er: «Würden Sie, nebenbei gesagt, wenn Ihr Nachbar seine Wohnung neu tapeziert, sich verpflichtet fühlen, Ihre Wohnung ebenfalls neu zu tapezieren?»

Auf das deutsch-deutsche Verhältnis wirkten sich die reformfeindliche Haltung der SED und ihre fortdauernden Verstöße gegen die Menschenrechte zunächst kaum aus. Bundeskanzler Kohl äußerte sich zu dem, was das Ost-Berliner Regime seinen Kritikern antat, in der Öffentlichkeit nur selten und dann sehr zurückhaltend. Auch in seinem Briefwechsel mit Honecker nahm die Frage der Menschenrechte keinen herausragenden Platz ein. Bei den Gesprächen, die Kohl Ende Oktober 1988 während seines offiziellen Besuches in der Sowjetunion mit Gorbatschow in Moskau führte, ging er zwar auf die Menschenrechte im allgemeinen und auf das Selbstbestimmungsrecht der Deutschen ein; die Menschenrechtsverletzungen im anderen deutschen Staat scheinen aber kein Thema gewesen zu sein. Dorothee Wilms (CDU), seit März 1987 Bundesministerin für innerdeutsche Beziehungen, protestierte immerhin gegen die Vorgänge um die «Umweltbibliothek» und gegen die Verfolgung von Dissidenten bei und nach der Luxemburg-Liebknecht-Demonstration.

Die SPD reagierte uneinheitlich. Willy Brandt hatte es sich zur Regel gemacht, bei Besuchen in Hauptstädten kommunistischer Staaten individuelle Härtefälle vertraulich zur Sprache zu bringen, jede öffentliche Solidarisierung mit Bürgerrechtlern aber zu vermeiden. (Als er im Dezember 1985 anläßlich des 15. Jahrestages des Warschauer Vertrages in Polen weilte, traf er sich mit General Jaruzelski, aber nicht, wie das die Oppositionskräfte erwartet hatten, mit dem Führer der verbotenen Gewerkschaft «Solidarność», Lech Walesa, der auch als Friedensnobelpreisträger des Jahres 1983 ein «Kollege» Brandts war.) Auch sonst hielten sich die meisten führenden Sozialdemokraten gegenüber Regimegegnern in kommunistischen Staaten, einschließlich der DDR, demonstrativ zurück. Gesprächspartner waren die Partei- und Staatsführungen, und nur sie. Die «Vertragspolitik» zwischen SPD und SED ging weiter, als ob es die trennende Menschensrechtsfrage nicht gäbe: Am 7. Juli 1988 legten Hermann Axen und Egon Bahr einen gemeinsamen, vom Präsidium der SPD und dem Politbüro der SED gebilligten Vorschlag für die Errichtung einer «Zone des Vertrauens und der Sicherheit in Zentraleuropa» vor.

Einige Sozialdemokraten verhielten sich sensibler als andere. Bekennende Protestanten wie Johannes Rau, Jürgen Schmude und Erhard Eppler, die alle drei aus Heinemanns Gesamtdeutscher Volkspartei zur SPD gestoßen waren, besuchten regionale Kirchentage in der DDR und trafen dort mit Angehörigen von Bürgerrechts- und Friedensgruppen zusammen. Der Bundestagsabgeordnete Gert Weisskirchen nahm Ende 1987 zu dem oppositionellen Pfarrer Rainer Eppelmann Verbindung auf und setzte sich so aktiv für ostdeutsche Bürgerrechtler ein, daß die DDR mehrfach Einreiseverbote gegen ihn verhängte. Gegen die Verhaftungen und Ausweisungen vom Januar 1988 legten Hans-Jochen Vogel und Erhard Eppler mit scharfen Worten Verwahrung ein, desgleichen die Konferenz der sozialdemokratischen Fraktionsvorsitzenden von Bund und Ländern. Bei den Bürger-

rechtlern in der DDR und anderen kommunistischen Staaten aber war der
Eindruck nicht mehr auszulöschen, daß die SPD Wandel im Osten aus-
schließlich von «oben» erwartete und im Zweifelsfall das Interesse am
Wandel dem Interesse an Sicherheit unterordnete.[23]

Eine der Wirkungen von Gorbatschows «neuem Denken» war neues
Nachdenken über die deutsche Frage in der Bundesrepublik. Seit der Jahreswende 1987/88 mehrten sich auch in der CDU Stimmen, die nach-
drücklicher denn je den Vorrang der Freiheit vor der Einheit betonten. Am
25. Januar erklärte etwa die Bundesministerin für innerdeutsche Beziehungen, Dorothee Wilms, in einem Vortrag in Paris, der «Nationalstaat um seiner selbst willen» sei weder der Auftrag des Grundgesetzes noch entspreche er «unserem politischen Bewußtsein... Es geht nicht um eine
rückwärts gerichtete Lösung der deutschen Frage, sondern um deren vor-
wärtsgerichtete freiheitliche Beantwortung. Es geht um eine Antwort im
Einklang mit den Erfahrungen und Lehren der Geschichte, im Einklang
mit dem Willen und den Werten Europas... Das schließt für uns Lösungen
der deutschen Frage im Alleingang oder gegen den Willen unserer Nachbarn aus... Da die nationale Frage in unseren Augen primär eine Frage der
Selbstbestimmung ist, betrachten wir den territorialen Aspekt als nachge-
ordnet... Die Teilung Europas muß überwunden werden, soll auch die
deutsche Teilung ihr Ende finden... Wir wissen, daß die Überwindung der
Teilung Deutschlands in naher Zukunft nicht zu erwarten ist, weil auch die
Teilung Europas noch andauert.»

Einer der Verbündeten der Ministerin war der Generalsekretär der
CDU, ihr Kabinettskollege Heiner Geißler, der zu dieser Zeit zusammen mit einer Kommission am außen- und deutschlandpolitischen Leitantrag für den Wiesbadener Parteitag im Juni 1988 arbeitete. In Geißlers
Entwurf tauchte der Begriff «Wiedervereinigung» ebensowenig auf wie
in den Reden des Bundeskanzlers und Parteivorsitzenden Helmut Kohl,
der die Textvorlage Mitte Februar denn auch zunächst unbeanstandet
passieren ließ. Darin hieß es: «Die Einheit der deutschen Nation besteht
fort, obwohl das deutsche Volk heute gegen seinen Willen staatlich getrennt leben muß. Die Deutschen sind nicht bereit, sich mit dieser
Trennung auf Dauer abzufinden. Der Kurs der Deutschlandpolitik der
CDU bleibt deshalb die Wahrung der nationalen Einheit. Die CDU hält
fest an dem Ziel, eine stabile Friedensordnung in Europa zu schaffen, in
der das deutsche Volk in freier Ausübung des Selbstbestimmungsrechts
die Einheit Deutschlands in Freiheit wiedererlangt. Bei der Verfolgung
dieses Zieles beachtet die CDU folgende Prinzipien: die Freiheit ist
Bedingung der Einheit und nicht ihr Preis, die Einheit kann nur auf ge-
waltfreiem Wege erreicht werden, das Ziel der Einheit ist von den Deutschen nur mit Einverständnis ihrer Nachbarn in West und Ost zu erreichen.»

Was Geißler und die anderen Mitglieder der Kommission – die Bundesminister Schäuble und Wilms, die Abgeordneten Volker Rühe und Karl Lamers, die Politikwissenschaftler Hans-Peter Schwarz und Werner Weidenfeld, sowie der Abteilungsleiter im Bundeskanzleramt, Horst Teltschik – zu Papier gebracht hatten, lag völlig auf der Linie Kohls. Einige Abgeordnete des rechten Parteiflügels, an ihrer Spitze Manfred Abelein und Jürgen Todenhöfer, empfanden die Relativierung des Nationalstaats, wie Geißler und Wilms sie befürworteten, jedoch als Sakrileg. Unterstützt von der «Frankfurter Allgemeinen Zeitung» und dem früheren Bundespräsidenten Karl Carstens, erreichten sie, daß Kohl sich von der Vorlage distanzierte. In den «Christlich-demokratischen Perspektiven zur Deutschland-, Außen-, Sicherheits-, Europa- und Entwicklungspolitik», wie sie der Wiesbadener Parteitag der CDU Mitte Juni 1988 annahm, stand nicht nur der Begriff «Wiedervereinigung», sondern auch ein Wort Konrad Adenauers, an das sich der erste Bundeskanzler in seiner Regierungspraxis freilich nicht gehalten hatte und nicht hatte halten können: «Die Wiedervereinigung Deutschlands in Freiheit war und ist das vordringlichste Ziel unserer Politik.»

Bei einigen Sozialdemokraten rief die Rückkehr zum Begriff «Wiedervereinigung» scharfe Kritik hervor. Willy Brandt hatte schon am 18. November 1984 in einer von Egon Bahr entworfenen Rede in den Münchner Kammerspielen festgestellt: «Sonntagsreden pflegen oft – oder wieder – die Lebenslüge der fünfziger Jahre; an den restlichen sechs Wochentagen wird den westlichen Interessen der Bundesrepublik Rechnung getragen.» Im Frühherbst 1988 kam Brandt zweimal, am 11. September in seinem Beitrag zu den «Berliner Lektionen» und drei Tage später in einem Vortrag vor der Friedrich-Ebert-Stiftung in Bonn nahezu wortgleich auf den, von seinen politischen Gegnern als Absage an die Idee der nationalen Einheit umgedeuteten Begriff «Lebenslüge» zurück. «Vollends durch den Kalten Krieg und seine Nachwirkungen gefördert, wurde die Hoffnung auf *Wieder*vereinigung geradezu zur Lebenslüge der zweiten Deutschen Republik», hieß es in der Rede von 14. September.

Brandt stieß sich beim Begriff «Wiedervereinigung» vor allem am ersten Bestandteil des Wortes. «Als ob die Geschichte und die europäische Wirklichkeit für uns eine Anknüpfung an das Bismarck-Reich bereithielte», bemerkte er in beiden Reden im ersten von zwei rhetorischen Halbsätzen. «Oder als ob sich das ganze Problem darauf reduziere, wie sich der Anschluß der DDR an die Bundesrepublik Deutschland vollziehen lasse oder vollziehen werde.»

Bei seiner ersten Begegnung mit Honecker am 19. September 1985 pflichtete Brandt der Ost-Berliner Aufzeichnung zufolge der Bemerkung des Staatsratsvorsitzenden ausdrücklich bei, «das Deutsche Reich Bismarckscher Prägung sei in den Flammen des Zweiten Weltkriegs untergegangen», und «Träumereien über eine Wiederherstellung der Grenzen von

1937 seien gefährlich». «Was E. Honecker über das Deutsche Reich gesagt habe, veranlasse ihn nicht zum Widerspruch, stellte W. Brandt fest. Bei sich zu Hause sage er: ‹Wieder› wird nichts. Was die Zukunft bringe, könne auch keiner wissen. Wenn Europa im nächsten Jahrhundert mehr zusammenwächst, wäre möglicherweise auch die Frage, ob beide deutsche Staaten eine engere Verbindung eingehen könnten.»

Der Schöpfer des Begriffs «Lebenslüge» war der norwegische Dichter Henrik Ibsen. Mit als erste hatten Fritz René Allemann 1956 und Burghard Freudenfeld 1967 im Hinblick auf die Wiedervereinigung beziehungsweise den Bonner Provisoriumsvorbehalt von einer «Lebenslüge» gesprochen. 1972 nannte auch Golo Mann in einer Betrachtung zum Grundlagenvertrag die Wiedervereinigung eine «Lebenslüge». Ihm folgte zwölf Jahre später der Sozialdemokrat Egon Bahr, der Autor des Entwurfs von Brandts Münchner Rede vom November 1984. Freudenfeld und Mann, Bahr und Brandt erhofften sich von der Preisgabe deutscher «Lebenslügen» eine befreiende Wirkung – ganz anders als Ibsen, der 1885 in seiner Tragikomödie «Die Wildente» den Arzt Dr. Relling sagen läßt: «Wenn Sie einem Durchschnittsmenschen seine Lebenslüge nehmen, so bringen Sie ihn gleichzeitig um sein Glück.» In den achtziger Jahren hing das Glück der «durchschnittlichen» Bundesbürger allerdings kaum noch davon ab, ob sie sich weiterhin an die «Lebenslüge» der fünfziger Jahre klammerten.

Im Jahre 1988 äußerte sich Bahr in einer Schrift mit dem von ferne an Kant erinnernden Titel «Zum europäischen Frieden» (und dem Untertitel «Eine Antwort auf Gorbatschow») erneut zur deutschen Frage. Konventionelle Stabilität und strukturelle Nichtangriffsfähigkeit seien die Voraussetzungen dafür, daß NATO und Warschauer Pakt aufgelöst und durch ein gesamteuropäisches Sicherheitssystem ersetzt werden könnten. Der neue europäische Friede würde auch «das Recht der beiden deutschen Staaten einschließen, die Grenze zwischen ihnen aufzugeben, wenn sie es wollen». Seien erst mit Bundesrepublik und DDR Friedensverträge abgeschlossen (und heute könne es nur noch um zwei Friedensverträge gehen), läge es bei beiden deutschen Staaten, «ihr Selbstbestimmungsrecht so zur Geltung zu bringen, wie sie das wollen und können, sicher nicht ohne Rücksicht auf ihre Nachbarn, noch viel weniger auf ihre Freunde... Der europäische Frieden läuft ganz am Ende auf den Rückzug der beiden Weltmächte aus dem hinaus, was heute deren verbündetes Vorfeld ist. Wenn Europas Sicherheit sich selbst trägt, haben die amerikanischen wie die sowjetischen Truppen ihre Aufgaben erfüllt, den Westen vor dem Osten und den Osten vor dem Westen zu schützen.»

Wenn je der polemisch gemeinte Begriff «Äquidistanz» seine Berechtigung hatte, dann bei den Visionen Bahrs von europäischer Ordnungspolitik im deutschen Interesse. Was immer er in den achtziger Jahren mit kommunistischen Parteien des Warschauer Pakts, namentlich mit der SED, ausgehandelt hatte, alles waren Bruchstücke einer großen Konfession: Der

Architekt der sozialdemokratischen Ostpolitik wollte *beide* Supermächte aus Mitteleuropa hinausargumentieren, weil er sie letztlich für gleich gefährlich hielt und «die Waffen selbst» nach seiner Auffassung zu einer größeren Gefahr geworden waren als der jeweilige Gegner. Am Endziel der nationalen Einheit gab es für Bahr nicht den geringsten Zweifel. Die Festigung der deutschen Zweistaatlichkeit war ihm nur ein Mittel zum Zweck, der Überwindung der deutschen Teilung. Brandt mochte, was die Erreichbarkeit dieses Zieles betraf, skeptischer sein als sein Freund und Berater. Wenn sie sich beide gegen eine Wiedervereinigungsrhetorik wandten, die kein Gegenstück in praktischer Politik hatte, geschah das aus nationalen Motiven heraus.

Am 1. Dezember 1988 stand der «Bericht zur Lage der Nation im geteilten Deutschland» auf der Tagesordnung des Bundestages. Bundeskanzler Kohl sprach erneut von der «Schärfung des Bewußtseins für die Einheit der Nation», vom «Gefühl nationaler Zusammengehörigkeit» und vom «Zusammenhalt der Nation», nicht aber von «Wiedervereinigung». Er betonte auch, daß es keinen Grund zu der Annahme gebe, eine Lösung der deutschen Frage sei nähergerückt. Die anschließende Debatte war erstmals in der Geschichte der Bundesrepublik von offenem Dissens über das Ziel der staatlichen Einheit geprägt. Der Partei- und Fraktionsvorsitzende der SPD, Hans-Jochen Vogel, lobte den Generalsekretär der CDU, Heiner Geißler, weil dieser der Auffassung des Fraktionsvorsitzenden der Union, Alfred Dregger, entgegengetreten sei, «es müsse und werde eine Anknüpfung an das Bismarckreich geben, und das ganze Problem reduziere sich darauf, wie sich der Anschluß der DDR an die Bundesrepublik vollziehen lasse und eines Tages vollziehen werde».

Niemand wisse, so fuhr Vogel fort, welche Antwort die Geschichte auf die Frage der deutschen Teilung bereithalte. «Die Präambel des Grundgesetzes ... läßt durchaus auch eine Antwort im Rahmen einer europäischen Friedensordnung zu, einer Ordnung, die die Grenzen durchlässiger macht, Feindbilder überwindet, die individuellen und die sozialen Menschenrechte stärkt und den Deutschen ohne Rücksicht auf ihre staatliche Organisation erlaubt, sich weiterhin als Glieder ein und derselben Geschichts-, Kultur-, Sprach- und Gefühlsgemeinschaft, also einer Nation – dies sind nämlich die konstituierenden Elemente des Nationenbegriffes –, zu verstehen, innerhalb deren unterschiedliche Gesellschaftsordnungen miteinander im friedlichen Wettbewerb stehen.»

Was Vogel vortrug, lief auf eine Entstaatlichung des Begriffs «Einheit» hinaus. Der Sprecher der Sozialdemokraten hätte sich dabei auf lang zurückliegende Äußerungen Adenauers und des zwei Monate zuvor, am 2. Oktober 1988, verstorbenen Franz Josef Strauß berufen können. Aber anders als die beiden Unionspolitiker legte Vogel bei seinen Forderungen an die DDR nicht mehr die westlichen Vorstellungen von Freiheit und Demokratie als Maßstab zugrunde. Vielmehr sollte eine gewisse Liberalisie-

rung der (nach dem Selbstverständnis der SED «sozialistischen») Gesellschaftsordnung der DDR genügen. Die Formel, es gelte, die «individuellen
und die sozialen Menschenrechte» zu stärken, kam der DDR insoweit entgegen, als diese vor allem die letzteren stark betonte und sich in dieser Hinsicht den «kapitalistischen» Staaten weit überlegen glaubte. Vogels Plädoyer war nur als Aufruf zur *wechselseitigen* Annäherung der Systeme zu
verstehen und lag damit auf der Linie des von ihm bewußt zitierten «Streitkulturpapiers» von SPD und SED. Die Präambel des Grundgesetzes erfuhr
durch den Vorsitzenden der Sozialdemokraten eine weitgehende Umdeutung: ihre Reduzierung auf den «Kern dessen, was uns das Grundgesetz zu
bewahren aufgibt» – genauer gesagt auf das, was Vogel als «Kern» verstand.

Ein anderer sozialdemokratischer Debattenredner ging in der Revision
des bislang immer wieder beschworenen deutschlandpolitischen Grundkonsenses weiter als Vogel. Der Berliner Abgeordnete Gerhard Heimann
bekannte sich zu seiner Überzeugung, «daß die deutsche Geschichte den
Deutschen die Normalität anderer Völker versagt hat, die darin besteht,
daß andere Völker, besonders Frankreich, auf eine glückliche Einheit von
Staat, Nation und Demokratie zurückgreifen können». Die Bewegung
von 1848 habe es nicht geschafft, die doppelte Aufgabe von Einheit und
Freiheit zu lösen. Unter Bismarck habe Deutschland zwar eine Einheit von
Staat und Nation bekommen, aber nur eine mangelhafte Verwirklichung
von Freiheit und Demokratie, und außerdem habe das Bismarckreich nur
74 Jahre gedauert. Es helfe auch nicht weiter, auf einen älteren Teil der deutschen Geschichte, das Heilige Römische Reich, zurückzugreifen, wie das
kürzlich der Fraktionsvorsitzende der Union, Alfred Dregger, in einer
Rede in Nürnberg getan hatte. Denn ein Staat im modernen Sinn sei das
Heilige Römische Reich nie gewesen. «Wir Deutsche haben immer wieder
lernen müssen, in Formen der Mehrstaatlichkeit zu leben... Aber warum
müssen wir immer wieder die Frage der Einheit von Staat und Nation, die
vor der deutschen Geschichte nicht geglückt ist, in den Mittelpunkt unserer Diskussionen stellen?»

Am Begriff der Nation wollte Heimann festhalten, die Zweistaatlichkeit
aber als eine «konkrete Chance» begriffen wissen. «Der Kern der Teilung
ist nicht die nationale Abspaltung eines Staates von einem anderen, sondern
die Teilung ist uns als Folge des Ost-West-Konfliktes aufgezwungen worden, ist allerdings auch Folge des eigenen Verschuldens, das darin liegt, daß
wir den Zweiten Weltkrieg begonnen haben. Wer die Teilung überwinden
will, muß den Antagonismus zweier Systeme und zweier Bündnisse überwinden. Das geht nur von beiden Seiten... Wenn die beiden deutschen
Staaten in diesem Sinne zusammenwirken, dann ist es nicht nur ein Nachteil, daß es diese beiden deutschen Staaten gibt, dann kann das auch ein Vorteil werden, weil so ein Teil der Ursache überwunden werden kann.»

Die radikalste Position in Sachen Überprüfung der Deutschlandpolitik
bezog der Abgeordnete Helmut Lippelt von den Grünen. Anders als Vogel

und Heimann wollte er auch den Begriff einer deutschen Nation preisgeben. «Heute... debattieren wir über die Lage der Nation. Welcher Nation
eigentlich? Staatsnation BRD, Staatsnation DDR, Kulturnation Deutschland – man unterscheidet gelegentlich zwischen Staatsnation und Kulturnation – oder jene historische Nation, die 1945 endete? Nationen sind keine
Naturtatsachen. Sie definieren sich nicht über gemeinsame Sprache, wie
Völker es tun. Sie definieren sich über gemeinsame Geschichte. Sie sind auf
komplizierte Art und Weise historisch entstanden, und sie können historisch auch wieder verwirkt werden. Was zählt also? Die gemeinsame Geschichte endet in zwölf Jahren Faschismus, in der Zerstörung Europas, insbesondere in der Zerstörung jenes gemischt-völkischen Zusammenlebens,
das einstmals Osteuropa war. Oder zählen die 40 Jahre paralleler Geschichte, hier als Bundesrepublik, dort als DDR? Über die Lage der Nation
zu sprechen heißt deshalb auch, über eine historische Fiktion zu sprechen.»
    Über die Resultate seines Nachdenkens ließ der Redner das Hohe Haus
nicht im Unklaren. Aus dem Offenhalten der «Wiedervereinigungsoption»
ergab sich Lippelt zufolge nur die Alternative: Stabilisierung der reformfeindlichen Kräfte in der DDR oder Spekulation auf einen Zusammenbruch der DDR. Praktisch habe sich die Regierung Kohl wie die vorange-
gangene Regierung Schmidt für den ersten Weg entschieden. Wer wie Kohl
oder die Abgeordneten Lamers und Rühe immer wieder den Zusammenhang zwischen der Schaffung einer europäischen Friedensordnung und der
Wiedervereinigung betone, müsse erklären, wie er das ohne Hintergedan-
ken und ohne Spekulationen auf einen Zerfallsprozeß in Osteuropa erreichen wolle. «Ist es nicht ehrlicher, zu akzeptieren, daß 40 Jahre Bundesrepublik, 40 Jahre DDR, 50 Jahre seit dem Kriegsausbruch, seit dem Überfall
auf Polen, und die Verwirkung nationaler Einheit zusammengehen? Dann
und nur dann sind wir frei zu einer entschlossenen Politik der Verwirklichung einer europäischen Friedensordnung. Im Rahmen dieser Politik
werden und müssen wir von der DDR genauso wie von den anderen Staaten Osteuropas fordern, daß sie ihre Gesellschaften aus dem Griff von Partei und Staat entlassen. Nur dann sind wir frei, von der DDR-Führung die
Aufgabe der Repressionen gegenüber ihrer Gesellschaft zu verlangen,
wenn keinerlei Spekulation auf eine Destabilisierung der DDR dahinter-
steht.»
    Da die Bundesregierung genau diese Konsequenz des Denkens scheue,
stabilisiere sie die reformfeindlichen Kräfte der DDR in ihren jetzigen
Herrschaftszuständen. Lippelts Folgerung war in sich schlüssig: «Wir Grünen fordern die Aufgabe der Wiedervereinigungspolitik, weil dieser Verzicht uns jetzt für eine notwendige Europapolitik handlungsfähig macht,
die über die Verkürzung des Begriffs ‹Europa› auf ‹Westeuropa› hinausgeht.» Der Bundeskanzler habe auch in seinem heutigen Bericht die alte
Formel wiederholt: «Einheit nicht auf Kosten der Freiheit.» Lippelts rhetorische Frage lautete, «ob nicht inzwischen umgekehrt ein Schuh daraus wird:

Können Freiheit und offene Systeme nicht auf Kosten der Einheit herbei-geführt werden? Denn wenn ehrlich über Europa geredet wird, über eine Friedensordnung eines Europa in Freiheit, dann muß das Europa, das Ihnen vorschwebt, doch ein Europa der Regionen, ein Europa offener Grenzen und ein Europa mit offenen Systemen sein.» An den Kanzler ge-wandt, schloß der Sprecher der Grünen mit den Worten: «Sie werden auch darüber nachdenken müssen, was es eigentlich kostet, wenn diese illu-sionäre Wiedervereinigungspolitik aufgegeben wird, und was es politisch an Handlungsfähigkeit bringt.»

Noch nie hatte ein Abgeordneter das Dilemma der Bonner Haltung gegenüber der DDR so scharf herausgearbeitet wie der Hauptredner der Grünen am 1. Dezember 1988. Ungeachtet aller nationalen Bekenntnisse unterschied sich die Deutschlandpolitik der christlich-liberalen Bundesre-gierung in der Praxis kaum von jener der sozialliberalen Kabinette. Diese Politik stabilisierte die DDR, und das auch deswegen, weil infolge der mitt-lerweile starken Verflechtungen eine Destabilisierung der DDR die Bun-desrepublik sofort in Mitleidenschaft gezogen hätte. Die Stabilisierung durch die Bundesrepublik erleichterte es der SED, sich dem Ruf nach Re-formen zu verweigern. Auf paradoxe Weise galt dasselbe von der Bonner «Wiedervereinigungsrhetorik»: Sie war der Durchsetzung von «Glasnost» und «Perestrojka» in der DDR eher hinderlich. Denn solange die SED ar-gumentieren konnte, daß der größere deutsche Staat langfristig die Ab-schaffung des kleineren anstrebte, mußte die DDR der Sowjetunion als be-sonders gefährdeter Vorposten ihres Imperiums erscheinen – mit der Folge, daß Honecker sich von seiten Gorbatschows keinem massiven Reform-druck ausgesetzt sah.

Bis hierhin war Lippelts Analyse nicht zu widerlegen. Doch nichts sprach für seine Annahme, daß eine Preisgabe der Idee *einer* deutschen Na-tion eine Wendung zum Besseren bewirken würde. Die Verantwortung, die der freie Teil Deutschlands für den unfreien trug, ergab sich aus der ge-meinsamen Geschichte der Deutschen. Sie war mit dem Untergang des Deutschen Reiches *nicht* zu Ende gegangen, sondern dauerte fort – und das vor allem deshalb, *weil* die Lasten dieser Geschichte nach 1945 so ungleich verteilt worden waren. Wäre es gelungen, das Gefühl einer besonderen na-tionalen Solidarität mit den Deutschen in der DDR zu beseitigen, hätten die Deutschen in der Bundesrepublik keinen spezifischen Grund mehr gehabt, auf eine Liberalisierung und Demokratisierung der DDR zu drängen. Eine Überwindung des Status quo im Zeichen der Menschenrechte war folglich *so* nicht zu erreichen.

Ein namhafter Sozialdemokrat, der sich an der Debatte vom 1. Dezem-ber 1988 nicht beteiligte, machte an anderer Stelle deutlich, daß er sich von den Grünen nicht an «Antinationalismus» übertreffen lassen wollte. Oskar Lafontaine forderte 1988 in seinem Buch «Die Gesellschaft der Zukunft» die «Überwindung des Nationalstaats». «Was macht es noch für Sinn, auf lange Sicht nach nationalstaatlicher Einheit zu streben», fragte der stellvertretende Vorsitzende der SPD, «wo doch schon auf kurze Sicht die politische Idee des Nationalstaats durch die Transnationalität der Probleme faktisch außer Kraft gesetzt wird?»

Der Nationalstaat hatte, folgte man dem Autor, «schon heute die Vernünftigkeit seiner Idee überlebt», und die Deutschen hatten einen besonderen Grund, daraus Folgerungen zu ziehen. «Die ‹verspätete› deutsche Nation ging nicht, wie zum Beispiel die französische, aus einem Bürgerkrieg hervor, den die Demokratie siegreich gegen die Monarchie geführt hatte, sondern aus einem Krieg zwischen staatlichen Bündnissen. In Sedan mußte mit dem Dritten (sic!) Kaiserreich der Franzosen auch der deutsche Traum von einer vereinten Demokratie kapitulieren. Bismarcks Sieg festigte die preußische Monarchie und lieferte ihr die deutsche Nation samt ihrem Begriff aus, mit dem sich fortan in Deutschland nicht mehr viel Gutes verband.»

Das Schlechte an der deutschen Vergangenheit konnte nach Lafontaines Meinung aber nachträglich, also für die Zukunft, doch noch Gutes bewirken. «Gerade weil uns Deutschen die Vollendung der nationalstaatlichen Einheit versagt blieb und auf absehbare Zeiten versagt bleiben wird, gerade weil wir Deutsche mit einem pervertierten Nationalismus schrecklichste Erfahrungen gemacht haben, gerade deshalb sollte uns schlechthin der Verzicht auf Nationalstaatlichkeit leichter fallen als anderen Nationen, die mit der Entstehung ihres Nationalstaats auch die Entfaltung einer demokratischen Gesellschaftsordnung verbinden konnten und immer noch können. Aufgrund ihrer jüngsten Geschichte sind die Deutschen geradezu prädestiniert, die treibende Rolle in dem Prozeß der supranationalen Vereinigung Europas zu übernehmen.»

Beim politischen Gegner rechts der Mitte war von einer solchen Einsicht freilich nichts zu spüren. «Statt dessen erleben wir im Lager des Neokonservatismus eine Art Renaissance der nationalstaatlichen Idee, eine Art verzweifelter Suche nach den besseren, schöneren Wurzeln der deutschen Nation in der deutschen Geschichte, die einer politischen Realitätsflucht gleichkommt. Man merkt es den Neokonservativen an, wie schwer es ihnen fällt, sich einzugestehen, daß die Bundesrepublik Deutschland ihre Wurzeln auch in Auschwitz hat. Dies zu vergessen oder zu verdrängen, wäre so amoralisch wie gefährlich. Denn reichte unsere bundesdeutsche Nationalidentität nicht mehr bis Auschwitz, sondern nur noch bis in das Jahr 1949 zurück, so verlören wir das Verantwortungsbewußtsein für das, was in dem Jahrzehnt zuvor im Namen des deutschen Volkes geschehen ist.»

Unter Berufung auf Jürgen Habermas forderte Lafontaine, «die nach dem Zweiten Weltkrieg entstandene Selbstverständlichkeit der bundesdeutschen Westintegration nicht mehr in Frage zu stellen». Für eine deutsche Wiedervereinigung bestehe zur Zeit «weder irgendeine realistische

Perspektive», noch erscheine «die Wiedervereinigung in dem Sinne wünschenswert, daß es zur Wiederherstellung eines – wie auch immer konstituierten – deutschen Nationalstaats kommt». Entscheidend sei nicht die
Wiedererlangung der staatlichen Einheit, sondern die Erweiterung der
«Freiheitsspielräume der Menschen».

Gegenwärtig sprach nach Lafontaines Meinung alles dafür, die Bundesrepublik auch weiterhin als eine Art Provisorium zu verstehen, wenn auch
in einem anderen Sinn, als die Mütter und Väter des Grundgesetzes dies getan hatten. «Die Zukunft heißt Europa», schrieb er, ganz ähnlich wie schon
zwanzig Jahre zuvor Walter Scheel in der «Hochland»-Debatte. «Das allein
ist die größere Einheit, in der aufzugehen sich für die Bundesrepublik noch
lohnt. Wir Deutschen brauchen Europa, weil sonst unsere kulturelle Identität nach und nach zu verkommen drohte ... Den Nationalstaat aufgeben
heißt weder die Idee des Staates aufgeben noch die der Nation. Ein trans-
national vereinigtes Europa kann nur die politische Form eines demokratischen Staates haben, unter dessen Dach Platz für eine Vielfalt von Nationen wäre. Der Begriff der Nation wäre dann nicht mehr in erster Linie ein
Kriterium der politischen Identität, sondern eines der kulturellen Identität
– einer europäischen Identität, die sich im kulturellen Spannungsfeld zwischen Nation und Region, zwischen Hochsprache und Dialekt einstellen
wird. Der Nationalstaat hat keine Zukunft mehr.»

Daß der Nationalstaat «unzulänglich» geworden war, daß seine politischen Einrichtungen der «globalen Probleme nicht Herr werden» konnten:
an dieser Einsicht Lafontaines war nichts spezifisch «Linkes», und neu war
sie auch nicht. Adenauer und die anderen konservativen Gründerväter des
westeuropäischen Einigungswerkes hatten sich von dieser Maxime schon
zu einer Zeit leiten lassen, als die Sozialdemokratie Kurt Schumachers noch
ganz im nationalstaatlichen Denken verharrte. Die Westintegration der
Bundesrepublik war unter christlich-demokratischer Ägide gegen den Widerstand der Linken durchgesetzt worden; sie hätte die achtziger Jahre
kaum überlebt, wäre es nach Oskar Lafontaine gegangen, der beim Streit
um die Nachrüstung das Ausscheiden der Bundesrepublik aus der Militärorganisation der NATO gefordert hatte. Die Deutschen hatten *ihren* Nationalstaat ruiniert; daran gab es nichts zu deuteln. Aber aus diesem Sachverhalt ließ sich keine neue deutsche Sendung herleiten – ein geschichtlicher
Auftrag, die anderen Europäer aus den Fesseln des Nationalstaates und
einer, durchaus nicht nur kulturell, sondern auch politisch verstandenen
nationalen Identität zu befreien.

Bei Lafontaine gewann das deutsche Menschheitsverbrechen, für das der
Name Auschwitz steht, fast schon die Züge einer «felix culpa», einer seli-
gen, weil heilsnotwendigen Schuld im Sinne des Kirchenvaters Ambrosius.
Weil die Deutschen den Nationalismus bis zum Exzeß pervertiert hatten,
waren sie nun prädestiniert, die moralischen Führer Europas auf dem Weg
in eine trans- oder postnationale Zukunft zu werden. Die Prädestination

kraft Perversion war eine dialektische Volte – vielleicht eine Frucht der katholischen Erziehung Lafontaines, in jedem Fall aber ein Argumentationsmuster, das in den achtziger Jahren auf der bundesrepublikanischen Linken viel Anklang fand. Daß der stellvertretende Vorsitzende der SPD im Zusammenhang mit Auschwitz nicht von deutscher, sondern von «bundesdeutscher Nationalidentität» sprach, war alles andere als zufällig. Das Buch des Physikers Lafontaine war nicht nur ein Beitrag zur Geschichtspolitik im allgemeinen, sondern auch zur Verbreitung eines neuen Ursprungs- und Gründungsmythos der Bundesrepublik im besonderen.

Zwischen den Vorstellungen Lafontaines auf der einen, Brandts und Bahrs auf der anderen Seite lagen Welten. Der ehemalige Bundeskanzler und sein langjähriger Berater hatten noch das Deutschland vor 1933 erlebt: Brandt war, als Hitler an die Macht kam, 19, Bahr knapp 9 Jahre alt. Brandt, der aus Lübeck, und Bahr, der aus dem thüringischen Treffurt stammte, hatten entscheidende Jahre ihres Lebens im Westteil der Viersektorenstadt Berlin verbracht; «Deutschland» war für sie das, was vom Deutschen Reich noch übrig geblieben war, niemals aber nur die Bundesrepublik. Lafontaine, Jahrgang 1943, war 13 Jahre alt, als das Saarland ein Land der Bundesrepublik Deutschland wurde. Mit der teils deutsch, teils französisch sprechenden Saarregion diesseits und jenseits der Staatsgrenze verband ihn vom Gefühl her viel, mit der deutschen Nation wenig. Für die Deutschen in der DDR erstrebte er mehr «Freiheitsspielräume» – dasselbe, was er allen Menschen wünschte, denen die Freiheit vorenthalten wurde. Nichts deutete darauf hin, daß die «deutsche Frage» ihn jemals beunruhigt hätte.

Lafontaine war der Exponent des Lebensgefühls einer ganzen Generation von Westdeutschen. Sie verstanden sich als Bundesbürger, als Europäer und Weltbürger, aber kaum noch als Angehörige einer Nation, der deutschen. Wer wie Lafontaine zur «posthumen Adenauerschen Linken» gehörte, empfand die Teilung als entlastend, weil sie der Schlußstrich unter die Geschichte des deutschen Nationalstaats zu sein schien – eine Geschichte, die als insgesamt verfehlt galt. Zu Beginn des 20. Jahrhunderts hatte der Historiker Friedrich Meinecke die Entwicklung vom Weltbürgertum zum Nationalstaat als geschichtlichen Fortschritt gewürdigt. Die «posthume Adenauersche Linke» sah in der Umkehrung dieses Prozesses den Fortschritt am Werk: vom Nationalstaat zum Weltbürgertum.

Goethe und Schiller hatten schon 1796 in den «Xenien» gemeint:

Zur Nation euch zu bilden, ihr hoffet es,
Deutsche, vergebens;
Bildet, ihr könnt es, dafür freier zu
Menschen euch aus!

Am 29. Mai 1967 zitierte Günter Grass in einer Rede vor dem Presseclub Bonn diese Zeilen, weil sie nach seiner Überzeugung durchaus zeitgemäß waren. Sie schienen seine These zu bestätigen: «Da wir, gemessen an unserer Veranlagung, keine Nation bilden können, da wir, belehrt durch geschichtliche Erkenntnis – und unserer kulturellen Vielgestalt bewußt – keine Nation bilden sollten, müssen wir endlich den Föderalismus als einzige Chance begreifen… Einigkeit, europäische wie deutsche, setzt nicht Einheit voraus. Deutschland ist nur zwangsweise, also immer zu seinem Schaden, eine Einheit gewesen. Denn die Einheit ist eine Idee, die wider den Menschen gesetzt ist; sie schmälert die Freiheit. Einigkeit verlangt den freien Entschluß der Vielzahl. Deutschland sollte endlich das Mit-, Neben- und Füreinander der Bayern und Sachsen, der Schwaben und Thüringer, der Westfalen und Mecklenburger werden. Das singuläre Deutschland ist eine Rechnung, die nie mehr aufgehen möge; denn genau gerechnet ist Deutschland eine kommunizierende Mehrzahl.»

Nicht nur Politiker und Historiker, Dichter und Denker hatten Schwierigkeiten mit dem Begriff «deutsche Nation». Auch die Bundesbürger insgesamt schwankten in den achtziger Jahren zwischen unterschiedlichen Bedeutungen dieses Begriffs hin und her. Eine Umfrage im Juli 1986 erbrachte, daß 37 % der westdeutschen Bevölkerung unter «Nation» die Bundesrepublik, 35 % die Bundesrepublik und die DDR zusammen verstanden. Ein knappes Viertel hatte einen weiter reichenden Begriff von deutscher Nation: 12 % rechneten auch die ehemaligen Ostgebiete dazu, 11 % sogar alle deutschsprachigen Gebiete. Auf die Frage, ob die Deutschen in der Bundesrepublik und die Deutschen in der DDR ein Volk oder zwei Völker seien, entschieden sich im Frühjahr 1987 78 % für die erste und 21 % für die zweite Lesart. Ein Drittel der Bundesbürger bejahte, zwei Drittel verneinten, daß die DDR für sie Ausland sei. Zum Ziel der Wiedervereinigung bekannten sich auch nach der Ratifizierung der Ostverträge in allen Umfragen große Mehrheiten, die meist um 80 % lagen. Aber nur 9 % der Befragten erklärten Mitte 1987, sie rechneten damit, die Wiedervereinigung noch zu erleben; 72 % verneinten die entsprechende Frage. Eine Wiedervereinigung noch im 20. Jahrhundert hielten zu derselben Zeit 8 % für möglich, während 79 % sie ausschlossen.

Sprachen die Gesamtergebnisse eher gegen als für die These von einem spezifisch bundesdeutschen Nationalbewußtsein, so fallen doch starke generationsbedingte Unterschiede ins Auge. Von den Bundesbürgern im Alter von 14 bis 29 Jahren fühlten sich im Jahre 1987 nur 65 % (gegenüber 90 % der über Sechzigjährigen) als Angehörige *eines* deutschen Volkes. Immerhin 34 % der jungen Bundesbürger gingen von der Existenz zweier deutscher Völker aus. Zwischen 1976 und 1987 empfanden in der Gruppe der über Sechzigjährigen im Durchschnitt 15 % die DDR als ausländischen Staat; bei den jungen Bundesbürgern war es gut die Hälfte. Eine Auswertung der entsprechenden Daten, die im Oktober 1989 im «Deutschland Archiv» erschien, mündete in die Schlußfolgerung, die DDR werde von einem großen Teil der jungen Generation als fremder Staat mit einer anderen Gesellschaftsordnung und nicht mehr als Teil Deutschlands wahrgenommen. «Dies führt zu einem Abbau des Bewußtseins einer nationalen Gemeinsamkeit und macht stetiger Entfremdung Platz.»[24]

In den ersten acht Monaten des Jahres 1989 vollzogen sich im östlichen Mitteleuropa weltgeschichtliche Veränderungen, die nichts Geringeres bewirkten als das Ende der 1945 geschaffenen Nachkriegsordnung. In Ungarn erörterte das Politbüro am 10. Februar die Einführung eines echten Mehrparteiensystems. Am 2. Mai begann der Abbau der Sperranlagen an der Grenze zu Österreich. Am 13. Juni nahm die Budapester Führung nach polnischem Vorbild Gespräche mit der Opposition am Runden Tisch auf. Drei Tage später wurde Imre Nagy, der Märtyrer der Revolution von 1956, ein zweites Mal, und dieses Mal in einem Ehrengrab, bestattet. Am 27. Juni öffneten der ungarische Außenminister Gyula Horn und sein österreichischer Kollege Alois Mock die Grenze zwischen ihren Ländern, indem sie symbolisch ein Stück des Stacheldrahtes entfernten. Zwischen Ungarn und Österreich gab es nun keinen «Eisernen Vorhang» mehr.

Der Runde Tisch in Warschau, der seine Arbeit am 6. Februar aufgenommen hatte, legte am 5. April die Ergebnisse der Verhandlungen in drei Hauptausschüssen, zehn Unterausschüssen und sechs Arbeitsgruppen vor. Drei Protokolle – über politische Reformen, Wirtschafts- und Sozialpolitik, gewerkschaftlichen Pluralismus – hielten fest, worauf man sich verständigt hatte. Im ersten Protokoll legten sich Regierung und Opposition auf einen Prozeß umfassender Liberalisierung und Demokratisierung fest. Das Prinzip freier Wahlen galt zunächst allerdings uneingeschränkt nur für eine der beiden Kammern, den Senat. In der anderen Kammer, dem Sejm, sollten für die Dauer einer Übergangszeit, der zehnten Legislaturperiode, 60% der Sitze den Blockparteien und 5% den regierungsnahen katholischen Gruppen zufallen; über 35% der Mandate konnten die Wähler frei entscheiden. Gesetze, die der Senat verwarf, bedurften zu ihrer neuerlichen Verabschiedung einer Zweidrittelmehrheit im Sejm. Das zweite Protokoll regelte den Übergang von der Plan- zur Marktwirtschaft. Das dritte Protokoll über gewerkschaftlichen Pluralismus sicherte die Gleichberechtigung von «alten», staatsabhängigen und «neuen», unabhängigen Gewerkschaften.

Am 17. April wurde «Solidarność» von Gesetzes wegen wieder offiziell registriert. Am 4. Juni fand die erste Runde der «halbfreien» Parlamentswahlen statt, am 18. Juni die zweite Runde, bei der die relative Mehrheit ausreichte. Das neugegründete «Bürgerkomitee Solidarność» gewann alle im Sejm verfügbaren Sitze und 99 von 100 Sitzen im Senat: ein Triumph, den die bisherige außerparlamentarische Opposition selbst nicht erwartet hatte und der ihre Absicht durchkreuzte, in der Übergangszeit die Rolle der parlamentarischen Opposition zu übernehmen.

Am 19. Juli wurde General Wojciech Jaruzelski, der Ministerpräsident in den Jahren des Kriegsrechts und Vorsitzende des Staatsrats seit 1985, vom Sejm zum Staatspräsidenten gewählt. Er erhielt eine Stimme mehr als für die absolute Mehrheit der abgegebenen gültigen Stimmen erforderlich und verdankte diesen «Sieg» nur der Tatsache, daß einige Abgeordnete aus den Reihen von «Solidarność» bewußt ungültige Stimmkarten abgegeben hatten. Den Posten des Ministerpräsidenten aber beanspruchte Lech Walesa am 7. August für das «Bürgerkomitee». Nach längerem Tauziehen gaben Staatspräsident Jaruzelski und der neue, am 2. August gewählte kommunistische Regierungschef Kiszczak nach. Am 19. August trat Kiszczak zurück. Am 24. August wählte der Sejm den katholischen Demokraten Tadeusz Mazowiecki, den langjährigen Berater Walesas, zum Ministerpräsidenten. Er bildete ein Kabinett der nationalen Konzentration, in dem die Kommunisten vier Minister, darunter die für Inneres und Verteidigung, stellten; sein kurzzeitiger Vorgänger Kiszczak kehrte in das schon zuvor von ihm geleitete Innenressort zurück. Die «Kohabitation» eines kommunistischen Staats- und eines nichtkommunistischen Regierungschefs war Teil jenes «historischen Kompromisses», der einen radikalen, aber zugleich institutionell geregelten und ausbalancierten Transformationsprozeß einleiten sollte. Polen, der erste postkommunistische Staat Europas, wurde dadurch zum Pionierland einer weite Teile Europas erfassenden demokratischen Umwälzung – zum Vorreiter einer Revolution neuen Typs, der «friedlichen Revolution» von 1989.

Die Inhaber der Regierungsgewalt in Polen und Ungarn gaben dem Veränderungsdruck nicht nur deswegen nach, weil sie sich im Ernstfall nicht mehr auf die ultima ratio, den militärischen Beistand Moskaus, verlassen konnten. Sie selbst wollten ihre Staaten aus der Abhängigkeit von der Sowjetunion befreien, aber auch nicht hinter die neue Sowjetunion zurückfallen: Sie hatten begriffen, daß wirtschaftliche Liberalisierung und politische Demokratisierung längerfristig die einzige Alternative zum Kollaps waren. Ein solches Reformprojekt war nicht in Konfrontation mit der Gesellschaft, sondern nur in Kooperation mit ihr zu erreichen. Die Zusammenarbeit war möglich, weil erstens beiden Seiten an Verständigung lag und weil es zweitens zwischen Regime und Gesellschaft eine Brücke gab: die nationale Identität. Nation und Zivilgesellschaft erwiesen sich im polnischen wie im ungarischen Fall als die zwei Seiten einer Medaille. Ob das Warschauer und das Budapester Beispiel Schule machen würden, war im Sommer 1989 eine offene Frage.

In der DDR deutete in der ersten Hälfte des Jahres 1989 nur wenig darauf hin, daß das Regime die Zeichen der Zeit erkannt hätte. Am 6. Februar, dem Tag, an dem in Polen der «Runde Tisch» zusammentrat, erschossen Grenzsoldaten an der Berliner Mauer den zwanzigjährigen Chris Gueffroy beim Versuch, in den Westteil der Stadt zu flüchten. Die internationalen Proteste waren so massiv, daß die Grenztruppen am 12. April die Weisung erhielten, zur Verhinderung von Grenzdurchbrüchen nicht mehr von der Schußwaffe Gebrauch zu machen. Der Schießbefehl war damit ausgesetzt – was die Öffentlichkeit freilich nicht erfuhr. Am 7. Mai fanden in der DDR Kommunalwahlen statt. Bürgerrechtler hatten zum Boykott aufgerufen und machten vielerorts von ihrem gesetzlichen Recht Gebrauch, bei der Auszählung zugegen zu sein. Sie konnten auf diese Weise umfassende Fälschungen feststellen: Die Zahl der Nein-Stimmen wurde nachträglich um bis zu 20 % gesenkt, damit das gewünschte Ergebnis herauskam. Es lag republikweit laut amtlichen Angaben bei 98,85 % Ja-Stimmen für die Einheitslisten der Nationalen Front; der offiziellen Mitteilung zufolge hatten 98,78 % der Wahlberechtigten ihre Stimme abgegeben. Die Proteste, die noch am Wahlabend mit einer Demonstration in Leipzig begannen, wurden von Volkspolizei und Staatssicherheit unterdrückt. Dank der Berichterstattung in den westlichen Medien waren sie dennoch ein politischer Erfolg der Bürgerrechtsbewegung.

Beschlüsse der Volkskammer erregten in der Regel nur wenig Aufmerksamkeit. Am 8. Juni 1989 war das anders. Vier Tage zuvor hatte nicht nur die erste Runde der polnischen Wahlen stattgefunden, sondern auch jenes Massaker auf dem Platz des Himmlischen Friedens in Peking, mit dem die chinesische Armee die studentische Reform- und Demokratiebewegung zum Schweigen brachte. Die Abgeordneten der Volkskammer bedauerten zwar die Opfer, bewerteten die Proteste in der Volksrepublik China aber als «gewaltsame, blutige Ausschreitungen verfassungsfeindlicher Elemente» und billigten daher einstimmig die Wiederherstellung von Ordnung und Sicherheit «unter Einsatz bewaffneter Kräfte». Die Botschaft war nicht mißzuverstehen: Bei vergleichbaren Entwicklungen in der DDR drohte auch hier eine «chinesische Lösung».

Vier Tage nach der Sitzung der Volkskammer traf Michail Gorbatschow, seit dem 1. Oktober 1988 auch Vorsitzender des Präsidiums des Obersten Sowjets und damit Staatsoberhaupt der Union der Sozialistischen Sowjetrepubliken, zu einem Besuch in der Bundesrepublik ein. Wo immer er auftrat, ob in Bonn, Köln oder Stuttgart, wurde er von den Bundesbürgern mit Jubel empfangen – enthusiastischer als zwei Wochen zuvor der amerikanische Präsident George Bush, der in einer großen Rede in Mainz am 31. Mai die Vereinigten Staaten und die Bundesrepublik als «Partner in einer Führungsrolle» («partners in leadership») bezeichnet hatte. In einer Grundsatzrede, mit der der Generalsekretär der KPdSU am 12. Juni die ebenfalls programmatischen Ausführungen des Bundeskanzlers beantwortete, stand der Satz: «Wir ziehen den Strich unter die Nachkriegsperiode.» Das gemeinsame Kommuniqué von Gorbatschow und Kohl enthielt ein Bekenntnis zu den Menschenrechten und zum Recht «aller Völker und Staaten, ihr Schicksal frei zu bestimmen und ihre Beziehungen zueinander auf der Grundlage des Völkerrechts souverän zu gestalten». Zu den Bauelementen eines Europa des Friedens und der Zusammenarbeit gehöre die uneingeschränkte Achtung der Integrität und der Sicherheit jedes Staates. «Jeder hat das Recht, das eigene politische und soziale System frei zu wählen.»

Auf der abschließenden Pressekonferenz am 15. Juni äußerte sich Gorbatschow auch zur Berliner Mauer. Sie sei in einer «konkreten Situation entstanden». Die DDR sei souverän. «Die Mauer kann auch verschwinden, wenn jene Voraussetzungen entfallen, die sie ins Leben gerufen haben.» Auf die Teilung Deutschlands angesprochen, bemerkte der sowjetische Gast: «Die Situation in Europa, die wir heute haben, ist eine Realität.» Auf der Grundlage dieser Wirklichkeit entwickelten sich der Prozeß von Helsinki und andere Abläufe. Man könne hoffen, «daß die Zeit selbst über das Weitere bestimmen wird».

Gorbatschows außenpolitischer Berater Wadim Sagladin war eine Woche zuvor noch weitergegangen als der Generalsekretär. Die Wiedervereinigung stehe zum gegenwärtigen Zeitpunkt nicht auf der Tagesordnung, erklärte er in einem Interview mit «Bild am Sonntag». Aber selbstverständlich hätten «die Deutschen, wie alle anderen Völker, das Recht auf Selbstbestimmung». Im Moment müsse es um einen gesamteuropäischen Prozeß gehen, um die Verbesserung der Beziehungen zwischen allen Staaten in Europa. «Dann werden wir sehen, wie die weitere Entwicklung in Europa geht.»

Am 17. Juni, zwei Tage nach Gorbatschows Rückkehr nach Moskau, jährte sich zum 36. Mal der Arbeiteraufstand von 1953 in der DDR. Die Aufgabe, im Bundestag die Rede zum Tag der deutschen Einheit zu halten, fiel in diesem Jahr der interfraktionellen Absprache gemäß einem Sozialdemokraten zu: dem ehemaligen Bundesminister Erhard Eppler. Der einstige Mitstreiter Gustav Heinemanns warb um Verständnis für die europäischen Nachbarn, die aus dem Wort «Wiedervereinigung» vor allem das «Wieder» heraushörten und eine gesamtdeutsche Großmacht nicht wiedererstehen sehen wollten. Er widersprach zugleich den Mitgliedern auf der linken Seite des Hohen Hauses, die das Thema der deutschen Einheit endgültig von der politischen Tagesordnung streichen wollten. «Einheit» sollte jedoch nicht als ein irgendwann erreichter Endzustand verstanden werden, sondern als «Geschehen, als Prozeß, als wachsende Gemeinsamkeit im Tun, im Verantworten… Je souveräner deutsche Politik wird, desto weniger bedarf sie des souveränen Nationalstaats, um die Einheit der Deutschen darzustellen und zu festigen.»

Die eigentliche Brisanz der Rede, die immer wieder von Beifall aus allen Fraktionen unterbrochen wurde, lag in Epplers Warnungen an die Adresse der SED. In der DDR gebe es bei vielen Mensches «so etwas wie ein DDR-Bewußtsein, ein manchmal fast trotziges Gefühl der Zugehörigkeit zu diesem kleinen, ärmeren deutschen Staat, aus dem sie gerne etwas machen wollen. Wenn ich mich nicht täusche, war dieses Gefühl vor zwei Jahren stärker als heute. Aber noch dürfte es in der DDR eine Mehrheit geben, deren

Hoffnung sich nicht auf das Ende, sondern auf die Reform ihres Staates richtet. Wenn sich die Führung der SED allerdings weiterhin in jener realitätsblinden Selbstgefälligkeit übt, die wir aus den letzten Monaten kennen, dann könnte in weiteren zwei Jahren aus dieser Mehrheit eine Minderheit geworden sein.»

Eppler hielt eine solche Entwicklung weder für wünschenswert noch für unabwendbar. Aber nur durch eine radikale Umkehr könnte die SED noch den Untergang ihres Staates aufhalten. «Wenn das Eis des Kalten Krieges unter unser aller Füßen schmilzt, kann die DDR auf Dauer nur überleben, wenn sie eine Funktion erfüllt, die ihren eigenen Bürgerinnen und Bürgern einleuchtet und den übrigen Europäern zumindest interessant erscheint.» Was immer da vorstellbar sei, es sei unvereinbar mit dem «Monopol einer Partei auf Macht und Wahrheit... Dialog ist nur möglich unter Gleichberechtigten. Daher bedeutet er Verzicht auf jede privilegierte Staatsdoktrin... Wer mit der Grundwertekommission der SPD einen Dialog unter Gleichberechtigten führen kann..., der muß auch in der Lage sein, in einen solchen freien, tabufreien, kritischen Dialog mit Bürgerinnen und Bürgern des eigenen Staates einzutreten.» Eppler verwahrte sich gegen den denkbaren Einwurf, er hätte sich damit in die inneren Angelegenheiten der DDR eingemischt. «Nein, das will ich nicht. Aber ich will, daß sich die Bürgerinnen und Bürger der DDR in die inneren Angelegenheiten ihres eigenen Staates einmischen können.» Das Protokoll verzeichnet an dieser Stelle «lebhaften Beifall».

Der Applaus konnte nicht darüber hinwegtäuschen, daß es rechts der Mitte auch noch ganz andere Ansichten zur deutschen Frage gab. Am 2. Juli 1989 erklärte der Nachfolger von Franz Josef Strauß im Amt des Vorsitzenden der CSU, Theo Waigel, der seit dem 21. April auch Bundesminister der Finanzen war, auf dem Deutschlandtreffen der Landsmannschaft Schlesien in Hannover, politisches Ziel bleibe die «Herstellung der staatlichen Einheit des deutschen Volkes in freier Selbstbestimmung». Zur deutschen Frage gehörten auch die ostdeutschen Gebiete jenseits von Oder und Neiße. «Mit der Kapitulation am 8. Mai 1945 ist das Deutsche Reich nicht untergegangen.» Im gleichen Sinn äußerte sich der niedersächsische Ministerpräsident Ernst Albrecht (CDU). Der Vorsitzende der Landsmannschaft Schlesien, Herbert Hupka, von 1969 bis 1972 Bundestagsabgeordneter der SPD, dann bis 1987 der CDU, forderte «Freiheit und Einheit für ganz Deutschland», zu dem auch Schlesien gehöre.

Von Hupka abgesehen, hielten die Unionspolitiker, die in Hannover auftraten, rein taktische, innenpolitisch motivierte Reden: Sie versuchten, mit legalistisch verbrämten Positionen Heimatvertriebene und konservative Wähler ganz allgemein an die stärkste Regierungspartei zu binden. Ein Ausdruck von außenpolitischem Revisionismus und deutschem Nationalismus war das, was Waigel sagte, also nicht. Der außenpolitische Schaden, den Reden wie die des Bundesfinanzministers anrichteten, war gleichwohl beträchtlich. In Polen, das sich gerade dem Westen zu öffnen begann, wirkten sie alarmierend; Bundeskanzler Kohl wurde dies am 7. Juli mit großem Nachdruck von Bronislaw Geremek, dem Vorsitzenden der Fraktion Bürgerkomitee Solidarność im Sejm, dargelegt. In Westeuropa förderten deutsche Hinweise auf die Grenzen von 1937 die verbreitete Neigung, es lieber bei zwei deutschen Staaten zu belassen. In Ost-Berlin wurden die entsprechenden «Sonntagsreden» als Beweis für die Gefährlichkeit der «BRD» und die Unentbehrlichkeit der DDR bewertet. Als der sowjetische Außenminister Schewardnadse am 9. Juni mit Erich Honecker zusammentraf, verwies dieser seinen Gast darauf, «daß die BRD unverändert die Existenz des ‹Deutschen Reiches› in den Grenzen von 1937 propagiert, was auch die UdSSR, die VR (Volksrepublik, H. A. W.) Polen und die ČSSR betrifft, und ständig versucht, der DDR die VR Polen und die Ungarische VR (als Beispiele für Reformpolitik, H. A. W.) vorzuhalten».

Das Gespräch, das Schewardnadse mit Honecker führte, diente der Vorbereitung einer Moskaureise des Staatsratsvorsitzenden. Was Honecker in der sowjetischen Hauptstadt am 28. Juni vom Generalsekretär der KPdSU zu hören bekam, berührte sich in manchem mit der Philippika des Sozialdemokraten Eppler vom 17. Juni. «Sozialismus wird in Europa nie uniform, aber – das wissen wir heute – er wird demokratisch oder er wird nicht sein», hatte Eppler im Bundestag gesagt und damit ein Wort Kurt Schumachers auf bezeichnende Weise abgewandelt. («In Deutschland aber wird die Demokratie sozialistisch sein, oder sie wird gar nicht sein», hieß es in einer Rede des ersten Nachkriegsvorsitzenden der SPD vom April 1946.) Mit den Ausführungen, die er Honecker gegenüber machte, lag Gorbatschow näher bei Eppler als bei Schumacher. «Gegenwärtig löse man sich in der Sowjetunion vom alten System des Kommandierens und Administrierens», sagte er. «Über die Demokratie müsse die Hauptfrage der sozialistischen Demokratie gelöst werden – die Überwindung der Entfremdung der Werktätigen von der Produktion und der politischen Macht.»

Honecker machte deutlich, daß er sich in diesem Punkt nicht an das alte Motto «Von der Sowjetunion lernen heißt siegen lernen» zu halten gedachte. «Genosse Gorbatschow sei sicher bekannt, daß in der DDR und in der SED die Frage des Befehlssystems keine entscheidende Rolle gespielt habe. Die Partei habe stets das lebendige politische Gespräch mit dem Volk geführt.» So werde auch die Vorbereitung des 12. Parteitags im Mai 1990 zur Sache des ganzen Volkes werden. Im Mittelpunkt stehe die weitere Gestaltung der sozialistischen Gesellschaft, die Einheit von Wirtschafts- und Sozialpolitik, die sich bewährt habe und eine stimulierende Rolle spiele. Das Prinzip der Einheit von Kontinuität und Erneuerung werde weitergeführt... Genosse Gorbatschow habe selbst darauf hingewiesen, daß eine erfolgreiche Sozialpolitik für die Stärkung des Ansehens und der Sympathie der Partei außerordentlich wichtig sei. Die SED habe dabei stets die Lösung der Wohnungsfrage in den Mittelpunkt gestellt.»

Gorbatschow war es also nicht gelungen, Honecker für seine Politik der «Öffentlichkeit» und der «Umgestaltung» zu gewinnen. Der Generalsekretär der SED spielte wie eh und je materielles Wohlergehen und soziale Sicherheit gegen Freiheit und Demokratie aus. Daß die «Einheit von Wirtschafts- und Sozialpolitik» bisher nur dank der Hilfe der «kapitalistischen BRD» hatte aufrechterhalten werden können, ließ er wohlweislich unerwähnt. Für den Generalsekretär der KPdSU können Ablauf und Ausgang des Gesprächs vom 28. Juni 1989 nicht überraschend gewesen sein. In seinen «Erinnerungen» schreibt Gorbatschow, daß seine vorsichtigen Versuche, Honecker «von der Notwendigkeit zu überzeugen, den Beginn der Reformen im Lande und in der Partei nicht hinauszuzögern, zu keinerlei praktischen Ergebnissen führten. Jedesmal stieß ich gleichsam auf eine Mauer des Mißverständnisses.»

Im Sommer 1989 wuchs in Moskau die Sorge, die Reformblockade der SED könne die DDR in eine tiefe Krise stürzen. Mit sowjetischer Hilfe im Falle innerer Unruhen aber durfte die Ost-Berliner Führung nicht mehr rechnen. Ein Treffen der Staaten des Warschauer Pakts in Bukarest am 7. und 8. August 1989 endete mit einer Erklärung, in der die Einmischung in innere Angelegenheiten eines Mitgliedsstaates zurückgewiesen wurde. Es gebe «kein universelles Modell des Sozialismus», hieß es im abschließenden Kommuniqué. Der Sozialismus entwickle sich vielmehr «in jedem Land entsprechend seinen Bedingungen, Traditionen und Erfordernissen». Die Beziehungen der sozialistischen Staaten untereinander seien «auf der Grundlage der Gleichheit, Unabhängigkeit und des Rechts eines jeden, selbständig seine eigene Linie, Strategie und Taktik ohne Einmischung von außen auszuarbeiten, zu entwickeln». Die Breschnew-Doktrin war damit auch offiziell außer Kraft gesetzt.

Die DDR *durfte* also einen anderen Weg gehen als die Sowjetunion, als Polen oder Ungarn. Und eine gewisse innere Logik konnte man dem Nein, das die SED der Politik von «Glasnost» und «Perestrojka» entgegensetzte, nicht einmal absprechen. Die DDR befand sich mittlerweile, wie der Publizist Hermann Rudolph Mitte Juli 1989 feststellte, im «Zustand einer Doppelbelagerung»: durch die «reformerische Bewegtheit» in der Sowjetunion, in Polen und Ungarn auf der einen, die «Anziehungs- und Überwältigungskraft des Westens» auf der anderen Seite. Sie mußte fürchten, ihrer Daseinsberechtigung als Staat verlustig zu gehen, wenn sie den polnischen oder ungarischen Weg einschlug und die scharfe Abgrenzung gegenüber dem anderen deutschen Staat aufgab. Otto Reinhold, dem Rektor der Akademie für Gesellschaftswissenschaften beim ZK der SED und Dialogpartner Epplers beim «Streitkulturpapier» vom August 1987, war es vorbehalten, zwei Jahre später besonders scharf zu begründen, warum die DDR ihren (von Rudolph so genannten) «Sonderweg» nicht verlassen konnte.

»Die Kernfrage ist…, was man die sozialistische Identität der DDR nennen könnte», erklärte Reinhold am 19. August 1989 in einem Beitrag für

«Radio DDR». «In dieser Frage gibt es ganz offensichtlich einen prinzipiellen Unterschied zwischen der DDR und den anderen sozialistischen Ländern. Sie alle haben bereits vor ihrer sozialistischen Umgestaltung als Staaten mit kapitalistischer oder halbfeudaler Ordnung bestanden. Ihre Staatlichkeit war daher nicht in erster Linie von der gesellschaftlichen Ordnung abhängig. Anders die DDR. Sie ist nur als antifaschistische, als sozialistische Alternative zur BRD denkbar. Welche Existenzberechtigung sollte eine kapitalistische DDR neben einer kapitalistischen Bundesrepublik haben? Natürlich keine. Nur wenn wir diese Tatsache immer vor Augen haben, wird klar erkennbar, wie wichtig für uns eine Gesellschaftsstrategie ist, die kompromißlos auf die Festigung der sozialistischen Ordnung gerichtet ist. Für ein leichtfertiges Spiel mit dem Sozialismus, mit der sozialistischen Staatsmacht ist da kein Platz.»[25]

5.
Einheit in Freiheit:
1989/90

Am 8. August 1989 ergriff die Ständige Vertretung der Bundesrepublik in der DDR eine ungewöhnliche Maßnahme: Das Gebäude in der Hannoverschen Straße in Ost-Berlin wurde für den Publikumsverkehr geschlossen, nachdem sich über hundert Bürger der DDR dorthin geflüchtet hatten, um ihre Ausreise in den Westen Deutschlands zu erzwingen. Am 10. August mußte die Botschaft der Bundesrepublik in Budapest, am 22. August die in Prag aus dem gleichen Grund dasselbe tun. Einigen Ostdeutschen gelang, was die Botschaftsflüchtlinge zu erreichen versuchten, auf anderem Weg: Sie überquerten die Grenze zwischen Ungarn und Österreich, wo es seit dem 27. Juni keine Befestigungen mehr gab. Wurden die Flüchtlinge allerdings von ungarischen Grenzsoldaten aufgegriffen, erfolgte die Abschiebung in die DDR.

Die Zahl der DDR-Bürger, die ihren Staat verlassen wollten, war in der ersten Hälfte des Jahres 1989 sehr viel rascher gestiegen als die Zahl der Ausreisegenehmigungen. Die Gründe der Flüchtlingswelle lagen offen zutage: Zur Unzufriedenheit mit den wirtschaftlichen Verhältnissen kam Erbitterung über das Ausbleiben politischer Reformen, wie sie in der Sowjetunion, in Polen und Ungarn stattfanden. Infolgedessen sank die Bereitschaft, sich mit dem Regime der SED zu arrangieren, beträchtlich. Der Wunsch nach Ausreise war ein Ausdruck von Protest – und einstweilen *der* Ausdruck, der innerhalb und außerhalb der DDR das größte Aufsehen erregte.

Den Bürgern der DDR, die sich in der Ständigen Vertretung aufhielten, sicherte die Ost-Berliner Regierung am 31. August schließlich zu, daß sie nach Verlassen der Mission einen Ausreiseantrag mit Rechtshilfe stellen könnten. Die Budapester Führung aber tat in jenen spätsommerlichen Tagen einen Schritt von weltgeschichtlicher Bedeutung: Bei einem Geheimtreffen mit Bundeskanzler Kohl und Außenminister Genscher auf Schloß Gymnich bei Bonn erklärten sich Ministerpräsident Németh und Außenminister Horn bereit, bis Mitte September die Grenze zu Österreich für Deutsche aus der DDR zu öffnen. Die Gegenleistung der Bundesrepublik bestand aus großzügiger Wirtschaftshilfe. Ungarn kündigte damit einseitig die Verpflichtung der Mitgliedsstaaten des Warschauer Pakts auf, Flüchtlinge an ihr «sozialistisches» Herkunftsland auszuliefern. Seit dem 25. August 1989 gehörte Ungarn dem östlichen Bündnis nur noch formell an; tatsächlich war es dabei, in den Westen überzutreten. Am 11. September geschah, was in Gymnich vereinbart worden war: Über die ungarisch-österreichische Grenze ergoß sich ein Strom von Tausenden ostdeutscher Flüchtlinge, die in Auffanglagern wochenlang auf ihre Ausreise gewartet hatten. Bis Ende September kamen etwa 25 000 Übersiedler aus der DDR über Ungarn in die Bundesrepublik.

Eine sehr viel größere Geduldsprobe wurde den zuletzt fast 6 000 Prager Botschaftsflüchtlingen auferlegt. Ihr Schicksal war das Thema von Gesprächen, die Hans-Dietrich Genscher am 27. September am Rande der Vollversammlung der Vereinten Nationen in New York mit seinen Kollegen aus Moskau und Ost-Berlin, Eduard Schewardnadse und Oskar Fischer, führte. Am 30. September endlich teilte der Leiter der Ständigen Vertretung der DDR in der Bundesrepublik, Horst Neubauer, dem Chef des Bundeskanzleramtes, Bundesminister Rudolf Seiters, mit, die in Prag wartenden Bürger der DDR könnten über das Territorium der DDR in die Bundesrepublik ausreisen. Um den Botschaftsflüchtlingen das Mißtrauen gegenüber dieser Zusage zu nehmen, flogen die Minister Genscher und Seiters noch am gleichen Tag nach Prag. Über das Fernsehen wurde alle Welt Zeuge des Jubels, den der Bundesaußenminister auslöste, als er vom Balkon der Botschaft seinen Landsleuten die erlösende Nachricht überbrachte. Am Vormittag des 1. Oktober verließ der erste von zunächst sechs Eisenbahnzügen die Hauptstadt der Tschechoslowakei. Auf dem Umweg über die DDR hatte Ost-Berlin aus Prestigegründen bestanden: Bevor sie die Bundesrepublik erreichten, erhielten die Ausreisewilligen Dokumente, durch die sie aus der Staatsbürgerschaft der DDR entlassen wurden.

Es blieb nicht bei den sechs Zügen, die von Prag über Dresden und Leipzig nach Hof fuhren. Bis zum 3. Oktober wurden weitere Züge eingesetzt, weil sich noch Tausende von Bürgern der DDR in der Tschechoslowakei aufhielten, die in die Bundesrepublik ausreisen wollten. Auf dem Weg über die DDR durften auch die über 700 Ostdeutschen ausreisen, die sich in die Warschauer Botschaft der Bundesrepublik geflüchtet hatten. Die Zugeständnisse der Ost-Berliner Führung hatten einen triftigen Grund: Am 4. Oktober begannen die Feierlichkeiten zum 40. Jahrestag der Gründung der DDR. Sie sollten nicht durch Bilder von Menschen beeinträchtigt werden, die keinen sehnlicheren Wunsch kannten als den, diesem Staat den Rücken zu kehren. Wiederholen sollten sich Szenen wie die in Prag aber auf keinen Fall. Am 3. Oktober setzte die DDR daher den visafreien Reiseverkehr mit der ČSSR aus.

Damit war den Ostdeutschen auch der Weg nach Ungarn versperrt. Die DDR hatte eine Art zweiter Mauer errichtet. Mehr denn je mußten sich viele ihrer Bürger wie in einem Gefängnis fühlen. Das MfS registrierte denn auch am 4. Oktober überwiegend ablehnende Meinungsäußerungen. In «unterschiedlichsten Personenkreisen» höre man Argumente wie diese: Die Entscheidung sei eine «Bankrotterklärung der Regierung»; «nun könne man überhaupt nicht mehr ins Ausland reisen; man sei eingesperrt; das sei ein ‹schönes Geschenk› zum Republikgeburtstag; jetzt bleibe nur noch die

Ausreise... Bürger älterer Jahrgänge äußerten die Befürchtung, daß die neuen Reisebeschränkungen Anlaß für Tumulte, Unruhen und Widerstandshandlungen größeren Ausmaßes sein könnten.» Noch am gleichen Tag, dem 4. Oktober, kam es in einer Stadt, die die Züge aus Prag nach Hof passierten, zu schweren Zwischenfällen: In Dresden besetzten Ausreisewillige die Eisenbahngleise und belagerten den Hauptbahnhof. Steine flogen, und ein Polizeiauto ging in Flammen auf. Es gab Verletzte unter Demonstranten und Polizisten.

Unter denen, die Anfang Oktober die DDR verließen, waren auch viele, die in den Wochen zuvor auf zunächst noch kleineren Demonstrationen in Leipzig gerufen hatten: «Wir wollen raus!» Aber je stärker der Flüchtlingsstrom anschwoll, desto lauter wurde ein anderer Ruf, der erstmals am Montag, dem 4. September, nach dem Friedensgebet in der Nikolaikirche in Leipzig zu hören war: «Wir bleiben hier!» Die Krise, die zur Massenflucht führte, trieb Bürger auf die Straße, die die DDR nicht verlassen, sondern verändern wollten. Der Protest äußerte sich seit September also nicht mehr nur resignativ, sondern auch aktiv. Träger der Opposition waren Gruppen von Bürgerrechtlern, deren «Gesamtpotential» das Ministerium für Staatssicherheit am 1. Juni 1989 auf 2 500 Personen bezifferte, die in 160 «feindlich-negativen» Zusammenschlüssen, darunter 150 kirchlichen Basisgruppen, organisiert seien.

Eine der ältesten dieser Gruppen, die auf kirchliche Anlehnung bewußt verzichtete, war die Anfang 1986 gegründete «Initiative Frieden und Menschenrechte». Am 9. September 1989 entstand das «Neue Forum». Am 12. September folgte die Gründung von «Demokratie Jetzt», am 2. Oktober die des «Demokratischen Aufbruchs». Am 7. Oktober, dem 40. Jahrestag der Staatsgründung, riefen Regimegegner im Pfarrhaus von Schwante bei Berlin die «Sozialdemokratische Partei in der DDR» (SDP) ins Leben. Es war nur eine Minderheit, die sich in diesen Gruppen betätigte, aber ihr Mut wirkte ansteckend.

Den stärksten Widerhall hatte im Frühherbst 1989 das «Neue Forum». Es war ein Zusammenschluß von Intellektuellen, Wissenschaftlern und Künstlern, unter ihnen die Malerin Bärbel Bohley, der Physiker Sebastian Pflugbeil, der Molekularbiologe Jens Reich und seine Frau, die Ärztin Eva Reich, Robert Havemanns Witwe Katja Havemann, der Pfarrer Hans-Jochen Tschiche und der Rechtsanwalt Rolf Henrich. «In unserem Land ist die Kommunikation zwischen Staat und Gesellschaft offensichtlich gestört», lautete der erste Satz des Gründungsaufrufs vom 9. September. «Die gestörte Beziehung zwischen Staat und Gesellschaft lähmt die schöpferischen Potenzen unserer Gesellschaft und behindert die Lösung der anstehenden lokalen und globalen Aufgaben... Es kommt in der jetzigen gesellschaftlichen Entwicklung darauf an, daß eine größere Anzahl von Menschen am gesellschaftlichen Reformprozeß mitwirkt, daß die vielfältigen Einzel- und Gruppenaktivitäten zu einem Gesamthandeln finden.»

Das Neue Forum verstand sich als «politische Plattform für die ganze DDR» mit dem Ziel, die Diskussion zwischen Staat und Gesellschaft in Gang zu bringen. Unter Berufung auf Artikel 29 der Verfassung der DDR, der Vereinigungsfreiheit versprach, beantragten die Initiatoren am 19. September die Zulassung der neuen Gruppe. Am 21. September erfolgte die Ablehnung durch das Innenministerium. «Ziele und Anliegen der beantragten Vereinigung widersprechen der Verfassung der Deutschen Demokratischen Republik und stellen eine staatsfeindliche Plattform dar», hieß es in der Begründung.

Drei Tage nach dem Neuen Forum meldeten sich die Gründer von Demokratie Jetzt, darunter Ulrike Poppe, 1982 zusammen mit Bärbel Bohley eine der Initiatorinnen von «Frauen für den Frieden», der Informatiker und Mitarbeiter der «Aktion Sühnezeichen», Ludwig Mehlhorn, der Kirchenhistoriker Wolfgang Ullmann und der Filmregisseur Konrad Weiß, mit einem «Aufruf zur Einmischung in eigener Sache» zu Wort. Die «Ära des Staatssozialismus» gehe zu Ende, erklärten sie, er bedürfe der friedlichen, demokratischen Erneuerung. «Der Sozialismus muß seine eigentliche, demokratische Gestalt finden, wenn er nicht geschichtlich verloren gehen soll. Er darf nicht verloren gehen, weil die bedrohte Menschheit auf der Suche nach überlebensfähigen Formen menschlichen Zusammenlebens Alternativen zur westlichen Konsumgesellschaft braucht, deren Wohlstand die übrige Welt bezahlen muß.» Folgerichtig erging in den anschließenden «Thesen für eine demokratische Umgestaltung in der DDR» eine Einladung an die Deutschen in der Bundesrepublik, «auf eine Umgestaltung ihrer Gesellschaft hinzuwirken, die eine neue Einheit des deutschen Volkes in der Hausgemeinschaft der europäischen Völker ermöglichen könnte. Beide deutsche Staaten sollten um der Einheit willen aufeinander zu reformieren. Die Geschichte auferlegt uns Deutschen eine besondere Friedenspflicht.»

Im «Demokratischen Aufbruch – ökologisch, sozial» spielten evangelische Pfarrer – Rainer Eppelmann aus Berlin, Friedrich Schorlemmer aus Wittenberg, Edelbert Richter aus Erfurt – eine tonangebende Rolle. Der Gründungsaufruf forderte eine «offene, mündige, demokratische Gesellschaft», eine «ehrliche Offenlegung aller Umweltprobleme» und eine «neue soziale Solidarität in der Gesellschaft». «Die bisherigen Worte, Programme und Phrasen sind ausgehöhlt und verbraucht! Wir fordern Euch auf: Laßt uns gemeinsame Schritte zu einer menschenwürdigen, bejahenswerten Umgestaltung der Gesellschaft gehen: demokratisch, ökologisch, sozial, antifaschistisch, gewaltlos.»

Daß von allen Bürgerrechtsgruppen das Neue Forum die stärkste Beachtung fand, hatte vor allem zwei Gründe. Zum einen war es die erste oppositionelle Vereinigung, die im September 1989 an die Öffentlichkeit trat (wobei «Öffentlichkeit» damals fast noch gleichbedeutend mit «Westmedien», obenan dem bundesrepublikanischen Fernsehen in Gestalt von

ARD und ZDF, war). Zum andern war der Aufruf vom 9. September *die* Plattform, auf die sich *alle* Gegner des SED-Regimes stellen konnten. «Bei der Lektüre des Textes fällt sein hoher Allgemeinheitsgrad auf», urteilt der Historiker Stefan Wolle, selbst ein frühes Mitglied des Neuen Forums. «Weder erfolgt ein Bekenntnis zum Sozialismus... noch spricht er sich für die Marktwirtschaft aus. Weder enthält er ein Bekenntnis zur DDR noch zur deutschen Einheit. Alle wichtigen Fragen verweist er auf einen künftigen Dialog. Genau dies aber verlieh dem Aufruf seine enorme Durchschlagkraft. Nach seiner Bekanntmachung klingelten bei den Erstunterzeichnern Tag und Nacht die Telefone. Immer mehr Menschen unterschrieben den Aufruf, und mit jeder Unterschrift sank das persönliche Risiko. Täglich überschritten mehr Menschen die unsichtbare Grenze zwischen Angst und Engagement, die sie jahrzehntelang sorgfältig beachtet hatten.»

Mit den Bürgerrechtsgruppen teilte der Kreis um die evangelischen Pfarrer Markus Meckel und Martin Gutzeit, der am 12. September einen Aufruf zur Gründung einer Sozialdemokratischen Partei in der DDR ergehen ließ, die Überzeugung, daß die DDR einer radikalen Umgestaltung in Richtung Pluralismus und Demokratie bedurfte. Mit dem Begriff «Partei» und der Anknüpfung an den Namen und das Erbe der klassischen Sozialdemokratie forderten die Gründer der SDP die SED jedoch womöglich noch stärker heraus als die anderen regimekritischen Vereinigungen. Meckel, Gutzeit und ihre Weggefährten, darunter der Informatiker Stephan Hilsberg, der Pfarrer Steffen Reiche und die Biologin Angelika Barbe, sprachen der Staatspartei der DDR rundum das Recht ab, sich auf die demokratischen Traditionen der Arbeiterbewegung zu berufen. «Die notwendige Demokratisierung der DDR hat die grundsätzliche Bestreitung des Wahrheits- und Machtanspruchs der herrschenden Partei zur Voraussetzung. Wir brauchen eine offene geistige Auseinandersetzung über den Zustand unseres Landes und seines künftigen Weges.»

Die zentralen Forderungen der werdenden Partei waren eine «ökologisch orientierte soziale Demokratie», eine klare Trennung von Staat und Gesellschaft, Rechtsstaat und strikte Gewaltenteilung, parlamentarische Demokratie und Parteienpluralismus, Föderalisierung, soziale Marktwirtschaft, Demokratisierung des Wirtschaftslebens, Freiheit der Gewerkschaften und Streikrecht. Was die Gründer der SDP verlangten, hatte mit dem «Sozialismus» der SED nichts, mit dem Geist des Godesberger Programms der SPD sehr viel gemein. Ebendiese, zunächst noch recht einseitige Nähe der SDP zu einer Partei des Westens war vielen Bürgerrechtlern ein Ärgernis, wie denn die meisten von ihnen Parteien im allgemeinen sehr reserviert gegenüberstanden und Parteienbildungen in der DDR für verfrüht hielten. Die Demokratie, wie das Neue Forum oder Demokratie Jetzt sie anstrebten, sollte den Charakter einer Bürgerbewegung, nicht den eines Parteienstaates nach dem Muster der Bundesrepublik haben.

In den Vorstellungen von dem, was sich in der DDR ändern mußte, überwog das Gemeinsame aber so sehr, daß einer Zusammenarbeit von Bürgerrechtsgruppen und SDP nichts im Wege stand. Am 4. Oktober – drei Tage
vor der offiziellen Parteigründung von Schwante – verständigten sich das
Neue Forum, die Initiative Frieden und Menschenrechte, Demokratie
Jetzt, der Demokratische Aufbruch, die neugegründete Gruppe Demokratischer SozialistInnen, die Initiativgruppe Sozialdemokratische Partei in
der DDR und mehrere Friedenskreise auf eine «Gemeinsame Erklärung»,
die in der Forderung nach freien und geheimen Wahlen unter Aufsicht der
Vereinten Nationen gipfelte. Der Aufruf schloß mit den Worten: «Um unser Land politisch zu verändern, bedarf es der Beteiligung und der Kritik
aller. Wir rufen alle Bürgerinnen und Bürger der DDR auf, an der demokratischen Erneuerung mitzuwirken.»

Die «Stasi» war über das, was in den oppositionellen Kreisen geschah, im
allgemeinen sehr gut informiert. Die Initiative Frieden und Menschenrechte bestand schon bald nach der Gründung zu Beginn des Jahres 1986
etwa zur Hälfte aus Inoffiziellen Mitarbeitern des Ministeriums für Staatssicherheit. Der Mitgründer und spätere Vorsitzende des Demokratischen
Aufbruchs, Rechtsanwalt Wolfgang Schnur, war ein Spitzel der Staatssicherheit, ebenso Manfred alias Ibrahim Böhme, der der Initiativgruppe Sozialdemokratische Partei in der DDR angehörte, am 7. Oktober zum Geschäftsführer der SDP und im Februar 1990 zum Parteivorsitzenden
gewählt wurde.

Die naheliegende Frage, warum das Ministerium für Staatssicherheit
(MfS) die Opposition nicht zerschlagen und die formelle Gründung von
Bürgerrechtsgruppen nicht verhindert hat, ist von diesem selbst beantwortet worden. Im Zusammenhang mit den Plänen zur Gründung der SDP
hielt der Protokollant der Hauptabteilung XX/4 am 21. September das Ergebnis einer Dienstbesprechung fest: «Voranstellend wurde eingeschätzt,
daß sich oppositionelle Bestrebungen so entwickelt haben, daß sie nicht
mehr ohne weiteres liquidiert werden können. Operative Maßnahmen des
MfS mit repressivem Charakter sind aufgrund der Lageentwicklung nicht
möglich. Demzufolge ist die politische Einflußnahme/Führung entscheidend.»

Hinter den Oppositionellen in der DDR stand keine Gegenmacht zu
Partei und Staat nach Art der katholischen Kirche im östlichen Nachbarland Polen. Die katholische Kirche in der DDR war eine Diasporagemein-
schaft, die sich gegen den atheistischen Staat abzuschirmen, ihn aber nicht
zu beeinflussen versuchte. In der evangelischen Kirche war es dem Ministerium für Staatssicherheit gelungen, sein Netz von Inoffiziellen Mitarbeitern, namentlich über die Gruppe der Kirchenjuristen, bis auf die höchste Ebene auszudehnen. Manfred Stolpe, von 1969 bis 1982 Sekretär des
Bundes der Evangelischen Kirchen in der DDR, danach Konsistorialpräsi-
dent der Evangelischen Kirche von Berlin-Brandenburg, wurde seit 1969

als «IM Sekretär» geführt; er pflegte seine Kontakte zum MfS konspirativ, ohne Wissen seiner kirchlichen Vorgesetzten. Die Institution «evangelische Kirche» gewährte Oppositionellen in gewissem Umfang Schutz, aber sie versuchte sie auch von Herausforderungen der Staatsmacht abzuhalten. Im Verlauf der Jahre hatte sich in der «Kirche im Sozialismus» eine gewisse Nähe zum Sozialismus als Idee herausgebildet und mit deutschen Traditionen eines sozial gerechten, fürsorglichen Obrigkeitsstaates verbunden. Der DDR wurde zugute gehalten, daß sie sich zum Frieden bekannte; sie galt im Zweifelsfall als der antifaschistischere der beiden deutschen Staaten. Das glich in den Augen mancher führenden Protestanten zumindest teilweise aus, was der DDR an Demokratie fehlte.

Die Protestanten, die sich der SED offen widersetzten, stellten sich damit auch gegen das diplomatische Taktieren mancher evangelischer Kirchenführer. Unter den Bürgerrechtlern waren längst nicht alle bekennende evangelische Christen. Aber ihr Protest hatte etwas sehr Protestantisches an sich. «Protestantisch» war die Berufung auf das eigene Gewissen, gegebenenfalls auch gegenüber der eigenen Kirche; «protestantisch» war die Rechtfertigung der deutschen Zweistaatlichkeit als Sühne deutscher Schuld; «protestantisch» im Sinne der politischen Tradition des deutschen Luthertums waren die Vorbehalte vieler, nicht aller Bürgerrechtler gegenüber dem Westen, wie ihn mittlerweile auch die Bundesrepublik verkörperte.

»Protestantisch» und «westlich» mußten aber keineswegs einen Gegensatz bilden. Vor der ersten großen und einheitlichen Montagsdemonstration in Leipzig am 25. September fand in der Nikolaikirche ein Friedensgebet statt. Es begann mit der Bitte von Pfarrer Christian Führer an den Rat der Stadt, auf Polizeieinsätze wie eine Woche zuvor fortan zu verzichten. Das eigentliche Montagsgebet sprach Pfarrer Christoph Wonneberger. Es war ein Bekenntnis zu Grundlagen und Werten der westlichen Demokratie, wie es klarer nicht hätte ausfallen können. «Wer anderen willkürlich die Freiheit raubt, hat bald selbst keine Fluchtwege mehr. Wer das Schwert nimmt, wird durch das Schwert umkommen. Das ist für mich keine grundsätzliche Infragestellung staatlicher Gewalt. Ich bejahe das staatliche Gewaltmonopol. Ich sehe keine sinnvolle Alternative. Aber: Staatliche Gewalt muß effektiv kontrolliert werden – gerichtlich, parlamentarisch und durch uneingeschränkte Mittel der öffentlichen Meinungsbildung. Staatliche Gewalt muß sinnvoll begrenzt sein: Unser Land ist nicht so reich, daß es sich einen so gigantischen Sicherheitsapparat leisten kann. ‹Die Verfassung eines Landes sollte so sein, daß sie die Verfassung des Bürgers nicht ruiniert›, so schrieb der polnische Satiriker Stanislaw Jerzy Lec vor 20 Jahren. Da müssen wir die Verfassung eben ändern.»

In der Nikolaikirche waren nach Schätzung aus Kreisen der Teilnehmer 2 000 Menschen versammelt, auf dem Platz davor nochmals mindestens ebenso viele. An der anschließenden Demonstration, die, erstmals seit dem Aufstand vom 17. Juni 1953, wieder über den Karl-Marx-Platz, den früheren Augustusplatz, führte, sollen sich zwischen 8 000 und 10 000 Menschen beteiligt haben. An der Spitze marschierten die etwa 300 Männer und Frauen, die die Nikolaikirche als erste verlassen und das Signal zum Umzug gegeben hatten. Die Demonstranten sangen die «Internationale» und immer wieder «We shall overcome». In Sprechchören forderten sie «Freiheit» und «Neues Forum zulassen».

Polizei und Staatssicherheit hielten sich alles in allem zurück. Als ein Greifkommando einen jungen Mann an den Beinen packte und wegschleifen wollte, halfen ihm «Schaulustige» und verhinderten so die Abführung. Als sich ungefähr 800 Demonstranten in der Westhalle des Hauptbahnhofs versammelten und dort erneut die Zulassung des Neuen Forums forderten, löste die Polizei die unerlaubte «Personenkonzentration» auf. Sechs Personen wurden «zugeführt», fünf davon aber sogleich wieder freigelassen. Einem Demonstranten wurde eine Geldstrafe von 1 000 Mark angedroht. Ausreisewilligen stellte die Polizei eine positive Entscheidung über ihren Antrag in Aussicht. Die Absicht der Abwiegelung war offenkundig. Wenige Tage vor den Feiern zum 40. Jahrestag der Republikgründung sollte die Messestadt Leipzig tunlichst nicht zum Schauplatz blutiger Unruhen werden.[1]

Am 1. September 1989 jährte sich zum 50. Mal der Tag, an dem das Deutsche Reich Polen überfallen und damit den Zweiten Weltkrieg entfesselt hatte. In seiner 154. Sitzung gedachte der elfte Deutsche Bundestag der 55 Millionen Menschen, die in diesem Krieg ihr Leben verloren hatten. Nach Bundeskanzler Kohl sprach der Ehrenvorsitzende der SPD, Willy Brandt. Gegen Ende seiner Rede ging der frühere Bundeskanzler auf die großen Veränderungen in Ost- und Ostmitteleuropa ein. «Ich will offen meinem Empfinden Ausdruck geben..., daß eine Zeit zu Ende geht, eine Zeit, in der es sich in unserem Verhältnis zum anderen deutschen Staat vor allem darum handelte, durch vielerlei kleine Schritte den Zusammenhalt der getrennten Familien und damit der Nation wahren zu helfen.»

Die folgenden Sätze machten deutlich, daß Brandt den Tag herannahen sah, an dem die deutsche Frage wieder zu einem Thema der internationalen Politik werden würde. «Was jetzt im Zusammenhang mit dem demokratischen Aufbruch im anderen Teil Europas auf die Tagesordnung gerät, wird mit neuen Risiken verbunden sein, schon deshalb, weil es ein historisch zu belegendes und höchst vielfältig gefächertes, keineswegs erst durch den Hitler-Krieg belebtes Interesse der europäischen Nachbarn und der halbeuropäischen Mächte gibt, was aus Deutschland wird. Der Wunsch, das Verlangen der Deutschen nach Selbstbestimmung wurde in den Westverträgen bestätigt und ist durch die Ostverträge nicht untergegangen; sie bleiben Pfeiler unserer Politik. In welcher staatlichen Form auch immer dies in Zukunft seinen Niederschlag finden wird, mag offenbleiben. Entscheidend ist, daß heute und morgen die Deutschen in den beiden Staaten ihrer Verantwortung für den Frieden und die europäische Zukunft gerecht werden. Wir sind nicht die Vormünder der Landsleute in der DDR. Wir haben ihnen nichts vorzuschreiben, dürfen ihnen freilich auch nichts verbauen.»

Was Brandt mit Hoffnung erfüllte, war für einen anderen Sozialdemokraten Anlaß zu äußerster Besorgnis. «Über Europa rauscht der ominöse Mantel», warnte Günter Gaus, auf ein ehedem vielzitiertes Wort Bismarcks anspielend, am 4. September in einem «Spiegel-Essay». Den früheren Leiter der Ständigen Vertretung der Bundesrepublik in der DDR beunruhigte, «daß ein großer Teil Europas ins Rutschen kommt... Die Geschichte, so spürt man nach alter Gewohnheit, braucht ihren Humus, hat ihre Ansprüche, kann Opfer nicht scheuen. Wie blutleer ist demgegenüber die Vernunft, die ihr ‹Aber› einwirft. Was soll die Komplizenschaft mit den noch regierenden Unterdrückern zwecks kleiner vertraglicher Fortschritte, wenn doch den Völkern die Hand gereicht werden muß? Das historisierende Feuilleton erobert seinen Platz zurück im politischen Bewußtsein.»

Gaus ließ keinen Zweifel daran, daß er zutiefst mißbilligte, was in Ungarn und Polen geschah. Er gab sich aber auch überzeugt, daß die Geschichte ihm recht und den freiheitsdurstigen Völkern unrecht geben würde. «Kassandra ist nur *nach* den Katastrophen populär... Ungarn macht die Interessenbefriedigung einer Zwei-Drittel-Gesellschaft zu seiner Staatsräson. Wieviel Arbeitslose, welche Inflationsrate wird es in fünf Jahren geben? Nichts als Humus für die Geschichte?... Vielleicht werden die Unterprivilegierten dort in absehbarer Zeit einen Aufstand proben, der den westlichen Applaus für den geschichtlichen Umbruch verebben läßt. Und wenn Polen einen Umweg über die Anarchie nimmt? Opfer, die der Geschichte zustehen? Alles nur Stimulans für eine historische Leih-Stimmung des westlichen Publikums? Die Zeichen erkennend: also niedergeworfen vor der Geschichte. Die Vorgänge im Osten sind nicht nur begründet, sondern *natürlich*. Aber kein Wort des Kummers aus berufenem Mund darüber, daß es schließlich, nach einer Atempause, stets von neuem so geht, wie es immer gegangen ist? Kein Lebewohl den bescheidenen Hoffnungen?»

Der dritte prominente Sozialdemokrat, der im September 1989 zu den Veränderungen im Osten öffentlich Stellung nahm, war der Vorsitzende des Parteirats, der Kieler Bundestagsabgeordnete Norbert Gansel. In einem von der «Frankfurter Rundschau» abgedruckten Beitrag auf einer Veranstaltung des Berliner Landesverbandes setzte er am 11. September Egon Bahrs alter Formel «Wandel durch Annäherung» die Parole «Wandel durch Abstand» entgegen. Anders als Brandt rechnete Gansel nicht mit der Möglichkeit, daß sich die beiden deutschen Staaten vereinigen könnten. Er plädierte sogar für einen Verzicht auf die «chancenlose Vereinigung», um den Deutschen in der DDR die «historische Chance der Freiheit» zu geben. Aber im Gegensatz zu Gaus verlangte Gansel Druck auf die SED, um sie zu den Änderungen zu bewegen, die sie bislang verweigerte. «Wenn wir in der Bundesrepublik diesen Wandel fördern wollen, ist nicht mehr Annäherung gefordert, sondern mehr Abstand. Von der Annäherung auf staatlicher Ebene muß nichts zurückgenommen werden. Aber gegenüber der DDR-Führung ist auf Abstand zu gehen... Fototermine mit den Betonköpfen der SED sind Bärendienste für den inneren Wandel in der DDR... ‹Wandel durch Abstand› statt ‹Wandel durch Annäherung› – das scheint für die SPD einen Bruch mit ihrer 25 Jahre lang betriebenen Deutschlandpolitik zu bedeuten. Es ist kein Bruch, aber es ist mehr als eine Akzentverschiebung. Heute muß es um den innenpolitischen Wandel in der DDR gehen, nicht um Außenpolitik. Dazu muß Abstand von den Reformgegnern in der DDR gehalten werden.»

Gansel übte nur verhaltene Kritik an der Politik, die Volker Rühe, der neue Generalsekretär der CDU, am 25. September als «Wandel durch Anbiederung» anprangerte. Tatsächlich hatte die SPD, seit sie 1982 in die Opposition zurückgekehrt war, den Systemgegensatz zwischen der Bundesrepublik und der DDR und den ideologischen Gegensatz zwischen Sozialdemokraten und Kommunisten bewußt entdramatisiert, um das sozialdemokratische Projekt «gemeinsame Sicherheit» zu fördern. Ein Monopol in Sachen «Anbiederung» aber hatte die SPD nicht. Kein namhafter Politiker aus den Reihen der Sozialdemokratie hatte je die kommunistische Doktrin von der Herausbildung von zwei deutschen Nationen unterstützt. Ein Mitglied des Präsidiums der CDU hatte es hingegen schon frühzeitig für angebracht gehalten, der «anderen Seite» dieses Zugeständnis zu machen. In einem Gespräch mit Wadim Sagladin, damals Stellvertretender Leiter der Internationalen Abteilung des ZK der KPdSU, verneinte Walther Leisler Kiep am 6. Februar 1975 in Moskau die Frage, ob er selbst an die praktische Möglichkeit einer Wiedervereinigung glaube. «In den nächsten Jahrhunderten wird dies nicht geschehen, sagte er. In Deutschland entwickeln sich zwei Nationen. Die DDR entferne sich von allem Gesamtdeutschen. Wir haben ihre staatliche Selbständigkeit anerkannt – faktisch nach österreichischem Muster, sagte Kiep. Zudem werde, wie Kiep annimmt, weder der Westen noch der Osten eine Wiedervereinigung, ob nun auf kapitalistischer oder auf sozialistischer Grundlage, zulassen, um nicht mit einem mächtigen, 80 Millionen Einwohner zählenden Deutschland konfrontiert zu werden.»

Rühe war als Generalsekretär der CDU der Nachfolger Heiner Geißlers. Kohl hatte sich von seinem engsten Mitarbeiter im Konrad-Adenauer-Haus getrennt, weil ihm dieser zu selbständig geworden war und den Konservativen in der Union seit langem als zu progressiv erschien. Tatsächlich hielt es Geißler ebenso wie andere führende Unionspolitiker, darunter der baden-württembergische Ministerpräsident Lothar Späth und die Bundestagspräsidentin Rita Süssmuth, für ausgeschlossen, daß Kohl die Bundestagswahl Ende 1990 gewinnen könne. Starke Stimmenverluste der CDU bei den Wahlen zum Berliner Abgeordnetenhaus im Januar 1989, den hessischen Kommunalwahlen im März und den Europawahlen im Juni hatten den notorisch niedrigen demoskopischen «Marktwert» des sechsten Bundeskanzlers weiter sinken lassen und bei seinen parteiinternen Gegnern den Plan für einen «Putsch» reifen lassen: Auf dem Bremer Parteitag im September sollten Späth oder Süssmuth an Stelle von Kohl den Parteivorsitz übernehmen.

Kohl, der seine Partei wie kein zweiter kannte, hatte rechtzeitig seine Vorkehrungen getroffen, und die Verschwörer verloren mangels Rückhalt bei den meisten Landesverbänden schon vor dem Parteitag den Mut zur Kraftprobe. Am 11. September wurde Helmut Kohl ohne Gegenkandidaten mit 571 von 738 Stimmen wieder zum Bundesvorsitzenden der CDU gewählt. Der neue Generalsekretär Volker Rühe verbuchte mit 628 Stimmen ein bemerkenswert gutes Ergebnis. Späth hingegen gelangte mit 357 Stimmen nicht mehr ins Parteipräsidium. Die parteipolitische Position Kohls war durch den Bremer Parteitag gestärkt, die seiner Gegner nachhaltig geschwächt worden. Ob er sich 1990 im Amt des Bundeskanzlers würde behaupten können, war eine andere Frage. Sicher war nur, daß er viel Fortüne haben mußte, um an dieses Ziel zu gelangen.[2]

Montag, der 2. Oktober 1989, war der Tag, an dem die Demonstrationen in Leipzig eine neue Qualität erhielten – wo, anders gewendet, Quantität in Qualität umschlug. 20 000 Menschen lehnten sich auf den Straßen und Plätzen der Stadt an der Pleiße gegen die Herrschaft der SED auf. «Wer an diesem Oktobermontag in St. Nikolai keinen Einlaß fand, wurde durch Aushang und dann durch den Kirchensprecher zur Reformierten Kirche am Tröndlinring weitergewiesen», berichtet der Leipziger Historiker Hartmut Zwahr. «An diesem 2. Oktober war der Massenruf die Hauptform der Artikulation von Zielen und Absichten. Im Gerufenen brach das Grundinteresse spontan durch, während sich in den zu Hause vorbereiteten Spruchbändern der kommenden Montagsdemonstrationen ein anderes Phänomen vorbereitete: die Massenhegemonie… *Wir bleiben hier! Wir bleiben hier! Keine Gewalt!* riefen die Demonstranten und: *Kein neues China!* Andere riefen: *Gorbi, Gorbi* … Zweihundert Jahre, nachdem die Pariser die Bastille gestürmt hatten, erhoben die Leipziger die Forderung nach *Freiheit, Gleichheit, Brüderlichkeit.*»

Sie taten es in Worten, die der «Partei der Arbeiterklasse» wohlbekannt waren. «Singend machten sich die Demonstranten Mut. Sie stimmten die Internationale an, Schulstoff aus dem Musikunterricht der Klassen 7 und 8 der Polytechnischen Oberschulen der DDR. Gelernt, verdrossen abgesungen, freiwillig nie wieder angestimmt bis zu diesem Augenblick, wo ein Stück aus dem Refrain genau paßte, um den Protest mit der ganzen Kraft der Stimme herauszusingen. ‹Völker, hört die Signale,/ auf zum letzten Gefecht,/ die Internationale erkämpft das Menschenrecht.› Die Menschenrechte. Wie waren sie verzerrt worden. Jetzt empfanden alle das Gleiche. Auf die Straße zu gehen war ein Menschenrecht. Im Ruf *Demokratie jetzt!* und im Gesang *Auf zum letzten Gefecht* klang zusammen, was die Größe des Augenblicks ausmachte. Es zu wagen. Jetzt.»

Den Spitzen von Partei und Staat ging am folgenden Tag ein Bericht des MfS zu, wonach es in Leipzig durch Gruppen von Jugendlichen zu «verleumderischen Beschimpfungen» von Angehörigen der Volkspolizei, ja zu «tätlichen Angriffen» gekommen sei. «Teilweise gelang es diesen Kräften, die Sperrketten der Volkspolizei zu durchbrechen. Gegen 20.20 Uhr versuchten sich in Höhe Thomaskirchhof erneut ca. 1 500 Personen zu formieren und in Richtung Innenstadt/Markt zu marschieren. Zur Verhinderung dieses Vorhabens, insbesondere zur Abwehr der von diesen Kräften ausgehenden tätlichen Angriffe und zur Gewährleistung der Sicherheit der eigenen Kräfte der Volkspolizei, war der Einsatz des Schlagstockes und von Diensthundeführern mit Diensthunden (mit Korb) erforderlich. 21.25 Uhr war die Personenkonzentration aufgelöst. Es wurden insgesamt 20 Personen zugeführt, zu denen nach Aufklärung der konkreten Tatbeteiligung die erforderlichen rechtlichen Maßnahmen veranlaßt werden.»

In der zweitgrößten Stadt der DDR waren Partei, Polizei und Staatssicherheit so präsent wie überall in der Republik, aber nicht mit derselben Dichte wie in der Hauptstadt. An der Karl-Marx-Universität Leipzig war der politisch-ideologische Druck in den späten achtziger Jahren nicht ganz so massiv wie an der Humboldt-Universität zu Berlin. Andererseits war Leipzig mit seinen über 500 000 Einwohnern groß genug, um gezielten Protesten ein Massenecho zu verschaffen. Die Stadt an der Pleiße wurde im Herbst 1989 nicht zufällig zum Vorort der großen Umwälzung. Eine Insel des Protests war Leipzig freilich schon Anfang Oktober nicht mehr: Am 5. Oktober wurde auch aus Dresden und Magdeburg die gewaltsame Auflösung von Demonstrationen gemeldet.

Vom 5. bis 7. Oktober richteten sich die Augen der Weltöffentlichkeit auf Ost-Berlin. Aus Anlaß des 40. Jahrestages der Gründung der Deutschen Demokratischen Republik war neben vielen anderen Ehrengästen auch Michail Gorbatschow in die Hauptstadt der DDR gekommen. In seiner offiziellen Festrede am 5. Oktober kritisierte er Bonner Forderungen nach einer Wiederherstellung Deutschlands in den Grenzen von 1937; die Führung der DDR aber behandelte er betont freundlich. Kritik deutete er nur vorsichtig mit der Bemerkung an, er zweifle nicht an der Fähigkeit der SED, in Zusammenarbeit mit allen gesellschaftlichen Kräften Antworten auf die drängenden Fragen der Zeit zu finden.

In einem Vieraugengespräch mit Honecker am 7. Oktober wurde Gorbatschow deutlicher. Der Generalsekretär der KPdSU mahnte den Generalsekretär der SED, «die Partei könne nicht anders wirken als alle Impulse aus der Gesellschaft zusammenzufassen ... Aus eigener Erfahrung wisse er, daß man nicht zu spät kommen dürfe.» Die Politik der «Umgestaltung» beschrieb Gorbatschow als «Revolution in der Revolution», was jedoch «kein Negieren der Werte, Ideale und Ideen des Oktober» bedeute. «Gebraucht werde eine aktive Politik der Partei. Verspätungen bedeuten Niederlagen, denn spontane und chaotische Kräfte könnten ausufern, antisozialistische, antigesellschaftliche Elemente diese Prozesse mißbrauchen.» Honecker entgegnete unter anderem, Bundeskanzler Kohl habe zwei Tage zuvor erklärt, «wenn die DDR Reformen vornehme, dann werde Bonn wirtschaftliche Unterstützung leisten. Das wurde von uns natürlich massiv abgelehnt, denn wir lassen uns von der BRD keine Bedingungen aufzwingen.»

Bei der anschließenden Zusammenkunft mit dem Politbüro der SED verband Gorbatschow seine Kritik an der politischen Stagnation in der DDR mit Lob für das Erreichte. «Das, was die DDR heute ist, ist eine hervorragende Krönung des langwierigen Weges bis zur Gründung des Arbeiter- und Bauern-Staates auf deutschem Boden. Natürlich gab es auch Schwierigkeiten, Fehler und Mängel. Das gab es; denn nur in Schemata geht alles glatt, im realen Leben ist das anders... Wir betrachten das Jubiläum der Deutschen Demokratischen Republik als unseren gemeinsamen Feiertag. Natürlich spricht das Sie nicht frei von der Hauptverantwortung für das, was auf diesem Boden vor sich geht, und schon gar nicht bedeutet diese Feststellung irgendwelche Anmaßungen unsererseits. Ich stelle nur die Realität fest... Mutige Zeiten erwarten Sie, mutige Beschlüsse sind erforderlich... Ich halte es für sehr wichtig, den Zeitpunkt nicht zu verpassen und keine Chance zu vertun. Die Partei muß ihre eigene Auffassung haben, ihr eigenes Herantreten vorschlagen. Wenn wir zurückbleiben, bestraft uns das Leben sofort.»

Auf einer Pressekonferenz der sowjetischen Delegation gab der Sprecher des Außenministeriums, Gennadij Gerassimow, Gorbatschows Mahnung, mit notwendigen Änderungen nicht zu lange zu warten, in einem Satz wieder, den der Dolmetscher in die Form eines alsbald geflügelten Wortes brachte: «Wer zu spät kommt, den bestraft das Leben.» Gorbatschow selbst bemerkte auch öffentlich gegenüber Journalisten, Gefahren warteten nur auf jene, die nicht auf das Leben reagierten. Der erste Mann der Sowjetunion bekam durchaus mit, was die Bevölkerung der DDR von ihm erwartete. Als er am Mahnmal für die Opfer des Faschismus und Militarismus, der Schinkelschen Neuen Wache Unter den Linden, einen Kranz niederlegte, riefen junge Leute: «Gorbi hilf!» In seinen «Erinnerungen» berichtet Gorbatschow, er habe diesen Ruf auch beim abendlichen Fackelzug der FDJ Unter den Linden gehört. Aufgeregt sei daraufhin Mieczyslaw Rakowski, der Erste Sekretär der PVAP, an ihn herangetreten: «Michail Sergejewitsch, verstehen Sie, was für Losungen sie da schreien?» Dann dolmetschte er: «Sie fordern: ‹Gorbatschow, rette uns!› Das ist doch das Aktiv der Partei! Das ist das Ende!»

Anderes entging Gorbatschow, weil es in seiner Abwesenheit geschah. An der Weltzeituhr am Alexanderplatz hatten sich gegen 16 Uhr etwa 200

Menschen, meist Jugendliche, versammelt. Gegen 17.20 Uhr verstärkten sich die Sprechchöre. Etwa 300 Personen setzten sich in Richtung Palast der Republik in Bewegung. Passanten schlossen sich spontan an. Der Polizeieinsatz begann erst, nachdem Gorbatschow und die anderen Staatsgäste den offiziellen Empfang im Palast der Republik verlassen hatten und der Zug, der inzwischen auf 1 000 Personen angewachsen war, sich in Richtung Prenzlauer Berg bewegte und das Haus des Allgemeinen Deutschen Nachrichtendienstes (ADN) passierte. Im Bericht der Untersuchungskommission über die Ereignisse vom 7. und 8. Oktober heißt es: «Mit unglaublicher Härte werden einzelne Demonstranten wie wahllos aus der Menge herausgegriffen und von bis zu acht zivilen MfS-Angehörigen zusammengeschlagen und brutal abgeführt. Volkspolizisten und MfS-Mitarbeiter prügelten viele der Festgenommenen auf die Transportfahrzeuge, obwohl keine Gegenwehr erfolgt. Bevorzugt richtet sich die Brutalität gegen Frauen, um männliche Demonstranten zum gewaltsamen Handeln gegen die Sicherheitskräfte zu provozieren.» Insgesamt wurden am Abend des 7. Oktober 547 Personen vorläufig festgenommen. Tags darauf wiederholten sich ähnliche Szenen nach dem Ende einer Andacht in der Gethsemanekirche im Bezirk Prenzlauer Berg.

Ein Zweck der massiven Gewaltanwendung in Berlin war sicherlich die Abschreckung der Leipziger Regimegegner, die für den 9. Oktober eine neue Montagsdemonstration vorbereiteten. Doch die Leipziger ließen sich nicht abschrecken. In der Messestadt liefen Gerüchte um, die Sicherheitsorgane bereiteten nunmehr die gewaltsame Niederschlagung der Protestbewegung vor, vielleicht sogar ein ähnliches Blutbad, wie es die chinesische Parteiführung Anfang Juni unter den friedlich demonstrierenden Studenten auf dem Platz des Himmlischen Friedens in Peking angerichtet hatte.

Am späten Nachmittag gab es ein Hoffnungszeichen: In vier Leipziger Kirchen wurde ein kurzer Aufruf zum friedlichen Dialog verlesen. Die Erklärung war unterzeichnet vom Leiter des Gewandhausorchesters, Kurt Masur, dem Kabarettisten Bernd-Lutz Lange von den «Akademixern», dem Theologen Peter Zimmermann und, das war die eigentliche Sensation, von drei Bezirkssekretären der SED, nämlich Roland Wötzel, Jochen Pommert und Kurt Meyer. «Wir brauchen freien Meinungsaustausch über die Weiterführung des Sozialismus in unserem Land», hieß es darin. Der Dialog müse nicht nur im Bezirk Leipzig, sondern auch «mit unserer Regierung» geführt werden. «Wir bitten sie dringend um Besonnenheit, damit der friedliche Dialog möglich wird.»

Gegen 18 Uhr strahlte der Stadtrundfunk den von Masur verlesenen Aufruf aus. Dennoch war die Angst noch groß, als wenig später die bislang größte Montagsdemonstration begann. Etwa 70 000 Menschen skandierten Parolen wie «Stasi raus!», «Gorbi, Gorbi!», «Wir bleiben hier!», «Wir sind das Volk!» und am lautesten immer wieder «Keine Gewalt!»

Der Ruf nach Gewaltverzicht fand Gehör. Die Volkspolizei griff weder zum Schlagstock noch zur Schußwaffe; die Betriebskampfgruppen wurden nicht eingesetzt. Die Entscheidung gegen die «chinesische Lösung» war in Leipzig, nicht in Ost-Berlin gefallen. Von dort war am 8. Oktober die von dem Minister für Staatssicherheit Erich Mielke weitergeleitete Weisung Erich Honeckers ergangen: «Es ist damit zu rechnen, daß es zu weiteren Krawallen kommt. Sie sind von vornherein zu unterbinden.» Die «entsprechenden Maßnahmen» waren von den Bezirkseinsatzleitungen festzulegen. Das ließ den örtlichen Instanzen einen gewissen Spielraum. Egon Krenz, Mitglied des Politbüros und seit 1984 stellvertretender Vorsitzender des Staatsrats, wollte ein Blutbad verhindern, schaltete sich aber erst am frühen Abend telefonisch ein: Er unterstützte die «Erklärung der Sechs» und billigte damit die Entscheidung für die Deeskalation.

Der 9. Oktober 1989 wurde zum Wendepunkt in der Krise der DDR: Die Partei- und Staatsmacht war vor dem Massenprotest zurückgewichen. Die SED-Führung konnte bei einer Zuspitzung des inneren Konflikts nicht mit militärischer Hilfe der Sowjetunion rechnen. Das wirkte auf große Teile des Partei- und Sicherheitsapparates demoralisierend. Wäre es nach Honecker und Mielke gegangen, hätte die Staatsmacht in Leipzig am 9. Oktober ein blutiges Exempel statuiert. Aber nicht nur auf örtlicher und bezirklicher, sondern auch auf höchster Ebene gab es Kräfte, die in der harten Linie einen Ausdruck von Katastrophenpolitik sahen. Die logische Konsequenz aus dieser Einsicht war der Versuch, Honecker und seine engsten Verbündeten, obenan Günter Mittag, abzulösen.

Seit dem 8. Oktober konnte Honecker ahnen, daß es solche Absichten gab: Sein Stellvertreter im Vorsitz des Staatsrats, das Mitglied des Politbüros Egon Krenz, leitete ihm an diesem Tag den Entwurf einer Erklärung für die Sitzung des Politbüros am 10. Oktober zu. Der Text war mit zwei weiteren Mitgliedern des Politbüros, den Ersten Sekretären der Bezirksleitungen von Berlin und Karl-Marx-Stadt, Günter Schabowski und Siegfried Lorenz, und dem ZK-Sekretär für Sicherheitsfragen, Wolfgang Herger, abgestimmt. Er enthielt eine implizite Kritik an einem von Honecker veranlaßten, am 2. Oktober im «Neuen Deutschland» veröffentlichten Kommentar von ADN, in dem es über die Botschaftsflüchtlinge hieß: «Sie alle haben durch ihr Verhalten die moralischen Werte mit Füßen getreten und sich selbst aus unserer Gesellschaft ausgegrenzt. Man sollte ihnen deshalb keine Träne nachweinen.» Krenz setzte die Akzente anders: Das Politbüro sollte versichern, daß der Sozialismus jeden brauche und Platz für alle habe. Honecker verstand den Widerspruch als Kampfansage und reagierte schroff ablehnend.

Der sowjetische Botschafter in Ost-Berlin, Wjatscheslaw Kotschemassow, den Krenz am Abend des 8. Oktober von seinem Vorstoß telefonisch informierte, stärkte dagegen Honeckers Stellvertreter den Rücken: Das Wichtigste sei es, am folgenden Tag in Leipzig kein Blutvergießen zuzulassen. Unmittelbar nach dem Telefongespräch mit Krenz forderte er den

Oberbefehlshaber der Westgruppe der sowjetischen Streitkräfte auf, auf keinen Fall in Leipzig einzugreifen. Am 9. Oktober erhielt die Führung der Westgruppe eine entsprechende Anweisung aus Moskau.[3]

Die Sitzung des Politbüros vom 10. und 11. Oktober wurde zum Beginn der Entmachtung Honeckers. Die Diskussion über die Vorlage von Krenz, die dieser gegen den Willen des Generalsekretärs allen Mitgliedern und Kandidaten des höchsten Parteigremiums hatte zustellen lassen, nahm einen anderen Verlauf als von Honecker erwartet: Die Zustimmung überwog. Aus der Schlußredaktion ging eine Erklärung des Politbüros hervor, die am 12. Oktober im «Neuen Deutschland» erschien. Die wichtigste Passage lautete: «Der Sozialismus braucht jeden. Er hat Platz und Perspektive für alle. Er ist die Zukunft der heranwachsenden Generationen. Gerade deshalb läßt es uns nicht gleichgültig, wenn sich Menschen, die hier arbeiteten und lebten, von unserer Deutschen Demokratischen Republik losgesagt haben... Die Ursachen für ihren Schritt mögen vielfältig sein. Wir müssen und wir werden sie auch bei uns suchen, jeder an seinem Platz, wir alle gemeinsam.»

Zwischen der Sitzung des Politbüros vom 10. und 11. Oktober und der auf den 18. Oktober einberufenen Sitzung des Zentralkomitees lagen eine Beratung mit den Ersten Sekretären der Bezirke und eine weitere Montagsdemonstration. Auf der Parteiberatung vom 12. Oktober wurde Honecker, nachdem er in seiner einleitenden Rede kaum auf die Erklärung des Politbüros und die Krise in der DDR eingegangen war, vor allem von drei Bezirkssekretären – Johannes Chemnitzer aus Neubrandenburg, Hans Modrow aus Dresden und Günther Jahn aus Potsdam – scharf kritisiert, von Jahn sogar in kaum verschlüsselter Form zum Rücktritt aufgefordert. Die Leipziger Montagsdemonstration vom 16. Oktober war die bislang größte. 120000 Menschen forderten die Zulassung des Neuen Forums, freie Wahlen, Reise-, Presse- und Meinungsfreiheit. In Sprechchören riefen sie «Wir sind das Volk!» und «Keine Gewalt!» Am gleichen Tag gab es auch Demonstrationen mit vielen Tausenden von Teilnehmern in Dresden, Magdeburg, Halle und Berlin.

Am nämlichen 16. Oktober traf die Anti-Honecker-Fronde, der sich inzwischen auch Mielke angeschlossen hatte, die letzten Vorbereitungen für den Sturz des Generalsekretärs. Am Tag darauf trat das Politbüro erneut zu einer Sitzung zusammen. Willi Stoph, der Vorsitzende des Ministerrats, beantragte gleich zu Beginn die Ablösung von Honecker. Dieser protestierte heftig, fügte sich dann aber in den Willen aller übrigen Mitglieder, unter ihnen auch Günter Mittag. Am Morgen des 18. Oktober tagte zuerst das ZK-Sekretariat ohne Honecker und billigte einmütig den «Kaderwechsel». Stoph schlug Krenz als neuen Generalsekretär vor. Anschließend billigte das Politbüro auf Antrag von Stoph die von Krenz und Schabowski entworfene Erklärung, in der Honecker seinen Rücktritt von den Ämtern als

Generalsekretär, Mitglied des Politbüros und Sekretär des Zentralkomitees aus Gründen seines Gesundheitszustandes bekanntgab.

Die Sitzung des ZK am Nachmittag verlief im wesentlichen so wie von den Verschwörern geplant. Honecker selbst schlug Krenz als seinen Nachfolger vor. Neben Honecker wurden auch die Mitglieder des Politbüros Günter Mittag und Joachim Herrmann, zwei enge Vertraute des bisherigen Generalsekretärs, von ihren Ämtern abberufen. «Weil sie ihren Anforderungen nicht gerecht wurden», erläuterte Stoph auf Rückfrage eines Mitglieds des Zentralkomitees.

Am Abend trat der neugewählte Generalsekretär vor die Fernsehkameras. Seine Ansprache an die Bevölkerung, die er mit «Liebe Genossen» anredete, war auf weiten Strecken allgemein und formelhaft. «Mit der heutigen Tagung werden wir eine Wende einleiten, werden wir vor allem die politische und ideologische Offensive wieder erlangen»: So lautete die zentrale Aussage. Krenz versicherte seine Zuhörer und Zuschauer der «festen Überzeugung» der SED, «daß alle Probleme in unserer Gesellschaft politisch lösbar sind», betonte jedoch zugleich die Entschlossenheit der Partei, Ruhe und Ordnung zu sichern und den «Sozialismus auf deutschem Boden» nicht zur Disposition zu stellen. Krenz erklärte die «Perestrojka in der UdSSR» für unumgänglich und räumte ein, daß keine kommunistische Partei sich von den Prozessen abkapseln könne, «die unsere Bewegung selbst, die Umgestaltung in der Sowjetunion und in anderen Bruderländern betreffen». Aufhorchen ließ eine Mitteilung gegen Ende der Rede: Das Politbüro habe der Regierung vorgeschlagen, den Entwurf eines Gesetzes über Auslandsreisen vorzubereiten. Im Zusammenhang mit diesem Gesetz könnten die «zeitweilig getroffenen einschränkenden Maßnahmen zum Reiseverkehr in sozialistische Bruderländer aufgehoben beziehungsweise modifiziert werden».

Die Ära Honecker, die am 18. Oktober 1989 abrupt zu Ende ging, hatte in ihrer Spätphase viel mit den letzten Jahren der Ära Ulbricht gemeinsam gehabt. Der Mann an der Spitze von Partei und Staat zeigte in beiden Fällen immer deutlichere Zeichen von Starrsinn und Selbstüberschätzung. Wie Ulbricht um 1970, so forderte Honecker in den späten achtziger Jahren die Sowjetunion dadurch heraus, daß er der DDR die Qualität einer sozialistischen Modellgesellschaft zuschrieb, die einen Vorsprung vor den anderen Ländern des Warschauer Pakts, einschließlich der Sowjetunion, hatte. Anders als Ulbricht hatte es Honecker aber mit einer Sowjetunion zu tun, deren Führung die Krise des «real existierenden Sozialismus» erkannt hatte, während er sie nicht wahrhaben wollte. Ebensowenig vermochte er einzusehen, daß der relative Wohlstand der DDR nicht auf eigener Leistung, sondern auf der Finanzierung durch die Bundesrepublik beruhte.

Als er kurz nach dem 40. Gründungstag der DDR gestürzt wurde, sah er sich als Opfer einer Intrige. Was die eigene Partei betraf, war das eine verkürzte, aber nicht rundum falsche Wahrnehmung. «Moskau» jedoch war, anders als bei der Ablösung Ulbrichts im Mai 1971, an der Entmachtung Honeckers nicht beteiligt. Gorbatschow, seit dem Frühjahr 1986 durch Stoph und andere über die katastrophalen Folgen von Honeckers Politik genau informiert, griff nicht ein: Ihre Führungsprobleme sollte die SED allein lösen.

Der zweiundfünfzigjährige Krenz, der wie sein Vorgänger viele Jahre lang Erster Sekretär der FDJ gewesen war, galt allgemein als typischer Repräsentant des Apparats und der bisherigen Parteilinie. Entsprechend skeptisch reagierten die Bürgerrechtler. Der Leipziger Pfarrer Wonneberger verwies darauf, daß Krenz sich bisher nicht als Vertreter einer Reformpolitik hervorgetan habe. Bärbel Bohley erinnerte daran, daß sein Name mit der Aktion gegen die Zionskirche im November 1987 verbunden sei und Krenz erst kürzlich in Peking die Unterdrückung der chinesischen Demokratiebewegung gerechtfertigt habe. Vergleichsweise freundlich äußerte sich Bundeskanzler Kohl. Mit dem Wechsel an der Spitze habe die Parteiführung der SED dem Drängen der Menschen in der DDR auf einen Wandel in Staat und Gesellschaft Rechnung getragen; entscheidend sei jedoch, ob Krenz nun den Weg für die überfälligen Reformen freimache.

Am 24. Oktober wurde Egon Krenz von der Volkskammer zum neuen Staatsratsvorsitzenden und zum Vorsitzenden des Nationalen Verteidigungsrates gewählt. Erstmals gab es bei diesen Wahlen Abweichungen von der bisher üblichen Praxis der Einstimmigkeit: Bei der Wahl zum Vorsitzenden des Staatsrats stimmten 26 Abgeordnete, überwiegend aus den «bürgerlichen» Blockparteien LDPD und CDU, gegen ihn; 26 enthielten sich der Stimme. Bei der Wahl zum Vorsitzenden des Nationalen Verteidigungsrates wurden 8 Gegenstimmen und 17 Enthaltungen gezählt.

Zwei Tage später, am 26. Oktober, fand ein erstes Telefongespräch zwischen dem Generalsekretär und dem Bundeskanzler statt: Kohl versicherte, es sei nicht im Interesse der Bundesregierung und nicht in seinem Interesse, «daß sich die Entwicklung in der DDR in einer Weise darstellt, daß eine ruhige, vernünftige Entwicklung unmöglich gemacht wird». Der Kanzler sprach von «Hoffnungen», die sich an die Wahl von Krenz knüpften; er nannte das Reisegesetz, eine Amnestie für Bürger, die wegen versuchter «Republikflucht» verurteilt worden waren, den Verzicht auf die Verfolgung festgenommener Demonstranten und eine positive Lösung für Botschaftsflüchtlinge, die auf ihre in der DDR verbliebenen Dokumente und Zeugnisse angewiesen seien. Wie bisher sollte nicht das Trennende betont, sondern die Zusammenarbeit gesucht werden – eine Meinung, die Krenz, wie er sagte, «vollkommen» teilte. Von seinen Erwartungen an den Bundeskanzler war ihm eine besonders wichtig: Die Bundesregierung möge, wenn die DDR demnächst ein großzügiges Reisegesetz erlasse, einige praktische Fragen künftig so handhaben, «daß die Respektierung der Staatsbürgerschaft der DDR deutlicher wird».

Die Beziehungen zwischen Bonn und Ost-Berlin waren Ende Oktober 1989 weniger gespannt als die zwischen der neuen SED-Führung und der Bevölkerung der DDR. Als Krenz' größtes Problem erwies sich sein Mangel an Glaubwürdigkeit. Die Demonstrationen gingen nicht nur weiter, sie weiteten sich über die ganze DDR aus und richteten sich gezielt gegen den neuen Staatsratsvorsitzenden. Die Hauptvorwürfe lauteten, Krenz sei als zentraler Wahlleiter für die Fälschungen bei den Kommunalwahlen vom Mai und als der für Sicherheitsfragen zuständige ZK-Sekretär für die Übergriffe der Polizei auf Demonstranten politisch verantwortlich. Am 28. und 29. Oktober wurden Protest- und Reformdemonstrationen sowie Massendiskussionen aus Berlin, Neubrandenburg, Magdeburg, Dresden, Leipzig, Erfurt, Jena, Karl-Marx-Stadt, Plauen, Greiz und Senftenberg gemeldet. Am 30. Oktober, einem Montag, nahmen allein in Leipzig 300 000 Menschen an einer Demonstration für Reformen, freie Wahlen und Reisefreiheit teil.

Am 31. Oktober und 1. November hielt sich Krenz in Moskau, am 2. November in Warschau auf. In Ost-Berlin war der 2. November der Tag der Rücktritte: Auf ihre Ämter verzichteten der Vorsitzende des Freien Deutschen Gewerkschaftsbundes, Harry Tisch, der Vorsitzende der CDU, Gerald Götting, der Vorsitzende der NDPD, Heinrich Homann, und die Ministerin für Volksbildung, Margot Honecker, die Frau des gestürzten Generalsekretärs. Tags darauf gab Krenz im Fernsehen die bevorstehende Ablösung der Politbüromitglieder Kurt Hager, Erich Mielke, Hermann Axen, Alfred Neumann und Erich Mückenberger bekannt. Außerdem kündigte der Staatsratsvorsitzende ein Vereinigungsgesetz und die Errichtung eines Verfassungsgerichtshofes an, der über die Einhaltung der Verfassung wachen solle.

Doch was immer Krenz mitteilte und versprach, die Dynamik der Entwicklung einzudämmen gelang ihm nicht. Am 4. November fand auf dem Alexanderplatz in Berlin eine von einer Initiativgruppe des «Berliner Ensembles» beantragte, offiziell genehmigte, vom Fernsehen der DDR «live» übertragene Kundgebung statt, an der über eine halbe Million Menschen teilnahmen. Sie forderten, was in diesen Tagen alle Demonstranten in der DDR verlangten: freie Wahlen, Meinungsfreiheit, die Preisgabe des Führungsanspruchs der SED, den Rücktritt der Regierung und die offizielle Zulassung von Oppositionsgruppen.

Unter den Rednern waren bekannte Bürgerrechtler wie Jens Reich, Friedrich Schorlemmer und Marianne Birthler, Schriftsteller wie Christa Wolf, Stefan Heym, Heiner Müller und Christoph Hein, die Schauspielerin Steffi Spira, die mit ihrem Ausruf «Nie wieder Fahnenappell!» stürmischen Beifall auslöste, der Rechtsanwalt Gregor Gysi, der Vorsitzende der LDPD, Manfred Gerlach, aber auch Markus Wolf, der frühere Spionagechef der DDR, und Günter Schabowski, die beide mehr Pfiffe als Applaus ernteten. Die Mitwirkung der SED, die ihre Mitglieder zur Teilnahme aufgefordert hatte, ließ nur einen Schluß zu: Der lernfähige Flügel der Staats-

partei suchte das Bündnis mit der Bürgerrechtsbewegung, um als Partei neben anderen Parteien soviel Macht wie nur möglich zu behalten und die
staatliche Existenz der DDR zu retten. Daß *diese* DDR sich fundamental
von der früheren unterscheiden, daß sie durch radikale Änderungen erstmals dem demokratischen Anspruch ihres Staatsnamens gerecht werden
mußte: das war die Logik, der sich die späten Neuerer in der SED nicht länger verschließen konnten.

Der 4. November war ein Samstag. Am Montag, den 6. November, erschien die «Frankfurter Allgemeine» mit der Schlagzeile «Massenflucht –
Reformzusagen – Forderungen». Die Massenflucht wurde dadurch möglich, daß die DDR seit dem 1. November wieder visafreie Reisen in die
Tschechoslowakei gestattete und am 3. November in einer Vereinbarung
mit der ČSSR der Öffnung der tschechoslowakischen Grenze zur Bundesrepublik für Bürger der DDR zustimmte, die beim Grenzübertritt nur
ihren Personalausweis vorzeigen mußten. Die Neuregelung sollte bis zum
Inkrafttreten eines neuen Reisegesetzes gelten. Damit war das Problem der
Botschaftsflüchtlinge gelöst, das zwischen dem 1. und 3. November sogleich wieder dramatische Formen angenommen hatte. Am Wochenende
vom 3. zum 5. November kamen über 10 000 Bürger der DDR mit Son-
derzügen, Bussen oder dem eigenen Auto über die Tschechoslowakei in die
Bundesrepublik.

Den einschneidenden Charakter der Maßnahmen vom 1. und 3. November erkannten in jenen Tagen nur wenige Akteure und Beobachter. Zu
den wenigen gehörte der Journalist Klaus Hartung. Am 6. November
schrieb er in der West-Berliner «tageszeitung»: «Man stelle sich vor, ein
Traum geht in Erfüllung, und keiner merkt es richtig: die Mauer ist gefallen. Seit dem 3. November kann sich ein DDR-Bürger aus Karl-Marx-Stadt
in seinen Trabi setzen und bis nach München fahren. Einen Personalausweis und ausreichend Sprit – mehr braucht er nicht. Seit Freitagnacht ist
nicht – wie es im Fernsehen hieß – ‹die Mauer symbolisch gefallen›: Nein,
die Realität ist gefallen, und das Symbol steht in Berlin herum.»

Tatsächlich waren am 3. November die Würfel gefallen. Was sechs Tage
später geschah und den 9. November 1989 zu einer weltgeschichtlichen Zäsur machte, war in Wirklichkeit nur die unabweisbare Folge der Entscheidung, erst die Grenze zwischen der DDR und der Tschechoslowakei und
dann die zwischen der Tschechoslowakei und der Bundesrepublik zu öffnen. Die DDR konnte nun nicht mehr zurück; sie mußte, weil alles andere
widersinnig und zwecklos gewesen wäre, ihre Grenzen zu West-Berlin und
der Bundesrepublik öffnen.

Bevor das geschah, überstürzten sich die Ereignisse. Am 6. November
veröffentlichte der Ministerrat den Entwurf eines Reisegesetzes, das fast jedem Bürger die Ausreise für die Dauer von dreißig Tagen im Jahr gestattete.
Das Genehmigungsverfahren war jedoch so zeitraubend und bürokratisch,
daß sogleich die Proteste einsetzten – besonders scharf auf der Leipziger

Montagsdemonstration vom selben Abend. Schon am Tag darauf lehnte der Rechtsausschuß der Volkskammer den Gesetzesentwurf ab und forderte statt dessen den generellen Verzicht auf die Visumspflicht bei Privat- und Dienstreisen sowie eine angemessene Regelung des Zugangs zu Devisen. Am gleichen 7. November trat die Regierung Stoph zurück. Am 8. November folgte der kollektive Rücktritt des Politbüros. Das Zentralkomitee der SED wählte noch am selben Tag ein neues, elfköpfiges Politbüro. Eines der drei neuen Mitglieder, den als Reformer geltenden Dresdner Bezirkssekretär Hans Modrow, schlug das ZK als neuen Vorsitzenden des Ministerrats vor.

Die 10. Tagung des ZK vom 8. bis zum 10. November 1989 geriet zum politischen Offenbarungseid der SED. Erst jetzt erfuhren die Mitglieder dieses Gremiums Näheres über die lange Vorgeschichte der tiefsten Krise, in der sich die DDR je befunden hatte. Günter Ehrensperger, seit 1974 Abteilungsleiter des ZK für Planung und Finanzen und seit 1981 Mitglied des ZK, datierte die Verschuldung der DDR in die frühen siebziger Jahre zurück. «Wenn man die Sache mit einem Satz charakterisieren will, warum wir heute in dieser Situation sind, dann muß man ganz deutlich sagen, daß wir mindestens seit 1973 Jahr für Jahr über unsere Verhältnisse gelebt haben und uns etwas vorgemacht haben. Es wurden Schulden mit neuen Schulden bezahlt. Sie sind gestiegen, die Zinsen sind gestiegen, und heute ist es so, daß wir einen beträchtlichen Teil von mehreren Milliarden Mark jedes Jahr für Zinsen zahlen müssen. Und wenn wir aus dieser Situation herauskommen wollen, müssen wir 15 Jahre mindestens hart arbeiten und weniger verbrauchen, als wir produzieren.»

Der Vorsitzende der Staatlichen Planungskommission, Gerhard Schürer, ZK-Mitglied seit 1963, hatte in einer Vorlage für das Politbüro am 30. Oktober festgestellt, allein ein «Stoppen der Verschuldung» gegenüber dem «NSW», dem «Nicht-Sozialistischen Wirtschaftsgebiet», also den kapitalistischen Ländern, «würde im Jahre 1990 eine Senkung des Lebensstandards um 25–30% erfordern und die DDR unregierbar machen». Dem ZK berichtete er, er habe seit 1976 Honecker immer wieder, aber erfolglos darauf hingewiesen, «daß die Sicherung der Zahlungsfähigkeit erfordert, Änderungen in der Wirtschaftspolitik und auch restriktive Maßnahmen durchzuführen». Im Mai 1978 habe der Generalsekretär eine Stellungnahme des Ministerrats veranlaßt, die in dem Satz gipfelte: «Die Staatliche Planungskommission macht die Zahlungsbilanz zum Maßstab der Wirtschaftspolitik. Der Maßstab der Wirtschaftspolitik muß aber die Einheit von Wirtschafts- und Sozialpolitik sein.» Ende Juni 1982 habe Honecker auf Stophs Forderung nach «einschneidenden Maßnahmen zur Änderung der Wirtschaftspolitik» geantwortet: «Die Worte über einschneidende Maßnahmen wollen wir nie wieder hören.»

Nach diesen und anderen Enthüllungen brach es aus dem Generalintendanten der Städtischen Theater Leipzig, Karl Kayser, der dem ZK seit 1963 angehörte, heraus: «Wir sind belogen worden, die ganze Zeit über. Ich habe keine Schuld daran, wirklich nicht... Ich bin erschüttert über das, was ich hier gehört habe. In mir ist alles zerbrochen. Mein Leben ist zerstört. Ich habe geglaubt an die Partei, so bin ich mit der Muttermilch erzogen worden. Ich habe an die Genossen geglaubt!»

Am Nachmittag des 9. November, gegen 15.50 Uhr, unterbrach Egon Krenz die Beratungen für eine Mitteilung zu einem Problem, «das uns alle belastet», nämlich der Frage der Ausreisen. «Die tschechoslowakischen Genossen empfinden das allmählich für sich als eine Belastung, wie ja früher auch die ungarischen. Und: Was wir auch machen in dieser Situation, wir machen einen falschen Schritt. Schließen wir die Grenzen zur ČSSR, bestrafen wir im Grunde genommen die anständigen Bürger der DDR, die dann nicht reisen können und auf diese Art und Weise ihren Einfluß auf uns ausüben.» Willi Stoph habe daher als amtierender Vorsitzender des Ministerrats eine Verordnung vorgeschlagen, die bis zur Inkraftsetzung des neuen Reisegesetzes gelten sollte.

Demnach traten «ab sofort» folgende zeitweilige Übergangsregelungen für Reisen und ständige Ausreisen aus der DDR in das Ausland in Kraft: Privatreisen nach dem Ausland konnten ohne Vorliegen von besonderen Reiseanlässen und Verwandtschaftsbeziehungen beantragt werden. «Die Genehmigungen werden kurzfristig erteilt. Versagungsgründe werden nur in besonderen Ausnahmegründen angewandt.» Die zuständigen Abteilungen der Volkspolizei in den Kreisen wurden angewiesen, Visa zur ständigen Ausreise «unverzüglich» zu erteilen. «Ständige Ausreisen können über alle Grenzübergangsstellen der DDR zur BRD bzw. zu Berlin (West) erfolgen.» Eine entsprechende Pressemitteilung sollte am 10. November veröffentlicht werden. Krenz schloß seine Mitteilung mit den Worten: «Ich sagte: Wie wir's machen, machen wir's verkehrt. Aber das ist die einzige Lösung, die uns die Probleme erspart, alles über Drittstaaten zu machen, was dem internationalen Ansehen der DDR nicht förderlich ist.»

In der anschließenden kurzen Debatte schlug Innenminister Dickel vor, die Veröffentlichung solle nicht durch sein Ministerium, sondern durch das Presseamt des Ministerrats erfolgen, weil es sich ja um eine Verordnung des Vorsitzenden des Ministerrats handle. Krenz stimmte zu: «Ja, ich würde sagen, daß der Regierungssprecher das gleich macht, ja.» Damit war die Sperrfrist «10. November» praktisch schon gefallen. Das Zentralkomitee stimmte der Streichung der Worte «zeitweilig» und «Übergangslösung» zu, die nach Meinung von zwei Rednern geeignet waren, Unsicherheit und Druck zu erzeugen.

Während Krenz den «Vorschlag» erläuterte, war Schabowski, seit dem Vortag der für Medien zuständige ZK-Sekretär, nicht im Sitzungssaal. Bevor er zu einer auf 18 Uhr anberaumten Pressekonferenz im Internationalen Pressezentrum in der Mohrenstraße aufbrach, erhielt er von Krenz dessen Exemplar des Entwurfs einer Verordnung, den eigentlich der Pressesprecher des Ministerrats bekanntgeben sollte. Schabowski las das Papier nicht durch. Er zog es erst aus seinen Unterlagen, als ihn um 18.53 Uhr, kurz vor Ende der Pressekonferenz, der Vertreter der italienischen Presseagentur ANSA, Riccardo Ehrman, vor laufenden Fernsehkameras fragte, ob der Reisegesetzentwurf der Regierung nicht ein großer Fehler gewesen sei.

Schabowski verneinte die Frage und verwies auf die neue Regelung, die vom Politbüro empfohlen worden sei. Auf die Frage, wann die Regelung in Kraft trete, verlas Schabowski wesentliche Teile des Entwurfs und interpretierte ihn auf weitere Fragen so, daß er «sofort, unverzüglich» in Kraft trete. Die Frage «Gilt das auch für Berlin?» beantwortete Schabowski mit einem Zitat aus der Vorlage: «Die ständige Ausreise kann über alle Grenzübergangsstellen der DDR zur BRD bzw. zu Berlin-West erfolgen.» Die letzte Frage, die Schabowski um 19 Uhr zuließ, betraf das Schicksal der Berliner Mauer. Er beantwortete sie ausweichend: Abrüstungsschritte der Bundesrepublik und der NATO würden «in Hinsicht der Beziehungen zwischen der DDR und BRD» einen positiven Einfluß haben.

Kurz nach 19 Uhr berichteten die Nachrichtenagenturen von Schabowskis Ausführungen. Associated Press sprach um 19.05 Uhr als erste von «Grenzöffnung». Um 19.17 Uhr brachte das Zweite Deutsche Fernsehen in der Nachrichtensendung «Heute» Ausschnitte aus der Pressekonferenz des ZK-Sekretärs. Der Chefreporter des amerikanischen Fernsehsenders NBC, Tom Brokaw, sprach seinen Bericht für das heimische Publikum vor der Mauer am Brandenburger Tor: «Dies ist eine historische Nacht. Die ostdeutsche Regierung hat soeben erklärt, daß die ostdeutschen Bürger von morgen früh an die Mauer durchqueren können – ohne Einschränkungen.»

In Bonn tagte um diese Zeit der Bundestag. Um 20.22 Uhr wurde die Sitzung wegen der Nachrichten aus Berlin unterbrochen. Der Bundesminister im Kanzleramt, Rudolf Seiters, nutzte die Pause, um mit Bundeskanzler Kohl zu telefonieren, der zu einem offiziellen Besuch in Warschau weilte. Um 20.46 Uhr wurde die Plenarsitzung von der Vizepräsidentin Annemarie Renger wieder eröffnet. Als erster sprach Seiters. Er nannte die «vorläufige Freigabe von Besuchsreisen und Ausreisen aus der DDR» einen «Schritt von überragender Bedeutung. Damit wird praktisch erstmals Freizügigkeit für die Deutschen in der DDR hergestellt.» Hans-Jochen Vogel, der Partei- und Fraktionsvorsitzende der Sozialdemokraten, bat die Abgeordneten um Verständnis dafür, daß er seinen Blick in diesem Augenblick auf Willy Brandt richte, «den Regierenden Bürgermeister von Berlin an dem Tag, an dem 13. August 1961, an dem dieses inhumane Bauwerk entstanden ist». Alfred Dregger, der Fraktionsvorsitzende der CDU/CSU, appellierte wie seine beiden Vorredner an die Pflicht der Deutschen in der Bundesrepublik zur Solidarität mit ihren Landsleuten in der DDR. Für die Grünen freute sich Helmut Lippelt, daß «heute in der Nacht noch, aber morgen ganz gewiß das Fest der Freizügigkeit in Berlin stattfinden wird».

Der letzte Redner war der achtundsechzigjährige Fraktionsvorsitzende der FDP, Wolfgang Mischnick, der aus Dresden stammte. Er erinnerte sich eines langen Weges: «Wer die ersten, unter Besatzungsverhältnissen durchgeführten relativ freien Wahlen im September 1946 und im Oktober 1946 miterlebt hat, wer den 17. Juni 1953 miterlebt hat, den 13. August 1961 politisch aktiv miterlebt hat, den erfüllt heute eine große Hoffnung, eine Befriedigung darüber, daß wir gemeinsam den Glauben an die gemeinsame Nation nie verloren und daß die Menschen in der DDR heute den Glauben an sich selbst gefunden haben.» Nachdem Mischnick geendet hatte, erhoben sich einige Abgeordnete der Union und stimmten die dritte Strophe des Deutschlandliedes an: «Einigkeit und Recht und Freiheit für das deutsche Vaterland.» Mitglieder der anderen Fraktionen, von den Freien Demokraten über die Sozialdemokraten bis hin zu einigen Grünen, schlossen sich an. Das Protokoll bündelte den ungewöhnlichen Vorgang in den Worten: «Die Anwesenden erheben sich und singen die Nationalhymne.»

Weder Krenz noch Schabowski hatten vorhergesehen oder gewollt, was in der Nacht vom 9. zum 10. November in Berlin geschah. Aber wäre die neue Reiseregelung nicht, infolge mehrerer «Pannen», am Abend des 9. November bekanntgemacht worden, hätte das «Fest der Freizügigkeit», von dem der Abgeordnete Lippelt sprach, wohl nur einen Tag später stattgefunden. Denn die neue Parteiführung hatte nicht die Autorität, um die Einhaltung der Prozeduren zu erzwingen, die die Verordnung für Anträge auf «Reisen» und «ständige Ausreisen» vorschrieb.

Die Öffnung der Grenzen *war* die Kapitulation der SED. Das fühlten die Ost-Berliner, die am Abend des 9. November zu den Grenzübergängen nach West-Berlin strömten. Die Angehörigen der Grenztruppen wurden durch den Ansturm förmlich überrumpelt. Nachdem anfänglich Versuche, die Menschen zurückzudrängen, gescheitert waren, erteilte die zuständige Hauptabteilung VI des Ministeriums für Staatssicherheit der Grenzübergangsstelle Bornholmer Straße gegen 21 Uhr telefonisch die Weisung, die Personalausweise der Personen, die die Grenze nach West-Berlin passierten, mit einem Stempel zu versehen. Das bedeutete soviel wie «Ausbürgerung», blieb aber folgenlos, weil auch hier der Wille der Bürger sich durchsetzte: Sie wollten in ihrer überwältigenden Mehrheit nicht «ausreisen», sondern nur West-Berlin und die Bundesrepublik besuchen und dann nach Ost-Berlin und in die DDR zurückkehren.

Im Verlauf des Abends hörte das Stempeln auf. Unkontrolliert überquerten Tausende die Grenze der geteilten Stadt: von Ost nach West, aber auch von West nach Ost. Die Menschen aus dem Osten empfanden als «Wahnsinn», was am 13. August 1961 aufgehört hatte, normal zu sein. Sie fühlten sich schlagartig befreit von jahrzehntelanger Unterdrückung. Im Westen Deutschlands und Berlins freuten sich die Menschen mit ihren Landsleuten aus dem Osten, mit denen sie trotz der staatlichen Trennung so vieles verband. Berlin wurde in der Nacht vom 9. zum 10. November

wieder *eine* Stadt. Der Jubel über die Öffnung der Mauer war gesamtdeutsch, ja er übersprang sogleich die deutschen Grenzen. Mit den Deutschen freuten sich die Freunde der Freiheit in aller Welt.
Beim Versuch, über die Berliner Mauer in den Westen zu gelangen, waren seit dem 13. August 1961 239 Menschen getötet worden. Chris Gueffroy, der am 6. Februar 1989 starb, war der letzte von ihnen. Insgesamt waren nach den Ermittlungen der «Arbeitsgemeinschaft 13. August» seit 1949
an der innerdeutschen und der Berliner Grenze mindestens 943 Menschen
ums Leben gekommen. Der Fall der Mauer beendete dieses düstere Kapitel der deutschen Geschichte.

Der 9. November ist, was man einen «deutschen Schicksalstag» zu nennen pflegt. Am 9. November 1918 rief Philipp Scheidemann in Berlin die
Republik aus. Am 9. November 1923 putschte Hitler in München. Am
9. November 1938, der Pogromnacht, brannten in Deutschland die Synagogen. Der 9. November 1989 würde ebenfalls in die Geschichte eingehen:
Daran gab es bereits an jenem Abend keinen Zweifel. Die Nachkriegszeit
und der Kalte Krieg gehörten nun und erst jetzt endgültig der Vergangenheit an. Was immer aus den beiden deutschen Staaten werden würde: Einen
glücklicheren Tag als den 9. November 1989 hatten die Deutschen im
20. Jahrhundert noch nicht erlebt. Als der Regierende Bürgermeister von
Berlin, der Sozialdemokrat Walter Momper, am 10. November in Bonn
seine Antrittsrede als Präsident des Bundesrats hielt, sprach er aus, was alle
empfanden: «Gestern nacht war das deutsche Volk das glücklichste Volk
auf der Welt.»[4]

«Mit der Demonstration der Zwanzigtausend in Leipzig am Montag, dem
2. Oktober, begann in der DDR die demokratische Revolution»: So lautet
das Urteil von Hartmut Zwahr. Es war keine klassische Revolution, deren
Beginn sich auf diesen Tag datieren läßt. Es gab im Herbst 1989 in der DDR
keine Barrikadenkämpfe und nicht die Erstürmung eines Machtzentrums.
Es war eine neuartige Revolution, die sich mit der Parole «Keine Gewalt!»
selbst zügelte und nicht zuletzt *deshalb* ihr Ziel erreichte. Die «friedliche
Revolution» hatte bewußte und unbewußte Teilnehmer: Die bewußten waren die Gründer der Bürgerrechtsgruppen und die Demonstranten, die am
2. Oktober zur Masse zu werden begannen, die unbewußten jene, die um
ebendiese Zeit die DDR in Massen verließen. Bis zum Spätsommer 1989
hatte der Exodus vieler, die mit dem System unzufrieden waren, die Opposition gegen das System geschwächt. Im Spätsommer und Frühherbst
1989 nahm die Fluchtbewegung so bedrohliche Ausmaße an, daß der Opposition daraus neue moralische Kraft zuwuchs: Ihre Reformforderungen
erschienen nun einer großen Mehrheit als die letzte Chance der DDR.

Erfolgreiche Revolutionen gehen immer auch mit Zusammenbrüchen
einher. In den meisten Revolutionen von 1989 war die Implosion der alten
Ordnung sogar das hervorstechende Merkmal; die Massen traten, mit der

Ausnahme Polens, erst spät in Erscheinung und halfen mit beim Sturz eines Regimes, das schon zu fallen begonnen hatte. Wo das Regime sich nicht in das Unvermeidliche schickte wie im Rumänien Ceausescus, gab es keine «friedliche Revolution», sondern eine blutige Mischung aus Staatsstreich und Massenaktion.

Der amerikanische Historiker Crane Brinton hat in seinem, 1938 in erster Auflage erschienenen Buch «The Anatomy of Revolution» die Vorzeichen zusammengefaßt, die die klassischen Revolutionen ankündigten: «Budgetdefizite, Beschwerden über die Steuern, Begünstigung bestimmter Interessenten durch die Regierung auf Kosten anderer, Wirrwarr in der Verwaltung, Abfall der Intellektuellen, Verlust des Selbstbewußtseins innerhalb der herrschenden Klasse, Bekehrung vieler Mitglieder dieser Klasse zu der Überzeugung, daß ihre Vorrechte ungerecht oder der Gesellschaft abträglich seien, Intensivierung der sozialen Gegensätze, Aufstiegssperre, namentlich in den gehobenen Berufen, Trennung der wirtschaftlichen Macht von der politischen Macht und gesellschaftlichem Spitzenrang.»

Brintons bevorzugtes Forschungsgebiet war die Revolution von 1789. Die meisten Krisensymptome, die er zuerst im französischen Ancien régime des späten 18. Jahrhunderts entdeckt hatte und dann in der Vorgeschichte anderer Revolutionen wiederfand, begegnen uns auch am Vorabend der ostmitteleuropäischen Revolutionen von 1989. Beginnen wir, im Hinblick auf die DDR, mit dem Abfall der Intellektuellen, der Demoralisierung der herrschenden Klasse und ihren Reaktionen auf die Beschwerden von «unten».

Die DDR war, weil sie über keine nationale Identität verfügte, mehr als die anderen Mitgliedsstaaten des Warschauer Pakts auf die Ideologie und deren Lieferanten, die Intellektuellen, angewiesen. Auf die Staatsintelligenz, die weitgehend *ihr* Produkt war, hatte sich die SED lange Zeit im großen und ganzen verlassen können. Schriftsteller und Künstler, der Staatsintelligenz ohnehin nur bedingt zurechenbar, waren, wenn ihr Widerspruch eine gewisse Schwelle überstieg, in erheblicher Zahl in die Bundesrepublik abgewandert oder abgeschoben worden. Seit dem Beginn der Ära Gorbatschow in der Sowjetunion begann sich im Verhältnis von Partei und Staatsintelligenz ein Wandel zu vollziehen. Der Reformer im Kreml verkörperte und legitimierte Hoffnungen, die auch viele intellektuelle Mitglieder der SED teilten. Das galt von Mitgliedern der Akademie der Wissenschaften der DDR und von Professoren an den Universitäten, ja selbst von hohen Kadern, einschließlich solcher im Bereich der Sicherheit: Im Februar 1987 schied Markus Wolf, der Leiter der Hauptabteilung Aufklärung im MfS, freiwillig aus dem Amt, weil er die Blockade von Glasnost und Perestrojka für systemgefährdend hielt.

Was SED-Intellektuelle an den Universitäten bis in den Herbst 1989 hinein mündlich und schriftlich an Systemkritik artikulierten, war nicht eben radikal. Die «Parteireformer» drängten auf einen verantwortungsbewußten

Umgang mit der natürlichen Umwelt, auf mehr Markt und weniger Plan, auf die Verrechtlichung der Entscheidungsprozesse und auf mehr innerparteiliche Demokratie, das Machtmonopol der SED aber stellten sie nicht in Frage. Ihr Idol war Hans Modrow, der keinen Hehl daraus machte, daß er in Gorbatschows Politik der Umgestaltung und Transparenz ein Vorbild für die DDR sah. Modrow wurde erst am 8. November 1989 ins Politbüro gewählt. *Vor* dem Oktober 1989 verfügten die neuerungsbereiten Parteiintellektuellen über keine Verbündeten in der obersten Parteiführung.

Wie stark die Loyalitätskrise mittlerweile auch Mitglieder und Funktionäre der SED erfaßt hatte, machen Berichte des Ministeriums für Staatssicherheit aus dem September und Oktober 1989 deutlich. Zahlreiche, vor allem langjährige Parteimitglieder seien, so hieß es etwa am 11. September, «von tiefer Sorge erfüllt über die gegenwärtige allgemeine Stimmungslage unter den Werktätigen besonders in den Betrieben, teilweise verbunden mit ernsten Befürchtungen hinsichtlich der weiteren Erhaltung der politischen Stabilität der DDR». Als Hauptgründe für die immer häufigeren Parteiaustritte wurden angegeben: Nichteinverständnis mit der Um- und Durchsetzung der ökonomischen Politik der Partei, mangelndes Vertrauen in die Parteiführung, Ablehnung der Informationspolitik der Partei. «Man habe keine überzeugenden Argumente gegenüber Parteilosen und könne deshalb die Parteilinie nicht mehr vertreten», war von Parteimitgliedern zu hören, die sich entschieden hatten, die SED zu verlassen. «Hochschullehrer (SED-Mitglieder) erklärten, mit wachsendem Unbehagen in Vorlesungen und Seminare zu gehen, da Studenten immer häufiger politisch sensible Themenbereiche ansprechen und dazu Fragen stellen, auf die sie keine überzeugenden Antworten geben könnten, ohne Grundpositionen der Partei in Frage zu stellen.»

Einen Monat später, am 8. Oktober, waren «progressive Kräfte, insbesondere Mitglieder der SED» zu der Auffassung gelangt, «daß die sozialistische Staats- und Gesellschaftsordnung in der DDR ernsthaft in Gefahr ist ... Zahlreiche progressive Kräfte, darunter viele Werktätige vor allem älterer Jahrgänge, befürchten, daß es zu großen Erschütterungen in der Gesellschaft komme, die von der Partei nicht beherrschbar seien. Bereits jetzt – so argumentieren sie – befände sich die DDR in einer Situation wie kurz vor den konterrevolutionären Ereignissen am 17. Juni 1953.»

Die «progressiven Kräfte» gestanden dem MfS zufolge ein, «immer unsicherer zu werden in der Beurteilung der Lage und keine, die Werktätigen überzeugenden Argumente zu besitzen ... Bei entsprechenden ideologischen Auseinandersetzungen in den Arbeitskollektiven würden viele progressive Kräfte in breitem Umfang mit Diskussionen über die Existenz einer sogenannten Klasse der Privilegierten in der DDR (gemeint sind damit Funktionäre der Partei, Leiter staatlicher und wirtschaftsleitender Organe auf zentraler Ebene bis hin zu den Kreisen) sowie mit Hinweisen über die massenhafte Ausbreitung von Schieber- und Spekulantentum konfrontiert.

Die dazu in sehr aggressiver Form geführten Diskussionen beinhalten das Argument, diese vorgenannten Personenkreise seien die eigentlichen Nutznießer des Sozialismus. Offenbar sei auf ehrliche Art und Weise erworbenes Geld in unserer Gesellschaft nicht mehr gefragt.»

Auf der 10. Tagung des Zentralkomitees am 10. November 1989 legte Gerhard Schürer ein Dilemma dar, das nicht nur das des Vorsitzenden der Staatlichen Planungskommission war, sondern das jener technokratischen Experten, in denen westliche Beobachter wie Peter Christian Ludz in den sechziger Jahren eine «institutionalisierte Gegenelite» gesehen hatten. «Ich selbst lebe seit vielen Jahren in dem Konflikt: Wie weit kann ich mit meiner als Wahrheit erkannten Meinung gehen, wenn sie nicht der offiziellen Parteilinie entspricht? Wie diene ich der Partei am besten – wenn ich mich nach Darlegung der Probleme dem dann gefaßten Beschluß füge? Das habe ich getan, und ich glaubte, es auch tun zu müssen, weil es dem Statut entspricht. Oder wäre es besser gewesen, so weit zu gehen, den Skandal, den Ausschluß, in Kauf zu nehmen? Wie kann ich aber dann der Partei dienen, die Wahrheit zu finden, weiterzuarbeiten und meine Kraft dafür zu geben?»

Wann immer über Fragen von höchster Bedeutung entschieden wurde, hatte bis zuletzt die von Ludz so genannte «strategische Clique» das letzte Wort. Es gab keine «institutionelle Gegenelite», sondern nur Experten, die sich im Ernstfall als machtlos erwiesen. Die DDR war *keine* «Polykratie»; die institutionelle Machtkonzentration war höher als im «Dritten Reich», in dem die institutionelle «Polykratie» freilich nur so lange Bestand hatte, wie der «Führer» sie wünschte oder duldete. Dem Anspruch nach blieb das SED-Regime bis zu seinem Untergang totalitär. Die Institutionen der DDR enthielten keine «checks and balances», die die Macht der führenden Partei hätten einschränken können. Doch der totale Herrschaftsanspruch der SED war immer weniger durchsetzbar. In Gestalt des Westfernsehens gab es ein wirksames Korrektiv zum Wahrheits- und Propagandamonopol der «marxistisch-leninistischen Partei». Seit die DDR 1975 die Schlußakte von Helsinki unterzeichnet hatte, mußte sie ihren Terror zügeln. Sie blieb ein Überwachungs- und Polizeistaat, wobei die Überwachungsdichte sogar noch ständig zunahm. Das repressive Potential ließ sich aber in den achtziger Jahren infolge der intensiven Kommunikation zwischen der inneren Opposition und der westlichen Öffentlichkeit nicht mehr so massiv einsetzen wie zuvor.

Die moralische Erosion des «sozialistischen» deutschen Staates schritt in dem Maß fort, wie er sich vom «kapitalistischen» materiell abhängig machte. Die Bonner Regierungen stabilisierten die DDR, aber sie stabilisierten sie ungewollt zu Tode. Die «Deutschlandpolitik» der Bundesrepublik zielte in den siebziger und achtziger Jahren auf menschliche Erleichterungen *und* auf die Vermeidung von Chaos in der DDR. Die wirtschaftliche Stabilisierung durch den Westen erleichterte es der DDR, sich in der Ära Gorbatschow den politischen Reformen zu verweigern, die einige ihrer «Bruderstaaten», einschließlich der Sowjetunion, für unumgänglich hielten. Weil sie sich nicht erneuerte, verlor die SED zusehends an innerem Rückhalt. Am Ende genügte ein geringes Maß an revolutionärem Massendruck, um das Regime zum Einsturz zu bringen.

Am Tag nach dem Mauerfall ließ Egon Krenz die Mitglieder des Zentralkomitees, das seine 10. Tagung ursprünglich am Abend des 9. November hatte beenden wollen, aber dann der unerledigten Probleme wegen am 10. November fortsetzte, wissen, es sei eine «sehr komplizierte Lage» entstanden. «Die Lage hat sich in der Hauptstadt, in Suhl und in anderen Städten zugespitzt. Es macht sich Panik und Chaos breit. Arbeiter verlassen Betriebe... Im Parteiaktiv herrscht Unverständnis zu den beschlossenen Reisemöglichkeiten. Aus Erfurt wird informiert, daß es am Grenzübergang Wartha einen starken Andrang gibt. Die Beunruhigung unter den Genossen ist groß, weil niemand die ökonomischen Auswirkungen und Konsequenzen richtig voraussehen kann. Es herrscht die Meinung vor: Wir stehen vor dem Ausverkauf.»

«Ausverkauf» konnte nur heißen: Preisgabe der DDR an die Bundesrepublik. Die Sowjetunion, die bislang die Existenz der DDR politisch und militärisch garantiert hatte, stand als Schutzmacht nicht mehr zur Verfügung: Die Grenzöffnung war zwar nicht im Detail, aber doch im Prinzip mit Moskau abgestimmt. Ob die Bundesrepublik, die die DDR seit Jahren wirtschaftlich ausgehalten hatte, bereit sein würde, ihren Bestand zu gewährleisten, war höchst zweifelhaft. Was Brinton die Trennung der wirtschaftlichen von der politischen Macht nannte, hatte auch in der DDR stattgefunden. Honeckers «Einheit von Wirtschafts- und Sozialpolitik» wurde dadurch ermöglicht, daß die DDR sich nur noch mit politischer Macht begnügte, wirtschaftlich aber zunehmend in Abhängigkeit von der Bundesrepublik begab. Was aus der DDR werden würde, hing folglich nicht nur, aber doch entscheidend von der Politik der Bundesrepublik ab.

Die Öffnung der Berliner Mauer am 9. November 1989 war für die DDR das, was der Sturm auf die Pariser Bastille am 14. Juli 1789 für das französische Ancien régime gewesen war: der Schlag, von dem sich die bisherige Ordnung nicht mehr erholen konnte. Die Mauer war nicht minder als die Bastille ein Symbol der Unfreiheit. Als das Symbol fiel, war das Ende der alten Herrschaft gekommen. Die «friedliche Revolution» in der DDR hatte *das* Ziel erreicht, über das alle vorwärtsdrängenden Kräfte einig waren. Daß sie sich über die weiteren Ziele weniger leicht würden verständigen können, war zu vermuten.[5]

Den Bundeskanzler hatte die Nachricht vom Fall der Mauer in Warschau erreicht. Er unterbrach seinen Besuch in Polen, um am 10. November in Berlin sein zu können. Den Fehler, den Konrad Adenauer im August 1961 nach dem Bau der Mauer gemacht hatte, als er sich neun Tage Zeit ließ, ehe er in die geteilte Stadt flog, wollte sein politischer Erbe unbedingt vermeiden. Der Menge, die ihn am späten Nachmittag des 10. November vor dem Schöneberger Rathaus mit einem gellenden Pfeifkonzert empfing, konnte es Kohl allerdings nicht recht machen: Zu der Kundgebung auf dem John-F.-Kennedy-Platz waren überwiegend Anhänger der beiden Regierungsparteien, der SPD und der Alternativen Liste, erschienen. Die Sympathisanten der CDU versammelten sich wenig später zu einer eigenen Kundgebung auf dem Breitscheidplatz an der Kaiser-Wilhelm-Gedächtniskirche. Dort erhielt der Kanzler dann den erhofften Beifall.

In seiner, von ständigen Protesten überlagerten Rede auf dem Platz vor dem Schöneberger Rathaus trug Kohl einer Bitte Rechnung, die ihm Michail Gorbatschow über den sowjetischen Botschafter in Bonn, Julij A. Kwizinski, während der Kundgebung telefonisch hatte übermitteln lassen: Um ein «Chaos» zu vermeiden, solle der Kanzler beruhigend auf die Menschen einwirken. «Klug handeln heißt, radikalen Parolen und Stimmen nicht zu folgen», sagte Kohl. «Klug handeln heißt jetzt, die ganze Dimension der weltpolitischen, der europäischen und der deutschen Entwicklung zu sehen.» Jetzt gelte es, «mit Bedachtsamkeit Schritt für Schritt den Weg in die gemeinsame Zukunft zu finden. Denn es geht um unsere *gemeinsame* Zukunft, es geht um die Freiheit vor allem für unsere Landsleute in der DDR, in allen Bereichen ihres Lebens.» Der Bundeskanzler bekundete Gorbatschow «Respekt», und er unterließ es auch nicht, den drei Westalliierten für ihre «Unterstützung und Solidarität» zu danken, «die für die Freiheit des freien Teils Berlins in den letzten Jahrzehnten existentiell waren».

Von der staatlichen Wiedervereinigung Deutschlands sprach Kohl ebensowenig wie Genscher, Momper und Brandt, die auf der gleichen Veranstaltung das Wort ergriffen. Der Kanzler versicherte aber den Deutschen in der DDR: «Wir stehen an Eurer Seite! Wir sind und bleiben eine Nation, und wir gehören zusammen!» Er schloß seine Ansprache mit den Worten: «Es geht um Deutschland, es geht um Einigkeit und Recht und Freiheit. Es lebe ein freies deutsches Vaterland! Es lebe ein freies, einiges Europa!»

Die Rede auf dem John-F.-Kennedy-Platz, die den stärksten Beifall fand, war die von Willy Brandt. «Das Zusammenrücken der Deutschen, darum geht es», sagte der frühere Regierende Bürgermeister von Berlin und nachmalige Bundeskanzler. «Das Zusammenrücken der Deutschen verwirklicht sich anders, als es die meisten erwartet haben. Und keiner sollte jetzt so tun, als wüßte er ganz genau, in welcher konkreten Form die Menschen in den beiden Staaten in ein neues Verhältnis zueinander geraten werden. Daß sie in ein anderes Verhältnis zueinander geraten, daß sie in Freiheit zusammenfinden und sich entfalten können, darauf kommt es an ... Meine Überzeugung war es immer, daß die betonierte Teilung und daß die Teilung durch Stacheldraht und Todesstreifen gegen den Strom der Geschichte standen. Und ich habe es noch in diesem Sommer zu Papier gebracht: Berlin wird leben, und die Mauer wird fallen ... Aus dem Krieg und aus der Veruneinigung der Siegermächte erwuchs die Spaltung Europas, Deutschlands und Berlins. Jetzt erleben wir, und ich bin dem Herrgott dankbar dafür, daß ich das miterleben darf: die Teile Europas wachsen zusammen.» Der vielzitierte Satz «Jetzt wächst zusammen, was zusammengehört» kam, entgegen der landläufigen Meinung, in der Rede vor dem Schöneberger Rathaus *nicht* vor. Brandt hatte ihn aber am gleichen Tag mehrfach am Brandenburger Tor, in einem Gespräch mit dem «Deutschlandfunk» und am Rande der Kundgebung auf dem John-F.-Kennedy-Platz gegenüber der «Berliner Morgenpost» ausgesprochen. Man befinde sich jetzt in einer Situation, in der «wieder zusammenwächst, was zusammengehört», zitierte die Zeitung Brandt am folgenden Tag. «Das gilt für Europa im Ganzen.» Der Ehrenvorsitzende der SPD griff damit auf und erweiterte zugleich, was er schon ein Vierteljahrhundert zuvor, am 12. August 1964, als Regierender Bürgermeister zum dritten Jahrestag des Mauerbaus erklärt hatte: «Deutschland muß vereinigt werden, damit zusammengefügt wird, was zusammengehört.»

So unterschiedlich die Redner vom 10. November ihre Akzente setzten – der jüngste von ihnen, Walter Momper, sprach sehr viel weniger «patriotisch» als Kohl, Genscher und Brandt –, in *einem* waren sie sich einig: Sie wollten bewußt jedwedem nationalistischen Überschwang und damit einer Beunruhigung des Auslands entgegenwirken. Zwei Tage zuvor hatte der Bundestag ein letztes Mal über den Bericht des Bundeskanzlers zur Lage der Nation im geteilten Deutschland debattiert – mit derselben, obschon auch bei dieser Gelegenheit unterschiedlich stark betonten Zurückhaltung im Hinblick auf das Ziel der staatlichen Einheit Deutschlands wie am 10. November. Das galt auch für den Bundeskanzler. Der Begriff «Wiedervereinigung» tauchte in Kohls Bundestagsrede zwar auf, aber nicht als politisches Nahziel, sondern im Sinne der beschreibenden Auslegung eines Verfassungsauftrages. «Voraussetzung für die Wiedervereinigung in Freiheit ist die freie Ausübung des Selbstbestimmungsrechts durch alle Deutschen ... Die deutsche Frage ist eine Frage von Freiheit und Selbstbestimmung.»

Die Oppositionsgruppen in der DDR formulierten ihre Absage an eine deutsche Wiedervereinigung ähnlich scharf wie Teile der SPD und die Grünen in der Bundesrepublik. In dem «programmatischen Vortrag», den er am 7. Oktober bei der Gründung der Sozialdemokratischen Partei in der DDR in Schwante hielt, erklärte Markus Meckel, die «Rede von Wiedervereinigung» sei angesichts der europäischen Konstellation, wie sie sich in den fast 45 Jahren seit 1945 entwickelt habe, «äußerst unproduktiv und im Grunde rückwärtsgewandt, denn eine Wiedervereinigung wird es nun bestimmt nicht geben». Die Hinnahme der deutschen Teilung begründete der evangelische Theologe Meckel wie folgt: «Wir anerkennen die Zweistaatlichkeit Deutschlands als Folge der schuldhaften Vergangenheit unseres Volkes. Damit sind künftige Optionen im Rahmen einer europäischen Friedensordnung nicht ausgeschlossen, doch können sie jetzt nicht handlungsorientierte politische Ziele sein.»

Ähnlich argumentierte der Demokratische Aufbruch: «Das besondere Verhältnis zur Bundesrepublik Deutschland, begründet in der Einheit deutscher Geschichte und Kultur, wird durch den ‹Demokratischen Aufbruch› hoch bewertet ... Dennoch geht der ‹Demokratische Aufbruch› von der deutschen Zweistaatlichkeit aus. Die langfristige politische Lösung der damit zusammenhängenden Fragen kann nur im Rahmen einer europäischen Friedensordnung erfolgen.» In einem Aufruf des Neuen Forums vom 1. Oktober, den Hans-Jochen Vogel am 8. November im Bundestag absichtsvoll zitierte, hieß es: «Für uns ist die Wiedervereinigung kein Thema, da wir von der Zweistaatlichkeit Deutschlands ausgehen und kein kapitalistisches Gesellschaftssystem anstreben. Wir wollen Veränderungen in der DDR.»

Nach dem Fall der Mauer gerieten die Verteidiger der Zweistaatlichkeit rasch in die Defensive. Der 9. November 1989 wurde zu dem, was Hartmut Zwahr als «die Wende in der Wende» und als Übergang zu einer neuen Phase der «friedlichen Revolution», nämlich der «nationaldemokratischen Revolution», bezeichnet hat. Im Oktober waren nur ganz vereinzelt Rufe wie «Deutschland» und «Die Mauer muß weg!» zu hören gewesen. Am 13. November, vier Tage nach der Öffnung der Berliner Mauer, erklang auf der Leipziger Montagsdemonstration erstmals jener Sprechchor, der die von Johannes R. Becher gedichtete, von Hanns Eisler vertonte, seit Anfang der siebziger Jahre nur noch gespielte, aber nicht mehr gesungene Nationalhymne der DDR zitierte: «Deutschland einig Vaterland!». Ein anderer Sprechchor auf derselben Demonstration lautete: «Schwarz-rot-gold. Sachsen Freistaat. Freies Europa.» Vier Tage später war auf einer Demonstration in Auerbach im Vogtland ein Transparent mit der Aufschrift «Vogtland unsere Heimat, Deutschland unser Vaterland, Europa unsere Zukunft» zu sehen.

»Wir sind ein Volk!» war hingegen, einer verbreiteten Meinung zum Trotz, kein oder jedenfalls kein häufig zu hörender Sprechchor. «Wir sind ein Volk. Gewalt unter uns hinterläßt ewig blutende Wunden», hatte es in einem Flugblatt von drei Leipziger «Basisgruppen» zur Montagsdemonstration vom 9. Oktober geheißen – aber dieser Aufruf war ein Appell an die Machthaber, kein Bekenntnis zur deutschen Einheit. Am 20. November wurden in Leipzig westdeutsche Aufkleber mit der Parole «Wir sind ein Volk» verkauft. Als Transparent tauchte «Wiedervereinigung ja, wir sind *ein* Volk!» Hartmut Zwahr zufolge erstmals auf der Leipziger Montagsdemonstration vom 4. Dezember auf. Das Zitat aus der Nationalhymne aber wurde von Demonstration zu Demonstration lauter und begeisterter gerufen und als Spruchband gezeigt – am 20. November bereits von sehr viel mehr Menschen als eine Woche zuvor und vollends unüberhörbar und unübersehbar dann am 27. November, als in Leipzig erneut 200 000 Menschen auf die Straße gingen.

Den meisten Bürgerrechtlern bereitete die nationale Wende großes Unbehagen. Sie hatten mit Recht das Gefühl, daß die Protestbewegung im Begriff war, eine neue, von ihnen nicht gewollte Richtung einzuschlagen. Die Demonstranten waren seit Mitte November freilich zu einem großen Teil andere als im September und Oktober: Die Älteren, die den Umzügen bis dahin meist ferngeblieben waren, beteiligten sich nun in immer größerer Zahl; Arbeiter traten sehr viel stärker in Erscheinung als Intellektuelle; die «schweigende Mehrheit» der DDR bündelte ihre Forderung nach Gleichberechtigung mit den vom Schicksal begünstigten Westdeutschen im Ruf nach Wiedervereinigung.[6]

Aus der Bundesrepublik kamen nicht nur ermutigende Reaktionen. Am 16. November veröffentlichte die «tageszeitung» «Thesen zu einer neuen grünen Deutschlandpolitik» von Joschka Fischer, eine Vorlage für den bevorstehenden Strategiekongreß der Grünen in Saarbrücken. «Droht die Wiedervereinigung?», fragte der Autor rhetorisch. «Steht der eine, kleindeutsche Nationalstaat (also ohne Österreich) wieder auf der Tagesordnung der Geschichte, wie führende Unionspolitiker nicht müde werden zu behaupten?» Fischer wollte an eine solche Entwicklung nicht glauben, und er wünschte sie aus historisch-moralischen Gründen nicht. «Der deutsche Nationalstaat Bismarcks, das Deutsche Reich, hatte zweimal die Welt mit Kriegen überzogen, die unsägliches Leid mit sich brachten ... Die nach dem 8. Mai 1945 in Europa errichtete Nachkriegsordnung hat ein wesentliches Ziel bis auf den heutigen Tag: die Fieberschauer eines gewalttätigen deutschen Nationalismus sollten nie wieder Europa ängstigen, und Deutschland sollte deshalb nie wieder zu einer kriegsführenden Großmacht werden können ... Wir leben und machen Politik als Linke in jenem Land, das die Gaskammern und Krematorien von Auschwitz-Birkenau errichtet und betrieben hat und das seinem Führer Adolf Hitler bis zur Selbstvernichtung treu gefolgt ist ... In Deutschland 45 Jahre nach Auschwitz auf alles Nationale panisch zu reagieren, ist kein Anlaß zur Scham und Kritik, sondern überlebensnotwendige Demokratenpflicht für mindestens weitere fünfundvierzig Jahre.»

Am 17. November, einen Tag nach dem grünen Einspruch gegen eine Wiedervereinigung, bezeichnete Hans Modrow, seit dem 13. November Vorsitzender des Ministerrats der DDR, vor der Volkskammer die Bewältigung der Wirtschaftskrise und die Durchsetzung demokratischer Reformen als die wichtigsten Aufgaben seiner Regierung. Großes Aufsehen erregte sein Vorschlag einer «Vertragsgemeinschaft» zwischen der Bundesrepublik und der DDR. Modrow sah darin eine Alternative zu den «ebenso unrealistischen wie gefährlichen Spekulationen über eine Wiedervereinigung», denen er eine «klare Absage» erteilte. «Die beiden deutschen Staaten haben bei aller Verschiedenheit ihrer Gesellschaftsordnungen eine jahrhundertealte gemeinsame Geschichte. Beide Seiten sollten die hierin liegende Chance begreifen, ihrem Verhältnis den Charakter einer qualifiziert guten Nachbarschaft zu geben ... Die Regierung der DDR ist bereit, die Zusammenarbeit mit der BRD umfassend aus-

zubauen und auf eine neue Stufe zu heben... Wir sind dafür, die Verantwortungsgemeinschaft beider deutscher Staaten durch eine Vertragsgemeinschaft zu untersetzen, die weit über den Grundlagenvertrag und die
bislang geschlossenen Verträge und Abkommen zwischen beiden Staaten
hinausgeht.»

Im Nein zu einer Wiedervereinigung wußte sich die SED zu diesem Zeitpunkt noch einig mit den meisten Oppositionellen. Am 26. November veröffentlichten namhafte Intellektuelle und Künstler, darunter der Gesell-
schaftswissenschaftler Dieter Klein, der als «SED-Reformer» galt, die
Schriftsteller Stefan Heym, Volker Braun und Christa Wolf, der evangelische Superintendent Günter Krusche, die Bürgerrechtler Sebastian Pflugbeil, Ulrike Poppe, Friedrich Schorlemmer und Konrad Weiß, einen Aufruf «Für unser Land». Demnach hatte die DDR zwei Möglichkeiten, aus
ihrer tiefen Krise herauszufinden. Sie konnte entweder als eigenständiger
Staat eine «solidarische Gesellschaft» entwickeln, in der «Frieden und soziale Gerechtigkeit, Freiheit des einzelnen, Freizügigkeit aller und die Bewahrung der Umwelt gewährleistet» waren, oder es dulden, daß sie von der
ökonomisch starken Bundesrepublik «vereinnahmt» wurde. Die Unterzeichner warben für den ersten Weg, der in Wahrheit ein «dritter Weg» zwischen Kapitalismus und Kommunismus war. «Noch haben wir die Chance,
in gleichberechtigter Nachbarschaft zu allen Staaten Europas eine sozialistische Alternative zur Bundesrepublik zu entwickeln. Noch können wir
uns besinnen auf die antifaschistischen und humanistischen Ideale, von denen wir einst ausgegangen sind. Alle Bürgerinnen und Bürger, die unsere
Hoffnung und unsere Sorge teilen, rufen wir auf, sich diesem Appell durch
ihre Unterschrift anzuschließen.»

Für die Mehrheit der Ostdeutschen sprachen die Initiatoren des Aufrufs
«Für unser Land» offenkundig nicht. Am 18. und 19. November, dem
zweiten Wochenende nach der Öffnung der Grenze, hatten laut ADN über
drei Millionen Menschen aus der DDR die Bundesrepublik und West-Berlin besucht; die persönlichen Eindrücke vom Westen förderten bei den meisten den Wunsch nach staatlicher Einheit. Westdeutsche Meinungsforscher
kamen zwischen dem 20. und 23. November übereinstimmend zu dem Ergebnis, daß mehr als 60% der DDR-Bevölkerung für die Wiedervereinigung Deutschlands waren. Die Bundesbürger dachten ähnlich. Am 20. November berichtete das ZDF in seinem «Polit-Barometer», 70% der
Befragten hätten sich für die Wiedervereinigung ausgesprochen; 60% befürworteten die Vereinigung beider deutscher Staaten unter den Vorzeichen
der Neutralität; 48% glaubten, die Einheit könne in den nächsten zehn Jahren erreicht werden.

Am Abend des 23. November entschloß sich der Bundeskanzler im Gespräch mit seinen engsten Beratern, einen Vorstoß zur Lösung der deutschen Frage zu unternehmen. Vorausgegangen war zwei Tage zuvor eine
Unterredung zwischen Horst Teltschik, dem für Außen- und Deutsch-

landpolitik zuständigen Leiter der Abteilung II des Bundeskanzleramtes, mit Nikolaj Portugalow, einem Mitarbeiter der Abteilung für internationale Beziehungen beim ZK der KPdSU. Der Abgesandte des Kreml hatte, eine handschriftliche Aufzeichnung erläuternd, berichtet, in Moskau denke man inzwischen über quasi Undenkbares nach, etwa über eine wie immer geartete deutsche Konföderation. Teltschik war einer der Autoren von Redeentwürfen, aus denen dann jene «Zehn Punkte» wurden, die Kohl, ohne den Koalitionspartner, das Auswärtige Amt und die westlichen Verbündeten, mit Ausnahme von Präsident Bush, im voraus davon in Kenntnis zu setzen, am 28. November im Bundestag vortrug.

Der Kanzler bot in seiner Rede der DDR eine Ausweitung der Zusammenarbeit an, wenn sie einen grundlegenden Wandel ihres politischen und wirtschaftlichen Systems verbindlich beschließe und unumkehrbar in Gang setze. Er griff Modrows Gedanken einer «Vertragsgemeinschaft» auf und erklärte seine Bereitschaft, «einen entscheidenden Schritt weiterzugehen, nämlich konföderative Strukturen zwischen beiden Staaten in Deutschland zu entwickeln mit dem Ziel, eine Föderation, das heißt eine bundesstaatliche Ordnung, in Deutschland zu schaffen». Kohl betonte, daß die Entwicklung der innerdeutschen Beziehungen in den gesamteuropäischen Prozeß und damit in die Ost-West-Beziehungen eingebettet bleibe; die künftige Architektur Deutschlands müsse sich einfügen in die künftige Architektur Gesamteuropas. Wie ein wiedervereinigtes Deutschland aussehen werde, das wisse heute niemand. «Daß aber die Einheit kommen wird, wenn die Menschen in Deutschland sie wollen, dessen bin ich sicher.» Im letzten Punkt hieß es dann nochmals ausdrücklich: «Die Wiedervereinigung, das heißt die Wiedergewinnung der staatlichen Einheit Deutschlands, bleibt das politische Ziel der Bundesregierung.»

Mit Ausnahme der Grünen unterstützten alle Fraktionen das Zehn-Punkte-Programm des Kanzlers. Hans-Jochen Vogel, der vor Kohl gesprochen hatte, hob wie der Regierungschef die Notwendigkeit hervor, den deutschen und den europäischen Einigungsprozeß miteinander zu verbinden; gemeinsame deutsch-deutsche Institutionen und die Schaffung einer deutschen Konföderation könnten wichtige Schritte auf dem Weg zum Ziel, der Einheit und Freiheit Deutschlands, sein, die «spätestens zusammen mit der Einheit und Freiheit Europas im Einklang mit dem Helsinki-Prozeß vollendet werden» solle. Nach der Rede des Kanzlers stimmte der Abgeordnete Karsten Voigt, der außen- und sicherheitspolitische Sprecher der sozialdemokratischen Fraktion, nach Rücksprache mit Vogel dem Konzept Kohls zu, weil es mit den Vorstellungen der SPD übereinstimme. Eine auffällige Lücke im Programm des Bundeskanzlers beanstandete der Sprecher der Sozialdemokraten nicht: Kohl hatte es vermieden, sich zur Endgültigkeit der polnischen Westgrenze zu bekennen.

Der Kanzler war mit seinem Vorstoß ein erhebliches Risiko eingegangen. Schon vor der Bekanntgabe der Zehn Punkte hatte ein auswärtiger Regie-

rungschef die Möglichkeit einer deutschen Wiedervereinigung schroff
zurückgewiesen: Am 15. November erklärte der israelische Ministerpräsident Yitzhak Shamir gegenüber einem amerikanischen Fernsehsender,
wenn die Deutschen wieder «das stärkste Volk in Europa und vielleicht in
der Welt» würden, dann könnten sie auch erneut die Gelegenheit nutzen,
Millionen Juden zu töten. Kohl durfte davon ausgehen, daß sich so extrem
kein anderer Staatsmann in West und Ost äußern würde. Aber er kannte die
Vorbehalte gegenüber einem wiedererstehenden deutschen Nationalstaat,
und er mußte mit nachhaltigen Irritationen bei den Verbündeten rechnen,
die er am 28. November vor eine vollendete Tatsache gestellt hatte.

Tatsächlich war François Mitterrand nicht weniger verblüfft und verär-
gert als Margaret Thatcher. Nur George Bush, der eine Vorabinformation
des Bundeskanzlers vom Morgen des 28. November erst nach Verkündung
der Zehn Punkte erhalten hatte, versicherte Kohl sogleich seiner vollen Unterstützung und überließ es Außenminister Baker, am 29. November in
einem Pressegespräch die wichtigste Bedingung des amerikanischen Plazets
deutlich zu machen: Auch ein wiedervereinigtes Deutschland mußte der
NATO angehören. Moskau reagierte auf die Zehn Punkte schroff ablehnend – eine unangenehme Überraschung für Kohl, der nach den Andeu-
tungen Portugalows gegenüber Teltschik eher mit einer verständnisvollen
Antwort gerechnet hatte. Außenminister Genscher bekam bei seinem Besuch in Moskau am 5. Dezember von Gorbatschow zu hören, die Art, wie
Kohl sich an die Bevölkerung der DDR gewandt habe, sei «eingefleischter
Revanchismus». Außenminister Schewardnadse behauptete sogar: «Noch
nicht einmal Hitler hat sich etwas Derartiges erlaubt.»

Gorbatschows Begegnung mit Genscher war am 2. und 3. Dezember ein
amerikanisch-sowjetisches Gipfeltreffen auf Malta vorausgegangen, auf
dem Bush die Position Washingtons unmißverständlich dargelegt hatte:
Man könne von den Vereinigten Staaten nicht erwarten, daß sie die deutsche Wiedervereinigung ablehnten, sagte er in Erwiderung auf Gorbatschows These, als Ergebnis der Geschichte existierten nun einmal zwei
deutsche Staaten. Auf der anderen Seite ließ der Präsident aber keinen
Zweifel daran, daß Amerika entschlossen war, an der Unabänderlichkeit
der polnischen Westgrenze an Oder und Neiße festzuhalten.

Den Malteser Ost-West-Gesprächen folgte am 4. Dezember eine Konferenz der Staats- und Regierungschefs der NATO-Staaten in Brüssel. Kohl
versuchte die Verbündeten mit der Feststellung zu beruhigen, die weitere
Westintegration sei die Vorbedingung seiner Zehn Punkte, und die letzte
Phase des deutschen Einigungsprozesses, die Föderation, werde sich erst in
Jahren, vielleicht in fünf, verwirklichen lassen. Bush legte auch in Brüssel
ein klares Bekenntnis zur Wiedervereinigung ab. Die amerikanische Politik richte sich an vier Prinzipien aus: Erstens gelte der Grundsatz der freien
Selbstbestimmung, und keiner der möglichen Wege zur deutschen Einheit
dürfe dabei bevorzugt oder ausgeschlossen werden; zweitens müsse ein

vereinigtes Deutschland der NATO und der EG angehören; drittens müsse die Vereinigung schrittweise und friedlich vor sich gehen; viertens sei entsprechend der Schlußakte von Helsinki die Unverletzlichkeit der Grenzen zu beachten. Der italienische Ministerpräsident Andreotti und die britische Premierministerin Thatcher fanden mit ihren Einsprüchen keinen Rückhalt bei den übrigen Partnern. Einer nach dem anderen sprach sich für die vier Prinzipien von Bush aus. Kohl hatte einen Etappensieg errungen.

Am 8. und 9. Dezember trafen sich die Staats- und Regierungschefs der Europäischen Gemeinschaft in Straßburg. Kohl hatte Mitterrand zuvor wissen lassen, daß er in der Frage der Wirtschafts- und Währungsunion Frankreich weit entgegenkommen wolle. Am Tagungsort erklärte sich der Kanzler öffentlich mit der Einsetzung einer vorbereitenden Regierungskonferenz für Ende 1990 einverstanden. Ohne diese Vorleistung hätte sich der französische Staatspräsident schwerlich für jenes Bekenntnis zum Selbstbestimmungsrecht der Deutschen eingesetzt, das nach langen kontroversen Debatten in das Abschlußkommuniqué aufgenommen wurde. Der Europäische Rat erklärte darin, die klassische Formel aus dem «Brief zur deutschen Einheit» zum Moskauer Vertrag von 1970 übernehmend, daß er die «Stärkung des Zustands des Friedens in Europa» anstrebe, «in dem das deutsche Volk in freier Selbstbestimmung seine Einheit wiedererlangt».

Daß es über den Deutschland betreffenden Passus zu heftigem Streit kam, hatte auch Kohl zu verantworten. Noch immer weigerte er sich, unter Hinweis auf den ausstehenden Friedensvertrag, eine Erklärung zur Endgültigkeit der Oder-Neiße-Grenze abzugeben. Schließlich kam ein von Deutschen und Franzosen ausgehandelter Kompromiß zustande: Das Kommuniqué knüpfte die Anerkennung des deutschen Rechts auf staatliche Einheit an die Bedingung, daß dieser Prozeß «sich auf friedliche und demokratische Weise, unter Wahrung der einschlägigen Abkommen und Verträge sowie sämtlicher in der Schlußakte von Helsinki niedergelegten Prinzipien im Kontext des Dialogs und der West-Ost-Zusammenarbeit vollziehen» und in die «Perspektive der europäischen Integration eingebettet» sein müsse. Eine knappe Woche später, am 14. und 15. Dezember, bekannten sich auch die Außen- und Verteidigungsminister der NATO in Brüssel mit genau denselben Worten zum Selbstbestimmungsrecht der Deutschen.

Die Bedenken von Paris und London gegen eine deutsche Wiedervereinigung waren damit noch längst nicht ausgeräumt. Aber die Bundesrepublik war doch stark genug, um mit der Unterstützung Amerikas die grundsätzliche Anerkennung des deutschen Rechts auf Selbstbestimmung und Einheit in einem Augenblick durchzusetzen, in dem erstmals seit der Gründung der beiden deutschen Staaten die Chance bestand, die Zweistaatlichkeit zu überwinden. Mitterrand hütete sich, den Zehn Punkten Kohls so offen entgegenzutreten wie Margret Thatcher. Aber daß er vom

20. bis 22. Dezember als erster (und letzter) westlicher Staatschef der DDR einen Besuch abstattete, machte seine Vorbehalte gegenüber einem neuen deutschen Nationalstaat nochmals vor aller Welt deutlich. Das amerikanische Ja zur Wiedervereinigung war für die Bundesregierung von unschätzbarer Bedeutung. Doch im Dezember 1989 fiel es fast allen Akteuren und Beobachtern schwer zu glauben, daß die Sowjetunion sich jemals auf die Forderung der USA einlassen könnte, ein vereintes Deutschland müsse dem atlantischen Bündnis angehören.

Daß Kohl den Westen zur nachträglichen Billigung seiner deutschlandpolitischen Initiative bewegen konnte, war ein großer persönlicher und politischer Erfolg des Bundeskanzlers. Das Zehn-Punkte-Programm war ein kühner Griff, und es spricht alles dafür, daß der Überraschungseffekt, also die Nichtkonsultation der Alliierten, eine Bedingung des Erfolgs bildete. Intensive Beratungen wären mit dem Risiko des Zerredens verbunden gewesen, und dieses Risiko durfte ein Kanzler, der die Einheit wollte, nicht eingehen. *Nachdem* Kohl sich öffentlich festgelegt und dafür die Zustimmung aus Washington erhalten hatte, war wirksamer Widerstand aus London, Paris und Rom nur noch um den Preis schwerer Krisen im atlantischen Bündnis und der Europäischen Gemeinschaft möglich.

Für die französische Zustimmung war Kohl bereit, einen hohen Preis zu zahlen: Seit dem Dezember 1989 zeichnete sich ab, daß die Europäische Währungsunion, auf die Frankreich besonderen Wert legte, der Politischen Union, so wie die Bundesrepublik sie erstrebte, zeitlich vorausgehen, die Deutsche Mark also einer europäischen Währung weichen würde, *bevor* Europa seine politische Identität gefunden und sich in ein staatsähnliches Gebilde verwandelt hatte. *Dieses* Risiko ging Kohl um der deutschen Einheit und der Übereinstimmung mit Frankreich willen ein. Er wußte, daß er Frankreich und Europa die Angst vor einem mächtigen Deutschland nur nehmen konnte, wenn er die Mark, *das* Symbol der Wirtschaftsmacht Bundesrepublik, zugunsten einer europäischen Gemeinschaftswährung aufgab, und er war bereit, dies zu tun. Aus dem Taktiker der Macht war ein Staatsmann geworden: Im entscheidenden Augenblick handelte er derart zielbewußt, instinktsicher und souverän, daß die Erinnerung an seine zahlreichen Ungeschicklichkeiten, Fehler und Schwächen dahinzuschwinden begann.

Auch innenpolitisch erwies sich das «fait accompli» vom 28. November als ein geschickter Schachzug. Die Sozialdemokraten erhielten keine Gelegenheit, ihre Haltung mit dem stellvertretenden Parteivorsitzenden Oskar Lafontaine abzustimmen, der inzwischen die Kanzlerkandidatur für die Bundestagswahl im Dezember 1990 anstrebte. Der Partei- und Fraktionsvorsitzende Hans-Jochen Vogel hatte ähnlich starke patriotische Empfindungen wie Kohl; einer nationalstaatlichen Lösung der deutschen Frage hatte er in den letzten Jahren zwar noch skeptischer gegenübergestanden als der Bundeskanzler, aber seit dem Fall der Mauer war die Wiedergewinnung der staatlichen Einheit Deutschlands für Vogel wieder zu einer realistischen Option geworden, und wie Kohl wollte er die deutsche und die europäische Einigung, so gut es ging, miteinander verbinden. Für Lafontaine hingegen war der Nationalstaat im allgemeinen und der deutsche im besonderen historisch überholt, eine Wiedervereinigung Deutschlands also nicht erstrebenswert, ja geradezu gefährlich, sollte sie vor der politischen Einigung Europas und unabhängig von ihr erfolgen.

Zu den ideologischen Überzeugungen Lafontaines kamen taktische Überlegungen. Am 28. Januar 1990 fanden im Saarland Landtagswahlen statt, die der Ministerpräsident zu einem Plebiszit für seine Kanzlerkandidatur zu machen gedachte. Der Strom der Übersiedler aus der DDR, der auch nach der Öffnung der Grenzen anhielt, war ebenso wie die «volksdeutschen» Aussiedler aus Ostmittel-, Südost- und Osteuropa für den Wahlkämpfer Lafontaine vor allem eine Kostenfrage. Am 25. November forderte er in einem Interview mit der «Süddeutschen Zeitung» eine radikale Änderung des Staatsbürgerschaftsrechts zu dem Zweck, Übersiedlern und Aussiedlern den «Zugriff auf die sozialen Sicherungssysteme der Bundesrepublik» und damit auf Kindergeld, Kranken- und Arbeitslosengeld sowie Renten unmöglich zu machen. Die Aufkündigung der einheitlichen Staatsbürgerschaft war aus der Sicht des stellvertretenden Parteivorsitzenden der SPD gerechtfertigt und geboten, weil die DDR sich anschickte, ein demokratischer Staat zu werden, und weil es für die Bundesrepublik sinnvoller war, finanzielle Leistungen für das «Dableiben» zu erbringen als für das «Weggehen».

Mit dieser populären, ja populistischen Parole hoffte Lafontaine das patriotische Pathos Kohls um seine Wirkung zu bringen. Auf die deutschlandpolitischen Aussagen des bevorstehenden Parteitags der SPD in Berlin angesprochen, der ein neues Programm beschließen sollte, erwiderte Vogels Stellvertreter, der auch Geschäftsführender Vorsitzender der Programmkommission war: «Die Frage der Wiedervereinigung ist für uns beantwortet: Die SPD ist für eine europäische Einigung, die die DDR ebenso wie Polen und damit auch die Gebiete jenseits von Oder und Neiße umfaßt. Jetzt geht es um Zwischenschritte zu diesem Ziel, und wer die europäische Einigung will, kann als Zwischenschritt einer staatlichen Einheit der DDR und der Bundesrepublik nicht widersprechen. Die Frage ist, in welchem Zeitraum vollzieht sie sich und unter welchen Bedingungen... Der Nationalstaat alter Prägung verliert mehr und mehr an Bedeutung – was auch nachvollziehbar ist daran, daß wir und die anderen Staaten der EG ständig Befugnisse an die Europäische Gemeinschaft abgeben... Es ist klar, daß der konservative rechte Flügel der Union das alte Leitbild des Nationalstaates als Orientierung vor Augen hat und das Deutsch-Nationale überbetont. Das ist heute nicht mehr zeitgemäß, und es hat auch nichts zu tun mit den aktuellen Wünschen und Gefühlen der Menschen in der DDR.»

Am 28. November, nach Kohls Regierungserklärung, hatte Vogel, in vollem Übereinklang mit Brandt und Voigt, dafür gesorgt, daß der Bundestag, mit der einzigen Ausnahme der Grünen, den Zehn Punkten des Kanzlers Rückendeckung gab. Das sollte sich nach dem Willen Lafontaines nicht wiederholen. Am 29. November weigerte sich die sozialdemokratische Bundestagsfraktion, der vom Fraktionsvorstand gewünschten gemeinsamen Erklärung von CDU/CSU, FDP und SPD zur Unterstützung der Zehn Punkte zuzustimmen, wenn diese nicht um drei Punkte, die Unantastbarkeit der polnischen Westgrenze, das Selbstbestimmungsrecht und die Frage der Kurzstreckenraketen, erweitert wurde. Da die Koalition darauf nicht einging, stimmten am 1. Dezember nur Union und Freie Demokraten der deutschlandpolitischen Entschließung zu.

Zwei Tage später ging Lafontaine auf Konfrontationskurs zum Kanzler. Am 3. Dezember sprach er in einem Rundfunkinterview von «Ko(h)lonianismus» gegenüber den Menschen in der DDR; das Zehn-Punkte-Programm nannte er am gleichen Tag einen «großen diplomatischen Fehlschlag». Die Sozialdemokratie präsentierte sich fortan als janusköpfige Partei: Ihr eines Gesicht war das patriotische von Brandt, das andere das postnationale von Lafontaine.[7]

Ende November und Anfang Dezember 1989 überstürzten sich erneut die Ereignisse in der DDR. Am 23. November wurde das ehemalige Mitglied des Politbüros Günter Mittag aus der SED ausgeschlossen und gegen Erich Honecker ein Parteiverfahren eingeleitet. Am 8. Dezember folgte die Mitteilung, daß der Generalstaatsanwalt der DDR Ermittlungsverfahren wegen Amtsmißbrauch und Korruption gegen Honecker, Mielke, Stoph, Krolikowski, Axen und das ehemalige Mitglied des Politbüros Günther Kleiber eingeleitet habe. Bis auf Honecker und Axen wurden alle festgenommen. Bei Honecker wurde die Haft- und Vernehmungsfähigkeit aus gesundheitlichen Gründen verneint; Axen hielt sich wegen einer Augenoperation in Moskau auf.

Am 1. Dezember strich die Volkskammer auf Antrag aller Fraktionen ohne Gegenstimmen bei 5 Enthaltungen aus Artikel 1 der Verfassung der DDR jenen Passus, der die «Führung der Arbeiterklasse und ihrer marxistisch-leninistischen Partei» festschrieb. Zwei Tage später trat das ZK der SED zu einer außerordentlichen Sitzung zusammen. Neben anderen ehedem führenden Funktionären wurden Erich Honecker, Werner Krolikowski, Horst Sindermann, Willi Stoph, Harry Tisch und Alexander Schalck-Golodkowski, der sich in der Nacht zuvor in den Westen abgesetzt hatte, aus dem ZK und der Partei ausgeschlossen.

Anschließend traten das Politbüro und das Zentralkomitee mit Egon Krenz an der Spitze zurück. Sie kamen damit einer Forderung nach, die tags zuvor Gregor Gysi und andere Redner namens der «Parteibasis» auf einer Demonstration unter großem Beifall erhoben hatten. Am 4. Dezember erklärten CDU und LDPD ihren Austritt aus dem «Zentralen Demokratischen Block»; sie hörten also auf, sich als «Blockparteien» zu verstehen.

Am 6. Dezember trat Krenz von seinen Ämtern als Vorsitzender des Staatsrats und des Nationalen Verteidigungsrats zurück. Neuer amtierender Vorsitzender des Staatsrats wurde Manfred Gerlach, der Vorsitzende der LDPD, der sich in den Wochen zuvor demonstrativ von der SED distanziert hatte.

Nicht einmal sieben Wochen war Egon Krenz an der «Macht» gewesen, die in ebendieser Zeit immer mehr zu einem Schatten ihrer selbst wurde. Nicht nur er war mangels persönlicher Glaubwürdigkeit mit seinem Anspruch der Erneuerung der «Partei neuen Typs» gescheitert; die SED als Ganze konnte unter den radikal veränderten Bedingungen einer «Revolution neuen Typs» nicht bleiben, was sie ihrer Struktur nach immer noch war: eine von oben gelenkte, leninistische Kaderpartei. Was sie werden würde, nachdem sie ihre «führende Rolle» hatte abgeben müssen, ob sie überhaupt als Partei bestehen blieb, war am Abend des 3. Dezember völlig offen. Ohne einen personellen, organisatorischen und programmatischen Neuanfang hatte sie in einer Deutschen Demokratischen Republik, die dem Anspruch ihres Namens gerecht werden wollte, keine Chance – und in einem wiedervereinigten Deutschland erst recht nicht.

Am 7. Dezember, vier Tage nach der Selbstabdankung der «alten» SED, trat in Berlin der Runde Tisch (oder, wie man ihn zur Unterscheidung von ähnlichen Einrichtungen auf lokaler Ebene auch nannte, der Zentrale Runde Tisch) zu seiner ersten Sitzung zusammen. Die Initiative zur Einberufung eines solchen, paritätisch aus «neuen» und «alten» Kräften zusammengesetzten Gremiums war von der am 4. Oktober gebildeten «Kontaktgruppe» aus sieben Bürgerrechtsgruppen hervorgegangen, nämlich Demokratie Jetzt, Demokratischer Aufbruch, Initiative Frieden und Menschenrechte, Neues Forum, Vereinigte Linke, SDP und Grüne Partei. Die evangelische und die katholische Kirche, die auch die Moderatoren des Runden Tisches stellten, hatten die Anregung unterstützt; die SED und die anderen «alten» Parteien machten sie sich Ende November zu eigen.

Die Bürgerrechtler gedachten dem Runden Tisch eine Reihe von Aufgaben zu, die in Demokratien das Parlament wahrnimmt: In der Übergangszeit bis zur freien Wahl einer Volkskammer sollte die Regierung hier Rechenschaft ablegen über die ökologische, wirtschaftliche und finanzielle Situation; sie sollte den Runden Tisch vorab über alle wichtigen Entscheidungen informieren, sie mit ihm beraten und seine Vorschläge entgegennehmen. Der Runde Tisch sollte den Entwurf einer neuen Verfassung sowie ein Wahlgesetz und ein Parteien- und Vereinigungsgesetz erarbeiten, auf strikte Rechtsstaatlichkeit achten, für die Untersuchung und strafrechtliche Verfolgung von Amtsmißbrauch und Korruption Sorge tragen und, nicht zuletzt, die Auflösung des Amtes für Nationale Sicherheit (so hieß das Ministerium für Staatssicherheit seit dem 17. November) überwachen. *Ein* Gedanke lag den «friedlichen Revolutionären» der DDR jedoch völlig fern: die sofortige Machtübernahme. Sie wollten den gewaltfreien

Übergang von einer demokratisch nicht legitimierten zu einer demokratisch legitimierten Regierung gewährleisten – nicht mehr und nicht weniger.

Für die SED war es ein Gebot politischer Klugheit, auf die Vorschläge der Kontaktgruppe einzugehen. Ein Runder Tisch konnte der Regierung Modrow einen Zuwachs an Anerkennung bringen und den Protest kanalisieren. Er mochte sich vor allem dazu eignen, den Druck der Massen auf Wiedervereinigung abzuwehren. Denn bei allem, was die bislang führende Partei von der Opposition trennte, gab es doch einstweilen auch noch eine Gemeinsamkeit zwischen der SED und dem Gros der Bürgerrechtler: die Orientierung an der Zweistaatlichkeit. Im Beschluß der ersten Sitzung des Runden Tisches vom 7. Dezember hieß es denn auch gleich zu Beginn ausdrücklich: «Die Teilnehmer des Runden Tisches treffen sich aus tiefer Sorge um unser in eine tiefe Krise geratenes Land, seine Eigenständigkeit und seine dauerhafte Entwicklung.»

Auch in einem anderen Punkt gab es Übereinstimmung: Die erste freie Volkskammerwahl sollte am 6. Mai 1990 stattfinden. Dieser Termin war von symbolischer Bedeutung, da er an die, wegen der systematischen Fälschung der Ergebnisse berüchtigten Kommunalwahlen vom 7. Mai 1989 erinnerte; er ließ aber auch den neuen Gruppierungen die Zeit, die sie brauchten, um sich soweit organisatorisch zu festigen, daß sie mit Aussicht auf Erfolg zur Wahl antreten konnten.

Der erste der Runden Tische von 1989, der polnische, war einem Regime abgetrotzt worden, das zum Zeitpunkt der Verhandlungen noch stark genug war, um mit der Opposition einen gleitenden, sich über mehrere Jahre erstreckenden Übergang in die Demokratie zu vereinbaren. Als der Runde Tisch in Berlin zusammentrat, war der Zusammenbruch der alten Ordnung bereits weit fortgeschritten. Der westdeutsche Politikwissenschaftler Uwe Thaysen, der als Beobachter an den Sitzungen des Runden Tisches regelmäßig teilnahm, hat von der «kontrollierten Implosion» der DDR gesprochen: «Die Akteure am Runden Tisch haben, die Konsequenzen des Zusammenbruchs kalkulierend, dafür gesorgt, daß an den Splittern dieses – einer Explosion an Gefährlichkeit ja kaum nachstehenden – gefährlichen Vorganges möglichst niemand zu Schaden kam. Sodann haben sie jene Mechanismen blockiert, die in der vorletzten Phase von Revolutionen üblicherweise das Fallbeil der Guillotinen auslösen.» Eine Voraussetzung dieses Erfolges dürfte darin gelegen haben, daß das Prinzip der Parität von «alten» und «neuen» Kräften nur auf dem Papier stand. Die «alten» Kräfte waren um die Jahreswende 1989/90 längst nicht mehr dieselben wie vor dem Beginn der «friedlichen Revolution»: Die ehemaligen Blockparteien hatten ein existentielles Interesse daran, sich von der SED zu emanzipieren, und die SED konnte nur überleben, wenn sie eine andere Partei wurde.

Auf zwei Sitzungen eines außerordentlichen Parteitages – am 8./9. und am 16./17. Dezember 1989 – verwandelte sich die Sozialistische Einheitspartei Deutschlands in die SED/PDS, wobei der zweite Namensbestandteil die Abkürzung für Partei des Demokratischen Sozialismus war. Der Doppelname warf ein Schlaglicht auf die Schwierigkeit des Versuchs, Reformer und Traditionalisten in einer Partei zusammenzuführen: Kritische Aussagen über die Diktatur der SED und eindeutige Absagen an den Stalinismus standen auf dem Umgründungsparteitag neben dem ausdrücklichen Bekenntnis zur Fortführung des Werkes von Marx, Engels und Lenin.

Gregor Gysi, Vorsitzender des Ost-Berliner Rechtsanwaltskollegiums, Vorsitzender des Rates der Vorsitzenden der Kollegien der Rechtsanwälte in der DDR und seit dem 3. Dezember auch Vorsitzender des interimistischen «Arbeitsausschusses» der SED, unternahm in seiner einleitenden Rede einen Balanceakt. Einerseits verlangte er den «vollständigen Bruch mit dem gescheiterten stalinistischen, d. h. administrativ-zentralistischen Sozialismus in unserem Land» und die Festlegung der Partei auf individuelle Freiheit und Grundrechte, auf demokratische Gewaltenteilung, freie Formen des wirtschaftlichen, politischen und kulturellen Wettbewerbs, auf radikale Demokratie, Rechtsstaatlichkeit und Humanismus. Andererseits bemängelte er, daß die demokratischen Errungenschaften des Westens durch die Machtinteressen kapitalistischer Monopole begrenzt seien. «Wir dürfen den demokratischen Aufbruch und das Selbstbestimmungsrecht der DDR-Bevölkerung nicht verspielen. Das würden wir aber, ließen wir der alten Herrschaft von Politbürokraten nun eine neue Herrschaft von Kapitalmagnaten folgen. Die Krise des administrativ-zentralistischen Sozialismus in unserem Lande kann nur dadurch gelöst werden, daß die DDR einen dritten Weg jenseits von stalinistischem Sozialismus und Herrschaft transnationaler Monopole geht... Diese Orientierung auf einen dritten Weg legt die demokratischen und humanistischen Quellen und Inhalte unserer Traditionen in der deutschen und internationalen Arbeiterbewegung frei und nimmt sie auf. Dazu gehören insbesondere sozialdemokratische, sozialistische, nichtstalinistisch-kommunistische, antifaschistische und pazifistische Traditionen. Es geht nicht um neue Tapeten, wir wollen eine neue Partei.»

Eine «Auflösung der Partei und ihre Neugründung» lehnte Gysi entschieden ab. Sie hätte aus seiner Sicht nur zu einer «Katastrophe für die Partei» werden können. «All jene, die sich in den letzten Wochen im ganzen Land so engagiert haben für die Erneuerung ihrer Partei, würden wir enttäuschen, sie wollen doch unsere und nicht irgendeine Partei retten. Mit welchem Recht sollten wir uns alle einer politischen Heimat berauben. Außerdem entstünde in unserem Land ein politisches Vakuum, das niemand ausfüllen kann und das die Krise mit unabsehbaren Folgen verschärfen würde.»

Einen anderen Grund, der gegen die Auflösung der SED sprach, nannte Gysi nicht: Es war der Verzicht auf das Vermögen der Partei, zu dem kaum jemand unter den Aktiven bereit war. Auch zu der von Gysi ausdrücklich

bejahten Fürsorgepflicht für Angehörige des alten Partei-, Staats- und Sicherheitsapparates hätte eine Liquidation der bisher führenden Partei nicht
gepaßt. Der SED hatten im Oktober 1989 2,3 Millionen Mitglieder angehört; im Dezember 1989 waren es noch knapp 1,5 Millionen; im Februar
1990, als die Partei beschloß, sich nur noch PDS zu nennen, schwankten die
Zahlen zwischen 700 000 und 650 000. An der Parteispitze überwogen
Neuerer wie Gysi, der im Dezember mit überwältigender Mehrheit zum
Vorsitzenden gewählt wurde, und zwei seiner drei Stellvertreter: Ministerpräsident Hans Modrow und der Dresdner Oberbürgermeister Wolfgang
Berghofer, der die Partei aber schon im Januar 1990 verließ. An der «Basis»
war das Gewicht der beharrenden Kräfte sehr viel stärker, am stärksten in
der orthodoxen Kommunistischen Plattform, die Anfang 1994 3 500 Mitglieder zählte.

Was Gysi und andere Parteiführer öffentlich erklärten, wurde von einem
erheblichen Teil der Mitgliedschaft nur als taktisch unvermeidliche Anpassung an die neuen Verhältnisse hingenommen. Das Verhältnis zur DDR wie
zu den Traditionen des deutschen und des internationalen Kommunismus
schwankte bei den meisten Mitgliedern zwischen Kritik und Apologie.
Entsprechend ambivalent war die Haltung gegenüber der westlichen
Demokratie. Zu dem von Gysi propagierten «dritten Weg» gehörte die
Überzeugung, daß erst eine Umgestaltung im Sinn des «Sozialismus» die
Demokratie zur vollen Reife bringen würde. Die «kapitalistische» Demokratie galt mithin nur als bedingt bewahrenswert, aber als unbedingt ver-
änderungsbedürftig.

Die ehemaligen Blockparteien vollzogen im Spätjahr 1989 ungleich radi-
kalere Kehrtwenden als die SED. Die fortschreitende Erosion der Macht
der «Partei der Arbeiterklasse» eröffnete den von Haus aus bürgerlichen
Parteien die Chance, ihren Satellitenstatus zu überwinden und zu ihren Ursprüngen zurückzukehren. In der CDU hatte am 10. September ein «Brief
aus Weimar», unterzeichnet unter anderen von der Pastorin Christine Lieberknecht und dem Oberkirchenrat Martin Kirchner, von dem im Jahr darauf bekannt wurde, daß er als Inoffizieller Mitarbeiter für das MfS tätig gewesen war, für Unruhe in der Parteiführung gesorgt. Die Förderung der
öffentlichen Meinungsbildung, die Respektierung der Mündigkeit der Bürger, die Offenlegung von Wirtschaftsproblemen und Reisefragen sowie eine
neue Medienpolitik: das alles waren Forderungen, die um diese Zeit immer
noch subversiv wirkten.

Das Parteiorgan «Neue Zeit» rügte die vier Mitglieder, die den Brief unterschrieben hatten; einen Parteiausschluß aber konnte der Parteivorsitzende Gerald Götting schon nicht mehr durchsetzen. Am 2. November
mußte er seine Ämter aufgeben. Seine Nachfolge übernahm am 10. November der Rechtsanwalt Lothar de Maizière, Mitglied der Synode des
Bundes der Evangelischen Kirchen in der DDR, der bis dahin keine Funktionen in der CDU innegehabt hatte. Das MfS hatte de Maizière, wie sich

Ende 1990 erhärtete, seit 1981 als «IM Czerni» geführt. Doch daß seine Kontakte zur Staatssicherheit über das Maß hinausgingen, das Verteidiger von Bürgerrechtlern akzeptieren mußten, ist nie belegt worden. Die Loslösung von Sozialismus und Zweistaatlichkeit erfolgte nicht schlagartig, sondern schrittweise. In seinen ersten öffentlichen Stellungnahmen bekannte sich de Maizière noch zum Sozialismus, in den «Leitsätzen» der CDU vom 18. November dann zu einem «Sozialismus aus christlicher Verantwortung». Am 17. November trat der neue Vorsitzende der CDU als Minister für Kirchenfragen und stellvertretender Ministerpräsident in das Kabinett Modrow ein. Am 25. November befürwortete die CDU eine «Konföderation beider deutscher Staaten in den heutigen Grenzen, in der sich die Einheit der deutschen Nation verwirklicht». (Der erste DDR-Politiker, der im Herbst 1989 den Gedanken einer deutschen Konföderation in die Debatte warf, war der neue Vorsitzende der Nationaldemokratischen Partei Deutschlands, Günter Hartmann, in einer Rede in der Volkskammer am 17. November.) In einem ersten inoffiziellen Gespräch, das der Generalsekretär der westdeutschen CDU, Volker Rühe, am 24. November mit de Maizière führte, traten die unterschiedlichen Positionen in der Wirtschafts- und Gesellschaftspolitik klar zutage. De Maizière ließ keinen Zweifel an seinen Vorbehalten gegenüber Kapitalismus und freier Marktwirtschaft.

In der ersten Dezemberhälfte wurden die Kontakte zwischen west- und ostdeutscher CDU enger, wobei auf westlicher Seite Wolfgang Schäuble, seit April Bundesminister des Innern, die treibende Kraft war. Der Austritt der CDU aus dem Demokratischen Block am 4. Dezember erleichterte die Annäherung; der außerordentliche Parteitag der CDU in Berlin am 15. und 16. Dezember, auf dem drei der vier Unterzeichner des «Briefes aus Weimar» in die Parteiführung gelangten, tat ein übriges, um Vorbehalte der westdeutschen «Schwesterpartei» abzubauen. De Maizière rief auf dem Parteitag die CDU auf, ein «politisches Schuldbekenntnis» abzulegen und ihre Mitverantwortung für Deformationen und Krisen in der Gesellschaft der DDR einzugestehen. Den Begriff «Sozialismus» erklärte er für nicht mehr verwendbar. Die vom Parteitag beschlossenen «Positionen der CDU zu Gegenwart und Zukunft» bekannten sich zu einer «Marktwirtschaft mit sozialer Bindung in ökologischer Verantwortung».

In der Frage der deutschen Einheit bewegte sich die Ost-CDU fortan in der Richtung, die Helmut Kohl mit seinen Zehn Punkten gewiesen hatte. «Einheit der deutschen Nation – übergangsweise in einer deutschen Konföderation – in einem freien und vereinigten Europa auf der Grundlage des Selbstbestimmungsrechts der Völker» lautete die Formel in den «Positionen». Den Begriff «Wiedervereinigung» lehnte die Programmkommission allerdings ab. Das Deutschland, das mit «Wiedervereinigung» gemeint sei, erklärte deren Sprecher, sei «endgültig und unwiderruflich in Auschwitz gestorben».

Früher als die CDU hatte die Liberaldemokratische Partei Deutschlands
begonnen, sich von der SED zu distanzieren. Für Forderungen, wie sie der
«Brief aus Weimar» im September erhob, hatte sich der Parteivorsitzende
und stellvertretende Vorsitzende des Staatsrates, Manfred Gerlach, schon
im April 1989, wenn auch noch nicht öffentlich, ausgesprochen. Im Juni be-
zeichnete der Zentralvorstand die LDPD demonstrativ als Teil eines
«Mehrparteiensystems». Am 15. November stellte die LDPD als erste
Fraktion der Volkskammer den Antrag auf Streichung der Verfassungsbe-
stimmung, die der SED die führende Rolle zuschrieb. Doch noch am 26.
November bekannte sich Gerlach in einem Gespräch mit der Führung der
FDP unter Otto Graf Lambsdorff zu einem «Sozialismus mit humanem
Antlitz». Den Bruch mit dem Sozialismus vollzog die LDPD erst am 19.
Dezember in einer öffentlichen Erklärung, in der sich der Zentralvorstand
für eine soziale und ökologische Marktwirtschaft aussprach. Dieselbe Verlautbarung enthielt auch klare Aussagen zur nationalen Frage: Die LDPD
befürwortete die deutsche Einheit in den Grenzen von 1989 und als Schritte
auf dem Weg zu diesem Ziel eine Vertragsgemeinschaft und konföderative
Strukturen bis hin zu einem «Deutschen Bund» mit gesamtdeutschen Institutionen wie einer Bundesversammlung und einem Bundesoberhaupt.

Anders als die Bonner CDU hatte die FDP in den Jahren der Teilung immer wieder den Kontakt zu ihrer ostdeutschen «Schwesterpartei» gesucht.
In der Zeit der «Wende» aber war die LDPD nicht der einzige Gesprächspartner der FDP in der DDR. Vielmehr knüpfte das Thomas-Dehler-Haus
in Bonn auch Verbindungen zu Gruppierungen wie dem Demokratischen
Aufbruch, der Deutschen Forumspartei, einer Abspaltung des Neuen Forums, und der im Januar 1990 gegründeten Freien Demokratischen Partei
in der DDR. Der Demokratische Aufbruch wurde zur gleichen Zeit auch
von der westdeutschen CDU umworben. Am 3. Dezember sprach sich der
DA als erste Oppositionsgruppe für die deutsche Einheit aus, was ein prominentes Gründungsmitglied, Friedrich Schorlemmer, zu einem scharfen
Protest veranlaßte.

Am 16. Dezember konstituierte sich der Demokratische Aufbruch in
Leipzig als Partei. Er bekannte sich zu einer «sozialen Marktwirtschaft mit
hohem ökologischen Anspruch» und zur Einheit der deutschen Nation in
den gegenwärtigen Grenzen – einem Ziel, das in einem schrittweisen Prozeß vom Staatenbund zum Bundesstaat und im Einvernehmen mit den
Nachbarn und den Siegermächten erreicht werden sollte. Von den deutschlandpolitischen Positionen der Bonner Koalitionsparteien unterschied sich
der DA in einem wichtigen Punkt: Er sprach sich für ein blockfreies und
entmilitarisiertes Deutschland aus. Schorlemmer fand die Annäherung an
die Linie der Bundesregierung gleichwohl unerträglich. Mitte Januar
nannte er Kohls Zehn Punkte die «größte Katastrophe nach der Öffnung
der Grenzen», weil sie «nicht unser Selbstvertrauen, sondern unsere Hilfs-
bedürftigkeit» bestärkten. Der Wittenberger Pfarrer trat aus dem DA aus

und zu den Sozialdemokraten über. Den gleichen Schritt tat der Erfurter Pfarrer Edelbert Richter, der bisherige Sprecher des DA.

Eine andere Bürgerrechtsgruppe legte fast zeitgleich mit dem Leipziger Parteitag des Demokratischen Aufbruchs einen völlig andersartigen Vorschlag zur deutschen Einigung vor. Am 14. Dezember veröffentlichte Demokratie Jetzt einen «Dreistufenplan», der von der Überzeugung ausging, daß eine «Wiedervereinigung» durch Anschluß der DDR an die Bundesrepublik keine Lösung der deutschen Frage sein könne. «Wir meinen, daß die Zeit für eine neue politische Einheit der Deutschen erst heranreifen muß. Sie ist jedoch, gegründet auf eine solidarische Gesellschaft, auch unser Ziel.» Als erste Stufe eines «Prozesses der gegenseitigen Annäherung» schlug Demokratie Jetzt grundlegende Reformen in beiden deutschen Staaten vor, wobei die Bundesrepublik sich in Richtung von mehr sozialer Gerechtigkeit und mehr Umweltverträglichkeit bewegen müsse. Die zweite Stufe sollten ein Nationalvertrag zwischen der Bundesrepublik und der DDR, ein Staatenbund und die Schaffung einer «dualen deutschen Staatsbürgerschaft» sein. Auf der dritten Stufe waren die Entmilitarisierung Deutschlands und der Rückzug der alliierten Mächte abzuschließen. Dem sollte ein Volksentscheid über die politische Einheit in Gestalt eines Bundes Deutscher Länder folgen. Dem vereinten Deutschland war es aufgegeben, am Entstehen einer neuen solidarischen Weltwirtschaftsordnung und der Realisierung einer umweltschützenden Produktionsweise mitzuwirken.

In der Sache lief das Plädoyer für einen Bund Deutscher Länder darauf hinaus, die deutsche Teilung durch Anerkennung von zwei deutschen Staatsbürgerschaften erst noch zu vertiefen, bis sie vielleicht eines Tages überwunden werden konnte. Als Partner für die Verwirklichung eines solchen Vorhabens konnten die Initiatoren allenfalls die Grünen in der Bundesrepublik und einige Schriftsteller und Intellektuelle in beiden deutschen Staaten gewinnen; Mehrheiten aber gab es dafür weder in der Bundesrepublik noch gar in der DDR. Im Dezember 1989 traten Befürworter einer ostdeutschen Eigenstaatlichkeit auf den Demonstrationen in Leipzig und anderen Städten der DDR kaum noch in Erscheinung; wenn sie es taten, wurden sie niedergeschrien. Schwarz-rot-goldene Fahnen *ohne* Hammer und Zirkel waren zum Symbol einer Massenbewegung für «Deutschland einig Vaterland» geworden, die den Status quo radikal in Frage stellte und von einem «dritten Weg» zwischen den Systemen nichts wissen wollte. Bürgerrechtler, die die deutsche Einheit ablehnten oder vertagen wollten, standen auf verlorenem Posten. Aus den Vorkämpfern der «friedlichen Revolution» waren Verteidiger eines Zustands geworden, der sich nicht mehr verteidigen ließ.

Die ostdeutschen Sozialdemokraten gehörten zu den Oppositionellen, die frühzeitig erkannten, daß sie sich durch Beharren auf Zweistaatlichkeit nur isolieren und um jede politische Bedeutung bringen konnten. Am

3. Dezember veröffentlichte der Vorstand der SDP eine «Erklärung zur Deutschen Frage», in der er sich zur «Einheit der deutschen Nation» bekannte, die es von beiden Seiten zu gestalten gelte und die nicht überstürzt werden dürfe. Das blieb zwar hinter der Verlautbarung des Demokratischen Aufbruchs vom gleichen Tag zurück, ging aber über die Äußerungen namhafter westdeutscher Sozialdemokraten hinaus. Das Verhältnis zwischen SDP und SPD war mittlerweile eng und freundschaftlich. Nach der Parteigründung von Schwante am 7. Oktober hatte Egon Bahr noch bestritten, daß es sich bei der SDP überhaupt um eine Partei handle. Erst nach einem Gespräch zwischen Hans-Jochen Vogel und Steffen Reiche, einem der Mitgründer der neuen Partei, am 23. Oktober, fünf Tage nach dem Sturz Honeckers, schwenkte die SPD um – in Richtung Anerkennung und Unterstützung der SDP.

Auf dem Berliner Programmparteitag der SPD sprach Markus Meckel, der zweite Sprecher der SDP, am 18. Dezember ein Grußwort. Anders als zehn Wochen zuvor in Schwante befürwortete er jetzt die deutsche Einheit. «Die Einigung der Deutschen und die Einigung Europas sind ein und derselbe Prozeß. Es muß alles ausgeschlossen werden, was diese Zusammengehörigkeit stört. Dabei kann es – auch phasenhaft – verschieden sein, was jeweils das andere vorantreibt. Wenn jetzt die deutsche Frage so allgegenwärtig auf dem Tablett liegt, muß sie so behandelt und vorangetrieben werden, daß sie gleichzeitig die europäische Einigung fördert. Ein deutscher Sonderweg führt uns nicht voran. Wir denken wie ihr: Eine Konföderation der beiden deutschen Staaten wäre ein schon bald möglicher und auch wichtiger Schritt. Er ist schon jetzt, glaube ich, in beiden Staaten mehrheitsfähig... Wir müssen den Prozeß der deutschen und der europäischen Einigung auf die Zukunft hinlenken, denken und gestalten und dabei jeder nationalstaatlichen Romantik wehren.»

Am gleichen 18. Dezember 1989, es war sein 76. Geburtstag, sprach Willy Brandt auf dem Parteitag. Im Mittelpunkt seiner Rede stand die deutsche Frage. Nichts werde wieder, wie es einmal gewesen sei, sagte der Ehrenvorsitzende. «Wir können helfen, daß zusammenwächst, was zusammengehört... Eine Wiedervereinigung von Teilen, die so noch nie zusammen waren, wird es nicht geben; eine Rückkehr zum ‹Reich› erst recht nicht. Das und nichts anderes war die ‹Lebenslüge› der 50er Jahre, an der ich ja auch mal beteiligt war, die aber weiter zu pflegen ich nicht für richtig hielt.»

Dem konnten auch Sozialdemokraten zustimmen, die weniger national dachten als Brandt. Doch dann stellte der Redner Überlegungen an, die vielen Zuhörern Schwierigkeiten bereiteten. Brandt warnte davor, mit der Lösung der deutschen Frage zu warten, bis Europa sich geeinigt hatte. «Es wäre müßig, wenn wir uns jetzt – hüben wie drüben – mit einer gewissen deutschen Gründlichkeit in das Thema vertieften, unter welcher Art von gemeinsamem Dach wir in Zukunft leben werden. Doch wenn es wahr ist, daß die Teile Europas zusammenwachsen, was ist dann natürlicher, als daß die Deutschen in den Bereichen, in denen sie mehr als andere in Europa gemeinsam haben, enger miteinander kooperieren. Denn nirgends steht auch geschrieben, daß sie, die Deutschen, auf einem Abstellgleis zu verharren haben, bis irgendwann ein gesamteuropäischer Zug den Bahnhof erreicht hat. Das ist nicht das, was in meinem Verständnis Einbettung bedeutet. Allerdings gebe ich gern zu, daß beide Züge, der gesamteuropäische und der deutsche, bei ihren Fahrten vernünftig zu koordinieren sind. Denn wer hätte etwas davon, wenn sie irgendwo auf der Strecke zusammenstießen?»

Wenig später folgte ein Passus, der laut Protokoll «Beifall» fand. Aber es waren längst nicht alle Delegierten, die applaudierten. Brandt wiederholte einen Gedanken, den er in ähnlicher Form am 6. Dezember in der Rostocker Marienkirche geäußert hatte. «Die jungen Deutschen – ich, der ich die Geschichte dieses Volkes über lange Zeit verfolgt habe, darf das wohl sagen –, die jungen Deutschen von heute wollen Frieden und Freiheit wie die Jungen – jedenfalls die meisten – in anderen Ländern auch. Und wer will ernsthaft widersprechen, wenn ich hinzufüge: Noch so große Schuld einer Nation kann nicht durch eine zeitlos verordnete Spaltung getilgt werden.»

Brandt sprach bestimmte Sozialdemokraten an, ohne sie beim Namen zu nennen. Einer von ihnen war der Schriftsteller Günter Grass, der kurz nach Brandt auf dem Parteitag sprach und eine leidenschaftliche Rede gegen die Wiedervereinigung hielt. Niemand, der bei Verstand und mit Gedächtnis geschlagen sei, könne zulassen, daß es abermals zu einer Machtballung in der Mitte Europas komme, sagte Grass. «Die Großmächte, nun wieder betont als Siegermächte, gewiß nicht, die Polen nicht, die Franzosen nicht, nicht die Holländer, nicht die Dänen. Aber auch wir Deutsche nicht, denn jener Einheitsstaat, dessen wechselnde Vollstrecker während nur knapp fünfundsiebzig Jahren anderen und uns Leid, Trümmer, Niederlagen, Millionen Flüchtlinge, Millionen Tote und die Last nicht zu bewältigender Verbrechen ins Geschichtsbuch geschrieben haben, verlangt nach keiner Neuauflage und sollte – so gutwillig wir uns mittlerweile zu geben verstehen – nie wieder politischen Willen entzünden.»

Die Deutschen in der DDR hätten, so Grass weiter, auch stellvertretend für die Bürger der Bundesrepublik die Hauptlast des von allen Deutschen verlorenen Zweiten Weltkrieges getragen, und darum seien die Deutschen in der Bundesrepublik zu einem weitreichenden Lastenausgleich ohne weitere Vorbedingungen verpflichtet. «Erst dann, wenn unseren Landsleuten in der DDR, die erschöpft sind, denen das Wasser bis zum Hals steht, die sich dennoch Stück für Stück ihre Freiheit erkämpfen, auch von unserer Seite Gerechtigkeit widerfährt, erst dann können sie gleichberechtigt mit uns und wir mit ihnen über Deutschland und Deutschland, über zwei Staaten einer Geschichte und einer Kulturnation, über zwei konföderierte Staaten im europäischen Haus sprechen und verhandeln. Selbstbestimmung setzt umfassende, also auch ökonomische Unabhängigkeit voraus.»

Die Konföderation wollte Grass nicht als Durchgangsstadium zur staatlichen Einheit verstanden wissen, sondern als Alternative zu ihr. «Vereinigung als Einverleibung der DDR hätte Verluste zur Folge, die nicht auszugleichen wären: denn nichts bliebe den Bürgern des anderen, nunmehr vereinnahmten Staates von ihrer leidvollen, zum Schluß beispiellos erkämpften Identität; ihre Geschichte unterläge dem dumpfen Einheitsgebot... Ein wiedervereinigtes Deutschland wäre ein komplexgeladener Koloß, der sich selbst und der Einigung Europas im Wege stände. Hingegen würde eine Konföderation und deren erklärter Verzicht auf den Einheitsstaat der europäischen Einigung entgegenkommen, zumal diese, gleich dem neuen deutschen Selbstverständnis, eine konföderative sein wird.»

Neben Grass mußte sich auch Lafontaine von Brandt angesprochen fühlen. Am folgenden Tag hatte der stellvertretende Parteivorsitzende und Geschäftsführende Vorsitzende der Programmkommission Gelegenheit, dem Altkanzler zu antworten. Der eigentliche Zweck der Rede war die Erläuterung des neuen Berliner Programms, in dem sich die SPD demonstrativ als Partei des Demokratischen Sozialismus vorstellte. (Daß die SED diesen Namen kurz vor dem sozialdemokratischen Parteitag usurpieren würde, hatte die Programmkommission nicht vorhersehen können.) Doch durch den Auftritt Brandts erhielt Lafontaines Beitrag eine zusätzliche, aktuelle Bedeutung: Der Ministerpräsident des Saarlandes konnte Gegenakzente zu den nationalen Bekenntnissen des Ehrenvorsitzenden setzen, der zugleich auch Vorsitzender der Sozialistischen Internationale war.

»Die Ideen der freiheitlichen Sozialdemokratie sind international», sagte Lafontaine. «Wir haben den Internationalismus betont. Wir haben ihn bewußt in Kontrast gesetzt zu dem, was als Renaissance der Nationalstaaten und nationalstaatlicher Ideen überall festzustellen ist.» Der Nationalstaat müsse von der Nation unterschieden werden. Unter Berufung auf das, was Grass tags zuvor zur Kulturnation bemerkt hatte, unterstrich der saarländische Ministerpräsident, «daß der Bezug auf die gleiche Sprache, auf die gleiche Geschichte, auf die gleichen Ideen nicht notwendigerweise zu dem Schluß führen kann, daß alle, die sich dazu bekennen, in einem Nationalstaat vereinigt werden müssen. Dies war auch niemals so in der Geschichte der Deutschen, und das wird auch in Zukunft nicht so sein, unabhängig davon, wie wir die Frage zwischen der DDR und der Bundesrepublik lösen; denn die deutsche Nation ist nicht in den Grenzen der DDR und der Bundesrepublik zu definieren.»

Ein Vergleich mit Frankreich sollte verdeutlichen, worauf Lafontaine hinauswollte. In Frankreich sei die Nation von den revolutionären Ideen von Freiheit, Gleichheit, Brüderlichkeit bestimmt. Die Deutschen aber hätten eine andere Ideengeschichte, die mit dem Begriff der Kulturnation zu tun habe; sie seien, was viele Historiker als «die zu spät gekommene Nation» bezeichnet hätten. Da die Deutschen zur Zeit der Französischen Revolution es nicht geschafft hatten, «einen Nationalstaat zu definieren», war es nach Lafontaines Meinung offenbar geradezu widersinnig, jetzt einen deutschen Nationalstaat anzustreben. Vielmehr müsse die «Politik zwischen der Bundesrepublik und der DDR» eingebettet sein in die langfristigen Entwicklungstrends auf der Welt. Daraus ergebe sich, «daß wir festhalten müssen an der Idee der europäischen Einigung und daß die europäische Einigung ja bereits dabei ist, den Nationalstaat mehr und mehr zu transformieren. Wir sind doch dabei, nationalstaatliche Kompetenzen in immer stärkerer Form auf die Europäische Gemeinschaft zu übertragen... Dieser Prozeß ist nicht rückgängig zu machen. Er wird weitergehen, wenn wir die Zukunft gewinnen wollen.»

Lafontaine versicherte zwar, daß auch Sozialdemokraten ein «stärkeres Zusammenrücken der Menschen in der DDR und in der Bundesrepublik» wollten, fügte aber unter lebhaftem Beifall hinzu: «Wir haben die Idee der Einheit nie als abstrakte Idee eines Staates begriffen, sondern als ein Zusammenkommen und ein Zusammengehen der Menschen... Gefragt nach der deutschen Einheit, habe ich immer wieder gesagt: Entscheidend für mich ist, daß es meinen Freunden in Leipzig, Dresden und überall in der DDR genau so geht wie mir oder meinen Freunden in Wien. Das ist das entscheidende Projekt der Zukunft, Genossinnen und Genossen.»

Die Frage der staatlichen Organisation sei demgegenüber eine «zweite Frage». Sie bleibe zur Lösung der internationalen Probleme wichtig. «Aber vor allem muß doch auch für uns hier in der Bundesrepublik die Idee der sozialen Gerechtigkeit stehen. Die Idee der sozialen Gerechtigkeit ist immer vorrangig gegenüber der Idee, wie zukünftige Staaten zu schaffen seien. Für mich – und das wird die Auseinandersetzung der nächsten Monate werden, und dazu rufe ich die Partei auf – ist die Frage entscheidend, wie wir soziale Gerechtigkeit in der DDR und in der Bundesrepublik in den nächsten Wochen und Monaten organisieren. Hier, an dieser Stelle, ist die Achillesferse der Konservativen; hier können wir sie jagen. Hier haben wir ein Instrument, allen Übersteigerungen des Nationalismus, die jetzt wieder hochgekommen sind, zu widerstehen und sie durch unsere politische Arbeit zu bekämpfen. Denn die Deutschen in der DDR und in der Bundesrepublik interessiert in erster Linie, wie es ihnen geht, ob sie ärztlich versorgt werden, ob sie es im Winter warm haben, ob sie genug zu essen haben, ob sie Arbeit haben und eine Wohnung finden. Das interessiert sie viel mehr als die Frage, in welcher Rechtskonstruktion vielleicht eines Tages unsere Ideen verwirklicht werden.»

Klarer, als es Lafontaine in seiner Rede vom 19. Dezember 1989 auf dem Berliner Parteitag der SPD tat, konnte ein westdeutscher Politiker den Deutschen in der DDR nicht sagen, daß er mit ihnen nicht unter einem gemeinsamen staatlichen Dach zusammenleben wollte. Der Ministerpräsident des Saarlandes vermochte es zwar nicht zu verhindern, daß der Parteitag in seiner «Berliner Erklärung» die bundesstaatliche Einheit als Ziel des deutschen Einigungsprozesses bezeichnete. Für seine Rede aber erhielt er so viel Beifall, daß er sich seiner Kanzlerkandidatur fast schon sicher sein konnte.

Ein Jahr zuvor, in seinem Buch «Die Gesellschaft der Zukunft», hatte Lafontaine noch die Menschheitsverbrechen des Nationalsozialismus als Argument gegen einen neuen deutschen Nationalstaat herangezogen. Bei der Begründung des neuen Berliner Programms begnügte sich der stellvertretende Parteivorsitzende der SPD mit der These, noch nie seien Nation und Nationalstaat in Deutschland dasselbe gewesen. Als er, gewiß nicht absichtslos, neben Leipzig und Dresden Wien als eine der Städte nannte, in denen es seinen «Freunden» so gut gehen müsse wie ihm selbst, machte er deutlich, daß er in den Kategorien einer großdeutschen Kulturnation dachte.

Lafontaine nannte die Deutschen, in Anlehnung an Helmuth Plessners Buch «Die verspätete Nation», eine «zu spät gekommene Nation». In Wirklichkeit hatten die Deutschen nur später als Engländer und Franzosen einen Nationalstaat hervorgebracht. Die Hypothek des Bismarckreiches war nicht die Lösung der Einheitsfrage, sondern die Verschleppung der Freiheitsfrage. Lafontaine freilich sah das anders. Bismarcks kleindeutscher Nationalstaat war für ihn, das hatte er schon 1988 dargelegt, per se historisch illegitim und folglich nichts, woran man 1989 anknüpfen konnte. Drei deutsche Staaten – die Bundesrepublik Deutschland, die Deutsche Demokratische Republik und die Republik Österreich – waren aus seiner Sicht durchaus eine mögliche, ja wünschenswerte Lösung der deutschen Frage. Die Voraussetzung war lediglich, daß in allen drei Staaten Lafontaines Vorstellungen von sozialer Gerechtigkeit verwirklicht wurden.

Um soziale Gerechtigkeit ging es auch Grass. Aber er begründete sein Plädoyer für einen deutschen Lastenausgleich ganz anders und moralisch glaubwürdiger als Lafontaine – nämlich mit der spezifischen Ungerechtigkeit, die darin lag, daß den Ostdeutschen einseitig die Hauptlast der Folgen eines Krieges aufgebürdet worden war, für den sie nicht in höherem Maß verantwortlich waren als die Westdeutschen. Der Lastenausgleich war in der Tat überfällig, sprach aber eher für als gegen eine Vereinigung der beiden deutschen Staaten. Wenn Grass sich gegen diese Lösung aussprach, dann auf Grund einer problematischen historischen Beweisführung.

Noch schärfer als auf dem sozialdemokratischen Parteitag formulierte er seine These in der «Kurzen Rede eines vaterlandslosen Gesellen» am 2. Februar 1990 in der Evangelischen Akademie in Tutzing: «Den deutschen Einheitsstaat hat es in wechselnder Größe nur knapp fünfundsiebzig Jahre lang gegeben: als Deutsches Reich unter preußischer Vorherrschaft; als von Anbeginn vom Scheitern bedrohte Weimarer Republik; schließlich, bis zur bedingungslosen Kapitulation, als Großdeutsches Reich. Uns sollte bewußt sein, unseren Nachbarn ist bewußt, wieviel Leid dieser Einheitsstaat verursachte, welch Ausmaß (an) Unglück er anderen und uns gebracht hat. Das unter dem Begriff Auschwitz summierte und durch nichts zu relati-

vierende Verbrechen Völkermord lastet auf diesem Einheitsstaat... Er war
die früh geschaffene Voraussetzung für Auschwitz... Der deutsche Einheitsstaat verhalf der nationalsozialistischen Rassenideologie zu einer ent-
setzlich tauglichen Grundlage. An dieser Erkenntnis führt nichts vorbei.
Wer gegenwärtig über Deutschland nachdenkt und Antworten auf die
deutsche Frage sucht, muß Auschwitz mitdenken. Der Ort des Schreckens,
als Beispiel genannt für das bleibende Trauma, schließt einen zukünftigen
deutschen Einheitsstaat aus.»

Die Einwände gegen Grass' Geschichtsdeutung liegen auf der Hand. Der
Völkermord an den europäischen Juden hatte historische Wurzeln, die weit
hinter Bismarcks Reichsgründung zurückreichten – bis hin zum christlichen Judenhaß, wie er sich zwischen der Spätantike und der Reforma-
tionszeit herausgebildet hatte. Mit der Gründung des kleindeutschen Nationalstaates, der, anders als die Französische Republik, *kein* Einheitsstaat,
sondern ein Bundesstaat war, waren noch nicht die Weichen für die Herrschaft Hitlers gestellt.

Der Begriff «Kulturnation», den Grass und Lafontaine Herder zuschrie-
ben, war zu Beginn des 20. Jahrhunderts zusammen mit dem Gegenbegriff
«Staatsnation» in die Diskussion eingeführt worden; die deutsche Kulturnation ging, wie Friedrich Meinecke 1907 in seinem Buch «Weltbürgertum
und Nationalstaat» gezeigt hatte, der von Preußen geprägten deutschen
Staatsnation zeitlich voraus und umfaßte einen sehr viel größeren Raum als
diese; bezogen auf die Deutschen, die zwischen 1871 und 1945 der kleindeutschen Staatsnation angehört hatten, ergab der Begriff Kulturnation
keinen Sinn. Ein klassischer, souveräner Nationalstaat, wie das Deutsche
Reich einer gewesen war, stand 1989/90 überhaupt nicht zur Debatte. Vorstellbar war ein vereinigtes Deutschland nur als fest in Europa integrierter
Bundesstaat – als ein postklassischer Nationalstaat mithin, wie es die anderen Mitgliedsstaaten der Europäischen Gemeinschaft auch waren.

Mit dem, was Grass über das Mitdenken von Auschwitz sagte, stand er
nicht allein. In den achtziger Jahren hatte so etwas wie eine unbewußte
Umwidmung der Berliner Mauer stattgefunden: Sie galt vielen westdeutschen Intellektuellen nicht mehr als Symbol der Unfreiheit der Ostdeutschen, sondern als Mahnmal für die ermordeten Juden. Tatsächlich war
Deutschland nicht wegen des nationalsozialistischen Menschheitsverbrechens geteilt worden, sondern weil die Alliierten sich nicht über die Lösung
der deutschen Frage hatten verständigen können. «Nationale Schuld wird
nicht durch die willkürliche Spaltung einer Nation getilgt», hatte Brandt
am 6. Dezember in Rostock gesagt. Das hieß auch: Die deutsche Schuld war
nicht getilgt, wenn die deutsche Teilung überwunden wurde. Die deutsche
Schuld *war* nicht zu tilgen.

Für Willy Brandt hatte es nie einen Zweifel daran gegeben, daß die Deutschen in der Bundesrepublik gegenüber den Deutschen in der DDR zu
einer spezifischen, nämlich nationalen Solidarität verpflichtet waren. Die-

ser Gedanke hatte seiner Ostpolitik zugrunde gelegen – zu einer Zeit, in der
es darauf ankam, den Zusammenhalt der Nation aufrechtzuerhalten, ein
deutscher Nationalstaat aber allenfalls ein Fernziel sein konnte. Als die Vereinigung der beiden deutschen Staaten 1989 zu einer politischen Möglichkeit wurde, wurde sie für Brandt auch zu einer moralischen Notwendigkeit. Seine Bedenken gegen den Begriff «Wiedervereinigung» waren indes
nicht stichhaltig. Die Deutschen, die seit 1949 in zwei Staaten lebten, hatten ein Dreivierteljahrhundert lang, von 1871 bis 1945, in *einem* Staat gelebt. Das Territorium eines vereinigten Deutschland war nicht identisch mit
dem des 1945 untergegangenen Deutschen Reiches. Es war *das* Gebiet, das
nach zwei Weltkriegen vom Bismarckreich noch übriggeblieben war. Mehr
war nicht wiederzuvereinigen.

Der 19. Dezember 1989 wurde nicht zum Tag Oskar Lafontaines, sondern Helmut Kohls. Am gleichen Tag, an dem der Ministerpräsident des
Saarlandes in Berlin seine Rede gegen die Wiedervereinigung hielt, traf sich
der Bundeskanzler mit dem Ministerpräsidenten der DDR in Dresden, um
über eine deutsche Vertragsgemeinschaft zu sprechen. Kohls Besuch wurde
zu einer Kundgebung für die Wiedervereinigung und zu einem persönlichen Triumph für den Bonner Regierungschef. Wo immer der Kanzler erschien, wurde er mit «Helmut, Helmut»-Rufen bejubelt. Auf einem Transparent war zu lesen «Bundesland Sachsen begrüßt den Bundeskanzler».
Der Platz vor der Ruine der Frauenkirche, auf dem Kohl am Nachmittag
auf Vorschlag von Oberbürgermeister Berghofer eine ursprünglich nicht
geplante, kurze Ansprache hielt, glich einem Meer von schwarz-rot-golde-
nen Fahnen. Die Dresdner riefen «Deutschland, Deutschland», «Einheit,
Einheit» und «Deutschland einig Vaterland».

Die Rede vor der Frauenkirche stellte hohe Anforderungen an den Bundeskanzler. Er mußte den Empfindungen der Menschen gerecht werden,
durfte aber keine falschen Erwartungen wecken; er mußte auf den Ruf nach
Einheit eingehen, aber zugleich alles vermeiden, was die Krise in der DDR
zuspitzen und das Ausland beunruhigen konnte. Kohl löste die Aufgabe mit
Bravour. «Wir wollen und wir werden niemanden bevormunden», sagte er.
«Wir respektieren das, was Sie entscheiden für die Zukunft des Landes. Wir
lassen unsere Landsleute in der DDR nicht in Stich. Und wir wissen, wie
schwierig dieser Weg in die Zukunft ist. Aber ich rufe Ihnen auch zu: Gemeinsam werden wir den Weg in die deutsche Zukunft schaffen... Wir wollen, daß die Menschen sich hier wohl fühlen, wir wollen, daß sie in ihrer Heimat bleiben und hier ihr Glück finden können. Mein Ziel bleibt, wenn die
geschichtliche Stunde es zuläßt, die Einheit unserer Nation. Und liebe
Freunde, ich weiß, daß wir das Ziel erreichen können und daß die Stunde
kommt, wenn wir gemeinsam dafür arbeiten, wenn wir das mit Vernunft
und Augenmaß tun, und mit Sinn für das Mögliche... Das Haus Deutschland, unser Haus muß unter einem europäischen Dach gebaut werden, das
muß das Ziel unserer Politik sein... Gott segne unser deutsches Vaterland!»

Kohl verließ Dresden am 20. Dezember mit der Überzeugung, daß das Regime der DDR vor dem Zusammenbruch stand und es keine Alternative mehr gab zu einer Wiedervereinigung in möglichst naher Zukunft. Zu den konkreten Vereinbarungen, die er mit Ministerpräsident Modrow getroffen hatte, gehörten visafreie Reisen von Bundesbürgern in die DDR und nach Ost-Berlin schon zum Heiligen Abend (und nicht erst, wie bis dahin vorgesehen, vom 1. Januar 1990 ab), eine Umtauschregelung für Westbesucher nach Wegfall des Zwangsumtausches zum Kurs von 1 DM gegen 3 Mark der DDR und, mit am spektakulärsten, die Öffnung eines Fußgängerübergangs am Brandenburger Tor noch vor Weihnachten.

Am 23. Dezember 1989 wurde der neue Übergang am Wahrzeichen des geteilten Berlin mit kurzen Reden von Kohl und Modrow und den beiden Stadtoberhäuptern, Walter Momper und Erhard Krack, eröffnet. «Die deutsche Frage ist so lange offen, als das Brandenburger Tor zu ist», hatte Richard von Weizsäcker, der im Mai mit großer Mehrheit wiedergewählte Bundespräsident, schon vor Jahren bemerkt. Nun war das Brandenburger Tor offen und die deutsche Frage auch. Daß sie nicht mehr lange offenbleiben konnte, war um die Jahreswende 1989/90 unschwer vorherzusagen.[8]

»Stasi in die Produktion» hatten die Demonstranten im Herbst 1989 in den Städten der DDR unzählige Male skandiert oder, nach der Melodie des populären Schlagers «Ja, wir sind mit'm Radl da», gesungen. Doch der Sicherheitsapparat dachte nicht daran, dieser Aufforderung Folge zu leisten – oder jedenfalls nicht in der Weise, wie sie gemeint war. Das Ministerium für Staatssicherheit war zwar am 17. November aufgelöst und durch das Amt für Nationale Sicherheit (AfNS) ersetzt worden («Nasi» nannten die Demonstranten die neue Behörde). Aber unter Mielkes Nachfolger Wolfgang Schwanitz ging die schon von seinem Vorgänger angeordnete Vernichtung besonders brisanter Aktenbestände weiter – seit dem 7. Dezember sogar auf Grund eines formellen Beschlusses der Regierung Modrow. Betroffen waren unter anderem Pläne zur Bereitstellung und Erweiterung von «Objekten», die zur Isolierung von Oppositionellen im Krisenfall dienen sollten, also Internierungslager, ferner Mobilmachungspläne und Unterlagen über den Einsatz biologischer und chemischer Kampfmittel. Die Nasi fühlte sich ebenso als «Schwert und Schild» der Partei wie die Stasi. Sie setzte die Bespitzelung von Oppositionellen fort und organisierte gleichzeitig für die Zeit nach dem Ende der Diktatur die Unterbringung der «Tschekisten» in der Volkspolizei, beim Zoll, in Behörden und Betrieben. Am gleichen 7. Dezember, an dem der Ministerrat dem Amt für Nationale Sicherheit den Auftrag erteilte, «die unberechtigt angelegten Dokumente unverzüglich zu vernichten», beschloß der Runde Tisch in seiner ersten Sitzung das genaue Gegenteil: Das AfNS sollte unter ziviler Kontrolle aufgelöst und die Vernichtung von Dokumenten und anderem Beweismaterial eingestellt werden. Daraufhin entschied sich die Regierung Modrow, die Auflösung des Amtes selbst zu übernehmen und statt dessen ein Organ für den Verfassungsschutz und einen Nachrichtendienst aufzubauen. Die Bürgerrechtler widersetzten sich dieser Absicht und veranlaßten den Runden Tisch am 27. Dezember zu dem Beschluß, mit der Errichtung eines Verfassungsschutzes nicht vor der Volkskammerwahl am 6. Mai zu beginnen. Da Aktenvernichtung und Umgestaltung des ehemaligen MfS weitergingen, faßte der Runde Tisch am 8. Januar 1990 einen weiteren, diesmal von den früheren Blockparteien mitgetragenen und ultimativ gehaltenen Beschluß: Modrow sollte am 15. Januar einen Bericht über die innere Sicherheit erstatten. Am 12. Januar reagierte der Ministerpräsident: Er gab die Auflösung des Amtes für Nationale Sicherheit bekannt, bot dem Runden Tisch an, dabei kontrollierend mitzuwirken, und versprach, vor den Wahlen keine neue Einrichtung für den Verfassungsschutz zu bilden.

Eine beruhigende Wirkung ging von diesen Ankündigungen nicht aus. Das Nein, das Modrow in seiner Regierungserklärung vom 11. Januar einer Vereinigung von Bundesrepublik und DDR entgegengesetzt hatte, trieb ebenso wie sein Taktieren in der Frage der inneren Sicherheit Tag für Tag Massen auf die Straße: Am 14. Januar demonstrierten allein in Magdeburg Zehntausende gegen die «Rückkehr der SED an die Macht». Tags darauf erschien Modrow beim Runden Tisch, obwohl er am 13. Januar erklärt hatte, nicht er, sondern Innenminister Lothar Ahrendt (SED/PDS) werde dort Rede und Antwort stehen. Der Ministerpräsident versprach den Teilnehmern enges Zusammenwirken und ständige Konsultation. Es gehe vor allem darum, «die Ursachen für bestehende Ängste ein für allemal zu beseitigen und Vertrauen zueinander zu schaffen. Ohne dieses Vertrauen ist ein Vorankommen auf dem Wege der demokratischen Erneuerung nicht möglich.»

Am gleichen Tag eskalierte die Auseinandersetzung um die Handhabung der inneren Sicherheit durch die Regierung Modrow. Etwa 100 000 Menschen versammelten sich, einem Aufruf des Neuen Forums folgend, vor dem (ehemaligen) Ministerium für Staatssicherheit in der Normannenstraße, um gegen Stasi und Nasi zu protestieren. Doch die Kundgebung entglitt rasch der Kontrolle der Veranstalter. Tausende stürmten das Gebäude, verwüsteten zahlreiche Räume und vernichteten wichtiges Beweismaterial. Vieles spricht dafür, daß bei dieser Aktion «agents provocateurs» aus dem Sicherheitsapparat eine wichtige Rolle spielten. Ministerpräsident Modrow und Vertreter des Runden Tisches versuchten, beruhigend auf die Demonstranten einzuwirken. Die gemeinsamen Bemühungen hatten schließlich Erfolg. Aber der Ausbruch von Gewalt war nicht mehr ungeschehen zu machen. Ob die «friedliche Revolution» friedlich bleiben würde, war seit dem 15. Januar 1990 völlig ungewiß.

Die Ereignisse in der Normannenstraße enthüllten einen Zustand, den Uwe Thaysen als «Machtvakuum» bezeichnet hat. Der Rückhalt für die Regierung Modrow in der Bevölkerung war mittlerweile so schwach, daß sich der Ministerpräsident genötigt sah, den Runden Tisch als zentrales Kontroll- und Steuerungsorgan zu akzeptieren. Modrow hatte keine andere Wahl mehr: Er hatte sich entschlossen, das bisher von der SED und den ehemaligen Blockparteien getragene Kabinett durch Einbeziehung der Oppositionsgruppen in eine «Regierung der nationalen Verantwortung» umzuwandeln, und diese Absicht war ohne den Runden Tisch nicht zu verwirklichen.

Am hartnäckigsten war der Widerstand gegen den Eintritt in ein solches Kabinett bei der SDP, die sich auf einer Delegiertenkonferenz vom 12. bis 14. Januar in SPD umbenannt hatte und als Ziel ihrer Politik ein geeintes Deutschland bezeichnete: Die Sozialdemokraten fürchteten, daß sich ihre Wahlchancen durch Beteiligung an einer Regierung Modrow verschlechtern würden. Am 24. Januar versuchte die CDU, Druck auf die SPD auszuüben: Sie werde ihre Minister abberufen, wenn es nicht zur Großen Koalition komme; vom 25. Januar ab gehörten die Vertreter der CDU dem Kabinett Modrow nur noch geschäftsführend an. Am 28. Januar wurde die «Regierung der nationalen Verantwortung» schließlich in der Weise vereinbart, wie sie am 5. Februar zustande kam: Alle Parteien und Gruppen des Runden Tisches entsandten einen Minister ohne Geschäftsbereich in das neue Kabinett. Die SPD stimmte zu, nachdem sich der Runde Tisch und die Regierung auf einen früheren Wahltermin, den 18. März 1990, verständigt hatten. Am 6. Mai, dem am 7. Dezember beschlossenen Termin für die Volkskammerwahl, sollten Kommunalwahlen stattfinden.

Die Gründe für die Regierungsbeteiligung des Runden Tisches lagen in der Angst vor dem wirtschaftlichen Zusammenbruch der DDR und allgemeinem Chaos. Die Zahlen der Übersiedler waren nach wie vor hoch: Zwischen der Öffnung der Grenzen am 9./10. November und dem 31. Dezember 1989 hatten 119000 Bürger der DDR das Land verlassen; im Januar 1990 wurden etwa 55000 Übersiedler gezählt; de Maizière sprach am 25. Januar in einem Interview mit der «Welt» von 2 bis 3 Millionen Deutschen, die auf «gepackten Koffern» säßen. Modrow zeichnete am 28. Januar am Runden Tisch ein außerordentlich düsteres Bild von der Situation der DDR. «Die ökonomischen und sozialen Spannungen in der Gesellschaft haben zugenommen und berühren bereits das tägliche Leben vieler Menschen. In wachsendem Maße werden ... Forderungen erhoben, (welche) die Möglichkeiten des Staates bei weitem übersteigen und, wenn ihnen nachgegeben wird, die Existenz der DDR gefährden.» Tags darauf bekam die Volkskammer von Modrow dasselbe zu hören.

Die Vorverlegung des Wahltermins vom 6. Mai auf den 18. März entsprach dem Wunsch des Bonner Kanzlers, möglichst bald mit einer demokratisch legitimierten Regierung in Ost-Berlin verhandeln zu können. Der frühere Termin kam aber auch den Interessen der SED/PDS und SPD entgegen. Die ehedem führende Partei war immer noch die am besten organisierte; sie konnte davon ausgehen, daß ihr Ansehen im Mai noch tiefer ge-

sunken sein würde als im März. Die Sozialdemokraten vertrauten nicht zuletzt wegen der großen Popularität Willy Brandts darauf, als stärkste Partei aus den Wahlen hervorzugehen und dann den neuen Regierungschef zu
stellen. Für CDU und LDPD hing alles von der Entwicklung ihres Verhältnisses zu den Bonner «Schwesterparteien» ab; sie konnten darauf setzen, daß ein früher Wahltermin dazu beitragen würde, noch vorhandene
Vorbehalte bei den Westparteien abzubauen. Der Demokratische Aufbruch
schwankte noch zwischen einer Anlehnung an West-CDU oder FDP, war
aber längst die «prowestlichste» Bürgerrechtsgruppe; ein früher Wahltermin bedeutete für ihn kein erhöhtes Risiko. Für die Bürgerrechtsgruppen,
die keinen starken Partner in der Bundesrepublik hatten, war die Lage sehr
viel schwieriger. Mit einem guten Abschneiden war bei einem gemeinsamen
Auftreten aller Kräfte zu rechnen, die in der «Kontaktgruppe» zusammen-
arbeiteten. Aber es wurde immer unwahrscheinlicher, daß die SPD darauf
verzichten würde, sich als eigenständige Partei zur Wahl zu stellen. Ihre
Umfragewerte waren dafür zu günstig.

Am 30. Januar traf Modrow zum zweiten Besuch seit seiner Wahl zum
Ministerpräsidenten in Moskau ein. (Das erste Mal hatte er am 4. Dezember politische Gespräche in der sowjetischen Hauptstadt geführt.) Das Ergebnis seiner Unterredung mit Gorbatschow war sensationell. ADN gab
bekannt, der Generalsekretär der KPdSU habe bereits vor der Begegnung
mit dem Ministerpräsidenten erklärt, es gebe bei den Deutschen und den
Repräsentanten der vier Mächte ein gewisses Einvernehmen, «daß die Vereinigung der Deutschen niemals und von niemandem in Zweifel gezogen
wird». Nach seiner Zusammenkunft mit Gorbatschow teilte Modrow auf
Fragen von Journalisten mit, «Probleme der Vereinigung der deutschen
Staaten» seien eingehend erörtert worden. Gorbatschow habe der Formel
zugestimmt, daß «beide deutsche Staaten ihre Beziehungen zueinander
zielstrebig ausbauen» sollten, um so «das Zusammenrücken der DDR und
der BRD auf dem Weg einer Konföderation weiterzuverfolgen».

Gorbatschow hatte eine radikale Kehrtwende in der sowjetischen
Deutschlandpolitik vollzogen; daran gab es nichts zu deuten. Vorausgegangen war am 24. Januar ein Interview Portugalows mit «Bild». Darin
hatte der Konsultant der Abteilung für internationale Beziehungen beim
ZK der KPdSU erklärt: «Wenn das Volk der DDR die Wiedervereinigung
will, dann wird sie kommen. Wir werden uns in keinem Fall gegen diese
Entscheidung stellen, werden uns nicht einmischen.»

Von einem Moskauer Veto gegen die Wiedervereinigung konnte seit
Ende Januar keine Rede mehr sein; vielmehr wurde das Selbstbestimmungsrecht der Deutschen einschließlich des Rechtes von Bundesrepublik
und DDR, sich zu *einem* Staat zu vereinigen, grundsätzlich anerkannt. Der
«Pferdefuß» dieses Positionswechsels wurde erst sichtbar, als Modrow am
1. Februar auf einer Pressekonferenz in Ost-Berlin seinen Plan «Für
Deutschland, einig Vaterland – Konzeption für den Weg zu einem einheit-

lichen Deutschland» vorstellte. Als Schritte zur Erreichung dieses Zieles nannte er den Abschluß eines Vertrages über Zusammenarbeit und gute Nachbarschaft, die Bildung einer Konföderation von Deutscher Demokratischer Republik und Bundesrepublik Deutschland; die Übertragung von Souveränitätsrechten an die Konföderation; die Bildung «eines einheitlichen deutschen Staates in Form einer Deutschen Konföderation oder eines Deutschen Bundes». Die notwendige Voraussetzung für diese Entwicklung sei die «militärische Neutralität von DDR und BRD auf dem Weg zur Föderation».

Die militärische Neutralität eines vereinten Deutschland war für die USA, Großbritannien und Frankreich nicht annehmbar: Das wußten Gorbatschow und Modrow. Nicht ganz so sicher war, wie sich die politischen Kräfte in der Bundesrepublik zu dem vom Generalsekretär der KPdSU gebilligten Plan des Ministerpräsidenten der DDR verhalten würden. Von der Bundesregierung war zu erwarten, daß sie die amerikanische Bedingung einer NATO-Mitgliedschaft Gesamtdeutschlands mittragen würde; Lafontaine aber hatte diese Forderung auf dem Berliner Parteitag der SPD als «historischen Schwachsinn» zurückgewiesen. Eine kontroverse westdeutsche Debatte über Modrows Plan war also wahrscheinlich.

Doch anders als zu Stalins Zeiten ging es Moskau und Ost-Berlin 1990 nicht darum, einen Keil zwischen die Westdeutschen und die drei Westmächte zu treiben. Die DDR war inzwischen so schwach, daß sie auf die Perspektive der deutschen Einheit angewiesen war; die Sowjetunion war nicht mehr stark genug, um die deutsche Vereinigung zu verhindern. Die militärische Neutralität Deutschlands war, so gesehen, eine Maximalforderung, so wie, auf der anderen Seite, die volle Integration ganz Deutschlands in die NATO eine Maximalforderung war. Nur auf dem Verhandlungsweg konnte ein Ausgleich zwischen den gegensätzlichen Ausgangspositionen gefunden werden.[9]

Die Bonner Antwort auf Modrows Stufenplan hieß: Währungsunion und Einführung der Marktwirtschaft in der DDR. Öffentlich gefordert hatten die Währungsunion zunächst Sozialdemokraten – Willy Brandt in viel bejubelten Reden am 6. Dezember in Rostock und am 19. Dezember in Magdeburg, am 19. Januar Ingrid Matthäus-Maier, die finanzpolitische Sprecherin der Bundestagsfraktion, in der «Zeit», am 2. Februar auch Wolfgang Roth, der wirtschaftspolitische Sprecher der Bundestagsfraktion. Am 30. Januar legte Bundesfinanzminister Theo Waigel seine Beamten auf die Stichtagslösung fest: die Einführung der DM als offizielles Zahlungsmittel in der DDR zu einem möglichst frühen Termin. Am 6. Februar ging Bundeskanzler Kohl nach Rücksprache mit dem Vorsitzenden der FDP, Otto Graf Lambsdorff, an die Öffentlichkeit: Er werde dem Kabinett vorschlagen, der DDR Verhandlungen über eine «Währungsunion mit Wirtschaftsreformen» anzubieten. Am folgenden Tag, dem 7. Februar, stimmte das Kabinett diesem Vorschlag zu. Gleichzeitig setzte es einen Ausschuß «Deutsche Einheit» ein.

Von Übergangsstadien wie einer Konföderation (oder, wie Kohl am 28. November bewußt vorsichtig formuliert hatte, «konföderativen Strukturen») war nun keine Rede mehr. Am 3. Februar hatte Modrow dem Kanzler bei einer Zusammenkunft am Rande des Weltwirtschaftsforums in Davos die Lage in der DDR in so düsteren Farben geschildert, daß Kohl sich in seinem Eindruck bestätigt sah, der ostdeutsche Staat treibe immer mehr dem Chaos zu. Die rasche Einführung der DM erschien als das einzige Mittel, um den Übersiedlerstrom einzudämmen. Massive Bonner Wirtschaftshilfe hingegen, wie Modrow sie forderte, versprach keine Verbesserung der Verhältnisse, da seine Regierung bislang nicht die Kraft für einen radikalen Systemwandel bewiesen hatte. Die wirtschaftlichen Bedenken gegen eine Währungsunion mit der DDR waren zwar erheblich: Experten bescheinigten der DDR eine Arbeitsproduktivität von höchstens 50 % des westdeutschen Niveaus lag; die Bundesbank und der von der Bundesregierung eingesetzte Sachverständigenrat zur Begutachtung der gesamtwirtschaftlichen Entwicklung machten deutlich, daß sie eine schnelle Einführung der DM in der DDR für unrealistisch hielten. Politisch aber sprach alles dafür, den Einigungsprozeß zu beschleunigen und das Haupthindernis der wirtschaftlichen Erholung zu beseitigen: das fehlende Vertrauen in die Zukunft des Gebiets zwischen Elbe und Oder. «Politisch» hieß im konkreten Fall freilich auch parteipolitisch: Das Symbol «DM» hatte die besten Aussichten, sich als Wahlkampfhilfe für die «Allianz für Deutschland» zu erweisen – jenes am 5. Februar ins Leben gerufene Bündnis der CDU, des Demokratischen Aufbruchs und der am 20. Januar, unter Anleitung der bayerischen CSU, gegründeten Deutschen Sozialen Union (DSU), das einen Wahlsieg der Sozialdemokraten am 18. März verhindern sollte. Kohl wollte die Frage der Währungsunion nicht zum Thema seiner Gespräche im Kreml machen, die am 10. Februar stattfinden sollten, aber Gorbatschow auch nicht durch eine entsprechende Ankündigung unmittelbar nach Abschluß der Moskauer Verhandlungen brüskieren. Die vollendete Tatsache des Angebots *vor* dem Besuch war ein Ausweg aus diesem Dilemma.

Das schwierigste Thema der Moskauer Verhandlungen würde der militärische Status eines wiedervereinigten Deutschland sein: Das stand nach dem Ergebnis der Gespräche zwischen Gorbatschow und Modrow fest. Außenminister Genscher hatte sich am 31. Januar in einem Vortrag vor der Evangelischen Akademie in Tutzing dafür ausgesprochen, daß Gesamtdeutschland dem atlantischen Bündnis angehören, das Territorium der DDR aber nicht in die militärischen Strukturen der NATO einbezogen werden sollte. Am 2. Februar flog der Bonner Außenminister nach Washington. Sein Kollege Baker erklärte sich mit Genschers Tutzinger Vorschlag einverstanden, Präsident Bush ebenfalls. Übereinstimmung wurde auch in einem anderen Punkt erzielt: Verhandlungen über die deutsche

Wiedervereinigung sollten, entsprechend einem Vorschlag aus dem State Department, nach der Formel «Zwei plus Vier» geführt werden, also zwischen den beiden deutschen Staaten und den vier ehemaligen Besatzungsmächten. Genscher legte großen Wert auf *diese* Reihenfolge; auf keinen Fall durfte der Eindruck entstehen, als entschieden die Vier Mächte über Deutschland. Abwegig war diese Befürchtung nicht: Ein Treffen der Botschafter der Vier Mächte im Gebäude des Alliierten Kontrollrats in Berlin am 11. Dezember, das auf sowjetischen Wunsch zustande gekommen war, hatte heftige Proteste der Bundesregierung ausgelöst.

Bevor Kohl und Genscher in Moskau eintrafen, führte dort Baker am 7. Februar Gespräche – erst mit Schewardnadse, dann mit Gorbatschow. Nachdem er zuvor schon die Unterstützung seiner Kollegen in London und Paris, Hurd und Dumas, für das «Zwei-plus-Vier»-Projekt erhalten hatte, verständigte er sich jetzt auch mit Gorbatschow auf Verhandlungen entsprechend dieser Formel. «Vier plus zwei» wäre diesem zwar lieber gewesen, aber großes Gewicht maß er dem Unterschied nicht bei. In der Frage der Bündniszugehörigkeit eines wiedervereinigten Deutschlands zeigte sich Gorbatschow überraschend konziliant. Er war sogar bereit, über eine NATO-Mitgliedschaft ganz Deutschlands nachzudenken, wenn sichergestellt war, daß die Zuständigkeiten des westlichen Bündnisses nicht nach Osten ausgedehnt wurden. Ein Ja zu den amerikanischen Vorstellungen war das allerdings, wie sich zeigen sollte, noch nicht.

Als Kohl und Genscher drei Tage später, am 10. Februar, mit Gorbatschow zusammentrafen, waren sie über das Ergebnis von Bakers Moskauer Gesprächen informiert. Der Generalsekretär bestätigte dem Kanzler, was er am 30. Januar Modrow gesagt hatte: Die Deutschen in der Bundesrepublik und in der DDR müßten selbst wissen, welchen Weg sie gehen wollten. Eine Entscheidung für die Einheit sei die Wahl der Deutschen – eine Wahl, die jedoch «im Kontext der Realitäten» getroffen werden müsse. Gegen «Zwei-plus-Vier»-Verhandlungen erhob Gorbatschow keine Einwände. («Nichts ohne Sie», versicherte er Kohl wörtlich.) Zurückhaltend waren seine Äußerungen zum militärischen Status eines vereinten Deutschland. Eine Blockfreiheit nach dem Vorbild Indiens oder Chinas hielt er für bedenkenswert und machte deutlich, daß die Sowjetunion eine Veränderung der Kräfteverhältnisse zu Lasten des Warschauer Pakts und zugunsten der NATO nicht hinzunehmen gedachte.

Vor der Presse gab sich Kohl nach Abschluß der Gespräche überzeugt, daß die offenen Fragen zusammen mit Washington, Paris und London gelöst werden könnten. Die wichtigste Botschaft war für den Bundeskanzler, daß Gorbatschow und er darin übereinstimmten, «daß es das alleinige Recht des deutschen Volkes ist, die Entscheidung zu treffen, ob es in einem Staat zusammenleben will. Generalsekretär Gorbatschow hat mir unmißverständlich zugesagt, daß die Sowjetunion die Entscheidung der Deutschen, in einem Staat zu leben, respektieren wird, und daß es Sache der

Deutschen ist, den Zeitpunkt und den Weg der Einigung selbst zu bestimmen.»

Die Moskauer Gespräche stärkten das Selbstbewußtsein der Bundesregierung. Als am 13. Februar auf einem Treffen der Außenminister der NATO und des Warschauer Pakts in Ottawa, der «Open Skies Conference», der italienische Außenminister Gianni De Michelis und sein niederländischer Kollege Hans van den Broek eine Beteiligung an den Verhandlungen über die Vereinigung der beiden deutschen Staaten forderten, beschied Genscher sie barsch: «You are not part of the game!» Die Entscheidung war in der Tat bereits gefallen: Nachdem Eduard Schewardnadse in Ottawa Zwei-plus-Vier-Verhandlungen zugestimmt hatte, mußten sich die Außenminister aller anderen Mitgliedsstaaten der beiden Bündnisse mit dem Versprechen regelmäßiger Konsultationen begnügen.

Am gleichen Tag, dem 13. Februar, mußte Ministerpräsident Modrow, der an der Spitze einer großen Delegation nach Bonn gekommen war, zur Kenntnis nehmen, daß die Bundesregierung nicht länger bereit war, der von ihm geführten Regierung wirtschaftlich und finanziell entgegenzukommen. Kohl und Waigel wiesen die Forderung nach einem sofortigen Solidarbeitrag in Höhe von 10 bis 15 Milliarden DM zurück und verlangten ihrerseits die zügige Einführung der Sozialen Marktwirtschaft und die Rechtsangleichung auf den zentralen Feldern der Wirtschaftsordnung. Die Minister aus den Oppositionsgruppen, die Modrow mitgebracht hatte, legten vergeblich Protest ein. Der Runde Tisch hatte den Ministerpräsidenten durch die Bildung der Großen Koalition nur kurzfristig gestärkt. Je näher die Volkskammerwahl rückte, desto klarer wurde nun, daß *beide*, die Regierung der DDR *und* der Runde Tisch, über keine wirkliche Macht verfügten. Macht hatte Bonn, und das bekam Ost-Berlin zu spüren.

Noch mächtiger als die Bundesrepublik aber waren die Vereinigten Staaten. In Washington hatte sich noch während Bakers Besuch in Moskau die Auffassung durchgesetzt, daß Genschers Tutzinger Formel, wonach Ostdeutschland nicht in die militärischen Strukturen des atlantischen Bündnisses einbezogen werden dürfe, auf eine Entmilitarisierung und Neutralisierung des Gebiets der DDR hinauslaufen und damit die Schutzgarantie der NATO für ganz Deutschland gefährden würde; allenfalls könne ein «besonderer militärischer Status» Ostdeutschlands innerhalb der Allianz zugestanden werden. Ähnlich argumentierten der Generalsekretär der NATO, Manfred Wörner, Bundesverteidigungsminister Gerhard Stoltenberg (CDU) und Kohls außenpolitischer Berater Horst Teltschik.

Um seine Koalition nicht zu gefährden, schlug sich der Kanzler zunächst auf Genschers Seite und veranlaßte am 19. Februar eine gemeinsame Erklärung des Außen- und des Verteidigungsministers, die weitgehend der Tutzinger Formel entsprach. Bei den Gesprächen, die Kohl am 24. und 25. Februar mit Bush und Baker in Camp David führte, setzten dann jedoch die Amerikaner ihre Position durch. Auf einer gemeinsamen Pressekonferenz erklärte Bush in Absprache mit Kohl, sie stimmten darin überein, «daß ein geeintes Deutschland ein Vollmitglied der NATO und auch Teil des militärischen Verbundes der NATO bleiben muß. Wir sind uns einig, daß die amerikanischen Streitkräfte in einem vereinigten Deutschland und in anderen Teilen Europas verbleiben sollen als weiterer Garant der Stabilität. Der Kanzler und ich waren uns ebenfalls einig, daß in einem geeinten Deutschland das frühere Staatsgebiet der DDR einen militärischen Sonderstatus genießen soll, der die legitimen Sicherheitsinteressen aller interessierten Länder einschließlich der Sowjetunion mit berücksichtigt und dem Rechnung trägt.»

So unerschütterlich, wie der amerikanische Präsident es darstellte, war der Bundeskanzler keineswegs immer für die volle NATO-Mitgliedschaft eines vereinten Deutschland eingetreten. Am 18. Januar 1990 hatte die «Washington Post» einer Meldung von Associated Press zufolge berichtet, Kohl habe in einem Interview die Meinung geäußert, «die Entwicklung in Osteuropa habe die amerikanische Position überholt, die deutsche Einheit könne nur im Zusammenhang mit einer deutschen NATO-Mitgliedschaft erreicht werden. Kohl sagte, zu dieser Frage gebe es Meinungsverschiedenheiten mit Washington. Er denke aber, daß sich die amerikanische Auffassung bei einer Veränderung des Verhältnisses zwischen NATO und Warschauer Pakt ändern könnte.» Am 19. Februar hatte der Kanzler in der Frage der Einbeziehung Ostdeutschlands in die militärischen Strukturen der NATO Genscher gegen Stoltenberg recht gegeben und noch am 24. Februar in Camp David zum Entsetzen von Bush die Frage aufgeworfen, ob ein vereintes Deutschland nicht ähnlich wie Frankreich Mitglied der Allianz sein könne, ohne ihrer Militärorganisation anzugehören.

Der amerikanische Präsident war sich bewußt, daß die von ihm vertretene harte Linie auf sowjetischen Widerstand stoßen würde. Er dürfte sich auch darüber klar gewesen sein, daß ein Nachgeben Gorbatschows in der Frage der deutschen NATO-Mitgliedschaft die Position des Generalsekretärs gegenüber seinen konservativen Widersachern schwächen mußte. Doch Bush schob solche Bedenken in Camp David beiseite: «Zum Teufel damit. Wir haben die Oberhand gewonnen, und nicht sie. Wir können nicht zulassen, daß die Sowjets die Niederlage in einen Triumph ummünzen.» Als er anschließend auf der gemeinsamen Pressekonferenz als äußerstes westliches Zugeständnis einen militärischen Sonderstatus für Ostdeutschland ankündigte, war auch Kohl auf die neue amerikanische Linie festgelegt.

Was die Einschränkungen der NATO-Zugehörigkeit eines vereinten Deutschland anging, mußte Genscher also zurückstecken. In einer anderen Frage aber nahm die Entwicklung den von Genscher gewünschten Verlauf. Seit dem Herbst 1989 schwelte zwischen den Bonner Koalitionspartnern ein Konflikt um die endgültige Anerkennung der deutschen Ostgrenze. Genscher hatte in seiner Rede vor der Vollversammlung der Vereinten Nationen am 27. September ausdrücklich erklärt, Polen solle wissen, «daß sein

Recht, in sicheren Grenzen zu leben, von uns Deutschen weder jetzt noch in Zukunft durch Gebietsansprüche in Frage gestellt wird... Die Unverletzlichkeit der Grenzen ist Grundlage des friedlichen Zusammenlebens in Europa.» Kohl hingegen wollte mit Rücksicht auf die heimatvertriebenen Unionswähler den Vorbehalt einer friedensvertraglichen Regelung der Ostgrenze nicht preisgeben und setzte es durch, daß dieser Vorbehalt auch in eine Entschließung des Bundestags vom 8. November aufgenommen wurde. Daß in den Zehn Punkten vom 28. November eine Aussage zur polnischen Westgrenze fehlte, trug erheblich zur Verschlechterung des Koalitionsklimas im Winter 1989/90 bei.

Anfang März spitzte sich der Streit zu. Nachdem der französische Außenminister Dumas am 1. März erklärt hatte, es sei unvernünftig, eine Antwort auf die Grenzfrage bis zur Einsetzung eines gesamtdeutschen Parlaments zu verschieben, versuchte Kohl ein Junktim zwischen der Anerkennung der Oder-Neiße-Grenze durch beide deutsche Regierungen, dem Verzicht Polens auf Reparationen und einer vertraglichen Sicherung der Rechte der deutschen Minderheit in Polen herzustellen. Alle anderen Parteien protestierten, die FDP kaum minder scharf als SPD und Grüne.

Am 6. März 1990 kam schließlich ein Kompromiß zwischen den Regierungsparteien zustande. In einer Entschließung vom 8. März, die mit den Stimmen von CDU/CSU und FDP angenommen wurde, schlug der Bundestag vor, die beiden freigewählten deutschen Parlamente und Regierungen sollten möglichst bald nach den Wahlen in der DDR gleichlautende Erklärungen abgeben, die in ihrem Kern folgendes beinhalteten: «Das polnische Volk soll wissen, daß sein Recht, in sicheren Grenzen zu leben, von uns Deutschen weder jetzt noch in Zukunft durch Gebietsansprüche in Frage gestellt wird.» In diesem Sinne sollte nach Herstellung der deutschen Einheit die Grenzfrage in einem Vertrag zwischen einer gesamtdeutschen Regierung und der polnischen Regierung geregelt werden. Der Verzicht auf Reparationen, den Polen «gegenüber Deutschland» am 23. August 1953 ausgesprochen hatte, blieb der Entschließung zufolge auch für das vereinte Deutschland gültig. Dasselbe galt für die gemeinsame Erklärung von Ministerpräsident Mazowiecki und Bundeskanzler Kohl vom 10. November 1989, in der eine vertragliche Regelung der Rechte der deutschen Minderheit in Polen vereinbart worden war.

Fünf Unionsabgeordnete enthielten sich der Stimme, sieben, darunter der Vertriebenenpolitiker Herbert Czaja, vertraten in schriftlichen Erklärungen die Auffassung, die Entschließung sei keine rechtsgültige Entscheidung über die Nachkriegsgrenze. SPD und Grüne lehnten die Zustimmung wegen Kohls Haltung in der Grenzfrage ab. Die polnische Regierung zeigte sich mit der Entschließung unzufrieden, und auch Paris ging die Resolution nicht weit genug. Doch sie war ein wichtiger Schritt nach vorn – in Richtung der endgültigen Anerkennung der Oder-Neiße-Grenze. Die britische Premierministerin Thatcher sprach am 7. März in einem Brief an Kohl sogar von «höchst staatsmännischen Schritten. Sie werden von großem Nutzen sein und dazu beitragen, die bisherige Ungewißheit zu zerstreuen.»[10]

In seiner Regierungserklärung vom 8. März 1990 machte der Bundeskanzler auch klar, daß er einen Beitritt der DDR zur Bundesrepublik nach Artikel 23 des Grundgesetzes für den besten Weg zur deutschen Einheit hielt. Dieser Artikel sah die Inkraftsetzung des Grundgesetzes «in anderen Teilen Deutschlands... nach deren Beitritt» vor. Einen anderen Weg zeigte Artikel 146: «Das Grundgesetz verliert seine Gültigkeit an dem Tage, an dem eine Verfassung in Kraft tritt, die von dem deutschen Volke in freier Entscheidung beschlossen worden ist.»

Um die Frage «Beitritt» oder «gesamtdeutsche Verfassung» entbrannte im Frühjahr 1990 ein heftiger Streit, dessen Fronten nicht einfach zwischen Regierungskoalition und Opposition oder zwischen Ost und West verliefen. Für Artikel 146 sprachen die unbezweifelbare demokratische Legitimation, die ein Volksentscheid einer gesamtdeutschen Verfassung geben würde, und die integrierende, Ost- und Westdeutsche zusammenführende Wirkung, die von einer solchen Betätigung des deutschen Volkes als «pouvoir constituant» zu erwarten war. Das Bonner Grundgesetz von 1949 sollte, wie es in der Präambel hieß, «dem staatlichen Leben für eine Übergangszeit eine neue Ordnung» geben. Es war von dem durch die Landtage beschickten Parlamentarischen Rat und von den Landtagen (mit Ausnahme des bayerischen) angenommen worden, was als hinreichende Legitimation einer Übergangsverfassung galt. Wenn das Grundgesetz seinen Zweck als Übergangsverfassung erfüllt hatte, sollte die endgültige Verfassung, die an die Stelle des Grundgesetzes trat, eine höhere Legitimation erhalten: die durch das Volk selbst.

Artikel 146 stand *nicht* in einem Gegensatz zu Artikel 23. «Andere Teile Deutschlands» konnten dem Geltungsbereich des Grundgesetzes beitreten und sich *danach* an der Erarbeitung einer neuen Verfassung beteiligen. Dem Grundgesetz war auch nicht zu entnehmen, daß die Aufforderung an das deutsche Volk, «in freier Selbstbestimmung die Einheit und Freiheit Deutschlands zu vollenden», erst durch das Inkrafttreten einer neuen gesamtdeutschen Verfassung erfüllt war. Schon der Beitritt konnte die «Vollendung» im Sinne der Präambel bewirken.

Im Regierungslager hatte sich bereits im Februar 1990, nach der Entscheidung für die Währungsunion, die Auffassung durchgesetzt, daß ein Beitritt der DDR nach Artikel 23 der einzig gangbare Weg zur Vollendung von Einheit und Freiheit war. Für Artikel 23 sprach, daß sich das Grundgesetz in mehr als vier Jahrzehnten hervorragend bewährt hatte – in einem Maß, das es geradezu als Sakrileg, zumindest aber als leichtfertig erscheinen ließ, diese Verfassung jetzt zur Disposition zu stellen. Die stärksten Argumente für die schnelle Vereinigung nach Artikel 23 waren aber «argumenta e contrario», nämlich die Gründe, die *gegen* den sehr viel langsameren Weg über Artikel 146 sprachen.

Es waren vor allem drei Gründe. *Erstens* konnte niemand im Frühjahr 1990 wissen, wie lange sich die kompromißbereiten Realpolitiker Gorbatschow und Schewardnadse in Moskau an der Macht würden behaupten können. Ein Führungswechsel im Kreml, der den Verfechtern einer harten Linie zum Sieg verhalf, war keineswegs ausgeschlossen. Triumphierten die Gegner der deutschen Einheit in der Sowjetunion, mußte das auch im Westen den Kräften Auftrieb geben, die einer Vereinigung der beiden deutschen Staaten mit mehr oder minder großen Vorbehalten gegenüberstanden. *Zweitens* verschlechterte sich die wirtschaftliche Lage der DDR täglich, was sich in anhaltend hohen Übersiedlerzahlen niederschlug und die Gefahr gewaltsamer Proteste in sich barg. *Drittens* hatten die Befürworter eines zeitlich gestreckten Einigungsprozesses offenkundig die große Mehrheit der Ostdeutschen gegen sich.

Die Ereignisse vom Herbst 1989 hatten ein ungeschriebenes Gesetz außer Kraft gesetzt, das vier Jahrzehnte lang die große Politik bestimmt hatte – das Gesetz, wonach die Stabilität Europas auf der Teilung Deutschlands beruhte, weil diese ein relatives Gleichgewicht zwischen West und Ost verbürgte. Inzwischen wurde die Stabilität Europas durch nichts so sehr bedroht wie durch die Gefahr, daß aus der DDR ein chronischer Unruheherd wurde. Diese Gefahr ließ sich nur durch die Überwindung der deutschen Teilung bannen – und zwar nicht auf dem langwierigen und riskanten Weg über Artikel 146, sondern nur durch die rasche Vereinigung nach Artikel 23. Der Beitritt der DDR zur Bundesrepublik war zudem die logische Konsequenz des Junktims von Währungsunion und Wirtschaftsreform. Eine zügige Einführung der Marktwirtschaft verlangte eine zügige Vereinheitlichung des Rechtswesens; innerhalb *eines* Staates war dieses Ziel leichter zu erreichen als durch Verhandlungen zwischen zwei Staaten. Der Beitritt mochte gegenüber der Verfassungsschöpfung ein normatives Defizit aufweisen: die bloß mittelbare Legitimation der Entscheidung durch gewählte Körperschaften statt der unmittelbaren Legitimation durch das Volk. Aber wenn dies ein Defizit war, ließ es sich beheben: durch einen gesamtdeutschen Verfassungsdiskurs und, soweit erforderlich, eine Verfassungsreform und ein Verfassungsreferendum *nach* vollzogenem Beitritt. Die Gründe, die im Frühjahr 1990 für Artikel 23 und gegen Artikel 146 sprachen, waren durchschlagend.

Auch unter den Sozialdemokraten gab es, in der Bundesrepublik wie in der DDR, Anhänger des Beitritts: Herta Däubler-Gmelin, die Vorsitzende des Arbeitskreises Rechtswesen, gehörte ebenso dazu wie Harald Ringstorff, der Vorsitzende des Bezirks Rostock. Als Ringstorff und seine politischen Freunde auf einer gemeinsamen Sitzung der Führungen von West- und Ost-SPD am 12. Februar den Beitritt der DDR zur Bundesrepublik unmittelbar nach der Volkskammerwahl forderten, traten ihnen Vogel und

Brandt entgegen. Beide wußten, was die Folge einer Zustimmung zu diesem Vorstoß gewesen wäre: Der abwesende Oskar Lafontaine, seit seinem triumphalen Wahlsieg an der Saar am 28. Januar zwar noch nicht offizieller, aber doch höchstwahrscheinlicher Kanzlerkandidat der SPD, hätte auf seine Kandidatur verzichtet.

Der Ministerpräsident des Saarlandes war in der Tat der schärfste Kritiker eines Beitritts der DDR nach Artikel 23 – *den* Artikel, den das Saarland 1956 in Anspruch genommen hatte, um ein Land der Bundesrepublik Deutschland zu werden. Am 20. Februar erklärte Lafontaine dem Parteivorsitzenden Vogel in Saarbrücken, er würde nur dann zur Kanzlerkandidatur bereit sein, wenn die SPD seine Bedingungen akzeptiere: den Verzicht auf eine schnelle Wiedervereinigung, den Stopp des Übersiedlerstroms bis an die Grenzen des administrativ Vertretbaren, die Ein- und Unterordnung der deutschen Einheit unter die europäische Einheit. Ganz in diesem Sinne sprach der stellvertretende Vorsitzende der SPD dann auch am 23. Februar auf dem Parteitag der ostdeutschen Sozialdemokraten in Leipzig.

Ähnlich wie Lafontaine argumentierten Peter Glotz, der den Beitritt der DDR einen «Anschluß à la Kohl» nannte, und das Mitglied des Parteipräsidiums Gerhard Schröder. Willy Brandt, seit dem Leipziger Parteitag Ehrenvorsitzender *beider* sozialdemokratischen Parteien in Deutschland, befürwortete eine Wiedervereinigung über Artikel 146, weil er sich von der Arbeit an einer gesamtdeutschen Verfassung positive Wirkungen für das Zusammenwachsen von Ost- und Westdeutschen versprach. Hans-Jochen Vogel gab Artikel 146 den Vorzug, wollte aber den Weg über Artikel 23 nicht ausschließen. Der Parteivorstand sprach sich am 7. März für eine Volksabstimmung über eine gesamtdeutsche Verfassung nach Artikel 146 aus. Erst *danach* sollte ein Beitritt nach Artikel 23 erfolgen.

Der Leipziger Parteitag der Ost-SPD beschloß am 25. Februar ein Wahlprogramm mit einem «Fahrplan zur deutschen Einheit». Er sah eine stufenweise Vereinigung vor: von der Sozialunion über die Währungsunion zur Wirtschaftsunion. Zur Herstellung der staatlichen Einheit sollten der Bundestag und die freigewählte Volkskammer einen paritätisch zusammengesetzten «Rat der Deutschen Einheit» bilden, dessen Aufgabe es war, ausgehend vom Grundgesetz, eine neue deutsche Verfassung auszuarbeiten. Nach Landtagswahlen in den fünf wiederzuerrichtenden Ländern der DDR im Sommer 1990 sollte eine Volksabstimmung über die neue Verfassung stattfinden, gefolgt von Wahlen zu einem gesamtdeutschen Bundestag. An der Tatsache, daß der *paritätische* Rat keine *repräsentative* Konstituante war, nahmen die Delegierten keinen Anstoß.

Auf entschiedene Abwehr stieß der von Kohl befürwortete Beitritt der DDR beim Runden Tisch. Nach einem Bericht von Ministerpräsident Modrow über seinen Besuch in Bonn faßte das Gremium am 19. Februar den Beschluß, «den Anschluß der DDR oder einzelner Länder an die Bundesrepublik durch eine Ausweitung des Geltungsbereichs des Grundgesetzes der BRD» nach Artikel 23 abzulehnen. Ebenso eindeutig war die Absage an eine NATO-Mitgliedschaft des zukünftigen Deutschland; sie sei, wie es in dem Beschluß vom gleichen Tag hieß, «mit dem Ziel der deutschen Einheit im Rahmen einer europäischen Friedensordnung nicht in Einklang zu bringen». Anzustreben sei vielmehr ein entmilitarisierter Status eines künftigen einheitlichen deutschen Staates.

Der Runde Tisch war seit der Bildung der «Regierung der nationalen Verantwortung» am 5. Februar zu einem Teil der Exekutive geworden. Von seinem führenden Kopf, dem Kirchenhistoriker und Mitgründer von Demokratie Jetzt, Wolfgang Ullmann, kam am 12. Februar ein folgenreicher Vorstoß zur Wirtschaftsreform: Ullmann, nunmehr Minister ohne Geschäftsbereich im zweiten Kabinett Modrow, schlug die Bildung einer «Treuhänderischen Behörde zur Betreuung des Volksvermögens» vor. Sie sollte das gesamte Volksvermögen der DDR aufteilen, und zwar in der Weise, daß ein Viertel in Form von Anteilscheinen an die Bevölkerung verteilt, also privatisiert wurde und ein Viertel zur Begleichung von Schulden und Entschädigungen zur Verfügung stand. Die verbleibende Hälfte sollte zum größeren Teil in Staatseigentum überführt und für Zwecke der Infrastruktur und des Umweltschutzes genutzt werden, zum kleineren Teil in eine Stiftung zur Förderung von nichtkommerziellen Bereichen fließen.

Nachdem der Runde Tisch dem Vorschlag im Prinzip zugestimmt hatte, nahm sich Wirtschaftsministerin Christa Luft (SED/PDS) der Sache an. Ullmanns Initiative schien, wenn sie im «sozialistischen» Sinn aus- und umgestaltet wurde, einen Ansatz zu bieten, um in der Wiederherstellung der alten Eigentumsverhältnisse einen Riegel vorzuschieben. In der Rückgängigmachung der entscheidenden «sozialistischen Errungenschaften» sah die Regierung Modrow seit ihrem Besuch in Bonn am 13. und 14. Februar und der Aufnahme von Expertengesprächen über die Währungsunion die eigentliche Gefahr, die mit der deutschen Vereinigung verbunden war. Am 1. März beschloß der Ministerrat, um diese Gefahr, soweit es ging, abzuwenden, die Gründung einer Treuhandanstalt, der die Hauptmasse des Volksvermögens zugeordnet wurde. Von Ullmanns Vorschlägen war allerdings nicht viel übriggeblieben. Christa Luft bestand darauf, daß das Volksvermögen vor einer Übertragung von Eigentum an die Bevölkerung erst einmal bewertet, die Ansprüche der Bürger festgelegt und die Erlösrechte geregelt wurden. Vorrang sollte die Umwandlung von Kombinaten und Volkseigenen Betrieben in Kapitalgesellschaften haben.

Die Einwände gegen eine schnelle Privatisierung im Sinne Ullmanns waren begründet, aber sie dienten vor allem dazu, den Vorrang des Gemeineigentums und dem Staat die Kontrolle über die Wirtschaft zu sichern. Westliches Kapital sollte von der DDR möglichst ferngehalten werden. Zu den Gesetzen, die die Volkskammer am 6. und 7. März beschloß, gehörte ein Gewerbegesetz, das die Gewerbefreiheit für Bürger der DDR, nicht aber für westliche Investoren einführte. Noch deutlicher war die politische Tendenz im Gesetz über den Verkauf volkseigener Gebäude vom 7. März. Es räumte Bürgern der DDR die Möglichkeit ein, Eigentum an volkseigenen Gebäuden und Grundstücken zu erwerben, sofern sie Nutzungsrechte an den betreffenden Grundstücken hatten. Die Nutznießer dieser «Reform» waren in erster Linie verdiente «Nomenklaturkader» der DDR, die auf Grund dieses Gesetzes Immobilien in bester Lage zu niedrigen Preisen erwerben konnten. Bevor es unterging, wollte das SED-Regime sich ein letztes Mal für treue Dienste erkenntlich zeigen. Es tat dies nach dem Motto des französischen «Bürgerkönigs» Louis Philippe «Enrichissez-vous!» – zu deutsch «Bereichert euch!»

Der Runde Tisch hätte das Begünstigungsgesetz, von dem auch einige der neuen Funktionsinhaber profitierten, verhindern können. Doch er zog es vor, um dieselbe Zeit eine andere Art von vorsorglicher Besitzstandswahrung zu betreiben: Am 5. März beschloß er eine «Sozialcharta», deren Adressat nicht mehr die Regierung Modrow war, sondern die kommende, von der freigewählten Volkskammer einzusetzende Regierung und im weiteren Sinn auch die Bundesregierung in Bonn, mit der die deutsche Vereinigung auszuhandeln war. Das Dokument enthielt das Recht auf Arbeit, auf kostenlose Aus- und Weiterbildung, auf kostenlosen Schwangerschaftsabbruch, auf gesundheitliche Betreuung, auf Wohnen mitsamt staatlich kontrollierter Mietpreisbindung. Zum Recht auf Arbeit gehörten ein umfassender Kündigungsschutz, die Verkürzung der Arbeitszeit mit vollem Lohnausgleich und ein Aussperrungsverbot bei Arbeitskämpfen. Die Volkskammer billigte die «Sozialcharta» am 7. März – dem gleichen Tag, an dem sie auch das Gesetz über den Verkauf volkseigener Gebäude verabschiedete. Anschließend wurde die «Sozialcharta» als Grundlage für Verhandlungen über eine deutsche Sozialunion an den Bundestag weitergeleitet.

Währenddessen gingen die Arbeiten an einem anderen ehrgeizigen Projekt des Runden Tisches weiter – dem Entwurf einer neuen Verfassung der DDR, an dem sich auch einige Juristen aus der Bundesrepublik beteiligten, die sich der politischen Linken zurechneten. Verabschieden konnte der Runde Tisch die Vorlage aber nicht mehr. Als die zuständige Arbeitsgruppe am 4. April 1990 ihren Entwurf vorlegte, war die neue Volkskammer bereits gewählt, womit sich die selbstgestellte Aufgabe des Runden Tisches erledigt hatte. Das Plädoyer der Autoren für ein Höchstmaß an direkter Demokratie und sozialer Sicherheit hatte für die politische Praxis ebensowenig Folgen wie die Feststellung, daß die Wehrpflicht abgeschafft sei.

Was blieb, war ein Mythos: In Teilen der ehemaligen Bürgerrechtsbewegung und der westdeutschen Linken setzte sich der Glaube fest, daß die DDR im Frühjahr 1990 auf dem besten Wege war, eine eigenständige, der repräsentativen Demokratie des Grundgesetzes überlegene, bürgernahe und sozial gerechte Demokratie hervorzubringen. Daß diese Demokratie nicht Wirklichkeit wurde, lag dieser Lesart zufolge an der Überwältigung der DDR durch den Westen – einer Überwältigung, die nur gelingen konnte, weil sie mit Hilfe materieller Lockungen und politischer Täuschungen erfolgte. Der Runde Tisch hatte die hundert Tage von seiner Konstituierung am 7. Dezember 1989 bis zur ersten freien Volkskammerwahl am 18. März 1990 überbrückt – zunächst, zur Zeit des ersten Kabinetts Modrow, als Kontroll-, Konsultations- und Vetoorgan, dann, seit der Bildung der «Regierung der nationalen Verantwortung» am 5. Februar, als zentraler Koordinator, Legislator und Mitregent. Er hatte dazu beigetragen, daß die «friedliche Revolution» friedlich blieb und der Zusammenbruch der DDR nicht außer Kontrolle geriet.

Doch in dem Maß, wie der Runde Tisch der Regierung Modrow näherrückte, entfernte er sich von dem, was die große Mehrheit der Bevölkerung wünschte: die rasche Einführung der DM und die Vereinigung mit der Bundesrepublik. Mit seinen eigenen Zukunftsvorstellungen sprach er für die Minderheit, die die Einheit Deutschlands nicht oder noch nicht oder so nicht wollte, also bestrebt war, in das wiedervereinigte Deutschland, wenn es denn nicht zu verhindern war, möglichst viel von der erneuerten DDR einzubringen. Der Runde Tisch hatte kein demokratisches Mandat; er konnte infolgedessen kein repräsentatives Organ der postdiktatorischen DDR sein. Diese Aufgabe konnte nur die freigewählte Volkskammer wahrnehmen. *Sie* würde, das stand schon vor der Wahl fest, die ostdeutsche Bevölkerung vertreten, wie sie war – nicht die Idee, die sich der Runde Tisch von ihr gemacht hatte.[11]

Am Wahlkampf in der DDR nahmen auch viele Politiker aus der Bundesrepublik teil, allen voran Bundeskanzler Helmut Kohl, der Ehrenvorsitzende der SPD, Willy Brandt, und für die Freien Demokraten Außenminister Hans-Dietrich Genscher, ein geborener Hallenser, die bei ihren Auftritten meist stürmisch bejubelt wurden. Kohl sprach auf Kundgebungen des konservativen Parteienbündnisses Allianz für Deutschland. Die Allianz warb mit dem Aufkleber «Wir sind ein Volk», der raschen Einführung der DM und der schnellen Verwirklichung der deutschen Einheit über einen Beitritt zur Bundesrepublik nach Artikel 23 des Grundgesetzes. Genscher setzte sich für ein am 12. Februar gebildetes liberales Parteienbündnis, den Bund Freier Demokraten, ein, der aus der LDPD, der Ost-FDP und der Deutschen Forumspartei bestand. Brandt war der beliebteste aller westdeutschen Politiker. Sein Nachteil war, daß er nicht die gesamte SPD hinter sich hatte. Oskar Lafontaine, der nur an drei Orten in den ostdeutschen Wahlkampf eingriff, machte keinen Hehl daraus, daß er aus wirtschaftlichen, finanziellen und sozialen Gründen den Einigungsprozeß zu verlangsamen strebte.

Die PDS, die Hans Modrow als Spitzenkandidaten aufgestellt hatte, setzte auf die persönliche Popularität des Ministerpräsidenten. In ihrem

Wahlprogramm forderte sie, den Vereinigungsprozeß schrittweise und langsam zu vollziehen und Werte und Leistungen der DDR-Gesellschaft zu bewahren. Von den Bürgerrechtsgruppen hatten sich drei – das Neue Forum, Demokratie Jetzt und die Initiative Frieden und Menschenrechte – zu einem «Bündnis 90» zusammengeschlossen, auf ein tragfähiges gemeinsames Programm jedoch nicht verständigen können. Die Ende November gegründete Grüne Partei war ein Wahlbündnis mit dem Unabhängigen Frauenverband eingegangen, das aber nach der Wahl rasch wieder zerbrach.

Meinungsumfragen sahen bis zuletzt die SPD weit vorn. Im März begann die Allianz für Deutschland aufzuholen, doch dann sah sich in der Schlußphase des Wahlkampfes einer von Kohls Partnern, der Vorsitzende des Demokratischen Aufbruchs, Rechtsanwalt Wolfgang Schnur, nicht das erste Mal dem Vorwurf ausgesetzt, jahrelang, und zwar bis zur «Wende», ein Spitzel der Stasi gewesen zu sein. Schnur leugnete alles ab, das Beweismaterial aber war erdrückend: Am 14. März erklärte er seinen Rücktritt als Parteivorsitzender; tags darauf schloß ihn der Parteiausschuß wegen parteischädigenden Verhaltens aus dem DA aus. Die Nachfolge als amtierender Vorsitzender trat sein Stellvertreter Rainer Eppelmann an.

Der Ausgang der ersten freien Volkskammerwahl am 18. März 1990 war für die meisten Beobachter eine Überraschung. Bei einer Wahlbeteiligung von 93,4 % ging die Allianz für Deutschland als eindeutige Siegerin aus dem Wettstreit der Parteien hervor: Sie erreichte 48,0 % (wobei die CDU auf 40,8 %, die DSU auf 6,3 und der DA auf 0,9 % kam). Die SPD blieb weit hinter ihren und den allgemeinen Erwartungen zurück: Sie erhielt 21,9 %. Es folgten die PDS mit 16,4, der Bund Freier Demokraten mit 5,3, Bündnis 90 mit 2,9 und die Grüne Partei mit 2 %.

Die erste freie Wahl auf dem Territorium, das seit 1949 die DDR bildete, seit der Reichstagswahl vom 6. November 1932 ließ so gut wie keine Kontinuitäten mehr zum Wählerverhalten in der Weimarer Republik erkennen. Die Arbeiter hatten in großer Mehrheit die CDU gewählt, und das auch in alten sozialdemokratischen Hochburgen wie Sachsen und Thüringen. Die SPD hatte die Allianz nur in Berlin überrunden können (34,9 % : 21,6 %); sie schnitt in ehedem stark deutschnational geprägten Regionen, den jetzigen Bezirken Potsdam und Frankfurt an der Oder, vergleichsweise gut ab. Die Liberalen kamen im Bezirk Halle, der Heimat Genschers, auf 10 %, ihr einziges zweistelliges Ergebnis. Die PDS erzielte ihren höchsten Stimmenanteil mit 30,2 % in Berlin. Sie war stark in Verwaltungszentren und wurde, den Untersuchungen der Forschungsgruppe Wahlen zufolge, vor allem von den Gruppen Intelligenz, Leiter, Angestellte sowie Schüler und Studenten gewählt, von Arbeitern hingegen kaum.

Die Wahl war zu einem Plebiszit für den Beitritt der DDR zur Bundesrepublik geworden: Eine andere Deutung ließ das Ergebnis nicht zu. Die Mehrheit wollte die Einheit zum frühestmöglichen Zeitpunkt, und zwar im Sinne der Übernahme des westdeutschen Wirtschafts-, Gesellschafts- und

Verfassungssystems; die Wiedervereinigung sollte die ungerechte Verteilung der deutschen Geschichtslast seit 1945 überwinden, also endlich Gerechtigkeit bringen. Eine nicht unbeträchtliche Minderheit, die Wählerschaft der PDS, fühlte sich zumindest einigen der Werte der DDR
verbunden und wollte sie bewahren. Die «Helden» des Herbstes 1989 aber,
die in den Bürgerrechtsgruppen aktiv waren, wurden förmlich abgestraft:
Ihre Vorstellungen von einem «dritten Weg» galten der überwältigenden
Mehrheit als Ausdruck von Wirklichkeitsverlust und Wunschdenken.

Mit dem 18. März 1990 endete jener Abschnitt in der Geschichte der
DDR, der als «friedliche Revolution» bezeichnet zu werden pflegt. Das Ergebnis war ein radikaler Bruch mit dem bisherigen Zustand: ein Votum für
die Abschaffung eines Staates, der niemals demokratische Legitimität be-
sessen hatte. Dieses Ergebnis entsprach nicht dem, was die Initiatoren der
«friedlichen Revolution», die intellektuellen Bürgerrechtler, angestrebt
hatten. Die Liquidation der DDR entsprach dem Willen der Massen, die
seit der nationalen Wende nach der Öffnung der Grenzen im November
1989 den Demonstrationen ihren Stempel aufgedrückt hatten.

Innerhalb der Massen waren es ironischerweise die Arbeiter, die dem
«Arbeiter- und Bauernstaat» die massivste Absage erteilten. Die SED, die
sich die «Partei der Arbeiterklasse» nannte, hatte die Arbeiter nach dem
Aufstand vom 17. Juni 1953 in erheblichem Umfang «neutralisiert». *Sie* waren die eigentlichen Adressaten jener «Einheit von Wirtschafts- und Sozialpolitik» gewesen, die die DDR materiell ruiniert hatte. Ein «Erfolg» war
diese Politik insofern, als es bis zuletzt in der DDR keinen spezifischen Arbeiterwiderstand gab. Als jedoch die Diktatur im Spätjahr 1989 zusam-
menzubrechen begann, zeigte sich, daß die Arbeiter keine Stütze des Regimes waren.

Die aktive Rolle kritischer Intellektueller, das ausschlaggebende Gewicht
der Massenaktion, der Sturz der bisherigen Herrschaft: das alles waren
Merkmale einer erfolgreichen Revolution. Eine Strategie des Machtwechsels allerdings gab es bei den Wortführern des Protestes nicht; die Bürgerrechtler strebten nicht selbst nach der Macht, sondern wollten das Volk entscheiden lassen. Sie ähnelten darin den Mehrheitssozialdemokraten in der
deutschen Revolution von 1918/19, die freilich, anders als die ostdeutschen
Bürgerrechtler, über einen eigenen Massenanhang verfügten. Die demokratische Tradition eines verbrieften Teilhabeanspruchs in Gestalt des allgemeinen gleichen Wahlrechts war der Grund, weshalb nach dem Ersten
Weltkrieg eine revolutionäre Erziehungsdiktatur in Deutschland keine
Chance hatte, das Ergebnis vielmehr nur *mehr* Demokratie heißen konnte.
Sieben Jahrzehnte später war der Wunsch nach Überwindung der Diktatur
so stark, daß keine Gruppe daran denken konnte, sich über einen längeren
Zeitraum hinweg an die Stelle des souveränen Volkes zu setzen. Abermals
fehlte einer «großen» oder «klassischen» Revolution in Deutschland eine
wichtige Voraussetzung.

Die baldige Durchführung freier Wahlen war 1989/90 in noch höherem Maß als 1918/19 *die* Forderung, in der sich alle einig waren. Da die Gegner dieser Forderung bereits im Oktober und November 1989 im Zusammenspiel von Bürgerrechtlern, Massen und parteiinternen Kritikern entmachtet worden waren und der Wahltermin seit Dezember feststand, kam es nur noch darauf an, den fortschreitenden Zusammenbruch der alten Ordnung soweit wie möglich unter Kontrolle zu halten. Die Tolerierung einer Übergangsregierung aus vergleichsweise aufgeklärten Vertretern des alten Regimes, die ihrer Ablösung durch freie Wahlen keinen Widerstand entgegensetzten, den Wahltermin vielmehr vorverlegten, entsprach einem verbreiteten, ja allgemeinen Bedürfnis: der Vermeidung von Chaos auf dem Weg zum neuen System.

Die Bedingung der Möglichkeit für den Erfolg der Parole «Keine Gewalt!» war der Gewaltverzicht *der* Macht, die die DDR 1949 gegründet hatte. Ohne die Rückendeckung der Sowjetunion konnte sich keine der von ihr abhängigen Diktaturen längerfristig gegen revoltierende Massen behaupten. Weil die sowjetische Führung aus politischer Einsicht und wirtschaftlicher Schwäche nicht mehr zu Interventionen nach dem Muster von 1953, 1956 und 1968 bereit war, konnten sich die Emanzipationsbewegungen von 1989, beginnend mit der polnischen, weitgehend friedlich durchsetzen. Einige Jahre zuvor hätte Moskau ein strategisch so wichtiges Gebiet wie die DDR schwerlich kampflos preisgegeben. Doch mittlerweile hatte die Sowjetunion den Wettkampf der Systeme auf allen Gebieten verloren. Sie konnte die große Kraftprobe nicht mehr wagen, ohne ihre Existenz aufs Spiel zu setzen. Ob sie den Verzicht auf ihr Vorfeld in Ostmittel- und Südosteuropa politisch überleben würde, war 1989/90 noch eine offene Frage.

Für den Westen hatte sich die gemeinsame Ostpolitik, die Verbindung von Festigkeit und Willen zur Zusammenarbeit, ausgezahlt. Die Bundesrepublik *hatte* einen früheren Zusammenbruch der DDR durch materielle Hilfe großen Stils verhindert. Daß ein solcher Zusammenbruch schnell in eine Weltkrise umschlagen konnte und darum vermieden werden mußte, war die Maxime der Bonner Deutschlandpolitik seit den Ostverträgen der sozialliberalen Koalition und in den achtziger Jahren zwischen den staatstragenden Parteien der Bundesrepublik nicht mehr strittig. 1989/90 hing es vor allem von Bonn ab, ob aus dem mixtum compositum von Zusammenbruch und Revolution in der DDR stabile oder instabile Verhältnisse hervorgehen würden. Die Bundesrepublik konnte als Stabilisator wirken, und weil sie es konnte, mußte sie es auch wollen. Als die Bundesregierung, dem Auftrag des Grundgesetzes gemäß, der DDR die Tür des Beitritts öffnete, hielt sie den Ostdeutschen zugleich den Spiegel ihrer Zukunft vor. Die begründete Erwartung, daß am Ende der Krise die Vereinigung stehen würde, trug entscheidend zur Entschärfung der Krise bei. Eine Politik, die auf Aufschub der Vereinigung zielte, hätte die Krise verschärft.

In der Bundesrepublik war das im Frühjahr 1990 noch keineswegs eine allgemeine Erkenntnis. Jürgen Habermas etwa reagierte auf den Ausgang der Volkskammerwahl mit einer Warnung vor «DM-Nationalismus».«Es fällt schwer, auf die ersten Blüten eines pausbäckigen DM-Nationalismus keine Satire zu schreiben», bemerkte er am 30. März in der «Zeit». «Die Bevölkerung der DDR hatte vierzig Jahre lang für die regierenden Machthaber stimmen müssen. Kohl hat ihr klargemacht, daß es besser ist, auch diesmal für die machthabende Regierung zu stimmen.» Der Frankfurter Philosoph sah voraus, daß das für die Bundesrepublik nicht ohne Folgen bleiben würde. Die Allianz für Deutschland könnte, so schrieb er, «ihren Wahlkampf mit leichten Variationen auf dem Boden der Bundesrepublik fortsetzen und von den Bürgern hier kollektive Anstrengungen fordern im Geist einer nationalistischen Identifikation mit der Erweiterung jenes DM-Imperiums, von dem sie bisher ganz gut gelebt haben».

Was Habermas zutiefst beunruhigte, war die Rückkehr eines überwunden geglaubten «traditionellen Patriotismus» auf dem Weg über die sich auflösende DDR. «Die Bürger der Bundesrepublik *hatten* ein nichtnationalistisches Selbstverständnis entwickelt und einen nüchternen Blick für das, was für jeden einzelnen an Cash, an Gebrauchswerten, aus dem politischen Prozeß herausspringt. Was wird aus diesen Dispositionen unter dem Druck einer Unsicherheit unter Arroganz verbergenden Politik, die stracks auf den gesamtdeutschen Nationalstaat zusteuert?»

Der Gefahr der Renationalisierung galt es um Europas willen entgegenzuwirken: «Wenn wir uns von den diffusen Vorstellungen über den Nationalstaat nicht frei machen, wenn wir uns der vorpolitischen Krücken von Nationalität und Schicksalsgemeinschaft nicht entledigen, werden wir den längst eingeschlagenen Weg in eine multikulturelle Gesellschaft, den Weg in einen regional weit aufgefächerten Bundesstaat mit starken föderativen Kompetenzen, vor allem den Weg zum Nationalitätenstaat eines vereinigten Europa nicht unbelastet *fortsetzen* können.»

In der Frage, welcher Artikel des Grundgesetzes im Hinblick auf die DDR zur Anwendung kommen sollte, gab es für Habermas kein Zaudern. «Auf dem Weg über den Artikel 23 können die Bürger den Prozeß der Vereinigung nur noch *erleiden*. Der Weg über einen Verfassunggebenden Rat verhindert hingegen eine Politik der vollendeten Tatsachen, schafft den DDR-Bürgern vielleicht doch noch eine Atempause zur Selbstbestimmung und läßt Zeit für eine Diskussion über den Vorrang europäischer Gesichtspunkte. Nur der Volksentscheid über einen Verfassungsvorschlag, und zwar zu der Alternative zwischen einem gesamtdeutschen Bundesstaat und einer Föderation, die der Bundesrepublik das Grundgesetz beizubehalten erlaubt, räumt *allen* Bürgern die Chance ein, nein zu sagen... Erst angesichts einer frei zu entscheidenden Alternative kann zu Bewußtsein kommen, was unter den Jüngeren ohnehin ein weitverbreitetes Gefühl ist: daß die Konstituierung einer einzigen Staatsbürgernation auf den bisherigen

Territorien der Bundesrepublik und der DDR keineswegs durch vorpoliti-
sche Gegebenheiten der Sprachgemeinschaft, der Kultur oder der Geschichte *präjudiziert* ist. Deshalb möchte man wenigstens gefragt werden.»
Die Deutschen in der DDR hielten den Deutschen in der Bundesrepublik den Spiegel ihrer Vergangenheit vor; dieser Spiegel konnte leicht zum
schaffenden Spiegel werden und die Bundesbürger in konventionelle Deutsche zurückverwandeln, also kulturell zurückwerfen; daher mußte alles geschehen, um eine nationalstaatliche Wiedervereinigung zu verhindern oder
sie so lange hinauszuschieben, bis Europa einen Zustand erreicht hatte, in
dem es keine Nationalstaaten mehr gab: In dieser Richtung dachte Habermas, und er untermauerte damit theoretisch die Position, die Oskar Lafontaine, nicht selten unter Berufung auf Habermas, seit längerem verfocht.
Die deutsche Vergangenheit war, wenn man Habermas folgte, in der Bundesrepublik gebannt worden, weil die Bundesbürger gelernt hatten, sich
nicht mehr historisch und national, sondern staatsbürgerlich und universalistisch zu verorten. Nun kehrte die deutsche Nationalgeschichte in Gestalt
der ruinierten DDR zurück und bedrohte alles, was die Bundesrepublik intellektuell geleistet hatte, um sich von dieser Geschichte abzukoppeln.

Habermas hielt es für abwegig, Auschwitz als «metaphysische Schuld»
ins Spiel zu bringen, die etwa durch den Verlust Ostpreußens oder Schlesi-
ens beglichen werden könne. Ebensowenig eigne sich Auschwitz als «Hebel für den negativen Nationalismus einer Schicksalsgemeinschaft...
Auschwitz kann und soll die Deutschen, auf welchen staatlichen Territorien sie sich auch immer einrichten mögen, an etwas anderes erinnern: daß
sie sich auf die Kontinuität ihrer Geschichte nicht verlassen können. Mit
jenem ungeheuerlichen Kontinuitätsbruch haben die Deutschen die Möglichkeit eingebüßt, ihre politische Identität auf etwas anderes zu gründen
als auf universalistische staatsbürgerliche Prinzipien, in deren Licht die nationale Tradition nicht mehr unbesehen, sondern nur noch kritisch und
selbstkritisch angeeignet werden kann. Die posttraditionale Identität verliert ihren substantiellen, ihren unbefangenen Charakter; sie *besteht* nur im
Modus des öffentlichen, des diskursiven Streites um die Interpretation eines Verfassungspatriotismus, der je nach den historischen Bedingungen
konkretisiert werden muß.»

Die deutsche Teilung war demnach nicht nur eine *Folge* der deutschen
Vergangenheit, sie war offenbar auch die *Voraussetzung* dafür gewesen, daß
die Bundesrepublik mit dieser Vergangenheit hatte brechen können. So wie
Habermas posttraditionale Identität verstand, ging die Bundesrepublik nun
ihrer tiefsten Identitätskrise entgegen. Just in dem Augenblick, wo die
Präambel des Grundgesetzes erfüllbar zu werden begann, warb Habermas
für die Öffnung der Option, zur Vollendung der Einheit und Freiheit
Deutschlands auch Nein sagen zu können. Der Kontinuitätsbruch von
Auschwitz als Argument gegen Solidaritätspflichten, die sich aus der deutschen Geschichte ergaben; die Pflege eines «universalistischen» Verfas-

sungspatriotismus», der mit dem Grundgesetz nie viel zu tun gehabt hatte und ihm nun in einem wesentlichen Punkt die Gefolgschaft aufkündigte: was Habermas Ende März 1990 forderte, war *kein* Ergebnis einer kritischen und selbstkritischen Aneignung nationaler Tradition. Es war der fast schon verzweifelte Versuch, ein bestimmtes bundesrepublikanisches Arrangement mit der deutschen Vergangenheit gegen die Ansprüche der von der Geschichte benachteiligten Deutschen in der DDR zu verteidigen – ein normativ schwer begründbares Unterfangen.

Vier Jahre zuvor hatte Habermas im Zusammenhang mit dem «Historikerstreit» um die Einzigartigkeit der nationalsozialistischen Judenvernichtung sein vielzitiertes Credo niedergeschrieben: «Die vorbehaltlose Öffnung der Bundesrepublik gegenüber der politischen Kultur des Westens ist die große intellektuelle Leistung unserer Nachkriegszeit, auf die gerade meine Generation stolz sein könnte.» Diese Errungenschaft sah er nun durch den zu erwartenden «Beitritt» der Ostdeutschen in Gefahr: Das Ideal des herrschaftsfreien Diskurses war bedroht durch die Folgen einer diskursfreien Herrschaft.

Habermas sprach nicht nur für sich selbst. Viele westdeutsche Intellektuelle glaubten 1989/90 die Verwestlichung *des* Teiles von Deutschland gefährdet, in dem sie lebten. Der andere Teil war über die Jahre hinweg zunehmend aus dem Bewußtsein entschwunden, ja verdrängt worden. Nun ergab sich erstmals seit 1945 die Chance einer Verwestlichung des Ostens. Wer diese Chance nutzen wollte, durfte nicht argumentieren wie Habermas und nicht seine Schlußfolgerungen ziehen. Er mußte das Gegenteil tun: den Beitritt der DDR zur Bundesrepublik fördern.[12]

Die Regierungsbildung in der DDR erwies sich als schwierig. Die Zahl der Mandate und die Übereinstimmung in der Sache hätten eine christlich-liberale Koalition wie in Bonn erlaubt. Angesichts der Schwierigkeiten der zu lösenden Probleme, darunter einer Reihe von Verfassungsänderungen, hielt der Wahlsieger Lothar de Maizière aber eine breitere parlamentarische Basis der künftigen Regierung in Form einer Großen Koalition für unabdingbar. Bei den Bonner Regierungsparteien fand dieser Gedanke schon deshalb Zustimmung, weil eine Einbeziehung der SPD geeignet erschien, das Wahlkampfkonzept von Oskar Lafontaine zu durchkreuzen, das ganz auf scharfe Polarisierung angelegt war. Der saarländische Ministerpräsident war am 19. März, dem Tag nach der Volkskammerwahl, vom Parteivorstand der SPD einstimmig als Kanzlerkandidat nominiert worden. Damit war die Regierungsbildung in der DDR von Anfang an auch ein Problem der bundesrepublikanischen Innenpolitik.

Die ostdeutschen Sozialdemokraten waren in der Frage einer Großen Koalition gespalten. Ibrahim (eigentlich Manfred) Böhme, der auf dem Leipziger Parteitag im Februar zum Parteivorsitzenden gewählt worden war, gehörte zu den Gegnern; die bekanntesten Befürworter waren sein

Stellvertreter Markus Meckel und der Berliner Theologe Richard Schröder. Eine Zusammenarbeit mit der DSU lehnte die SPD, zunächst nach außen hin einmütig, ab. Böhme, der sich der Unterstützung der Bonner SPD und namentlich Lafontaines sicher sein konnte, wurde am 21. März zum Fraktionsvorsitzenden gewählt. Doch schon am 26. März mußte er den Partei- und Fraktionsvorsitz niederlegen: Im «Spiegel» hatten ihn zwei ehemalige Mitarbeiter des Ministeriums für Staatssicherheit (wie sich herausstellen sollte, zu Recht) beschuldigt, als regelmäßiger «IM» für die Stasi gearbeitet zu haben. Im Parteivorsitz wurde er daraufhin kommissarisch von Meckel, im Fraktionsvorsitz von Schröder abgelöst. Damit lagen die beiden wichtigsten Ämter in den Händen von Politikern, die eine Große Koalition anstrebten. Ihre Position wurde dadurch gestärkt, daß sich inzwischen auch in der Bonner SPD die Stimmen zugunsten eines möglichst breiten Regierungsbündnisses in Ost-Berlin mehrten. Zuletzt gab auch Lafontaine seinen Widerstand auf.

Die Forderungen, die die SPD an eine Mitarbeit in der Regierung knüpfte, deckten sich weithin mit den Vorstellungen de Maizières: Die Sozialdemokraten bestanden auf einer Anerkennung der Oder-Neiße-Grenze, dem Verzicht der DDR auf Einbeziehung in die militärischen Strukturen der NATO, der Abstimmung des Einigungsprozesses mit den Nachbarn in Ost und West, der Rechtsgültigkeit der Bodenreform von 1945 und dem Schutz der Eigentumsrechte in der DDR. Übereinstimmung gab es auch hinsichtlich eines Umtauschkurses von 1:1 bei der Währungsunion. Strittig war die Frage: Vereinigung durch Beitritt oder durch Volksabstimmung über eine gesamtdeutsche Verfassung. Die Allianz und die Liberalen waren für die erste, die Sozialdemokraten für die zweite Lösung, beharrten aber in den weiteren Koalitionsverhandlungen nicht mehr darauf.

Als die Gespräche über die Regierungsbildung am 10. April zu Ende gingen, stand auch die personelle Zusammensetzung des Kabinetts fest. Die CDU stellte mit Lothar de Maizière den Ministerpräsidenten, der sich die Richtlinienkompetenz im allgemeinen und in der Deutschlandpolitik im besonderen gesichert hatte, und elf Ressortchefs, darunter Wirtschaftsminister Gerhard Pohl und den Minister im Amt des Ministerpräsidenten, Klaus Reichenbach. Unter den sieben Sozialdemokraten waren Außenminister Markus Meckel, Finanzminister Walter Romberg und Arbeitsministerin Regine Hildebrandt. Von der DSU kamen Innenminister Peter-Michael Diestel, der auch Stellvertretender Ministerpräsident wurde, und der Minister für Wirtschaftliche Zusammenarbeit, Hans-Wilhelm Ebeling, vom Demokratischen Aufbruch der Minister für Abrüstung und Verteidigung Rainer Eppelmann, von den Liberalen Justizminister Kurt Wünsche.

In einer Frage, die zwischen den Koalitionspartnern nicht umstritten war, hatte Moskau ihnen am 28. März, während noch Hans Modrow als amtierender Ministerpräsident an der Spitze des Ministerrats stand, mit einer offiziellen Erklärung gegenüber Bonn den Rücken gestärkt. Laut dem von der Nachrichtenagentur TASS verbreiteten Text bestand die sowjetische Regierung darauf, «daß beide deutsche Staaten im Prozeß ihrer Annäherung und Vereinigung davon ausgehen, daß die 1945 bis 1949 von der sowjetischen Militäradministration in Deutschland verwirklichten Wirtschaftsmaßnahmen gesetzmäßig waren. Absolut unannehmbar wären eventuelle Versuche, die Rechte der gegenwärtigen Besitzer von Boden und anderen Vermögen in der DDR in Abrede zu stellen, die seinerzeit mit Einwilligung oder auf Beschluß der sowjetischen Seite... erworben wurden.» Damit war die Bodenreform von der ehemaligen Besatzungsmacht für unantastbar erklärt worden.

Am 5. April 1990 trat die erste freigewählte Volkskammer zu ihrer konstituierenden Sitzung zusammen. Zur Präsidentin wurde die CDU-Abgeordnete Sabine Bergmann-Pohl gewählt. In der gleichen Sitzung verabschiedete die Volkskammer eine Gemeinsame Erklärung aller Fraktionen, die vom Willen zum moralischen Neuanfang geprägt war. «Wir, die ersten frei gewählten Parlamentarier der DDR, bekennen uns zur Verantwortung der Deutschen in der DDR für ihre Geschichte und ihre Zukunft und erklären einmütig vor der Weltöffentlichkeit: Durch Deutsche ist während der Zeit des Nationalsozialismus den Völkern der Welt unermeßliches Leid zugefügt worden. Nationalismus und Rassenwahn führten zum Völkermord, insbesondere an den Juden aus allen europäischen Ländern, an den Völkern der Sowjetunion, am polnischen Volk und am Volk der Sinti und Roma... Wir empfinden Trauer und Scham und bekennen uns zu dieser Last der deutschen Geschichte... Wir bitten die Juden in aller Welt um Verzeihung. Wir bitten das Volk in Israel um Verzeihung für Heuchelei und Feindseligkeit der offiziellen DDR-Politik gegenüber dem Staat Israel und für die Verfolgung und Entwürdigung jüdischer Mitbürger auch nach 1945 in unserem Lande.»

Es folgten Ausführungen, die sich an die Völker der Sowjetunion richteten. «Wir haben die furchtbaren Leiden nicht vergessen, die Deutsche im Zweiten Weltkrieg den Menschen in der Sowjetunion zugefügt haben. Diese von Deutschland ausgegangene Gewalt hat schließlich auch unser Volk selbst getroffen. Wir wollen den Prozeß der Versöhnung unserer Völker intensiv fortführen. Unser Anliegen wird es daher sein, Deutschland so in ein gesamteuropäisches Sicherheitssystem zu integrieren, daß unseren Völkern Frieden und Sicherheit garantiert sind. Wir sind uns bewußt, daß die Umgestaltung in unserem Land nicht möglich gewesen wäre ohne das neue Denken und die Perestrojka in der Sowjetunion. Wir sind den Bürgerinnen und Bürgern der Sowjetunion dankbar für die Ermutigung und Anregung, die wir durch sie in dieser Hinsicht empfangen haben.»

An die Tschechoslowakei gewandt, die sich in der «sanften Revolution» vom November und Dezember 1989 ebenso wie die DDR von der kommunistischen Diktatur befreit hatte, erklärten die Abgeordneten: «Die Volkskammer der DDR bekennt sich zur Mitschuld der DDR an der Niederschlagung des ‹Prager Frühlings› 1968 durch Truppen des Warschauer Pakts. Mit der unrechtmäßigen militärischen Intervention wurde den Menschen in der Tschechoslowakei großes Leid zugefügt und der Prozeß der Demokratisierung in Osteuropa um 20 Jahre verzögert... Wir haben in Angst und Mutlosigkeit diesen Völkerrechtsbruch nicht verhindert. Das erste freigewählte Parlament der DDR bittet die Völker der Tschechoslowakei um Entschuldigung für das begangene Unrecht.»

In den letzten Passagen wandte die Volkskammer den Blick nach vorn, wobei sie besonders das Nachbarland Polen ansprach: «Wir sehen eine besondere Verantwortung darin, unsere historisch gewachsenen Beziehungen zu den Völkern Osteuropas in den politischen Entwicklungsprozeß einzubringen. In diesem Zusammenhang erklären wir erneut feierlich, die im Ergebnis des Zweiten Weltkrieges entstandenen deutschen Grenzen zu allen Anrainerstaaten ohne Bedingungen anzuerkennen. Insbesondere das polnische Volk soll wissen, daß sein Recht, in sicheren Grenzen zu leben, von uns Deutschen weder jetzt noch in Zukunft in Frage gestellt wird. Wir bekräftigen die Unverletzbarkeit der Oder-Neiße-Grenze zur Republik Polen als Grundlage des friedlichen Zusammenlebens unserer Völker in einem gemeinsamen europäischen Haus. Dies soll ein künftiges gesamtdeutsches Parlament vertraglich bestätigen.»

Eine Woche nach der konstituierenden Sitzung, am 12. April, wählten die Abgeordneten mit 265 von 303 möglichen Stimmen der Großen Koalition de Maizière zum Ministerpräsidenten. Das Kabinett insgesamt, dem 23 Minister angehörten, erhielt 247 Stimmen. Am 19. April trug der neue Ministerpräsident seine Regierungserklärung vor. Die Summe der Erfahrungen aus der Diktatur bündelte de Maizière in einem Zitat aus Hölderlins «Hyperion»: «Immerhin hat das den Staat zur Hölle gemacht, daß ihn der Mensch zu seinem Himmel machen wollte.» Den Bürgern der DDR versicherte er: «Das Ja zur Einheit ist gesprochen. Über den Weg dahin werden wir ein entscheidendes Wort mitzureden haben... Die Einheit muß so schnell wie *möglich* kommen, aber ihre Rahmenbedingungen müssen so gut, so vernünftig und so zukunftsfähig sein wie *nötig*.» An die Bürger der Bundesrepublik appellierte er: «Die Teilung kann nur durch Teilen aufgehoben werden.» An alle Deutschen gerichtet, sagte er: «Deutschland ist unser Erbe an geschichtlicher Leistung und geschichtlicher Schuld. Wenn wir uns zu Deutschland bekennen, bekennen wir uns auch zu diesem doppelten Erbe.»

Konkret forderte de Maizière für Löhne, Gehälter, Renten, Sparguthaben und Versicherungen mit Sparwirkung einen Umtauschkurs von 1:1. Zu Eigentumsfragen hieß es in der Regierungserklärung, die Bodenreform stehe nicht zur Disposition; Eigentumsübertragungen, die nach Treu und Glauben rechtens seien, müßten auch rechtens bleiben. De Maizière kündigte die Bildung eines Verfassungsgerichts und die schrittweise Schaffung von Verwaltungs-, Arbeits- und Sozialgerichten sowie, mit am wichtigsten, eine Dezentralisierung der Macht an: «1991 soll es wieder Länder geben.» Die Landtagswahlen sollten im Spätherbst 1990 stattfinden. Die Regierung wisse, daß sie einen mühsamen Weg vor sich habe. «Keine Regierung kann Wunder vollbringen, aber wir werden das Mögliche mit aller Kraft anstreben. Wenn wir das Mögliche erkennen und mit Nüchternheit und Umsicht Schritt für Schritt verwirklichen, dann können wir die Grundlagen für eine bessere Zukunft der Menschen in unserem Land legen. Wir bauen dabei auf die Unterstützung, den Mut und die Tatkraft aller Bürger.»

Am 24. April, fünf Tage nach der Regierungserklärung, vereinbarten Kohl und de Maizière in Bonn, die Verhandlungen über eine Wirtschafts-, Währungs- und Sozialunion so zu führen, daß der entsprechende Staatsvertrag am 1. Juli in Kraft treten konnte. In der umstrittenen Frage der Umtauschkurse hatte sich die Bundesregierung am 23. April auf eine differenzierte Lösung verständigt: 1:1 bei Löhnen, Gehältern und Renten sowie bei Bargeld und Guthaben bis zu 4000 Ost-Mark pro Kopf. Bei darüber hinausgehenden Beträgen und Schulden von Betrieben sollte ein Kurs von 2:1 gelten. Das waren durchaus «politische», rein ökonomisch, im Hinblick auf die niedrige Produktivität der DDR-Wirtschaft nicht gerechtfertigte Sätze. De Maizière erklärte jedoch die Obergrenze von 4000 DM bei Sparguthaben für zu niedrig. Am 2. Mai wurde ein Kompromiß vereinbart, der die unterschiedliche Lebenserwartung berücksichtigte und der älteren Generation entgegenkam: Für Personen im Alter von 15 bis 59 Jahren galt eine Obergrenze von 4000 DM, bei Kindern von 2000 und bei Älteren von 6000 DM.

Vier Tage später, am 6. Mai, fanden die ersten freien Kommunalwahlen statt. Die Parteien der Allianz verloren an Stimmen, die CDU allein über 6%, wovon jedoch die SPD, die gegen die nach ihrer Meinung zu niedrigen Obergrenzen bei den Sparguthaben zu Felde gezogen war, ebensowenig profitierte wie die PDS, die leichte Einbußen im Vergleich zur Volkskammerwahl hinnehmen mußte. Die relativen Gewinner waren die Liberalen, die Demokratische Bauernpartei Deutschlands und der neugegründete Bauernverband.

In den Verhandlungen über die Wirtschaftsunion legte sich die DDR darauf fest, die erforderlichen Rahmenbedingungen für eine Soziale Marktwirtschaft mit Privateigentum, Leistungswettbewerb, freier Preisbildung und voller Freizügigkeit von Arbeit, Kapital, Gütern und Dienstleistungen zu schaffen. Für eine Übergangszeit sah der Vertrag strukturelle Anpassungshilfen der neu zu organisierenden Treuhandanstalt für Unternehmen der DDR vor. Für die Landwirtschaft führte die DDR ein Preisstützungs- und Außenschutzsystem gemäß der Marktordnung der Europäischen Gemeinschaft ein. Die Sozialunion beruhte auf der schrittweisen Einführung des Arbeitsrechts, der Sozialversicherung und der Sozialhilfe, so wie sie in der Bundesrepublik geregelt waren. Die DDR verpflichtete sich, Haushalt, Finanzen, Steuern, Zölle und Finanzverwaltung dem Recht der Bundesrepublik anzupassen und das volkseigene Vermögen vorrangig für die Reform der Wirtschaft und die Sanierung des Haushalts zu nutzen. Im Rahmen der Haushaltshilfe erhielt die DDR 1990/91 zweckgebundene Finanzzuweisungen und eine Anschubfinanzierung für die Renten- und die Arbeitslosenversicherung. Am 18. Mai unterzeichneten die beiden Finanzminister, Theo Waigel und Walter Romberg, in Bonn den Staatsvertrag über die Schaffung einer Währungs-, Wirtschafts- und Sozialunion.

Die Finanzierung der deutschen Einheit sollte nach dem Willen der Bundesregierung nicht etwa durch Steuererhöhungen, sondern durch das Wirtschaftswachstum erfolgen. Das war, trotz der hohen Wachstumsraten des Bruttoinlandsprodukts in den letzten beiden Jahren (1988 3,7 % und 1989 3,6 %), trotz niedriger Inflationsraten und allmählich sinkender Arbeitslosenzahlen (sie fielen 1990 erstmals seit 1983 unter die Zweimillionengrenze) ein geradezu tollkühnes Vorhaben. Die Altbauten der DDR waren in einem maroden Zustand; die Stadtzentren glichen vielfach Ruinenlandschaften – Folgen extrem niedriger Mieten und der einseitigen Förderung von Plattenbausiedlungen in den Vorstädten und im Umland. Die Umwelt war in vielen Teilen der DDR, am schlimmsten beim Braunkohlebergbau um Bitterfeld, verwüstet und auf Jahrzehnte hinaus mit Schadstoffen belastet. Die Wettbewerbsfähigkeit der Industrie wurde von den zuständigen Ministerien der DDR im Mai 1990 so eingeschätzt, daß knapp ein Drittel der Betriebe rentabel sei und ohne Fördermittel auskommen könne; gut die Hälfte arbeite mit Verlust, sei aber sanierungswürdig; 14 % der Betriebe seien konkursgefährdet. Das war zwar realistischer als das, was Bonn Anfang des Jahres von der Regierung Modrow zu hören und zu lesen bekommen hatte, aber, wie sich bald zeigen sollte, immer noch viel zu optimistisch.

Die Kosten der Einheit würden also gigantisch sein: Darüber konnte es bei nüchterner Betrachtung keinen Zweifel geben. Dennoch weigerte sich Bundesfinanzminister Waigel, eine realistische Kostenschätzung vorzunehmen; entsprechende Anmahnungen seines Ost-Berliner Kollegen Romberg wurden brüsk zurückgewiesen. Die Bundesregierung mit dem Kanzler an der Spitze wollte das Offenkundige nicht wahrhaben; sie wollte den Wählern im Wahljahr 1990 nicht die unangenehme Einsicht zumuten, daß die Wiedervereinigung den Bundesbürgern materielle Opfer abverlangen würde. Wie immer die Wähler darauf reagiert hätten, die «Stunde der Wahrheit» wurde im Frühjahr und Sommer 1990 lediglich vertagt.

Die Bundesregierung trug nicht allein die Verantwortung für die Folgen. Die Länder sperrten sich, unabhängig von der parteipolitischen Zusammensetzung ihrer Regierungen, gegen die von Waigel angestrebte Neuverteilung bei der Umsatzsteuer zugunsten des Bundes; sie lehnten es auch ab, die künftigen «neuen Länder» im Osten sofort am Länderfinanzausgleich teilhaben zu lassen. Da Waigel auf seinem Nein zu Steuererhöhungen beharrte, weil andernfalls, so die Begründung, das Wachstum beeinträchtigt

werde, aus dem die Einheit zu finanzieren war, blieb nur die weitere Verschuldung als Ausweg.

Diesem Ansatz entsprach der «Sonderfonds Deutsche Einheit», auf den
sich der Bundeskanzler und die Ministerpräsidenten der Länder am 16.
Mai 1990 verständigten. Der vom normalen Haushalt getrennte Sonderfonds
sollte eine Laufzeit von viereinhalb Jahren haben und bis 1994 115 Milliarden DM bereitstellen. 20 Milliarden wollte der Bund aus Einsparungen
erbringen; sie bestanden vor allem aus wegfallenden «teilungsbedingten»
Kosten wie der Berlin- und der Zonenrandförderung und der Transitpauschale. 95 Milliarden DM sollten durch Kreditaufnahme aufgebracht werden. Verzinsung und Tilgung wollten Bund und Länder je zur Hälfte übernehmen, wofür ein Zeitraum von mehr als 20 Jahren vorgesehen war. Die
Anschubfinanzierung für die Renten- und die Arbeitslosenversicherung
trug der Bund allein, der damit von Anfang an sehr viel stärker belastet
wurde als die Länder. In den Verhandlungen über den Einigungsvertrag im
August verzichtete der Bund dann noch zugunsten der neuen Länder auf
Mittel aus dem Sonderfonds Deutsche Einheit, die *ihm* zur Verfügung standen, so daß die neuen Länder zur Deckung ihres allgemeinen Finanzbe-
darfs schließlich 85 % statt, wie vorgesehen, 50 % der Mittel aus dem Sonderfonds erhielten. Der Bund wurde dadurch für 1991 mit Kosten von 12,3
Milliarden DM belastet.

Der Sonderfonds verschleierte das tatsächliche Ausmaß der Verschuldung, und er war nur die erste Station auf dem abschüssigen Weg. Im August übernahm die Bundesrepublik die Gesamtverschuldung des DDR-
Haushalts einschließlich der Auslandsverschuldung. Die Schulden in Höhe
von über 600 Milliarden DM wurden auf ein Sondervermögen des Bundes
übertragen; die Verzinsung sollte je zur Hälfte vom Bund und der Treuhandanstalt getragen werden. Die Treuhandanstalt, die auf Grund eines von
der Volkskammer am 17. Juni beschlossenen Gesetzes in eine Organisation
zur Privatisierung volkseigenen Vermögens umgewandelt worden war,
wurde eine bundesunmittelbare Anstalt des öffentlichen Rechts. Ihre Beteiligungen an den ehemaligen Volkseigenen Betrieben wurden dadurch
mittelbare Beteiligungen des Bundes, so daß der Bund auch die Risiken der
Treuhandanstalt übernahm.

Unter der Kanzlerschaft Helmut Kohls war die Neuverschuldung von
350 Milliarden DM im Jahre 1982 auf 490 Milliarden DM im Jahre 1989 gestiegen. Daß die Bundesrepublik über ihre Verhältnisse lebte, war Fachleu-
ten längst bewußt. Mit der deutschen Einheit übernahm sie zusätzlich die
Kosten der jahrzehntelangen Mißwirtschaft der DDR. Die Verschuldung
übersprang 1990 die Grenze von 1 Billion DM. Die Schattenhaushalte ent-
lasteten, scheinbar zumindest, den Bundeshaushalt, so daß der vom Grundgesetz vorgegebene Kreditspielraum formal eingehalten wurde. *Eine* Folge
dieser Finanzierung der deutschen Einheit war aber schon 1990 absehbar:
Die Schulden trieben die Zinsen in die Höhe, und da steigende Leitzinsen

der Bundesbank steigende Leitzinsen in ganz Westeuropa nach sich zogen, wurden die Kosten der deutschen Einheit ohne Befragung der Nachbarn teilweise europäisiert.

Die SPD kritisierte die Art und Weise, wie die Bundesregierung die Finanzierung der deutschen Einheit betrieb, mit guten Gründen. Der Hauptgegner einer schnellen Wirtschafts- und Währungseinheit war der designierte Kanzlerkandidat. Am 25. April wurde Oskar Lafontaine bei einem Auftritt im nordrhein-westfälischen Landtagswahlkampf in Köln-Mülheim von einer geistesgestörten Frau niedergestochen und schwer verletzt. Am 13. Mai konnten die Sozialdemokraten in Nordrhein-Westfalen unter Ministerpräsident Johannes Rau (den die Attentäterin eigentlich hatte töten wollen, ehe sie sich Lafontaine als Opfer aussuchte) zum dritten Mal in Folge die absolute Mehrheit behaupten. Am gleichen Tag gewann der Sozialdemokrat Gerhard Schröder die Landtagswahlen in Niedersachsen; am 21. Juni konnte er an der Spitze einer rot-grünen Koalition den CDU-Politiker Ernst Albrecht als Ministerpräsident ablösen. Die SPD verfügte nun über die Mehrheit im Bundesrat. Ohne sie konnte der Staatsvertrag über die Währungs-, Wirtschafts- und Sozialunion nicht verabschiedet werden. Die Position Lafontaines, der sich inzwischen von dem Attentat zu erholen begann, war erheblich gestärkt.

Die ursprüngliche Absicht des Kanzlerkandidaten war die Verhinderung des Staatsvertrags. Sein Ziel sei nicht die Wiederherstellung des Nationalstaates, sondern die gesellschaftliche Einheit, die sich erst in einem jahrelangen Prozeß verwirklichen lasse, hatte er am 22. April auf einer gemeinsamen Sitzung der Führungsgremien der west- und der ostdeutschen Sozialdemokraten erklärt. Die schlagartige Einführung der DM werde negative Folgen für viele Betriebe in der DDR haben. Außerdem sei offen, was der Bevölkerung der Bundesrepublik durch die Währungs- und Wirtschaftsunion zugemutet werde.

Einen Monat später war Lafontaine zu der Erkenntnis gelangt, daß die Währungsunion nicht mehr zu verhindern war. Möglich war jedoch eine demonstrative Distanzierung von der Politik Kohls und Waigels. Die Bundestagsfraktion der SPD und die sozialdemokratisch regierten Länder im Bundesrat sollten mit Nein stimmen; wenn der sozialliberale Hamburger Senat zustimme, würde der Vertrag dennoch verabschiedet. Für den Fall, daß die Partei dieser Linie nicht folgen sollte, drohte der Ministerpräsident des Saarlandes in einem Gespräch mit dem Parteivorsitzenden Hans-Jochen Vogel in Saarbrücken mit seinem Rücktritt von der Kanzlerkandidatur.

Parteivorstand und Bundestagsfraktion waren bereit, Lafontaine entgegenzukommen: Die SPD wollte den Staatsvertrag in der vorliegenden Form ablehnen, aber ihm dann zustimmen, wenn es gelang, in Verhandlungen mit der Bundesregierung bestimmte «Nachbesserungen» zu erreichen, nämlich befristete Maßnahmen, die geeignet waren, den Zusammenbruch sanierungsfähiger Betriebe zu verhindern, ferner einen verbesserten Umweltschutz und die Heranziehung des Vermögens von SED, Blockparteien und Massenorganisationen für allgemeine und soziale Zwecke. Lafontaine aber reichte das nicht. Am 28. Mai erklärte er in einem Interview mit dem «Spiegel», für die sozialdemokratische Bundestagsfraktion gebe es keine Notwendigkeit, eine Entscheidung mitzutragen, die Massenarbeitslosigkeit zur Folge habe; im Bundesrat aber könne die SPD den Staatsvertrag passieren lassen. Diese Äußerungen riefen den Protest von west- und ostdeutschen Sozialdemokraten, von Horst Ehmke über Herta Däubler-Gmelin bis zu Richard Schröder hervor; die Verteidiger des stellvertretenden Parteivorsitzenden, darunter Gerhard Schröder und Reinhard Klimmt, der Vorsitzende der saarländischen Landtagsfraktion, blieben in der Minderheit.

Daraufhin kündigte Lafontaine am 5. Juni der Parteiführung einen Brief an, in dem er seinen Rücktritt von der Kanzlerkandidatur erklären werde. Von diesem Schritt konnte ihn die Parteiprominenz, die mit Willy Brandt und Hans-Jochen Vogel an der Spitze nach Saarbrücken eilte, dann doch noch abhalten. Am 9. Juni teilte Lafontaine Vogel mit, daß er bei seiner Kandidatur bleibe. Am gleichen Tag forderten die ostdeutschen Sozialdemokraten ihre westdeutschen Parteifreunde nachdrücklich auf, dem Staatsvertrag zuzustimmen. Am 14. Juni befanden Parteivorstand und Parteirat, daß die «Nachbesserungen», die die SPD in den Verhandlungen mit der Bundesregierung erreicht hatte, darunter ein Zusatzartikel zum Vertragsgesetz zum Staatsvertrag, eine Zustimmung zum Staatsvertrag rechtfertigten.

Am folgenden Tag, dem 15. Juni, veröffentlichten die Regierungen der Bundesrepublik und der DDR eine gemeinsame Erklärung zur Regelung offener Vermögensfragen. Darin hieß es, «Enteignungen auf besatzungsrechtlicher bzw. besatzungshoheitlicher Grundlage (1945 bis 1949)» seien «nicht mehr rückgängig zu machen. Die Regierungen der Sowjetunion und der Deutschen Demokratischen Republik sehen keine Möglichkeit, die damals getroffenen Entscheidungen zu revidieren. Die Regierung der Bundesrepublik Deutschland nimmt dies im Hinblick auf die historische Entwicklung zur Kenntnis. Sie ist der Auffassung, daß einem künftigen gesamtdeutschen Parlament eine abschließende Entscheidung über etwaige staatliche Ausgleichsleistungen vorbehalten bleiben muß.»

In der umstrittensten der offenen Vermögensfragen setzte die Bundesregierung aber ihren Standpunkt durch. Er hieß: Rückgabe vor Entschädigung. Besitz, der nach Gründung der DDR enteignet worden war, war grundsätzlich dem früheren Eigentümer zurückzugeben. Das galt *nicht* für enteignete Grundstücke und Gebäude, die inzwischen dem «Gemeingebrauch» gewidmet waren, im «komplexen Wohnungs- und Siedlungsbau» verwendet oder gewerblich genutzt wurden. Sofern Bürger der DDR «an zurückzuübertragenden Immobilien Eigentum oder Nutzungsrechte in redlicher Weise erworben» hatten, sollten die früheren Eigentümer in sozial verträglicher Weise entschädigt werden. Da die notariellen Urkunden vielfach systematisch unbrauchbar gemacht worden waren, erwies sich die Feststellung der Eigentumsrechte in der Folgezeit als außerordentlich schwierig, der Vorrang der Rückgabe mithin als Investitionshindernis. Ein anderes Hindernis versprach die Regierung de Maizière zu beseitigen: Der Verkauf von Grundstücken und Gebäuden nach dem Gesetz über den Verkauf volkseigener Gebäude vom 7. März, der auch unter dem neuen Kabinett weitergegangen war, sollte aufhören; bei unklaren Eigentumsverhältnissen sollten Verkäufe, die nach dem 18. Oktober 1989, dem Tag des Sturzes von Erich Honecker, erfolgt waren, überprüft werden.

Am 21. Juni 1990 wurde der Staatsvertrag über die Schaffung einer Währungs-, Wirtschafts- und Sozialunion zwischen der Bundesrepublik und der DDR von Volkskammer und Bundestag verabschiedet. In der Volkskammer stimmten 302 Abgeordnete mit Ja, 82 mit Nein, einer enthielt sich, womit das Erfordernis der verfassungsändernden Zweidrittelmehrheit erfüllt war. Im Bundestag lautete das Abstimmungsergebnis 444:60:1. Die Nein-Stimmen kamen von 35 Abgeordneten der Grünen und 25 Sozialdemokraten. Für die Grünen beklagte es die Abgeordnete Antje Vollmer, daß westdeutsche Politiker den Bürgerinnen und Bürgern der DDR «nie die ganze Wahrheit über die Prozesse (der Einigung, H. A. W.) zugemutet und ihnen einen Begriff von Einheit angeboten haben, der sich ganz und gar auf die D-Mark und den Wohlstand konzentriert hat». Peter Glotz, der für die sozialdemokratische Minderheit sprach, erklärte: «Wir sind für die Vereinigung der beiden deutschen Staaten. Aber wir sind zutiefst davon überzeugt, daß die Bundesregierung zur Vereinigung der beiden deutschen Staaten den falschen Weg eingeschlagen hat.»

Am folgenden Tag befaßte sich der Bundesrat mit dem Staatsvertrag. Außer dem Saarland und Niedersachsen stimmten alle Länder zu. Der neue, tags zuvor gewählte niedersächsische Ministerpräsident Gerhard Schröder begründete sein Nein mit Argumenten, die an Habermas' Artikel gegen den «DM-Nationalismus» erinnerten: «Vernünftig wäre es doch wohl, wenn wir eine Legitimation für den Prozeß der deutschen Einheit nicht nur in der DDR, sondern auch bei uns wollen, daß wir insbesondere diejenigen, die in der Bundesrepublik politisch sozialisiert worden sind, auch an der Entscheidung über die für ihre Zukunft maßgebende Frage beteiligen, unter welcher Verfassung und in welcher Verfassungswirklichkeit sie denn leben wollen... Deshalb denke ich, muß es dazu kommen, daß eine solche Verfassung dem Volk vorgelegt wird und das Volk darüber abstimmen kann und zwar nach meiner Auffassung, bevor es gesamtdeutsche Wahlen gibt.»

Die Währungsunion und der «politische» Umtauschkurs 1:1 waren in erster Linie Versuche, den Übersiedlerstrom zu beenden. Zwischen der Volkskammerwahl am 18. März und Ende Mai hatten rund 38 000 Menschen die DDR in Richtung Bundesrepublik verlassen; seit Anfang Januar 1990 waren es 184 000. Spekulationen über einen Umtauschkurs 2:1 ließen die Zahlen der Übersiedler im April erneut anschwellen. «Kommt die D-Mark, bleiben wir. Kommt sie nicht, geh'n wir zu ihr»: So oder ähnlich lautete eine oft zu lesende und zu hörende Parole auf Demonstrationen in der DDR. Als die Währungsunion am 1. Juli 1990 Wirklichkeit wurde, war das für die Ostdeutschen ein ähnlich einschneidendes Erlebnis, wie es die Währungsreform vom 20. Juni 1948 für die Westdeutschen gewesen war. Seit Sonntag, dem 1. Juli 1990, gab es nur noch ein gesetzliches Zahlungsmittel in Deutschland, die Deutsche Mark; an diesem Tag entfielen die Personenkontrollen an der innerdeutschen Grenze. Die Deutschen in der DDR hatten allen Grund zur Freude: Sie waren der Gleichberechtigung mit ihren Landsleuten im Westen ein großes Stück nähergekommen. Die Deutsche Mark hatte sich von einem westdeutschen in ein gesamtdeutsches Symbol verwandelt.

Ein Scheitern der Währungsunion, auf das Oskar Lafontaine noch im April hingearbeitet hatte, hätte ganz Deutschland an den Rand einer politischen Katastrophe gebracht. Daß er sich mit dieser Linie in der eigenen Partei nicht durchsetzen konnte, lag am Verantwortungsbewußtsein von Sozialdemokraten wie Hans-Jochen Vogel. Nicht die Währungsunion als solche forderte massive Kritik heraus: Was die Fachleute beanstandeten, war zum größten Teil aus politischen Gründen unvermeidbar. Die eigentlich gravierenden Mängel bei der Herstellung der wirtschaftlichen Einheit Deutschlands waren der Grundsatz «Rückgabe vor Entschädigung» und die Finanzierung durch Verschuldung. Für den ersten Fehler waren die Bundesregierung und die Koalition, für den zweiten alle politischen Kräfte der Bundesrepublik verantwortlich.

«Die gesamte Diskussion in Medien und Politik zeigte, wie Journalisten und Politiker die Haltung der Bürger der Bundesrepublik zu den Lasten der Einheit einschätzten: Deutsche Einheit ja, aber möglichst zum Nulltarif», urteilt der Politikwissenschaftler Dieter Grosser. «Die Beschlüsse über den Fonds Deutsche Einheit wurden zum Muster, nach dem die Finanzierung der Einheit auch weiterhin ablief: Vorrang der Kreditfinanzierung als angreifbarer, politisch aber leichtester Weg zur Beschaffung der Mittel; wenn irgend möglich Einsatz von Sonderfonds als eigenständige Träger der Staatsverschuldung, um optisch die Belastung der öffentlichen Haushalte niedrig zu halten... Auch die Verwendung der Mittel folgte der gleichen Tendenz, die schon im Mai 1990 erkennbar war: Kreditfinanzierte Ausgaben, die ökonomisch und verfassungsrechtlich nur zur Finanzierung von Investitionen vertretbar gewesen wären, dienten überwiegend der Stützung des Konsums. Die Weichen bei der Finanzierung der Einheit wurden also schon im Mai 1990 falsch gestellt. Doch politisch war zu diesem Zeitpunkt kein anderer Weg zu sehen.»[13]

Bevor die Zwei-plus-Vier-Verhandlungen im Mai auf Ministerebene beginnen konnten, verhärtete sich erst einmal die sowjetische Position. Anläßlich eines Besuches von Ministerpräsident Modrow in Moskau am 5. und 6. März bezeichnete Außenminister Schewardnadse eine deutsche Vereinigung nach Artikel 23 als unannehmbar und illegitim. Gorbatschow erklärte zur selben Zeit, einer Zugehörigkeit des vereinten Deutschland zur NATO könne die Sowjetunion in keiner Form zustimmen. Kurz darauf bereitete auch Mitterrand dem Bundeskanzler unerwartete Schwierigkeiten. Bei einem Besuch von Ministerpräsident Mazowiecki in Paris am 9. März unterstützte der französische Staatspräsident den Warschauer Standpunkt, daß ein deutsch-polnischer Vertrag zur Anerkennung der Oder-Neiße-Grenze *vor* einer deutschen Vereinigung unterzeichnet und Polen zumindest teilweise an den Zwei-plus-Vier-Verhandlungen beteiligt werden müsse. (Soweit es dabei um die Grenzfrage ging, war das letzte zwischen Bonn und Paris nicht strittig.)

Beim ersten Zusammentreffen zum Auftakt der Zwei-plus-Vier-Gespräche in Bonn am 14. März stand aber Frankreich, ebenso wie die USA, in einer anderen Streitfrage ganz auf der Seite der Bundesrepublik: Paris und Washington traten der sowjetischen Forderung nach einem Friedensvertrag entgegen. 45 Jahre nach dem Ende des Zweiten Weltkrieges erschien bereits der Begriff «Friedensvertrag» als Rückfall in vergangene Zeiten und überholte Kategorien – von der Aussicht auf einen Vertrag mit den 110 Ländern, die im Mai 1945 im Krieg mit Deutschland gestanden hatten, ganz zu schweigen. Wichtiger noch war eine andere Sorge der Bundesregierung: Bei Verhandlungen über einen Friedensvertrag konnten Reparationsansprüche aus dem Zweiten Weltkrieg wieder auf die Tagesordnung kommen – Ansprüche von Staaten des ehemaligen Ostblocks, aber auch von westlichen und neutralen Staaten. (Das Londoner Schuldenabkommen vom 27. Februar 1953, an dem die Ostblockstaaten nicht beteiligt waren, hatte Reparationsansprüche ausdrücklich bis zu einer endgültigen friedensvertraglichen Regelung zurückgestellt.)

Die Londoner Regierung hatte sich, was das Stichwort «Friedensvertrag» anging, in den internen westlichen Verhandlungen von Moskau bisher nicht wesentlich unterschieden. In keinem westlichen Land war die Angst von einem «Vierten Reich» so groß wie in Großbritannien. Am 31. Oktober 1989, zehn Tage vor dem Fall der Mauer, hatte der irische Historiker und Journalist Conor Cruise O'Brien in der Londoner «Times» einen Artikel «Beware a Reich resurging» veröffentlicht. Darin hieß es: «Das Vierte Reich, wenn es kommt, wird eine natürliche Tendenz haben, seinem Vorgänger ähnlich zu sehen.» Die konservative Regierungschefin teilte diese Besorgnisse. Am 25. Februar 1990 erklärte sie in einem Interview mit der «Sunday Times», Europa gehe durch die Vereinigung Deutschlands auf einen «enormous upheaval» zu. «Man kann nicht einfach die Geschichte dieses Jahrhunderts ignorieren, als ob sie sich nicht ereignet hätte, und sagen: ‹Wir werden uns jetzt vereinigen, und alles andere wird danach ausgearbeitet.› So geht es nicht.»

Einen Monat später, am 24. März 1990, trafen auf Einladung von Margaret Thatcher vier angesehene Historiker, Gordon Craig aus Stanford, Fritz Stern von der Columbia University in New York, Hugh Trevor-Roper (Baron Dacre of Glanton) und Norman Stone, beide aus Oxford, sowie zwei sachkundige Publizisten, Timothy Garton Ash und George Urban, auf dem Landsitz der Premierministerin in Chequers zusammen, um mit ihr und Außenminister Hurd die Folgen einer deutschen Wiedervereinigung zu erörtern. Eine Aufzeichnung von Thatchers Privatsekretär Charles Powell, der am Treffen in Chequers teilgenommen hatte, gelangte am 15. Juli an die Öffentlichkeit. Demnach war in dem ganztägigen Seminar über angebliche deutsche Charaktereigenschaften wie Angst, Aggressivität, Anmaßung, Rücksichtslosigkeit, Egoismus, Minderwertigkeitskomplexe und Sentimentalität gesprochen worden.

Die «Optimisten», so konnte man dem Bericht entnehmen, hätten zwar darauf hingewiesen, daß Deutschland und die Deutschen sich nach 1945 gründlich, und zwar zum Besseren hin, verändert hätten: «Es gab kein geschichtliches Sendungsbewußtsein mehr, keine Ambitionen auf gewaltsame Eroberungen, keinen Militarismus. Bildung und Geschichtsschreibung hätten sich gewandelt. Die neue Generation der Deutschen sei an der Vergangenheit unschuldig und trete ihr unbefangen gegenüber. Wir müßten uns keine ernsthaften Sorgen über sie machen.» Doch auch die wohlwollenden Seminarteilnehmer waren nicht frei von Sorgen. «Wir können nicht von der Annahme ausgehen, daß ein vereintes Deutschland sich ebenso bequem in Westeuropa einfüge lasse wie die BRD. Die Neigung werde wachsen, die Mitteleuropa-Konzeption wieder auferstehen zu lassen, in der Deutschland die Rolle eines Maklers zwischen Ost und West spiele.» Die zusammenfassende Empfehlung der Sachkenner lautete dennoch: «Wir sollten nett sein zu den Deutschen.»

Die deutsche Öffentlichkeit reagierte empört auf die «Chequers-Affäre». Das lag auch daran, daß am 14. Juli, einen Tag vor der Publikation von Powells Aufzeichnung im «Independent on Sunday», ein Interview mit Handels- und Industrieminister Nicholas Ridley im «Spectator» erschienen war. Darin warnte der konservative Politiker, die Deutschen wollten ganz Europa in die Hand bekommen. «Man könnte gleich alles ohne Umschweife Adolf Hitler in die Hände geben.» Auf den Einwand, Herr Kohl sei doch gewiß Herrn Hitler vorzuziehen, erwiderte Ridley: «Er wird bald herüberkommen und zu sagen versuchen, daß wir das an der Bankenfront tun sollten und daß so und so unsere Steuern zu sein hätten. Ich meine, daß er bald versuchen wird, *alles* in die Hand zu nehmen.»

Einige Teilnehmer des Gesprächs vom 24. März widersprachen sogleich dem Tenor von Powells Protokoll und den erregten deutschen Kommentaren: Das Wohlwollen gegenüber dem heutigen Deutschland und der deutschen Vereinigung habe die Kritik am früheren, dem Bismarckschen, dem wilhelminischen und dem Hitlerschen Deutschland entschieden überwogen. Aber an Margaret Thatchers Ablehnung dessen, was seit Herbst 1989 in Deutschland geschah, gab es trotzdem keinen Zweifel. Sie hatte im September des vergangenen Jahres versucht, Gorbatschow auf ein Nein zur Wiedervereinigung festzulegen; sie hatte sich im Dezember 1989 auf der Tagung des Europäischen Rats in Straßburg und dann nochmals bei einem Treffen mit Mitterrand im Januar 1990 um eine britisch-französische Achse bemüht, die die deutsche Einheit verhindern sollte; sie hatte im Februar 1990 mit George Bush telefonisch über ihre Besorgnisse angesichts der Entwicklung in Deutschland gesprochen.

Aber Erfolg hatte sie mit alledem nicht. Gorbatschow begann nach dem Jahreswechsel mit seinem Umdenken in der deutschen Frage. Mitterrand teilte Thatchers Befürchtungen, wollte es aber nicht zum Bruch mit Kohl kommen lassen. Bush war für die Wiedervereinigung, wenn sie zu westlichen Bedingungen stattfand. Die Historiker und Publizisten, die die Premierministerin in Chequers befragte, waren auch keine Stützen ihrer bisherigen harten Linie. Vielleicht bewirkten sie sogar eine gewisse Auflockerung ihrer Position. Seit Ende März ließ Margaret Thatchers Widerstand gegen eine Wiedervereinigung jedenfalls deutlich nach. Den Bundeskanzler behandelte sie am 29. März auf der deutsch-britischen «Königswinter-Konferenz», die diesmal in Cambridge stattfand, und tags darauf bei den offiziellen Konsultationen in London mit ausgesuchter Liebenswürdigkeit.

Drei Wochen später, am 21. April, verständigten sich die Außenminister der Europäischen Gemeinschaft in Dublin auf die Eingliederung der DDR in die Europäische Gemeinschaft im Zuge der deutschen Einheit. Die Vorarbeiten hatte die Europäische Kommission unter Jacques Delors in Gestalt eines Drei-Stufen-Plans geleistet. Gleichzeitig sollte, soweit es nach dem Willen Frankreichs und der Bundesrepublik ging, die Einigung Westeuropas weiter voranschreiten. Die Außenminister Dumas und Genscher legten ihren Kollegen in Dublin einen ehrgeizigen Plan vor, der in den Wochen zuvor Gegenstand intensiver Beratungen zwischen Paris und Bonn gewesen war und sich am 18. April in einem gemeinsamen Schreiben von Mitterrand und Kohl an den Präsidenten des Europäischen Rates, den irischen Ministerpräsidenten Charles Haughey, niedergeschlagen hatte: Die Gemeinschaft sollte zeitgleich mit der Regierungskonferenz über die Währungsunion eine zweite Regierungskonferenz über die Schaffung einer politischen Union einsetzen. «Angesichts der tiefgreifenden Umwälzungen in Europa, unter Berücksichtigung der Wirtschafts- und Währungsunion halten wir es für notwendig, den politischen Aufbau des Europas der Zwölf zu beschleunigen. Wir glauben, daß es an der Zeit ist, die ‹Gesamtheit der Beziehungen zwischen den Mitgliedstaaten in eine Europäische Union umzuwandeln und diese mit den notwendigen Aktionsmitteln auszugestalten›, wie es die Europäische Akte (vom 1. Juli 1987, H. A. W.) vorgesehen hat.»

Infolgedessen gehe es darum, die demokratische Legitimität der Gemeinschaft zu verstärken, ihre Institutionen effizienter zu gestalten, Tätigkeiten in den Bereichen Wirtschaft, Finanzen und Politik besser aufeinander abzustimmen und eine gemeinsame Außen- und Sicherheitspolitik zu definieren. Bis zum Europäischen Rat im Juni sollte ein erster, bis zum nächsten Gipfel im Dezember 1990 der abschließende Bericht der Außenminister vorliegen. Die beiden Regierungskonferenzen sollten ihre Arbeiten so koordinieren, daß die Europäische Union am 1. Januar 1993 Wirklichkeit werden konnte.

Mitterrand war Kohl insofern entgegengekommen, als die Politische Union oder das, was von ihr übriggeblieben war, nunmehr *zusammen* mit der Währungsunion in Angriff genommen und vollendet werden sollte. Doch der Begriff «Europäische Union», der in der Botschaft an die Stelle der Politischen Union trat, trug alle Züge eines dilatorischen Formelkompromisses. Er verdeckte fortdauernde Meinungsverschiedenheiten zwischen Paris und Bonn über Form und Inhalt der erstrebten Union. Statt von einer Verstärkung des Europäischen Parlaments, wie die Bundesregierung sie wünschte, war lediglich von einer Verstärkung der demokratischen Legitimität, statt von einer Stärkung der Gemeinschaftsorgane, namentlich des Ministerrats und der Kommission, nur von einer effizienteren Gestaltung der Institutionen die Rede. Frankreich lag daran, das wirtschaftliche Übergewicht der größer werdenden Bundesrepublik, so gut es ging, zu neutralisieren. Die Bundesrepublik wollte die Währungsunion zum Hebel der politischen Einigung Europas machen. Paris kam *seinem* Ziel mit dem gemeinsamen Brief vom 18. April näher als Bonn. Das war der Preis, den Kohl für das französische Ja zur deutschen Einheit zu zahlen bereit war.

Auf dem Sondergipfel der Staats- und Regierungschefs der Europäischen Gemeinschaft in Dublin am 28. April waren die Vorbehalte von Briten, Dänen und Portugiesen gegen die Einberufung einer Regierungskonferenz so stark, daß die Entscheidung nochmals vertagt werden mußte. Bis zum nächsten Treffen im Juni sollten die Außenminister die Notwendigkeit von Vertragsänderungen genau prüfen. Die Umwandlung der Europäischen Gemeinschaft in die Europäische Union zum 1. Januar 1993 fand aber grundsätzliche Zustimmung, so daß die deutsch-französische Initiative in einem wesentlichen Punkt doch von Erfolg gekrönt war.

Zur deutschen Einheit äußerte sich der Europäische Rat in Worten, die von den Streitigkeiten der letzten Monate zwischen Bonn und London, Bonn und Paris nichts mehr erkennen ließen. «Die Gemeinschaft begrüßt die Vereinigung Deutschlands wärmstens. Sie freut sich auf den positiven und fruchtbaren Beitrag, den das ganze deutsche Volk im Anschluß an die bevorstehende Eingliederung des Staatsgebiets der DDR in die Gemeinschaft leisten kann. Wir sind zuversichtlich, daß die Vereinigung Deutschlands – als Ergebnis des frei geäußerten Wunsches des deutschen Volkes –

ein positiver Faktor in der Entwicklung Europas im allgemeinen und der Gemeinschaft im besonderen sein wird ... Wir freuen uns, daß die Vereinigung Deutschlands unter einem europäischen Dach stattfindet. Die Gemeinschaft wird dafür Sorge tragen, daß die Eingliederung des Staatsgebiets der Deutschen Demokratischen Republik in die Gemeinschaft reibungslos und harmonisch vollzogen wird ... Diese Eingliederung wird nach Maßgabe der erforderlichen Übergangsvereinbarungen wirksam, sobald die Vereinigung vollzogen ist. Die Eingliederung erfolgt ohne Änderung der Verträge.»

Eine Woche nach dem Dubliner Sondergipfel fand in Bonn die erste Außenministerkonferenz im Rahmen der Zwei-plus-Vier-Gespräche statt. Das Datum hätte symbolischer kaum sein können: Am 5. Mai 1990 waren es auf den Tag genau 35 Jahre her, daß die Bundesrepublik (mit gewissen Einschränkungen) souverän geworden war. Die Außenminister Genscher, Meckel, Baker, Schewardnadse, Hurd und Dumas verständigten sich auf die Schwerpunkte der Arbeit, die vor ihnen lag: Es waren vier Gebiete, nämlich erstens Grenzen, zweitens politisch-militärische Fragen, drittens Berlin-Probleme und viertens abschließende völkerrechtliche Regelung und Ablösung der Rechte und Verantwortlichkeiten der Vier Mächte. Schewardnadse hatte zunächst einen weiteren Tagungspunkt gefordert, die «Synchronisierung» von deutscher Vereinigung und gesamteuropäischem Prozeß. Da ihm keiner seiner Kollegen zustimmte, erklärte er sich schließlich damit einverstanden, daß der zweite Themenbereich wie folgt gefaßt wurde: «Politisch-militärische Fragen unter Berücksichtigung von Ansätzen geeigneter Sicherheitsstrukturen in Europa».

Doch der Dissens in der Sache blieb bestehen. Der sowjetische Außenminister verstand unter «Synchronisierung» die Ablösung der bestehenden Bündnissysteme durch gesamteuropäische, kooperative Sicherheitsstrukturen, und zwar als Voraussetzung einer deutschen Vereinigung; die NATO-Mitgliedschaft eines vereinigten Deutschland lehnte Schewardnadse ab. Die Westmächte einschließlich der Bundesrepublik wünschten einen Ausbau des KSZE-Prozesses unter Beibehaltung der NATO. Die DDR bezog eine mittlere Position: Die kooperativen Sicherheitsstrukturen sollten nach Vollzug der deutschen Einheit aufgebaut werden und das vereinigte Deutschland vorübergehend Mitglied einer NATO sein, die sich freilich stark wandeln mußte.

Für Verwirrung sorgte der Vorschlag Schewardnadses, die innere Vereinigung Deutschlands von der Regelung des außen- und sicherheitspolitischen Status zeitlich abzutrennen, also erst Deutschland zu einem Staat zusammenzuschließen und dann die Bündnisfrage zu klären. Die Rechte der Vier Mächte hätten in diesem Fall die Wiederherstellung der staatlichen Einheit Deutschlands auf unbestimmte Zeit überdauert; das vereinigte Land wäre nicht souverän gewesen. Da Genscher nicht entschieden widersprach, entstand nach der ersten Runde der Zwei-plus-Vier-Gespräche

vorübergehend der Eindruck, als sei die Bundesrepublik bereit, sich gegebenenfalls auf eine solche «Entkoppelung» einzulassen. Tatsächlich lehnte
Bundeskanzler Kohl diese Lösung strikt ab, und nachdem auch Genscher
am 10. Mai im Bundestag erklärt hatte, das vereinte Deutschland dürfte
nicht mit offenen Fragen belastet werden, war von diesem Zeitpunkt ab die
Position Bonns wieder klar: Die Bundesrepublik bestand auf der Gleich-
zeitigkeit von innerem und äußerem Vereinigungsprozeß.

In der Bündnisfrage hatte das erste Ministertreffen im Rahmen der Zwei-
plus-Vier-Gespräche also keinen Fortschritt gebracht. Die Entschiedenheit, mit der der sowjetische Außenminister einer deutschen NATO-Mitgliedschaft widersprochen hatte, dürfte ihren wichtigsten Grund in der
Krise um Litauen gehabt haben: Die bisherige baltische Sowjetrepublik
hatte im März ihre Unabhängigkeit erklärt und damit harte Gegenmaßnahmen Moskaus, darunter die Entsendung von KGB-Truppen und einen
Stopp der Erdöl- und Erdgaslieferungen, ausgelöst. Gorbatschow, der am
15. März vom Kongreß der Volksdeputierten zum Staatspräsidenten der
Sowjetunion gewählt worden war, mußte fürchten, sich gegenüber seinen
innerparteilichen Gegnern eine zusätzliche Blöße zu geben, wenn er den
Eindruck zuließ, er sei dabei, im Hinblick auf den militärischen Status
Deutschlands den westlichen Standpunkt zu übernehmen.

In den ersten drei Wochen nach der Bonner Konferenz änderte sich an
der sowjetischen Haltung in der Bündnisfrage nichts. Zwei Moskaubesu-
cher, James Baker und François Mitterrand, konnten (der erste am 18., der
zweite am 25. Mai) jedenfalls keinerlei Abschwächung des «Njet» feststellen. Bei einem ausführlichen Gespräch zwischen Schewardnadse und Genscher am 23. Mai in Genf erklärte der sowjetische Außenminister seinem
Bonner Kollegen, daß es für Gorbatschow und ihn selbst, Schewardnadse,
psychologisch und politisch nicht möglich sei, die Aufnahme eines vereinten Deutschland in die NATO zu unterstützen.

Um dieselbe Zeit mehrten sich aber auch die Anzeichen eines drohenden
wirtschaftlichen Zusammenbruchs der Sowjetunion: Die Hilferufe an den
Westen, vor allem an die Bundesrepublik und die Vereinigten Staaten, waren nicht mehr zu überhören. Aus Amerika waren positive Reaktionen fürs
erste nicht zu erwarten: Am 1. Mai hatte der Senat beschlossen, der Sowjetunion Handelsvergünstigungen so lange zu versagen, bis sie ihr Embargo gegenüber Litauen beendet und Verhandlungen mit der baltischen
Republik aufgenommen hatte. George Bush lag jedoch durchaus nicht
daran, Gorbatschow Schwierigkeiten zu bereiten: Als Kohl und Mitterrand
am 26. April den litauischen Präsidenten Vytautas Landsbergis in einem gemeinsamen Brief aufforderten, die Unabhängigkeitserklärung bis auf weiteres auszusetzen, taten sie es mit der ausdrücklichen Zustimmung des
amerikanischen Präsidenten.

Bush war auch einverstanden, daß die Bundesrepublik der Sowjetunion
materiell half. Schewardnadse hatte am 4. Mai, am Vorabend der Bonner

Zwei-plus-Vier-Gespräche, dem Bundeskanzler im Auftrag von Präsident Gorbatschow und Ministerpräsident Ryschkow die Bitte um einen Finanzkredit zur Sicherung der Zahlungsfähigkeit der Sowjetunion vorgetragen, und Kohl war nur zu gerne bereit, seine Hilfe in Aussicht zu stellen. Am 13. Mai flog Horst Teltschik, begleitet von den Vorstandssprechern der Deutschen Bank und der Dresdner Bank, Hilmar Kopper und Wolfgang Röller, nach Moskau. Die Verhandlungen mit Gorbatschow, Ryschkow und Schewardnadse führten zu dem Ergebnis, daß die Sowjetunion einen Kredit von 5 Milliarden DM erhielt, für den die Bundesrepublik die Bürgschaft übernahm. Gorbatschow wurde nicht im Zweifel darüber gelassen, daß Bonn diese Hilfe als Teil eines «Gesamtpakets» zur Lösung der deutschen Frage betrachtete.

Zwischen dem Besuch Teltschiks in Moskau am 14. Mai und seinem eigenen Besuch in Washington am 31. Mai müssen Gorbatschow Zweifel gekommen sein, ob er das Nein zu einer NATO-Mitgliedschaft Gesamtdeutschlands noch lange würde durchhalten können – jedenfalls dann, wenn er vom Westen weitere Wirtschafts- und Finanzhilfe zu erlangen hoffte. Bei seinem Gespräch mit Bush im Weißen Haus am 31. Mai stellte der sowjetische Präsident wie zuvor schon mehrfach Außenminister Schewardnadse zunächst den Gedanken zur Diskussion, ein vereinigtes Deutschland könne entweder beiden Bündnissen oder keinem angehören. Er erwog dann sogar einen NATO-Beitritt der Sowjetunion und forderte, daß beide Bündnisse sich stärker in politische Organisationen verwandeln sollten. Als Präsident Bush bemerkte, gemäß der KSZE-Schlußakte hätten alle Staaten das Recht, ihre Bündniszugehörigkeit frei zu wählen, also auch Deutschland, stimmte ihm Gorbatschow zur Bestürzung seiner Berater Achromejew und Falin zu: Die USA und die Sowjetunion sollten erklären, sie überließen dem vereinten Deutschland die Entscheidung, zu welchem Bündnis es gehören wolle. Er war auch einverstanden, als Bush eine andere Formulierung vorschlug: Die USA sprächen sich eindeutig für eine Mitgliedschaft des vereinten Deutschland in der NATO aus, würden aber auch eine andere Entscheidung nicht anfechten, sondern tolerieren.

Bundeskanzler Kohl vermochte im ersten Augenblick gar nicht zu begreifen, was ihm Bush unmittelbar nach der ersten Runde seiner Gespräche mit Gorbatschow telefonisch mitteilte: Der erste Mann der Sowjetunion hatte dem vereinten Deutschland soeben das Recht zugestanden, sich für eine Vollmitgliedschaft im atlantischen Bündnis zu entscheiden. Auf der gemeinsamen Pressekonferenz zum Abschluß des Gipfels am 3. Juni widersprach Gorbatschow nicht, als Bush erklärte: «Was die äußeren Bündnisse Deutschlands betrifft, bin ich der Auffassung, wie Kanzler Kohl und andere Mitglieder des Bündnisses auch, daß das vereinte Deutschland vollberechtigtes Mitglied der NATO sein soll. Präsident Gorbatschow, offen gesagt, teilt diese Auffassung nicht. Doch stimmen wir darin voll überein, daß die Frage der Bündnismitgliedschaft, in Übereinstimmung mit der

Schlußakte von Helsinki, eine Sache ist, die die Deutschen entscheiden müssen.»

Gorbatschow kehrte ohne Kreditzusage, aber doch mit einem amerikanisch-sowjetischen Handelsvertrag nach Moskau zurück. Sein Washingtoner Zugeständnis in der Frage des künftigen Status Deutschlands *war* ein Durchbruch. Der Generalsekretär konnte nach seiner offenkundig improvisierten Bemerkung zum Recht der Deutschen, über ihre Bündniszugehörigkeit frei zu entscheiden, nicht ohne weiteres zur früheren harten Linie der unbedingten Ablehnung einer NATO-Mitgliedschaft des vereinten Deutschland zurückkehren. Doch solange die Rahmenbedingungen und die Einzelheiten nicht geklärt waren, war die Sowjetunion auch nicht auf ein Ja zur vollen NATO-Mitgliedschaft Gesamtdeutschlands festgelegt. Viel hing nunmehr von der Art und Weise ab, wie das atlantische Bündnis seine künftige Rolle verstand und umschrieb.

Am 7. und 8. Juni trafen sich die Außenminister der NATO im schottischen Turnberry. In der am zweiten Verhandlungstag verabschiedeten «Botschaft von Turnberry» begrüßten sie eine Verlautbarung der Staaten des Warschauer Pakts vom Vortag, in der diese das ideologische Feindbild der Vergangenheit für überwunden erklärt und sich zum Zusammenwirken mit dem nordatlantischen Bündnis bekannt hatten. Die Vertreter der NATO-Staaten boten ihrerseits «der Sowjetunion und allen anderen europäischen Ländern die Hand zu Freundschaft und Zusammenarbeit». Sie sprachen von der wachsenden Bedeutung des KSZE-Prozesses als Instrument für Zusammenarbeit und Sicherheit in Europa. Dieser Prozeß «sollte gestärkt werden und wirksame institutionelle Gestalt erhalten. Wir sind entschlossen, auf einen schnellen und erfolgreichen Abschluß der Wiener Verhandlungen über konventionelle Streitkräfte hinzuarbeiten. Der Rüstungskontrollprozeß muß energisch vorangetrieben werden. Wir sind überzeugt, daß die deutsche Einigung ein wesentlicher Beitrag zur Stabilität in Europa ist. Wir sind bereit, im Bewußtsein der herausragenden politischen Bedeutung dieser Aufgaben äußerste Anstrengungen zu unternehmen, um sie zu bewältigen.»

Den Konferenzen der beiden Bündnisse folgten mehrere Begegnungen zwischen Genscher und Schewardnadse. Am 11. Juni trafen sie sich im weißrussischen Brest, dem früheren Brest-Litowsk. Der sowjetische Außenminister hatte diesen Ort, der in Polen unangenehme Erinnerungen an die Teilung des Landes im Gefolge des Hitler-Stalin-Pakts weckte, aus persönlichen Gründen vorgeschlagen: Dort war im Juni 1941 in den ersten Kriegstagen sein Bruder Akaki gefallen und beigesetzt worden. Genscher hat im Rückblick diese Zusammenkunft, zu der ein gemeinsamer Besuch am Grab von Schewardnadses Bruder gehörte, das «vielleicht wichtigste deutsch-sowjetische Treffen im Vorfeld der Einigung» genannt; der sowjetische Außenminister habe in Brest eine deutsche NATO-Mitgliedschaft «in unserem Sinne» für möglich erklärt, wenn NATO und Warschauer Pakt sich in *politische* Bündnisse verwandelten und ihr Verhältnis grundlegend änderten.

Am 15. Juni trafen sich die beiden Minister erneut, und zwar auf der zweiten KSZE-Konferenz über die «menschliche Dimension» der Ost-West-Beziehungen in Kopenhagen, wo der sowjetische Außenminister auch einen längeren Meinungsaustausch mit James Baker hatte. Am 18. Juni schloß sich eine Begegnung zwischen Genscher und Schewardnadse in Münster an. Diese Stadt hatte der Bundesaußenminister aus historischen Gründen ausgesucht. «Mit dem Westfälischen Frieden vom Oktober 1648 wurde in Europa der Dreißigjährige Krieg beendet», schreibt Genscher in seinen «Erinnerungen», «jetzt ging es um die Beendigung eines mehr als vierzigjährigen Kalten Krieges.» Die Treffen von Kopenhagen und Münster bestätigten den Eindruck, den Genscher in Brest gewonnen hatte: Die Sowjetunion war dabei, sich mit dem Gedanken einer gesamtdeutschen NATO-Mitgliedschaft abzufinden, sofern die neue NATO sich von der alten deutlich unterschied.

In der Bundesrepublik sahen durchaus nicht alle politischen Kräfte einer atlantischen Lösung der deutschen Frage mit Freude entgegen. Der Sicherheitsexperte der SPD, Egon Bahr, hielt an seiner, mittlerweile nur noch von einer Minderheit seine Partei geteilten Auffassung fest, daß die beiden Bündnisse schließlich von einem gesamteuropäischen kollektiven Sicherheitssystem abgelöst werden müßten – einer Auffassung, die am 23. März auch Außenminister Genscher, zum starken Mißfallen des Bundeskanzlers, in einer Rede vor der Versammlung der Westeuropäischen Union vertreten hatte. Unmittelbar vor dem fünften Beamtentreffen im Rahmen der Zwei-plus-Vier-Gespräche warnte Bahr am 18. Juni bei einer Besprechung in Bonn die Berater von DDR-Außenminister Meckel vor Bemühungen der Bundesregierung, sich bilateral mit der Sowjetunion auf eine NATO-Mitgliedschaft ganz Deutschlands zu verständigen. Vielmehr müßten die Rechte der Vier Mächte vorerst erhalten bleiben. «Werden die Vier-Mächte-Rechte abgelöst, gibt es keinen Hebel mehr für ein europäisches Sicherheitssystem.» Zum Bedauern Bahrs gingen Meckels Mitarbeiter auf den Vorschlag, die Herstellung der Souveränität Gesamtdeutschlands zu verzögern, nicht ein – obwohl sie, wie Meckel selbst, im Ziel einer gesamteuropäischen Sicherheitsarchitektur mit dem Vordenker der sozialdemokratischen Ostpolitik durchaus übereinstimmten.

Am 21. Juni 1990 – dem Tag, an dem Bundestag und Volkskammer den Staatsvertrag über die Schaffung einer Währungs-, Wirtschafts- und Sozialunion in dritter Lesung annahmen – verabschiedeten die beiden deutschen Parlamente auch gleichlautende Entschließungen zur deutsch-polnischen Grenze. Der Grenzverlauf bestimmte sich demnach durch das Abkommen zwischen der DDR und der Republik Polen vom 6. Juli 1950 nebst ergänzenden und Ausführungsvereinbarungen sowie durch den Warschauer Vertrag zwischen der Bundesrepublik Deutschland und der Volksrepublik Polen vom 7. Dezember 1970. Im weiteren Text der Entschließung gaben die beiden deutschen Parlamente ihrem Willen Ausdruck, daß der Verlauf der Grenze zwischen dem vereinten Deutschland und der Republik Polen durch einen völkerrechtlichen Vertrag bekräftigt werden sollte, in dem es unter anderem hieß: «Beide Seiten bekräftigen die Unverletzlichkeit der zwischen ihnen bestehenden Grenze jetzt und in der Zukunft und verpflichten sich gegenseitig zur uneingeschränkten Achtung ihrer Souveränität und territorialen Integrität. Beide Seiten erklären, daß sie gegeneinander keinerlei Gebietsansprüche haben und solche auch in Zukunft nicht erheben werden.» Die beiden deutschen Regierungen wurden aufgefordert, diese Entschließung der Republik Polen «förmlich als Ausdruck auch ihres Willens mitzuteilen».

Den inhaltlichen Aussagen zur deutsch-polnischen Grenze war eine Präambel vorangestellt, die auch auf die Geschichte des Verhältnisses beider Völker einging. Bundestag und Volkskammer handelten demnach «im Bewußtsein, daß dem polnischen Volk durch Verbrechen, die von Deutschen und im deutschen Namen begangen worden sind, schreckliches Leid zugefügt worden ist, im Bewußtsein, daß Millionen von Deutschen, die aus ihrer angestammten Heimat vertrieben wurden, großes Unrecht geschehen ist, in dem Wunsche, daß im Gedenken an die tragischen und schmerzlichen Seiten der Geschichte auch ein vereintes Deutschland und die Republik Polen die Verständigung und Versöhnung zwischen Deutschen und Polen konsequent fortsetzen, die Beziehungen im Blick auf die Zukunft gestalten und damit ein Beispiel für gute Nachbarschaft geben.»

Die Volkskammer nahm die Entschließung in nichtnamentlicher Abstimmung mit großer Mehrheit gegen 6 Stimmen der DSU bei 18 Enthaltungen an. Im Bundestag stimmten 486 Abgeordnete für und 15 gegen den Antrag; 3 enthielten sich. Die Nein-Stimmen kamen aus den Reihen von CDU und CSU, die Enthaltungen von einem Abgeordneten der CSU und zwei Grünen.

Am Tag nach den Abstimmungen, dem 22. Juni, trat in Ost-Berlin die zweite Zwei-plus-Vier-Außenministerkonferenz zusammen. Der 22. Juni 1990 war, woran der sowjetische Außenminister absichtsvoll erinnerte, der 49. Jahrestag des deutschen Überfalls auf die Sowjetunion. Schewardnadse unterbreitete seinen Kollegen einen Gesamtentwurf für eine «abschließende völkerrechtliche Regelung mit Deutschland», der für eine Übergangszeit von fünf Jahren eine Doppelmitgliedschaft Deutschlands in NATO und Warschauer Pakt sowie eine Gesamtstärke der Bundeswehr von 200 000 bis 250 000 Soldaten vorsah. Was die doppelte Bündniszugehörigkeit anging, widersprachen ihm alle anderen Außenminister. In der Frage der Obergrenze der Bundeswehr stimmte ihm der Außenminister der DDR, Markus Meckel, zur Verärgerung seiner vier westlichen Kollegen, weitgehend zu: 300 000 Mann war sein eigener Vorschlag. Außerdem wollte Meckel mit der staatlichen Vereinigung eine Übergangsperiode beginnen lassen, die erst mit der Schaffung eines europäischen Sicherheitssystems enden sollte. Außenminister Dumas forderte, die beiden deutschen Regierungen sollten sofort in Verhandlungen mit Polen über einen Grenzvertrag eintreten – womit er nicht nur die Pariser Position, sondern auch diejenige Warschaus wiedergab. Einig waren sich die Außenminister, daß bei der nächsten Zwei-plus-Vier-Konferenz in Paris am 17. Juli Polen die Gelegenheit erhalten müsse, sich zur Grenzregelung zu äußern. Das vereinte Deutschland sollte, auch das war unstrittig, die Gebiete der Bundesrepublik und der DDR sowie ganz Berlin umfassen, keinerlei darüber hinausgehende Gebietsansprüche erheben und mit seiner Konstituierung den endgültigen Charakter seiner Grenzen anerkennen. In der abschließenden Diskussion gelang es Genscher, seinen sowjetischen Kollegen darauf festzulegen, daß das Abschlußdokument der Zwei-plus-Vier-Verhandlungen bis zum Sondergipfel der KSZE im November fertiggestellt werden sollte. Damit hatte sich auch die Sowjetunion unter einen zeitlich befristeten Einigungsdruck gesetzt.

Das Fazit des Berliner Treffens war zwiespältig. Schewardnadse hatte Positionen bezogen, die wie ein Rückfall hinter alles wirkten, was Gorbatschow in Washington und er selbst in den Wochen danach in seinen Gesprächen mit Genscher und Baker vorgetragen hatte: Wenn die NATO ihren Charakter änderte und die KSZE an Bedeutung gewann, würde sich die Mitgliedschaft Gesamtdeutschlands im atlantischen Bündnis in einem neuen Licht darstellen. Doch es lag auf der Hand, daß Gorbatschow und Schewardnadse den NATO-Gipfel in London am 5. und 6. Juli und den 28. Parteitag der KPdSU abwarten wollten, der am 1. Juli begann. Wenn beide Veranstaltungen einen zufriedenstellenden Verlauf nahmen, würde die sowjetische Führung wieder über einen größeren Handlungsspielraum verfügen. Es war Schewardnadse selbst, der in einem langen Gespräch mit Baker im Anschluß an die Zwei-plus-Vier-Runde *diese* Deutung seines Vorgehens nahelegte.

Drei Tage nach der Berliner Konferenz der Außenminister der Bundesrepublik, der DDR und der Vier Mächte kamen die Staats- und Regierungschefs der Europäischen Gemeinschaft in Dublin zusammen. Als Gast nahm auch der Ministerpräsident der DDR, Lothar de Maizière, an der Tagung teil. Zusammen mit Bundeskanzler Kohl berichtete er vom Stand der Vorbereitungen für die deutsch-deutsche Währungsunion. Der wichtigste Beschluß des zweiten Gipfels der Europäischen Gemeinschaft in der irischen Hauptstadt innerhalb von zwei Monaten betraf die Einberufung der beiden Regierungskonferenzen über die Europäische Wirtschafts- und Währungsunion und die Politische Union. Sie sollten im Dezember ihre Arbeit aufnehmen. Aus der Absprache zwischen Kohl und Mitterrand vom April war eine Entscheidung der Gemeinschaft geworden.

Dem Dubliner Gipfel der Europäischen Gemeinschaft folgte neun Tage später in London ein Gipfel der NATO. Was die Staats- und Regierungschefs der Allianz dort am 5. und 6. Juli beschlossen, war darauf angelegt, Gorbatschow weit entgegenzukommen. Das westliche Bündnis betonte seine defensiven Absichten und seine sich wandelnde *politische* Rolle. Es wollte den Abzug sowjetischer Truppen aus Mittel- und Osteuropa und einen Vertrag über die Begrenzung konventioneller Streitkräfte in Europa mit einer grundlegenden Veränderung der eigenen Streitkräfte und der eigenen Strategie beantworten. Die Allianz bekundete ihre Entschlossenheit, sich fortan auf kleinere und umstrukturierte aktive Streitkräfte und weniger als bisher auf Nuklearwaffen zu stützen, also die Doktrinen der «Vorneverteidigung» und der «flexiblen Erwiderung» zu revidieren. Sie unterstrich ihre Bereitschaft, auf eine doppelte Nullösung auch bei Kurzstreckenraketen hinzuarbeiten. An die Mitgliedstaaten des Warschauer Pakts erging das Angebot, sich mit den Mitgliedstaaten des atlantischen Bündnisses auf eine gemeinsame Erklärung über den Verzicht auf die Androhung und Anwendung von Gewalt zu verständigen und diplomatische Verbindungen zur NATO aufzunehmen. Schließlich sollte die Konferenz über Sicherheit und Zusammenarbeit in Europa in Zukunft «stärker hervortreten und die Länder Europas und Nordamerikas zusammenführen». Dem KSZE-Gipfel Ende 1990 in Paris war die Aufgabe zugedacht, ein Abkommen über konventionelle Streitkräfte in Europa zu unterzeichnen und «neue Maßstäbe für die Schaffung und Erhaltung freier Gesellschaften» zu setzen.

Die Nachricht von den Londoner Beschlüssen der NATO erreichte Gorbatschow während des 28. Parteitages der KPdSU in Moskau. Der Generalsekretär hatte dort, ebenso wie Außenminister Schewardnadse, einen schweren Stand: Die konservative Opposition um Jegor Ligatschow warf beiden vor, sie hätten Osteuropa verloren. Die Ankündigungen und Zugeständnisse des atlantischen Bündnisses aber festigten die Position Gorbatschows: Er konnte nun mit einem außenpolitischen Erfolg aufwarten, und dieser Umstand trug wesentlich dazu bei, daß er mit deutlicher Mehrheit in seinem Parteiamt bestätigt wurde und die Möglichkeit erhielt, seinen Reformkurs fortzusetzen.

Am 13. Juli schloß der Parteitag seine fast zweiwöchigen Beratungen ab. Zwei Tage zuvor war in Houston der Weltwirtschaftsgipfel der sieben größten Industrienationen zu Ende gegangen. Auch in Texas hatte Gorbatschow, obschon nicht selbst anwesend, im Mittelpunkt gestanden: Bundeskanzler Kohl war der entschiedenste Fürsprecher einer großzügigen Wirtschafts- und Finanzhilfe für den Reformer in Moskau, konnte mit seinem Plädoyer jedoch nicht alle Teilnehmer überzeugen. George Bush und Margaret Thatcher wollten der Sowjetunion zwar ebenfalls helfen, aber doch erst nach sorgfältiger Analyse der wirtschaftlichen Probleme der UdSSR.

Ein Faktor, der westlicher Wirtschaftshilfe für Moskau bisher entgegengestanden hatte, bildete mittlerweile kein Hindernis mehr: Litauen hatte am 29. Juni seine Unabhängigkeitserklärung, entsprechend dem Vorschlag von Mitterrand und Kohl vom 26. April, suspendiert, Gorbatschow tags darauf das Embargo gegenüber der Baltenrepublik aufgehoben. Infolgedessen lehnten die «G 7» den Vorstoß Kohls auch nicht einfach ab: An den Internationalen Währungsfonds erging die Bitte, bis Ende des Jahres eine Studie über die Lage der sowjetischen Wirtschaft vorzulegen und Reformempfehlungen zu geben. Auf dieser Grundlage wollten die führenden Industriestaaten ein Hilfsprogramm für die Sowjetunion beschließen.

Am 15. Juli, just an dem Tag, an dem in London das Protokoll der Chequers-Runde veröffentlicht wurde, traf Kohl an der Spitze einer Bonner Regierungsdelegation in Moskau ein. Er folgte damit einer Einladung, die ihm Gorbatschow am 9. Juni übermittelt hatte. Viel war seit der letzten Begegnung der beiden Politiker im Februar geschehen. Für den Generalsekretär war der Bundeskanzler mittlerweile *der* westliche Staatsmann, der das meiste für die «Perestrojka» getan hatte und tat. Kein anderes westliches Land war bereit, der Sowjetunion im gleichen Umfang materiell zu helfen wie die Bundesrepublik, und nur Bonn konnte verhindern, daß in der Mitte Europas ein Machtvakuum entstand. Die Zeit, in der die Teilung Deutschlands relative Stabilität in Europa verbürgt hatte, war endgültig vorbei; die Stabilität Europas verlangte nunmehr gebieterisch die Vereinigung von Bundesrepublik und DDR.

Eine stärkere Sowjetunion hätte der Bedingung, die der Westen an diese Vereinigung knüpfte, der NATO-Mitgliedschaft ganz Deutschlands, niemals zugestimmt. Aber da der Warschauer Pakt faktisch bereits zerfallen war und es ein militärisches Gleichgewicht zwischen Ost und West nicht mehr gab, konnte der Kreml auf seinem Nein nicht länger beharren. Er vermochte nicht einmal das westliche Argument zu entkräften, ein fest in das atlantische Bündnis integriertes Deutschland sei für die Sowjetunion weniger gefährlich als ein Deutschland ohne Bündnisbindung. Die Londoner Beschlüsse der NATO hatten ein sowjetisches Ja zur NATO-Mitgliedschaft des vereinten Deutschland erleichtert, und den Widerstand seiner Gegner in der KPdSU brauchte Gorbatschow nach dem Parteitag fürs erste nicht mehr zu fürchten. Wenn er hoffen konnte, durch Bonner Wirtschaftshilfe politisch zu überleben, mochte Kohl erhalten, was sich allenfalls noch verzögern, aber nicht mehr verhindern ließ: die Wiedervereinigung Deutschlands einschließlich seiner Zugehörigkeit zum atlantischen Bündnis.

Bei den Moskauer Gesprächen am 15. Juli war von einer Übergangsphase zwischen der Herstellung der staatlichen Einheit Deutschlands und der Erlangung der Souveränität denn auch keine Rede mehr. Mit der Vereinigung sollten die Rechte der Vier Mächte abgelöst werden, erklärte Gorbatschow. Auf Kohls Frage, ob das bedeute, daß Deutschland mit der Einigung die volle Souveränität erlange, antwortete er: «Selbstverständlich». Voraussetzung sei jedoch, daß der Geltungsbereich der NATO nicht auf das Territo-

rium der DDR ausgedehnt werde, solange dort noch sowjetische Truppen
stationiert seien – wobei der Generalsekretär für *diese* Übergangsphase
einen Zeitraum von drei bis vier Jahren nannte. Kohl stimmte dieser Forderung zu. Er erklärte sich auch bereit, den Abzug der sowjetischen Truppen finanziell zu unterstützen. Unstrittig waren zwischen Gorbatschow
und Kohl die Grenzen des vereinten Deutschland und ein deutscher Verzicht auf atomare, biologische und chemische Waffen.

Was Gorbatschow dem Kanzler vortrug, war *seine* Position. «Weder
vom Obersten Sowjet oder der Regierung, weder vom Verteidigungs- beziehungsweise Präsidentenrat noch vom Föderationsrat, vom Politbüro
oder dem Sekretariat des ZK ganz zu schweigen, hatte Gorbatschow Vollmacht für die von ihm getroffenen Entscheidungen bekommen», schreibt
einer seiner schärfsten Kritiker, der damalige Leiter der Abteilung für Internationale Beziehungen beim ZK der KPdSU, Valentin Falin, in seinen
«Erinnerungen». «Der Präsident hatte dem Parlament, der Regierung, den
Räten seine Pläne und Absichten nicht einmal mitgeteilt. Der Präsidentenrat, ausschließlich er, wurde der Ehre für würdig befunden, die in den Verhandlungen mit den Führern der Bundesrepublik erreichten Ergebnisse zu
beglaubigen.» Doch im Augenblick hatte Gorbatschow die Macht, so zu
verfahren, und er war entschlossen, zu tun, was er für richtig hielt.

Moskau sollte Mitte Juli nach dem Willen des Gastgebers nicht der einzige Ort der deutsch-sowjetischen Gespräche bleiben. Gorbatschow hatte
Kohl und die gesamte Bonner Delegation in seine kaukasische Heimat eingeladen, was als persönliche Geste gegenüber dem Kanzler gemeint war. In
Archys im Bezirk Stawropol wurde am 16. Juli auch die künftige Höchst-
stärke der Bundeswehr erörtert. Kohl bot eine Obergrenze von 370 000
Mann an, womit Gorbatschow sich schließlich einverstanden erklärte (1989
verfügte die Bundeswehr über 495 000, 1990, nach der Eingliederung von
Teilen der Nationalen Volksarmee der DDR, über 521 000 Soldaten). Um
eine «Singularisierung» der Bundesrepublik zu vermeiden, sollte die Reduzierung der Personalstärke der Bundeswehr aber erst mit dem Inkrafttreten des angestrebten Wiener Abkommens über konventionelle Streitkräfte
in Europa beginnen. Bis zum vollständigen Abzug der sowjetischen Truppen aus dem Gebiet der DDR sollte die Bundeswehr dort nur solche Verbände stationieren, die nicht in die NATO integriert waren. Ausländische
NATO-Truppen würden, wie der Bundeskanzler versicherte, auch nach
dem Abzug der sowjetischen Truppen nicht auf das derzeitige Territorium
der DDR vorgeschoben werden.

Offen blieb einstweilen die Höhe der finanziellen Hilfen, die die Bundesrepublik der Sowjetunion gewähren würde. Finanzminister Waigel
hatte es sorgsam vermieden, seinem sowjetischen Kollegen Sitarjan irgendwelche Zusagen zu geben. Aber politisch waren die Würfel gefallen. Mit ihrer Zustimmung zur NATO-Mitgliedschaft des vereinten Deutschland
hatte die Sowjetunion das größte Hindernis auf dem Weg zur deutschen

Einheit beseitigt. Kanzler und Außenminister hatten allen Grund, auf das Erreichte stolz zu sein. Die Wiedervereinigung war durch die Verhandlungen in Moskau und im Kaukasus in greifbare Nähe gerückt.

Am 17. Juli, einen Tag nach Abschluß der Gespräche in der Sowjetunion, fand in Paris das dritte Außenministertreffen der Zwei-plus-Vier statt. Zeitweilig nahm auch der polnische Außenminister Skubiszewski an den Beratungen teil. Polen bestand nun nicht mehr darauf, daß der Vertrag über die deutsch-polnische Grenze noch vor dem Zwei-plus-Vier-Vertrag in Kraft trat. Es war damit einverstanden, daß der Grenzvertrag innerhalb der kürzestmöglichen Frist nach der Vereinigung und Wiederherstellung der Souveränität Deutschlands unterzeichnet und dem gesamtdeutschen Parlament zur Ratifizierung unterbreitet wurde. Die Beratung der Zwei-plus-Vier beschränkte sich im wesentlichen auf einen Meinungsaustausch über den Stand der bisherigen Beratungen. Nach dem erfolgreichen Verlauf der Gespräche in Moskau und Archys konnte nun bereits mit der Erarbeitung des abschließenden Dokuments begonnen werden, das bis zum nächsten Treffen am 12. September in Moskau vorliegen sollte, der, wie man jetzt annehmen durfte, letzten Außenministerkonferenz der Zwei-plus-Vier.

Nicht alle Teilnehmer der Pariser Konferenz waren mit dem Ablauf der Ereignisse zufrieden. Die Regierung und vor allem das Außenministerium der DDR fühlten sich durch Kohls Gespräche in Moskau und im Kaukasus übergangen. Meckels Staatssekretär Hans-Jürgen Misselwitz erklärte in einer Runde der Politischen Direktoren der sechs Außenministerien am 17. Juli, die DDR müsse sich ihre Position weiterhin vorbehalten, da sie offiziell von dem Ergebnis nicht unterrichtet sei und im übrigen auch in der Sache noch Vorbehalte habe. Meckel selbst wollte sich mit Kohls Verzicht auf ABC-Waffen nicht begnügen, sondern verlangte namens der DDR ein Verbot der Stationierung von Nuklearwaffen auf deutschem Boden – ein Vorstoß, der ohne Widerhall blieb.

Einer eigenständigen Außenpolitik der DDR hatte Gorbatschow durch seine Absprachen mit Kohl in der Tat den Boden entzogen. Doch auch London und Paris spielten in den Verhandlungen über die Zukunft Deutschlands im Sommer 1990 keine entscheidende Rolle mehr. Die Akteure, auf die es ankam, saßen in Washington, Moskau und Bonn. Die Ereignisse von 1989/90 hatten die Mächtehierarchie der Nachkriegszeit nachhaltig verändert.[14]

Daß die DDR der Bundesrepublik beitreten würde, stand, soweit die Vereinigung eine Frage des Willens der Deutschen war, seit dem 18. März 1990 fest: An diesem Tag hatte sich die Bevölkerung der DDR in der Volkskammerwahl mit großer Mehrheit für die Parteien entschieden, die den Beitritt nach Artikel 23 des Grundgesetzes befürworteten. Die Bundesrepublik war durch das Grundgesetz verpflichtet, diese Willensbekundung in die Tat umzusetzen. *Wann* der Beitritt erfolgen würde, hing entscheidend vom

Ausgang der Zwei-plus-Vier-Verhandlungen ab. *Wie* der Beitritt sich vollziehen sollte, war durch Verhandlungen zwischen den Regierungen der beiden deutschen Staaten zu klären: Darüber gab es zwischen Bonn und Ost-Berlin Übereinstimmung.

Die Bundesregierung hatte schon vor dem Abschluß der Verhandlungen über die Währungs-, Wirtschafts- und Sozialunion begonnen, sich auf die nächste Verhandlungsrunde, die über den Einigungsvertrag, vorzubereiten. Bundesinnenminister Wolfgang Schäuble, der die Verhandlungen zu führen hatte, ließ in der zweiten Maihälfte eine erste Vertragsskizze ausarbeiten; am 29. Mai übergab er sie seinem künftigen Verhandlungspartner auf der Seite der DDR, dem Parlamentarischen Staatssekretär im Amt des Ministerpräsidenten, Günther Krause, der zugleich Fraktionsvorsitzender der CDU war. Eile war schon deshalb geboten, weil es in der Volkskammer Kräfte gab, die den sofortigen und bedingungslosen Beitritt wollten: Am 17. Juni – dem Tag der deutschen Einheit, dessen Höhepunkt eine gemeinsame Feierstunde von Bundestag und Volkskammer war – stellte die DSU einen entsprechenden Antrag. Er wurde nicht angenommen, sondern an den Rechts- und Verfassungsausschuß überwiesen. Mit Wiederholungen solcher Aktionen aber war zu rechnen.

Als Zeitpunkt der Vereinigung faßten Schäuble und Krause den 2. Dezember 1990 ins Auge. An diesem Tag, an dem der zwölfte Deutsche Bundestag gewählt werden sollte, konnten in beiden deutschen Staaten Wahlen zu einem gesamtdeutschen Parlament stattfinden. Daß die Zwei-plus-Vier-Verhandlungen zu diesem Zeitpunkt abgeschlossen sein würden, galt als wahrscheinlich. Da mit dem zweiten Staatsvertrag Änderungen des Grundgesetzes verbunden, also Zweidrittelmehrheiten in Bundestag und Bundesrat erforderlich waren, mußte Schäuble sich mit den Ländern und der sozialdemokratischen Opposition in Verbindung setzen. Am 26. und 27. Juni leitete er den inzwischen vorliegenden zweiten Entwurf eines Einigungsvertrages den Ländern zu. Einige Streitpunkte lagen schon zu dieser Zeit offen zutage: die Neuordnung der Finanzen zwischen Bund und Ländern, die künftige Stimmenverteilung im Bundesrat und die Hauptstadtfrage. Daß die DDR auf Berlin als Sitz von Regierung und Parlament bestehen würde, war allen Beteiligten bewußt. Aber dies war keineswegs der einhellige Wille der westdeutschen Länder. Nordrhein-Westfalen wollte, massiv unterstützt von Rheinland-Pfalz und dem Saarland, auf jeden Fall Bonn als Sitz von Bundesregierung und Bundestag behalten und setzte sich beim Bundeskanzler mit dem Vorschlag durch, den Verfassungsorganen die Entscheidung über ihren Sitz zu überlassen – diese Frage also *nicht* im zweiten Staatsvertrag zu regeln.

Die deutsch-deutschen Verhandlungen über den Einigungsvertrag begannen am 6. Juli – fünf Tage nach dem Inkrafttreten der Währungsunion. Mit der DDR konnte sich Schäuble rasch darauf verständigen, daß Änderungen des Grundgesetzes auf das unbedingt Notwendige beschränkt bleiben sollten. Dagegen drängten die sozialdemokratisch regierten Länder auf neue Staatszielbestimmungen wie den Umweltschutz, die Verantwortung für unterentwickelte Gebiete der Erde, das Recht auf Arbeit und Wohnen, soziale Sicherheit, Gesundheit, Bildung und Kultur. Im August rückte dann die Abtreibungsfrage in den Vordergrund: In der DDR galt Straffreiheit für einen Schwangerschaftsabbruch in den ersten zwölf Wochen der Schwangerschaft, in der Bundesrepublik eine Indikationslösung. In der Volkskammer gab es eine breite Mehrheit für die Beibehaltung der bestehenden Regelung; in der Bundesrepublik wollten die Sozialdemokraten diesem Standpunkt weitgehend Rechnung tragen. Am Ende stand ein Kompromiß: Für eine Übergangszeit von zwei Jahren blieb das vereinte Deutschland in *dieser* Frage in zwei Rechtsgebiete gespalten; für Strafbarkeit und Strafverfolgung war der Tatort maßgeblich. Bis nach Ablauf von zwei Jahren eine gesetzliche Neuregelung in Kraft trat, blieb demnach ein in den neuen Ländern vorgenommener Schwangerschaftsabbruch straffrei.

Seit der zweiten Julihälfte standen die Verhandlungen über den Einigungsvertrag unter steigendem Zeitdruck. Die Zahl der Befürworter eines raschen Beitritts in der Volkskammer stieg in dem Maß, wie die wirtschaftliche Lage der DDR sich verschlechterte. Mit der Möglichkeit gesamtdeutscher Wahlen *vor* dem 2. Dezember 1990 – dem Termin, auf den sich am 26. Juli die Ausschüsse «Deutsche Einheit» von Bundestag und Volkskammer in einer gemeinsamen Sitzung verständigt hatten – mußte also gerechnet werden. Die Einigung auf ein gesamtdeutsches Wahlrecht wurde in jedem Fall immer dringlicher.

Am 3. August unterzeichneten Schäuble und Krause einen deutsch-deutschen Wahlvertrag. Er sah eine auf das gesamtdeutsche Wahlgebiet bezogene, einheitliche Fünf-Prozent-Sperrklausel vor – eine Regelung, für die sich vor allem SPD und FDP stark gemacht hatten, die sich beide Vorteile davon versprachen. Parteien, die nicht in einem Land nebeneinander kandidierten, durften eine Listenverbindung eingehen. Die DSU hätte also durch eine Listenverbindung mit der CSU in den gesamtdeutschen Bundestag gelangen können, während die PDS in Ermangelung eines vergleichbaren westdeutschen Partners mutmaßlich an der Sperrklausel gescheitert wäre. Daß diese Regelung vor den Augen des Bundesverfassungsgerichts Gnade finden würde, bezweifelte auch Schäuble selbst – wie sich zeigen sollte, zu Recht.

Die Verhandlungen über den Einigungsvertrag wurden von innenpolitischen Auseinandersetzungen innerhalb der Großen Koalition in Ost-Berlin überschattet. Am 30. Juni trat Innenminister Diestel aus der DSU aus, weil ihm die Partei zu weit nach rechts gerückt war; am 2. Juli schloß sich der bisherige Parteivorsitzende Ebeling seinem Beispiel an, blieb aber, ebenso wie Diestel, im Kabinett, so daß die DSU in der Regierung nicht mehr vertreten war. Am 24. Juli schieden auch die im Bund Freier Demokraten vereinigten Liberalen aus der Regierung de Maizière aus. Sie begründeten diesen Schritt damit, daß der Ministerpräsident sich gegen ein einheitliches Wahlrecht für ganz Deutschland und einen raschen Beitritt zur Bundesrepublik sperre.

Wenig später gelangte aber auch de Maizière zu dem Schluß, daß der DDR angesichts des Niedergangs ihrer Wirtschaft keine andere Wahl blieb, als auf einen möglichst raschen Beitritt zu drängen. Am 1. August reiste er zusammen mit Günther Krause zum Urlaubsort des Bundeskanzlers an den Wolfgangsee, um Kohl für gesamtdeutsche Wahlen am 14. Oktober zu gewinnen – dem Tag, an dem in der DDR Landtagswahlen vorgesehen waren. Die Herstellung der staatlichen Einheit sollte, soweit es nach de Maizière ging, *vor* den Wahlen zum gesamtdeutschen Bundestag und *vor* dem 41. Jahrestag der Gründung der DDR am 7. Oktober 1990 erfolgen.

Den Weg zu gesamtdeutschen Wahlen vor Ablauf der Legislaturperiode des elften Deutschen Bundestags hätte eine Vertrauensfrage mit negativem Ausgang nach dem Vorbild des 17. Dezember 1982 ebnen können – eine Lösung, gegen die Kohl keine Einwände hatte, die Bundespräsident von Weizsäcker aber aus verfassungsrechtlichen Gründen ablehnte. Der 14. Oktober als gesamtdeutscher Wahltermin wäre also nur durch eine Änderung des Grundgesetzes durchsetzbar gewesen. Eine verfassungsändernde Mehrheit aber war nicht in Sicht. Oskar Lafontaine ging davon aus, daß die Aussichten Helmut Kohls, die Wahl zu gewinnen, stiegen, wenn deren Zeitpunkt nahe an die Wiedervereinigung heranrückte oder mit ihr zusammenfiel. Umgekehrt würden sich *seine*, Lafontaines, Wahlchancen verbessern, wenn die staatliche Einheit bald vollzogen, der vorgesehene Wahltermin, der 2. Dezember 1990, aber beibehalten wurde. Gegen Jahresende mochte sich die zu erwartende Begeisterung über die deutsche Einheit bereits gelegt und Ernüchterung Einzug gehalten haben. Kohl durfte folglich nicht damit rechnen, daß die Sozialdemokraten ihm zur gewünschten Zweidrittelmehrheit verhelfen würden.

Eine Woche nach dem Treffen zwischen Kohl und de Maizière, am 8. August, lehnte die Volkskammer den von der DSU schon am 17. Juni eingebrachten Antrag ab, den sofortigen Beitritt der DDR zum Geltungsbereich des Grundgesetzes zu erklären. Der Ablehnung verfiel auch ein Antrag der SPD, den Beitritt spätestens zum 15. September zu erklären. Eine Mehrheit fand hingegen ein Antrag von CDU und Demokratischem Aufbruch, die Verfassungsorgane der Bundesrepublik sollten die Möglichkeit von gesamtdeutschen Wahlen *und* Beitritt der DDR zur Bundesrepublik zum 14. Oktober 1990 eröffnen. In den frühen Morgenstunden des 9. August scheiterte in der Volkskammer die Ratifizierung des Wahlvertrags vom 3. August: Die Zahl der anwesenden und zustimmenden Abgeordneten reichte für die erforderliche Zweidrittelmehrheit nicht aus. Der Bundestag setzte daraufhin die weitere Beratung des Wahlvertrags von der Tagesordnung ab. Ein Antrag von CDU/CSU und FDP, die gesamtdeutschen Wahlen am 14. Oktober abzuhalten, verfehlte die notwendige Zweidrittelmehrheit.

Damit stand der Termin der Wahlen zum ersten gesamtdeutschen Bundestag faktisch fest: Das Bundeskabinett sprach sich noch am 9. August für den 2. Dezember 1990 aus. Fortan stand alles, was in Bonn und Ost-Berlin geschah, im Schatten des Wahlkampfes. Am 15. August bildete Ministerpräsident de Maizière sein Kabinett um. Unter Hinweis auf die anhaltende Wirtschaftskrise und politische Meinungsverschiedenheiten entließ er den sozialdemokratischen Finanzminister Walter Romberg, den parteilosen, der SPD nahestehenden Landwirtschaftsminister Peter Pollack und den seiner eigenen Partei, der CDU, angehörenden Wirtschaftsminister Gerhard Pohl. Allen drei Ressortchefs warf der Ministerpräsident vor, sie hätten seine Richtlinien mißachtet und finanzielle Mittel zur Stützung von Industrie, Handel und Landwirtschaft nicht richtig eingesetzt. Neue Minister ernannte de Maizière nicht; vielmehr übertrug er die Aufgaben der entlassenen Kabinettsmitglieder den jeweiligen Staatssekretären. Ebenso verfuhr er bei dem wegen seiner politischen Vergangenheit umstrittenen, inzwischen parteilosen Justizminister Kurt Wünsche, der ebenfalls am 15. August entlassen wurde.

Die ostdeutschen Sozialdemokraten werteten die Entscheidung des Ministerpräsidenten als politische Kampfansage. Wolfgang Thierse, der auf einem Sonderparteitag in Halle am 8. und 9. Juni als Nachfolger von Ibrahim Böhme zum neuen Parteivorsitzenden gewählt worden war, drängte auf einen Austritt aus der Regierungskoalition und setzte sich damit durch. Am 20. August legten alle sozialdemokratischen Minister ihre Ämter nieder. De Maizière, nunmehr Chef eines Minderheitskabinetts aus CDU und DA, übertrug ihre Ressorts teils verbliebenen Ministern, teils Staatssekretären; er selbst übernahm das Außenministerium. Am 21. August trat Richard Schröder, der vor der Aufkündigung der Großen Koalition gewarnt hatte, als Fraktionsvorsitzender der SPD zurück; zu seinem Nachfolger wurde Wolfgang Thierse gewählt.

Durch das Ende der Großen Koalition war die Zweidrittelmehrheit für den Einigungsvertrag gefährdet – *wenn* die Sozialdemokratie es auf sein Scheitern anlegte. Ein anderes Gesetz, das einer Zweidrittelmehrheit bedurfte, nahm diese Hürde im zweiten Anlauf: Am 22. August verabschiedete die Volkskammer den Wahlvertrag, der am 9. August die verfassungsändernde Mehrheit verfehlt hatte; PDS, Bündnis 90 und die Grüne Partei stimmten wegen der einheitlichen Fünfprozentklausel dagegen. Tags darauf verabschiedete auch der Bundestag, gegen die Stimmen der Grünen, den Wahlvertrag; am 24. August wurde er vom Bundesrat mit großer Mehrheit gebilligt.

Mittlerweile stand auch der Tag der deutschen Einheit fest. Am frühen Morgen des 23. August nahm die Volkskammer mit 294 gegen 62 Stimmen bei 7 Enthaltungen den gemeinsamen Antrag von CDU, DA, FDP und SPD an, den Beitritt der DDR zum Geltungsbereich des Grundgesetzes gemäß Artikel 23 mit Wirkung vom 3. Oktober 1990 zu erklären. Die

Volkskammer ging bei dieser Entscheidung, wie es in dem Antrag hieß, davon aus, «daß die Beratungen zum Einigungsvertrag zu diesem Termin abgeschlossen sind, die Zwei-plus-Vier-Verhandlungen einen Stand erreicht haben, der die außen- und sicherheitspolitischen Bedingungen der deutschen Einheit regelt, die Länderbildung soweit vorbereitet ist, daß die Wahl zu den Länderparlamenten am 14. Oktober 1990 durchgeführt werden kann». Die Nein-Stimmen kamen von der PDS. Als Gregor Gysi zornig feststellte, das Parlament habe «soeben nicht mehr und nicht weniger als den Untergang der Deutschen Demokratischen Republik zum 3. Oktober 1990» beschlossen, brach das Plenum in Jubel aus. Gysis Partei beteiligte sich nicht daran.

Bundeskanzler Kohl nannte einige Stunden später im Bundestag den 23. August 1990 einen «Tag der Freude für alle Deutschen». Am Mittwoch, den 3. Oktober 1990, werde der Tag der Wiedervereinigung gekommen sein. «Es wird ein großer Tag in der Geschichte unseres Volkes. Nach über 40 Jahren geht in Erfüllung, wozu die Präambel des Grundgesetzes das gesamte deutsche Volk auffordert: ‹in freier Selbstbestimmung die Einheit und Freiheit Deutschlands zu vollenden›.» Kohl erinnerte an die historischen Leistungen von Konrad Adenauer und Kurt Schumacher; er dankte den Deutschen in der DDR, den Abgeordneten der Volkskammer und den Bürgerrechtsbewegungen in Polen und Ungarn; Dank bezeugte er auch dem ungarischen Ministerpräsidenten Németh, der vor einem Jahr die Grenze für die Flüchtlinge aus der DDR geöffnet und damit den ersten Stein aus der Mauer gebrochen habe, sowie den Präsidenten Bush, Mitterrand und nicht zuletzt Gorbatschow, der durch seine Reformpolitik den tiefgreifenden Wandel in Deutschland und Europa ermöglicht habe. Den Namen von Margaret Thatcher erwähnte der Kanzler bei seinen Dankbekundungen nicht.

Der sozialdemokratische Kanzlerkandidat Oskar Lafontaine, der unmittelbar nach Kohl sprach, begrüßte ebenfalls den Beschluß der Volkskammer, «weil er die Grundlage für die Menschen in der DDR darstellt, in Zukunft ihr Leben in Freiheit zu verwirklichen». Die staatliche Einheit sei aber nur die Voraussetzung für die Herstellung der «wirklichen Einheit», nämlich der «Einheitlichkeit der Lebensverhältnisse für die Menschen in der DDR und der Bundesrepublik». Der saarländische Ministerpräsident verlangte abermals, die Kosten der Einheit zu klären, einen Verfassungsrat zu konstituieren und das Volk über seine Verfassung entscheiden zu lassen, den überkommenen, auf Abstammung sich gründenden Begriff von Nation aufzugeben und sich am Nationsverständnis der Amerikaner, Franzosen und Schweizer und damit an universalistischen Werten zu orientieren. Unter Berufung auf eine der letzten Bundestagsreden Carlo Schmids (vom 25. Februar 1972) mahnte Lafontaine, «eine Nation Europa zu bauen». Der Begriff «Nation Europa» war freilich, anders als der Redner meinte, nicht vom langjährigen sozialdemokratischen Vizepräsidenten des Deutschen

Bundestages geprägt worden, sondern vier Jahrzehnte lang der Titel einer rechtsradikalen, von dem ehemaligen SS-Sturmbannführer und Experten für «Bandenbekämpfung» im Führerhauptquartier, Arthur Ehrhardt, gegründeten Zeitschrift gewesen, die sich Anfang 1990 in «Nation und Europa» umbenannt hatte.

Am Tag nach der Beitrittserklärung, dem 24. August, verabschiedete die Volkskammer das «Gesetz über die Sicherung und Nutzung der personenbezogenen Daten des ehemaligen Ministeriums für Staatssicherheit/Amtes für Nationale Sicherheit». Die entsprechenden Unterlagen sollten nicht an das Bundesarchiv übergeben, sondern in Sonderarchiven der neuen Länder und einem zentralen Sonderarchiv in (Ost-)Berlin aufbewahrt werden. Jedem Bürger stand dem Gesetz zufolge das Recht auf Auskunft über die seine Person betreffenden Daten zu. Die Akten sollten der Aufarbeitung der Geschichte der DDR, der Aufklärung von Straftaten und der Rehabilitation von Opfern dienen.

Bundesinnenminister Schäuble tat im Zusammenspiel mit Günther Krause alles, um die Aufnahme des Beschlusses in den Einigungsvertrag zu verhindern; er dachte dabei nicht nur an die Möglichkeit des Mißbrauchs der unzähligen Spitzelberichte (1989 gab es in der DDR neben den 91 000 hauptamtlichen 174 000 Inoffizielle Mitarbeiter des MfS), sondern auch an die Folgen der Tatsache, daß die Stasi den für sie interessanten Fernsprechverkehr in der Bundesrepublik nahezu flächendeckend abgehört und aufgezeichnet hatte. Da der unterschriftsreife Vertrag sich über den Beschluß vom 24. August hinwegsetzte, protestierte die Volkskammer so massiv (und beinahe einstimmig), daß der Vertrag nochmals geändert wurde. Das Ergebnis der Auseinandersetzungen war die «Gauck-Behörde» – benannt nach dem Beauftragten der Volkskammer und späteren Bundesbeauftragten für die Stasi-Unterlagen, dem Rostocker Pfarrer Joachim Gauck. Die ostdeutschen Bürgerrechtler hatten ihren letzten Sieg errungen: Die jüngste Vergangenheit sollte aufgearbeitet und nicht abermals verdrängt werden; die Opfer der zweiten Diktatur auf deutschem Boden sollten erfahren können, was ihnen angetan worden war – und durch wen.

Am frühen Morgen des 31. August wurde der Vertrag über die Einheit Deutschlands paraphiert. Es folgten die Genehmigung durch die Bundesregierung in Bonn und den Ministerrat in Ost-Berlin und um 13 Uhr 15 die Unterzeichnung durch Schäuble und Krause im Kronprinzenpalais Unter den Linden. Mit dem Beitritt der DDR zum Geltungsbereich des Grundgesetzes wurden, so bestimmte es der Einigungsvertrag, die fünf neuen Länder Brandenburg, Mecklenburg-Vorpommern, Sachsen, Sachsen-Anhalt und Thüringen Länder der Bundesrepublik Deutschland. Der 3. Oktober wurde als Tag der Deutschen Einheit zum gesetzlichen Feiertag erklärt; er löste in der Bundesrepublik den 17. Juni und in der DDR den 7. Oktober als Nationalfeiertag ab. Berlin war «die Hauptstadt Deutschlands»; es folgte jedoch ein Zusatz, der diese Feststellung letztlich um ihren

Sinn brachte: «Die Frage des Sitzes von Parlament und Regierung wird nach der Herstellung der Einheit Deutschlands entschieden.»

Der Einigungsvertrag änderte eine Reihe von Bestimmungen des Grundgesetzes: Die neue Präambel bekundete den Willen des deutschen Volkes zum vereinten Europa und zum Frieden in der Welt; der Beitrittsartikel 23 wurde aufgehoben; Artikel 146 hielt die Möglichkeit offen, daß das Grundgesetz, «das nach Vollendung der Einheit und Freiheit Deutschlands für das gesamte deutsche Volk gilt», seine Gültigkeit an dem Tag verlor, «an dem eine Verfassung in Kraft tritt, die von dem deutschen Volke in freier Entscheidung beschlossen worden ist». Den gesetzgebenden Körperschaften des vereinten Deutschland wurde empfohlen, sich innerhalb von zwei Jahren mit weiteren Änderungen des Grundgesetzes zu befassen, darunter der Aufnahme von Staatszielbestimmungen und der «Anwendung des Artikels 146 des Grundgesetzes und in deren Rahmen einer Volksabstimmung».

Die Bestimmungen des Einigungsvertrages betrafen namentlich die Bereiche Finanzverfassung, Rechtsangleichung, öffentliche Verwaltung und Rechtspflege, öffentliches Vermögen und Schulden, Arbeit, Soziales, Familie, Frauen, Gesundheitswesen und Umweltschutz, Kultur, Bildung, Wissenschaft und Sport. In den 1987 gewählten elften Deutschen Bundestag entsandte die Volkskammer auf der Grundlage ihrer Zusammensetzung 144 Abgeordnete. Die neugebildeten Länder konnten bis zur Wahl eines Ministerpräsidenten durch die (mit dem Neuaufbau der Landesverwaltungen beauftragten) Landesbevollmächtigten an den Sitzungen des Bundesrats mit beratender Stimme teilnehmen.

In einigen besonders umstrittenen Punkten des Vertragswerkes hatte sich Bonn durchgesetzt. Das galt für die Offenhaltung der Frage des Parlaments- und Regierungssitzes, die Vertagung von weiterreichenden Verfassungsänderungen und die Regelung offener Vermögensfragen, soweit es um Enteignungen aus der Zeit nach der Gründung der DDR ging. Ost-Berlin erreichte während der Verhandlungen Verbesserungen bei der Finanzverfassung: Die künftigen neuen Länder erhielten 85 % der Mittel aus dem Fonds Deutsche Einheit; das war ein Ausgleich dafür, daß sie bis 1994 vom Länderfinanzausgleich ausgeschlossen bleiben und ihnen zunächst nur 55 %, bis 1994 dann 70 % des durchschnittlichen Westländeranteils an der Umsatzsteuer zufließen sollten. Ferner konnte die DDR die Anerkennung von Enteignungen aus der Besatzungszeit, die Festlegung des Tatortprinzips bei Schwangerschaftsabbrüchen und, was die Archivierung der Stasi-Akten anbelangte, eine Regelung durchsetzen, die dem Willen der Volkskammer nahekam.

Die Tatsache, daß der Vertrag weitere Verfassungsänderungen in Aussicht nahm, erleichterte es den Sozialdemokraten, dem Einigungsvertrag zuzustimmen. Am 20. September fand das Vertragswerk mitsamt seinen Anlagen die erforderlichen Zweidrittelmehrheiten in beiden deutschen Parlamenten. In der Volkskammer gab es 299 Ja-Stimmen, 80 Nein-Stimmen und eine Enthaltung. Mit Nein stimmten die PDS und die Abgeordneten der neugegründeten Fraktion Bündnis 90/Die Grünen. Im Bundestag lautete das Stimmenverhältnis 440:47:3. Die Grünen und 13 Abgeordnete der CDU/CSU lehnten den Vertrag ab. Der Bundesrat billigte ihn tags darauf einstimmig.

Außenpolitisch war mit der Pariser Außenministerkonferenz der Zwei-plus-Vier vom 17. Juli noch längst nicht alles unter Dach und Fach. Zwischen Bonn und Moskau mußten der Generalvertrag über die künftigen politischen Beziehungen vorbereitet, die Folgen der wirtschaftlichen Verpflichtungen der DDR gegenüber der Sowjetunion sowie, am schwierigsten, Aufenthalt und Abzug der in Ostdeutschland stationierten sowjetischen Truppen geregelt werden. Der letzte Punkt war vor allem eine Kostenfrage. Anfang September verlangte die Sowjetunion eine Gesamtsumme von 36 Milliarden DM – sehr viel mehr, als die Bundesregierung einkalkuliert hatte. Das Ergebnis langwieriger Verhandlungen zwischen den Finanzministern und von zwei Telefongesprächen zwischen Kohl und Gorbatschow stand am 10. September fest: Bonn wollte einen Grundbetrag von 12 Milliarden DM zahlen und zusätzlich einen zinslosen Kredit von 3 Milliarden DM gewähren – ein Angebot, das Gorbatschow schließlich akzeptierte.

Über die Verringerung der deutschen Streitkräfte hatten sich die Bundesrepublik und die Sowjetunion bereits Mitte Juli bei den Gesprächen im Kaukasus verständigt. Am 30. August gab Außenminister Genscher im Rahmen der Verhandlungen über die konventionellen Streitkräfte in Europa (VKSE) in Wien namens der Bundesrepublik die Erklärung ab, daß die Streitkräfte des vereinten Deutschland auf 370 000 Mann vermindert werden würden. Die Bundesregierung sehe darin einen bedeutsamen deutschen Beitrag zur Reduzierung der konventionellen Streitkräfte in Europa und gehe davon aus, «daß in Folgeverhandlungen auch die anderen Verhandlungsteilnehmer ihren Beitrag zur Festigung von Sicherheit und Stabilität in Europa, einschließlich Maßnahmen zur Begrenzung der Personalstärken, leisten werden».

Namens der DDR schloß sich Lothar de Maizière in seiner Eigenschaft als Außenminister dieser Erklärung an. Beide deutsche Staaten legten sich damit auf eine Vorleistung fest, die die anderen Mächte zu nichts verpflichtete. Was dem Eindruck einer «Singularisierung» Deutschlands entgegenwirkte, war zum einen das Forum, vor dem Genscher und de Maizière ihre Erklärungen abgaben, zum andern der Charakter einer freiwilligen einseitigen Selbstverpflichtung, auf den beide deutschen Außenminister großen Wert legten.

Am 12. September fand das letzte Außenministertreffen der Zwei-plus-Vier in Moskau statt. Es geriet an den Rand des Scheiterns, als die Briten, unterstützt von den Amerikanern, in der letzten Besprechung der Politischen Direktoren auf dem Recht der NATO bestanden, auf dem bisherigen

Territorium der DDR Manöver abzuhalten. Die sowjetische Seite widersprach unter Berufung auf eine Zusage des Bundeskanzlers: Kohl hatte bei den Gesprächen im Kaukasus verbindlich erklärt, daß keine ausländischen NATO-Truppen nach Ostdeutschland verlegt werden würden. In einem nächtlichen Gespräch mit Baker konnte Genscher eine Lösung erreichen, mit der sich die sowjetische Seite zufriedengab: Eine «vereinbarte Protokollnotiz» hielt fest, daß alle Fragen in bezug auf die Anwendung des Wortes «verlegt» von der Regierung des vereinten Deutschland «in einer vernünftigen und verantwortungsbewußten Weise entschieden» würden, «wobei sie die Sicherheitsinteressen jeder Vertragspartei... berücksichtigen wird».

Damit war das letzte Hindernis einer Unterzeichnung des Zwei-plus-Vier-Abkommens beseitigt. Der «Vertrag über die abschließende Regelung in bezug auf Deutschland», so der offizielle Titel, beendete die Rechte der Vier Mächte in bezug auf Berlin und Deutschland als Ganzes. Das vereinte Deutschland erhielt damit die volle Souveränität über seine inneren und äußeren Angelegenheiten – und zwar bereits im Augenblick der Vereinigung, nicht erst nach Abschluß des Ratifizierungsprozesses. Solange sich sowjetische Streitkräfte noch auf dem Gebiet der derzeitigen DDR und in Berlin aufhielten, blieben auf deutschen Wunsch auch die Streitkräfte der drei westlichen Mächte in Berlin stationiert. Der Vertrag enthielt die zuvor vereinbarten Aussagen über die Grenzen des vereinten Deutschland, den deutschen Verzicht auf ABC-Waffen, die Erklärungen der beiden deutschen Regierungen zur Begrenzung der deutschen Streitkräfte und das Recht des vereinten Deutschland, Bündnissen mit allen sich daraus ergebenden Rechten und Pflichten anzugehören.

Zu den Dokumenten des 12. September 1990 gehörte auch ein gemeinsamer Brief der beiden deutschen Außenminister, Genscher und de Maizière, in dem sie ihren vier Kollegen die deutsch-deutsche Erklärung zu den offenen Vermögensfragen vom 15. Juni 1990 mitteilten. Damit erfuhr die «Bodenreform» auf ausdrücklichen sowjetischen Wunsch eine zusätzliche diplomatische Absicherung. Im gleichen Brief verpflichteten sich die beiden deutschen Außenminister zur Pflege von Kriegsgräbern und Denkmälern, die den Opfern des Krieges und der Gewaltherrschaft gewidmet waren. Sie versicherten, daß verfassungsfeindliche Parteien und Vereinigungen, darunter solche mit nationalsozialistischen Zielsetzungen, vom Grundgesetz weiterhin mit Verbot bedroht würden. Schließlich gaben sie zu Protokoll, daß Fortgeltung und Anpassung völkerrechtlicher Verträge der DDR in Konsultationen mit den jeweiligen Vertragspartnern geprüft werden sollten.

Am Tag nach dem Moskauer Treffen der Zwei-plus-Vier paraphierten Genscher und Schewardnadse den Vertrag über gute Nachbarschaft, Partnerschaft und Zusammenarbeit zwischen der Bundesrepublik Deutschland und der Union der Sozialistischen Sowjetrepubliken. Am 24. September trat die DDR im Einvernehmen mit der Sowjetunion aus dem Warschauer Pakt aus. Am 27. und 28. September wurde der Deutschlandvertrag von 1952 durch einen Notenwechsel mit den drei Westmächten suspendiert (und nach dem Inkrafttreten des Zwei-plus-Vier-Vertrags am 15. März 1991 außer Kraft gesetzt). Am 1. Oktober setzten die Vier Mächte die Wirksamkeit ihrer Rechte und Verantwortlichkeiten in bezug auf Berlin und Deutschland als Ganzes bis zum Inkrafttreten des Zwei-plus-Vier-Vertrages aus. Dies geschah am Rande der Außenministerkonferenz der KSZE in New York, auf der Genscher einen offiziellen Bericht über das Ergebnis der Zwei-plus-Vier-Gespräche erstattete. Präsident Bush unterbreitete umfassende Vorschläge zur Institutionalisierung der Konferenz über Sicherheit und Zusammenarbeit in Europa. Er sprach in diesem Zusammenhang von «transatlantischer Partnerschaft» und meinte damit nicht nur, wie bisher, das Verhältnis der USA zu ihren westeuropäischen Verbündeten, sondern zu allen Teilnehmerstaaten der KSZE, einschließlich der Sowjetunion.

Seit dem 1. Oktober waren die außenpolitischen Rahmenbedingungen der deutschen Einheit also geschaffen – wobei die Erklärungen von George Bush noch über das hinausgingen, was Bonn erhofft hatte. Innenpolitisch aber war zwei Tage zuvor ein nicht völlig unerwarteter «Störfall» eingetreten. Am 29. September fällte das Bundesverfassungsgericht seine Entscheidung über Organklagen der Republikaner, einer im November 1983 gegründeten Partei der äußersten Rechten, der Grünen und des (am 5. August 1990 ins Leben gerufenen ost-westlichen) Wahlbündnisses Linke Liste/PDS gegen den Wahlvertrag vom 3. August. Das Gericht erklärte den Vertrag für teilweise verfassungswidrig: Er verstoße mit der einheitlichen fünfprozentigen Sperrklausel gegen den Grundsatz der Wahlgleichheit, indem er unter den besonderen Bedingungen der ersten gesamtdeutschen Wahl Parteien und andere politische Vereinigungen aus der DDR benachteilige; ihnen müsse zusätzlich die Möglichkeit für Listenverbindungen eingeräumt werden. Getrennte Sperrklauseln, die sich auf das Gebiet eines der beiden deutschen Staaten bezogen, waren dem Karlsruher Richterspruch zufolge zulässig.

Das Urteil des Bundesverfassungsgerichts veranlaßte die Bundesregierung, im Bundestag am 1. Oktober einen Gesetzentwurf einzubringen, der eine differenzierte Sperrklausel für die Gebiete der alten Bundesrepublik und der ehemaligen DDR enthielt und die Möglichkeit der Listenverbindung vorsah. Am Wahltermin, dem 2. Dezember, wollten aber alle Parteien, außer den Grünen, festhalten. Inzwischen waren sie fast ausnahmslos gesamtdeutsch organisiert. Am 5. August hatten sich die Grüne Partei der DDR und das Bündnis 90 mit den Grünen der Bundesrepublik auf eine Listenverbindung mit dem Namen «Bündnis 90/Grüne» verständigt. Für die westdeutschen Grünen war das Zusammengehen mit den Bürgerrechtlern der DDR eine weitere Station auf ihrem langen Weg von der Fundamentalopposition, die das Gewaltmonopol des Staates abgelehnt hatte, zu einer Stütze des Rechtsstaates und, soziologisch gesehen, ein Schritt in Richtung Verbürgerlichung. Einige Vertreter des äußersten linken Flügels der Grünen reagierten auf die neueste Entwicklung mit dem Austritt aus der Partei; einige schlossen sich der Linken Liste/PDS an.

Die erste wirkliche Parteifusion vollzogen die Liberalen: Am 11. und 12. August vereinigte sich der Bund Freier Demokraten, dem sich Ende März auch die Nationaldemokratische Partei Deutschlands angeschlossen hatte, mit den Freien Demokraten des Westens in Hannover zur einheitlichen FDP. Vom 7. bis 9. September schlossen sich in Magdeburg die beiden Grünen Parteien, am 26. und 27. September in Berlin die Sozialdemokraten der Bundesrepublik und der DDR zusammen. Als letzte Partei vereinigte sich am 1. und 2. Oktober in Hamburg die CDU. Der Ost-CDU waren zuvor die Demokratische Bauernpartei Deutschlands und der Demokratische Aufbruch beigetreten. Die neuen Parteivorsitzenden waren, vom Westen aus gesehen, die alten: Helmut Kohl stand an der Spitze der gesamtdeutschen CDU; Hans-Jochen Vogel führte die SPD und Otto Graf Lambsdorff die FDP. Und auch die beiden Kanzlerkandidaten blieben dieselben: Für die Union trat Helmut Kohl an, für die Sozialdemokraten Oskar Lafontaine, der auf dem Berliner Vereinigungsparteitag nahezu einstimmig mit dieser Aufgabe betraut worden war.

Die Volkskammer der DDR beendete ihre Tätigkeit am 2. Oktober mit einem Festakt im Schauspielhaus. Die Feierstunde sollte ein Gegengewicht bilden zu dem Eklat während der letzten Arbeitssitzung am 28. September: Dort hatte Vizepräsident Wolfgang Ullmann vom Bündnis 90 nach anhaltenden Tumulten und gegen den Protest des Ministerpräsidenten unter Ausschluß der Öffentlichkeit die Namen von 56 Abgeordneten und Ministern verlesen, die nach den Erkenntnissen des zuständigen Prüfungsausschusses als Inoffizielle Mitarbeiter des MfS tätig gewesen waren. (Die Berliner «tageszeitung» veröffentlichte am 1. Oktober zahlreiche Namen; ihrem Bericht zufolge gehörten 35 der von Ullmann genannten Personen der CDU an.) Auf der Festsitzung vom 2. Oktober war von alledem keine Rede mehr. Lothar de Maizière nannte den Abgang der DDR von der Weltbühne «eine Stunde großer Freude» und «einen Abschied ohne Tränen». Parlamentspräsidentin Bergmann-Pohl, die sich am 28. September unter Berufung auf ihr Gewissen geweigert hatte, die Namen der Verdächtigen zu verlesen, erklärte: «Wir haben unseren Auftrag erfüllt, die Einheit Deutschlands in freier Selbstbestimmung zu vollenden.»[15]

Am Abend des 2. Oktober hatte sich auf dem Platz der Republik in Berlin eine unübersehbare Menschenmenge versammelt. Um Mitternacht ertönte, vom Schöneberger Rathaus aus übertragen, die Freiheitsglocke, die amerikanische Bürger 1956 aus Verbundenheit mit Berlin gestiftet hatten. Vor dem Hauptportal des Reichstags wurde unter dem Jubel von Hunderttausenden eine große schwarz-rot-goldene Flagge gehißt. Bundespräsident Richard von Weizsäcker trat vor die Mikrofone und sagte: «Die Einheit Deutschlands ist vollendet. Wir sind uns unserer Verantwortung vor Gott und den Menschen bewußt. Wir wollen in einem vereinten Europa dem Frieden der Welt dienen.» Danach intonierten Bläsersolisten und ein Chor das Lied der Deutschen, und die Menge sang mit: «Einigkeit und Recht und Freiheit für das deutsche Vaterland.» Es folgte ein Feuerwerk.

Beim Staatsakt in der Berliner Philharmonie am 3. Oktober sprach als erste die bisherige Präsidentin der Volkskammer, Sabine Bergmann-Pohl, die seit dem 9. April auch amtierendes Staatsoberhaupt der DDR gewesen war. Sie nannte die deutsche Einheit ein Geschenk der Geschichte. «Die Christen unter uns werden darin die Gnade Gottes erkennen. Diese Einheit in Freiheit aber steht nicht gegen die Interessen der Nachbarn. Sie fügt sich ein in das große Europa.» Die bisherigen Bürger der DDR erwarteten nicht «das Land, wo Milch und Honig fließen, aber ein Land, in dem wir unsere Kräfte entfalten können, ein Land auch des solidarischen Teilens... Wir haben heute allen Grund, den ersten Tag der deutschen Einheit zu feiern; wir haben aber auch allen Grund, die Irrwege der deutschen Geschichte zu erkennen. Auschwitz bleibt für uns eine immerwährende Mahnung.»

Die Hauptrede hielt der Bundespräsident. Weizsäcker ordnete die Wiedervereinigung in den großen Zusammenhang der deutschen und europäischen Geschichte ein: «Zum ersten Mal bilden wir Deutschen keinen Streitpunkt auf der europäischen Tagesordnung. Unsere Einheit wurde niemandem aufgezwungen, sondern friedlich vereinbart. Sie ist Teil eines gesamteuropäischen geschichtlichen Prozesses, der die Freiheit der Völker und eine neue Friedensordnung unseres Kontinents zum Ziel hat... Wir haben jetzt einen Staat, den wir selbst nicht mehr als provisorisch ansehen und dessen Identität und Integrität von unseren Nachbarn nicht mehr bestritten wird. Am heutigen Tag findet die vereinte deutsche Nation ihren anerkannten Platz in Europa... Die Vereinigung Deutschlands ist etwas anderes als eine bloße Erweiterung der Bundesrepublik. Der Tag ist gekommen, an dem zum ersten Mal in der Geschichte das ganze Deutschland seinen dauerhaften Platz im Kreis der westlichen Demokratien findet.»

Am Tag danach, dem 4. Oktober 1990, tagte erstmals seit dem 9. Dezember 1932 wieder ein gesamtdeutsches Parlament im Wallotbau: Die konstituierende Sitzung des erweiterten Bundestages war von der Präsidentin, Rita Süssmuth, in den Reichstag einberufen worden. Dem gesamtdeutschen Bundestag gehörten 144 Abgeordnete an, die, dem Einigungsvertrag entsprechend, von der Volkskammer gewählt worden waren. Fünf Mitglieder der «bürgerlichen» Restkoalition Lothar de Maizières, darunter auch der letzte Ministerpräsident der DDR, wurden am selben Tag zu Bundesministern ohne Geschäftsbereich ernannt und vereidigt. Am 5. Oktober ratifizierte der Bundestag den Zwei-plus-Vier-Vertrag und verabschiedete danach die Neufassung des Wahlgesetzes, die durch das Urteil des Bundes-

verfassungsgerichts vom 29. September notwendig geworden war. Drei
Tage später ratifizierte der Bundesrat den Zwei-plus-Vier-Vertrag.

Am 14. Oktober wählten die Bürger der fünf neuen Länder Mecklenburg-Vorpommern, Brandenburg, Thüringen, Sachsen-Anhalt und Sachsen ihre Landtage. Außer in Brandenburg, wo die SPD mit ihrem Spitzenkandidaten Manfred Stolpe auf den ersten Platz kam, wurde überall die
CDU die stärkste Partei; in Dresden, Erfurt, Magdeburg und Schwerin
konnte sie den Ministerpräsidenten stellen. Die Ost-Berliner mußten mit
ihrer Stimmabgabe noch etwas warten: Die Wahl des gemeinsamen Abgeordnetenhauses, des Parlaments des Landes Berlin, war durch den Wahlvertrag auf den Tag der ersten gesamtdeutschen Wahl, den 2. Dezember,
festgelegt worden. Bis dahin gab es neben dem West-Berliner Abgeordnetenhaus und der im Mai frei gewählten Ost-Berliner Stadtverordnetenversammlung den von beiden gebildeten, paritätisch besetzten «Ausschuß
Einheit Berlin» und, auf Regierungsebene, gemeinsame Sitzungen von
West-Berliner Senat und Ost-Berliner Magistrat.

Am 9. November 1990, dem ersten Jahrestag der Maueröffnung, unterzeichneten Kohl und Gorbatschow in Bonn den deutsch-sowjetischen Vertrag über gute Nachbarschaft, Partnerschaft und Zusammenarbeit. Am
14. November folgte in Warschau die Unterzeichnung des deutsch-polnischen Grenzvertrages durch die Außenminister Genscher und Skubiszewski. Das Abkommen bestätigte, was der Zwei-plus-Vier-Vertrag über das
Territorium des wiedervereinigten Deutschland sagte: Es umfaßte die Gebiete der Bundesrepublik Deutschland, der Deutschen Demokratischen
Republik und ganz Berlin. Vielleicht war die vier Jahrzehnte während Teilung Deutschlands notwendig gewesen, um der deutsch-polnischen
Grenze an Oder und Neiße zu einer mehr als bloßen äußeren Anerkennung
zu verhelfen. Als «Opfer» wurden die Grenzregelungen des Zwei-plus-
Vier-Vertrages und des deutsch-polnischen Vertrages, von kleinen Minderheiten abgesehen, jedenfalls nicht mehr empfunden. Seit dem 3. Oktober 1990 war ein Streit darüber, wo Deutschland lag und was zu
Deutschland gehörte, nicht mehr ernsthaft möglich. Für Polen galt dasselbe. Es gab keine deutsche Frage mehr, es gab keine polnische Frage mehr,
und beides bedingte einander.

Fünf Tage nach der Warschauer Begegnung zwischen Genscher und Skubiszewski, am 19. November, trat in Paris der KSZE-Gipfel zusammen. Die
Staats- und Regierungschefs der Mitgliedsstaaten der NATO und des Warschauer Pakts unterzeichneten am Rande der Konferenz den Vertrag über
Konventionelle Streitkräfte, der unter anderem die «Reduzierung» von
Kampfpanzern, gepanzerten Kampffahrzeugen, Artilleriewaffen, Kampf-
flugzeugen und Angriffshubschraubern durch «Zerstörung» regelte und
damit ein beträchtliches Stück konventioneller Abrüstung brachte. Die entsprechenden Vorleistungen der Bundesrepublik hatten also nicht zur «Singularisierung» Deutschlands geführt, sondern zum umfassenden Rü-

stungsabbau beigetragen. Außerdem unterzeichneten die 22 Staats- und Regierungschefs eine Erklärung, in der sie sich verpflichteten, sich der Androhung oder Anwendung von Gewalt zu enthalten und niemals Waffen einzusetzen, es sei denn zur Selbstverteidigung oder in einer anderen Weise, die mit der Charta der Vereinten Nationen in Einklang stand. Der KSZE-Gipfel erreichte seinen Höhepunkt mit der Unterzeichnung der «Charta von Paris» am 21. November 1990. Darin verpflichteten sich alle 34 Mitgliedsstaaten, «die Demokratie als einzige Regierungsform unserer Nationen aufzubauen, zu festigen und zu stärken». In einem Augenblick, da «Europa am Beginn eines neuen Zeitalters» stand, bekannten sie sich zur friedlichen Beilegung von Streitfällen. 15 Jahre nach der Unterzeichnung der Schlußakte von Helsinki beschlossen die Unterzeichnerstaaten, ihre Konsultationen auf allen Ebenen zu vertiefen. Zu diesem Zweck wurde ein Rat der Außenminister gebildet, der mindestens einmal jährlich zusammentreten sollte. In Wien wurde ein «Konfliktverhütungszentrum», in Warschau ein «Büro für freie Wahlen» errichtet. Schließlich sollte eine parlamentarische Versammlung der KSZE ins Leben gerufen werden.

Knapp zwei Wochen nach dem Pariser KSZE-Gipfel, am 2. Dezember 1990, fand die erste gesamtdeutsche Bundestagswahl statt. Es war die erste freie Wahl in ganz Deutschland seit der Reichstagswahl vom 6. November 1932. Die Bonner Koalition ging als eindeutige Siegerin aus dem Ringen hervor. Auf Kohls Union entfielen 43,8 %, auf Genschers Freie Demokraten 11 %. Die Sozialdemokratie Oskar Lafontaines landete, weit abgeschlagen, bei 33,5 %. Die Grünen scheiterten mit 4,8 % im Wahlgebiet West an der Fünfprozenthürde. Im Wahlgebiet Ost erreichte Bündnis 90/Grüne 6 %, was der Listenverbindung 8 Mandate einbrachte. Die PDS erlangte im Bundesdurchschnitt 2,4 %, im Wahlgebiet Ost aber 11,1 % und damit 17 Sitze.

Die Wahlniederlage der Sozialdemokraten hatte am 3. Dezember ein Nachspiel im Parteivorstand. Willy Brandt legte Wert auf die Feststellung, daß er nicht aus taktischen, sondern aus grundsätzlichen Überlegungen heraus gebeten habe, «das gesamtdeutsche Thema nicht an der eigenen Partei vorbeiziehen zu lassen». Er beklagte, ohne Lafontaine direkt anzusprechen, daß während des Wahlkampfes der Eindruck entstanden sei, «man sehe in der Einheit und Freiheit eher eine Bürde als eine Chance», und empfahl, darauf zu achten, «daß Warnung und Hoffnung in einem menschengerechten Verhältnis zueinander stehen». Einige ältere Sozialdemokraten sekundierten dem Ehrenvorsitzenden. Erhard Eppler sprach es offen aus: «Viele hätten Gesamtdeutschland nicht gewollt.» Klaus von Dohnanyi nannte Oskar Lafontaine ein großes Talent. «In der Deutschlandfrage könne er ihm jedoch nicht folgen. Jemandem, der in dieser Frage so entscheidend geirrt habe, könne er nicht zustimmen, sofern nicht eine Veränderung der Position vorgenommen werde.» Hans Koschnick, der ehemalige Bürgermeister von Bremen, sagte, für ihn sei «die nationale Frage nicht von Generationen abhängig». Er widersprach damit dem Baden-Württemberger Dieter Spöri, der die These aufgestellt hatte, die «Deutschlandthematik» sei ein «Problem, das auf der Generationenfrage beruhe».

Von den jüngeren Sozialdemokraten äußerte sich nur Wolfgang Thierse, der letzte Vorsitzende der Ost-SPD und seit dem Berliner Vereinigungsparteitag vom September einer der Stellvertreter von Hans-Jochen Vogel, im Sinne Brandts. Die Kostendebatte sei in der ehemaligen DDR nicht verstanden worden; «die SPD habe in der nationalen Frage einen Nachholbedarf». Die meisten westdeutschen Vorstandsmitglieder aus der jüngeren Generation widersprachen Brandt. Der niedersächsische Ministerpräsident Gerhard Schröder sagte, «er glaube nicht, daß die nationale Frage, wie Willy Brandt es sehe, Ursache für den Wahlausgang gewesen sei. Er könne das nicht nachvollziehen. Auch sei das nicht Teil seines Lebens gewesen.» Anke Brunn, die nordrhein-westfälische Wissenschaftsministerin, bekannte, «sie sei nicht automatisch begeistert vom Vaterland. Es sei gut, daß die SPD zugeben könne, daß sie mit der nationalen Frage Schwierigkeiten habe.» Heidemarie Wieczorek-Zeul aus Hessen nannte den nationalen Streit «unerheblich».

Der gescheiterte Kanzlerkandidat schließlich zeigte sich «zutiefst verletzt» darüber, «daß, auch durch Äußerungen aus unserem Lager, der Eindruck entstehen konnte, er sei gegen die Menschen in der DDR, und er hätte Probleme mit der deutschen Einheit. Dies sei unzutreffend. Er sei an diesem Punkt nur anders herangegangen, er habe den Zugang zum Einigungsprozeß über die soziale Frage gefunden.» Daß es in der «sogenannten nationalen Frage» zwischen ihm und Brandt keine Übereinstimmung gab, bedauerte er. Das Angebot des Partei- und Fraktionsvorsitzenden Hans-Jochen Vogel, er, Lafontaine, solle die beiden Ämter übernehmen, lehnte er ab.

Willy Brandt machte am Ende der Aussprache aus seiner Enttäuschung und Verbitterung ebenfalls keinen Hehl. Nicht das Nationale, sondern die Selbstbestimmung der Menschen sei entscheidend. «Die Selbstbestimmung habe zur Einheit geführt. Daß ich daran erinnere, ist doch wohl besser, als wenn ich darum gebeten hätte, mich als Ehrenvorsitzenden zu entlassen.» Er erinnerte an seine Wahlparole von 1972 «Deutsche, wir können stolz sein auf unser Land!» und warnte davor, die Einigung Europas gegen die Nationalstaaten anzustreben. «Um das Thema ‹Nationalstaat› sollten wir wirklich nochmals reden. Europa, das sei doch erst einmal die Vereinigung von Staaten. Das könne man doch nicht gleich aufgeben. Das sei ‹eine pure Illusion›.»

Der Zusammenstoß zwischen Brandt und Lafontaine, zwischen Alten und Jungen in der Sozialdemokratie, war so etwas wie die Stunde der Wahrheit. Die SPD hatte die Wahl nicht nur, aber nicht zuletzt deshalb verloren, weil sie die Partei mit den zwei Gesichtern war: dem patriotischen des Ehrenvorsitzenden und dem postnationalen des Kanzlerkandidaten. Für Brandt und viele der Älteren verstand sich nationale Solidarität mit den Ostdeutschen von selbst; sie war ein Gebot der Gerechtigkeit, weshalb es aus ihrer Sicht widersinnig war, die soziale Frage gegen die nationale Frage auszuspielen. Für Lafontaine und viele der Jüngeren verstand sich hingegen nichts mehr von selbst, und am allerwenigsten ein Anknüpfen an den von Bismarck geschaffenen kleindeutschen Nationalstaat.

Zwei Wochen vor der Wiedervereinigung, am 17. September 1990, hatte der Kanzlerkandidat in einer Rede vor der Friedrich-Ebert-Stiftung in Bonn seine Position zum Thema «deutsche Einheit» noch einmal dargelegt: «Mein Ziel ist es, daß es den Menschen in Leipzig, Dresden oder einer anderen Stadt der DDR so gut geht wie den Menschen in der Bundesrepublik oder in Österreich.» Lafontaine beklagte, daß die Bundesrepublik nach wie vor einen «völkischen Nationenbegriff» pflege, statt sich an Ernest Renans Wort zu orientieren, wonach die Nation «ein sich täglich wiederholendes Plebiszit» sei. Er bedauerte, «daß sich die Bundesregierung bei der deutschen Vereinigung von einer herkömmlichen Nationalstaatsidee und einem traditionellen deutschen, auf der Abstammung basierenden Nationenbegriff hat leiten lassen und nicht von dem Gedanken der europäischen Einigung... Die föderalistische Tradition Deutschlands hätte es nahegelegt, über eine Konföderation der beiden deutschen Staaten zur Einheit zu gelangen... Damit wäre der Grundstein für eine zukünftige europäische Konföderation gelegt worden. Diese Chance ist dahin... Die Gründer der Bundesrepublik haben sich diesen Staat als ein Provisorium gedacht, das von Beginn an bestimmt war, eines Tages in einem größeren Nationalstaat aufzugehen. Ich stelle mir Deutschland immer noch so vor: bestimmt, eines nicht mehr fernen Tages in einem größeren Europa, in den Vereinigten Staaten von Europa, aufzugehen.»

Lafontaines Kritik am ethnischen, auf die Abstammung abstellenden deutschen Nationsbegriff war wohlbegründet, eine Reform des Staatsbürgerschaftsrechts seit langem überfällig. Aber der Gedanke der nationalen Solidarität, von dem Brandt ausging, hatte nichts mit Abstammung, sondern viel mit Geschichte zu tun. Ob die anderen europäischen Nationen in Europa «aufgehen» wollten, wie Deutschland es nach der Überzeugung Lafontaines tun sollte, fragte der saarländische Ministerpräsident gar nicht. Den Franzosen, deren Nationsbegriff er den Deutschen zur Nachahmung empfahl, war ein solches Bild von sich und von Europa so fremd wie allen anderen europäischen Nationen. Sie konnten sich wohl vorstellen, ihren Nationalstaat zu einem Baustein eines politisch geeinten Europa zu machen. Die Forderung, den Nationalstaat abzuschaffen, mußte ihnen dagegen als Anschlag auf ihre Identität und als deutsche Anmaßung erscheinen.

Daß Lafontaine wie im Jahr zuvor Österreich mit ins Spiel brachte, wenn er von seinen Wünschen für die Menschen in der DDR sprach, verwies auf einen merkwürdigen Widerspruch in seinem Umgang mit dem Thema

«Nation». Der großdeutsche Begriff einer deutschen Kulturnation war ungleich ethnischer, ja «völkischer» als der auf «Kleindeutschland» begrenzte Nationsbegriff der «aufgeklärten» Befürworter der deutschen Einheit. Der Ministerpräsident des Saarlandes stand mit seinen großdeutschen Reminiszenzen durchaus nicht allein. In seinem Buch «Der Irrweg des Nationalstaates», das er Mitte September 1990 abschloß, bekannte Peter Glotz, einer der engeren politischen Freunde Lafontaines: «Ich kann... nicht vergessen, wie der Preuße Bismarck die Deutschen der ehemaligen österreichisch-ungarischen Monarchie aus seinem kleindeutschen Einheitsstaat herausgehalten hat: durch Krieg.» Fünf Jahre später, 1995, schrieb Heiner Geißler, der ehemalige Generalsekretär der CDU, in seinem Buch «Der Irrweg des Nationalismus» unter (anfechtbarer) Berufung auf Golo Mann, das Bismarckreich sei «kein echter Nationalstaat» gewesen, «insofern ein beträchtlicher Teil der Nation außerhalb blieb und nach dem Willen des Gründers außerhalb bleiben sollte. Die erste deutsche Spaltung ereignete sich nicht 1945, sondern 1866.»

Tatsächlich war die kleindeutsche Lösung für das übrige Europa allemal erträglicher gewesen als eine wie immer geartete großdeutsche Lösung. Der Zwei-plus-Vier-Vertrag hatte die kleindeutsche Lösung auf einem radikal verkleinerten Territorium und unter radikal veränderten internationalen Rahmenbedingungen legitimiert: Daran stießen sich alle, die, ob bewußt oder unbewußt, großdeutschen Vorstellungen von einer deutschen Kulturnation anhingen. Der Konflikt zwischen Brandt und Lafontaine ging um Politik *und* Geschichte. Die Deutschen mußten ein realistisches Verhältnis zu ihrem Nationalstaat und zum Nationalstaat überhaupt finden, wenn sie bei der Einigung Europas konstruktiv mitwirken wollten: Das war der Sinn von Brandts abschließenden Bemerkungen in der Sitzung des Parteivorstands vom 3. Dezember 1990. Lafontaines Utopie vom Aufgehen der Nationalstaaten in Europa war ein Ausdruck von Wunschdenken. Eine Sozialdemokratie, die *ihm* folgte, mußte immer tiefer in eine politische und historische Sackgasse geraten.[16]

Als das Jahr 1990 zu Ende ging, hatten erst drei Staaten den Zwei-plus-Vier-Vertrag ratifiziert. Den Anfang machte die Bundesrepublik, wo der Vertrag am 5. Oktober vom Bundestag und am 8. Oktober vom Bundesrat gebilligt worden war. Es folgten die USA mit der Ratifizierung durch den Senat am 10. Oktober. Am 16. November wurde die britische Ratifikationsurkunde der Bundesregierung übergeben. Im neuen Jahr schlossen sich Frankreich und die Sowjetunion an. Am 17. Januar erhielt die Bundesregierung die französische Ratifikationsurkunde. Am 4. März ratifizierte der Oberste Sowjet der UdSSR den Zwei-plus-Vier-Vertrag. Am 15. März 1991 trat er in Kraft.

Etwas mehr Zeit nahm ein anderes Ratifizierungsverfahren in Anspruch. Der deutsch-polnische Grenzvertrag sollte zusammen mit dem Vertrag über gute Nachbarschaft und Zusammenarbeit ratifiziert werden. Dieses zweite Abkommen wurde am 17. Juni 1991 paraphiert. Am 17. Oktober 1991 billigte der Bundestag, tags darauf der Sejm beide Verträge. Damit waren die letzten der mit der deutschen Vereinigung verbundenen völkerrechtlichen Verträge ratifiziert.

Die Aufgaben, die der Einigungsvertrag dem gesamtdeutschen Gesetzgeber übertragen hatte, waren zu dieser Zeit noch längst nicht alle erledigt. Die Hauptstadtfrage blieb während der ersten Hälfte des Jahres 1991 das wichtigste innenpolitische Streitthema. Vor dem Fall der Mauer war alles klar gewesen: Es galt der immer wieder beschworene Beschluß des Bundestages vom 30. September 1949, wonach Berlin die deutsche Hauptstadt war, in die die leitenden Bundesorgane ihren Sitz verlegen würden, sobald freie Wahlen in ganz Berlin und in der Sowjetischen Besatzungszone stattgefunden hatten. Erst seit die Mauer gefallen und die Wiedervereinigung in greifbare Nähe gerückt war, begannen sich Stimmen zu erheben, die sich gegen einen Umzug von Regierung und Parlament vom Rhein an die Spree, also für die Beibehaltung der faktischen Bundeshauptstadt Bonn aussprachen.

Die Argumente für und gegen Bonn, für und gegen Berlin wurden über ein Jahr lang hin und her gewendet. Für die rheinische Universitätsstadt sprach aus der Sicht ihrer Befürworter, daß sie zum Symbol der ersten erfolgreichen deutschen Demokratie geworden war, daß sie für die Westbindung der Bundesrepublik, für Föderalismus und ganz allgemein für die neue deutsche Bescheidenheit stand. Nicht alle, aber viele Anhänger Bonns hielten Berlin vor, es stehe für ungute deutsche Traditionen: für Zentralismus, preußischen Militarismus und deutschnationalen Größenwahn – wenn man es nicht gar mit dem «Dritten Reich» in Verbindung brachte. Ein Umzug von Bundestag und Bundesregierung nach Berlin war, so gesehen, mit der Gefahr des Rückfalls in glücklich überwundene Epochen der deutschen Geschichte verknüpft. Außerdem war der Umzug teuer und der Verlust der Hauptstadtrolle für die Stadt Bonn, ihre Umgebung und viele Zehntausende von Betroffenen, so hieß es, eine unzumutbare Härte.

Die Freunde Berlins erinnerten an das Hauptstadtversprechen von 1949, an die Selbstbehauptung West-Berlins im «Kalten Krieg» und seine Rolle bei der Begründung der deutsch-amerikanischen Freundschaft; sie verwiesen auf die Chance, von Berlin aus, das ja selbst wieder zu *einer* Stadt zusammenwachsen mußte, das Zusammenwachsen von alten und neuen Ländern zu fördern; sie hoben die kulturellen Attraktionen und die demokratischen Traditionen der einstigen deutschen Hauptstadt hervor. Bonn erschien ungeeignet, den Prozeß der inneren Einigung in Deutschland und die Annäherung von West- und Osteuropa voranzubringen. Schließlich war der Umzug ein Gebot ausgleichender Gerechtigkeit: Da die Hochburgen von Wirtschaft, Technologie, Banken und Medien allesamt im Westen lagen, sollte wenigstens die deutsche Politik im Osten gestaltet werden. Die Gefahr einer neuen Machtzusammenballung und damit der Schwächung des Föderalismus erschien vor diesem Hintergrund schlicht abwegig: Nach Abzug fast aller großen Industrieunternehmen in der Zeit der deutschen Teilung war Berlin schon wirtschaftlich zu schwach, um je wieder eine beherrschende Rolle wie in der Zeit des Deutschen Reiches zu spielen.

Unter den namhaften deutschen Politikern überwogen die Anhänger des Umzugs. Bundespräsident von Weizsäcker hatte sich frühzeitig, bei der Verleihung der Ehrenbürgerwürde der einst von ihm regierten Stadt am 29. Juni 1990, für Berlin ausgesprochen. Willy Brandt, Hans-Dietrich Genscher, Wolfgang Schäuble, Hans-Jochen Vogel traten mit Leidenschaft für die Rückkehr der Politik in die alte Hauptstadt ein, etwas verhaltener auch Helmut Kohl, der Wert darauf legte, diese Meinung als Abgeordneter und nicht als Bundeskanzler zu vertreten. Für Bonn waren die meisten maßgeblichen Politiker aus Nordrhein-Westfalen von Johannes Rau über Otto Graf Lambsdorff bis Norbert Blüm, die «postnationalen» Sozialdemokraten Oskar Lafontaine und Peter Glotz und fast die gesamte CSU. Die ranghöchste Anwältin Bonns war die Präsidentin des Deutschen Bundestages, Rita Süssmuth. Um Mehrheiten zu gewinnen, waren die Befürworter Bonns bereit, Berlin zum ersten Amtssitz des Bundespräsidenten und des Bundesrates zu machen, während sich die Freunde Berlins damit begnügen wollten, neben Bundespräsident, Bundestag und Bundeskanzler nur einen Teil der Ministerien an die Spree umziehen zu lassen; der andere Teil, der Bundesrat und die meisten Arbeitsplätze mochten in Bonn bleiben, das dadurch seine Bedeutung als *das* Verwaltungszentrum der Bundesrepublik bewahren können sollte.

Die namentliche Abstimmung im Bundestag am 20. Juni 1991 war «frei»: Da alle Fraktionen in dieser Frage gespalten waren, gab es keinerlei Fraktionszwang. Der Ausgang war offen; die Debattenbeiträge konnten einen großen Einfluß auf die Entscheidung ausüben. Die besten Reden wurden für die bessere Sache gehalten: für Berlin. Wolfgang Schäuble, Willy Brandt, Hans-Dietrich Genscher, Wolfgang Thierse und Wolfgang Ullmann sprachen mit einer moralischen Überzeugungskraft, die den Plädoyers für Bonn abging: Berlin war, von Westen aus gesehen, die unbequemere, Bonn die weitaus populärere Lösung.

Als die Bundestagspräsidentin am Abend kurz vor 22 Uhr das Ergebnis der Abstimmung bekanntgab, jubelte Berlin, während Bonn in Niedergeschlagenheit versank. Der Antrag «Vollendung der Einheit» oder «Berlin-Antrag» hatte mit 338 Stimmen über den Antrag «Bundesstaatslösung» oder «Bonn-Antrag» obsiegt, auf den 320 Stimmen entfielen. Von der CDU stimmten 146 Abgeordnete für Berlin, 124 für Bonn; bei der CSU lautete das Verhältnis 8 zu 40, so daß in der Gesamtfraktion Bonn vor Berlin lag (164:154). Unter den Sozialdemokraten überwogen ebenfalls die Freunde Bonns (126:110). Dagegen waren die Freien Demokraten mehrheitlich für

Berlin (53:26), ebenso die PDS/Linke Liste (17:1) und Bündnis 90/Grüne (4:2). Die Abgeordneten aus den alten Ländern waren mehr für Bonn als für Berlin (291:214); bei den Abgeordneten aus den neuen Ländern einschließlich Berlins war es umgekehrt (124:29). Für Berlin votierten mehrheitlich die Parlamentarier aus den alten Ländern des Nordens – Schleswig-Holstein, Hamburg, Bremen und Niedersachsen –, aber auch Hessen, für Bonn die meisten Abgeordneten aus Rheinland-Pfalz, Nordrhein-Westfalen, Bayern, Baden-Württemberg und dem Saarland. Katholische Volksvertreter bevorzugten Bonn, Protestanten und Konfessionslose Berlin. Bei den Mitgliedern der Bundesregierung genoß Berlin mehr Sympathien als Bonn: 13 zu 5 lautete das Verhältnis.

Der historischen Entscheidung des Bundestages für Berlin folgte am 5. Juli ein bedingtes Votum des Bundesrats für Bonn: Im Licht der weiteren Entwicklung sollte der Beschluß überprüft werden (was dann am 27. September 1996, gegen die Stimmen von Nordrhein-Westfalen und Rheinland-Pfalz, auch geschah: zugunsten des Umzugs nach Berlin). Am 11. Dezember 1991 beschloß das Bundeskabinett, neben dem Bundeskanzleramt und dem Presse- und Informationsamt der Bundesregierung das Auswärtige Amt, die Bundesministerien des Innern, der Justiz, der Finanzen, für Wirtschaft, Arbeit, Verkehr, Raumordnung, für Familien und Senioren sowie für Frauen und Jugend nach Berlin zu verlegen und die übrigen sieben Ressorts mit dem Hauptsitz in Bonn zu belassen. Bonn wurde zusätzlich durch Ausgleichsmaßnahmen entschädigt. Der Umzug erfolgte schließlich im Jahre 1999 – viel später als ursprünglich geplant, aber dann doch mit jener allseits erwarteten Sogwirkung, die die Teilung der Hauptstadtfunktionen zwischen Berlin und Bonn bald zur Fiktion werden ließ.

Der Hauptstadtstreit von 1990/91 trug manche Züge einer Ersatzdebatte. Was während des Vereinigungsprozesses nicht offen ausgesprochen worden war, kam jetzt unverblümt zur Sprache. Vorbehalte gegenüber Berlin, Preußen und Bismarcks kleindeutscher Lösung waren schon 1989/90 zu hören und zu lesen gewesen; als es um den Sitz von Parlament und Regierung ging, wurden sie sehr viel kräftiger artikuliert. Die alte Bundesrepublik erschien zunehmend in verklärtem Licht; die «posthume Adenauersche Linke» wähnte die politische Kultur des Westens und die Einigung Europas in Gefahr, falls Deutschland künftig von der Spree statt vom Rhein aus regiert wurde. So warnte am 20. Juni 1991 der Sozialdemokrat Peter Glotz den Christlichen Demokraten Helmut Kohl: «Mit dem Votum für Berlin schwenken Sie ab zum Europa der Vaterländer... Bewahren Sie die supranationale Europa-Idee Konrad Adenauers. Sie ist das wichtigste Erbe dieses großen Politikers... Bonn ist die Metapher für die zweite deutsche Republik. Bonn muß und soll Regierungs- und Parlamentssitz bleiben.»

Bundesinnenminister Wolfgang Schäuble, der seit einem Attentat am 12. Oktober 1990 querschnittsgelähmt war und nur noch vom Rollstuhl aus sprechen konnte, bezog am Tag der Entscheidung die Gegenposition mit am klarsten: In Wahrheit gehe es um die Zukunft Deutschlands. «Wir haben oft davon gesprochen, daß wir, um die Teilung zu überwinden, zu teilen bereit sein müssen. Teilen heißt, daß wir gemeinsam bereit sein müssen, die Veränderungen miteinander zu tragen, die sich durch die deutsche Einheit ergeben.» Berlin sei immer «das Symbol für Einheit und Freiheit, für Demokratie und Rechtsstaatlichkeit in ganz Deutschland» gewesen, «von der Luftbrücke über den 17. Juni 1953, den Mauerbau im August 1961 bis zum 9. November 1989 und bis zum 3. Oktober im vergangenen Jahr... Deutsche Einheit und europäische Einheit bedingen sich gegenseitig... Deshalb ist die Entscheidung für Berlin auch eine Entscheidung für die Überwindung der Teilung Europas.»

Die Furcht der Skeptiker, die deutsche Vereinigung könne die Einigung Europas gefährden, wurde durch die Wirklichkeit bald widerlegt. Ein halbes Jahr nach der Hauptstadtentscheidung, vom 9. bis 11. Dezember 1991, beschloß der Europäische Rat im holländischen Maastricht die Weiterentwicklung der Europäischen Gemeinschaft zur Europäischen Union. Am 7. Februar 1992 wurde der Vertrag von Maastricht unterzeichnet. Er brachte die bislang am tiefsten einschneidende Änderung und Ergänzung der Römischen Verträge von 1957. Die erste Säule der EU war die Wirtschafts- und Währungsunion. Sie sollte spätestens am 1. Januar 1999 zu einer gemeinsamen europäischen Währung führen. Die zweite Säule war die Gemeinsame Außen- und Sicherheitspolitik (GASP). In diesem Zusammenhang sollte die Westeuropäische Union (WEU) als verteidigungspolitische Komponente ausgebaut und zu einer Brücke zwischen EU und NATO gemacht werden. Die dritte Säule war die Innen- und Rechtspolitik: Die innere Sicherheit wurde im Zuge des Abbaus der Grenzkontrollen immer mehr zu einem Thema der europäischen Innenpolitik.

Das Europäische Parlament erhielt neue Rechte, bis hin zum Vetorecht gegen Rechtssetzungsakte der Europäischen Kommission in bestimmten Bereichen, aber längst nicht so viele Kompetenzen, wie Bonn gefordert hatte. Ein neugeschaffener Ausschuß der Regionen mit beratender Funktion entsprang vor allem dem Wunsch der deutschen Länder. Im Zuge der Einführung einer Unionsbürgerschaft konnten die Bürger der EU das aktive und passive Wahlrecht bei Kommunal- und Europawahlen unabhängig von ihrer Staatsangehörigkeit an ihrem Wohnort ausüben. Allgemein galt fortan das «Subsidiaritätsprinzip»: Die Gemeinschaft sollte dort tätig werden, wo Aufgaben von den Nationalstaaten nicht mehr wirksam gelöst werden konnten.

Der Vertrag von Maastricht zog Änderungen des Grundgesetzes nach sich. An die Stelle des 1990, im Zuge der Wiedervereinigung, gestrichenen «Beitrittsartikels» 23 trat der «Europaartikel» 23. Der Bund durfte durch Gesetz und mit Zustimmung des Bundesrats entsprechend dem Subsidiaritätsprinzip Hoheitsrechte auf die Europäische Union übertragen. Der

Bundesrat war an der Willensbildung des Bundes zu beteiligen, «soweit er an einer entsprechenden innerstaatlichen Maßnahme mitzuwirken hätte oder soweit die Länder innerstaatlich zuständig wären». Nach dem neuen Absatz 1 a des Artikels 24 konnten die Länder ihrerseits mit Zustimmung der Bundesregierung Hoheitsrechte auf «grenznachbarschaftliche Entwicklungen» übertragen. Artikel 50 sicherte in seiner Neufassung den Ländern das Recht zu, über den Bundesrat «in Angelegenheiten der Europäischen Union» mitzuwirken. Aufgaben und Befugnisse der Bundesbank konnten dem geänderten Artikel 88 zufolge der Europäischen Zentralbank übertragen werden.

Der deutsche Nationalstaat wurde mithin, nahezu zeitgleich mit seiner Wiederherstellung, in doppelter Hinsicht, nämlich nach «oben» und nach «unten», relativiert: Er gab Souveränitätsrechte an die Europäische Union ab und gestand den Ländern, die sich nicht zu den «Opfern» des europäischen Integrationsprozesses machen lassen wollten, erweiterte Mitwirkungsrechte zu. Diese Rechte waren so weitreichend, daß manche Länder, obenan Nordrhein-Westfalen, Bayern und Baden-Württemberg, sich ermutigt fühlten, auf der europäischen Bühne, und vor allem in Brüssel, der «Hauptstadt» der EU, in Konkurrenz zum Bund als eigenständige außenpolitische Akteure aufzutreten. Das bedeutete zwar noch keine Rückentwicklung vom Bundesstaat zum Staatenbund, keine Umformung der Bundesrepublik Deutschland in einen Bund deutscher Länder – aber in ebendiese Richtung schienen und scheinen die Wünsche jener Länder zu gehen.

Änderungen des Grundgesetzes gab es auch im weiteren Gefolge der Wiedervereinigung, nämlich auf Grund der einschlägigen Empfehlung des Einigungsvertrags. Am 29. Oktober 1993 schloß die Gemeinsame Verfassungskommission, deren 64 Mitglieder je zur Hälfte vom Bundestag und vom Bundesrat gewählt beziehungsweise entsandt worden waren, ihre Arbeiten ab. Nach heftigen Auseinandersetzungen zwischen Bundestag, Bundesrat und Vermittlungsausschuß traten die entsprechenden Änderungen des Grundgesetzes am 15. November 1994 in Kraft.

Im Grundrechtsteil verpflichtete sich der Staat, die tatsächliche Durchsetzung der Gleichberechtigung von Mann und Frau zu fördern und auf die Beseitigung bestehender Nachteile hinzuwirken; niemand durfte wegen seiner Behinderung benachteiligt werden (Artikel 3). Der Umweltschutz rückte durch den neuen Artikel 20a zum Staatsziel auf. Die finanzielle Eigenverantwortung der Gemeinden wurde gewährleistet (Artikel 28, Absatz 2), die Neugliederung der Länder erleichtert (Artikel 29, Absatz 8 und, Berlin und Brandenburg betreffend, Artikel 118a). Auf dem Gebiet der konkurrierenden Gesetzgebung nahm der Bund eine «Erforderlichkeitsklausel» hin, die sein Gesetzgebungsrecht einschränkte: Er hatte nach dem neugefaßten Artikel 72 in diesem Bereich das Gesetzgebungsrecht, «wenn und soweit die Herstellung gleichwertiger Lebensverhältnisse im Bundes-

gebiet oder die Wahrung der Rechts- und Wirtschaftseinheit im gesamt-
staatlichen Interesse eine bundesgesetzliche Regelung erforderlich macht».
Bei Meinungsverschiedenheiten, ob die Erforderlichkeitsklausel erfüllt
war, entschied das Bundesverfassungsgericht (Artikel 93, Absatz 1, Nr. 2 a).

Die Verfassungsreform blieb weit hinter dem zurück, was frühere ostdeutsche Bürgerrechtler, Sozialdemokraten, Grüne und PDS angestrebt
hatten. Ob die Einführung weiterer Staatsziele – namentlich in den Bereichen Mitmenschlichkeit und Gemeinsinn, Schaffung von Arbeitsplätzen
und Wohnraum, soziale Sicherheit, Minderheitenschutz und Tierschutz –
tatsächlich eine «bessere» Gesellschaft zur Folge gehabt hätte, ist fraglich.
Es gab jedenfalls gute Gründe, vor der Gefahr der normativen Überfrachtung der Verfassung zu warnen. Zweifelhaft ist auch, ob plebiszitäre Elemente auf Bundesebene die Demokratie gestärkt oder nicht vielmehr, durch
Abwertung des Parlaments und damit des *Prinzips* der repräsentativen Demokratie, geschwächt hätten. Vernünftig wäre dagegen, angesichts der Erfahrungen mit den manipulierten Vertrauensfragen von 1972 und 1982, die
Einführung eines Selbstauflösungsrechts des Bundestags gewesen. Doch
auch sie scheiterte am Widerstand der Unionsparteien.

Da eine Zweidrittelmehrheit für weiterreichende Änderungen des
Grundgesetzes nicht vorhanden war, konnte das Ergebnis der Reformdis-
kussion nur auf der Linie eines Minimalkonsenses liegen. Dennoch war es
keineswegs zwingend, auf die im Artikel 146 vorgesehene Volksabstimmung zu verzichten (die man, den entsprechenden Willen vorausgesetzt,
am Tag der zweiten gesamtdeutschen Bundestagswahl, dem 16. Oktober 1994, hätte abhalten können). Wenn die Parteien, die im Bundestag und
Bundesrat den Änderungen des Grundgesetzes zustimmten, sich auch gegenüber den Wählern für das erneuerte Grundgesetz eingesetzt hätten,
wäre ihm die Bestätigung in einem gesamtdeutschen Verfassungsreferendum sicher gewesen.

Die Verhinderung dieser Abstimmung wurde teuer erkauft. Sie gab erstens Kritikern die Möglichkeit, weiterhin ein normatives Defizit des Vereinigungsprozesses zu beanstanden. Zweitens hatte der Verzicht auf das
Verfassungsreferendum die paradoxe Folge, daß das Grundgesetz, ungeachtet der «Ewigkeitsklausel» des Artikels 79, Absatz 3, fortan unter einem
«Provisoriumsvorbehalt» stand, den der Parlamentarische Rat 1949 *nicht*
gewollt hatte. Denn der Artikel 146 behielt die Fassung, die ihm auf Grund
des Einigungsvertrages gegeben worden war: «Dieses Grundgesetz, das
nach Vollendung der Einheit und Freiheit Deutschlands für das gesamte
deutsche Volk gilt, verliert seine Gültigkeit an dem Tage, an dem eine Verfassung in Kraft tritt, die von dem deutschen Volke in freier Entscheidung
beschlossen worden ist.»

Die Arbeit der Gemeinsamen Verfassungskommission beschäftigte die
deutsche Öffentlichkeit weniger als die Änderung eines Grundgesetzarti-
kels, die auch ohne die Wiedervereinigung auf die Tagesordnung gekom-

men wäre. In dem Satz «Politisch Verfolgte genießen Asylrecht» in Artikel 16, Absatz 2, schlugen sich Erfahrungen der nationalsozialistischen Diktatur und der deutschen Emigration nach 1933 nieder. An einen Zustrom in den Ausmaßen der späten achtziger und der frühen neunziger Jahre und an einen massenhaften Mißbrauch des Asylrechts hatten die Väter und Mütter des Grundgesetzes nicht gedacht und nicht denken können. 1992 beantragten 438 191 Ausländer politisches Asyl in der Bundesrepublik, von denen nur etwa 4,5 % als politisch Verfolgte anerkannt wurden. Eine angemessene Betreuung, Unterbringung und Versorgung wurde immer schwieriger, das deutsche Sonderproblem immer deutlicher: Auf die Bundesrepublik entfielen 1992 78 % aller Asylbewerber in der Europäischen Gemeinschaft.

Für eine Änderung des Asylrechts setzten sich seit langem die Unionsparteien ein; die FDP und die SPD widerstrebten zunächst einer Revision. Nach langwierigen Verhandlungen und leidenschaftlichen Protesten aus den Reihen der Linken und der Kirchen kam schließlich ein Kompromiß zustande, der seinen Niederschlag in dem am 1. Juli 1993 in Kraft getretenen Artikel 16a des Grundgesetzes und einer Anpassung des Asylverfahrensgesetzes fand. Das Individualgrundrecht auf Asyl blieb erhalten. Personen, die aus «sicheren» Drittstaaten einreisten, konnten sich aber nicht mehr auf das Asylrecht berufen. Dasselbe galt in der Regel für Personen, die aus einem «sicheren» Herkunftsland kamen. Als «sichere» Drittstaaten und Herkunftsländer galten die Mitgliedsstaaten der Europäischen Gemeinschaft und solche Länder, die durch ein Gesetz, das der Zustimmung des Bundesrates bedurfte, für «sicher» im Sinne der Gewährung der Menschenrechte und Grundfreiheiten erklärt wurden. Abschiebungen im Fall von «offensichtlich unbegründeten» Asylgesuchen wurden erleichtert. Nie zuvor hatte der Gesetzgeber einen Artikel des Grundgesetzes derart mit Verfahrensvorschriften beladen wie den neuen Artikel 16a. Ein solches Vorgehen widersprach dem Wesen einer Verfassung. Es entsprach dem Zwang, einen Ausgleich zwischen gegensätzlichen Ausgangspositionen herzustellen.

Womöglich noch erregter als die Auseinandersetzung über das Asylrecht verlief der Streit um das Abtreibungsrecht. Bis zum 31. Dezember 1992 mußte der gesamtdeutsche Gesetzgeber nach Artikel 31 des Einigungsvertrages eine Regelung treffen, «die den Schutz vorgeburtlichen Lebens und der verfassungskonformen Bewältigung von Konfliktsituationen schwangerer Frauen vor allem durch rechtlich gesicherte Ansprüche für Frauen, insbesondere auf Beratung und soziale Hilfen besser gewährleistet, als dies in beiden Teilen Deutschlands derzeit der Fall ist».

Im Juni 1992 verabschiedete der Bundestag gegen die Stimmen der meisten Abgeordneten der CDU/CSU ein Schwangeren- und Familienhilfegesetz. Es sah eine gesamtdeutsche Fristenlösung vor: Der Schwangerschaftsabbruch blieb bis zur zwölften Woche nach Befruchtung der Eizelle straffrei, sofern sich die Schwangere vor dem Eingriff beraten ließ und darüber eine schriftliche Bestätigung vorlegte. Doch schon am 4. August erließ das Bundesverfassungsgericht auf Antrag von 247 Abgeordneten der CDU/CSU und der Bayerischen Staatsregierung eine einstweilige Anordnung, die das Inkrafttreten des neuen Gesetzes bis zum Abschluß der verfassungsrechtlichen Überprüfung außer Kraft setzte.

Das Urteil in der Hauptsache erging am 28. Mai 1993. Das Bundesverfassungsgericht erklärte das novellierte Abtreibungsrecht für verfassungswidrig. Schwangerschaftsabbrüche blieben in den ersten zwölf Wochen zwar straffrei, waren aber «rechtswidrig». Von den Krankenkassen durften sie nur finanziert werden, wenn eine kriminologische, medizinische oder embryopathische Indikation vorlag – eine Vergewaltigung oder Gefahr für die Mutter oder die Schädigung des Kindes. Die Beratung der Schwangeren mußte mindestens drei Tage vor dem Eingriff «umfassend dem Schutz des ungeborenen Lebens» verpflichtet, also auf die Vermeidung des Schwangerschaftsabbruchs ausgerichtet sein. Für die Zeit bis zur gesetzlichen Neuordnung legte das Gericht eine Übergangsregelung fest.

Im Juni 1995 kam das neue Gesetz endlich zustande. Es führte eine Fristenlösung mit Beratungspflicht ein; ein Anspruch auf Leistungen aus der gesetzlichen Krankenkasse wurde, von bestimmten Ausnahmen abgesehen, ausgeschlossen. Damit war knapp fünf Jahre nach der Wiedervereinigung der Auftrag des Einigungsvertrages erfüllt, aus Deutschland auch im Hinblick auf Schwangerschaftsabbrüche *ein* Rechtsgebiet zu machen.[17]

«Begeistrung ist keine Heringsware, die man einpökelt auf einige Jahre», heißt es in Goethes Gedicht «Frisches Ei, gutes Ei». Das galt auch für die Wiedervereinigung. Die Euphorie über die endlich wiedererlangte Einheit verflog rasch, in den neuen Ländern noch sehr viel schneller als in den alten. Die wirtschaftliche Lage auf dem Gebiet der ehemaligen DDR war desolat; kaum ein Unternehmen war konkurrenzfähig, auch nicht in der während der zweiten Hälfte der achtziger Jahre massiv geförderten Mikroelektronik. Bei den in Kapitalgesellschaften umgewandelten früheren Volkseigenen Betrieben fehlten Schlußbilanzen der alten und Eröffnungsbilanzen der neuen Unternehmen, so daß die Treuhandanstalt die Überlebensfähigkeit der Neugründungen kaum beurteilen konnte. Das Wegbrechen der Märkte in den bisherigen Staatshandelsländern des Ostens, mitbedingt durch den Übergang zur Abrechnung in frei konvertierbaren Währungen um die Jahreswende 1990/91, war *ein* Faktor des Niedergangs der ostdeutschen Wirtschaft, ein anderer die anhaltende Neigung ostdeutscher Verbraucher, nach der offiziellen Einführung der DM nur noch Westprodukte zu kaufen, Ostprodukte aber liegenzulassen. «Der Wandel kam schockartig, revolutionär», urteilt Dieter Grosser. «Beinahe über Nacht erwies sich der größte Teil der ostdeutschen Wirtschaft als hoffnungslos veraltet, wettbewerbsunfähig, dem Untergang geweiht.»

Den Rest besorgten die westdeutschen Gewerkschaften. Um Mitglieder aus der Konkursmasse des FDGB für sich zu gewinnen, nötigten sie den noch kaum funktionsfähigen Arbeitgeberverbänden im Sommer 1990 zweistellige Lohnerhöhungen (in der Metallindustrie um 30 %, in der Bauwirtschaft sogar um 60 %), Verkürzungen der Arbeitszeit und einen längerfristigen Schutz vor Kündigungen ab. Grosser zufolge lagen die tariflichen Stundenlöhne in Ostdeutschland im dritten Quartal von 1990 durchschnittlich um 30 % über dem Vorjahresniveau. Ein bis 1997 anhaltender Prozeß der Deindustrialisierung setzte ein, flankiert von rasch wachsender Erwerbslosigkeit vor allem bei Frauen, die zu Zeiten der DDR in ihrer großen Mehrheit erwerbstätig gewesen waren. Die Arbeitslosenquote stieg von 2,7 % im Jahre 1990 auf 14,8 % im Jahre 1992; 1998 lag sie bei 19,5 %. Im Juni 2000 lag sie mit 16,5 % deutlich niedriger, war aber immer noch mehr als doppelt so hoch wie im Westen (7,4 %).

Die Entwicklung in den neuen Ländern erzwang die Korrektur von Fehlern, für die in erster Linie die Bundesregierung verantwortlich war. Die Transferleistungen von West nach Ost mußten gesteigert werden, und sie waren nicht auf dem Weg weiterer Verschuldung zu finanzieren. Am 8. März 1991 beschloß das Kabinett Steuererhöhungen, die allerdings vorrangig mit der deutschen Beteiligung an den Kosten des Golfkrieges begründet wurden – des Krieges einer internationalen, von den USA geführten Militärallianz gegen den Irak, der im August 1990 auf Befehl von Präsident Saddam Hussein Kuwait, eines der wichtigsten Erdölländer der Welt, überfallen und danach annektiert hatte. Zum 1. Juli 1991 wurden die Mineralölsteuer und die Steuer auf Erdgas erhöht und ein «Solidarzuschlag» zur Einkommen- und Körperschaftsteuer in Höhe von 7,5 % erhoben.

Vorausgegangen war am 28. Februar 1991 die Übereinkunft zwischen dem Bundeskanzler und den Ministerpräsidenten der 16 Länder, den neuen Ländern, entgegen der Regelung im Einigungsvertrag, nun doch 100 % des durchschnittlichen Umsatzsteueranteils pro Einwohner zu gewähren. Der Bund verzichtete auf seinen Restanteil von 15 % aus dem Fonds Deutsche Einheit. Am 8. März, dem Tag der Steuerbeschlüsse, folgte die Verabschiedung des «Gemeinschaftswerks Aufschwung Ost» mit einem zusätzlichen Finanzvolumen von 12 Milliarden DM. Es sollte bauliche Investitionen, den Ausbau des Verkehrsnetzes, die Förderung der regionalen Wirtschaftsstruktur, Werfthilfen sowie Maßnahmen zum Umweltschutz und zur Arbeitsbeschaffung ermöglichen.

Berichtigt wurden, so gut es ging, auch andere Fehler. Das Prinzip «Rückgabe vor Entschädigung» fand seine Teilkorrektur im Hemmnisbeseitigungsgesetz vom März 1991 und im Investitionsvorranggesetz vom Juli 1992. Im März 1993 vereinbarten die Bundesregierung, die Ministerpräsidenten der Länder und die Parteispitzen von CDU, CSU, FDP und SPD einen «Solidarpakt» zur Finanzierung der deutschen Einheit. Vom 1. Januar 1995 ab sollten die neuen Länder und ganz Berlin erstmals voll in

den bundesstaatlichen Finanzausgleich einbezogen werden. Die Treuhandanstalt erhielt einen erweiterten Kreditrahmen für die Beseitigung von
ökologischen Altlasten und die Erhaltung und Erneuerung «industrieller
Kerne». Dazu kamen ein Wohnungsbauprogramm für Ostdeutschland, zusätzliche Mittel zur Arbeitsbeschaffung, eine Aufstockung des Fonds
Deutsche Einheit und, nachdem der Solidaritätszuschlag im Juni 1992 wieder abgeschafft worden war, ein neuer, unbefristeter Solidaritätszuschlag
von 7,5 % vom 1. Januar 1995 ab.

Zu den «industriellen Kernen», die vom «Solidarpakt» profitierten,
gehörten Werften an der Ostsee, ein großes Stahlwerk im Land Brandenburg (EKO-Stahl), ein Schwermaschinen- und Anlagebauunternehmen in
Sachsen-Anhalt (SKET) und Maschinenbauunternehmen in Sachsen. Die
Sanierung aus Haushaltsmitteln sicherte viele Tausend von Arbeitsplätzen; eine Sicherung der Wettbewerbsfähigkeit der geförderten Unternehmen bedeutete sie indes nicht. Am 1. Januar 1995 mündete der «Solidarpakt» in das «Föderale Konsolidierungsprogramm». Im Zuge der
Neuordnung des Finanzausgleichs erhielten die Länder einen höheren Anteil an der Umsatzsteuer: 44 statt bisher 37 %. Der Bund richtete einen
Erblastentilgungsfonds ein. In ihm wurden die bis Ende 1994 aufgelaufe-
nen Schulden der Treuhandanstalt und des Kreditabwicklungsfonds, dazu
die gekappten Altlasten der Wohnungswirtschaft der DDR zusammengefaßt, verzinst und getilgt.

Die Wachstumskräfte in der ostdeutschen Wirtschaft kamen zwischen
1992 und 1995 vor allem aus der Bauwirtschaft. Auf keinem Gebiet war der
Nachholbedarf so stark wie auf diesem. Als sich die Nachfrage normali-
sierte, gingen die hohen Wachstumsraten beim Bruttoinlandsprodukt
zurück; seit 1997 fiel das ostdeutsche Wirtschaftswachstum sogar wieder
hinter das westdeutsche zurück. Bei der Arbeitsproduktivität nahm das
West-Ost-Gefälle ab: 1991 hatte der Osten (ohne Berlin) nur ein Drittel des
Stands im Westen erreicht; 1993 war es bereits mehr als die Hälfte. Doch
dies war vorrangig eine Folge des Abbaus von Arbeitsplätzen: Die Arbeitslosigkeit lag in den neuen Ländern fast überall kontinuierlich weit über
dem Niveau der alten Länder. Die regionalen Unterschiede waren jedoch
nicht zu übersehen: In den traditionellen Gewerbegebieten Thüringens und
Sachsens und im brandenburgischen «Speckgürtel» um Berlin entwickelte
sich die Wirtschaftsstruktur sehr viel günstiger als in Sachsen-Anhalt, wo
die Umweltschäden am größten waren, und im landwirtschaftlich geprägten Mecklenburg-Vorpommern.

Die ostdeutsche Gesellschaft stellte sich den Westdeutschen nach der
Wiedervereinigung als ein fremdartiges Gebilde dar. Erst nach dem Zusammenbruch der DDR begannen viele Deutsche zu begreifen, was die
millionenhafte Abwanderung in den Westen und der «Aufbau des Sozialismus» bewirkt hatten: eine allgemeine Ausdünnung des Reservoirs an
Fachkräften, eine von der alten Bundesrepublik radikal verschiedene

Sozialstruktur sowie von westlichen Mustern stark abweichende Qualifikations- und Leistungsstandards. Ein selbständiger handwerklicher, kaufmännischer und freiberuflicher Mittelstand war in der DDR nur noch in kleinen Resten, ein selbständiges Unternehmertum nicht mehr vorhanden. Es gab keine selbständigen Landwirte, kein Berufsbeamtentum und, zunächst, keine «sichtbaren» Arbeitslosen. Die DDR war eine entdifferenzierte Arbeitnehmergesellschaft mit einer hochprivilegierten «Nomenklatur» gewesen, die so viele Merkmale einer «herrschenden Klasse» aufwies, daß man den Begriff der «klassenlosen Gesellschaft» auf den ostdeutschen Staat nur mit großen Vorbehalten hätte anwenden können.

In den Bereichen, in denen ideologische Zuverlässigkeit das entscheidende Kriterium des Berufszugangs und der Berufsausübung bildete, war nach 1989/90 der Mangel an der *jetzt* gefragten Professionalität besonders groß. Das traf vor allem für den Partei- und Sicherheitsapparat, für die höheren Ränge des Militärs, die Justiz und große Teile des Ausbildungswesens zu. In der Regel galt: Je «politischer» die Funktion gewesen war, die jemand vor der «Wende» innegehabt hatte, desto geringer waren seine Eignung und seine Chance, im vereinten Deutschland eine ähnliche Funktion auszuüben. Soziale Abstiegsprozesse waren damit vorgezeichnet.

Betroffen waren, neben anderen, die offiziellen Mitarbeiter des Ministeriums für Staatssicherheit und unter den inoffiziellen einige von jenen, denen es nicht gelang, die gegen sie erhobenen Vorwürfe zu entkräften. Erst nach der «Wende» wurden das ganze Ausmaß des Bespitzelungswesens und der kriminellen Energie der «Krake Stasi» sichtbar. Mielkes Ministerium hatte Bürgerrechtler durch «Freunde» und engste Verwandte ausspionieren lassen, manche auch radioaktiver Bestrahlung ausgesetzt. Im Juni 1990 konnten acht «Aussteiger» der RAF verhaftet werden, denen die Staatssicherheit in den Jahren zuvor zu einer «neuen Identität» in der DDR verholfen hatte. Den Opfern des MfS und der DDR-Justiz versuchte der Gesetzgeber durch zwei Gesetze zur Bereinigung von SED-Unrecht vom Oktober 1992 und Juni 1994 zu helfen. Sie sollten in einem vereinfachten Verfahren rehabilitiert, entschädigt und versorgt werden – in vielen Fällen eine eher symbolische und dennoch wichtige Geste.

Die oberste Führung der DDR war zum Zeitpunkt der Wiedervereinigung längst entmachtet und zum Teil schon Ende 1989 verhaftet worden. Gegen Erich Honecker wurde im November 1992 ein Strafverfahren wegen der Todesschüsse an der Berliner Mauer und an der innerdeutschen Grenze eröffnet, im Januar 1993 aber wegen seines Leberkrebsleidens eingestellt; unmittelbar danach reiste er zu seiner Tochter nach Chile aus, wo er im Mai 1995 im Alter von 81 Jahren starb. Zu den ersten hochrangigen Angeklagten, die 1992 zu mehrjährigen Haftstrafen verurteilt wurden, gehörten der ehemalige Verteidigungsminister Heinz Keßler und sein Stellvertreter Fritz Streletz. Das Verfahren gegen Willi Stoph wurde im August 1993 wegen des angegriffenen Gesundheitszustands und fortdau-

ernder Verhandlungsunfähigkeit des neunundsiebzigjährigen ehemaligen
Ministerpräsidenten eingestellt. Erich Mielke wurde im Oktober 1993 wegen der Ermordung von zwei Polizisten im August 1931 zu einer
Haftstrafe von sechs Jahren verurteilt und im August 1995 vorzeitig entlassen. Er starb im Mai 2000. Im November 1999 bestätigte der Bundesgerichtshof ein Urteil des Berliner Landgerichts vom August 1997, wonach
drei frühere Mitglieder des Politbüros, Egon Krenz, Günter Schabowski
und Günther Kleiber, zu mehrjährigen Haftstrafen verurteilt wurden
(Krenz zu sechseinhalb, Schabowski und Kleiber zu jeweils drei Jahren).
Alle Angeklagten wurden in mittelbarer Täterschaft des Totschlags für
schuldig befunden, wobei das Gericht seinem Urteil exemplarisch vier Todesfälle an der Berliner Mauer zugrunde legte. Am 7. Juli 2000 sprach das
Berliner Landgericht drei weitere ehemalige Mitglieder des Politbüros –
Hans-Joachim Böhme, Herbert Häber und Siegfried Lorenz – vom gleichen Vorwurf frei.

Im November 1992 entschied der Bundesgerichtshof in einem Revisi-
onsverfahren, daß die Verurteilung von zwei ehemaligen DDR-Grenzsol-
daten wegen der Todesschüsse auf Flüchtlinge rechtmäßig sei. Diese
Schüsse seien ein «Menschenrechtsverstoß schwerster Art» gewesen und
auch nicht durch das Grenzgesetz der DDR zu rechtfertigen, da kein staatliches Recht «in einem unerträglichen Widerspruch zur Gerechtigkeit» stehen dürfe. Der Bundesgerichtshof betonte aber auch, daß das Berliner
Landgericht als Vorinstanz nur Bewährungsstrafen verhängt habe. Die vom
Regime der DDR indoktrinierten Grenzsoldaten seien gewissermaßen
auch «Opfer» der Ausnahmesituation an der Mauer und an der innerdeutschen Grenze gewesen.

Nur wenige hohe Funktionäre der DDR wurden zu Freiheitsstrafen verurteilt. Für die meisten Angehörigen der Nomenklatura war die Entfernung aus dem Amt die schärfste Sanktion, die sie nach der Wiedervereinigung traf. Das galt auch für Professoren in besonders systemnahen Fächern
wie Philosophie, Geschichte, Erziehungswissenschaft, Rechts- und Wirt-
schaftswissenschaft. Anders als nach 1945 gab es nach 1990 eine große akademische «Reservearmee», die für einen Personalwechsel im Lehrkörper
zur Verfügung stand. Daß die Nachfolger der entlassenen Hochschullehrer
meist aus den alten Ländern kamen, erfüllte nicht nur die Betroffenen mit
Bitterkeit, sondern gab auch ihrer politischen Interessenvertretung, der
PDS, Anlaß, immer wieder Kampagnen gegen eine «Kolonialisierung» des
Ostens zu führen. Ohne einen Rückgriff auf westliches Personal wäre aber
ein Neuanfang an den Universitäten gar nicht möglich gewesen.

Dasselbe galt von der Verwaltung in den Ländern und größeren Städten
Ostdeutschlands wie von Justiz und Polizei. Der Grad der personellen Erneuerung war von Land zu Land verschieden; Berlin lag, was beispielsweise
den Justizapparat anging, weit vorn, während Brandenburg das Schlußlicht
bildete. Eine frühere Tätigkeit für die Staatssicherheit konnte, je nach der

politischen Farbe der Landesregierung, strenger oder milder bewertet werden; Brandenburg, das einzige der neuen Länder, das auf einen Landesbeauftragten für die Stasi-Unterlagen verzichtete, tat sich auch hier durch besondere Nachsicht hervor. An den Schulen der neuen Länder änderte sich, anders als an den Hochschulen, personell nur wenig. Die Schulbücher aus der DDR wurden durch solche aus der Bundesrepublik ersetzt. Wieviel sich ein Lehrer von den neuen Lehrinhalten, etwa in Fächern wie Geschichte oder Politische Weltkunde, aneignete, was er davon im Unterricht seinen Schülern zu vermitteln versuchte, hing vor allem von ihm selbst ab.

Wo «Sekundärtugenden» im Vordergrund standen, fiel der Wechsel vom alten ins neue System vergleichsweise leicht. Die Bundeswehr konnte Teile der NVA, die am 3. Oktober 1990 formell aufgelöst worden war, integrieren, nachdem sie die Bewerber gründlich überprüft hatte. Im Bereich der Wirtschaft kamen früheren Inhabern von Leitungsfunktionen Personal- und Sachkenntnisse zustatten, die sich auch in der neuen Gesellschaftsordnung in vergleichbaren Positionen verwenden ließen. (Alte «Seilschaften» in der Treuhandanstalt konnten dabei nützliche Vermittlerdienste leisten.) Unter denen, die sich selbständig machten, waren nicht wenige, die ihre Selbständigkeit erst im Zuge der letzten Verstaatlichungswelle zu Beginn der siebziger Jahre hatten aufgeben müssen. Wer vor 1990 zum Leitungskollektiv einer Landwirtschaftlichen Produktionsgenossenschaft gehört hatte, hatte nach deren Auflösung gute Chancen, auch im nachfolgenden genossenschaftlichen oder kapitalgesellschaftlichen Großbetrieb wieder eine maßgebliche Rolle zu spielen. So tief die gesellschaftliche Zäsur von 1989/90 war: es gab auch Kontinuitäten.

Die Kontinuitäten, die die Ostdeutschen mit der Zeit *vor* Gründung der DDR verbanden, waren im Verlauf der vier Jahrzehnte während staatlichen Trennung schwächer geworden, aber nicht verschwunden. Die ältere Generation konnte sich der Zeiten erinnern, in denen Deutschland noch ungeteilt war. Vermutlich lebte von jenem Deutschland im Ostteil des Landes sogar sehr viel mehr fort als im Westteil, der vielen Ostdeutschen «amerikanisiert» erschien. Die DDR kam westdeutschen und ausländischen Beobachtern umgekehrt als der «deutschere» der beiden deutschen Staaten vor. Die Deutschen in der Bundesrepublik hatten sich der politischen Kultur des Westens öffnen, den Westen im Wortsinn erfahren können; sie hatten die Gelegenheit gehabt, sich an das Zusammenleben mit Ausländern zu gewöhnen. Diese Erfahrungen fehlen den meisten Ostdeutschen. Sie denken im Durchschnitt folglich «deutschnationaler» als die Westdeutschen. Dumpfe Fremdenfeindlichkeit trifft man in beiden Teilen des Landes an. Doch während sie im Westen auf gesellschaftliche Ächtung stößt, ist sie im Osten gesellschaftsfähig. Eine «kritische Öffentlichkeit», wie sie sich im Westen entwickeln konnte, gibt es hier noch kaum.

Vom deutschen Bildungsbürgertum war um 1990 nicht mehr viel geblieben in den Ländern, die man nun die «neuen» nannte. Das evangelische

Pfarrhaus reichte nicht aus, um die Abwanderung der meisten anderen «Honoratioren» auszugleichen. In der «friedlichen Revolution» spielten, neben Vertretern der ideologiefernen Naturwissenschaften, evangelische Theologen eine herausragende Rolle, aber der gesellschaftliche Einfluß der Kirchen war seit 1949 kontinuierlich zurückgegangen. 1950 hatten noch mehr als neun Zehntel der Bürger der DDR einer christlichen Kirche angehört (81,3 % waren evangelisch, 11,1 % katholisch); 1990 war in den neuen Ländern weniger als die Hälfte der Bewohner Mitglied einer Kirche (37,6 % Protestanten, 7,1 % Katholiken). In der alten Bundesrepublik war die Zugehörigkeit zu einer Kirche ebenfalls rückläufig, wenn auch längst nicht so stark wie in der DDR: Sie sank von 95,8 % im Jahr 1950 (Protestanten: 51,5 %, Katholiken: 44,3 %) auf 80,3 % im Jahre 1990 (Protestanten: 37,7 %, Katholiken: 42,6 %).

Die SED hatte *eines* ihrer Ziele nicht vollständig, aber doch weitgehend erreicht: die Entkirchlichung der Gesellschaft, über die sie herrschte. Sie war damit *so* erfolgreich, daß sich die Tendenz nach dem Abgang der «Partei der Arbeiterklasse» weiter fortsetzte: 1997 gehörten nur noch 28,7 % der Ostdeutschen einer der beiden großen Kirchen an (22,9 % Protestanten, 5,8 % Katholiken), während die Westdeutschen in jenem Jahr zu 76,7 % Kirchenmitglieder waren (35,9 % Protestanten, 40,8 % Katholiken). So äußerlich die statistische Größe «Kirchenzugehörigkeit» auch sein mag, sie deutet doch auf die Wirksamkeit bestimmter kultureller Traditionen und Bindungen an überlieferte Werte. Diese Traditionen und Bindungen sind im Osten sehr viel schwächer als im Westen. Die anhaltende Popularität der «Jugendweihe» beleuchtet denselben Sachverhalt aus einem anderen Blickwinkel. Aber der Kulturkampf der SED wirkt sich auch noch anders aus: Er hat einen Wertnihilismus hervorgebracht, der noch heute die Lebenswelt vieler ostdeutscher Jugendlicher prägt und mit dazu beiträgt, daß sie auf Menschen, die ihnen fremdartig vorkommen, mit aggressiver Gewalt reagieren.

Zu den Hinterlassenschaften der SED gehört auch das, was diese Partei mit ihrer Geschichtspolitik bewirkt hat: Das vereinigte Deutschland ist ein Land mit einer gespaltenen Geschichtskultur. Die alte Bundesrepublik hatte sich in den fünfziger Jahren den Gründungsmythos des 20. Juli 1944 zurechtgelegt – eines Ereignisses, das nun im Sinne der geistigen Vorbereitung des Grundgesetzes umgedeutet wurde. Der Gründungsmythos der DDR war der Antifaschismus. Er verband die DDR mit der siegreichen Sowjetunion und erlaubte es der SED, sich und ihren Staat ebenfalls den Siegern der Geschichte zuzurechnen. Für selbstkritische Schulddiskussionen, wie westdeutsche Intellektuelle sie führten, war da kein Platz. Die SED sah sich in der Tradition der einzig wahrhaft revolutionären deutschen Partei, der Kommunisten, und ihr Geschichtsdeutungsmonopol gestattete es ihr, Leninisten und Stalinisten in Freiheitskämpfer zu verwandeln. Sie tat das mit nachhaltiger Wirkung: Noch vier Jahre nach der Wiedervereinigung

konnte die PDS in Berlin eine breite Bewegung für die Beibehaltung von
Namen wie Clara-Zetkin-Straße, Dimitroffstraße oder Wilhelm-Pieck-
Straße organisieren.

In den achtziger Jahren, als in der Bundesrepublik der «Gründungsmythos Auschwitz» den «Gründungsmythos 20. Juli» abzulösen begann, eignete sich die DDR zwar große Teile der deutschen Nationalgeschichte, von
Luther über Friedrich den Großen und Bismarck bis zu Stauffenberg, an,
aber so gut wie nichts von der deutschen Demokratiegeschichte. Auch das
wirkt bis heute nach. Mit dem Stichwort «Weimarer Erfahrungen» verbinden zumindest ältere Bürger der alten Bundesrepublik das Scheitern der ersten deutschen Demokratie im Kampf gegen *zwei* totalitäre Bewegungen,
Nationalsozialismus und Kommunismus, und die antitotalitären Schlußfolgerungen, die das Grundgesetz daraus gezogen hat. In den neuen Ländern lebt noch viel von jener kommunistischen Lesart der Geschichte Wei-
mars fort, der zufolge die Sozialdemokraten die Novemberrevolution
verraten, eine antifaschistische Einheitsfront verhindert und es dadurch
dem Monopolkapital ermöglicht hatten, den Faschismus an die Macht zu
bringen. Es spricht für das didaktische Geschick der SED-Experten auf
dem Gebiet der Geschichtsfolklore, daß manche dieser Vorstellungen sich
auch bei Menschen festgesetzt haben, die dem System des «real existierenden Sozialismus» nicht erst rückblickend kritisch gegenüberstehen.

Gespalten ist nicht nur die kollektive Erinnerung des vereinigten
Deutschland, sondern auch seine Parteienlandschaft. Die Partei des Demokratischen Sozialismus ist eine ostdeutsche Regionalpartei, die in ihrem
Programm von 1993 sagt, sie sei «gegen die Verwestlichung des Ostens». In
mehr als einer Hinsicht artikuliert die PDS ostdeutsche Befindlichkeiten.
Gleichheit spielt in ihrer Programmatik und Propaganda eine größere Rolle
als Freiheit. Der Ruf nach sozialer Gerechtigkeit ist die Parole, mit der sie
jene ehemaligen Bürger der DDR anspricht, die sich als Verlierer der Einheit fühlen. Der Staat, den sich die PDS wünscht, wäre keine Diktatur mehr,
aber doch vormundschaftlich genug, um sich von einer westlichen Demokratie deutlich zu unterscheiden.

Die wirtschaftliche Lage der DDR hatte sich bis 1990 so verschlechtert,
daß es keinen Grund gab, auf rasche Besserung zu hoffen. Ebendiese Hoffnung aber begleitete den Vereinigungsprozeß, und es fehlte nicht an Bonner Parolen, die solchen Erwartungen Auftrieb gaben. Der Umschlag in
Enttäuschung war also unvermeidlich, und mit der Ernüchterung wuchs
die Neigung, das untergegangene Regime in einem milderen Licht zu sehen. Vor dem Hintergrund von Massenarbeitslosigkeit erschien vielen die
Sicherheit des Arbeitsplatzes, die es vor der «Wende» gegeben hatte, als eine
wirkliche Errungenschaft der DDR. Daß diese Sicherheit nur eine scheinbare war und mit dem Ruin der Volkswirtschaft bezahlt wurde, geriet allmählich in Vergessenheit. Der «nostalgische» Blick auf die jüngste Vergangenheit war nicht die Sicht *der* Ostdeutschen. Aber der Meinung, daß am

alten System nicht alles schlecht und am neuen nicht alles gut war, hätte in
den neunziger Jahren wohl eine große Mehrheit der neuen Bundesbürger
zugestimmt.[18]

Nostalgische Stimmungen verbreiteten sich bald nach der Wiedervereinigung auch im westlichen Teil des Landes, und zwar sehr viel früher als im
östlichen. Nirgendwo wurde der alten Bundesrepublik so heftig nachge-
trauert wie bei der «posthumen Adenauerschen Linken». Nachdem im
September 1990 zwei Mitarbeiter der Bundestagsfraktion der Grünen von
einer «Weltmachtrolle Deutschlands» gesprochen hatten, erwiderte ihnen
Joschka Fischer am 14. September in der «taz»: «Ich vermag nicht zu erkennen, welchen Sinn es für die Republik ergeben soll, wenn die Grünen
eine Weltmachtdiskussion aufmachen, von der die CDU/CSU insgeheim
nur heftig zu träumen wagt; und schon gar nicht begreife ich, warum wir
angesichts von ‹Deutschland, einig Vaterland› jetzt die historische Entsorgung von Auschwitz im Stile der Gnade der allerspätesten Geburt betreiben sollen.»

   Eine Woche später meldeten sich andere Grüne, unter ihnen Marieluise
Beck-Oberdorf, Ralf Fücks, Christa Nickels, Bernd Ulrich und Antje Vollmer, zu Wort: «Wie lange werden sich die grünen Gremien leisten können,
die *faktische Großmachtrolle des vereinten Deutschland* nach dem Motto
‹Ich bin klein, mein Herz ist rein› zu ignorieren? Wir kennen unter den
Grünen niemanden, der eine deutsche Weltmachtrolle gewünscht und ‹propagiert› hätte. Allerdings halten wir die Parole ‹Nie wieder Deutschland›
bloß für umgestülpten Nationalismus. Die entscheidende Frage ist, wie die
gesamtdeutsche Republik verfaßt sein, wie sie in Europa und der Welt agie-
ren wird. In diese Auseinandersetzung müssen sich die Grünen einmischen
– im Wissen um die historische Sprengkraft des deutschen Nationalstaates,
aber auch im Vertrauen darauf, daß wir nicht zur Wiederholung dieser Geschichte verdammt sind, weil sich die inneren und äußeren Umstände gewandelt haben.»

   Am 3. Oktober 1990 gelangte Deutschland in den Genuß der vollen Souveränität – aber kaum jemand empfand das als Gewinn. Solange der
Deutschlandvertrag und die in ihm niedergelegten alliierten Vorbehaltsrechte galten, war die Bundesrepublik nicht im klassischen Sinn souverän
gewesen: Im militärischen Ernstfall, der Frage von Krieg und Frieden,
konnte sie keine selbständigen Entscheidungen treffen. Die Bundeswehr
durfte überdies, der herrschenden Auslegung des Grundgesetzes zufolge,
nur bei einem Angriff auf das Bundesgebiet oder, unter bestimmten Voraussetzungen, im Fall eines inneren Notstandes eingesetzt werden.

   Seit dem Einmarsch irakischer Truppen in Kuwait am 2. August 1990,
dem am 8. August die Annexion des Emirats am Persischen Golf folgte,
zeichnete sich eine Situation ab, in der die Bundesrepublik vor die Frage gestellt werden würde, ob sie bei dieser Interpretation ihrer Verfassung blei-

ben konnte oder gegebenenfalls das Grundgesetz ändern mußte. Am
25. August ermächtigte der Sicherheitsrat der Vereinten Nationen in seiner
Resolution 665 die Seestreitkräfte der Mitgliedsstaaten, angemessene Maßnahmen zur Durchsetzung des zuvor beschlossenen Handelsembargos gegen den Irak zu treffen. Da die Sanktionen Präsident Saddam Hussein nicht
zum Einlenken bewegten, verabschiedete der Sicherheitsrat am 29. November erstmals seit dem Koreakrieg ein Ultimatum: Dem Irak wurde die
Anwendung von Gewalt angedroht, falls er das besetzte Kuwait nicht spätestens bis zum 15. Januar 1991 räumte. Als Bagdad auch darauf nicht reagierte, begann am 17. Januar die «Operation Wüstensturm»: Kampfflug-
zeuge einer multinationalen Streitmacht aus 26 Staaten, darunter die USA,
Großbritannien, Frankreich, Saudi-Arabien und die Vereinigten Arabischen Emirate, bombardierten den Irak. Dieser antwortete am 18. Januar
erstmals mit Raketenangriffen auf Israel.

Für die Bundesrepublik war es ein Glück, daß der Konflikt um Kuwait
erst zu einem Zeitpunkt ausbrach, als die schwierigsten Hürden auf dem
Weg zur deutschen Einheit bereits genommen waren. Aber auch bei Beginn
des Golfkrieges im Januar 1991 hatte der Oberste Sowjet den Zwei-plus-
Vier-Vertrag noch nicht ratifiziert, was Außenminister Genscher veranlaßte, auf äußerste Zurückhaltung Bonns zu drängen: Deutschland sollte
Israel und den beiden angelsächsischen Mächten materiell helfen, selbst
aber keine Soldaten für den Krieg im Nahen Osten zur Verfügung stellen.
Bei den Verbündeten stieß diese Linie auf Kritik; vor allem in britischen,
amerikanischen und israelischen Zeitungen hieß es immer wieder, die Deutschen wollten sich durch Geld von einem eigenen militärischen Engagement freikaufen.

Von ungefähr kam dieser Eindruck nicht. Die pazifistische deutsche
Linke versuchte die Bundesregierung mit Demonstrationen unter dem
Motto «Blut gegen Öl» unter Druck zu setzen. In deutschen Groß- und
Universitätsstädten hängten die Kriegsgegner weiße Bettlaken aus den Fen-
stern, um ihrem Willen zu unbedingter Gewaltlosigkeit Ausdruck zu verleihen. Daß der Irak der Aggressor war, daß der Sicherheitsrat der Vereinten Nationen die Gegengewalt gegen die Gewalt Saddam Husseins
legitimiert hatte, daß die Skud-Raketen aus dem Irak in Israel einschlugen:
die deutsche Friedensbewegung ließ sich durch nichts davon abbringen,
daß die Bundesrepublik die Pflicht hatte, sich dem Krieg der amerikanischen «Imperialisten» zu widersetzen.

Zu den entschiedenen Gegnern des Golfkrieges gehörten prominente
Sozialdemokraten und Grüne. Sie begründeten ihr Nein meist mit dem
deutschen Völkermord im Zweiten Weltkrieg. «Die Auseinandersetzung
mit der eigenen Geschichte steht für Deutschland unter einem anderen
Vorzeichen als für alle übrigen Nationen, die nicht durch das Kainsmal
‹Auschwitz› gezeichnet sind», schrieb Oskar Lafontaine Anfang Februar
1991 in einem ursprünglich von der Zürcher «Weltwoche» veröffentlich-

624 5. Einheit in Freiheit: 1989/90

ten, dann von der Berliner «tageszeitung» nachgedruckten Artikel. «Wer die Deutschen mahnt, sich dieser moralischen Hypothek stets bewußt zu bleiben, muß ihnen wohl zugestehen, aus einer spezifischen Erinnerung auch eine spezifische Einstellung zu gewinnen. Das hat weniger mit einem neuen deutschen Sonderweg zu tun als vielmehr mit der historischen Singularität der Verbrechen, die von den Nazis im Namen der Deutschen begangen wurden.»

Peter Glotz, Vorsitzender des Bezirks Südbayern der SPD, verwahrte sich gegen jeden Vergleich zwischen Hitler und Saddam Hussein – eine Parallele, die neben anderen der Schriftsteller Hans Magnus Enzensberger gezogen hatte. «Der Vergleich Saddams mit Hitler ist unpolitische, dämonisierende Charakterologie ... Im Historikerstreit hat die Linke noch auf der Einmaligkeit der Verbrechen Adolf Hitlers bestanden, selbst in der Abwägung gegen die Untaten Stalins. Im Golfkrieg wird plötzlich Saddam Hussein zum ‹Satan›. Welch glänzende Rechtfertigung für die Relativierer, die Hitler seit eh und je als Kriminellen unter Kriminellen betrachtet haben ... Der Kommunismus ist zerfallen. Wie könnte man erreichen, daß jetzt auch noch die Theorie vom gerechten Krieg zerfällt?»

Die ehemalige Bundestagsabgeordnete Antje Vollmer stellte in der «tageszeitung» einen Zusammenhang zwischen dem Ende des Ost-West-Konflikts und dem Golfkrieg her und forderte die Abkopplung Europas von Amerika. «Mit dem Fall des Eisernen Vorhangs waren die USA als Ordnungsmacht der alten Weltordnung geschwächt. Die NATO hatte ihren Seinsgrund verloren. Wahrscheinlich wurde sie gerade deswegen nicht aufgelöst, weil diese reale Schwächung der Weltmachtrolle der USA nicht öffentlich demonstriert werden sollte. Aber, so grausam es klingt: Mit dem Fall der Mauer fiel ein Stück Weltstabilität und auch ein Stück Weltfrieden ... Eine fortdauernde Intifada (Aufstand der Palästinenser im Gazastreifen und im Westjordanland von 1987 bis 1994, H. A. W.) im gedemütigten Nahen Osten wäre der trostloseste aller Pyrrhussiege – eine atomare Lösung deren apokalyptische Variante. Wenn sie denn eine andere Lösung wollen, die Europäer, haben sie nicht mehr lange Zeit, endlich einen klaren Trennungsstrich zur anglo-amerikanischen Strategie zu ziehen.»

Der unbedingte Pazifismus traf auf kräftigen Widerspruch, auch von links. Der Schatzmeister der SPD, Hans-Ulrich Klose, nannte in der «Frankfurter Allgemeinen» den «oft kunstvoll mit Worten verdeckten Versuch der Politik, sich vor den Realitäten zu verstecken», unakzeptabel und eher peinlich. Nicht nur die Sozialdemokratie, auch die Bundesregierung sei zur Zeit isoliert. «Es gibt so etwas wie einen Hitler-Reflex, wirksam bei uns und vor allem auch bei unseren Nachbarn ... Alle anderen westeuropäischen Regierungen sind entschiedener (weniger abgetaucht), wenn es um die Frage geht, wie dem Bruch des Völkerrechts durch Saddam Hussein zu begegnen ist. Warum reagieren die Holländer, die Dänen, auch die tschechoslowakische Regierung so ganz anders? Liegt es vielleicht daran, daß es sich um kleinere Länder handelt, die alle schon die Erfahrung gemacht haben, von einem größeren Land (von Deutschland nämlich) überfallen und besetzt worden zu sein? Wollen wir uns von diesen Regierungen absondern? Gibt es wieder so etwas wie eine deutsche Sonderrolle?»

In der «Süddeutschen Zeitung» warf die Publizistin Cora Stephan der deutschen Friedensbewegung vor, sie halte Angst für ein hilfreiches Mittel zur Einleitung pazifistischer Lernprozesse. «Es ist die alte Angstlust der apokalyptischen Vision, die in den ersten Tagen des Golfkriegs zu massiven Wahrnehmungsstörungen führte und zu einer permanenten Verwechslung von Ursache und Wirkung, die paradoxerweise Egoismus und Mitleidslosigkeit aus sich entläßt... Deutsche Innerlichkeit war schon immer eine zutiefst unpolitische Angelegenheit. Ihre Abwehrgesten heute lassen in der Tat darauf schließen, daß mehr als vierzig Jahre geschenkter Demokratie noch immer nicht ausgereicht haben, die Deutschen politikfähig zu machen... Daß ein Gewinn an Souveränität auch ein Zugewinn an Verpflichtung bedeutet, daß die Parole ‹keine deutschen Soldaten an den Golf› auch als nationalistische Selbstbezogenheit interpretiert werden kann, muß offenkundig erst gelernt werden... Wer Freiheit und Menschenrechte nicht verteidigen will, mag in den friedlichen Dornröschenschlaf der von anderen gesicherten und garantierten Nicht-Souveränität zurückfallen. Dem Wohlstand und der Wohlanständigkeit der Deutschen ist dieser Zustand schließlich prächtig angeschlagen.»

Keine Friedensbewegung schwelge so in Todesphantasien wie die deutsche, schrieb der liberale Gustav Seibt in der «Frankfurter Allgemeinen Zeitung». «Norbert Elias hat als eine der Voraussetzungen der nationalsozialistischen Exzesse die Bereitschaft benannt, den eigenen Untergang vorwegzunehmen; zum Äußersten habe man sich auch deshalb entschließen können, weil man sich ein Danach nicht mehr vorstellen wollte. Vor Augen stand nicht die Niederlage, sondern die Auslöschung... Für Elias ist die massive deutsche Untergangsromantik der Reflex auf eine Nationalgeschichte, die Deutschland jahrzehntelang zum europäischen Schlachtfeld machte... Und die deutsche Geschichte dieses Jahrhunderts war wenig dazu angetan, uns von Phantasien der Zerstörung freikommen zu lassen: Zu unserer Erinnerung gehören Leichenfelder und brennende Städte, und auf diese Erinnerung antwortet heute eine aufs äußerste entschlossene Friedenssehnsucht... Zelebrierte Angst ist ein großer Feind der Vernunft und Zeichen einer tiefsitzenden moralischen Schwäche.»

Jürgen Habermas versuchte zu vermitteln. Der Frankfurter Philosoph hielt die alliierte Intervention als solche für gerechtfertigt, bezweifelte aber, ob sie einer skrupulösen Prüfung standhalten würde. Es gebe historische Gründe dafür, daß viele Bürger der Bundesrepublik auf den Golfkrieg zwiespältig reagierten, schrieb er Mitte Februar 1991 in der «Zeit». «Der Zusammenhang von Diktatur und Judenvernichtung bestimmt die Loyalität mit Israel; der Zusammenhang von Nationalismus und Eroberungskrieg die Skepsis gegen eine Machtpolitik, die das zivile Zusammenleben der Völker gefährdet. Fast instinktiv drückt sich der Bruch mit der faschistischen Vergangenheit in zwei Reflexen aus: nie wieder Antisemitismus und Verletzung der gleichen staatsbürgerlichen Rechte; nie wieder Nationalismus und Krieg.»

Die bisherige Zurückhaltung der Bundesrepublik gegenüber dem Golfkrieg wollte Habermas folglich auch künftig bewahrt wissen. «In diesem Zögern spiegeln sich keine alten _incertitudes allemandes_, drückt sich kein neues deutsches Sonderbewußtsein aus, allenfalls ein reflektierter Umgang mit spezifisch deutschen Erfahrungen. Auch im Interesse unserer Nachbarn und Israels hoffe ich, daß die Politik der Zurückhaltung nicht von jener fürchterlichen Normalität erdrückt wird, die dem wiedervereinigten Deutschland seine alte Forschheit zurückgeben – und uns das lang ersehnte Vergessen bescheren soll... Nach Maßstäben einer zivilisierten politischen Kultur, die sich in der alten Bundesrepublik durchzusetzen schien, bedeutet die staatliche Vereinigung für die erweiterte Bundesrepublik nicht gerade einen Liberalisierungsschub – drüben die Wiederkehr alter Mentalitäten und hier das Anwachsen eines Wohlstandschauvinismus. Wenn sich nun auch noch die Idee des weltbürgerlichen Zustandes, dem uns das Ende des Kalten Krieges ja näher zu bringen versprach, vor dem fortdauernden Naturzustand zwischen bellizistischen Staaten erneut blamierte, wäre für die Anwälte einer fetischisierten Normalität die Welt wieder in Ordnung. Wollen sie jetzt, da sie mit ihrer administrativ durchgezogenen Deutschlandpolitik alles andere als Lorbeeren ernten, auf das außenpolitische Muskelspiel umschalten?»

Völlig konnte sich das vereinte Deutschland aus dem militärischen Geschehen im Nahen Osten nicht heraushalten. Die Bundesrepublik diente als Drehscheibe für den amerikanischen Nachschub; sie verlegte Soldaten in die verbündete Türkei, die als militärisch bedroht galt; mehrere Wochen nach der vernichtenden Niederlage Saddams am 27. Februar, aber noch vor dem endgültigen Waffenstillstand, der am 12. April 1991 in Kraft trat, entsandte die Bundeswehr Minensuchboote in den Persischen Golf. Vor allem aber zahlte Bonn: Insgesamt waren es 18 Milliarden DM, mit denen sich die Bundesrepublik an der Finanzierung der alliierten Intervention beteiligte. Der Westen war _nicht_ beeindruckt: «Scheckbuchdiplomatie» war noch eine der freundlicheren Formeln, mit denen die deutsche Politik im Golfkrieg bedacht wurde.

Die Bundesrepublik war auf das, was ihr wenige Monate nach der Wiedervereinigung von ihren Verbündeten abverlangt wurde, weder militärisch noch politisch noch moralisch vorbereitet. Vier Jahrzehnte lang hatte ein Einsatz der Bundeswehr nie auf der Tagesordnung gestanden. Fortan mußte Deutschland damit rechnen, daß Hinweise auf verfassungsrechtliche Hindernisse, die einem von den Vereinten Nationen legitimierten Einsatz «out of area» entgegenstanden, als Ausflüchte verstanden werden würden. Die Berufung auf die Einzigartigkeit des Holocaust wirkte während des Golfkrieges so peinlich, wie sie war: Die Opfer von Saddams Raketen waren Juden. Die pazifistische Linke wehrte sich gegen die außenpolitische «Normalisierung», die sich nun abzeichnete; sie leitete aus Auschwitz einen deutschen Anspruch auf Anomalie ab; sie verwandelte die historische Singularität des Judenmordes in ein deutsches Recht auf immerwährende, umfassende Singularität. Dieser Teil der Linken begriff nicht, daß *die* Normalisierung, die der Westen von Deutschland erwartete, nichts mit einem Vergessen der deutschen Vergangenheit zu tun hatte, sondern auf das Gegenteil zielte: auf praktische Folgerungen aus der Vergangenheit, die Deutschland ziehen mußte, wenn es sein Bekenntnis zu den Menschenrechten und den Grundlagen des Völkerrechts ernst nahm.

1991, das Jahr des Golfkrieges, sollte auch als letztes Jahr der Sowjetunion und als erstes Jahr der Kriege um die Auflösung Jugoslawiens in die Geschichte eingehen. Am 27. Juni löste sich der Rat für Gegenseitige Wirtschaftshilfe, vier Tage später auch der Warschauer Pakt auf. Am 23. August verbot der «Radikalreformer» Boris Jelzin, der im Juni vom Volk direkt gewählte Präsident der Russischen Sozialistischen Föderativen Sowjetrepublik, alle Aktivitäten der Kommunistischen Partei in Rußland. Er reagierte damit auf einen nach wenigen Tagen zusammengebrochenen Putsch konservativer Kader, die Gorbatschow selbst Ende 1990 in die Schlüsselpositionen gebracht hatte, die für den Umsturzversuch wichtig waren. Der Mann, den die Konservativen hatten entmachten wollen, trat am 24. August von seinem Amt als Generalsekretär der KPdSU zurück.

Die Auflösung der Sowjetunion war zu diesem Zeitpunkt bereits im vollen Gange. Im April 1991 hatte Georgien, dem Beispiel Litauens sich anschließend, seinen Austritt aus dem Staatsverband erklärt. Im August folgten Estland, Lettland, die Ukraine, Weißrußland, Moldawien, Aserbaidschan, Kirgistan und Usbekistan, im September Tadschikistan, Armenien und Turkmenistan. Am 7. Dezember gründeten Rußland, Weißrußland und die Ukraine die Gemeinschaft Unabhängiger Staaten, der sich im gleichen Monat auch acht nichtslawische Republiken anschlossen. Am 16. Dezember erklärte Kasachstan seine Unabhängigkeit. Am 25. Dezember trat Gorbatschow auch als Staatspräsident der UdSSR zurück. Seine vom Fernsehen übertragene Abschiedsrede markierte das Ende der Sowjetunion. 74 Jahre nach Lenins Oktoberrevolution verabschiedete sich der Staat, der unter Stalin zum zweitmächtigsten Land der Erde aufgestiegen war, von der Geschichte. Das historisch früheste der totalitären Regime, das sich erst unter Gorbatschow wirklich «enttotalitarisiert» hatte, gehörte nun endgültig der Vergangenheit an.

Daß der Verzicht auf die DDR, die Einwilligung in die deutsche Wiedervereinigung und die Hinnahme der Mitgliedschaft ganz Deutschlands in der NATO zum Sturz Gorbatschows beigetragen haben, steht außer Frage. Der Machtverlust der Sowjetunion zog den Machtverlust ihres ersten Mannes nach sich. Aber der Niedergang des Moskauer Imperiums war in den achtziger Jahren nicht mehr aufzuhalten, und nur *weil* der wirtschaftliche, politische, ideologische und moralische Zusammenbruch der Sowjetunion gegen Ende des Jahrzehnts bereits weit fortgeschritten war, wurden die Emanzipation Ostmittel- und Südosteuropas und die Wiedervereinigung Deutschlands möglich.

Gorbatschow, der ein begabter Taktiker, aber kein Stratege war, verkörperte den Typ des tragischen Reformers. Er liquidierte die diktatorische Herrschaft des Kommunismus, unmittelbar in der Sowjetunion und mittelbar in großen Teilen Europas, erreichte damit aber etwas anderes, als er gewollt hatte: Er beschleunigte den Untergang des Systems, das er durch Reformen hatte retten wollen.

Der offene Zerfall Jugoslawiens begann am 25. Juni 1991 mit den Unabhängigkeitserklärungen Sloweniens und Kroatiens. Das serbisch dominierte Bundespräsidium lehnte in beiden Fällen die Anerkennung der Unabhängigkeit ab und ließ die jugoslawische Bundesarmee intervenieren. Im September entschied sich die Bevölkerung von Mazedonien in einer Volksabstimmung für die Unabhängigkeit und konnte sie ohne Kampfhandlungen verwirklichen. Im überwiegend albanisch besiedelten das Kosovo, das im Juli 1990 von Serbien annektiert worden war, sprach sich im gleichen Monat die Bevölkerung in einem geheimen Plebiszit mit großer Mehrheit für die Unabhängigkeit aus, sah sich seitdem aber verschärfter Unterdrückung durch das autoritäre Regime des serbischen Präsidenten Milošević ausgesetzt. Im Oktober beschloß das Parlament von Bosnien-Herzegowina mit den Stimmen der muslimischen und kroatischen Abgeordneten ohne die serbischen Vertreter die Souveränität. Am 29. Februar und 1. März 1992 erbrachte ein Referendum eine Mehrheit für die Unabhängigkeit. Slowenien konnte seine Unabhängigkeit nach kurzen Kämpfen durchsetzen. In Kroatien und Bosnien-Herzegowina vermochten dagegen auch die internationale Anerkennung und die Stationierung von Friedenstruppen der Vereinten Nationen lange und blutige Kriege nicht zu verhindern. Europa hatte einen neuen Krisenherd.

Deutschland hatte als erstes Land am 23. Dezember 1991 Slowenien und Kroatien diplomatisch anerkannt, nachdem es Bonn einige Tage zuvor nicht gelungen war, ein einheitliches Vorgehen der Europäischen Gemeinschaft zu erreichen. Eine befriedende Wirkung ging von diesem Schritt nicht aus. Am 2. April 1993 beschloß die Bundesregierung mit den Stimmen der Unionsminister, deutsche Soldaten im Rahmen eines Einsatzes von Aufklärungsflugzeugen der NATO vom Typ «AWACS» an der Überwachung eines von den Vereinten Nationen verhängten Flugverbots über Bosnien-Herzegowina zu beteiligen. Es war die Entscheidung für den ersten Kampfeinsatz der Bundeswehr, seit es sie gab. Eilanträge von SPD und FDP, die beide aus verfassungsrechtlichen Gründen (die Sozialdemokraten zusätzlich auch aus politischen Gründen) eine einstweilige Anordnung gegen diese Entscheidung erwirken wollten, lehnte das Bundesverfassungsgericht am 8. April ab: «Ein Vertrauensverlust bei den Bündnispartnern und allen europäischen Nachbarn wäre andernfalls unvermeidlich, der dadurch entstehende Schaden nicht wiedergutzumachen.» Das endgültige «Out-of-area-Urteil» erging am 12. Juli 1994. Das Bundesverfassungsgericht entschied, daß humanitäre und/oder militärische Einsätze der Bundeswehr auch außerhalb des NATO-Gebiets zulässig waren. Die Bundesrepublik habe sich in Artikel 24, Absatz 2, des Grundgesetzes einem System kollektiver Sicherheit untergeordnet und könne damit auch in Beschränkungen ihrer Hoheitsrechte einwilligen. Artikel 87 a, der den Einsatz der Bundeswehr im Verteidigungsfall regelt, stehe dem nicht entgegen. Die Bundesregierung mußte jedoch, in der Regel vorab, in Ausnahmesituationen nachträglich, die «konstitutive Zustimmung» des Bundestages mit einfacher Mehrheit einholen. Die Anträge der SPD und der FDP waren damit abgewiesen.

Am 22. Juli befaßte sich der Bundestag in einer Sondersitzung mit dem Karlsruher Urteil. Klaus Kinkel (FDP), seit dem 18. Mai 1992 Genschers Nachfolger im Amt des Außenministers, stellte fest, der Richterspruch bedeute «politisch eine klare Absage an einen deutschen Sonderweg». Auch nach dem Urteil bleibe es aber bei der «bewährten Kultur der Zurückhaltung. Wir werden uns nicht nach vorn drängeln. Außen- und sicherheitspolitische Normalität, das heißt, nicht den Weltpolizisten spielen, das heißt, nicht deutsche Soldaten überall dorthin zu entsenden, wo es brennt. Einen Automatismus für eine deutsche Beteiligung wird es nicht geben.» Nach der Debatte billigte der Bundestag mit überwältigender Mehrheit nachträglich die Bundeswehreinsätze, deren Zweck es war, serbische Bombenangriffe auf Bosnien-Herzegowina zu verhindern.

Im Jahr darauf hatte sich das Parlament mit einem Beitrag der Bundeswehr zum Schutz und zur Unterstützung der «Schnellen Eingreiftruppe» in Bosnien-Herzegowina zu befassen. Das Bundeskabinett hatte am 26. Juni 1995 einen solchen Einsatz beschlossen. Die Koalitionsparteien stimmten ihm zu; die Mehrheit der SPD, die meisten Grünen und die PDS lehnten ihn ab. Am 30. Juni stimmte der Bundestag mit 386 gegen 258 Stimmen bei 11 Enthaltungen dem Antrag der Bundesregierung zu. Vier Parlamentarier aus den Reihen von Bündnis 90/Die Grünen, nämlich Marieluise Beck, Helmut Lippelt, Gerd Poppe und Waltraud Schoppe, stimmten mit Ja. Zu den 45 Sozialdemokraten, die mit der Koalition stimmten, gehörten die Abgeordneten Freimut Duve, Norbert Gansel, Stephan Hilsberg, Hans-Ulrich Klose, Ingrid Matthäus-Maier, Markus Meckel und Karsten Voigt. Der Bundesgeschäftsführer der SPD, Günter Verheugen, antwortete den Abweichlern im Augustheft des «Vorwärts», des sozialdemokratischen Mitgliedermagazins. Er bekannte sich zu einer «prinzipiell gewaltfreien Außenpolitik» und begründete dieses Plädoyer historisch. Deutschland könne auch nach der großen Wende in Europa «nicht in dem Sinne ein normales Land werden..., wie andere ohne eine so anomale Geschichte es sind. Wer es immer noch nicht glaubt, sollte sich einmal fragen, was das erst jüngst eröffnete Washingtoner Holocaust-Museum bedeutet.»

Drei Jahre später, inzwischen regierte in Bonn ein rot-grünes Kabinett mit Gerhard Schröder als Kanzler und Joschka Fischer als Außenminister, sprach sich eine große Mehrheit des Bundestages für einen Einsatz der Bundeswehr im Kosovo aus. In den Begründungen spielte Auschwitz abermals eine große Rolle, aber jetzt als Argument *für* einen Einsatz, der einen Völkermord an den Kosovo-Albanern verhindern sollte. Die Berufung auf das Menschheitsverbrechen der Nationalsozialisten mochte mitunter auch dazu dienen, verbliebenen Zweifeln der regierenden Linken entgegenzuwirken, ob eine Befriedung der umkämpften Region mit militärischen Mitteln möglich sein würde. Aber anders als 1995 war 1999 auch die parlamentarische Linke nahezu geschlossen bereit, die Konsequenzen mit zu tragen, die sich aus dem Souveränitätszuwachs von 1990 ergaben. Deutschland handelte wie alle Demokratien des Westens. Es blieb kleinen Minderheiten überlassen, unter Hinweis auf die deutsche Vergangenheit auf einer deutschen Sonderrolle zu beharren.[19]

Im April 1993 machte eine Umfrage des Instituts für Demoskopie in Allensbach deutlich, wie tief die Kluft zwischen Ost- und Westdeutschland im Jahre drei nach der Wiedervereinigung immer noch war. Die Frage der Meinungsforscher lautete: «Glauben Sie, daß sich West- und Ostdeutsche solidarisch miteinander fühlen, daß sie sich gemeinsam als Deutsche fühlen, oder fühlen sie sich eher als West- und Ostdeutsche mit entgegengesetzten Interessen?» Darauf antworteten lediglich ein Fünftel der Westdeutschen (22 %) und ein Zehntel der Ostdeutschen (11 %), sie fühlen sich «gemeinsam als Deutsche». 71 % der alten und 85 % der neuen Bundesbürger sahen sich durch «entgegengesetzte Interessen» getrennt.

Das Jahr 1993 markierte offenbar einen Tiefpunkt in den Beziehungen zwischen West- und Ostdeutschen. Sechs Jahre später, im Sommer 1999, sahen 48 % der Westdeutschen und 63 % der Ostdeutschen in der Wiedervereinigung einen Anlaß zur Freude; als Anlaß zur Sorge erschien die Einheit 28 % der West- und 19 % der Ostdeutschen. 53 % der Westdeutschen und 45 % der Ostdeutschen waren 1999 überzeugt, daß der Satz «Wir sind ein Volk» immer noch zutraf – Werte, die deutlich über denen von 1994 lagen (Westen: 50 %, Osten: 32 %). Im Juni 2000 meldete das Mannheimer Ipos-Institut, 80 % der Westdeutschen und 68 % der Ostdeutschen sähen sich in erster Linie als Deutsche und nicht als West- oder Ostdeutsche. Das Zusammenwachsen der Deutschen hatte demnach Fortschritte gemacht.

In den vier Jahrzehnten der staatlichen Trennung hatten sich die Deutschen in der Bundesrepublik und in der DDR weit stärker entfremdet, als sie zum Zeitpunkt der Wiedervereinigung geglaubt hatten. Je häufiger und intensiver sie einander begegneten, desto gereizter reagierten sie aufeinander: Die Klischees vom weinerlichen «Ossi» und vom überheblichen «Wessi» hatten ihre Hochkonjunktur in den frühen neunziger Jahren. Dialektisch gesehen, war das freilich bereits ein Stück Annäherung: Die Deutschen in West und Ost waren einander zumindest weniger gleichgültig als in der Zeit, in der es nur wenig Kontakte zwischen ihnen gegeben hatte.

Das Gefühl der Fremdheit wurde vor allem von Intellektuellen artikuliert: im Osten von Angehörigen der ehemaligen Staatsintelligenz, die sich als Verlierer der deutschen Einheit empfanden und in der PDS einen Ersatz für die DDR, die verlorene politische Heimat, sahen; im Westen von der «posthumen Adenauerschen Linken», die sich im wiedervereinigten Deutschland so heimatlos wie noch nie fühlte. Die Rechtfertigung der Teilung war vor 1989 beiderseits der innerdeutschen Grenze zu einem Versuch historischer Sinnstiftung geworden. Als die Einheit unverhofft verwirklicht wurde, schien die Geschichte ihren Sinn verloren zu haben und damit ihren Deutern die raison d'être abhanden gekommen zu sein. Damit nicht zu hadern fiel schwer.

Im April 1991, ein halbes Jahr nach der Wiedervereinigung, sah Peter Glotz Anlaß zu der Feststellung, die Deutschen seien wieder einmal dabei, «ein gefährliches Volk zu werden – gefährlich, da ohne inneres Gleichgewicht». Beweis waren ihm «bellizistische» Stimmen während des jüngsten Krieges im Nahen Osten. «Das erneute Aufleben des deutschen Nervenfiebers hat sich am deutlichsten beim Golfkrieg bemerkbar gemacht; der Grund liegt aber eher in der beängstigenden Rollenzumutung durch die Vereinigung.» Selbst die eigene Partei glaubte der Sozialdemokrat vom «Eliten-Nationalismus» bedroht. «Ihr ist durch die mitteleuropäische Revolution von 1989 die für ein Vierteljahrhundert tragende Philosophie, eine Friedenspolitik, die vom Pathos der kleinen Schritte genährt war, abhanden gekommen; jetzt fehlt ein Kompaß. Auch ist sie schon lange von der Macht verdrängt. Das erzeugt bei Massenparteien ganz unvermeidlich eine tiefe Sehnsucht nach seelischer Übereinstimmung mit der Mehrheit des eigenen Volkes. Die Gefahr, daß ein Teil dieser Partei verdrängt, daß der europäische Föderalist Adenauer gegen den nationalrepublikanischen Zentralisten Schumacher recht behalten hat, ist jedenfalls nicht auszuschließen.»

Drei Wochen später, am 10. Mai 1991, antwortete der Publizist Klaus Hartung in der «Zeit», wo auch Glotz' Aufsatz erschienen war: «Glotz steht für jene nostalgische westdeutsche Linke, die erst nach 1989 entdeckte, daß die Bundesrepublik ihr Goldenes Zeitalter war. Föderalismus, Lebenskultur, Ökologie, Zivilgesellschaft, Westbindung, Ewiger Friede (wenigstens in Mitteleuropa) und natürlich der Wohlstand – das sind die Sehnsuchtsformeln jenes Landes, über das nun die gierigen, unkultivierten, verarmten Massen des Ostens kommen. Der Osten aber – das ist das wirkliche Trauma von Glotz... Für Glotz wurden ohnehin seit Jahren in Osteuropa zu viele Fahnen geschwenkt und zuviel Weihrauch verströmt. Solidarność war für ihn eine Art des säkularisierten Katholizismus. Auch er machte eine SPD-Politik mit, die bis zum Runden Tisch Jaruzelski stützte, eine SPD-Politik, für die die etatistische Stabilität ein Wert an sich war... Ignoriert wurde und wird, was auf der Hand liegt: daß von Slowenien bis zum Baltikum der politische und gesellschaftliche Emanzipationsanspruch über die Wiederentdeckung der Nation und über die Rückkehr zu den Landesreligionen läuft. Der Begriff der Demokratie ist damit unlösbar verbunden.»

In der gleichen Ausgabe der «Zeit» beklagte Jürgen Habermas erneut die Art und Weise, wie die staatliche Einigung zustande gekommen war. Der Modus des Beitritts habe vier Fünfteln der Wahlbevölkerung die Chance genommen, sich frei zu entscheiden. «Sie sind gar nicht gefragt worden; sie konnten lediglich den vollzogenen Anschluß bestätigen – in einer verdrossenen Bundestagswahl mit vergleichsweise niedriger Wahlbeteiligung. Das normative Defizit besteht darin, daß sich die ‹politische Klasse›, außer mit albernen Wahlparolen wie ‹Wir freuen uns auf Deutschland›, nicht darum bemüht hat, die Mehrheit der westdeutschen Wahlbevölkerung, die viel zu jung ist, um mit dem ziemlich fremden Staat DDR viel verbinden und viel anfangen zu können, für das mühsame Projekt einer gemeinsamen Nation von Staatsbürgern zu gewinnen. Auf der anderen Seite ist ein ähnliches Defizit entstanden, weil sich niemand, außer mit hurtigen Persilscheinen für eine ‹Allianz für Deutschland› darum bemüht hat, der Masse der Bevölkerung, die keine persönliche Erinnerungen mehr an die Zeit vor 1933 haben kann, den normativen Gehalt der im Grundgesetz verkörperten demokratischen und rechtsstaatlichen Prinzipien nahezubringen.»

Ein Schlüsselwort in Habermas' Artikel lautete «Beziehungslosigkeit». Der Frankfurter Philosoph, 1929 in Düsseldorf geboren, schilderte die wenigen Berührungen, die er mit der untergegangenen DDR und ihren Bürgern gehabt hatte – einen, wie er zu Recht meinte, für viele Westdeutsche seiner Generation typischen Erfahrungsmangel, der als solcher allerdings kaum empfunden wurde. «Ich erwähne diese Geschichte einer Beziehungslosigkeit, um an das Faktum zu erinnern, daß unsereins mit der Nachkriegsgeschichte Italiens oder Frankreichs oder der USA mehr gemeinsam hatte als mit der DDR. Deren Geschichte war nicht unsere Geschichte. Für meine Kinder und die Generation meiner Kinder gilt das erst recht. Man muß das ohne Sentimentalität feststellen dürfen.»

Die DDR war für Habermas nicht nur eine fremde Welt gewesen; er war mehr denn je davon überzeugt, daß sie posthum auch eine Gefahr für das vereinte Deutschland war. «Die DDR, ‹Arbeiter- und Bauernstaat› von Gnaden der eigenen Anmaßung, hat mit ihrer politischen Rhetorik fortschrittliche Ideen zu ihrer Legitimation mißbraucht; sie hat sie durch eine unmenschliche Praxis höhnisch dementiert und dadurch in Mißkredit gebracht. Ich fürchte, daß diese Dialektik der Entwertung für die geistige Hygiene in Deutschland ruinöser sein wird als das geballte Ressentiment von fünf, sechs Generationen gegenaufklärerischer, antisemitischer, falsch romantischer, deutschtümelnder Obskurantisten. Die Entwertung unserer besten und schwächsten intellektuellen Traditionen ist für mich einer der bösesten Aspekte an dem Erbe, das die DDR in die vereinte Bundesrepublik einbringt. Das ist eine Zerstörung der Vernunft, an die Lukács nicht gedacht hat.» Habermas spielte damit auf das klassische Werk «Die Zerstörung der Vernunft» des marxistischen ungarischen Philosophen Georg Lukács aus dem Jahr 1953 an, eine Abrechnung mit der Geschichte des «reaktionären» Irrationalismus in Deutschland von Schelling über Nietzsche bis zu Hitler. «Die andere Zerstörung der Vernunft» lautete denn auch der Titel des Beitrags.

Der ostdeutsche Theologe Richard Schröder, von Ende März bis Ende August 1990 Fraktionsvorsitzender der SPD in der freigewählten Volkskammer, antwortete Habermas drei Wochen später, ebenfalls in der «Zeit». Er verteidigte den Beitritt der DDR auf Grund des Artikels 23 des Grundgesetzes. «Die Bundesrepublik hatte sich festgelegt. Es war entschieden... Der Einwand: Aber ich, ich persönlich, ich bin doch nicht gefragt worden, ob ich den Artikel 23 in der Verfassung haben will, enthält ein bißchen zu viel ‹ich›... Zum Lob der Wessis und zum Trost für unseren Glauben an den Menschen hat in Wahrheit die Mehrheit der Bundesbürger die Einigung auch im Modus des Beitritts begrüßt und nicht verlangt, daß erst noch getestet werden muß, ob in der Bundesrepublik die Hartherzigkeit mehrheitsfähig ist... Es gibt eine Art von links, der blutet das Herz für alle Leiden dieser Welt, bloß die wirklichen Menschen, die findet sie eigentlich verächtlich, sie vermißt an ihnen, daß sie – ihrer Ansicht sind.»

Was Richard Schröder am Beispiel von Habermas' Artikel diagnostizierte, war ein normatives Defizit bei denen, die, wie Habermas, das normative Defizit des Vereinigungsprozesses beanstandeten. Es war in der Tat anfechtbar, der «politischen Klasse» der alten Bundesrepublik vorzuwerfen, sie habe nicht an das appelliert, was man zuvor selbst zu beseitigen versucht hatte: das Bewußtsein einer spezifischen, nämlich nationalen Solidarität mit den Deutschen in der DDR. Und es war nicht minder fragwürdig, vom Westen aus Solidarität nun ausgerechnet gegenüber jenen im Osten zu bekunden, die vor 1990 die Diktatur legitimiert hatten.

»Geknickte Biographien sind in *jedem* Fall eine Katastrophe», hatte Habermas unter Hinweis auf die «administrative Abwicklung» von Akademien, Hochschulen und Museen bemerkt. Schröder antwortete: «‹Abwicklung› ist oft unvermeidlich. Man kann nicht einfach zu den ML-Philosophen (ML steht für Marxismus-Leninismus, H. A. W.) sagen: So, nun reformiert euch. Man darf es nicht zulassen, daß sie allein bestimmen, wer von ihnen in Zukunft Philosophie lehren soll. Das wäre ‹Selbstbestimmung› am falschen Platz und zur Unzeit. So würden sich alle als bedeutend und – als Opfer des Systems darstellen. Es ist sogar humaner, von außen zu evaluieren, als dieses Spiel des freiwilligen Zwangs von ‹Kritik und Selbstkritik› noch einmal ablaufen zu lassen... Eine Kritik, die nicht sagt, wie man's besser macht, ist bloß Opium für diejenigen, die sich nur wohlfühlen, wenn sie die Schlechtigkeit der Welt bestätigt sehen.»

Die deutsch-deutsche Entfremdung schlug nach 1990 bei manchen Intellektuellen der alten Bundesrepublik um in den verspäteten Versuch, sich in «die anderen Deutschen» hineinzuversetzen. Merkwürdigerweise waren «die anderen» nicht etwa ehemalige Bürgerrechtler oder jene vielen Bürger der DDR, die sich mit dem Regime notgedrungen arrangiert, aber dabei nicht kompromittiert hatten. Die besondere Zuwendung galt vielmehr zuvor staatstragenden Kräften, die sich jetzt als Opfer westdeutscher «Kolonisatoren» oder westlicher «Siegerjustiz» fühlten. Inbegriffen waren nicht wenige Inoffizielle Mitarbeiter des Ministeriums für Staatssicherheit, die nun von Westdeutschen zu hören bekamen, man wisse nicht, wie man sich selbst in einer vergleichbaren Situation verhalten hätte. Der «IM» avancierte nachträglich zum «ideellen Gesamtossi» – einer tragischen Gestalt, in der sich freilich eher einige westdeutsche Intellektuelle als die Mehrheit der Ostdeutschen wiedererkennen konnten.

Auf Kritik von «links» stießen folglich nicht nur die (in der Regel) milden Gerichtsurteile gegen frühere hohe Funktionäre der DDR, sondern auch die Arbeit der Gauck-Behörde – die, was in der alten Bundesrepublik zunehmend in Vergessenheit geriet, dem Westen vom Osten abgetrotzt worden war. Die Aufarbeitung der DDR-Vergangenheit werde vom Westen viel rigoroser betrieben als seinerzeit die Aufarbeitung der NS-Vergangenheit, so lautete der gängige Vorwurf. Das war nicht falsch, lief aber auf das Plädoyer hinaus, etwas zu wiederholen, was sich längst als folgenschwere Fehlentscheidung erwiesen hatte. Es waren nicht West-, sondern Ostdeutsche, die hiergegen am schärfsten protestierten – und das mit Erfolg.

Im März 1992 setzte der Bundestag, einen Vorschlag des sozialdemokratischen Abgeordneten Markus Meckel aufgreifend, die Enquete-Kommission «Aufarbeitung von Geschichte und Folgen der SED-Diktatur in Deutschland» ein. Den Vorsitz übernahm der frühere Bürgerrechtler und jetzige CDU-Abgeordnete Rainer Eppelmann. Aus den Arbeiten, an denen sich zahlreiche Wissenschaftler beteiligten, ging ein umfangreiches, in 18 Teilbänden gedruckt vorliegendes Werk hervor. Im interfraktionellen Entschließungsantrag zum Abschlußbericht, den der Bundestag am 17. Juni 1994, dem 41. Jahrestag des Aufstands in der DDR, verabschiedete, wurde die DDR als eine «Diktatur» gekennzeichnet. «Die Herrschafts*formen* wandelten sich in den 45 Jahren des Systems; sie konnten subtiler werden, je vollkommener der Herrschaftsapparat ausgebaut wurde. In der Substanz aber blieb der SED-Staat das, als was er angelegt war: ein totalitäres System, in dem der Machtanspruch der führenden Partei bzw. ihrer Führungsgruppe auf alle Bereiche des politischen, gesellschaftlichen und wirtschaftlichen Lebens erstreckt und durch staatliche Lenkungsinstrumente bis hin zum ‹Schild und Schwert der Partei›, dem MfS, durchgesetzt wurde... Die Hauptverantwortung für das Unrecht, das von diesem System begangen wurde, trägt die SED.» Außer der PDS widersprach keine der Fraktionen. Der von CDU/CSU, SPD, FDP und Bündnis 90/Die Grünen eingebrachte Antrag wurde mit überwältigender Mehrheit angenommen. Der Begriff «totalitär» blieb dennoch umstritten. Der «linke» Einwand lautete nach wie vor, er laufe auf eine Gleichsetzung von «rot» und «braun» hinaus; er stelle das «Dritte Reich» und die DDR auf *eine* Ebene und verharmlose damit Auschwitz. Das lag der Enquete-Kommission und den Wissenschaftlern, die diesen Begriff verwendeten, fern. Der Begriff «totalitär» diente und dient dem Vergleich, und vergleichen heißt nicht gleichsetzen, sondern nach Unterschieden und Gemeinsamkeiten fragen. Totalitär waren in den beiden Diktaturen, die es im Deutschland des 20. Jahrhunderts gab, der Anspruch auf den ganzen Menschen und die sich aus diesem Anspruch ergebenden Herrschaftsstrukturen und Herrschaftsmethoden. Totalitäre Herrschaft *konnte* sich bis zu Massenvernichtungen wie unter Stalin und Hitler steigern, *mußte* es aber nicht.

Die DDR und die anderen, nach 1945 in Europa errichteten kommunistischen Regime waren, um einen Begriff Richard Löwenthals abzuwandeln, «abgeleitete totalitäre Systeme»: aufgebaut auf der Grundlage des sowjetischen Modells, wie es aus dem Massenterror der «Großen Säuberungen» der dreißiger Jahre hervorgegangen war. So wie die Enquete-Kommission den Begriff «totalitär» benutzte, war er nicht statisch, sondern elastisch. Er ließ sich mit dem Befund vereinbaren, daß die DDR der späten achtziger Jahre sehr viel weniger totalitär war als die der frühen fünfziger Jahre – daß, wie Löwenthal das bereits 1965, zu Beginn der Ära Breschnew, festgestellt hatte, die totalitäre Dynamik an ihr Ende gelangt, die totalitären Institutionen aber noch da waren.

Die nationalsozialistische Diktatur war die unendlich schrecklichere der beiden Diktaturen auf deutschem Boden. Nichts von dem, was die DDR an Verbrechen begangen hatte, reichte auch nur entfernt an *die* Verbrechen heran, die vom nationalsozialistischen Deutschland im Zweiten Weltkrieg an den europäischen Juden und vielen Völkern des östlichen Europa verübt worden waren. Das «Dritte Reich» hatte die Welt mit Krieg überzogen, die DDR nicht (und die Sowjetunion auch nicht). Die SED hatte die eigene Bevölkerung mehr unterdrückt als die Nationalsozialisten, weil deren Herrschaft vom Anfang bis zum bitteren Ende populärer war als die kommunistische. Der Nationalsozialismus berief sich auf eine zutiefst irrationale Weltanschauung, der Kommunismus auf eine wissenschaftliche Theorie, die allen anderen Theorien überlegen sei. Der Ideologie des Nationalsozialismus *war* er qualitativ überlegen, und darum war seine Anziehungskraft auf Intellektuelle ungleich größer als die des Nationalsozialismus.

Das «Dritte Reich» war nach zwölf Jahren niedergeworfen worden; die DDR hatte vier Jahrzehnte bestanden. Als Hitlers Herrschaft unterging, war die deutsche Gesellschaft in den Grundzügen keine andere als die der

Weimarer Republik. Die ostdeutsche Gesellschaft von 1989 verband nur
noch wenig mit der von 1945. Beide Regime hatten das Bewußtsein der
Menschen verändert, die unter ihnen lebten, aber das auf sehr unterschiedliche Weise: Die mentalen Wirkungen von vier Jahrzehnten «real existie-
rendem Sozialismus» waren 1990 stärker als die des Nationalsozialismus im
Jahr 1945. In der Langzeitperspektive ist die Bilanz eine andere: Die einst
gemeinsam von allen Deutschen erlebte Diktatur der Jahre 1933 bis 1945
wirkt im kollektiven Bewußtsein der Deutschen stärker nach als die Diktatur, die einem Teil der Deutschen im Gefolge des Zweiten Weltkrieges
von der Sowjetunion auferlegt und bis 1989 an der Macht gehalten wurde.

Bei allen Unterschieden zwischen der nationalsozialistischen und der
kommunistischen Diktatur: der Aufarbeitung bedurften und bedürfen sie
beide. Die vier Jahrzehnte während Bevormundung, Gängelung und Unterdrückung der Ostdeutschen hat tiefe Spuren hinterlassen, die sich seit
der Wiedervereinigung in ganz Deutschland auswirken und nur durch gemeinsame Anstrengungen überwunden werden können. Die Enquete-
Kommission war *nicht* der Meinung von Habermas, daß die Geschichte der
DDR «nicht unsere Geschichte» war (wobei schon die Wortwahl deutlich
machte, daß der Philosoph weiterhin in den Kategorien von «Wir» und
«Ihr» dachte). Der Entschließungsantrag, den der Bundestag am 17. Juni
1994 annahm, bezog die entgegengesetzte Position: «Die Erarbeitung einer
historisch fundierten Beurteilung von Ursachen und Strukturen der zweiten Diktatur in Deutschland gehört nicht nur zur Bewältigung der Folgen
der SED-Herrschaft und der Teilung Deutschlands, sondern ist zugleich
eine grundlegende ständige Aufgabe bei dem Bemühen um die Weiterentwicklung der demokratischen politischen Kultur im wiedervereinten
Deutschland.»

Schon auf dem Weg zur Wiedervereinigung setzte 1990 der Streit ein, wer
zu diesem Ereignis beigetragen und wer ihm entgegengewirkt hatte. Der
christlich-demokratischen Lesart zufolge war die Wiedervereinigung in
Frieden und Freiheit, wie sie am 3. Oktober 1990 zustande gekommen war,
die Vollendung des Werkes von Konrad Adenauer. Tatsächlich entsprach
die Lösung der deutschen Fragen zu westlichen Bedingungen den Vorstellungen des ersten Bundeskanzlers, der ein Deutschland zwischen West und
Ost aus guten Gründen abgelehnt hatte. Ein strategisches Ziel seiner Politik war die deutsche Einheit aber nicht, und sie hatte es nach Lage der Dinge
auch nicht sein können.

Die Sozialdemokraten betonten den Beitrag von Willy Brandts Ostpolitik: Ohne die «Politik der kleinen Schritte», die ihren Ausgang in West-Berlin genommen hatte, wäre das Mißtrauen der Sowjetunion und der östlichen Nachbarn gegenüber Deutschland nicht abgebaut worden und die
«friedliche Revolution» von 1989/90 nicht möglich gewesen. Auch dies traf
zu, räumte jedoch nicht den Einwand der Konservativen aus, daß ein erheblicher Teil der Sozialdemokratie, von den Grünen ganz abgesehen, nicht

nur das Ziel der staatlichen Einheit, sondern auch die Idee der *einen* deutschen Nation aufgegeben hatte. Und von einer Unterstützung des Freiheitsstrebens in Ostmitteleuropa konnte im Fall der SPD in den achtziger Jahren keine Rede mehr sein.

Westbindung und Ostpolitik gehörten zu den Grundlagen der deutschen Vereinigung: Insofern hatten Union *und* Sozialdemokratie recht, und mit ihnen beide Male auch die Liberalen. Wer unbeirrt an der einheitlichen deutschen Staatsbürgerschaft und dem Recht auf Selbstbestimmung und staatlicher Einheit festgehalten hatte, konnte 1990 mit Recht behaupten, daß diese Konsequenz sich ausgezahlt hatte. Der Anspruch auf ein Deutschland in den Grenzen von 1937 war dagegen geeignet, Barrieren gegen die Verwirklichung des Erreichbaren zu errichten: Von dieser Kehrseite der konservativen Position wurde nach 1990 kaum noch gesprochen. Auf dialektische Weise hatten auch die Gegner der Einheit zur Einheit beigetragen: Der beharrliche Hinweis, daß die deutsche Teilung eine Folge deutscher Politik war, traf zu und half deutschen Nationalismus zu entlegitimieren. Ein Deutschland, von dem eine nationalistische Politik zu erwarten war, hätte den Zwei-plus-Vier-Vertrag nie erhalten.

Gewollt und erwartet wurde die deutsche Einheit 1989/90 in erster Linie von den Deutschen in der DDR. Die Deutschen in der alten Bundesrepublik akzeptierten die Einheit, weil sie sich selbst und ihr Grundgesetz nicht Lügen strafen konnten. In einer Rede anläßlich der Verleihung des Karl-Hermann-Flach-Preises hat der Publizist Hermann Rudolph im Oktober 1993 in Bonn die westdeutsche Bewußtseinslage an der Wende von den achtziger zu den neunziger Jahren folgendermaßen beschrieben: «Die Bundesrepublik war zu dem Zeitpunkt, zu dem sich die Chance der Wiedervereinigung eröffnete, für diese Möglichkeit einfach nicht mehr disponiert – im Gefühl ihrer Bürger so wenig wie nach den Vorstellungen ihrer Politiker... In dem Weg der Bundesrepublik zu sich selbst steckt auch ein gutes Stück ihrer Wendung hin zu Demokratie und Liberalität; ihrer Abkehr von jenem alten Deutschland, das in Machtwahn und Selbstüberhebung geendet hatte. Das Sich-Einrichten in der Bundesrepublik ging zusammen mit dieser Wandlung: dem Abrücken von der Vorbildlichkeit des Nationalstaates für alle Politik- und Gesellschaftslagen, der Öffnung gegenüber der Wertewelt des Westens, der Orientierung auf Europa – was alles zusammen es der Bundesrepublik erst möglich machte, der Freiheit den Vorrang vor einer Einheit zu geben, die nicht erreichbar war.»

Die Folgen betrachtete Rudolph als zwiespältig. Einerseits gewann in der Bundesrepublik «ein anderes, besseres Deutschland Gestalt», so daß dieses Staatswesen in der deutschen Geschichte «nicht nur Episode, sondern Epoche» wurde, und zwar «die wichtigste... seit der Reichsgründung, wenn nicht seit den Zeiten, da die Deutschen in die moderne Staatlichkeit Europas eintraten». Andererseits wußten die Deutschen «mit dem ihnen wieder geschenkten Nationalstaat nichts Rechtes mehr anzufangen». Auswege aus diesem Dilemma konnten nach Rudolphs Dafürhalten weder die Anwälte einer nationalen Revision des deutschen Geschichtsbildes noch jene Warner vor einem neuen Nationalismus anbieten, die sich in eine «Nein-meine-Suppe-eß-ich-nicht-Abwehr des Nationalstaates verrannt» hatten. «Es kommt vielmehr... darauf an, das, was den Deutschen im Westen und Osten gemeinsam ist, wahrzunehmen, zu stärken und die Perspektive der Vereinigung im Bewußtsein der Menschen wachzuhalten.» Rudolph schloß mit einem Zitat aus der ersten Rede des ersten Bundespräsidenten Theodor Heuss vor der Bundesversammlung am 12. September 1949: Die Deutschen stünden vor der «großen Aufgabe, ein neues Nationalbewußtsein zu bilden».

In der Tat ging es nach 1990 um nichts Geringeres als um die Neubildung der deutschen Nation. Es gab noch gemeinsame Erinnerungen an eine gemeinsame Vergangenheit, aber nur noch bei der älteren Generation. Die gemeinsame Vergangenheit war zudem so problem- und schuldbeladen, daß ein Neuanfang zu allererst eine selbstkritische Bestandsaufnahme verlangte. Das wiedervereinigte Deutschland war keine «postnationale Demokratie unter Nationalstaaten», wie das Karl Dietrich Bracher von der alten Bundesrepublik hatte sagen können. Es *war* ein Nationalstaat, aber keiner von der alten Art, wie das Deutsche Reich einer gewesen war. Es war ein postklassischer demokratischer Nationalstaat unter anderen, fest in die atlantische Allianz und die Europäische Gemeinschaft, die werdende Europäische Union, eingebunden und bereit, weitere Souveränitätsrechte an Europa zu übertragen. Insoweit unterschied es sich nicht von den anderen Mitgliedstaaten der Europäischen Gemeinschaft, wohl aber vom Deutschen Reich.

Der zweite deutsche Nationalstaat mußte mit dem ersten brechen, soweit er Macht- und Obrigkeitsstaat gewesen war. Er konnte anknüpfen an das, was dieser vor 1933 *auch* gewesen war: Rechts- und Verfassungsstaat, Bundesstaat und Sozialstaat. Zum Teil waren dies Traditionen, die noch hinter die Reichsgründung zurückreichten. Das galt auch von der Parlamentskultur und vom staatsbürgerlichen Teilhaberecht in Gestalt des allgemeinen gleichen Wahlrechts (wenn auch zunächst nur für Männer), das die Reichsverfassung von 1849 vorgesehen und Bismarck 1867 im Norddeutschen Bund, 1871 im Deutschen Reich eingeführt hatte.

Übernehmen konnte das vereinigte Deutschland jene Traditionen der deutschen Nationalgeschichte, die zugleich zu den Traditionen der deutschen Demokratiegeschichte gehören. Die Weimarer Erfahrungen waren ein solches Kapitel – ein Kapitel, das im Grundgesetz fortlebt. Die Erfahrungen der alten Bundesrepublik wirken ebenfalls weiter, wenn sie auch nur westdeutsche Erfahrungen waren. Verglichen mit Weimar war Bonn eine «Erfolgsgeschichte», aber kein Abschnitt der deutschen Geschichte, der sich für nostalgische Verklärung eignet. Auch auf diesem Gebiet bleibt noch vieles aufzuarbeiten: Die Geschichte der illegalen Parteienfinanzierung ist erst zu Teilen aufgedeckt, und die Deutschen müssen mit der Tatsache leben, daß der «Kanzler der Einheit», der 1989/90 historische Größe bewies, jahrelang geltendes Recht gebrochen und damit gegen seinen Amtseid verstoßen hat.

Die Gefahr, daß das vereinigte Deutschland weniger westlich werden könnte, als es die alte Bundesrepublik war, wird zehn Jahre nach der Wiedervereinigung weniger häufig beschworen als 1990. So viel noch zu tun bleibt, um die politische Kultur der westlichen Demokratie im Alltag der neuen Länder durchzusetzen, in *einem* wesentlichen Bereich hat die Verwestlichung Deutschlands *nach* der Wiedervereinigung einen großen Sprung nach vorn getan: Die Reform des Staatsbürgerschaftsrechts von 1999, das Werk einer punktuellen «Ampelkoalition» aus SPD, Grünen und FDP, bedeutet eine Abkehr von der nahezu ausschließlichen Orientierung am Prinzip der Abstammung und eine Hinwendung zu jener Verbindung von Elementen des «jus sanguinis» und des «jus soli», wie sie in den meisten westlichen Demokratien üblich ist.

Das neue, am 1. Januar 2000 in Kraft getretene Staatsbürgerschaftsrecht ändert den deutschen Begriff von Nation. Eine Verwestlichung des deutschen Verständnisses von Nation könnte Vorbehalte gegenüber dem neuen, postklassischen deutschen Nationalstaat abbauen, wie es sie auf der altbundesrepublikanischen Linken immer noch gibt. Eine solche Entwicklung ist überfällig. Denn Europa wird nicht gegen die Nationalstaaten gebaut, sondern mit ihnen und durch sie. Europa wird supranational sein, aber nicht postnational.

Im Herbst 1990, zur Zeit der Wiedervereinigung, hat Ralf Dahrendorf das Verdikt niedergeschrieben: «Wer den Nationalstaat aufgibt, verliert damit die bisher einzige effektive Garantie seiner Grundrechte. Wer heute den Nationalstaat für entbehrlich hält, erklärt damit – sei es auch noch so unabsichtlich – die Bürgerrechte für entbehrlich... Dabei begibt sich zumal die deutsche Linke auf einen gefährlichen Weg, insoweit sie die Institutionen des Nationalstaates um der bloßen Hoffnung eines europäischen Bundesstaates willen abzuschreiben bereit ist. Hier wirkt sich einmal mehr der antiinstitutionelle Drall der achtundsechziger Generation aus, jene neue Version wolkiger Zivilisationskritik, die so gut in die böse Geschichte des deutschen Kulturpessimismus paßt... Es ist eine naive Illusion zu glauben, daß irgendeine internationale Veranstaltung einschließlich von NATO und EG ein unruhiges Deutschland daran hindern könnte, seine inneren Frustrationen an seinen Nachbarn auszutoben. Auch darum ist es wichtig, daß das vereinigte Deutschland bewußt den Weg zum Nationalstaat des Rechts und der Freiheit geht.»[20]

Zehn Jahre später, zu Beginn des neuen Jahrhunderts, deutet alles darauf hin, daß die demokratische Linke dabei ist, sich diese Sichtweise zu eigen zu machen.

Abschied von den Sonderwegen:
Rückblick und Ausblick

Gab es ihn oder gab es ihn nicht, den umstrittenen «deutschen Sonderweg»? So lautete die Frage, von der diese deutsche Geschichte des 19. und 20. Jahrhunderts ausging. Die Frage läßt sich nicht beantworten, wenn wir *nur* auf die letzten beiden Jahrhunderte blicken. Deshalb setzte der erste Band sehr viel früher ein, nämlich bei den drei Grundtatsachen, die die deutsche Geschichte bis 1945 prägen: dem Heiligen Römischen Reich und dem Reichsmythos, der Glaubensspaltung im 16. Jahrhundert und dem Dualismus zwischen den beiden deutschen Großmächten, Österreich und Preußen.

Im Verhältnis zu Westeuropa, und nur im Hinblick auf *dieses* Verhältnis ist in der wissenschaftlichen und der allgemeinen öffentlichen Diskussion von einem «deutschen Sonderweg» die Rede, fällt eine doppelte Verspätung ins Auge: Deutschland wurde sehr viel später als beispielsweise England und Frankreich ein Nationalstaat und noch viel später eine Demokratie. Das Alte Reich, das Heilige Römische Reich Deutscher Nation, war kein Staat und schon gar kein Nationalstaat, der Deutsche Bund der Jahre 1815 bis 1866 ebensowenig. Der erste Versuch der Deutschen, einen freiheitlich verfaßten Nationalstaat zu schaffen, scheiterte 1848/49 an einer Überforderung des deutschen Liberalismus: Es erwies sich als unmöglich, Einheit und Freiheit zugleich zu erringen. Als die Revolution im Frühjahr 1848 begann, dachten die meisten Vorkämpfer dieser beiden Ziele noch in den Kategorien eines «großen» Deutschland, zu dem in jedem Fall die deutschsprachigen Teile der Habsburgermonarchie, dazu einige nicht deutschsprachige wie Welsch-Tirol und Triest, möglichst aber auch Böhmen und Mähren gehören sollten. Eine «kleindeutsche» Lösung ohne Österreich wäre damals außenpolitisch *vielleicht* möglich gewesen, aber sie wurde zu jener Zeit noch nicht gewollt. Als sie ein Jahr später von der Mehrheit der deutschen Nationalversammlung in der Frankfurter Paulskirche notgedrungen gewollt wurde, war sie außenpolitisch nicht mehr möglich.

Bismarck löste die Einheitsfrage auf seine Weise: unter preußischer Führung und gegen Österreich. Für Europa war die «kleindeutsche» Lösung allemal erträglicher als jedwede «großdeutsche» Lösung, die das europäische Gleichgewicht noch sehr viel stärker zugunsten Deutschlands verändert hätte. Die Einheitsfrage *mußte* gelöst werden: So sah es jedenfalls die öffentliche Meinung Deutschlands im Jahrzehnt vor 1871. Die Gründung eines deutschen Nationalstaats bedeutete zunächst einmal ein Stück

Verwestlichung oder Normalisierung: Die Deutschen unterschieden sich, nachdem sie sich von den universalistischen Traditionen des Alten Reiches und dem konföderativen Gebilde des Deutschen Bundes verabschiedet hatten, von den Nationalstaaten Westeuropas weniger als zuvor. In anderer Hinsicht aber waren die Unterschiede zum Westen nach wie vor tief. Denn Bismarcks «Revolution von oben» hatte nur die Einheitsfrage, nicht aber die Freiheitsfrage gelöst. Das deutsche Kaiserreich war eine *konstitutionelle,* keine *parlamentarische* Monarchie, und selbst der Konstitutionalismus war begrenzt: In Gestalt der militärischen Kommandogewalt des Königs von Preußen, der seit 1871 der Deutsche Kaiser war, ragte ein Stück Absolutismus in die Gegenwart hinein. Dennoch wäre es verfehlt, im Kaiserreich *nur* den Obrigkeitsstaat zu sehen. Das allgemeine, gleiche Wahlrecht für Männer, das Bismarck 1867 im Norddeutschen Bund und 1871 im Deutschen Reich einführte, machte Deutschland in Sachen Wahlrecht zu einer fortschrittlicheren Monarchie als etwa England oder Belgien. Das Etikett «fortschrittlich» verdienen auch die Sozialversicherungsgesetze der 1880er Jahre. Das deutsche Kaiserreich trug also einen Januskopf. Es war altertümlich und modern zugleich, und es war eine Frage des Blickwinkels, welche Züge jeweils schärfer hervortraten.

Das deutsche Kaiserreich befand sich vor 1914 *nicht,* wie man das gelegentlich lesen kann, auf dem Weg einer «stillen Parlamentarisierung». Es gab im Reichstag keine Mehrheit für den Übergang zu einer parlamentarisch verantwortlichen Regierung. Die Konservativen waren strikt dagegen, die Nationalliberalen nur teilweise dafür; das katholische Zentrum zog den Status quo, der ihm eine Schlüsselrolle beim Aushandeln von Kompromissen sicherte, einem parlamentarischen System vor, in dem die Partei strukturell in der Minderheit bleiben mußte; die Sozialdemokratie, die stärkste Partei, bejahte die Parlamentarisierung im Prinzip, lehnte aber Koalitionen mit den bürgerlichen Mittelparteien ab, weil eine solche Politik dem Dogma des Klassenkampfes widersprochen hätte.

Die Parlamentarisierung erfolgte erst im Zeichen der Niederlage im Ersten Weltkrieg – jener «Urkatastrophe» des 20. Jahrhunderts, für die das Deutsche Reich und Österreich-Ungarn die Hauptverantwortung trugen. Die Revolution von unten wurde durch den späten Verfassungswandel vom Oktober 1918 nicht verhindert: Teile der alten Eliten, darunter die Seekriegsleitung, weigerten sich, das neue Verfassungsrecht und die neue Verfassungswirklichkeit zu akzeptieren, und lösten damit jene Matrosenerhebung an der Nord- und Ostseeküste aus, die sich rasch zur revolutionären Massenbewegung erweiterte. Die Folge war der Sturz der Monarchie am 9. November 1918. Eine große oder klassische Revolution aber *konnte* in Deutschland nach dem Ende des Ersten Weltkrieges nicht stattfinden: Deutschland war wirtschaftlich, gesellschaftlich und politisch zu entwickelt, um mit seiner Vergangenheit radikal zu brechen.

In einem Land, das seit rund einem halben Jahrhundert das allgemeine, gleiche Reichstagswahlrecht für Männer kannte, war eine revolutionäre Erziehungsdiktatur, wie die äußerste Linke sie anstrebte, undenkbar. Ein solcher Versuch hätte zum allgemeinen Bürgerkrieg geführt und dieser sofort die siegreichen Alliierten auf den Plan gerufen. Was immer die Sozialdemokraten, denen im November 1918 die Macht unverhofft in den Schoß gefallen war, anders oder besser hätten machen können: auf der Tagesordnung stand 1918/19 die Verwirklichung von _mehr_ Demokratie, also die Einführung des Frauenwahlrechts, die Demokratisierung des Wahlrechts in Einzelstaaten, Kreisen und Gemeinden, die parlamentarische Demokratie. Wahlen zu einer Verfassunggebenden Deutschen Nationalversammlung mußten also bald erfolgen. Hätten die Sozialdemokraten sich diesem Ruf verweigert, sie hätten alle Glaubwürdigkeit verloren und ihre eigenen Anhänger gegen sich aufgebracht.

Die Sozialdemokratie von 1918 war nicht mehr die von 1914. Sie hatte sich im Ersten Weltkrieg über der Frage der Kriegskredite gespalten. Mit den Gegnern der Kriegskredite hatten sich auch die doktrinären Marxisten von der Mehrheit der Partei getrennt, die dem Reich bis zuletzt Kriegskredite bewilligte und sich seit dem Sommer 1917 zusammen mit den Parteien der bürgerlichen Mitte für einen Verständigungsfrieden einsetzte. Die Spaltung der marxistischen Arbeiterbewegung sollte sich bald als schwere _Vorbelastung_ der Weimarer Republik erweisen. Auf paradoxe Weise war diese Spaltung aber auch eine _Vorbedingung_ der ersten deutschen Demokratie: Ohne die Bereitschaft zum Klassenkompromiß, zum Ausgleich und zur Zusammenarbeit zwischen den gemäßigten Kräften der Arbeiterschaft und des Bürgertums hätte es die Weimarer Republik nie gegeben.

Zu den Vorbelastungen der jungen Republik gehörte vieles von dem, was die Republik mit der Monarchie verband: ein hohes Maß an Elitenkontinuität in Großgrundbesitz und Schwerindustrie, in Militär, Bürokratie und Justiz; das Erbe des Obrigkeitsstaates im gebildeten Bürgertum, an Universitäten und Gymnasien; die fehlende Aufarbeitung der Kriegsschuldfrage von 1914 – ein Sachverhalt, ohne den der Erfolg der Kampagne gegen das «Diktat von Versailles» gar nicht zu erklären ist. Die Weimarer Reichsverfassung von 1919 _war_ der Versuch eines Neuanfangs, und doch blieb sie dem untergegangenen System eng verbunden. An der Spitze der Republik stand in Gestalt des vom Volk direkt gewählten, mit außerordentlichen Vollmachten ausgestatteten Reichspräsidenten ein zunächst potentieller, dann, seit der Wahl Hindenburgs im April 1925, ein wirklicher «Ersatzkaiser». Die Versuchung der Parteien, dem Staatsoberhaupt die Verantwortung für unpopuläre Entscheidungen immer dann zuzuschieben, wenn sie sich nicht in der Lage sahen, sich auf Kompromisse zu einigen, war in die Verfassung eingebaut und infolgedessen von Anfang an groß.

Der Obrigkeitsstaat lebte nicht nur in den Köpfen der Monarchisten, sondern auch vieler überzeugter Republikaner nach. Im November 1926 schrieb Paul Levi, der vier Jahre zuvor in die Reihen der Sozialdemokratie zurückgekehrte ehemalige Vorsitzende der Kommunistischen Partei Deutschlands: «Demokratie und Republik kennen nur zwei Dinge: eine Regierung, die regiert, und ein Parlament, dem die Regierung verantwortlich ist... Regierung und Parlament müssen sich frei, offen und unabhängig gegenüberstehen: ihre Auseinandersetzung, unter Umständen ihr Kampf, ist das Leben der demokratischen Republik.»[1]

Levi sprach von der demokratischen Republik, aber er dachte in den Kategorien der konstitutionellen Monarchie. Dort waren Regierung und Parlament voneinander unabhängig gewesen. In der parlamentarischen Demokratie dagegen hing die Regierung vom Vertrauen einer parlamentarischen Mehrheit ab. Nicht Parlament und Regierung standen sich gegenüber, sondern Regierungsmehrheit und parlamentarische Opposition.

Im März 1930 zerbrach die letzte parlamentarische Mehrheitsregierung der Weimarer Republik an einem Streit über die Sanierung der Arbeitslosenversicherung. Unmittelbar danach begann der Übergang zum Präsidialsystem: dem Regieren mit Notverordnungen des Reichspräsidenten nach Artikel 48 der Weimarer Reichsverfassung. Der Reichstag hatte bald weniger zu sagen als im Kaiserreich. Die Entmachtung des Parlaments, die sich auch als Selbstentmachtung beschreiben ließ, bedeutete nichts Geringeres als die Rückkehr zu einer bürokratischen Variante des Obrigkeitsstaates.

Aber nun zeigte sich, daß sich das Rad der Geschichte nicht einfach zurückdrehen ließ. Die Entparlamentarisierung gab den antiparlamentarischen Parteien auf der äußersten Rechten und Linken Auftrieb, den Nationalsozialisten freilich in sehr viel stärkerem Maß als den Kommunisten. Hitler wurde zum Hauptnutznießer eines der Widersprüche im Prozeß der politischen Modernisierung Deutschlands: der frühen Demokratisierung des Wahlrechts und der späten Demokratisierung des Regierungssystems. Er konnte seit 1930 an *beides* appellieren: an das verbreitete Ressentiment gegen die neue, angeblich «undeutsche», den Besiegten von den westlichen Siegern aufgenötigte parlamentarische Demokratie *und* an das alte, seit Jahrzehnten verbriefte Mitbestimmungsrecht des Volkes in Form des allgemeinen gleichen Wahlrechts – ein Recht, das die Präsidialregierungen weithin um seine Wirkung brachten.

Hitler ist nicht durch einen Wahlsieg an die Macht gekommen. Seine Wahlerfolge in den Jahren 1930 bis 1932 bildeten aber eine Vorbedingung der Machtübertragung vom 30. Januar 1933, eines Gemeinschaftswerks von «nationalen» Massen und Machteliten. Das Machtzentrum um Hindenburg hätte, den entsprechenden Willen vorausgesetzt, die Auslieferung des Staates an Hitler verhindern können. Die Machtübertragung war also *kein* notwendiges Ergebnis der vorangegangenen Entwicklung. Sie war aber auch kein bloßer «Betriebsunfall». Die ostelbischen Rittergutsbesitzer, die in der späten Weimarer Republik wie keine andere gesellschaftliche Gruppe über das Privileg des Zugangs zum Machthaber, dem Reichspräsidenten von Hindenburg, verfügten und geschlossener als jede andere Elite auf eine Kanzlerschaft Hitlers drängten, waren nicht zufällig so mächtig, sondern als Ergebnis ihrer Machtbehauptung unter und durch Bismarck. Ebensowenig waren, wie wir gesehen haben, Hitlers Wahlerfolge ein Zufall. Der 30. Januar 1933 hat eine lange Vorgeschichte.

Deutschland war nicht das einzige Land, das nach 1929 schwer unter der Weltwirtschaftskrise litt. Eine Krise des parlamentarischen Systems erlebten in der Zwischenkriegszeit auch alte Demokratien wie Frankreich und, in geringerem Maß, England. Frankreich und England waren aber Siegermächte, was einer Mobilisierung nationalistischer Ressentiments wie im besiegten Deutschland entgegenstand. Nationalismus als «rechte» Integrationsideologie war besonders attraktiv in einem Land, wo die konfessionellen Trennlinien ähnlich scharf ausgeprägt waren wie die Klassengrenzen, einigende Sammlungsparolen also einem verbreiteten Bedürfnis entsprachen. Die Angst vor dem Bürgerkrieg ging nach der Oktoberrevolution der Bolschewiki von 1917 in ganz Europa um. Aber in alten Demokratien war die Bereitschaft, der Gefahr von links mit diktatorischen Mitteln entgegenzutreten, schwächer als in jungen. Was die westliche Demokratie am meisten festigte, war ihre Tradition, ihre Verwurzelung bei Massen und Eliten, oder, anders gewendet, der demokratische Grundkonsens – und der war in England und Frankreich stark, in Deutschland hingegen so gut wie gar nicht vorhanden.[2]

Fast alle neuen, erst nach 1918 entstandenen Demokratien Europas gingen in der Zwischenkriegszeit zu rechtsautoritären Regimen über. Als erster Staat errichtete Italien, das man nur sehr bedingt eine junge Demokratie nennen kann, eine Diktatur neuen Typs, die faschistische. Wäre das Regime Hitlers lediglich eine faschistische Diktatur nach Art von Mussolinis Italien gewesen, gäbe es vermutlich keine Diskussion über einen «deutschen Sonderweg». Aber das «Dritte Reich» war eben nicht nur, wie es auf der Linken vielfach noch heute heißt, «der deutsche Faschismus». Es war das Regime, das den Zweiten Weltkrieg entfesselte und für ein Jahrhundertverbrechen steht: die Ermordung der europäischen Juden.

Der Antisemitismus war ein gesamteuropäisches Phänomen, und er beschränkte sich nicht auf Europa. In Deutschland war die bürgerliche politische Kultur schon vor 1914 von antijüdischen Vorurteilen durchtränkt, aber dies galt auch von anderen Ländern. Die Judenfeindschaft war im russischen Zarenreich, auf dem Balkan und in Österreich-Ungarn sogar sehr viel stärker ausgeprägt als im Deutschen Reich, und letztlich traf dies auch für Frankreich zu. Erst im Gefolge des Ersten Weltkrieges, von Niederlage, Revolution und Inflation überholte Deutschland Frankreich, was den Haß auf die Juden betraf. Die Juden dienten nun als Sündenböcke für alles, was radikale Nationalisten am neuen Deutschland auszusetzen hatten. Die Forderung, die staatsbürgerliche Gleichberechtigung der Juden rückgängig zu machen, war so alt wie die Judenemanzipation, ja selbst die Forderung nach einer Vernichtung der Juden findet man bei deutschen Autoren des 19. Jahrhunderts wie Paul de Lagarde und Eugen Dühring. Zu einer nach Millionen zählenden Massenbewegung, die sich offen zu einem radikalen Antisemitismus bekannte, wurden jedoch erst die Nationalsozialisten.[3]

Der Antisemitismus stand im Mittelpunkt von Hitlers Weltanschauung, aber nicht der nationalsozialistischen Agitation der frühen dreißiger Jahre. Wäre es anders gewesen, hätte es die großen Erfolge der NSDAP an den Wahlurnen nicht gegeben. Antisemitismus ging häufig, aber nicht immer und nicht notwendigerweise mit Demokratiefeindschaft und Nationalismus einher. Was den Nationalsozialismus von anderen «rechten» Bewegungen abhob, war die Verbindung von radikalem Antisemitismus und Nationalismus mit einer populistischen und populären Variante von Demokratiefeindschaft. Der Antisemitismus zog manche Wähler der NSDAP, darunter auch viele Akademiker und Studenten, an. Von den meisten Wählern dürfte aber eher gelten, daß sie die Judenfeindschaft der Nationalsozialisten nicht störte oder daß sie diese billigend in Kauf nahmen.

Die «Gebildeten» unter den Anhängern Hitlers faszinierte vor und nach 1933 besonders sein Traum von einem großen Deutschland – dem Großdeutschen Reich. «Großdeutsch» waren nach 1918 *alle* politischen Kräfte in Deutschland, von der äußersten Linken bis zur äußersten Rechten – die Sozialdemokraten, die sich als die Erben von 1848 und damit der Zeit fühlten, in der die nationale Parole noch eine «linke» gewesen war, mit am stärksten, die preußisch und evangelisch geprägten Deutschnationalen, die Hüter des jüngeren «rechten» Nationalismus der Bismarckzeit, deutlich weniger stark. Die Auflösung der Habsburgermonarchie Ende 1918 beseitigte ein wesentliches Hindernis, das bis 1918 einem staatlichen Anschluß Österreichs an das Deutsche Reich entgegengestanden hatte. Am Willen der Österreicher, sich mit Deutschland zu *einem* Staat zusammenzuschließen, gab es keinen Zweifel. Es war das Veto der Sieger, das die Vereinigung verhinderte.

Doch die Idee des *einen* großen Reiches ging im Anschluß Österreichs und der Überwindung von Bismarcks kleindeutscher Lösung nicht auf. «Das Reich» brachte noch sehr viel mehr zum Schwingen. Protestanten (und nicht nur ihnen) war die letzte Zeile der letzten Strophe von Luthers berühmtem Lied «Ein feste Burg ist unser Gott» geläufig: «Das Reich muß uns doch bleiben» (womit Luther natürlich nicht das Heilige Römische Reich Deutscher Nation, sondern das Reich Gottes gemeint hatte). Katholiken dachten eher an das mittelalterliche «Sacrum Imperium». Ob evangelisch oder katholisch verstanden: der Reichsgedanke war theologisch aufgeladen, und das in höherem Maß, als das von anderen Reichsideen, der britischen Weltreichsidee etwa, galt, vom rein weltlichen Kult um das «Impero» im faschistischen Italien ganz zu schweigen. Einzig der mittelalterliche Mythos von Moskau als dem «Dritten Rom», dem Erben von Byzanz und damit auch des alten Rom, weist viele Ähnlichkeiten mit der deutschen Reichsidee auf und ist bis heute in Rußland politisch virulent. Die historisch und theologisch gebildeten Deutschen erinnerten sich und andere gern an den alten Mythos, wonach der Antichrist nicht zur Herrschaft gelangen würde, solange das Römische Reich bestand, das im Jahre 800 mit der Kaiserkrönung Karls des Großen auf die Franken und damit auf die Deutschen übertragen worden war. Vor allem aber: Es gab nach deutschem Verständnis nur *ein* Reich, das deutsche.[4]

«Das Reich» war etwas anderes und mehr als ein Nationalstaat. Es war von der Idee her universal; ihm kam ein herausgehobener Rang unter den Völkern des Abendlandes zu; es hatte eine göttliche Sendung. Im geschlagenen, gedemütigten und dezimierten Deutschland, wie es aus dem Ersten Weltkrieg hervorgegangen war, gab es keine Idee, die sich so sehr zur Kompensation der tief gefühlten nationalen Schwäche eignete wie der Reichsmythos. Das wußten die Ideologen der «Konservativen Revolution» ebenso gut wie Hitler. Viele spielten mit diesem Mythos, aber keiner so virtuos und wirkungsvoll wie er.

Im Jahre 1934 dachte der Historiker Rudolf Stadelmann über das geschichtliche Wesen der deutschen Revolutionen nach. Zu Unrecht sage man vom Deutschen, er sei zur Revolution nicht geschaffen. Daß aber bislang alle wirklichen deutschen Revolutionen, von der Reformation Luthers bis zur deutschen Erhebung gegen Napoleon, gescheitert seien, habe einen tieferen Grund: «Er ist zu suchen in dem Zusammenstoß der deutschen Revolution mit der Tatsache des Reiches. Dieses Reich ist da mit seinen Gesetzen und Notwendigkeiten, seinem überstaatlichen, übervölkischen, ja überrechtlichen Charakter. Das französische und das römische Joch konnte man abschütteln, das Schicksal, ein Reich zu sein, kann man nicht abwerfen... Die Revolution von 1520 und die Revolution von 1810 hat das Reich seinen Weg weitergehen lassen, und darum verfing sich der Sturm in der staatsmännischen Klugheit eines Karl V. und Metternich, als den zielbewußten Staatsmännern der universalen Reichsidee. Diesen unsichtbaren Gegner, das Reich, erkannte man nicht als solchen, weil man ihn als deutsches Schicksal und deutsche Sendung bejahte.»

Die Nation war, so Stadelmann weiter, «nur mit Wünschen, nicht mit Taten zu dieser großen Institution», dem Reich, vorgedrungen – einer Institution, «die sie nicht geschaffen, sondern als Erbe der Geschichte überkommen hatte». Die staatsbildende Kraft der deutschen Revolutionen aber sei ausschließlich dem Territorialstaat zugute gekommen, «und auch ihm nur durch dialektische Fortbildung, die den Zeitgenossen oft wie ein furchtbarer Rückschlag erschienen ist. Zu Unrecht freilich, denn der Obrigkeitsstaat des 16. und des 19. Jahrhunderts steht auf Luther und Hegel und ist eine rechtmäßige Frucht der Revolution. Aber das Problem des Reichs blieb dabei ungelöst. So kam es, daß Reich, Staat und Nation eigene Wege gingen und die eine Größe die andere hemmte und aufhielt. Das tragische Resultat dieser Reibungen war der frühe Stillstand der deutschen Bewegung im 16. und im 19. Jahrhundert.»

Die beiden Revolutionen in der deutschen Geschichte, die nach seiner Meinung diesen Namen verdienten, die Reformation und die deutsche Erhebung, waren Stadelmann zufolge beide eine «Revolution der Volksgemeinschaft». «Reformation und Befreiungskrieg waren Versuche, vom Volk her die Schicksalsfrage der Deutschen zu lösen. Die Geschichte der neueren Jahrhunderte kennt auch Versuche, vom *Staat* her die wesentliche Gestalt der Nation zu verwirklichen.» Bismarck hatte einen solchen Versuch unternommen, aber selbst sein Werk war zerrieben worden in dem Dualismus zwischen Preußen und Reich. Hitlers «nationaler Revolution» von 1933 sollte dieses Schicksal der früheren deutschen Revolutionen nicht widerfahren. Die geschichtliche Aufgabe der Gegenwart hieß nach wie vor: «In-eins-Setzen von Volk, Staat und Reich durch eine dem Wesen des deutschen Schicksals gemäße Verfassung nach allen ihren Dimensionen. Wir glauben den Weg der Lösung in Umrissen bereits zu sehen: er heißt Volkwerdung des Reichs... Wir werden noch viel Anschauung nötig haben, um wirklich zu wissen, was Volk ist und wie es sich zusammensetzt aus den vier Elementen: Stolz der Abstammung, Zucht der Sprache, Geborgenheit in der Sitte und Ethos des Berufsstandes. Wir werden uns noch auf lange hinaus bemühen müssen, um den Staat zu begreifen als ein Wesen, das konstituiert wird durch Feindschaft und Herrschaft. Und wir werden beinahe noch alles zu tun haben, um inne zu werden der Bedeutung des Reiches. Denn das Reich ist es, was den Deutschen unterscheidet vom Engländer und Franzosen.»[5]

Wenn es eine tragfähige Brücke zwischen Hitler und dem gebildeten Deutschland gab, war es der Reichsmythos. In seinem Zeichen rechtfertigten deutsche Gelehrte den Anschluß Österreichs, die Errichtung des Protektorats Böhmen und Mähren, die Niederwerfung Polens, die Vorherrschaft über Nord-, West- und Südosteuropa und schließlich den Krieg gegen das bolschewistische Rußland, die vermeintliche moderne Erscheinungsform des Antichrist. Und Hitler selbst spielte auf die «Offenbarung» des Johannes und die mittelalterliche, auf den Kirchenvater Hieronymus zurückgehende Lesart an, wonach der Antichrist ein Jude war, als er am 30. Januar 1942, dem neunten Jahrestag der «Machtergreifung», seine Prophezeiung von der Vernichtung des Judentums in dem Satz gipfeln ließ: «Und es wird die Stunde kommen, da der böseste Weltfeind aller Zeiten wenigstens auf ein Jahrtausend seine Rolle ausgespielt haben wird.»[6]

Mit dem «Dritten Reich» Adolf Hitlers gingen auch das von Bismarck gegründete Deutsche Reich von 1871 und der sehr viel ältere Reichsmythos unter. Einige Jahre nach dem «Zusammenbruch» schrieb der deutsche Historiker Karl Bosl: «Vielleicht ist keinem Volk unseres Erdteils die media aetas, wie sie die Humanisten nannten, so gegenwärtig wie den Deutschen, vielleicht auch kein Volk zu seinem Glück und seinem Schaden so mittelalterlich geblieben wie wir.»[7] Was immer Bosl mit «Glück» meinte: der Schaden überwog das Glück, wenn es denn ein solches gab, bei weitem.

Marx hatte um die Jahreswende 1843/44 in der Einleitung zur Kritik der Hegelschen Rechtsphilosophie den Satz niedergeschrieben: «In Deutschland ist die Emanzipation von dem *Mittelalter* nur möglich als die Emanzipation zugleich von den *teilweisen* Überwindungen des Mittelalters.»[8] Luthers Reformation war für ihn nur eine solche teilweise Überwindung des Mittelalters, und mit diesem Urteil hatte Marx recht. Zu den teilweisen Überwindungen des Mittelalters wird man auch Bismarcks Reichsgründung rechnen dürfen: jene «Revolution von oben», die die deutsche Einheitsfrage löste, die Lösung der Freiheitsfrage aber verschleppte. Die endgültige Überwindung des Mittelalters erfolgte erst sehr viel später, mehr als 400 Jahre nach der Reformation, rund 100 Jahre nach dem Marxschen Verdikt und ein knappes Dreivierteljahrhundert nach der Reichsgründung: durch die tiefe Erschütterung, die der deutsche Zusammenbruch von 1945 auslöste.

Es *gab* einen «deutschen Sonderweg». Es war der lange Weg eines tief vom Mittelalter geprägten Landes in die Moderne. Die teilweisen Überwindungen des Mittelalters, die Deutschland zuwege brachte, lassen sich auch als teilweise Modernisierungen beschreiben. Was vom Mittelalter blieb, stand neben dem, was modern war, und formte es so lange um, bis das Alte vom Neuen und das Neue vom Alten durchdrungen war. Das galt vom Bismarckreich und auf andere, nur noch diabolisch zu nennende Weise vom «Dritten Reich». Hitlers Herrschaft war der Gipfelpunkt der deutschen Auflehnung gegen die politischen Ideen des Westens, mit dem Deutschland kulturell und gesellschaftlich doch so vieles verband. Nur vor dem Hintergrund dieser Gemeinsamkeiten läßt sich überhaupt von einem «deutschen Sonderweg» sprechen.

Der stärkste Einwand gegen die These vom «deutschen Sonderweg» lautet noch immer, daß es einen oder gar *den* westlichen «Normalweg» nicht gibt: Der englische war es so wenig wie der französische oder der amerikanische. Aber der Begriff «westliche Demokratien» verweist doch auf ein gemeinsames Merkmal der Staaten, von deren politischer Entwicklung sich die deutsche bis 1945 scharf abhob. Die Menschen- und Bürgerrechte in der Tradition der englischen Habeas-Corpus-Akte von 1679, der amerikanischen Unabhängigkeitserklärung von 1776 und der Erklärung der Menschen- und Bürgerrechte durch die französische Nationalversammlung am 26. August 1789 waren tief genug in der politischen Kultur der westlichen Demokratien verankert, um Verstöße gegen dieselben zum öffentlichen Skandal zu machen und den Kampf um ihre weitere Verwirklichung voranzutreiben. *Diese* Tradition fehlte in Deutschland nicht, aber sie war schwächer als die des langlebigen Obrigkeitsstaates. Anders gewendet: Die Verschleppung der Freiheitsfrage im 19. Jahrhundert bildet eines der wichtigsten Kapitel in der Vorgeschichte der «deutschen Katastrophe» der Jahre 1933 bis 1945.

Von einem besonderen Weg der Deutschen zu sprechen: das hatte *vor* 1945 für deutsche Philosophen, Historiker und Schriftsteller bedeutet, die deutsche Kultur der westlichen Zivilisation gegenüberzustellen, den deutschen Macht- und Obrigkeitsstaat historisch zu rechtfertigen und die westliche Demokratie als mit dem deutschen Wesen unvereinbar abzulehnen. *Nach* 1945 vollzog sich, ausgelöst durch die Erfahrung der nationalsozialistischen Herrschaft und vorbereitet durch deutsche Emigranten, ein radikaler Bedeutungswandel der Idee eines «deutschen Sonderwegs». Der Begriff stand nun für jene historische Abweichung vom Westen, die in die «deutsche Katastrophe» geführt hatte.

Einer der deutschen Historiker, die vor 1945 den deutschen Sonderweg verteidigt hatten, revidierte seine Position unter dem Eindruck des «Zusammenbruchs». Rudolf Stadelmann brachte 1946 seinen Aufsatz «Deutschland und die westeuropäischen Revolutionen» zu Papier, den er zuerst als Vortrag an der Volkshochschule Ulm, dann an den Universitäten Göttingen und Freiburg hielt und 1948, im Jahr der Gedenkveranstaltungen und Säkularbetrachtungen zur Revolution von 1848, in dem Essayband «Deutschland und Westeuropa» veröffentlichte. Seit hundert Jahren, so hieß es da, werde das Volk der Deutschen «in seinem politischen Wollen fast unbesehen von den anderen Nationen in das Schubfach der Reaktion geschoben und ein Etikett darüber geklebt mit der Aufschrift: Das Volk ohne Revolution. Der Mangel an Befreundung mit der Praxis und den Ideen der westeuropäischen Revolutionen, der Mangel an Erfahrung und Erziehung auf dem Feld der radikalen Abkehr von der absolutistischen Vergangenheit der neueren Jahrhunderte ist der eigentliche Pariastempel, der unserer Geschichte aufgeprägt ist seit etwa drei Generationen. Die Verfemung des deutschen Namens hat in dem Ausbleiben einer normalen revolutionären Pubertätskrise der deutschen Entwicklung ihre erste und wahrscheinlich wichtigste Wurzel.»

Den tieferen Grund der deutschen Immunität gegenüber den revolutionären Ideen des Westens sah Stadelmann im aufgeklärten Absolutismus. «In gewissem Sinne hat sich das Schicksal des deutschen Mittelalters wiederholt. Der kleine Vorsprung, die deutsche Sonderform des aufgeklärten Fürstenstaates, führte in eine Sackgasse, wie einst der große Vorsprung, die frühe Reichsbildung auf karolingischem Boden, den deutschen Staat zwar an die Spitze der abendländischen Entwicklung brachte, aber auch ein Jahrtausend lang beschwerte und es verhinderte, daß sich auf dem Boden des Imperiums ein geschlossener nationaler Staat herauskristallisierte, wie ihn die westlichen Völker, England, Frankreich und Spanien, seit dem 13. Jahrhundert errangen. Ähnlich wie der Charakter des Reiches den Stolz und den Fluch des deutschen Mittelalters ausmacht, so bedeutet der aufgeklärte Absolutismus zwar den ehrenvollsten und eigenwilligsten Beitrag der Deutschen zur modernen Verfassungsgeschichte, aber zugleich den unaustilgbaren Stempel, der die Deutschen ausschloß aus der Gemeinschaft der westeuropäischen Ideale. Paradox gesprochen: nicht die deutsche Reaktion, sondern der deutsche Fortschritt hat Deutschland gegenüber dem Westen zurückgeworfen.»

Die Gewöhnung an das «Ideal der Revolution von oben», die bleibende Hinterlassenschaft des aufgeklärten Absolutismus, lag dem Fehlschlag *der* Revolution zugrunde, die Stadelmann 1934 *nicht* zu den deutschen Revolutionen gerechnet hatte. «Das Scheitern der 48er Bewegung war um so verhängnisvoller für die politische Entwicklung der Deutschen, als durch den Rückschlag, der nach jeder Revolution erfolgen muß, der auch in England nach 1660 und in Frankreich nach 1814 eingetreten ist, die inneren Gegensätze verschärft und vergiftet wurden und jener Weg der vernünftigen Reform von oben, den wir als die Lieblingsidee der Deutschen kennengelernt haben, nun ganz und gar verrammelt wurde... Das Gift einer unausgegorenen, verschleppten Krise kreist von 1850 ab im Körper des deutschen Volkes. Es war die typische Krankheit des ‹Landes ohne Revolution›.»[9]

Die Frage, *warum* Deutschland auf keine erfolgreiche Revolution zurückblicken konnte, hatte Stadelmann schlüssig beantwortet. Nicht nur 1848/49 erwies sich der Fortschritt als Fessel. Siebzig Jahre später, in der Revolution von 1918/19, war es nicht anders: Deutschland war zu entwickelt, um jenen radikalen Bruch mit der Vergangenheit zu vollziehen, den ein demokratischer Neuanfang erfordert hätte. Doch nachdem er sich vom Mythos des Reiches getrennt hatte, legte Stadelmann den Grund für einen neuen Mythos: den Mythos der versäumten Revolution. Die deutsche Geschichte wäre anders und glücklicher verlaufen, wenn sich die entschiedenen Revolutionäre von 1848 oder 1918 durchgesetzt hätten: Das war zwar nicht seine These, aber eine Geschichtsdeutung, die sich auf ihn berufen konnte und wie eine Fortschreibung seines Verdikts vom «Pariastempel» des Volkes ohne Revolution liest.

Diese Lesart ist ebenso beliebt wie anfechtbar. Die entschiedenen Revolutionäre wollten 1848/49 den großen europäischen Befreiungskrieg gegen das russische Zarenreich, wenn sie nicht gar, wie Marx und Engels, den Weltkrieg gegen das autokratische Rußland *und* das kapitalistische England forderten. Das Ergebnis wäre ein gesamteuropäisches Blutbad und vermutlich der umfassende Sieg der Reaktion gewesen. 1918/19 war es ähnlich: Wäre es nach dem Willen der entschlossenen Revolutionäre gegangen, hätte in Deutschland ein Bürgerkrieg begonnen, von dem die äußerste Linke erwartete, daß er sich mit Hilfe des revolutionären Rußland auf ganz Europa ausweiten und dem Proletariat international zum Sieg verhelfen würde. Kein Ausgang war unwahrscheinlicher als dieser: Der Versuch einer radikalen Revolution hätte Europa in eine Katastrophe gestürzt und mutmaßlich überall die Rechte an die Macht gebracht.

So wie «das Reich» sich nicht auf Deutschland beschränken wollte, so auch die «deutsche Revolution». «Das *gründliche* Deutschland kann nicht revolutionieren, ohne von *Grund aus* zu revolutionieren. Die *Emanzipation des Deutschen* ist die *Emanzipation des Menschen*»: So heißt es bei Marx in der Einleitung zur Kritik der Hegelschen Rechtsphilosophie.[10] Marx *hat* einer Revolution den Weg bereitet, die aber nicht in Deutschland, sondern in Rußland stattfand. Die «deutsche Revolution» war eine Revolution gegen den Marxismus und gegen die westliche Demokratie. Niedergeworfen wurde sie durch Mächte unterschiedlichen revolutionären Ursprungs: die westlichen Demokratien und die Sowjetunion, die vorgab, die Lehren von Marx zu verwirklichen. So kam es, daß der Revolutionsmythos den Reichsmythos überlebte.

Einen Zugang zum Verständnis der deutschen Geschichte aber bietet der Revolutionsmythos nicht. Er ist der Ausdruck eines rückwärtsgewandten Wunschdenkens, das sich vom Neid auf die Revolutionen anderer Völker nährt: Er führt zur Konstruktion einer freischwebenden Alternativgeschichte, bei der die Frage nach den Kosten der «gesollten» Entwicklung regelmäßig ausgespart bleibt; er vermittelt falsche Gewißheit, wo Zweifel angebracht sind; er weicht der Erkenntnis aus, daß es in der Geschichte auch tragische Situationen geben kann – Situationen, in denen das, was dem rückblickenden Betrachter vernünftig erscheint, nicht Wirklichkeit werden konnte, weil die Verhältnisse mächtiger waren als die Vernunft.

Anders als nach 1918 gab es nach 1945 einen tiefen politischen, gesellschaftlichen und moralischen Kontinuitätsbruch. In den Worten von Rainer Lepsius: «Der Zusammenbruch des nationalsozialistischen Regimes, die bedingungslose Kapitulation, die von Deutschen im Namen der deutschen Nation begangenen Verbrechen erschütterten auch die Geltung des deutschen Nationalismus als politische Integrationsideologie. Die gedachte Ordnung der deutschen Nation konnte nicht mehr als vorrangige Ordnungsidee Geltung beanspruchen, dem standen einerseits die Besetzung des Landes und der Übergang der Regierungsgewalt an die Alliierten, andererseits aber auch die innere Entlegitimierung des Nationalismus entgegen.»[11]

Gegenüber der Weimarer Republik vollzog sich in der frühen Bundesrepublik ein Rollentausch: Die gemäßigte Linke übernahm den nationalen Part, die gemäßigte Rechte setzte auf eine Politik der supranationalen Integration. Katholische Christdemokraten bedienten sich dabei mitunter sogar der alten Reichsidee. So erklärte Adolf Süsterhenn in der 6. Sitzung des Parlamentarischen Rats am 20. Oktober 1948, der historische Begriff «Reich» sei vom «Bismarck-Reich, der Weimarer Republik – ich will vom Dritten Reich überhaupt nicht reden – zu Unrecht» geführt worden. «Der Begriff des Reiches, wie er 1000 Jahre in der deutschen Geschichte gelebt hat, war der Begriff eines übernationalen, eines europäischen Gebildes. Es war die Bezeichnung für das christliche Abendland. Und wenn ich den Begriff ‹Reich› einmal in die moderne Sprache der gegenwärtigen Politik übersetzen wollte, müßte ich das, was man damals ‹Reich› genannt hat, heute europäische Union oder europäische Föderation nennen.»[12]

In der Ära Adenauer ging nationalstaatliche Rhetorik mit supranationaler Praxis einher. Nach dem Bau der Mauer im Jahre 1961 setzte bei Teilen der rechten Mitte ein Umdenken ein: In der Bundesrepublik sollte sich ein ausschließlich auf sie und nicht mehr auf Gesamtdeutschland bezogener Patriotismus entwickeln. Die Sozialdemokraten leiteten von Berlin aus die «Politik der kleinen Schritte» ein, die auf der Prämisse beruhte, daß der deutsche Nationalstaat nur ein Fernziel sein konnte, der Zusammenhalt der deutschen Nation aber die Zusammenarbeit mit der «anderen Seite», der DDR, erforderte. Im Kampf gegen die Ostverträge der sozialliberalen Koalition gab sich die christlich-demokratische Opposition dann betont national. Äußerlich schien das Weimarer Rollenspiel von links und rechts also wiederhergestellt.

Doch auch das war nur ein Intermezzo. So wie die Sozialdemokraten sich auf den Boden von Adenauers Westintegration gestellt hatten, ehe Willy Brandt erst Außenminister und dann Bundeskanzler werden konnte, so mußten die Unionsparteien die Brandtschen Ostverträge akzeptieren, bevor sie in der Lage waren, wieder an die Macht zu gelangen. In den achtziger Jahren spielte der gesamtdeutsche Nationalstaat im politischen Denken der Bundesrepublik keine erhebliche Rolle mehr. Karl Dietrich Brachers Formel von der Bundesrepublik als «postnationaler Demokratie unter Nationalstaaten» beschrieb zutreffend das Bewußtsein der meisten Intellektuellen und vieler Politiker links und rechts der Mitte.[13]

Die DDR hatte sich in den frühen siebziger Jahren vom Bekenntnis zur *einen* deutschen Nation gelöst und die Theorie von den *zwei* deutschen Nationen, der neuen sozialistischen und der alten kapitalistischen, verkündet. Die Deutsche Demokratische Republik war unter den Mitgliedsländern des Warschauer Paktes der Ideologiestaat schlechthin: ein Staat ohne nationale Identität und darum mehr als alle anderen auf den «proletarischen Internationalismus» als Ersatzidentität angewiesen. *Beide* deutsche Staaten beschritten also Sonderwege: die DDR einen «internationalistischen», die Bundesrepublik einen «postnationalen». Der erste Sonderweg war eine bloße Parteidoktrin; der zweite entwickelte sich zu einem Lebensgefühl.

Die DDR betrachtete sich als Erbin des antifaschistischen Widerstands; sie bescheinigte sich eine Geburt aus dem Geist dieses Widerstands und machte so den Antifaschismus zu ihrem Ursprungsmythos. In den achtziger Jahren wurde der Antifaschismus durch die Pflege älterer nationaler Traditionen, darunter, soweit sie als fortschrittlich galt, der preußischen, ergänzt: ein stillschweigendes Eingeständnis, daß die Doktrin der sozialistischen deutschen Nation in der Bevölkerung keine Wurzeln geschlagen hatte. In der Bundesrepublik hatte zunächst der 20. Juli 1944 die Rolle des Ursprungsmythos übernommen: eine Umdeutung des konservativen Widerstands gegen Hitler im Sinne der Grundlegung des Rechtsstaates der Bundesrepublik. In den achtziger Jahren rückte immer mehr die Judenvernichtung in den Vordergrund der Beschäftigung mit dem «Dritten Reich».

Das «Nie wieder» galt vor allem dem Völkermord; die deutsche Teilung wurde von Intellektuellen zunehmend als Strafe und Sühne für den Holocaust begriffen. Anfang 1997 konnte Hanno Loewy in der «tageszeitung» von Auschwitz als dem «Gründungsmythos» eines neuen deutschen Nationalgefühls sprechen.[14]

Im Jahre 1925 hat der französische Soziologe Maurice Halbwachs in seinem Buch «Das Gedächtnis und seine sozialen Bedingungen» darauf hingewiesen, «daß das Gedächtnis von der gesellschaftlichen Umwelt abhängt». Das Vergangene erscheine nicht als solches wieder; vielmehr deute alles darauf hin, daß das Vergangene «sich nicht erhält, sondern daß man es rekonstruiert, wobei man von der Gegenwart ausgeht... Die Gesellschaft stellt sich die Vergangenheit je nach den Umständen und je nach der Zeit in verschiedener Weise vor: sie modifiziert ihre Konventionen. Da sich jedes ihrer Glieder diesen Konventionen beugt, so lenkt es auch seine Erinnerungen in der gleichen Richtung, in die sich das kollektive Gedächtnis entwickelt.» Halbwachs' zusammenfassender Befund lautete, «daß das gesellschaftliche Denken wesentlich ein Gedächtnis ist, und daß dessen ganzer Inhalt nur aus kollektiven Erinnerungen besteht, daß aber nur diejenigen von ihnen und nur das an ihnen bleibt, was die Gesellschaft in jeder Epoche mit ihren gegenwärtigen Bezugsrahmen rekonstruieren kann».[15]

Vier Jahrzehnte nach dem deutschen Menschheitsverbrechen machte sich ein Generationenwechsel bemerkbar: Die Zahl derer, die Zeitzeugen, darunter überlebende Täter und Opfer des Holocaust, waren, wurde immer geringer; die Nachwachsenden wußten von dem Geschehen nur aus mündlichen Berichten der Älteren, aus Lektüre, Filmdokumenten, Rundfunk- und Fernsehsendungen. In den Begriffen, die der Ägyptologe Jan Assmann in Anlehnung an Halbwachs entwickelte: das «kommunikative Gedächtnis» wurde vom «kulturellen Gedächtnis», einer anderen Form der kollektiven Erinnerung, abgelöst. Das kulturelle Gedächtnis mußte, um die Erinnerung zu bewahren, das Gedenken ritualisieren; es mußte Tradition stiften, um dem Vergessen vorzubeugen.[16]

Die Ritualisierung war notwendig, aber sie barg Gefahren. Von der Ritualisierung zur Instrumentalisierung war es oft nur ein Schritt. Im «Gründungsmythos Auschwitz» rückte das Selbstverständnis der Bundesrepublik Deutschland objektiv ganz nahe an das des Staates Israel heran. Die Erben der Täter usurpierten damit, sicher ungewollt, einen Mythos, auf den nur die überlebenden Opfer und ihre Nachfahren ein Anrecht hatten.

In Robert Musils Roman «Der Mann ohne Eigenschaften» findet sich ein Passus, der von den Fallstricken des Gewissens handelt: «Vielleicht darf gesagt werden, in Veränderung eines Sprichworts, daß ein schlechtes Gewissen beinahe ein besseres Ruhekissen darbietet als ein gutes, sofern es nur schlecht genug ist! Die unablässige Nebentätigkeit des Geistes in der Absicht, aus allem Unrecht, in das er verwickelt ist, ein gutes persönliches Gewissen als Abschluß zu gewinnen, ist dann eingestellt, und läßt dem Gemüt eine ungemessene Unabhängigkeit zurück.»[17]

Fast unmerklich setzte in der zweiten Hälfte der achtziger Jahre, vor allem auf seiten der Linken, im Verhältnis zum Holocaust eine Art von «Sühnestolz» ein: der Anspruch, mit den nationalsozialistischen Verbrechen auf so vorbildliche Weise umzugehen, daß sich daraus eine höhere politische Moral der Bundesrepublik ableiten ließ – höher im Vergleich zu Nationen, die keine vergleichbar tiefe Krise ihrer nationalen Identität durchgemacht hatten. Prädestination durch Perversion: in Oskar Lafontaines Erörterungen zur Überwindung des Nationalstaates aus dem Jahr 1988 war der Gedanke einer neuen deutschen Sendung angelegt. Die postnationale Bundesrepublik war berufen, den noch im nationalen Denken befangenen, also zurückgebliebenen Nationalstaaten bei der Einigung Europas voranzugehen.[18]

Die Anlässe, aus denen Auschwitz als Argument benutzt wurde, liefen ungewollt auf eine Banalisierung des Völkermords hinaus: Der Hinweis auf die Judenvernichtung diente der Begründung des Nein zur Wiedervereinigung, zu einem deutschen Einsatz im Golfkrieg und zur Entsendung von «Tornados» nach Bosnien. In Wirklichkeit ging es in allen Fällen um die Abwehr eines Zustandes, in dem Deutschland souverän über Krieg und Frieden entscheiden mußte und damit nicht länger der Möglichkeit ausweichen konnte, schuldig zu werden – wie andere westliche Demokratien auch.[19]

»Souverän ist, wer über den Ausnahmezustand entscheidet»: So lautet der berühmte erste Satz der «Politischen Theologie» von Carl Schmitt aus dem Jahre 1922.[20] 1990 endete der historische Ausnahmezustand, in dem Deutschland nicht souverän gewesen war. Die Gewöhnung an diesen im Rückblick bequem erscheinenden Zustand war in der alten Bundesrepublik so stark, daß daraus Angst vor der Souveränität erwuchs. Diese Angst führte zur Ablehnung des Nationalstaats, und zwar sowohl dem Begriff wie der Sache nach. Es wäre erstaunlich gewesen, wenn sich die Umstellung auf die neuen Verhältnisse nach der Wiedervereinigung *ohne* Krise des deutschen Selbstverständnisses vollzogen hätte. Der Streit um die Folgerungen aus Auschwitz war ein Symptom dieser Krise.

Als 1998 das französische «Schwarzbuch» über die Verbrechen des Kommunismus erregte Diskussionen in Deutschland hervorrief, schrieb Stefan Reinecke in der «tageszeitung», manche Linke, unter ihnen der Historiker Wolfgang Wippermann, führten «die Naziverbrechen in dieser Debatte wie Kampfbegriffe ins Feld. Gebetsmühlenhaft hört man dort, daß der Holocaust die Katastrophe des Jahrhunderts war, an der gemessen alle anderen Verbrechen zu zweitrangigen Phänomenen schrumpfen. ‹Wir sollten›, so schreibt Wippermann, ‹an der Holocaustfixierung festhalten.› Diese Argumentation hat einen religiös anmutenden Unterton: Du sollst kein Jahrhundertverbrechen neben mir haben. So rückt die Vernichtung der Juden in die Nähe einer negativen Sinnstiftung.»[21] Reineckes wohlbegründete Beobachtung führt zu einer weiteren Feststellung: So wie vor 1945 der deutsche Nationalismus theologisch überfrachtet war, so danach auch manche Erscheinungsformen des deutschen Antinationalismus.

Die Berufung auf die Einzigartigkeit der Judenvernichtung zu dem Zweck, andere Verbrechen, namentlich solcher kommunistischer oder ex-kommunistischer Regime, nicht zu verurteilen oder sie zu relativieren, bezeichnete den Tiefpunkt eines pathologischen Lernprozesses: Auschwitz diente als Vorwand zu einer Senkung moralischer Maßstäbe, und soweit *diese* Instrumentalisierung des Holocaust Folgen hatte, waren es solche einer Entsensibilisierung gegenüber der Mißachtung von Menschenrechten – vom Völkermord der «Roten Khmer» unter Pol Pot in Kambodscha bis hin zu den «ethnischen Säuberungen» im ehemaligen Jugoslawien, gleichviel ob sie von Serben, Kroaten oder anderen begangen wurden. Die «Holocaustfixierung» hatte noch eine andere, nicht minder paradox anmutende Wirkung: Sie führte zu einer historischen Horizontverkürzung, der mit der vorangegangenen deutschen Geschichte auch die Vorgeschichte des deutschen Menschheitsverbrechens zum Opfer fiel. Innerhalb eines Geschichtsbildes, das nur noch aus zwei Fixpunkten bestand – dem negativen des Holocaust und dem positiven der «Erfolgsgeschichte der Bundesrepublik» –, konnte die Frage nach den tieferen historischen Ursachen der «deutschen Katastrophe» keine zentrale Rolle mehr spielen. Entsprechend kurzschlüssig fiel die geläufigste Antwort aus: Es war der deutsche Nationalstaat, der Auschwitz hervorgebracht hatte.

In Wirklichkeit war die Gründung des deutschen Nationalstaates im 19. Jahrhundert ein widerspruchsvoller Vorgang: einerseits Verwestlichung, andererseits Festigung des Obrigkeitsstaates. Nicht die Lösung der Einheitsfrage stand am Beginn des Weges in die Katastrophe, sondern die Nichtlösung der Freiheitsfrage. Nicht der Nationalstaat, sondern der Mythos vom Reich, das mehr sein wollte als ein Nationalstaat, führte in die Selbstzerstörung Deutschlands in den Jahren 1933 bis 1945.

Im Jahre 1945 endete der antiwestliche Sonderweg des Deutschen Reiches. 1990 endeten der postnationale Sonderweg der alten Bundesrepublik und der internationalistische Sonderweg der DDR. Das wiedervereinigte Deutschland ist keine «postnationale Demokratie unter Nationalstaaten», sondern ein demokratischer, postklassischer Nationalstaat unter anderen. Die neue Bundesrepublik ist nicht weniger souverän als andere Mitgliedsländer der Europäischen Union, die ebenfalls Souveränitätsrechte an diese supranationale Gemeinschaft wie an eine andere, die atlantische Allianz, übertragen haben. Dies ist ein Stück jener *europäischen* Normalisierung Deutschlands, die sich 1999, unter der Verantwortung einer rot-grünen Bundesregierung unter Gerhard Schröder als Kanzler und Joschka Fischer als Außenminister, in der Beteiligung der Bundeswehr am internationalen Einsatz im Kosovo niederschlug. In dasselbe Jahr fällt ein anderes Stück dieser Normalisierung: die überfällige Reform des deutschen Staatsbürger-schaftsrechts.

Am Vorabend der Wiedervereinigung unterbreitete Peter Glotz einige «Vorschläge zur Identität des größeren Deutschland». Das wichtigste Element der Bildungsidee, die er zusammen mit der Vereinigung entwickelt sehen wollte, lautete: «Der Holocaust als geistiger Wendepunkt der modernen deutschen Nation; natürlich nicht als das einzig wichtige, wohl aber als ein nicht hintergehbares Datum. Die Rolle, die im Kanon des französischen Denkens das Jahr 1789 spielt, kommt im deutschen Kanon der Periode des Faschismus zu. Nationalbewußtsein bedeutet: Auseinandersetzung mit dieser Geschichte, mit den Erfahrungen und Motiven der Schuldigen und Unschuldigen.»[22]

Glotz traf einen zentralen Punkt: Während Nationen mit alter demokratischer Tradition auf erfolgreiche Revolutionen zurückblicken können, drängt sich den Deutschen, wenn sie ihre Demokratie historisch begründen wollen, *zuerst* die Erinnerung an den katastrophalen Fehlschlag ihrer Revolution *gegen* die Demokratie in den Jahren 1933 bis 1945 auf. Die nationalsozialistische Diktatur wurde im nachhinein zum großen argumentum e contrario für die westliche Demokratie, für die Menschen- und Bürgerrechte.

1985, vier Jahrzehnte nach dem «Zusammenbruch», nannte die Evangelische Kirche in Deutschland unter den Gründen für die Ausarbeitung ihrer vielbeachteten Denkschrift «Evangelische Kirche und freiheitliche Demokratie. Der Staat des Grundgesetzes als Angebot und Aufgabe» als ersten diesen: «Die geschichtlichen Erfahrungen, die uns Deutsche belasten, sind eine bleibende Mahnung. Hitler kam 1933 an die Macht, nicht weil die Nationalsozialisten schon in der Republik von Weimar so zahlreich gewesen wären, sondern weil es nicht genug Demokraten gab, die den unschätzbaren Wert der Weimarer Verfassung erkannt hätten und sie zu verteidigen bereit gewesen wären.»[23]

Doch die historische Erinnerung an das «Dritte Reich» verlangt mehr als nur den Blick auf die Jahre 1933 bis 1945 und ihre unmittelbare Vorgeschichte: Sie kommt nicht aus ohne den Versuch, den Ort dieser Epoche in der deutschen Geschichte zu bestimmen. Die Erinnerung an die Zeit des Nationalsozialismus kann auch nicht der einzige Bezugspunkt eines aufgeklärten Demokratie- und Nationalbewußtseins des vereinigten Deutschland sein. Freiheit und Einheit, Demokratie und Nation haben eine Geschichte, die weit in die Vergangenheit zurückreicht. Es ist eine widerspruchsvolle Geschichte, die der kritischen Aneignung bedarf.

«Die Bereitschaft zum Erinnern und Gedenken ist abhängig vom Verhältnis des Einzelnen zur eigenen Geschichte, zur Geschichte des eigenen Volkes und abhängig vom Grad der Identifizierung mit Volk, Staat und Nation», heißt es in einem Text von Salomon Korn aus dem Jahr 1996, einer Ansprache zum «Jom Hashoa» in der Westendsynagoge zu Frankfurt am

Main. «Je näher und unverbrüchlicher man zu den Geschicken der eigenen Gemeinschaft steht, desto eher wird man die Erinnerung an deren Geschichte, die dann auch als die eigene empfunden wird, zu bewahren suchen. Je ambivalenter, schwieriger und brüchiger die Vergangenheit des Volkes ist, dem man angehört, desto mehr Überwindung erfordert die Beschäftigung mit dessen Geschichte, die dann als eigene eher abgewehrt wird. Erinnern und Gedenken werden unter diesen Voraussetzungen zur mühsamen Tätigkeit; sie konfrontieren mit den dunklen Seiten der eigenen Gemeinschaft und erschweren die Ausbildung einer ungebrochenen Identität mit dieser. Erinnern und Gedenken bedeuten dann immer auch Auseinandersetzung mit den Biographien der eigenen Eltern, Großeltern und Vorfahren. Die Bereitschaft, der nationalsozialistischen Verbrechen aufrichtig zu gedenken, hängt von der Bereitschaft der nichtjüdischen Deutschen ab, nationale Identität in ihren geschichtlich geformten Brechungen und Diskontinuitäten aufzunehmen – sich eben nicht in eine scheinbar heile nationale Identität zu flüchten, die zwangsläufig die Erinnerung an den nationalsozialistischen Massenmord auf ihre Bedürfnisse hin verbiegen, relativieren und schließlich verfälschen muß.»[24]

Deutschlands Weg nach Westen war lang und auf weiten Strecken ein Sonderweg. Und wenn auch alle Geschichte eine Geschichte von Sonderwegen ist, so gibt es doch einige, die noch besonderer sind als die anderen. Die Deutschen bedürfen der Vergegenwärtigung ihrer Geschichte aber nicht nur um ihrer selbst willen. Sie sind diese Anstrengung auch dem gemeinsamen Projekt Europa schuldig.

Eine europäische Identität wird sich nicht gegen die Nationen herausbilden, sondern nur mit ihnen und durch sie. Sie alle, die europäischen Nationen diesseits und jenseits des ehemaligen Eisernen Vorhangs, haben Anlaß, sich mit ihrer Geschichte und ihren Mythen, den älteren wie den neueren, selbstkritisch auseinanderzusetzen. «Ohne Mythen und Idole lebt es sich sicherlich schwerer», hat der italienische Publizist Angelo Bolaffi 1995 bemerkt. «Aber bestimmt fällt das Denken leichter.»[25] Was die Deutschen zur Überwindung *ihrer* Mythen tun, fügt sich also in einen größeren Zusammenhang ein.

ANHANG

Abkürzungsverzeichnis

AAP	Akten zur Auswärtigen Politik der Bundesrepublik Deutschland
ABC-Waffen	Atomare, biologische und chemische Waffen
ABM	Antiballistic Missiles
ADAP	Akten zur deutschen auswärtigen Politik
AdG	Archiv der Gegenwart
ADGB	Allgemeiner Deutscher Gewerkschaftsbund
ADN	Allgemeiner Deutscher Nachrichtendienst (der DDR)
AdR	Akten der Reichskanzlei
AfNS	Amt für Nationale Sicherheit
ANSA	Agenzia nazionale stampa associata
APO	Außerparlamentarische Opposition
APZ	Aus Politik und Zeitgeschichte
ARD	Arbeitsgemeinschaft der öffentlich-rechtlichen Rundfunkanstalten der Bundesrepublik Deutschland
AWACS	Airborne early Warning and Control Systems
Bafög	Bundesausbildungsförderungsgesetz
BBC	British Broadcasting Cooperation
BGBl.	Bundesgesetzblatt
BGH	Bundesgerichtshof
BHE	Bund der Heimatvertriebenen und Entrechteten
BK	Bekennende Kirche
BRD	Bundesrepublik Deutschland
BverfGE	Entscheidungen des Bundesverfassungsgerichts
BVP	Bayerische Volkspartei
CARE	Cooperation for American Remittance to Europe
CEH	Central European History
CIA	Central Intelligence Agency
CDU	Christlich Demokratische Union
ČSSR	Tschechoslowakische Sozialistische Republik
CSU	Christlich Soziale Union
DA	Demokratischer Aufbruch
DA	Deutschland Archiv
DAF	Deutsche Arbeitsfront
DC	Deutsche Christen
DDR	Deutsche Demokratische Republik
DKP	Deutsche Kommunistische Partei
DM	Deutsche Mark

DNVP	Deutschnationale Volkspartei
DP	Deutsche Partei
DSU	Deutsche Soziale Union
DVP	Deutsche Volkspartei
EA	Europa-Archiv
ECU	European Currency Unit
EG	Europäische Gemeinschaft
EKD	Evangelische Kirche in Deutschland
EVG	Europäische Verteidigungsgemeinschaft
EWG	Europäische Wirtschaftsgemeinschaft
FAZ	Frankfurter Allgemeine Zeitung
FDGB	Freier Deutscher Gewerkschaftsbund
FDJ	Freie Deutsche Jugend
FDP	Freie Demokratische Partei
FR	Frankfurter Rundschau
GASP	Gemeinsame Außen- und Sicherheitspolitik
GATT	General Agreement about Tariffs and Trade
Gestapo	Geheime Staatspolizei
GG	Geschichte und Gesellschaft
GI	volkstümliche Bezeichnung für: amerikanischer Soldat (nach der Abk. für «Government Issue», der staatlich gelieferten Ausrüstung für die Soldaten)
Grafög	Graduiertenförderungsgesetz
GSG	Grenzschutzgruppe
GVP	Gesamtdeutsche Volkspartei
GWU	Geschichte in Wissenschaft und Unterricht
HIAG	Hilfsgemeinschaft auf Gegenseitigkeit (ehemaliger Angehöriger der Waffen-SS)
HZ	Historische Zeitschrift
IM	Inoffizieller Mitarbeiter des Ministeriums für Staatsicherheit
IMG	Internationaler Militärgerichtshof. Die Prozesse gegen die Hauptkriegsverbrecher
INF	Intermediate Range Nuclear Forces
infas	Institut für angewandte Sozialwissenschaft
JöM	Jahrbuch der öffentlichen Meinung
Jusos	Jungsozialisten
KdF	Kraft durch Freude
KGB	Komitet Gosudarstvennoj Bezopasnosti (Sowjet. Geheimdienst)
Kominform	Kommunistisches Informationsbüro
Komintern	Kommunistische Internationale
KPČ	Kommunistische Partei der ČSSR
KPD	Kommunistische Partei Deutschlands

KPdSU	Kommunistische Partei der Sowjetunion
KSZE	Konferenz über Sicherheit und Zusammenarbeit in Europa
KVAE	Konferenz über vertrauens- und sicherheitsbildende Maßnahmen und Abrüstung in Europa
KZ	Konzentrationslager
KZSS	Kölner Zeitschrift für Soziologie und Sozialpsychologie
LDPD	Liberaldemokratische Partei Deutschlands
LPG	Landwirtschaftliche Produktionsgenossenschaft
MBFR	Mutual Balance Force Reduction
MfS	Ministerium für Staatssicherheit
MLF	Multilateral Force
Nasi	Populäre Abkürzung für: AfNS (Amt für Nationale Sicherheit)
NATO	North Atlantic Treaty Organisation
NBC	National Broadcasting Company
ND	Neues Deutschland
NDPD	Nationaldemokratische Partei Deutschlands
N. F.	Neue Folge
NG	Neue Gesellschaft bzw. Neue Gesellschaft/Frankfurter Hefte
NÖSPL	Neues Ökonomisches System der Planung und Leitung
NPD	Nationaldemokratische Partei Deutschlands
NRSB	Nationalsozialistischer Rechtswahrerbund
NSBO	Nationalsozialistische Betriebszellenorganisation
NSDAP	Nationalsozialistische Deutsche Arbeiterpartei
NVA	Nationale Volksarmee
OKW	Oberkommando der Wehrmacht
OPEC	Organisation of Petroleum Exporting Countries
PDS	Partei des Demokratischen Sozialismus
PLO	Palestinian Liberation Organisation
PVAP	Polnische Vereinigte Arbeiterpartei
RAF	Rote Armee Fraktion
RF-SS	Reichsführer SS
RGBl.	Reichsgesetzblatt
RGW	Rat für gegenseitige Wirtschaftshilfe
RM	Reichsmark
SA	Sturmabteilung
SALT	Strategic Arms Limitation Talks
SAI	Sozialistische Arbeiterinternationale
SBZ	Sowjetische Besatzungszone
SD	Sicherheitsdienst
SDI	Strategic Defense Initiative
SDP	Sozialdemokratische Partei in der DDR

SDS	Sozialistischer Deutscher Studentenbund
SED	Sozialistische Einheitspartei Deutschlands
SMAD	Sowjetische Militäradministration in Deutschland
Sopade	Sozialdemokratische Partei Deutschlands (Name der SPD im Exil)
SPD	Sozialdemokratische Partei Deutschlands
SRP	Sozialistische Reichspartei
SS	Schutzstaffel
START	Strategic Arms Reduction Talks
Sten. Ber.	Stenographischer Bericht der Verhandlungen des Deutschen Reichstags bzw. Verhandlungen des Deutschen Bundestages. Stenographische Berichte
SU	Sowjetunion
SZ	Süddeutsche Zeitung
TASS	Telegrafnoje Agentstwo Sowjetskogo Sojusa (staatl. sowjet. Nachrichtenagentur)
taz	Die Tageszeitung
UN	Vereinte Nationen
USA	United States of America
VEB	Volkseigener Betrieb
VfZ	Vierteljahrshefte für Zeitgeschichte
VKSE	Verhandlungen über konventionelle Streitkräfte in Europa
WEU	Westeuropäische Union
ZDF	Zweites Deutsches Fernsehen
ZfG	Zeitschrift für Geschichtswissenschaft
ZK	Zentralkomitee

Anmerkungen

1. Die deutsche Katastrophe:
1933–1945

1 Adolf Hitler, Mein Kampf. Zwei Bände in einem Band, 711.–715. Aufl., München 1942, S. 69 f. (Hervorhebung im Original); Eric Voegelin, Die politischen Religionen (1938[1]), München 1993[3]; Hans Maier (Hg.), Totalitarismus und Politische Religionen. Konzepte des Diktaturvergleichs, Paderborn 1996; Philippe Burrin, Political Religion: The Relevance of a Concept, in: History and Memory 9 (1997), S. 321–349; Michael Ley, Genozid und Heilserwartung. Zum nationalsozialistischen Mord am europäischen Judentum, Wien 1993; ders. u. Julius H. Schoeps (Hg.), Der Nationalsozialismus als politische Religion, Bodenheim 1997; Klaus Vondung, Magie und Manipulation. Ideologischer Kult und politische Religion im Nationalsozialismus, Göttingen 1971; Klaus Schreiner, «Wann kommt der Retter Deutschlands?» Formen und Funktionen von politischem Messianismus in der Weimarer Republik, in: Saeculum 49 (1998), I, S. 107–160; Sabine Behrenbeck, Der Kult der toten Helden. Nationalsozialistische Mythen, Riten und Symbole 1923–1945, Vierow bei Greifswald 1996, S. 33 ff.; Ernst Nolte, Der Faschismus in seiner Epoche. Die Action française. Der italienische Faschismus. Der Nationalsozialismus, München 1963[1] (S. 279: Mussolini, 1925); Hannah Arendt, Elemente und Ursprünge totaler Herrschaft (amerik. Orig.: New York 1951), München 1955; Carl Joachim Friedrich/Zbigniew K. Brzezinski, Totalitäre Diktatur (amerik. Orig.: Cambridge/Mass. 1956), Stuttgart 1957; Raymond Aron, Demokratie und Totalitarismus (frz. Orig.: Paris 1966), Hamburg 1970; Manfred Funke (Hg.), Totalitarismus. Ein Studien-Reader zur Herrschaftsanalyse moderner Diktaturen, Düsseldorf 1978; Alfons Söllner u. a. (Hg.), Totalitarismus. Eine Ideengeschichte des 20. Jahrhunderts, Berlin 1997; Wolfgang Wippermann, Totalitarismustheorien. Die Entwicklung der Diskussion von den Anfängen bis heute, Darmstadt 1997; Eckhard Jesse (Hg.), Totalitarismus im 20. Jahrhundert. Eine Bilanz der internationalen Forschung, Bonn 1996; Karl Dietrich Bracher, Zeitgeschichtliche Kontroversen. Um Faschismus, Totalitarismus, Demokratie, München 1976; ders., Zeit der Ideologien. Eine Geschichte politischen Denkens im 20. Jahrhundert, Stuttgart 1984[2].

2 Hitler. Sämtliche Aufzeichnungen 1905–1924. Hg. v. Eberhard Jäckel zus. mit Axel Kuhn, Stuttgart 1980, S. 88–90 (Brief an Adolf Gemlich, 16. 9. 1919); ders., Mein Kampf (Anm. 1), S. 738, 742 f.; Hitlers Zweites Buch. Ein Dokument aus dem Jahr 1928, Stuttgart 1961; Max Domarus, Hitler. Reden und Proklamationen 1932–1945, 4 Bde., München 1965[2], Bd. I/1, S. 203–208 (Rede vom 10. 2. 1933), 447 f. (Rede vom 4. 9. 1934), Bd. I/2, S. 732 (Nürnberger Parteitagsrede, 19. 9. 1937: «Die deutsche Nation hat doch bekommen ihr germanisches Reich.»); Hans-Dietrich Loock, Zur «Großgermanischen Politik» des Dritten Reiches, in: VfZ 8 (1960), S. 37–63 (Belege für «Großgermanisches Reich deutscher Nation» bei Hitler aus den Jahren 1921 und 1937: 37); Thilo Vogelsang, Neue Dokumente zur Geschichte der

Reichswehr 1930–1933, in: VfZ 2 (1954), S. 397–436 (434 f.: Hitler, 3. 2. 1933); (Arthur) Moeller van den Bruck, Das dritte Reich. Hg. v. Hans Schwarz, Hamburg 1931³, S. 158, 244 f.; Heinrich August Winkler, Mittelstand, Demokratie und Nationalsozialismus. Die politische Entwicklung von Handwerk und Kleinhandel in der Weimarer Republik, Köln 1972, S. 275 (Kampfbund des gewerblichen Mittelstandes, Dezember 1932); Fritz Stern, Kulturpessimismus als politische Gefahr. Eine Analyse nationaler Ideologie in Deutschland (amerik. Orig.: Berkeley 1961), Bern 1963, S. 223 ff.; Lothar Kettenacker, Der Mythos vom Reich, in: Karl-Heinz Bohrer (Hg.), Mythos und Moderne. Begriff und Bild einer Rekonstruktion, Frankfurt 1983, S. 261–289; Herfried Münkler, Das Reich als politische Macht und politischer Mythos, in: ders., Reich–Nation–Europa. Modelle politischer Ordnung, Weinheim 1996, S. 11–59; Hans Fenske, Das «Dritte Reich». Die Perversion der Reichsidee, in: Bernd Martin (Hg.), Deutschland in Europa. Ein historischer Rückblick, München 1992, S. 210–230 (213: Weisung der Parteikanzlei, 13. 6. 1939); Jean F. Neurohr, Der Mythos vom Dritten Reich. Zur Geistesgeschichte des Nationalsozialismus, Stuttgart 1957; Klaus Breuning, Die Vision des Reiches. Deutscher Katholizismus zwischen Demokratie und Diktatur (1929–1934), München 1969, S. 176 ff.; Ernst Bloch, Zur Originalgeschichte des Dritten Reiches (1937), in: ders., Erbschaft dieser Zeit. Erweiterte Aufl., Frankfurt 1985, S. 126–152; Karl Löwith, Weltgeschichte und Heilsgeschehen. Die theologischen Voraussetzungen der Geschichtsphilosophie, Stuttgart 1953³, S. 136 ff. (Joachim von Fiore); Norman Cohn, Das Ringen um das Tausendjährige Reich. Revolutionärer Messianismus im Mittelalter und sein Fortleben in den modernen totalitären Bewegungen (engl. Orig.: London 1957), Bern 1961, bes. S. 94 ff.; Friedrich Heer, Der Glaube des Adolf Hitler. Anatomie einer politischen Religiosität, München 1968; Jost Hermand, Der alte Traum vom neuen Reich. Völkische Utopien und Nationalsozialismus, Frankfurt 1988; Eberhard Jäckel, Hitlers Weltanschauung. Entwurf einer Herrschaft, Tübingen 1969; Frank-Lothar Kroll, Geschichte und Politik im Weltbild Hitlers, in: VfZ 44 (1996), S. 327–353; ders., Utopie als Ideologie. Geschichtsdenken und politisches Handeln im Dritten Reich, Paderborn 1998, S. 65 ff.; ders., Die Reichsidee im Nationalsozialismus, in: Franz Bosbach u. Hermann Hiery (Hg.), Imperium/Empire/Reich. Ein Konzept politischer Herrschaft im deutsch-britischen Vergleich, München 1999, S. 179–196; Kurt Sontheimer, Antidemokratisches Denken in der Weimarer Republik. Die politischen Ideen des deutschen Nationalismus zwischen 1918 und 1933, München 1962, S. 280 ff. Zur Begriffsgeschichte von «Volksgemeinschaft»: Norbert Götz, Ungleiche Geschwister. Die Konstruktion von nationalsozialistischer Volksgemeinschaft und schwedischem Volksheim. Phil. Diss. (MS), HU Berlin 1999, S. 87 ff. – Zu Hegels Übernahme der Drei-Reiche-Lehre: Georg Wilhelm Friedrich Hegel, Vorlesungen über die Philosophie der Geschichte (Sämtliche Werke, Bd. 11), Stuttgart 1949³, S. 440 ff. – Luthers Fassung des Vaterunser (Matthäus, 6. Kapitel, Vers 13) endet mit den Worten: «Denn dein ist das Reich und die Kraft und die Herrlichkeit in Ewigkeit. Amen.» Die Lobpreisung im Schlußsatz steht nicht im Original des Matthäus-Evangeliums, sondern geht auf das 2. Jahrhundert n. Chr. zurück. Das Neue Testament. Nach der Übersetzung Martin Luthers, Stuttgart 1984, S. 18.

3 Cuno Horkenbach (Hg.), Das Deutsche Reich von 1918 bis heute, Jg. 1933, Berlin o. J., S. 72 (amtliche Verlautbarung v. Pressestimmen zum Reichstagsbrand); Schulthess' Europäischer Geschichtskalender, 74. Bd. (1933), München 1934,

S. 56–66 («nationale Revolution», Hitlers Aufruf vom 10. 3. 1933, «Tag von Potsdam»); Rudolf Diels, Lucifer ante portas ... es spricht der erste Chef der Gestapo ..., Stuttgart 1950, S. 214, 220, 222 (Zahlen zum Terror); Heinrich August Winkler, Der Weg in die Katastrophe. Arbeiter und Arbeiterbewegung in der Weimarer Republik 1930–1933, Bonn 1990², S. 876 ff.; Fritz Tobias, Der Reichstagsbrand. Legende und Wirklichkeit, Rastatt 1962; Hans Mommsen, Der Reichstagsbrand und seine politischen Folgen, in: VfZ 12 (1964), S. 351–413; Uwe Backes u. a., Reichstagsbrand. Aufklärung einer historischen Legende, München 1986; Jürgen Schmädecke u. a., Der Reichstagsbrandprozeß in neuem Licht, in: HZ 269 (1999), S. 603–651 (Kritik an der in den drei zuvor genannten Arbeiten vertretenen These von der Alleintäterschaft van der Lubbes); Henry A. Turner, Jr., Die Großunternehmer und der Aufstieg Hitlers (amerik. Orig.: New York 1985), Berlin 1985, S. 395 ff. (großindustrielle Wahlkampfhilfe für die NSDAP); Karl Dietrich Bracher, Stufen der Machtergreifung, in: ders. u. a., Die nationalsozialistische Machtergreifung. Studien zur Errichtung des totalitären Herrschaftssystems in Deutschland 1933/34, Köln 1962², S. 31–368 (zum «Tag von Potsdam» und zum Ermächtigungsgesetz: 144 ff.); Otto Seeber, Kriegstheologie und Kriegspredigten in der Evangelischen Kirche Deutschlands im Ersten und Zweiten Weltkrieg, in: Marcel van der Linden u. Gottfried Mergner (Hg.), Kriegsbegeisterung und mentale Kriegsvorbereitung. Interdisziplinäre Studien, Berlin 1991, S. 233–258 (zu Dibelius: 244); Erich Matthias, Die Sozialdemokratische Partei Deutschlands, in: ders. u. Rudolf Morsey (Hg.), Das Ende der Parteien 1933, Düsseldorf 1960, S. 101–278 (166 ff.); dies., Die Deutsche Staatspartei, ebd., S. 31–97 (68 f.); Rudolf Morsey, Die Deutsche Zentrumspartei, ebd., S. 281–453 (353 ff.). Zu Dryanders Predigt vom 4. 8. 1914 vgl. Bd. 1, S. 336.

4 Die Tagebücher von Joseph Goebbels. Sämtliche Fragmente. Hg. v. Elke Fröhlich. Teil I: Aufzeichnungen 1924–1941, Bd. 2: 1. 10. 1931–31. 12. 1936, München 1987, S. 400 f. (1./2. 4. 1933); Die Weizsäcker-Papiere 1933–1950. Hg. v. Leonidas E. Hill, Berlin 1974, S. 71 (22. 4. 1933); Avraham Barkai, Vom Boykott zur «Entjudung». Der wirtschaftliche Existenzkampf der Juden im Dritten Reich 1933–1943, Frankfurt 1987¹, S. 26 ff.; Helmut Genschel, Die Verdrängung der Juden aus der Wirtschaft im Dritten Reich, Göttingen 1966, S. 43 ff.; Uwe Dietrich Adam, Judenpolitik im Dritten Reich, Düsseldorf 1972, S. 46 ff.; Saul Friedländer, Das Dritte Reich und die Juden. Die Jahre der Verfolgung 1933–1939 (amerik. Orig.: New York 1997), München 1998, S. 31 ff.

5 Hans Mommsen, Beamtentum im Dritten Reich. Mit ausgewählten Quellen zur nationalsozialistischen Beamtenpolitik, Stuttgart 1966; Martin Broszat, Der Staat Hitlers. Grundlegung und Entwicklung seiner inneren Verfassung, München 1969¹, S. 130 ff.; Hans-Ulrich Thamer, Verführung und Gewalt. Deutschland 1933–1945, Berlin 1986, S. 303 ff. (Bücherverbrennung); Karl Dietrich Bracher, Die deutsche Diktatur. Entstehung, Struktur, Folgen des Nationalsozialismus, Köln 1969, S. 270 ff.; ders., Stufen (Anm. 3), S. 288 ff. (321: Zahlen zur Säuberung des Lehrkörpers); Gerhard Schulz, Die Anfänge des totalitären Maßnahmenstaates, in: Bracher u. a., Machtergreifung (Anm. 3), S. 371–682 (bes. 565 ff.; zur Senkung des Anteils jüdischer Studenten: 567); Hugo Ott, Martin Heidegger. Unterwegs zu seiner Biographie, Frankfurt 1988, S. 138 ff.; Victor Farías, Heidegger und der Nationalsozialismus (frz. Orig.: Paris 1987), Frankfurt 1989, S. 131 ff.; Günther Gillessen, Auf verlorenem Posten. Die Frankfurter Zeitung im Dritten Reich, Berlin 1986.

6 An die Mitglieder der Gewerkschaften, in: Gewerkschafts-Zeitung, Nr. 16, 22.4. 1933; Der Bundesausschuß des ADGB zum 1. Mai, ebd.; Domarus, Hitler (Anm. 2), Bd. I/1, S. 259–264 (1. 5. 1933), 266–269 (10. 5. 1933); Michael Schneider, Unterm Hakenkreuz. Arbeiter und Arbeiterbewegung 1933–1939, Bonn 1999, S. 91 ff.; Winkler, Weg (Anm. 3), S. 907 ff.; ders., Mittelstand (Anm. 2), S. 183 ff.; Schulz, Anfänge (Anm. 5), S. 634 ff.; Reinhard Neebe, Großindustrie, Staat und NSDAP 1930–1933. Paul Silverberg und der Reichsverband der Deutschen Industrie in der Krise der Weimarer Republik, Göttingen 1981, S. 174 ff.; Daniela Münkel, Nationalsozialistische Agrarpolitik und Bauernalltag, Frankfurt 1996, S. 93 ff.; J. E. Farquharson, The Plough and the Swastika. The NSDAP and Agriculture in Germany 1928–1945, London 1976, S. 43 ff.; Gustavo Corni, Hitler and the Peasants. Agrarian Policy of the Third Reich 1930–1939, New York 1990; ders. u. Horst Gies, Brot, Butter und Kanonen. Die Ernährungswirtschaft in Deutschland unter der Diktatur Hitlers, Berlin 1997.

7 Verhandlungen des Reichstags. Stenographische Berichte (= Sten. Ber.), Bd. 457, S. 47–54 (Hitler, 17. 5. 1933); Matthias, Sozialdemokratische Partei (Anm. 3), S. 180 ff.; Winkler, Weg (Anm. 3), S. 929 ff.; Schneider, Hakenkreuz (Anm. 6), S. 107 ff.; Bärbel Hebel-Kunze, SPD und Faschismus. Zur politischen und organisatorischen Entwicklung der SPD 1931–1935, Frankfurt 1977, S. 231–235 (Aufruf «Zerbrecht die Ketten!»); Anpassung oder Widerstand? Aus den Akten des Parteivorstands der deutschen Sozialdemokratie 1932/33. Hg. u. bearb. v. Hagen Schulze, Bonn 1975, S. 194–198 (Reichskonferenz v. 19. 6. 1933; Hervorhebungen im Original); Schulthess 1933 (Anm. 3), S. 159 (Erlaß Fricks v. 18. 6. 1933); Akten der Reichskanzlei (= AdR). Die Regierung Hitler. Teil I: 1933/34, Bd. 1: 30. Januar bis 31. August 1933, bearb. v. Karl-Heinz Minuth, Boppard 1983, S. 575–577 (Frick an die Regierungen der Länder, 22. 6. 1933); Peter Merseburger, Der schwierige Deutsche. Kurt Schumacher. Eine Biographie, Stuttgart 1995, S. 164 ff.; Winkler, Weg (Anm. 3), S. 929 ff.

8 Friedrich Frhr. Hiller von Gaertringen, Die Deutschnationale Volkspartei, in: Matthias/Morsey (Hg.), Ende (Anm. 3), S. 543–652 (609 ff.); dies., Die Deutsche Staatspartei, ebd., S. 31–97 (70 ff.); Hans Booms, Die Deutsche Volkspartei, ebd., S. 523–539 (536 ff.; Zitate Dingeldey, 4. 7. 1933: 537, Hitler, 12. 7. 1933: 538); Rudolf Morsey, Die Deutsche Zentrumspartei, ebd., S. 281–453 (405 ff.); Karl Schwend, Die Bayerische Volkspartei, ebd., S. 457–519; Nationalliberalismus in der Weimarer Republik. Die Führungsgremien der Deutschen Volkspartei 1918–1933. Bearb. v. Eberhard Kolb u. Ludwig Richter, Düsseldorf 1999, 2. Halbbd., S. 1252 f. (Erklärung der DVP vom 1. 4. 1933), 1253–1259 (Sitzung des Zentralvorstands und Erklärung Dingeldeys vom 23. 4. 1933), 1259 (Auflösungserklärung vom 4. 7. 1933); Breuning, Vision (Anm. 2), S. 176 ff. (Zitat Köhler: 192 f.); Ernst-Wolfgang Böckenförde, Der deutsche Katholizismus im Jahre 1933, in: Gotthard Jasper (Hg.), Von Weimar zu Hitler 1930–1933, Köln 1968, S. 317–343; Klaus Scholder, Die Kirchen und das Dritte Reich. 2 Bde., Bd. 1: Vorgeschichte und Zeit der Illusionen 1918–1934, Frankfurt 1986², S. 300 ff; Kurt Meier, Der evangelische Kirchenkampf. Gesamtdarstellung in drei Bänden, Göttingen 1984². Zum Gesetz vom 14. 7. 1933: AdR, Kabinett Hitler (Anm. 7), Teil I, Bd. 1, S. 659–662 (Kabinettsitzung vom 14. 7. 1933).

9 Alfred Rosenberg, Der Mythus des 20. Jahrhunderts. Eine Wertung der seelisch-geistigen Gestaltenkämpfe unserer Zeit, München 1932³; Wilhelm Stapel, Die Kirche Christi und der Staat Hitlers, Hamburg 1933, S. 29, 88 (Hervorhebungen im

Original); Schulz, Anfänge (Anm. 5), S. 326 ff. (330, 334: Zitate zu den «Deutschen Christen»; 336 f.: Zahlen zum Kirchenkampf; 340: Rosenberg); Scholder, Kirchen (Anm. 8), Bd. 1, S. 388 ff.; Thamer, Verführung (Anm. 5), S. 435 ff.; Kurt Nowak, Geschichte des Christentums in Deutschland. Religion, Politik und Gesellschaft vom Ende der Aufklärung bis zur Mitte des 20. Jahrhunderts, München 1995, S. 243 ff. Zu Arndts Bemühungen um eine deutsche Nationalkirche: Günther Ott, Ernst Moritz Arndt. Religion, Christentum und Kirche in der Entwicklung des deutschen Publizisten und Patrioten, Bonn 1966, S. 197 ff.; Carl Schmitt, Die deutsche Rechtswissenschaft im Kampf gegen den jüdischen Geist. Schlußwort auf der Tagung der Reichsgruppe Hochschullehrer des NSRB vom 3. u. 4. Oktober 1936, in: Deutsche Juristen-Zeitung 41 (1936), Heft 20 (15.10.), Sp. 1193–1199; Bernd Rüthers, Carl Schmitt im Dritten Reich. Wissenschaft als Zeitgeist-Verstärkung, München 1990, S. 96 ff.; Paul Noack, Carl Schmitt. Eine Biographie, Berlin 1993, S. 164 ff.; Raphael Gross, Carl Schmitt und die Juden. Eine deutsche Rechtslehre, Frankfurt 2000; Léon Poliakov u. Joseph Wulf, Das Dritte Reich und seine Denker, Berlin 1959[1]; Matthias von Hellfeld, Bündische Jugend und Hitlerjugend. Zur Geschichte von Anpassung und Widerstand 1930–1939, Köln 1987; Bracher, Stufen (Anm. 3), S. 291 ff.; (Reichskulturkammer), 301 f. (Ausbürgerungen), 312 f. (akademischer Antisemitismus).

10 Münkel, Agrarpolitik (Anm. 6), S. 129 ff.; Farquharson, Plough (Anm. 6), S. 107 ff.; Tim(othy) W. Mason, Zur Entstehung des Gesetzes zur Ordnung der nationalen Arbeit vom 20. Januar 1933: Ein Versuch über das Verhältnis «archaischer» und «moderner» Momente in der neuesten Geschichte, in: Hans Mommsen u. a. (Hg.), Industrielles System und politische Entwicklung in der Weimarer Republik, Düsseldorf 1974, S. 303–321; Wolfgang Zollitsch, Arbeiter zwischen Weltwirtschaftskrise und Nationalsozialismus. Ein Beitrag zur Sozialgeschichte der Jahre 1928 bis 1936, Göttingen 1990, bes. S. 210 ff.; Dörte Winkler, Frauenarbeit im «Dritten Reich», Hamburg 1977, S. 42 ff.; Robert Gellately, Die Gestapo und die deutsche Gesellschaft. Die Durchsetzung der Rassenpolitik 1933–1945 (engl. Orig.: Oxford 1990), Paderborn 1993, S. 61 ff. (Zahlen: 62, 76); Gisela Diewald-Kerkmann, Politische Denunziation im NS-Regime oder Die kleine Macht der «Volksgenossen», Bonn 1994; Ian Kershaw, Der Hitler-Mythos. Volksmeinung und Propaganda im Dritten Reich, Stuttgart 1980. Zur These von der gesellschaftlichen Modernisierung im «Dritten Reich»: Ralf Dahrendorf, Gesellschaft und Demokratie in Deutschland, München 1965[1]; David Schoenbaum, Die braune Revolution. Eine Sozialgeschichte des Dritten Reiches (amerik. Orig.: New York 1966), München 1980[2]; Michael Prinz u. Rainer Zitelmann (Hg.), Nationalsozialismus und Modernisierung, Darmstadt 1991[1].

11 Ludolf Herbst, Das nationalsozialistische Deutschland 1933–1945. Die Entfesselung der Gewalt: Rassismus und Krieg, Frankfurt 1996, S. 89 ff. (Abbau der Arbeitslosigkeit), 99 ff. (Außenpolitik); Otmar Jung, Plebiszit und Diktatur: die Volksabstimmungen der Nationalsozialisten. Die Fälle «Austritt aus dem Völkerbund» (1933), «Staatsoberhaupt» (1934) und «Anschluß Österreichs» (1938), Tübingen 1995, S. 35 ff. (Zahlen: 51–53); Broszat, Staat (Anm. 5), S. 151 ff. (Zitate Frick u. Lammers: 151, 153; Broszat: 245 f.).

12 Josef u. Ruth Becker (Hg.), Hitlers Machtergreifung. Dokumente vom Machtantritt Hitlers 30. Januar 1933 bis zur Besiegelung des Einparteienstaates 14. Juli 1933, München 1983, S. 329 (Röhms Artikel vom Juni 1933; Hervorhebungen im

Original); Domarus, Hitler (Anm. 2), Bd. I/1, S. 286 f. (Rede vom 6. 7. 1933), 421 (Rede vom 13. 7. 1934); Die Goebbels-Rede im Sportpalast, in: Deutsche Allgemeine Zeitung, 12. 5. 1934; Schulthess' Europäischer Geschichtskalender, 75. Bd. (1934), München 1935, S. 131 f. (zu Goebbels' Rede v. 11. 5. 1934); Immo v. Fallois, Kalkül und Illusion. Der Machtkampf zwischen Reichswehr und SA während der Röhm-Krise 1934, Berlin 1994, S. 100 ff. (Hitlers Rede vom 28. 2. 1934: 119); Peter Longerich, Die braunen Bataillone. Geschichte der SA, München 1989, S. 206 ff. (Opferzahlen: 219); Heinz Höhne, Der Orden unter dem Totenkopf. Die Geschichte der SS, München 1984, S. 90 ff.; ders., Mordsache Röhm. Hitlers Durchbruch zur Alleinherrschaft 1933–1934, Hamburg 1984, S. 207 ff. (Zahl der Opfer: 319 ff.); Manfred Messerschmidt, Die Wehrmacht im NS-Staat. Zeit der Indoktrination, Hamburg 1969, S. 18 ff.; Klaus-Jürgen Müller, Das Heer und Hitler. Armee und nationalsozialistisches Regime 1933–1940, Stuttgart 1969, S. 88 ff.; Joachim Petzold, Franz von Papen. Ein deutsches Verhängnis, Berlin 1995, S. 206 ff. (Marburger Rede); Wolfgang Sauer, Die Mobilmachung der Gewalt, in: Bracher u. a., Machtergreifung (Anm. 3), S. 685–966 (829 ff., Zahlen zur SA für 1933: 890). Das Zitat von Schmitt: Carl Schmitt, Der Führer schützt das Recht, in: ders., Positionen und Begriffe im Kampf mit Weimar-Genf-Versailles 1923–1939, Hamburg 1940, S. 199–203 (200). Das Gesetz vom 3. 7. 1934 in: RGBl. 1934, I, S. 529; der Bericht an den Exilvorstand der SPD in: Deutschland-Berichte der Sozialdemokratischen Partei Deutschlands (Sopade) 1934–1940, Frankfurt 1980, 1. Jg. (1934), S. 209.

13 AdR, Regierung Hitler (Anm. 7), Teil I, Bd. 2: 12. September 1933 bis 27. August 1934, S. 1 384 f. (Ministerbesprechung vom 1. 8. 1934); Walter Hubatsch, Hindenburg und der Staat. Aus den Papieren des Generalfeldmarschalls und Reichspräsidenten von 1878 bis 1934, Göttingen 1966, S. 380–383 (Testament v. 11. 5. 1934); Herbert Michaelis u. Ernst Schraepler (Hg.), Ursachen und Folgen. Vom deutschen Zusammenbruch 1918 und 1945 bis zur Neuordnung Deutschlands in der Gegenwart. Eine Urkunden- u. Dokumentensammlung zur Zeitgeschichte, Berlin 1964 ff., Bd. 10, S. 195 f. (Hindenburg an Hitler, 2. 7. 1934); Goebbels, Fragmente (Anm. 4), Teil I, Bd. 2, S. 475 (22. 8. 1934); Horst Mühleisen, Das Testament Hindenburgs vom 11. Mai 1934, in: VfZ 44 (1996), S. 355–371; Thamer, Verführung (Anm. 5), S. 334 f. (Eidesformel), 338 f. (Volksabstimmung vom 19. 8. 1934); Jung, Plebiszit (Anm. 11), S. 61 f. (Zahlen vom 19. 8. 1934).

14 Programmatische Dokumente der deutschen Sozialdemokratie. Hg. u. eingeleitet v. Dieter Dowe u. Kurt Klotzbach, Berlin 1984, S. 225–238 (Prager Manifest; Zitate: 229, 236 f.); Heinrich August Winkler, «Eine wirklich noch nicht dagewesene Situation»: Rudolf Hilferding in der Endphase der Weimarer Republik, in: Jürgen Kocka u. a. (Hg.), Von der Arbeiterbewegung zum modernen Sozialstaat. Festschrift für Gerhard A. Ritter zum 65. Geburtstag, München 1994, S. 131–155 (Zitat aus dem Brief an Kautsky: 150); Ursula Langkau-Alex, Volksfront für Deutschland? Bd. 1: Vorgeschichte und Gründung des «Ausschusses zur Vorbereitung einer deutschen Volksfront» 1933–1936, Frankfurt 1977, S. 136 ff. (Hilferdings Brief an Hertz, 25. 12. 1935: 144); Schneider, Hakenkreuz (Anm. 6), S. 783 ff.; Julius Braunthal, Geschichte der Internationale, 2 Bde., Hannover 1961–63, Bd. 2, S. 437 ff.; Richard Löwenthal u. Patrik von zur Mühlen (Hg.), Widerstand und Verweigerung in Deutschland 1933–1945, Berlin 1982; Widerstand u. Exil 1933–1945. Hg. v. der Bundeszentrale für politische Bildung, Bonn 1985; Jan Foitzik, Zwischen den Fronten. Zur Politik,

Organisation und Funktion linker politischer Kleinorganisationen im Widerstand 1933 bis 1939/40, Bonn 1986; Horst Duhnke, Die KPD von 1933–1945, Köln 1972. 15 Peter Hoffmann, Widerstand, Staatsstreich, Attentat. Der Kampf der Opposition gegen Hitler, München 1969, S. 34 ff. (Zahlen zu den Prozessen: 39); Jost Dülffer, Deutsche Geschichte 1933–1945. Führerglaube und Vernichtungskrieg, Stuttgart 1992, S. 144 ff. (Zahlen zur Verfolgung von Kommunisten: 149); Ian Kershaw, Hitlers Macht. Das Profil der NS-Herrschaft (engl. Orig.: Harlow 1991), München 1992, S. 88 ff.; Hans-Günter Hockerts, Die Sittlichkeitsprozesse gegen katholische Ordensangehörige und Priester 1936/37, Mainz 1971; Matthias Schreiber, Martin Niemöller, Reinbek 1997, S. 78 ff.; Merseburger, Schumacher (Anm. 7), S. 166 ff.; Dorothea Beck, Julius Leber. Sozialdemokrat zwischen Reform und Widerstand, Berlin 1983, bes. S. 150 ff.; Richard Albrecht, Der militante Sozialdemokrat: Carlo Mierendorff 1897 bis 1943. Eine Biographie, Berlin 1987; Peter Lösche, Ernst Heilmann. Ein Widerstandskämpfer aus Charlottenburg, Berlin 1981; Thamer, Verführung (Anm. 5), S. 376 ff. (Daten zu den KZ u. Kategorien der Sträflinge: 382 f.); Enno Georg, Die wirtschaftlichen Unternehmungen der SS, Stuttgart 1963; Martin Broszat u. a., Anatomie des SS-Staates, 2 Bde., Olten 1965; Eugen Kogon, Der SS-Staat. Das System der deutschen Konzentrationslager, München 1979 (1947[1]); Ulrich Herbert, Best. Biographische Studien über Radikalismus, Weltanschauung und Vernunft 1903–1989, Bonn 1996[2], S. 147 ff. (Häftlingszahlen 1935: 169); ders. u. a. (Hg.), Die nationalsozialistischen Konzentrationslager – Entwicklung und Struktur, 2 Bde., Göttingen 1998; Norbert Frei, Der Führerstaat. Nationalistische Herrschaft 1933–1945, München 2001[6], S. 323 (Mitgliederzahl der NSDAP 1945); Wolfgang Sofsky, Die Ordnung des Terrors: Das Konzentrationslager, Frankfurt 1993[2]; Ernst Fraenkel, Der Doppelstaat. Ein Beitrag zur Theorie der Diktatur (amerik. Orig.: New York 1941), Frankfurt 1974 (zum Verhältnis von Normen- und Maßnahmenstaat).

16 Carl Schmitt, Völkerrechtliche Großraumordnung mit Interventionsverbot für raumfremde Mächte, Berlin 1939[1]; Rüthers, Schmitt (Anm. 9), S. 104 ff.; Felix Blindow, Carl Schmitts Reichsordnung. Strategie für einen europäischen Großraum, Berlin 1999, S. 56 ff.; Noack, Schmitt (Anm. 9), S. 197 ff.; Ott, Heidegger (Anm. 5), S. 249 ff.; Farías, Heidegger (Anm. 5), S. 261 ff.; Jerry Z. Muller, Enttäuschung und Zweideutigkeit. Zur Geschichte rechter Sozialwissenschaftler im «Dritten Reich», in: GG 12 (1986), S. 289–316 (bes. zu Freyer); Thamer, Verführung (Anm. 5), S. 464 f.; Herbert, Best (Anm. 15), bes. S. 133 ff.; Martin Broszat, Resistenz und Widerstand. Eine Zwischenbilanz des Forschungsprojekts «Widerstand und Verfolgung in Bayern 1933–1945», in: ders., Nach Hitler. Der schwierige Umgang mit unserer Geschichte, München 1986, S. 68–91; ders., Staat (Anm. 5), S. 252 ff.; Christiane Caemmerer u. Walter Delabar (Hg.), Dichtung im Dritten Reich? Zur Literatur in Deutschland 1933–1945, Opladen 1996; Jan-Pieter Barbian, Literaturpolitik im «Dritten Reich». Institutionen, Kompetenzen, Betätigungsfelder, Frankfurt 1993[1]; Friedrich Denk, Die Zensur der Nachgeborenen. Zur regimekritischen Literatur im Dritten Reich, Weilheim 1996.

17 Friedländer, Drittes Reich (Anm. 4), S. 73 ff. (Zahlen zur Auswanderung: 75 f., zum 9. 11. 1938: 298); Peter Longerich, Politik der Vernichtung. Eine Gesamtdarstellung der nationalsozialistischen Judenverfolgung, München 1998, S. 65 ff.; David Bankier, Die öffentliche Meinung im Hitler-Staat. Die «Endlösung» und die Deutschen. Eine Berichtigung (engl. Orig.; Oxford 1992), Berlin 1995, S. 105 ff.; Ian

Kershaw, Hitler 1889–1936 (engl. Orig.: London 1998), Stuttgart 1998, S. 663 ff.; ders., Antisemitismus und Volksmeinung. Reaktionen auf die Judenverfolgung, in: Bayern in der NS-Zeit. II: Herrschaft und Gesellschaft im Konflikt, Teil A, hg. v. Martin Broszat u. Elke Fröhlich, München 1979, S. 281–348 (328: München, Heilbrunn); Otto Dov Kulka, Die Nürnberger Rassengesetze und die deutsche Bevölkerung im Lichte geheimer NS-Lage- und Stimmungsberichte, in: VfZ 32 (1984), S. 582–624 (Zitate: 602); John M. Steiner/Jobst Freiherr v. Cornberg, Willkür in der Willkür. Hitler und die Befreiung von den antisemitischen Nürnberger Gesetzen, ebd. 46 (1998), S. 143–187; Avraham Barkai, Etappen der Ausgrenzung und Verfolgung bis 1939, in: ders. u. a., Aufbruch und Zerstörung (= Deutsch-jüdische Geschichte der Neuzeit, Bd. 4), München 1997, S. 193–224 (205 ff.); ders., Boykott (Anm. 4), S. 146 ff. (168: Zahl der Juden in Deutschland, Mai u. September 1939); Walter Pehle (Hg.), Der Judenpogrom 1938. Von der «Reichskristallnacht» zum Völkermord, Frankfurt 1988; Adam, Judenpolitik (Anm. 4), S. 177 ff. – Hitler am 5. 1. 1939 in: Akten zur deutschen auswärtigen Politik 1918–1945 (= ADAP), Serie D: 1937–1941, Baden-Baden 1950 ff., Bd. 5, S. 127–132 (130 f.), am 30. 1. 1939 in: Domarus, Hitler (Anm. 2), Bd. I/2, S. 1058. Zu den Berichten der Vertrauensleute der SPD: Deutschland-Berichte (Anm. 12), 2. Jg. (1936), S. 1020 f. (Nürnberger Gesetze), 5. Jg. (1938), S. 1177 ff. (1204 f.). – «Geltungsjuden» waren «Halb»- oder «Vierteljuden» jüdischen Glaubens oder mit jüdischem Ehepartner.

18 Niemals wird Deutschland bolschewistisch!, in: Völkischer Beobachter, 14. 9. 1936 (Hitlers Parteitagsrede vom 13. 9. 1936); Domarus, Hitler (Anm. 2), Bd. I/2, S. 638 (Hitler zum Spanischen Bürgerkrieg, 9. 9. 1936); Kershaw, Hitler-Mythos (Anm. 10), S. 70 f.; Thamer, Verführung (Anm. 5), S. 526 ff.; Dieter Petzina, Autarkiepolitik im Dritten Reich. Der nationalsozialistische Vierjahresplan, Stuttgart 1968, S. 48 ff., 104 ff.; Wilhelm Treue, Hitlers Denkschrift zum Vierjahresplan 1936, in: VfZ 3 (1955), S. 184–210 (210); Albert Fischer, Hjalmar Schacht und Deutschlands «Judenfrage». Der «Wirtschaftsdiktator» und die Vertreibung der Juden aus der deutschen Wirtschaft, Köln 1995, S. 126 ff. Das Hoßbach-Protokoll in: Internationaler Militärgerichtshof. Der Prozeß gegen die Hauptkriegsverbrecher (= IMG), Nürnberg 1947–49, Bd. XXV, S. 403 ff. Zu Hitlers Ausführungen vom 3. 2. 1933 vgl. oben S. 8. – Den Titel «Reichskriegsminister» führte Blomberg seit dem 5. 2. 1938. Zu den Wahlmanipulationen von 1936: Deutschland-Berichte (Anm. 12), 3. Jg. (1936), S. 407 ff.

19 Karl-Heinz Janßen/Fritz Tobias, Der Sturz der Generäle. Hitler und die Blomberg-Fritsch-Krise, München 1994; Manfred Messerschmid, Außenpolitik und Kriegsvorbereitung, in: Das Deutsche Reich und der Zweite Weltkrieg, Bd. 1: Ursachen und Voraussetzungen der deutschen Kriegspolitik, Stuttgart 1979, S. 535–701 (630 ff.); Klaus Hildebrand, Das vergangene Reich. Deutsche Außenpolitik von Bismarck bis Hitler, Stuttgart 1995, S. 618 ff.; Bracher, Diktatur (Anm. 5), S. 330 ff.; Thamer, Verführung (Anm. 5), S. 557 ff.; Müller, Heer (Anm. 12), S. 255 ff.; Kershaw, Hitler-Mythos (Anm. 10), S. 116 (Regierungspräsident von Schwaben, 8. 4. 1938); Deutschland-Berichte (Anm. 12), 5. Jg. (1938), S. 246 (Stimmungslage nach dem «Anschluß»), 449 ff. (Wahlmanipulationen); Jung, Plebiszit (Anm. 11), S. 109 ff. Hitlers Rede in Wien am 15. 3. 1938 in: Domarus, Hitler (Anm. 2), Bd. I/2, S. 823 f. – Zur Überwindung des Gegensatzes «kleindeutsch»–«großdeutsch» vor 1933: Stanley Suval, Overcoming «Kleindeutschland»: The Politics of Historical Mythmaking in the Weimar Republic, in: CEH 2 (1969), S. 312–330.

20 IMG (Anm. 18), Bd. XXV, S. 415 f. (Hitlers Weisung zum «Fall Grün», 30. 5. 1938); Domarus, Hitler (Anm. 2), Bd. I/2, S. 801 f. (Reichstagsrede vom 20. 2. 1938), 903–906 (Rede vom 12. 9. 1938), 908 f. (Treffen Hitler-Chamberlain, 15. 9. 1938), 913–921 (Treffen Hitler-Chamberlain, 22.–24. 9. 1938), 923–932 (Sportpalastrede, 26. 9. 1938), 960 f. (Weisung vom 21. 10. 1938), 980 (Weisung vom 24. 11. 1938); Ivan Pfaff, Stalins Strategie der Sowjetisierung Mitteleuropas 1935–1938. Das Beispiel Tschechoslowakei, in: VfZ 38 (1990), S. 543–587; Boris Celovsky, Das Münchner Abkommen 1938, Stuttgart 1958, bes. S. 151 ff.; Horst Möller, Europa zwischen den Weltkriegen, München 1998, S. 191 ff.; Thamer, Verführung (Anm. 5), S. 580 ff. (Hitlers Reaktion auf die Haltung der Berliner, 26. 9. 1938: 598); Kershaw, Hitler-Mythos (Anm. 10), S. 118 ff.; Hildebrand, Reich (Anm. 19), S. 651 ff.; Hoffmann, Widerstand (Anm. 15), S. 69 ff.; Klaus-Jürgen Müller, General Ludwig Beck, Boppard 1980; ders., Armee, Politik und Gesellschaft in Deutschland 1933–1945, Paderborn 1979; ders., Heer (Anm. 12), S. 345 ff.; Gerhard Ritter, Carl Goerdeler und die deutsche Widerstandsbewegung, Stuttgart 1954, S. 151 ff.; Rainer A. Blasius, Für Großdeutschland – gegen den Krieg. Ernst von Weizsäcker in den Krisen um die Tschechoslowakei und Polen, Köln 1981, S. 29 ff.; Bernd-Jürgen Wendt, Groß-deutschland. Außenpolitik und Kriegsvorbereitung des Hitler-Regimes, München 1993². – Die Reichsinsignien waren von 1424 bis 1796 in der Freien Reichsstadt Nürnberg und seitdem in Wien aufbewahrt worden.

21 Heinrich Himmler, Geheimreden 1933–1945 und andere Ansprachen, hg. v. Bradley F. Smith u. A. F. Petersen, Frankfurt 1974, S. 49 (Rede vom 8. 11. 1938); Domarus, Hitler (Anm. 2), Bd. I/2, S. 974 (Rede vom 10. 11. 1938), 960 f. (Weisung vom 21. 10. 1938), 980 f. (Weisung vom 24. 11. 1938), Bd. 3, S. 1075 (Gespräch Hit-ler-Tuka, 12. 2. 1939), 1094 (Abkommen Hitler-Hacha, 15. 3. 1939); ADAP (Anm. 17), Serie D, Bd. 5, S. 127–132 (Treffen Hitler-Beck, 5. 1. 1939); Kershaw, Hitler-Mythos (Anm. 10), S. 123 (Regierungspräsident von Unterfranken, 10. 11. 1939); Jochen Thies, Architekt der Weltherrschaft. Die «Endziele» Hitlers, Düssel-dorf 1976², S. 112–116 (Hitlers Rede vom 10. 2. 1939); Klaus Hildebrand, Vom Reich zum Weltreich. Hitler, NSDAP und koloniale Frage 1919–1945, München 1969, S. 176 ff.; ders., Reich (Anm. 19), S. 666 ff.; Thamer, Verführung (Anm. 5), S. 470 ff., 600 ff.; Timothy W. Mason, Arbeiterklasse und Volksgemeinschaft. Dokumente und Materialien zur deutschen Arbeiterpolitik 1936–1939, Opladen 1975, S. 100 ff. – Zu den Arbeitslosenzahlen für 1938: Dietmar Petzina u. a., Sozialgeschichtliches Ar-beitsbuch, Bd. III, Materialien zur Statistik des Deutschen Reiches 1914–1945, München 1978, S. 119.

22 Breuning, Vision (Anm. 2), S. 288 (Zitate aus Hugelmann); Schmitt, Groß-raumordnung (Anm. 16), S. 71, 73, 87 f.; Herbert, Best (Anm. 15), S. 276 f. (Best); Domarus, Hitler (Anm. 2), Bd. II/1, S. 1173 (Reichstagsrede vom 28. 4. 1938); Fritz Fellner, Reichsgeschichte und Reichsidee als Problem der österreichischen Histo-riographie, in: Wilhelm Brauneder u. Lothar Höbelt (Hg.), Sacrum Imperium. Das Reich und Österreich 896–1806, Wien 1996, S. 361–372; Lothar Gruchmann, Nationalsozialistische Großraumordnung. Die Konstruktion einer «deutschen Monroe-Doktrin», Stuttgart 1962; Klaus Schwabe, Deutsche Hochschullehrer und Hitlers Krieg (1936–1940), in: Martin Broszat u. Klaus Schwabe (Hg.), Die deut-schen Eliten und der Weg in den Zweiten Weltkrieg, München 1989, S. 291–333; Blasius, Großdeutschland (Anm. 20), S. 92 ff.; Hans Roos, Geschichte der polni-schen Nation 1916–1960. Von der Staatsgründung im ersten Weltkrieg bis zur Ge-

genwart, Stuttgart 1961, S. 158 ff.; George F. Kennan, Sowjetische Außenpolitik unter Lenin und Stalin (amerik. Orig.: Boston 1961), Stuttgart 1961, S. 422 ff.; Manfred Hildermeier, Geschichte der Sowjetunion 1917–1991. Entstehung und Niedergang des ersten sozialistischen Staates, München 1998, S. 590 ff.; Klaus Hildebrand u. a. (Hg.), 1939. An der Schwelle zum Weltkrieg. Die Entfesselung des Zweiten Weltkrieges und das internationale System, Berlin 1996. – Der deutsch-sowjetische Nichtangriffspakt mit dem Geheimen Zusatzprotokoll vom 23. 8. 1939 in: ADAP (Anm. 21), Serie D, Bd. 7, S. 205–207. Die Faschismus-Formel der Komintern u. a. in: Theo Pirker (Hg.), Komintern und Faschismus. Dokumente zur Geschichte und Theorie des Faschismus, Stuttgart 1965, S. 187.

23 Eine kulturpolitische Rede des Führers, in: Völkischer Beobachter, 7. 9. 1934 (Nürnberger Parteitag, 6. 9. 1934); Domarus, Hitler (Anm. 2), Bd. I/2, S. 557 f. (Interview vom 26. 11. 1935), 730 f. (Nürnberger Parteitag, 13. 9. 1937), Bd. II/1, S. 1310 (Euthanasiebefehl, 1. 9. 1939); Franz Halder, Kriegstagebuch. Tägliche Aufzeichnungen des Chefs des Generalstabs des Heeres 1938–1942, Stuttgart 1962–64, Bd. 1, S. 38 («Pakt mit Satan, um Teufel auszutreiben»: Hitler am 28. 8. 1939); Kershaw, Hitler-Mythos (Anm. 10), S. 125 f. (Berichte des Landrats von Ebermannstadt vom 30.6., Ende Juli, 31. 8. 1939); Sten. Ber. (Anm. 7), Bd. 460, S. 48 (Hitlers Rede vom 1. 9. 1939); Der großdeutsche Freiheitskampf. Reden Adolf Hitlers, 1. Bd., München 1940, S. 32 f. (An das deutsche Volk!, 3. 9. 1939), 35 f. (Aufruf an die NSDAP, 3. 9. 1939); Christian Hartmann/Sergej Slutsch, Franz Halder und die Kriegsvorbereitungen im Frühjahr 1939. Eine Ansprache des Generalstabschefs des Heeres, in: VfZ 45 (1997), S. 467–495; Hans Maier, Ideen von 1914 – Ideen von 1939? Zweierlei Kriegsanfänge, ebd. 38 (1990), S. 525–542; Henry Friedlander, Der Weg zum NS-Genozid. Von der Euthanasie zur Endlösung (amerik. Orig.: Chapel Hill 1995), Berlin 1997, S. 48 ff. (zu Binding und Hoche); Hans-Walter Schmuhl, Rassenhygiene, Nationalsozialismus, Euthanasie. Von der Verhütung zur Vernichtung «lebensunwerten Lebens», 1890–1945, Göttingen 1992; Joachim-Christoph Kaiser u. a. (Hg.), Eugenik, Sterilisation, Euthanasie. Politische Biologie 1895–1945, Berlin 1992; Joachim Fest, Adolf Hitler. Eine Biographie, Frankfurt 1973, S. 663 ff.; Thamer, Verführung (Anm. 5), S. 607 ff.; Hildebrand, Reich (Anm. 19), S. 689 ff. – Zu ersten Vermutungen Hitlers über antisemitische Motive Stalins bei den Großen Säuberungen: Goebbels, Fragmente (Anm. 4).Teil I, Bd. 3: 1. 10. 1937–31. 12. 1939, München 1987, S. 21 (Eintrag vom 25. 1. 1937).

24 Kershaw, Hitler-Mythos (Anm. 10), S. 127 (Regierungspräsident von Niederbayern, 8. 9. 1939), 128 (Bericht aus Ebermannstadt, 29. 9. 1939); Marlis G. Steinert, Hitlers Krieg und die Deutschen. Stimmung und Haltung der deutschen Bevölkerung im Zweiten Weltkrieg, Düsseldorf 1970, S. 91 ff.; Martin Broszat, Nationalsozialistische Polenpolitik 1939–1945, Stuttgart 1961, S. 26 ff.; Bogdan Musial, Deutsche Zivilverwaltung und Judenverfolgung im Generalgouvernement. Eine Fallstudie zum Distrikt Lublin 1939–1944, Wiesbaden 1999; Angelika Ebbinghaus/Karl Heinz Roth, Vorläufer des «Generalplans Ost». Theodor Schieders Polendenkschrift von 7. Oktober 1939, in: 1999. Zeitschrift für Sozialgeschichte des 20. u. 21. Jahrhunderts 7 (1992), S. 62–94 (Zitate: 85 ff.); Michael Fahlbusch, «Wissenschaft im Dienst der nationalsozialistischen Politik»? Die «Volksdeutschen Forschungsgemeinschaften» von 1931–1945, Baden-Baden 1999; Götz Aly, «Endlösung». Völkerverschiebung und der Mord an den europäischen Juden, Frankfurt 1995, S. 29 ff.; ders. u. Susanne Heim, Vordenker der Vernichtung. Auschwitz und

die deutschen Pläne für eine neue europäische Ordnung, Hamburg 1991, S. 102 ff.; Christopher Browning, Der Weg zur «Endlösung». Entscheidungen und Täter, Bonn 1998, S. 13 ff.; Dieter Rebentisch, Führerstaat und Verwaltung im Zweiten Weltkrieg. Verfassungsentwicklung und Verwaltungspolitik 1939–1945, Stuttgart 1989. – Die Zitate von Hitler in: Domarus, Hitler (Anm. 2), Bd. II/1, S. 1383, und von Himmler in: Helmut Krausnick, Denkschrift Himmlers über die Behandlung der Fremdvölkischen im Osten, in: VfZ 5 (1957), S. 194–198 (197 f.).

25 Kershaw, Hitler-Mythos (Anm. 10), S. 137 (Regierungspräsident von Schwaben, 9. 7. 1940; Kreisleiter von Augsburg-Stadt, 10. 7. 1940); Friedrich Meinecke, Werke, Bd. 6: Ausgewählter Briefwechsel, Stuttgart 1962, S. 364 (Brief an S. A. Kaehler, 4. 7. 1940); Peter Richard Rohden, Die Sendung der Mitte, in: Das Reich, Nr. 9, 21. 7. 1940; Heinrich Ritter v. Srbik, Die Reichsidee und das Werden deutscher Einheit, in: HZ 164 (1941), S. 457–471 (470); Karl Richard Ganzer, Das Reich als europäische Ordnungsmacht, Hamburg 1941, S. 86; Fellner, Reichsgeschichte (Anm. 22), S. 363 ff.; Hans-Erich Volkmann, Deutsche Historiker im Umgang mit Drittem Reich und Zweitem Weltkrieg 1939–1949, in: ders. (Hg.), Ende des Dritten Reiches – Ende des Zweiten Weltkrieges. Eine perspektivische Rückschau, München 1995, S. 861–911; ders., Deutsche Historiker im Banne des Nationalsozialismus, in: Wilfried Loth u. Bernd A. Rusinek (Hg.), Verwandlungspolitik. NS-Eliten in der westdeutschen Nachkriegsgesellschaft, Frankfurt 1998, S. 285–312; Karen Schönwälder, Historiker und Politik. Geschichtswissenschaft im Nationalsozialismus, Frankfurt 1992, S. 171 ff.; Winfried Schulze/Otto Gerhard Oexle (Hg.), Deutsche Historiker im Nationalsozialismus, Frankfurt 1999; Ingo Haar, Historiker im Nationalsozialismus. Die deutsche Geschichtswissenschaft und der «Volkstumskampf» im Osten, Göttingen 2000; Eberhard Jäckel, Frankreich in Hitlers Europa. Die deutsche Frankreichpolitik im Zweiten Weltkrieg, Stuttgart 1966, S. 32 ff.; Thamer, Verführung (Anm. 5), S. 643 ff.

26 Goebbels, Fragmente (Anm. 4), Teil I, Bd. 3: 1. 10. 1937–31. 12. 1939, S. 53 (3. 5. 1937), 630 (3. 11. 1939), 633 (7. 11. 1939), 645 (17. 11. 1939); Hans-Günther Seraphim (Hg.), Das politische Tagebuch Alfred Rosenbergs aus den Jahren 1934/35 und 1939/40, Göttingen 1956, S. 104 (Hitler, 9. 4. 1940); Loock, «Großgermanische Politik» (Anm. 2), S. 37 ff.; Aly, «Endlösung» (Anm. 24), S. 147 (Himmlers Burgundreise); Uwe Mai, «Rasse und Raum». Sozial- und Raumplanung ländlicher Gebiete in Deutschland während der NS-Herrschaft. Phil. Diss. Technische Universität Berlin (MS) 1997, S. 354 f. – Zur «Germania magna» vgl. Bd. I, S. 12 f., 66.

27 Andreas Hillgruber, Hitlers Strategie. Politik und Kriegsführung 1940–1941, München 1982², S. 207 ff. (erste Weichenstellungen für den Ostkrieg: 224–226); IMG (Anm. 18), Bd. XXVI, S. 47 f. (Weisung für den «Fall Barbarossa», 18. 12. 1940); Helmut Krausnick/Hans-Heinrich Wilhelm, Die Truppe des Weltanschauungskrieges. Die Einsatzgruppen der Sicherheitspolizei und des SD 1938–1942, Stuttgart 1981, S. 117 (Hitlers Weisung an Himmler, 3. 3. 1941; Hervorhebungen im Original), 217 (Hoepners Weisung, 2. 5. 1941); Halder, Kriegstagebuch (Anm. 23), Bd. 2, S. 336 f.; Domarus, Hitler (Anm. 2), Bd. II/2, S. 1 683 f. («Kommissarbefehl»), 1730 (Proklamation vom 22. 6. 1941), 1732 (Napoleons Proklamation vom 22. 6. 1812); Dank und Treuegelöbnis, in: Das Evangelische Deutschland. Kirchliche Rundschau für das Gesamtgebiet der Deutschen Evangelischen Kirche, Nr. 27, 6. 7. 1934 (Erklärung vom 30. 6. 1941); Guenther Lewy, Die katholische Kirche und das Dritte Reich (amerik. Orig.: New York 1964), München 1965, S. 254 (Racke, 25. 9.

1941; Jäger, 19. 10. 1941; Kumpfmüller, 21. 9. 1941); Bischof Clemens August Graf von Galen, Akten, Briefe und Predigten 1933–1946, Bd. II: 1939–1946, bearb. v. Peter Löffler, Paderborn 1996², S. 901–904 (Hirtenbrief vom 14. 9. 1941); Heinz Hürten, Deutsche Katholiken 1918 bis 1945, Paderborn 1992, S. 461 (Erklärung der katholischen Bischöfe zum Ostfeldzug); Arno J. Mayer, Der Krieg als Kreuzzug. Das Deutsche Reich, Hitlers Wehrmacht und die «Endlösung» (amerik. Orig.: New York 1988), Reinbek 1989, S. 333 f.; Hermann Heimpel, Frankreich und das Reich, in: ders., Deutsches Mittelalter, Leipzig 1941, S. 171–187 (175 f. zur «Schwertmission»); ders., Reich und Staat im deutschen Mittelalter, ebd., S. 53–78 (56: Weltrevolution und Reich Gottes, 58: «Anruf Gottes», 71: Reichsübertragung); Richard Faber, Abendland. Ein «politischer Kampfbegriff», Hildesheim 1979, S. 140 ff.; Schönwälder, Historiker (Anm. 25), S. 245 f. (Maschke), 247 ff. (Grundmann, Rörig), 250 f. (Wittram); Michaelis/Schraepler (Hg.), Ursachen (Anm. 13), Bd. 17, S. 253–256 (Erklärung der «Deutschen diplomatisch-politischen Information» vom 27. 6. 1941);Kershaw, Hitler-Mythos (Anm. 10), S. 149 ff.; Steinert, Hitlers Krieg (Anm. 24), S. 203 ff. (Stimmungslage zu Beginn des Rußlandkriegs); Hildermeier, Geschichte (Anm. 22), S. 596 ff.; Thamer, Verführung (Anm. 5), S. 649 ff.; Christian Streit, Keine Kameraden! Die Wehrmacht und die sowjetischen Kriegsgefangenen, Stuttgart 1978, S. 9 ff.; Gerd R. Ueberschär u. Lev A. Bezymenskij (Hg.), Der deutsche Angriff auf die Sowjetunion 1941. Die Kontroverse um die Präventivkriegsthese, Darmstadt 1998; Bianka Pietrow-Ennker (Hg.), Präventivkrieg? Der deutsche Angriff auf die Sowjetunion, Frankfurt 2000.

28 Galen, Akten (Anm. 27), Bd. II, S. 907 (Hirtenbrief vom 14. 9. 1941); Friedlander, Weg (Anm. 23), S. 84 ff.; Ernst Klee, «Euthanasie» im NS-Staat. Die «Vernichtung lebensunwerten Lebens», Frankfurt 1985; ders. (Hg.), Dokumente zur «Euthanasie», Frankfurt 1985; Raul Hilberg, Die Vernichtung der europäischen Juden (amerik. Orig.: Chicago 1961), 3 Bde., Frankfurt 1990, Bd. 1, S. 164 ff., Bd. 3, S. 1292 (Tote in polnischen Ghettos); Longerich, Politik (Anm. 17), S. 227 ff.; Magnus Brechtken, «Madagaskar für die Juden». Antisemitische Idee und politische Praxis 1885–1945, München 1997, S. 226 ff.; Browning, Weg (Anm. 24), S. 13 ff.; Richard Breitman, Der Architekt der «Endlösung»: Himmler und die Vernichtung der europäischen Juden (engl. Orig.: London 1991), Paderborn 1996, S. 191 ff. (201: zu Hitlers Weisung an Heydrich); Aly, «Endlösung» (Anm. 24), S. 268 ff. Der Bericht von Dannecker in: Serge Klarsfeld, Vichy – Auschwitz. Die Zusammenarbeit der deutschen und französischen Behörden bei der «Endlösung der Judenfrage», Nördlingen 1989, S. 361–363. Zum Gespräch Goebbels-Heydrich vom 23. 9. 1941: Die Tagebücher von Joseph Goebbels, hg. v. Elke Fröhlich, Teil II: Diktate 1941–1945, München 1996, Bd. 1, S. 480 f.

29 Helmut Heiber, Der Generalplan Ost, in: VfZ 6 (1958), S. 281–325; Michaelis/Schraepler (Hg.), Ursachen (Anm. 13), Bd. 27, S. 312 (Hitler, 16. 7. 1941); Hitler, Mein Kampf (Anm. 1), S. 151 f.; Heinrich August Winkler, Der entbehrliche Stand: Zur Mittelstandspolitik im «Dritten Reich», in: ders., Liberalismus und Antiliberalismus. Studien zur politischen Sozialgeschichte des 19. und 20. Jahrhunderts, Göttingen 1979, S. 110–144 (140 f.: Himmlers Brief an Reichshandwerksmeister Ferdinand Schramm, 21. 10. 1941); Josef Ackermann, Heinrich Himmler als Ideologe, Göttingen 1970, S. 273 (Himmler, August 1942); Rolf-Dieter Müller, Hitlers Ostkrieg und die deutsche Siedlungspolitik. Die Zusammenarbeit von Wehrmacht, Wirtschaft und SS, Frankfurt 1991; ders. u. Hans-Erich Volkmann (Hg.), Die Wehr-

macht. Mythos und Realität, München 1999; Reinhard Otto, Wehrmacht, Gestapo und sowjetische Kriegsgefangene im deutschen Reichsgebiet 1941/42, München 1998; Streit, Keine Kameraden (Anm. 27), S. 115 f. (Reichenau, Manstein; Hervorhebung im Original); Hilberg, Vernichtung (Anm. 28), Bd. 2, S. 309–312 (Zahlen zur Tötung von Juden durch die Einsatzgruppen); Longerich, Politik (Anm. 28), S. 293 ff.; Krausnick/Wilhelm, Truppe (Anm. 27), S. 107 ff.; Ralf Ogorreck, Die Einsatzgruppen und die «Genesis der Endlösung», Berlin 1996; Dieter Pohl, Nationalsozialistische Judenverfolgung in Ostgalizien 1941–1944. Organisation und Durchführung eines staatlichen Massenverbrechens, München 1996, S. 123 ff.; Thomas Sandkühler, «Endlösung» in Galizien. Der Judenmord und die Rettungsinitiativen von Berthold Beitz 1941–1944, Bonn 1996, S. 63 ff.; Ian Kershaw, Improvised Genocide? The Emergence of the «Final Solution» in the Warthegau, in: Transactions of the Royal Historical Society 1992, S. 51–78; Alexander Dallin, Deutsche Herrschaft in Rußland 1941–1945 (amerik. Orig.: New York 1957), Düsseldorf 1958, S. 15 ff. (Kube-Rosenberg: 218); Omer Bartov, Hitlers Wehrmacht. Soldaten, Fanatismus und die Brutalisierung des Krieges (amerik. Orig.: Oxford 1992), Reinbek 1995, S. 27 ff.; Hannes Heer u. Klaus Naumann (Hg.), Vernichtungskrieg. Verbrechen der Wehrmacht 1941–1944, Hamburg 1995.

30 IMG (Anm. 18), Bd. XXVI, S. 11 f. (Görings Brief an Heydrich, 31.7. 1941), XIII, S. 210 ff. (Wannseekonferenz); Domarus, Hitler (Anm. 2), Bd. II/2, S. 1663 (Reichstagsrede vom 30.1. 1941), 1808 (Reichstagsrede vom 11.12. 1941), 1828 f. (Sportpalastrede vom 30.1. 1942); Unser Glaube und Fanatismus stärker denn je!, in: Völkischer Beobachter, 25.2. 1943 (Proklamation vom 24.2. 1943); Adolf Hitler, Monologe im Führerhauptquartier 1941–1944. Die Aufzeichnungen Heinrich Heims, hg. v. Werner Jochmann, Hamburg 1980, S. 91 (17.10. 1941); Goebbels, Tagebücher (Anm. 29), Teil II, Bd. 1, S. 250 (Eintragung vom 17.8. 1941 zur Auflage der Wochenzeitung «Das Reich»), 265, 269 (19.8. 1941), 284 (14.11. 1941), 498 f. (13.12. 1941); ders., Die Juden sind schuld!, in: Das Reich, Nr. 46, 16.11. 1941; ders., Der Krieg und die Juden, ebd., Nr. 19, 9.5. 1943; L.J. Hartog, Der Befehl zum Judenmord. Hitler, Amerika und die Juden (niederl. Orig.: Maastricht 1994), Bodenheim 1997, S. 45 ff. (Hitlers Weisung an Heydrich vom 30.11. 1941: 55; Zitat Hartog 65. f.); Ulrich Herbert (Hg.), Nationalsozialistische Vernichtungspolitik 1939–1945. Neue Forschungen u. Kontroversen, Frankfurt 1998; Christian Gerlach, Die Wannseekonferenz, das Schicksal der deutschen Juden und Hitlers Grundsatzentscheidung, alle Juden Europas zu ermorden, in: Werkstatt Geschichte 18 (1997), S. 7–44 (Himmlers Aufzeichnung vom 18.12. 1941: 22; Franks Ausführungen vom 16.12. 1941: 29 f.); ders., Krieg, Ernährung, Völkermord. Forschungen zur deutschen Vernichtungspolitik im Zweiten Weltkrieg, Hamburg 1998; ders., Kalkulierte Morde. Die deutsche Wirtschafts- und Vernichtungspolitik in Weißrußland 1941 bis 1944, Hamburg 1999; Tobias Jersak, Die Interaktion von Kriegsverlauf und Judenvernichtung. Ein Blick auf Hitlers Strategie im Spätsommer 1941, in: HZ 268 (1999), S. 311–374 (zur Bedeutung der Atlantik-Charta); Bankier, Meinung (Anm. 17), S. 159 ff.; Dülffer, Geschichte (Anm. 15), S. 189 f. (Zahlen zur Judenvernichtung); Christopher Browning, Ganz normale Männer. Das Reserve-Polizeibataillon 101 und die «Endlösung» in Polen (amerik. Orig.: New York 1992), Reinbek 1993; Daniel Jonah Goldhagen, Hitlers willige Vollstrecker. Ganz gewöhnliche Deutsche und der Holocaust (amerik. Orig. New York 1996), Berlin 1996; Wolfgang Benz (Hg.), Dimension des Völkermords. Die Zahl der jüdischen Opfer des

Nationalsozialismus, München 1991; Leni Yahil, Die Shoah. Überlebenskampf und Vernichtung der europäischen Juden (hebräisches Orig.: Tel Aviv 1987), München 1998, S. 341 ff.; Hilberg, Vernichtung (Anm. 28), Bd. 3, S. 1083 (Lichtenberg); Longerich, Politik (Anm. 17), S. 293 ff. (Himmler zu Bradfisch: 372), 419 ff.; Wolf Gruner, Der geschlossene Arbeitseinsatz deutscher Juden. Zur Zwangsarbeit als Element der Verfolgung 1938–1943, Berlin 1997; Hans Mommsen, Die Realisierung des Utopischen: Die «Endlösung der Judenfrage» im «Dritten Reich», ebd. 9 (1983), S. 381–420; Ursula Büttner (Hg.), Die Deutschen und die Judenverfolgung im Dritten Reich, Hamburg 1992; Theodore S. Hamerow, Die Attentäter. Der 20. Juli – von der Kollaboration zum Widerstand (amerik. Orig.: Cambridge/Mass. 1997), München 1999, S. 323 ff. (zu Wurm: 329 ff.).; Hans Werner Neulen, Europa und das 3. Reich. Einigungsbestrebungen im deutschen Machtbereich 1939–1945, München 1987; Faber, Abendland (Anm. 27), S. 140 ff. – Die Atlantik-Charta in: Michaelis u. Schraepler (Hg.), Ursachen (Anm. 13), Bd. 17, S. 586 f. Zu Goebbels' Artikel vom August 1932 siehe Bd. I, S. 519.

31 Bodo Scheurig (Hg.), Deutscher Widerstand 1938–1944. Fortschritt oder Reaktion, München 1969 (Zitate aus Goerdelers Denkschrift «Das Ziel» von Anfang 1941: S. 75–77, aus seiner Denkschrift «Der Weg» von 1944: 263); Christof Dipper, Der deutsche Widerstand und die Juden, in: GG 9 (1983), S. 349–380; Ger van Roon, Neuordnung im Widerstand. Der Kreisauer Kreis innerhalb der deutschen Widerstandsbewegung, München 1967; Hermann Graml, Die außenpolitischen Vorstellungen des deutschen Widerstandes, in: Walter Schmitthenner u. Hans Buchheim (Hg.), Der deutsche Widerstand gegen Hitler, Köln 1966, S. 15–72; Hans Mommsen, Gesellschaftsbild und Verfassungspläne des deutschen Widerstandes, ebd., S. 73–167; ders., Alternative zu Hitler. Studien zur Geschichte des deutschen Widerstands, München 2000; Herbert von Borch, Obrigkeit und Widerstand. Zur politischen Soziologie des Beamtentums, Tübingen 1954; Ritter, Goerdeler (Anm. 20), S. 266 ff.; Hans Rothfels, Die deutsche Opposition gegen Hitler. Eine Würdigung (amerik. Orig.: Hinsdale 1948), Neuausgabe Frankfurt 1958; Joachim Fest, Staatsstreich. Der lange Weg zum 20. Juli, Berlin 1994; Peter Steinbach u. Johannes Tuchel (Hg.), Widerstand gegen den Nationalsozialismus, Bonn 1994; Peter Hoffmann, Claus Schenk Graf von Stauffenberg und seine Brüder, Stuttgart 1992, S. 166 ff. (Brief vom 13./14.9. 1939: 189); ders., Widerstand (Anm. 15), S. 301 ff. (zu den Attentatsversuchen), 349 f. (Popitz-Himmler), 371 ff. (Haltung Stauffenbergs zum Kriegsausbruch; Zitat von der «braunen Pest»: 375 f.), 626 (Aussagen vor dem Volksgerichtshof), 630 f. (Zahl der Hinrichtungen); Christian Gerlach, Männer des 20. Juli und der Krieg gegen die Sowjetunion, in: Heer/Naumann (Hg.), Vernichtungskrieg (Anm. 29), S. 427–446 (Tresckow und der Partisanenkrieg); Gerd R. Ueberschär (Hg.), NS-Verbrechen und der militärische Widerstand gegen Hitler, Darmstadt 2000; Fabian von Schlabrendorff, Offiziere gegen Hitler (1946[1]), Frankfurt 1959, S. 88 ff.; Hamerow, Attentäter (Anm. 30), bes. S. 233 ff.; Detlef Graf von Schwerin, «Dann sind's die besten Köpfe, die man henkt». Die junge Generation im deutschen Widerstand, München 1994[2]; Kershaw, Hitler-Mythos (Anm. 10), S. 187 f. (Präsident des Oberlandesgerichts Nürnberg, 1.8. 1944).

32 Ulrich Herbert, Fremdarbeiter. Politik und Praxis des «Ausländer-Einsatzes» in der Kriegswirtschaft des Dritten Reiches, Bonn 1985; ders. (Hg.), Europa und der «Reichseinsatz». Ausländische Zivilarbeiter, Kriegsgefangene und KZ-Häftlinge in Deutschland 1938–1945, Essen 1991; Rimco Spanier u. a. (Hg.), Zur Arbeit ge-

zwungen. Zwangsarbeit in Deutschland 1940–1945, Bremen 1999; Hans Mommsen mit Manfred Grieger, Das Volkswagenwerk und seine Arbeiter im Dritten Reich, Düsseldorf 1996; Barbara Hopmann u. a., Zwangsarbeit bei Daimler-Benz, Stuttgart 1994; Corni/Gies, Brot (Anm. 6), S. 411 ff.; Winkler, Frauenarbeit (Anm. 10), S. 102 ff.; Kershaw, Hitler-Mythos (Anm. 10), S. 193 (SD-Berichte); Steinert, Krieg (Anm. 24), S. 554 ff.; Hitler, Monologe (Anm. 30), S. 83 f. (14. 10. 1941), 91 (17. 10. 1941: «Vollstrecker»-Zitat), 99 (21. 10. 1941: Saulus-Paulus), 412 f. (30. 11. 1944); Hugh R. Trevor-Roper u. André François-Poncet (Hg.), Hitlers Politisches Testament. Die Bormann-Diktate vom Februar und April 1945, Hamburg 1981, S. 68 f. (3. 2. 1945); Domarus, Hitler (Anm. 2), Bd. II/2, S. 2250 (Meldung über Hitlers Tod); Paul de Lagarde, Deutsche Schriften, München 1937³, S. 67 f.; Heer, Glaube (Anm. 2), S. 391 ff.; Ernst Nolte, Eine frühe Quelle zu Hitlers Antisemitismus, in: HZ 192 (1961), S. 584–606; Gunnar Heinsohn, Warum Auschwitz? Hitlers Plan und die Ratlosigkeit der Nachwelt, Reinbek 1995, S. 129 ff. (zum Unterschied von Judenhaß und Rassismus sowie zum alttestamentarischen Tötungsverbot); Michael Zimmermann, Rassenutopie und Genozid. Die nationalsozialistische «Lösung der Zigeunerfrage», Hamburg 1996.

33 Wilhelm Röpke, Die deutsche Frage, Erlenbach/Zürich 1945¹, S. 30, 170; Armin Boyens, Das Stuttgarter Schuldbekenntnis vom 19. Oktober 1945 – Entstehung und Bedeutung, in: VfZ 19 (1971), S. 374–397 (347 f.: Stuttgarter Schuldbekenntnis, 18./19. 10. 1945); Clemens Vollnhals, Die Evangelische Kirche zwischen Traditionswahrung und Neuorientierung, in: Martin Broszat u. a. (Hg.), Von Stalingrad zur Währungsreform. Zur Sozialgeschichte des Umbruchs in Deutschland, München 1988, S. 113–167 (bes. 130 ff.); Karl Jaspers, Die Schuldfrage [1946¹]. Für Völkermord gibt es keine Verjährung, München 1979, S. 55–57, 69 f.; Friedrich Meinecke, Die deutsche Katastrophe. Betrachtungen und Erinnerungen, Wiesbaden 1947³, S. 29, 52 f., 65, 85, 89, 97, 168, 175, 177; Thomas Mann, Deutschland und die Deutschen, in: ders., Gesammelte Werke in dreizehn Bänden, Bd. 11, Frankfurt 1990, S. 1126–1148 (1130 f., 1136–1138, 1140 f., 1144–1146; Hervorhebung im Original); ders., Bruder Hitler, ebd., Bd. 12, S. 845–852; ders., Doktor Faustus, ebd., Bd. 6; Ernst Cassirer, Der Mythus des Staates. Philosophische Grundlagen politischen Verhaltens (1949¹), Frankfurt 1985, S. 364. Das Kontrollratsgesetz Nr. 46 vom 25. 2. 1947 in: Ingo v. Münch (Hg.), Dokumente des geteilten Deutschland, Stuttgart 1976, S. 54.

2. Demokratie und Diktatur: 1945–1961

1 Dokumente der deutschen Politik und Geschichte, hg. v. Klaus Hohlfeld. Bd. VI: Deutschland nach dem Zusammenbruch, Berlin 1952, S. 39 f. (Potsdamer Abkommen, Abschnitt XIII); Karl Dietrich Erdmann, Die Zeit der Weltkriege (= Bruno Gebhardt, Handbuch der deutschen Geschichte, Bd. 4, 2. Teilband), Stuttgart 1976, S. 643 ff. (Nürnberger Prozesse); Lutz Niethammer, Entnazifizierung in Bayern, Frankfurt 1972¹; Justus Fürstenau, Entnazifizierung. Ein Kapitel deutscher Nachkriegsgeschichte, Neuwied 1969; Clemens Vollnhals, Evangelische Kirche und Entnazifizierung 1945–1949. Die Last der nationalsozialistischen Vergangenheit, München 1989; ders. (Hg.), Entnazifizierung. Politische Säuberung und Rehabili-

tierung in den vier Besatzungszonen 1945–1949, München 1991; Jörg Friedrich, Freispruch für die Nazi-Justiz. Die Urteile gegen NS-Richter seit 1948. Eine Dokumentation, Frankfurt 1983; Sergej Mironenko u. a. (Hg.), Sowjetische Speziallager in Deutschland 1945 bis 1950, Berlin 1998 ff.; Manfred Overesch, Buchenwald und die DDR oder Die Suche nach Selbstlegitimation, Göttingen 1995; Petra Weber, Justiz und Diktatur. Justizverwaltung und politische Strafjustiz in Thüringen 1945–1961, München 2000; Dierk Hoffmann u. Michael Schwartz (Hg.), Geglückte Integration? Spezifika und Vergleichbarkeiten der Vertriebenen-Eingliederung in der SBZ/DDR, München 1999; Hermann Weber, Die DDR 1945–1990, München 1993², S. 10 ff. (zu den «Speziallagern»: 10, zur Boden- und Industriereform: 12 ff.); Klaus Schroeder unter Mitarbeit von Steffen Alisch, Der SED-Staat. Geschichte und Strukturen der DDR, München 1998, S. 68 f. (Zahlen zu den Sonderlagern); Dörte Winkler, Die amerikanische Sozialisierungspolitik in Deutschland 1945–1948, in: Heinrich August Winkler (Hg.), Politische Weichenstellungen im Nachkriegsdeutschland 1945–1953 (GG, Sonderheft 5), Göttingen 1979, S. 88–110; Udo Wengst, Beamtentum zwischen Reform und Tradition. Beamtengesetzgebung in der Gründungsphase der Bundesrepublik Deutschland 1948–1953, Düsseldorf 1988; Hermann-Josef Rupieper, Die Wurzeln der westdeutschen Nachkriegsdemokratie. Der amerikanische Beitrag 1945–1952, Opladen 1993; Martin Broszat u. a. (Hg.), Von Stalingrad zur Währungsreform. Zur Sozialgeschichte des Umbruchs in Deutschland, München 1988; Klaus-Dietmar Henke, Die amerikanische Besetzung Deutschlands, München 1995; Theodor Eschenburg [u. a.], Jahre der Besatzung 1945–1949 (= Geschichte der Bundesrepublik Deutschland, Bd. 1), Stuttgart 1983, S. 375 ff.; Manfred Görtemaker, Geschichte der Bundesrepublik Deutschland. Von der Gründung bis zur Gegenwart, München 1999, S. 15 ff. – «Displaced persons» war die Bezeichnung für Ausländer aus Osteuropa, darunter Zwangsarbeiter und Juden, die sich nach Kriegsende auf dem Gebiet des besetzten Deutschland aufhielten und nicht in ihr Ursprungsland zurückkehren konnten oder wollten. – Zur Entstehung des Begriffs «Dreißigjähriger Krieg» für die Zeit der beiden Weltkriege: Matthias Waechter, De Gaulles 30jähriger Krieg: Die Résistance und die Erinnerung an 1918, in: Intentionen – Wirklichkeiten. 42. Deutscher Historikertag in Frankfurt am Main, 8. bis 11. September 1998. Berichtband, München 1999, S. 235 f.

2 Eschenburg [u. a.], Jahre (Anm. 1), S. 171 ff.; Hans-Peter Schwarz, Vom Reich zur Bundesrepublik. Deutschland im Widerstreit der außenpolitischen Konzeptionen in den Jahren der Besatzungsherrschaft 1945–1949, Neuwied 1966; Peter Erler u. a. (Hg.), «Nach Hitler kommen wir». Dokumente zur Programmatik der Moskauer KPD-Führung 1944/45 für Nachkriegsdeutschland, Berlin 1994, S. 168 f. (Ulbricht, 24. 4. 1944), 394 (Aufruf des ZK der KPD, 11. 6. 1945); Gerhard Keiderling (Hg.), Die «Gruppe Ulbricht» in Berlin April bis Juni 1945. Von den Vorbereitungen im Sommer 1944 bis zur Wiederbegründung der KPD im Juni 1945. Eine Dokumentation, Berlin 1993; Norman M. Naimark, Die Russen in Deutschland. Die sowjetische Besatzungszone 1945 bis 1949 (amerik. Orig.: Cambridge/Mass. 1995), Berlin 1997; Stefan Creutzberger, Die sowjetische Besatzungsmacht und das politische System der SBZ, Weimar 1996; Jan Foitzik, Sowjetische Militäradministration in Deutschland (SMAD) 1945–1949. Struktur und Funktion, Berlin 1999; Wilfried Loth, Stalins ungeliebtes Kind. Warum Moskau die DDR nicht wollte, Berlin 1994; Michael Lemke (Hg.), Sowjetisierung und Eigenständigkeit in der SBZ/DDR (1945–1953), Köln 1999; Andreas Malycha, Auf dem Weg zur SED. Die

Sozialdemokratie und die Bildung einer Einheitspartei in den Ländern der SBZ. Eine Quellenedition, Bonn 1995; Bernd Bonwetsch u. Gennadij Bordjugov, Stalin und die SBZ. Ein Besuch der SED-Führung in Moskau vom 30. Januar bis 7. Februar 1947, in: VfZ 42 (1994), S. 279–303; Wladimir K. Wolkow, Die deutsche Frage aus Stalins Sicht (1947–1952), in: ZfG 48 (2000), S. 20–49; Kurt Schumacher, Reden – Schriften – Korrespondenzen 1945–1952. Hg. v. Willy Albrecht, Berlin 1983, S. 254 (Erster Aufruf des Büro Dr. Schumacher, Mitte August 1945), 276 («Politische Richtlinien», 25. 8. 1945); Konrad Adenauer, Briefe 1945–1947. Bearb. v. Hans Peter Mensing (Rhöndorfer Ausgabe), Berlin 1983, S. 123 f. (Gespräch mit ausländischen Pressevertretern am 9. 10. 1945); Hans-Otto Kleinmann, Geschichte der CDU 1945–1982, Stuttgart 1993; Alf Mintzel, Die CSU. Anatomie einer konservativen Partei, Opladen 1975, S. 83 ff.; Thomas Schlemmer, Aufbruch, Krise und Erneuerung. Die Christlich-Soziale Union 1945 bis 1955, München 1998; Wilhelm Mommsen (Hg.), Deutsche Parteiprogramme, München 1960, S. 576–582 (Ahlener Wirtschaftsprogramm der CDU, Februar 1947). – Die «Politischen Grundsätze» des Potsdamer Abkommens in: Dokumente (Anm. 1), S. 29–31 (Abschnitt III).

3 Eschenburg [u. a.], Jahre (Anm. 1), S. 281 ff.; Andrej A. Schdanow, Über die internationale Lage, Berlin 1952, S. 12 f.; Adam B. Ulam, Expansion and Coexistence. The History of Soviet Foreign Policy 1917–1967, New York 1969³, S. 378 ff.; Elke Scherstjanoi, Die Berlin-Blockade 1948/49 im sowjetischen Kalkül, in: ZfG 46 (1998), S. 495–509; John Gimbel, Amerikanische Besatzungspolitik in Deutschland 1945–1949 (amerik. Orig.: Stanford 1968), Frankfurt 1971; Werner Abelshauser, Wirtschaft und Westdeutschland 1945–1949, Stuttgart 1975; Rudolf Morsey, Die Bundesrepublik Deutschland. Entstehung und Entwicklung bis 1969, München 1990², S. 9 ff.; Andreas Hillgruber, Europa in der Weltpolitik der Nachkriegszeit 1945–1963, München 1993⁴, S. 39 ff.; Friedrich Jerchow, Deutschland in der Weltwirtschaft 1944–1947. Alliierte Deutschland- und Reparationspolitik und die Anfänge der westdeutschen Außenwirtschaft, Düsseldorf 1978, bes. S. 132 ff. – Zu Reuters Kampagne für die Einbeziehung Berlins in die Währungsreform der Westzonen: Willy Brandt u. Richard Lowenthal (= Löwenthal), Ernst Reuter. Ein Leben für die Freiheit. Eine politische Biographie, München 1957, S. 403 ff. (Zitat: 407); David E. Barclay, Schaut auf diese Stadt. Der unbekannte Ernst Reuter, Berlin 2000, S. 191 ff., 249 f..

4 Der Parlamentarische Rat 1948–1949. Akten und Protokoll. Bd. 1: Vorgeschichte, bearb. v. Johannes Volker Wagner, Boppard 1975, S. 192 (Reuter); Bd. 2: Der Verfassungskonvent auf Herrenchiemsee, bearb. v. Peter Bucher, Boppard 1981, S. 516 (Verwirkung von Grundrechten); Bd. 5/I: Ausschuß für Grundsatzfragen, bearb. v. Eberhard Pikart u. Wolfram Werner, Boppard 1993, S. 169 f. (Kaiser [CDU], Schmid [SPD], Heuss [FDP], Mangold [CDU] am 6. 10. 1948 zum Begriff «Reich»; Bd. 9: Plenum, bearb. v. Eberhard Pikart u. Wolfram Werner, Boppard 1993, S. 36 (Schmid), 72 (Menzel), 93 (Schwalber), 182–200 (Schmid [SPD], Süsterhenn [CDU], Heuss [FDP], Seebohm [DP] zum Staatsnamen), 587–590 (Flaggenfrage); Michael F. Feldkamp, Der Parlamentarische Rat 1948–1949, Göttingen 1998; Karlheinz Niclauß, Der Weg zum Grundgesetz. Demokratiegründung in Westdeutschland 1945–1949, Paderborn 1998; Eschenburg [u. a.], Jahre (Anm. 1), S. 459 ff. (Name «Bundesrepublik Deutschland», Diskussion über das «Reich»: 506); Friedrich Karl Fromme, Von der Weimarer Reichsverfassung zum Bonner Grundgesetz. Die verfassungspolitischen Folgerungen des Parlamentarischen Rates aus Weimarer Repu-

blik und nationalsozialistischer Diktatur, Tübingen 1960; Dirk van Laak, Gespräche in der Sicherheit des Schweigens. Carl Schmitt in der politischen Geistesgeschichte der frühen Bundesrepublik, Berlin 1993, S. 157 ff.; Hans-Peter Schwarz, Die Ära Adenauer 1949–1957 (= Geschichte der Bundesrepublik Deutschland, Bd. 2), Stuttgart 1981, S. 27 ff. (der Begriff «Ober-Regierung auf dem Petersberg»: 48); Wolfgang Benz (Hg.), Die Bundesrepublik Deutschland. Geschichte in drei Bänden, Bd. 1: Politik, Frankfurt 1983; Reiner Pommerin, Von Berlin nach Bonn. Die Alliierten, die Deutschen und die Hauptstadtfrage nach 1945, Köln 1989, S. 54 ff., 86 ff.; Görtemaker, Geschichte (Anm. 1), S. 44 ff.; Morsey, Bundesrepublik (Anm. 3), S. 18 ff.

5 Anton Ackermann, Gibt es einen besonderen deutschen Weg zum Sozialismus?, in: Einheit 1 (1946) S. 22–32; Rolf Badstübner/Wilfried Loth (Hg.), Wilhelm Pieck – Aufzeichnungen zur Deutschlandpolitik 1945–1953, Berlin 1994, S. 259–263 (Stalin-Pieck, 18. 12. 1948); Die Verfassung der Deutschen Demokratischen Republik. Mit einer Einleitung von Dr. Karl Steinhoff, Ministerpräsident der Landesregierung Brandenburg, Berlin 1949, S. 17 f. (Artikel 6); Loth, Kind (Anm. 2), S. 129 ff.; Naimark, Russen (Anm. 2), S. 583 ff.; Dierk Hoffmann u. Hermann Wentker (Hg.), Das letzte Jahr der SBZ. Politische Weichenstellungen und Kontinuitäten im Prozeß der Gründung der DDR, München 2000; Elke Scherstjanoi (Hg.), «Provisorium für längstens ein Jahr». Die Gründung der DDR, Berlin 1993; Wolkow, Frage (Anm. 2), S. 26 ff. (Stalin u. die NDPD: 29); Weber, DDR (Anm. 1), S. 23 ff. (NDPD, «Volksrat»: 23); Schroeder, SED-Staat (Anm. 1), S. 71 ff. (zur Theorie vom «besonderen deutschen Weg zum Sozialismus» und deren Widerruf: 38, 64); Andreas Malycha, Die SED. Geschichte ihrer Stalinisierung. 1946–1953, Paderborn 2000; Gerhard Wettig, Bereitschaft zu Einheit in Freiheit? Die sowjetische Deutschland-Politik 1945–1990, München 1990, S. 171 ff.; Christoph Kleßmann, Die doppelte Staatsgründung. Deutsche Geschichte 1945–1955, Göttingen 19894, S. 202 ff.; Herfried Münkler, Antifaschismus und antifaschistischer Widerstand als politischer Gründungsmythos der DDR, in: APZ 1998, B 45, S. 16–29; Raina Zimmerling, Mythen in der Politik der DDR. Ein Beitrag zur Erforschung politischer Mythen, Opladen 2000, S. 37 ff.; ders., Der Antifa-Mythos der DDR, in: Rudolf Speth u. Edgar Wolfrum (Hg.), Politische Mythen und Geschichtspolitik. Konstruktion – Inszenierung – Mobilisierung, Berlin 1996, S. 39–52; Theodor Maunz, Deutsches Staatsrecht, München 1958[8], S. 11 ff. (12: Zahlen zur Volkskammer), 302 ff.

6 Fritz René Allemann, Bonn ist nicht Weimar, Köln 1956, S. 274; Verhandlungen des Deutschen Bundestages. Stenographische Berichte (= Sten. Ber.), 1. Wahlperiode, Bd. 1, S. 524 f. (Schumacher, 24./25. 11. 1949); Konrad Adenauer, Erinnerungen 1945–1953, Stuttgart 1965, S. 350 ff. (Gespräch mit der Hohen Kommission, 17. 8. 1950); Akten zur Auswärtigen Politik (=AAP) 1949/50. September 1949 bis Dezember 1950, München 1997, S. 322–329 (Adenauers Memorandum vom 29. 8. 1950); AAP 1951. 1. Januar bis 31. Dezember 1951, München 1999, S. 637–643 (Entwurf des Generalvertrags, 22. 11. 1951); Josef Müller, Die Gesamtdeutsche Volkspartei. Entstehung und Politik unter dem Primat nationaler Wiedervereinigung 1950–1957, Düsseldorf 1990; Andreas Meier; Hermann Ehlers. Leben in Kirche und Politik, Bonn 1991; Thomas Sauer, Westorientierung im deutschen Protestantismus? Vorstellungen und Tätigkeit des Kronberger Kreises, München 1999; Diether Koch, Heinemann und die Deutschlandfrage, München 1972; Matthias Schreiber, Martin Niemöller, Reinbek bei Hamburg 1997, S. 108 f. (Zitat vom Dezember 1949), 118 (Zitat vom November 1952 zum «praktischen» Pazifismus);

Ulrich von Hehl (Hg.), Adenauer und die Kirchen, Bonn 1999; Hans-Peter Schwarz, Adenauer. Der Aufstieg: 1876–1952, Stuttgart 1986², S. 727 ff.; ders., Ära Adenauer (Anm. 4), S. 119 ff.; Erich Kosthorst, Jakob Kaiser. Bundesminister für gesamtdeutsche Fragen 1949–1957, Stuttgart 1972, S. 141 ff.; Anselm Doering-Manteuffel, Die Bundesrepublik Deutschland in der Ära Adenauer. Außenpolitik und innere Entwicklung 1949–1963, Darmstadt 1988², S. 36 ff.; Morsey, Bundesrepublik (Anm. 3), S. 27 ff.; Adolf M. Birke, Nation ohne Haus. Deutschland 1945–1961, Berlin 1989, S. 280 ff.; Horst Möller u. Klaus Hildebrand (Hg.), Die Bundesrepublik Deutschland und Frankreich: Dokumente 1949–1963, 4 Bde., Bd. 1: Außenpolitik und Diplomatie. Bearb. v. Ulrich Lappenküper, München 1997, S. 55 ff.; Ulrich Lappenküper, Der Schumann-Plan. Mühsamer Durchbruch zur deutsch-französischen Verständigung, in: VfZ 42 (1994), S. 403–445; Roland G. Foerster u. a. (Hg.), Anfänge westdeutscher Sicherheitspolitik 1945–1956, Bd. 1: Von der Kapitulation bis zum Pleven-Plan, München 1982; Rainer Zitelmann, Adenauers Gegner. Streiter für die Einheit, Erlangen 1991. – Das Zitat von Ulbricht: Schroeder, SED-Staat (Anm. 1), S. 97.

7 Die Bemühungen der Bundesrepublik um Wiederherstellung der Einheit Deutschlands durch gesamtdeutsche Wahlen. Dokumente und Akten. Januar 1954, Bonn 1954, S. 83–86 (Sowjetische Note vom 10.3. 1952), 86 f. (1. Antwortnote der Westmächte, 25.3. 1952), 87–89 (2. Note der Sowjetunion, 9.4. 1952); AAP (Anm. 6), Bd. 2: 1952, München 1990, S. 27 ff. (Verlaufsprotokolle der Besprechungen zwischen Adenauer und den Hohen Kommissaren zu den Stalin-Noten); Konrad Adenauer, Teegespräche 1950–1954, hg. v. Rudolf Morsey u. Hans-Peter Schwarz, bearb. v. Hanns Jürgen Küsters (Rhöndorfer Ausgabe), Berlin 1984, S. 227 (Presse-Tee vom 2.4. 1952); Paul Sethe, Zwischen Bonn und Moskau, Stuttgart 1956, S. 36 ff.; Wettig, Bereitschaft (Anm. 5), S. 215 ff.; Manfred Kittel, Genesis einer Legende. Die Diskussion um die Stalin-Noten in der Bundesrepublik 1952–1958, in: VfZ 41 (1993), S. 355–389; Hermann Graml, Nationalstaat oder westdeutscher Teilstaat? Die sowjetischen Noten vom Jahre 1952 und die öffentliche Meinung in der Bundesrepublik Deutschland, ebd., 25 (1977), S. 821–864; Markus Kiefer, Die Reaktion auf die Stalin-Noten vom Jahre 1952 in der zeitgenössischen deutschen Publizistik. Zur Widerlegung einer Legende, in: Deutschland-Archiv 22 (1989), S. 56–76; Josef Becker, Eine neue Dolchstoßlegende? Zu den Kontroversen um die Stalin-Noten von 1952, in: Volker Dotterweich (Hg.), Kontroversen zur Zeitgeschichte. Historisch-politische Themen im Meinungsstreit, München 1998, S. 181–206; Hans-Peter Schwarz (Hg.), Die Legende von der verpaßten Gelegenheit. Die Stalin-Note vom 10. März 1952, Stuttgart 1982; ders., Aufstieg (Anm. 6), S. 906 ff.; Rolf Steininger, Eine Chance zur Wiedervereinigung? Die Stalin-Note vom 10. März 1952. Eine Darstellung u. Dokumentation auf der Grundlage britischer und amerikanischer Akten, Bonn 1985 (These der «versäumten Chance»); Josef Foschepoth (Hg.), Adenauer und die Deutsche Frage, Göttingen 1988; Udo Wengst, Thomas Dehler 1897–1967. Eine politische Biographie, München 1997; Wolkow, Frage (Anm. 2), S. 42 ff.; Loth, Kind (Anm. 2), S. 175 ff. – Zu den Zahlen der Heimatvertriebenen: Erdmann, Zeit (Anm. 1), Bd. 4/2, S. 808 f. Die Meinungsumfrage von 1955 in: Jahrbuch der öffentlichen Meinung (= JöM) 3 (1958–1964), S. 323.

8 Schumacher (Anm. 2), S. 902 (Interview mit UP, 15.5. 1952); Arnulf Baring, Außenpolitik in Adenauers Kanzlerdemokratie. Bonns Beitrag zur Europäischen

Verteidigungsgemeinschaft, München 1969, S. 103 ff., 217 ff. (zu den Veränderungen des Wortlauts der «Bindungsklausel»: 409 ff.); Andreas Hillgruber, Europa in der Weltpolitik der Nachkriegszeit 1945–1963, München 1993[4], S. 56 ff.; Gregor Schöllgen, Die Außenpolitik der Bundesrepublik Deutschland. Von den Anfängen bis zur Gegenwart, München 1999, S. 18 ff.; Morsey, Bundesrepublik (Anm. 3), S. 29 ff.; Görtemaker, Geschichte (Anm. 1), S. 271 ff.; Schwarz, Ära Adenauer (Anm. 4), S. 169 ff.; ders., Aufstieg (Anm. 6), S. 925 ff. – Der Text des Deutschlandvertrags vom 26. Mai 1952 u. a. in: Die Auswärtige Politik der Bundesrepublik Deutschland, hg. vom Auswärtigen Amt, Köln 1972, S. 208–213.

9 Ulrich Mählert, Kleine Geschichte der DDR, München 1998, S. 56 ff.; Ehrhart Neubert, Geschichte der Opposition in der DDR 1949–1989, Bonn 1997, S. 80 ff.; Karl Wilhelm Fricke, Opposition und Widerstand in der DDR. Ein politischer Report, Köln 1984, S. 71 ff.; ders., Politik und Justiz in der DDR. Zur Geschichte der politischen Verfolgung 1945–1968. Bericht und Dokumentation, Köln 1990[2]; Wolfgang Eisert, Die Waldheimer Prozesse. Der stalinistische Terror 1950, Esslingen 1993; Schroeder, SED-Staat (Anm. 1), S. 71 ff. (109: Zahlen zu den «Waldheimer Prozessen»; 120: Flüchtlingszahlen; 124: Verhaftungswelle nach dem 17. 6. 1953)); Weber, DDR (Anm. 1), S. 27 ff. (31: Volkskammerwahl 1950; 32 f.: Säuberungen, Schauprozesse; 35: Wirtschaftsdaten; 37: Zitat Weber; 40 f.: Zahlen zum 17. 6. 1953); Klessmann, Staatsgründung (Anm. 5), S. 261 ff. (zur Jungen Gemeinde: 267); Jeffrey Herf, Antisemitismus in der SED. Geheime Dokumente zum Fall Paul Merker aus SED- und MfS-Archiven, in: VfZ 42 (1994), S. 635–667; ders., Zweierlei Erinnerung. Die NS-Vergangenheit im geteilten Deutschland (amerik. Orig.: Cambridge, Mass. 1997), Berlin 1998, S. 130 ff.; Ulrich Kluge, Die verhinderte Rebellion. Bauern, Genossenschaften und SED im Umfeld der Juni-Krise 1953 in der DDR, in: Wolther von Kieseritzky/Klaus-Peter Sick (Hg.), Demokratie in Deutschland. Heinrich August Winkler zum 60. Geburtstag, München 1999, S. 317–335; Martin Jänicke, Der Dritte Weg. Die antistalinistische Opposition gegen Ulbricht seit 1953, Köln 1964; Schwarz, Ära Adenauer (Anm. 6), S. 189 (Flüchtlingszahlen); Arnulf Baring, Der 17. Juni 1953, Köln 1965[1]; Armin Mitter u. Stefan Wolle, Untergang auf Raten. Unbekannte Kapitel der DDR-Geschichte, München 1993, S. 27 ff.; dies. (Hg.), Der Tag X – 17. Juni 1953, Berlin 1995; Christoph Buchheim, Wirtschaftliche Hintergründe des Arbeiteraufstandes vom 17. Juni 1953 in der DDR, in: VfZ 38 (1990), S. 415–433; Ilko-Sascha Kowalczuk, 17. Juni 1953 – Volksaufstand in der DDR. Ursachen – Abläufe – Folgen, Bremen 2003, S. 104, 244 (Opferzahlen).

10 Sten. Ber. (Anm. 6) 1. Wahlperiode, Bd. 17, S. 13873 (Adenauer 1. 7. 1953), 13883 (Brandt, 1. 7. 1953), 13903 (Max Reimann [KPD], 1. 7. 1953); Edgar Wolfrum, Geschichtspolitik in der Bundesrepublik Deutschland. Der Weg zur bundesrepublikanischen Erinnerung 1948–1990, Darmstadt 1999, S. 65 ff. (Adenauer in Berlin, 22. 6. 1953: 101; Kuratorium Unteilbares Deutschland: 108 ff.; Hermannsdenkmal, 17. 6. 1954: 125 f.); Schwarz, Ära Adenauer (Anm. 4), S. 104 ff. (Zitat: 105); Görtemaker, Geschichte (Anm. 1), S. 119 ff.; Hartmut Kaelble (Hg.), Der Boom 1948–1973. Gesellschaftliche und wirtschaftliche Folgen in der Bundesrepublik Deutschland und in Europa, Opladen 1992; Werner Abelshauser, Die Langen Fünfziger Jahre. Wirtschaft und Gesellschaft der Bundesrepublik Deutschland 1949–1966, Düsseldorf 1987; Werner Conze u. M. Rainer Lepsius (Hg.), Sozialgeschichte der Bundesrepublik Deutschland. Beiträge zum Kontinuitätsproblem, Stuttgart 1983; M. Rainer Lepsius, Demokratie in Deutschland. Soziologisch-histo-

rische Konstellationsanalysen, Göttingen 1993 (u. a. zu den «sozialmoralischen Milieus»); Paul Nolte, Die Ordnung der deutschen Gesellschaft. Selbstentwurf und Selbstbeschreibung im 20. Jahrhundert, München 2000, bes. S. 318 ff.; Axel Schildt, Moderne Zeiten. Freizeit, Massenmedien und «Zeitgeist» in der Bundesrepublik der 50er Jahre, Hamburg 1995; ders., Ankunft im Westen. Ein Essay zur Erfolgsgeschichte der Bundesrepublik, Frankfurt 1999; Hans Günter Hockerts, Sozialpolitische Entscheidungen im Nachkriegsdeutschland. Alliierte und deutsche Sozialversicherungspolitik 1945–1957, Stuttgart 1980; ders. (Hg.), Drei Wege deutscher Sozialstaatlichkeit. NS-Diktatur, Bundesrepublik und DDR, München 1998; Lutz Wiegand, Der Lastenausgleich in der Bundesrepublik Deutschland von 1949–1985, Frankfurt 1992; Constantin Goschler, Wiedergutmachung. Westdeutschland und die Verfolgten des Nationalsozialismus 1945–1954, München 1992; Ludolf Herbst u. Constantin Goschler (Hg.), Wiedergutmachung in der Bundesrepublik Deutschland, München 1989; Dierk Hoffmann u. a. (Hg.), Vertriebene in Deutschland. Interdisziplinäre Ergebnisse und Forschungsperspektiven, München 2000; Sven Olaf Berggötz, Nahostpolitik in der Ära Adenauer. Möglichkeiten und Grenzen 1949–1963, Düsseldorf 1998, S. 431 ff. (Israel- und Nahostpolitik); Gerhard A. Ritter, Über Deutschland. Die Bundesrepublik in der deutschen Geschichte, München 1998; Josef Mooser, Arbeiterleben in Deutschland 1900–1970. Klassenlagen, Kultur und Politik, Frankfurt 1984; Helmut Schelsky, Gesellschaftlicher Wandel, in: Offene Welt, Nr. 41, 1956, S. 62–74.

11 Konrad Adenauer, Erinnerungen 1953–1955, Stuttgart 1966, S. 270 ff. (Zitate: 289, 304, 347); Henning Köhler, Adenauer. Eine politische Biographie, Berlin 1994, S. 775 ff.; Hans-Peter Schwarz, Adenauer. Der Staatsmann: 1952–1967, Stuttgart 1991, S. 121 ff.; ders., Ära Adenauer (Anm. 4), S. 197 ff.; Herbert Elzer, Adenauer und die Saarfrage nach dem Scheitern der EVG 1954, in: VfZ 46 (1998), S. 667–708; Möller u. Hildebrand (Hg.), Bundesrepublik (Anm. 6), Bd. 1, S. 285 ff.; Görtemaker, Geschichte (Anm. 1), S. 271 ff.; Baring, Außenpolitik (Anm. 8), S. 329 ff.; Morsey, Bundesrepublik (Anm. 3), S. 35 ff.; Hillgruber, Europa (Anm. 3), S. 65 ff.; Schöllgen, Außenpolitik (Anm. 8), S. 34 ff.; Philipp-Christian Wachs, Der Fall Theodor Oberländer (1905–1998). Ein Lehrstück deutscher Geschichte, Frankfurt 2000, S. 25 ff.; Franz Neumann, Der Block der Heimatvertriebenen und Entrechteten 1950–1960. Ein Beitrag zur Geschichte und Struktur einer politischen Interessenpartei, Meisenheim 1968, S. 91 ff. – Adenauer vor dem Bundesvorstand der CDU am 11. 10. 1954, in: Günter Buchstab (Bearb.), Adenauer: «Wir haben wirklich etwas geschaffen.» Die Protokolle des CDU-Bundesvorstands 1953–1957, Düsseldorf 1990, S. 258. Der Text des Deutschlandvertrages in der Fassung vom 23. 10. 1954 in: BGBl. 1955 II, S. 305 ff.

12 Theodor Heuss, Die großen Reden. Der Staatsmann, Tübingen 1965, S. 86 (8. 5. 1949), 247–262 (19. 7. 1954); Schumacher, Reden (Anm. 2), S. 895–898 (Brief an Liebmann Hersch, 20. 10. 1951); Matthias Rensing, Geschichte und Politik in den Reden der deutschen Bundespräsidenten 1949–1984, Münster 1996, S. 18 ff.; Peter Merseburger, Der schwierige Deutsche. Kurt Schumacher. Eine Biographie, Stuttgart 1995, S. 501 ff.; Ulrich Herbert, Best. Biographische Studien über Radikalismus, Weltanschauung und Vernunft 1903–1989, Bonn 1996², S. 444 ff.; Thomas Alan Schwarz, Die Begnadigung deutscher Kriegsverbrecher. John McCloy und die Häftlinge von Landsberg, in: VfZ 38 (1990), S. 375–414; Adalbert Rückerl, NS-Verbrechen vor Gericht. Versuch einer Vergangenheitsbewältigung, Heidelberg 1984²;

Peter Steinbach, Nationalsozialistische Gewaltverbrechen. Die Diskussion in der deutschen Öffentlichkeit nach 1945, Berlin 1981; Norbert Frei, Vergangenheitspolitik. Die Anfänge der Bundesrepublik und die NS-Vergangenheit, München 1996, S. 25 ff. (Adenauer in Werl: 292 f.); Manfred Kittel, Die Legende von der «Zweiten Schuld». Vergangenheitsbewältigung in der Ära Adenauer, Berlin 1993, S. 67 ff.; Ralph Giordano, Die zweite Schuld *oder* Von der Last Deutscher zu sein, Hamburg 1987; Hartmut Berghoff, Zwischen Verdrängung und Aufarbeitung. Die bundesdeutsche Gesellschaft und ihre nationalsozialistische Vergangenheit in den fünfziger Jahren, in: GWU 49 (1998), S. 96–114; Jörg Friedrich, Die kalte Amnestie: NS-Täter in der Bundesrepublik, Frankfurt 1985; Helmut Dubiel, Niemand ist frei von der Geschichte. Die nationalsozialistische Herrschaft in den Debatten des Deutschen Bundestages, München 1999, S. 35 ff.; Herf, Erinnerung (Anm. 9), S. 194 ff. – Die Ergebnisse der Meinungsumfragen in: JöM (Anm. 7), 1 (1947–1955), S. 35 (NS-Führer), 138 (20.7. 1944); ebd., 3 (1958–1964), S. 256 (Flaggenfrage); ebd., 5 (1968–1973), S. 201 («goldene Jahre»).

13 Hans Freyer, Weltgeschichte Europas, Stuttgart 1954, S. 607, 612; Ludwig Dehio, Gleichgewicht oder Hegemonie. Betrachtungen über ein Grundproblem der neueren Staatengeschichte, Krefeld 1948; ders., Deutsche Politik an der Wegegabel, in: ders., Deutschland und die Weltpolitik im 20. Jahrhundert, München 1955, S. 143–155 (147, 154 f.); Emil Franzel, Die deutsche Frage, in: Neues Abendland 11 (1956), S. 213–243 (243); Paul Wilhelm Wenger, Föderalismus – deutsches Schicksal und europäisches Schicksal, ebd., S. 245–253 (252 f.; Hervorhebungen jeweils im Original); ders., Wer gewinnt Deutschland? Kleinpreußische Selbstisolierung oder mitteleuropäische Föderation, Stuttgart 1959, S. 97 (zur «translatio»), 325–360 (Rede vom 20. 4. 1958), 360–364 (Echo der Rede); Karl Jaspers, Wahrheit, Freiheit und Friede. Hannah Arendt, Karl Jaspers. Reden zur Verleihung des Friedenspreises des Deutschen Buchhandels 1958, München 1958, S. 9–26 (19 f., 22); ders., Freiheit und Wiedervereinigung. Über Aufgaben deutscher Politik (1960), München 1990; Ralf Kadereit, Karl Jaspers und die Bundesrepublik Deutschland, Paderborn 1999; Wolfrum, Geschichtspolitik (Anm. 10), S. 226 ff. (zum «Jaspers-Skandal» von 1960); Richard Faber, Abendland. Ein «politischer Kampfbegriff», Hildesheim 1979; Helga Grebing, Konservative gegen die Demokratie in der Bundesrepublik nach 1945, Frankfurt 1971; Axel Schildt, Konservatismus in Deutschland. Von den Anfängen im 18. Jahrhundert bis zur Gegenwart, München 1997, S. 211 ff.; ders., Zwischen Abendland und Amerika. Studien zur westdeutschen Ideenlandschaft der 50er Jahre, München 1999; ders., Ankunft (Anm. 10), S. 149 ff.; ders. u. Arnold Sywottek (Hg.), Modernisierung im Wiederaufbau. Die westdeutsche Gesellschaft der 50er Jahre, Bonn 1993; Heinz Bude u. Bernd Greiner (Hg.), Westbindungen. Amerika und die Bundesrepublik, Hamburg 1999; Anselm Doering-Manteuffel, Wie westlich sind die Deutschen? Amerikanisierung und Westernisierung im 20. Jahrhundert, Göttingen 1999. – Die These von der Nachkriegszeit als «Thermidor» des «Dritten Reiches» bei David Schoenbaum, Die braune Revolution. Eine Sozialgeschichte des Dritten Reiches (amerik. Orig.: New York 1966), München 1980², S. 25. – Zum «Fall Franzel»: Trautl Brandstaller, Die zerpflügte Furche. Geschichte und Schicksal eines katholischen Blattes, Wien 1969, S. 95 ff. – Zu Gentz vgl. Bd. 1, S. 54, zu Frantz S. 230.

14 Hermann Lübbe, Der Nationalsozialismus im politischen Bewußtsein der Gegenwart, in: Martin Broszat u. a. (Hg.), Deutschlands Weg in die Diktatur. Interna-

tionale Konferenz zur nationalsozialistischen Machtübernahme im Reichstagsgebäude zu Berlin. Referate und Diskussionen. Ein Protokoll, Berlin 1983, S. 329–349 (333 f., 335, 341); Walter Dirks, Der restaurative Charakter der Epoche, in: Frankfurter Hefte 5 (1950), S. 942–954 (943 f., 951 f.; Hervorhebung im Original); Eugen Kogon, Die Aussichten der Restauration. Über die gesellschaftlichen Grundlagen der Zeit, ebd., 7 (1952), S. 165–177 (177); ders., Der SS-Staat. Das System der deutschen Konzentrationslager, Hamburg 1946[1]; Wilfried Loth u. Bernd-A. Rusinek (Hg.), Verwandlungspolitik. NS-Eliten in der westdeutschen Nachkriegsgesellschaft, Frankfurt 1998; Hans-Peter Schwarz, Die Ära Adenauer 1957–1963 (= Geschichte der Bundesrepublik Deutschland, Bd. 3), Stuttgart 1983, S. 323 ff.; ders., Ära Adenauer (Anm. 4), bes. S. 375 ff.; Christoph Kleßmann, Zwei Staaten, eine Nation. Deutsche Geschichte 1955–1970, Göttingen 1988, S. 21 ff.; Jürgen Weber u. Peter Steinbach (Hg.), Vergangenheitsbewältigung durch Strafverfahren? NS-Prozesse in der Bundesrepublik Deutschland, München 1984; Frei, Vergangenheitspolitik (Anm. 12), S. 88 ff. (Schlüter-Affäre), 300 ff. (Ulmer Einsatzgruppenprozeß); ders. u. a. (Hg.), Geschichte vor Gericht. Historiker, Richter und die Suche nach Gerechtigkeit, München 2000; Schildt, Ankunft (Anm. 10), S. 107 ff.; Herf, Erinnerung (Anm. 9), S. 194 ff.; Ritter, Deutschland (Anm. 10), S. 13 ff.

15 Adenauer, Erinnerungen (Anm. 11), S. 437 ff.; Schwarz, Ära Adenauer (Anm. 4), S. 264 ff. (Zitat: 335); Morsey, Bundesrepublik (Anm. 3), S. 53 ff.; Hillgruber, Europa (Anm. 3), S. 74 ff.; Schöllgen, Außenpolitik (Anm. 8), S. 87 ff.; Görtemaker, Geschichte (Anm. 1), S. 328 ff.; Kleßmann, Zwei Staaten (Anm. 14), S. 68 ff.; Helga Haftendorn, Sicherheit und Entspannung. Zur Außenpolitik der Bundesrepublik Deutschland 1955–1982, Baden-Baden 1986[2], S. 26 ff.; Bruno Thoß, Die Lösung der Saarfrage 1954/55, in: VfZ 38 (1990), S. 225–288; Hans Günter Hockerts, Konrad Adenauer und die Rentenreform 1957, in: Konrad Repgen (Hg.), Die dynamische Rente in der Ära Adenauer und heute, Stuttgart 1978, S. 11–29; Werner Abelshauser, Erhard oder Bismarck? Die Richtungsentscheidung der deutschen Sozialpolitik am Beispiel der Sozialversicherung in den fünfziger Jahren, in: GG 22 (1996), S. 376–392; Müller, Gesamtdeutsche Volkspartei (Anm. 6), S. 378 ff.; Patrick Major, The Death of the KPD. Communism and Anti-Communism in West Germany 1945–1956, Oxford 1997, S. 257 ff.; Otto Büsch u. Peter Furth, Rechtsradikalismus im Nachkriegsdeutschland. Studien über die «Sozialistische Reichspartei», Köln 1967; Heinrich August Winkler, Die konservative Demokratie. Die Parteiverbotsurteile des Bundesverfassungsgerichts in zeitgeschichtlicher Perspektive, in: GWU 12 (1961), S. 435–444. – Das Zitat aus Adenauers Regierungserklärung vom 22. 9. 1955 in: Sten. Ber. (Anm. 6), 2. Wahlperiode Bd. 26, S. 5647.

16 Friedrich Donath u. Walter Markov (Hg.), Kampf um Freiheit. Dokumente zur Zeit der nationalen Erhebung 1789–1815, Berlin 1954; Dieter Vorsteher (Hg.), Parteiauftrag: Neues Deutschland. Bilder, Rituale und Symbole der frühen DDR, Berlin 1997; Alexander Abusch, Der Irrweg einer Nation, Berlin 1946; Harald Bluhm, Befreiungskriege und Preußenrenaissance in der DDR. Eine Skizze, in: Speth/Wolfrum (Hg.), Mythen (Anm. 5), S. 71–95 (Zitat Norden: 76; Hervorhebung im Original); Schroeder, SED-Staat (Anm. 1), S. 93 ff. (Flüchtlingszahlen), 131 ff. (Zitat Ulbricht vom 4. 3. 1956: 133 f.; Zahlen zu Ungarn: 135; zur Kollektivierung der Landwirtschaft: 145; «sozialistische Umwälzung» auf dem Gebiet der Kultur, Schulwesen: 147); Weber, Geschichte (Anm. 1), S. 45 ff. (Zitat: 48 f.; Zahlen zu Handwerk und Einzelhandel: 54); Kleßmann, Zwei Staaten (Anm. 14), S. 303 ff.; Jänicke, Drit-

ter Weg (Anm. 9), S. 71 ff.; Gerhard A. Ritter, Weder Revolution noch Reform. Die DDR im Krisenjahr 1956 und die Intellektuellen, in: Kieseritzky/Sick (Hg.), Demokratie (Anm. 9), S. 336–362; Thomas Klein, Reform von oben? Opposition in der SED, in: Ulrike Poppe u. a. (Hg.), Zwischen Selbstbehauptung und Anpassung. Formen des Widerstand und der Opposition in der DDR, Berlin 1995, S. 125–141; Reinhard Crusius/Manfred Wilke (Hg.), Entstalinisierung. Der XX. Parteitag der KPdSU und seine Folgen, Frankfurt 1977; Carola Stern, Ulbricht. Eine politische Biographie, Köln 1963, S. 165 ff.; Hartmut Kaelble u. a. (Hg.), Sozialgeschichte der DDR, Stuttgart 1994; Ulrich Mählert, Jugendpolitik und Jugendleben 1945–1961, in: Materialien der Enquete-Kommission «Aufarbeitung von Geschichte und Folgen der SED-Diktatur in Deutschland», Bd. III: Ideologie, Integration und Disziplinierung, Teilbd. 2, Baden-Baden 1995, S. 1442–1488; Udo Margedant, Bildungs- und Erziehungssystem der DDR – Funktion, Inhalte, Instrumentalisierung, Freiräume, ebd., Teilbd. 3, S. 1489–1529; Charlotte Schubert, Phasen und Zäsuren des Erbe-Verständnisses der DDR, ebd., S. 1773–1811; Heinrich August Winkler, Kein Bruch mit Lenin. Die Weimarer Republik im Geschichtsbild von SED und PDS, in: ders., Streitfragen der deutschen Geschichte. Essays zum 19. u. 20. Jahrhundert, München 1997, S. 107–122; Gregor Schöllgen, Geschichte der Weltpolitik von Hitler bis Gorbatschow 1941–1991, München 1996, S. 107 ff.; Michael Lemke, Die Berlinkrise 1958 bis 1963. Interessen und Handlungsspielräume der SED im Ost-West-Konflikt, Berlin 1995, S. 96 ff. – Ulbrichts Rede vor dem 5. Parteitag in: ND, 11.7. 1958; Grotewohls Rede (mit der Parole «einholen und überholen»): ebd., 17.7. 1958; Ulbrichts Rede vom 27. 10. 1958: ebd., 29. 10. 1958.

17 Konrad Adenauer, Erinnerungen 1955–1959, Stuttgart 1967, S. 347 ff. (Unterredung mit Smirnow, 19.3. 1958: 377); Berlin. Chronik (Anm. 16), S. 731 ff. (Chruschtschows Rede vom 10. 11. 1958 u. Berlin-Ultimatum); Schwarz, Ära Adenauer (Anm. 14), S. 19 ff. (zu den Plänen eines «Disengagement»: 42 ff.); Görtemaker, Geschichte (Anm. 1), S. 355 ff.; Hillgruber, Europa (Anm. 3), S. 84 ff.; Morsey, Bundesrepublik (Anm. 1), S. 54 ff.; Schöllgen, Geschichte (Anm. 8), S. 137 ff.; Andreas Wenger, Der lange Weg zur Stabilität. Kennedy, Chruschtschow und das gemeinsame Interesse der Supermächte am Status quo in Europa, in: VfZ 46 (1998), S. 69–99; Klaus Gotto, Adenauers Deutschland- und Ostpolitik 1954–1963, in: Rudolf Morsey u. Konrad Repgen (Hg.), Adenauer-Studien, 5 Bde., Mainz 1971 ff., Bd. 3, S. 3–91; Peter Siebenmorgen, Gezeitenwechsel. Aufbruch zur Entspannungspolitik, Bonn 1990, S. 121 ff.; Gilbert Ziebura, Die deutsch-französischen Beziehungen seit 1945. Mythen und Realitäten, Pfullingen 1970, S. 94 ff.; Kurt Klotzbach, Der Weg zur Staatspartei. Programmatik, praktische Politik und Organisation der deutschen Sozialdemokratie 1945 bis 1965, Berlin 1982, S. 467 ff. – Der Text der sowjetischen Noten vom 27. 11. 1958 in: Dokumente zur Berlin-Frage 1944–1962, bearb. v. Wolfgang Heidemeyer u. Günter Hindrichs, München 1962², S. 300–335; vom 10. 11. 1959 ebd., S. 373–375.

18 Adenauer, Erinnerungen 1955–1959 (Anm. 17), S. 483 ff.; Heinrich Krone, Tagebücher, Bd. 1: 1945–1961, Düsseldorf 1995, S. 328–368 (Aufzeichnungen, 3. 2.–1. 7. 1959); Daniel Koerfer, Kampf ums Kanzleramt. Erhard und Adenauer, Stuttgart 1987, S. 227 ff.; Mommsen (Hg.), Parteiprogramme (Anm. 2), S. 680–698 (Godesberger Programm der SPD, 1959); Sten. Ber. (Anm. 6), 3. Wahlperiode, Bd. 46, S. 7056 f., 7061 (Wehner, 30. 6. 1960); Klotzbach, Weg (Anm. 17), S. 433 ff.; Petra Weber, Carlo Schmid 1896–1979. Eine Biographie, München 1996, S. 631 ff.;

Hartmut Soell, Fritz Erler. Eine Biographie, 2 Bde., Berlin 1976, Bd. 1, S. 413 ff.; Terence Prittie, Willy Brandt. Biographie, Frankfurt 1973, S. 246 ff.; Schwarz, Ära Adenauer (Anm. 14), S. 177 ff.; ders., Adenauer (Anm. 11), S. 502 ff.; Rüdiger Altmann, Das Erbe Adenauers, Stuttgart 1960³, S. 87 ff. – Zur Programmdebatte in der SPD der Weimarer Republik vgl. Bd. 1, S. 432.
19 Konrad Adenauer, Erinnerungen 1959–1963. Fragmente, Stuttgart 1968, S. 42 ff.; Schöllgen, Geschichte (Anm. 16), S. 149 f.; Schwarz, Ära Adenauer (Anm. 14), S. 103 ff., 141 ff.; Birke, Nation (Anm. 6), S. 475 ff.; Lemke, Berlinkrise (Anm. 16), S. 149 ff.; Hillgruber, Europa (Anm. 3), S. 93 ff.; Schröder, SED-Staat (Anm. 1), S. 162 ff. (Ulbricht, 15. 6. 1961: 167); Weber, DDR (Anm. 1), S. 53 ff. (Flüchtlingszahlen April 1961: 55); Helge Heidemeyer, Flucht und Zuwanderung aus der SBZ/DDR 1945/49. Die Flüchtlingspolitik der Bundesrepublik Deutschland bis zum Bau der Berliner Mauer, Düsseldorf 1994, S. 37 ff.; Prittie, Brandt (Anm. 18), S. 246 ff.; Hanns Jürgen Küsters, Konrad Adenauer und Willy Brandt in der Berlin-Krise 1958–1963, in: VfZ 40 (1992), S. 483–542; Walther Stützle, Kennedy und Adenauer in der Berlin-Krise 1961–1962, Bonn 1973, S. 53 ff.; Robert M. Slusser, The Berlin Crisis of 1961. Soviet-American Relations and the Struggle for Power in the Kremlin, June-November 1961, Baltimore 1973; Honoré M. Catudal, Kennedy in der Mauer-Krise. Eine Fallstudie zur Entscheidungsfindung in den USA (amerik. Orig.: Berlin 1980), Berlin 1981; Norman Gelb, The Berlin Wall, London 1986; Michael R. Beschloss, The Crisis Years: Kennedy and Khrushchev 1960–1963, New York 1991; Hope M. Harrison, Ulbricht and the Concrete «Rose». New Archival Evidence on the Dynamics of Soviet-East German Relations and the Berlin Crisis, 1958–1961. The Woodrow Wilson Center. Cold War International History Project, Working Papers No. 5, Washington, D. C. 1993; Bernd Bonwetsch/Alexej Filitow, Chruschtschow und der Mauerbau. Die Gipfelkonferenz der Warschauer-Pakt-Staaten vom 3.–5. August 1961, in: VfZ 48 (2000), S. 155–198.
20 Heinrich Potthoff, Im Schatten der Mauer. Deutschlandpolitik 1961 bis 1990, Berlin 1999, S. 13 ff.; Richard Löwenthal, Vom kalten Krieg zur Ostpolitik, in: ders. u. Hans-Peter Schwarz (Hg.), Die zweite Republik. 25 Jahre Bundesrepublik Deutschland – eine Bilanz, Stuttgart 1974, S. 604–699 (659 ff.); Weber, DDR (Anm. 1), S. 53 ff.

3. Zwei Staaten, eine Nation: 1961–1973

1 Hans-Peter Schwarz, Die Ära Adenauer 1957–1963 (= Geschichte der Bundesrepublik Deutschland, Bd. 3), Stuttgart 1983, S. 141 ff. (Fechter-Krise: 148 f.; Adenauers Gespräch mit Smirnow: 145; Regensburger Rede: 152, 220; Schröder zu Berlin: 241); Richard Löwenthal, Vom kalten Krieg zur Ostpolitik, in: ders. u. Hans-Peter Schwarz (Hg.), Die zweite Republik. 25 Jahre Bundesrepublik Deutschland – eine Bilanz, Stuttgart 1974, S. 604–699 (665); Michael Lemke, Die Berlinkrise 1958 bis 1963. Interessen und Handlungsspielräume der SED im Ost-West-Konflikt, Berlin 1995, S. 173 ff.; Gregor Schöllgen, Geschichte der Weltpolitik von Hitler bis Gorbatschow 1941–1991, München 1996, S. 162 ff.; Heinrich Potthoff, Im Schatten der Mauer. Deutschlandpolitik 1961 bis 1990, Berlin 1999, S. 13 ff.; A. James McAdams, Germany Divided. From the Wall to Reunification, Princeton 1993, S. 3 ff.

2 David Schoenbaum, Ein Abgrund von Landesverrat. Die Affäre um den «Spiegel» (amerik. Orig.: Garden City 1968), Wien 1968 (zum publizistischen Echo, darunter den Stellungnahmen von Ritter und Bracher: 159 ff.); Jürgen Seifert, Die Spiegel-Affäre. 2 Bde., Frankfurt 1966; Schwarz, Ära Adenauer (Anm. 1), S. 261 ff.; Hartmut Soell, Fritz Erler – Eine politische Biographie. 2 Bde., Berlin 1976, Bd. 2, S. 735 ff.; Gerhard Ritter, Blind für die Wirklichkeit (Leserbrief), in: FAZ, 10. 11. 1962; Karl Dietrich Bracher, Demokratie oder Obrigkeitsstaat (Leserbrief), ebd., 13. 11. 1962. – Die Äußerung Adenauers im Bundestag, 7. 11. 1962: Verhandlungen des Deutschen Bundestages. Stenographische Berichte (= Sten. Ber.), 4. Wahlperiode, Bd. 51, S. 1984.

3 Konrad Adenauer, Erinnerungen 1959–1963. Fragmente, Stuttgart 1968, S. 158 ff.; Akten zur Auswärtigen Politik der Bundesrepublik Deutschland (= AAP) 1963, Bd. I: 1. Januar bis 31. Mai 1963, München 1994, S. 111–131, 137–151 (Verhandlungen in Paris, 21./22. 1. 1963, Elyseevertrag); Hans-Peter Schwarz, Adenauer. Der Staatsmann: 1952–1967, Stuttgart 1991, S. 810 ff.; ders., Ära Adenauer (Anm. 1), S. 255 ff. (de Gaulles Deutschlandreise: 259), 288 ff.; ders. (Hg.), Adenauer und Frankreich. Die deutsch-französischen Beziehungen 1958 bis 1969 (Rhöndorfer Gespräche, Bd. 7), Bonn 1985; Daniel Koerfer, Der Kampf ums Kanzleramt. Erhard und Adenauer, Stuttgart 1987, S. 707 ff.; Gilbert Ziebura, Die deutsch-französischen Beziehungen seit 1945. Mythen und Realitäten, Pfullingen 1970, S. 94 ff.; Thomas Jansen, Die Entstehung des deutsch-französischen Vertrages vom 22. Januar 1963, in: Dieter Blumenwitz u. a. (Hg.), Konrad Adenauer und seine Zeit. Politik und Persönlichkeit des ersten Bundeskanzlers, Bd. II: Beiträge der Wissenschaft, Stuttgart 1976, S. 249–271; Horst Möller u. Klaus Hildebrand (Hg.), Die Bundesrepublik Deutschland und Frankreich: Dokumente 1949–1963, 4 Bde., Bd. 1: Außenpolitik und Diplomatie. Bearb. v. Ulrich Lappenküper, München 1997, S. 698 ff.; Waldemar Besson, Die Außenpolitik der Bundesrepublik. Erfahrungen und Maßstäbe, München 1970, S. 287 ff.; Rainer A. Blasius (Hg.), Von Adenauer zu Erhard. Studien zur auswärtigen Politik der Bundesrepublik Deutschland 1963, München 1994.

4 Legacy of a President. The Memorable Words of John Fitzgerald Kennedy, Washington, D. C., o. J., S. 23–26 (Rede vom 10. 6. 1963); Dokumente zur Deutschlandpolitik, IV. Reihe, Bd. 9 (1963), 1. Halbbd., S. 442–449 (Kennedy in der Paulskirche, 25. 6. 1963), 460 f. (Kennedy vor dem Schöneberger Rathaus, 26. 6. 1963), 463–467 (Kennedy an der Freien Universität Berlin); 2. Halbbd., S. 565–575 (Bahr in Tutzing, 15. 7. 1963); Willy Brandt, Koexistenz – Zwang zum Wagnis, Stuttgart 1963, S. 7 ff. (Rede an der Harvard-Universität, Cambridge/Mass., 2. 10. 1962); ders., Erinnerungen, Berlin 1989, S. 65 ff. (Tutzinger Rede: 74 ff.); Egon Bahr, Zu meiner Zeit, München 1996, S. 152 ff.; Peter Bender, Offensive Entspannung. Möglichkeit für Deutschland, Köln 1964, S. 124–126 (Hervorhebung im Original); Andreas Vogtmeier, Egon Bahr und die deutsche Frage. Zur Entwicklung der sozialdemokratischen Ost- und Deutschlandpolitik vom Kriegsende bis zur Vereinigung, Bonn 1990, S. 59 ff.; Löwenthal, Vom kalten Krieg (Anm. 1), S. 604 ff., 664 f.; Schwarz, Ära Adenauer (Anm. 1), S. 297 ff. (Zitat: 297); Potthoff, Schatten (Anm. 1), S. 31 ff. – Das Zitat von Wilson vom 22. 1. 1917 («The world must be made safe for democracy»): August Heckscher, Woodrow Wilson, New York 1991, S. 440.

5 Sten. Ber. (Anm. 2), 4. Wahlperiode, Bd. 53, S. 4161–4165 (Gerstenmaier, 15. 10. 1963), 4165–4167 (Adenauer, 15. 10. 1963); Hans-Peter Schwarz, Die Ära

Adenauer 1949–1957 (= Geschichte der Bundesrepublik Deutschland, Bd. 2), Stuttgart 1981, S. 368 (Wahlkampf 1957); ders., Ära Adenauer (Anm. 1), S. 306 ff. (Adenauer zu Henkels, 15. 10. 1963: 318); Allensbacher Jahrbuch der Demoskopie, Bd. 8 (1978–1983), München 1983, S. 187 (Umfragen 1951 u. 1963); Rolf Rytlewski u. Manfred Opp de Hipt, Die Bundesrepublik Deutschland in Zahlen 1945/49–1980. Ein sozialgeschichtliches Arbeitsbuch, München 1987, S. 44 (Konfessionsdaten), 79 (Landwirtschaft); Werner Abelshauser, Die langen Fünfziger Jahre. Wirtschaft und Gesellschaft der Bundesrepublik Deutschland 1949–1966, Düsseldorf 1987.

6 Hermann Weber, Die DDR 1945–1990, München 1993, S. 57 ff. (Wirtschaftsdaten 1964/65: 61, Schulentwicklung: 64 f.); ders. (Hg.), DDR. Dokumente zur Geschichte der Deutschen Demokratischen Republik 1945–1985, München 1986, S. 264 (Hoffmann, 24. 1. 1962), 266–271 (SED-Programm, 18. 1. 1963), 277–281 (Gesetz vom 25. 2. 1965), 283 (Honecker, 15. 12. 1965); Klaus Schroeder unter Mitarbeit von Steffen Alisch, Der SED-Staat. Geschichte und Strukturen der DDR, München 1998, S. 149 ff. («Jugendkommuniqué»: 175; Havemann: 176; 11. Plenum und FDJ: 178); Christoph Kleßmann, Zwei Staaten, eine Nation. Deutsche Geschichte 1955–1970, Göttingen 1988, S. 330 ff.; Monika Kaiser, Machtwechsel von Ulbricht zu Honecker. Funktionsmechanismen der SED-Diktatur in Konfliktsituationen 1962 bis 1972, Berlin 1997, S. 26 ff.; Günter Agde (Hg.), Kahlschlag. Das 11. Plenum des ZK der SED 1965. Studien u. Dokumente, Berlin 1991; Erhart Neubert, Geschichte der Opposition in der DDR 1949–1989, Bonn 1997, S. 203 ff.; Peter Christian Ludz, Entwurf einer soziologischen Theorie totalitär verfaßter Gesellschaft, in: ders. (Hg.), Studien und Materialien zur Soziologie der DDR (Kölner Zeitschrift für Soziologie und Sozialpsychologie, Sonderheft 8), Köln 1964, S. 11–58 (50); ders., Parteielite im Wandel. Funktionsaufbau, Sozialstruktur und Ideologie der SED-Führung. Eine empirisch-systematische Untersuchung, Opladen 1968, S. 37, 324–327; Ernst Richert, Die neue Gesellschaft in Ost und West. Analyse einer lautlosen Revolution, Gütersloh 1966, S. 382; Pitirim A. Sorokin, Soziologische und kulturelle Annäherungen zwischen den Vereinigten Staaten und der Sowjetunion, in: Zeitschrift für Politik, N. F. 7 (1960), S. 341–370; Jan Tinbergen, Do Communist and Free Economies Show a Converging Pattern?; in: Soviet Studies 12 (1961), S. 333–341; Richard Löwenthal, Vom Absterben der Russischen Revolution. Zu Chruschtschows Sturz durch die Parteioligarchie (1965), in: ders., Weltpolitische Betrachtungen. Essays aus zwei Jahrzehnten, Göttingen 1983, S. 95–109 (107–109). Der Text des «Nationalen Dokuments» in: Stefan Thomas (Hg.), Das Programm der SED. Das vierte Statut der SED. Das Nationale Dokument, Köln 1963, S. 134–160 (Zitate: 151); das Programm der SED: S. 28–109 (Zitat: 57). Zum Tod Erich Apels: Klaus Wiegrefe, «Wohin führt das?», in: Der Spiegel, Nr. 10, 6. 3. 2000.

7 Klaus Hildebrand, Von Erhard zur Großen Koalition 1963–1969 (= Geschichte der Bundesrepublik Deutschland, Bd. 4), Stuttgart 1984, S. 92 ff.; Wolfram F. Hanrieder, Die stabile Krise. Ziele und Entscheidungen der bundesrepublikanischen Außenpolitik 1949–1969 (amerik. Orig.: New York 1970), Düsseldorf 1971, S. 57 ff.; Kurt Klotzbach, Der Weg zur Staatspartei. Programmatik, praktische Politik und Organisation der deutschen Sozialdemokratie 1945 bis 1965, Berlin 1982, S. 588 ff. (Wahlkampf 1965); Schöllgen, Geschichte (Anm. 1), S. 195 ff. (Bruch zwischen Peking und Moskau); Ziebura, Beziehungen (Anm. 3), S. 119 ff.; Löwenthal, Vom kalten Krieg (Anm. 6), S. 665 ff.; Rytlewski/Opp de Hipt, Bundesrepublik (Anm. 5), S. 141 (Arbeitslosigkeit). – Brandts Äußerungen vor den Spitzengremien

der SPD am 25.9. 1965 in: SPD. Pressemitteilungen und Informationen, Nr. 584, 25.9. 1965.

8 Sten. Ber. (Anm. 2), 5. Wahlperiode, Bd. 60, S. 17–33 (Erhard, 10. 11. 1965), Bd. 63, S. 3656–3665 (Kiesinger, 13. 12. 1966); Dokumente (Anm. 4), IV. Reihe, Bd. 11, S. 869–897 (Denkschrift der EKD, Zitat: 896), 973–976 (Botschaft der katholischen Bischöfe, Zitat: 775), Bd. 12, S. 381–385 (Friedensnote der Bundesregierung vom 25. 3. 1966), 401 ff. (Dokumente zum Redneraustausch SPD-SED); Rudolf Morsey, Die Vorbereitung der Großen Koalition von 1966. Unionspolitiker im Zusammenspiel mit Herbert Wehner seit 1962, in: Jürgen Kocka u. a. (Hg.), Von der Arbeiterbewegung zum modernen Sozialstaat. Festschrift für Gerhard A. Ritter, München 1994, S. 462–478; Klaus Schönhoven, Entscheidung für die Große Koalition. Die Sozialdemokratie in der Regierungskrise im Herbst 1966, in: Wolfram Pyta u. Ludwig Richter (Hg.), Gestaltungskraft des Politischen, Festschrift für Eberhard Kolb, Berlin 1998, S. 379–397; AAP 1966, Bd. II: 1. Juli bis 31. Dezember 1966, München 1997, S. 1242–1251, 1263–1268 (Gespräche Johnson-Erhard, 26./27. 9. 1966); Willy Brandt, Begegnungen und Einsichten. Die Jahre 1960–1975, Hamburg 1976, S. 163 ff.; ders., Erinnerungen (Anm. 4), S. 82 f. (Redneraustausch); Hildebrand, Von Erhard (Anm. 7), S. 160 ff. (Wirtschaftsdaten 1965/66: 206; Kanzlerkrise: 216 ff.; 241 ff.: Bildung der Großen Koalition); Dieter Oberndörfer (Hg.), Begegnungen mit Kurt Georg Kiesinger. Festgabe zum 80. Geburtstag, Stuttgart 1984, S. 83 ff. (Protokoll vom 7. 11. 1944: 127–130); Kleßmann, Zwei Staaten (Anm. 6), S. 193 ff. (Briefwechsel Grass-Brandt: 525 f.); Alf Mintzel, Geschichte der CSU. Ein Überblick, Opladen 1977, S. 386 ff. Die Acht Punkte der SPD «Aufgaben einer neuen Bundesregierung» vom 12. 11. 1966 in: Jahrbuch der Sozialdemokratischen Partei Deutschlands 1966/67, Bad Godesberg 1968, S. 354–361. Zur Entscheidung der SPD-Bundestagsfraktion für die Große Koalition am 27./28. 11. 1966: Heinrich Potthoff (Bearb.), Die SPD-Fraktion im Deutschen Bundestag. Sitzungsprotokolle 1961–1966, Düsseldorf 1993, S. 1029–1070.

9 Franz Josef Strauß, Entwurf für Europa, Stuttgart 1966, S. 50 f., 162 f.; Burghard Freudenfeld, Das perfekte Provisorium. Auf der Suche nach einem deutschen Staat, in: Hochland 59 (1967), S. 421–433 (426, 433); Eugen Gerstenmaier, Was heißt deutsches Nationalbewußtsein heute?, ebd., 60 (1967/68), S. 146–150 (149 f.); Helmut Schmidt, Bundesdeutsches Nationalbewußtsein?, ebd., S. 558–562 (561 f.); Walter Scheel, Falsches Demokratieverständnis, ebd., S. 365–369; M. Rainer Lepsius, Die unbestimmte Identität der Bundesrepublik, ebd., S. 562–569 (567 ff.); Hans Buchheim, Aktuelle Krisenpunkte des deutschen Nationalbewußtseins, Mainz 1967, S. 31; Waldemar Besson, Die Außenpolitik der Bundesrepublik. Erfahrungen und Maßstäbe, München 1970, S. 459; Peter Bender, Zehn Gründe zur Anerkennung der DDR, Frankfurt 1968, S. 5 f.

10 Fritz Fischer, Griff nach der Weltmacht. Die Kriegszielpolitik des kaiserlichen Deutschland, Düsseldorf 1961; Bericht über die 26. Versammlung deutscher Historiker in Berlin. 7. bis 11. Oktober 1964, Stuttgart 1965, S. 42–51 («Rätedebatte»), 63–72 («Fischer-Kontroverse»); Walter Schmitthenner und Hans Buchheim (Hg.), Der deutsche Widerstand gegen Hitler, Köln 1966; Ralf Dahrendorf, Gesellschaft und Demokratie in Deutschland, München 1965, S. 444; Alexander u. Margarete Mitscherlich, Die Unfähigkeit zu trauern. Grundlagen kollektiven Verhaltens (1967¹), München 1991, S. 13–85 (80); Theodor W. Adorno, Was bedeutet: Aufarbeitung der Vergangenheit? (1959), in: ders., Gesammelte Schriften, Bd. 10.2: Kul-

turkritik und Gesellschaft. II: Eingriffe, Stichworte, Anhang, Frankfurt 1977, S. 555–572.
11 Wolfgang Fritz Haug, Der hilflose Antifaschismus. Zur Kritik der Vorlesungsreihen über Wissenschaft und NS an deutschen Universitäten, Frankfurt 1967, bes. S. 100 (zu Horkheimer); Otto Bauer, Herbert Marcuse, Arthur Rosenberg u. a., Faschismus und Kapitalismus. Theorien über die sozialen Ursprünge und die Funktion des Faschismus. Hg. v. Wolfgang Abendroth. Eingel. v. Kurt Kliem, Jörg Kammler u. Rüdiger Griepenburg, Frankfurt 1967 (das Zitat von Horkheimer: S. 5); Willy Albrecht, Der Sozialistische Deutsche Studentenbund. Vom parteikonformen Studentenverband zum Repräsentanten der neuen Linken, Bonn 1994; Tilman Fichter, SDS und SPD. Parteilichkeit jenseits der Partei, Opladen 1988; ders. u. Siegward Lönnendonker, Kleine Geschichte des SDS. Der Sozialistische Deutsche Studentenbund von 1946 bis zur Selbstauflösung, Berlin 1977; Clemens Albrecht u. a., Die intellektuelle Gründung der Bundesrepublik. Eine Wirkungsgeschichte der Frankfurter Schule, Frankfurt 1999; Klotzbach, Weg (Anm. 7), S. 454 ff. – Das Zitat von Marx in: Karl Marx/Friedrich Engels, Werke, Berlin 1959 ff., Bd. 1, S. 386.
12 Hildebrand, Von Erhard (Anm. 7), S. 352 ff. (das Zitat von Ehmke: 272, zu den Landtagswahlen von 1967/68: 467 ff.); Kleßmann, Zwei Staaten (Anm. 6), S. 245 ff. («Sternmarsch» vom 11. 5. 1968: 248 ff.); Wolfgang Kraushaar, 1968. Das Jahr, das alles verändert hat, München 1998²; ders. (Hg.), Frankfurter Schule und Studentenbewegung. Von der Flaschenpost zum Molotowcocktail 1946–1995, 3 Bde., Hamburg 1998; Ingrid Gilcher-Holtey, «Die Phantasie an die Macht». Mai 68 in Frankreich, Frankfurt 1995 (Zitat: S. 473); dies. (Hg.), 1968. Vom Ereignis zum Gegenstand der Geschichtswissenschaft (GG, Sonderheft 17), Göttingen 1998; Heinrich August Winkler, Die «neue Linke» und der Faschismus: Zur Kritik neomarxistischer Theorien über den Faschismus, in: ders., Revolution, Staat, Faschismus. Zur Revision des Historischen Materialismus, Göttingen 1978, S. 65–117; Ulrike Ackermann, Sündenfall der Intellektuellen. Ein deutsch-französischer Streit von 1945 bis heute, Stuttgart 2000, S. 120 ff.; Lutz Niethammer, Angepaßter Faschismus. Politische Praxis der NPD, Frankfurt 1969. – Als Beispiele des «aktualisierenden» Faschismusverständnisses der APO: Johannes Agnoli, Die Transformation der Demokratie, in: ders. u. Peter Brückner, Die Transformation der Demokratie, Frankfurt 1968, S. 7–87; Manfred Clemenz, Gesellschaftliche Ursprünge des Faschismus, Frankfurt 1972; H. C. F. Mansilla, Faschismus und eindimensionale Gesellschaft, Neuwied 1971. Der Begriff der «repressiven Toleranz» bei Herbert Marcuse, Repressive Toleranz, in: Robert Paul Wolff, Barrington Moore u. Herbert Marcuse, Kritik der reinen Toleranz, Frankfurt 1966[1], S. 91–128.
13 Heribert Knorr, Der parlamentarische Entscheidungsprozeß während der Großen Koalition 1966 bis 1969. Struktur und Einfluß der Koalitionsfraktionen und ihr Verhältnis zur Regierung der Großen Koalition, Meisenheim 1975, S. 49 ff.; Andrea H. Schneider, Die Kunst des Kompromisses. Helmut Schmidt und die Große Koalition 1966–1969, Paderborn 1999; Hans Georg Lehmann, Öffnung nach Osten. Die Ostreisen Helmut Schmidts und die Entstehung der Ost- und Entspannungspolitik, Bonn 1984, S. 131 ff.; Dirk Kroegel, Einen Anfang finden. Kurt Georg Kiesinger in der Außen- und Deutschlandpolitik der Großen Koalition, München 1997; Rytlewski/Opp de Hipt, Bundesrepublik (Anm. 5), S. 141 (Arbeitsmarktzahlen); Hildebrand, Von Erhard (Anm. 7), S. 283 ff. (Bruttoinlandsprodukt und Inflationsrate: 296; Kiesinger, Adenauer und Strauß zum Atomsperrvertrag: 310; «Bild»-

Schlagzeile vom 23. 11. 1968: 322); Gregor Schöllgen, Die Außenpolitik der Bundesrepublik Deutschland. Von den Anfängen bis zur Gegenwart, München 1999, S. 87 ff.; ders., Geschichte (Anm. 1), S. 198 ff. (de Gaulle in der Sowjetunion: 199, in Pnom Penh: 208; Zahlen zum Vietnamkrieg: 234); Löwenthal, Vom Kalten Krieg (Anm. 1), S. 664 ff. (Zitat: 664); Besson, Außenpolitik (Anm. 9), S. 384 ff.; Brandt, Erinnerungen (Anm. 4), S. 168 ff. (Zitat: 182); Potthoff, Schatten (Anm. 1), S. 55 ff.; Kaiser, Machtwechsel (Anm. 6), S. 263 ff.; EA, Folge 20 (1966), D 519 (Johnson, 7. 10. 1966); Texte zur Deutschlandpolitik 3 (1970), S. 254 (Erklärung der Bundesregierung zur Deutschland- und Friedenspolitik, 30. 5. 1969); AdG 38 (1968), S. 14074–14078 (Ultimatum des Warschauer Pakts, 15. 7. 1968); ebd. 39 (1969), S. 14555 f. (Budapester Appell, 20. 3. 1969); ebd., S. 14613 f. (NATO-Kommuniqué, 11. 4. 1969); Dokumente (Anm. 4), IV. Reihe, Bd. 12 (1966), S. 812 f. (Brandt, 1. 6. 1966); ebd., V. Reihe, Bd. 1/1 (1968), S. 2236–2241 (Harmel-Bericht, 14. 12. 1967); ebd., V. Reihe, Bd. 2/1 (1968), S. 891–894 («Signal von Reykjavik», 24. 6. 1968); ebd., V. Reihe, Bd. 2/2, S. 1074–1084 (Ulbricht, 9. 8. 1968). Der Briefwechsel Kiesinger-Stoph: ebd., V. Reihe, Bd. 1 (1966/67), S. 1115 ff. – Zum Pariser Gipfel, 12./14. 1. 1967: AAP 1967, Bd. I: 1. Januar bis 31. März 1967, München 1998, S. 64–77, 90–102; zum sowjetischen Memorandum vom 5. 7. 1968: ebd., 1968, Bd. II: 1. Juli bis 31. Dezember 1968, München 1999, S. 838–842; zum Gespräch Brandt-Zarapkin, 10. 1. 1969: ebd., 1969, Bd. 1: 1. Januar bis 30. Juni 1969, München 2000, S. 31–37.

14 Kleßmann, Zwei Staaten (Anm. 6), S. 203 ff. (Zitate Augstein, Jaspers, Rasch: 204); Hildebrand, Von Erhard (Anm. 7), S. 339 ff. (Deutschlandpolitik der FDP), 352 ff. (Gründung der DKP: 373), 383 ff. (Wahlkampfparolen: 387, 401; Zitat Weyer: 395); Gustav W. Heinemann, Es gibt schwierige Vaterländer... Reden und Aufsätze 1919–1969, hg. v. Helmut Lindemann, Frankfurt 1977, S. 334 f. (Fernsehrede, 14. 4. 1968), 339 ff. (Bundestagsrede, 10. 5. 1968), 350 (Interview mit der «Stuttgarter Zeitung», 8. 3. 1968); ders., Allen Bürgern verpflichtet. Reden des Bundespräsidenten 1969–1974, Frankfurt 1975, S. 13–20 (Rede vom 1. 7. 1969; Hervorhebung im Original), 36–44 (Rastatter Rede, 26. 6. 1974), 45–51 (Rede vom 17. 1. 1971); Manfred Rensing, Geschichte und Politik in den Reden der deutschen Bundespräsidenten 1949–1984, München 1996, S. 106 ff.; Edgar Wolfrum, Geschichtspolitik in der Bundesrepublik Deutschland. Der Weg zur bundesrepublikanischen Erinnerung 1948–1990, Darmstadt 1999, S. 258 ff. (zum Echo auf Heinemanns Rede vom 18. 1. 1971); Politische Zeittafel 1949–1979. Drei Jahrzehnte Bundesrepublik Deutschland, Bonn 1981², S. 158 (Gründung der DKP), 169 (Zahlen zur Aufwertung der DM); Arnulf Baring in Zusammenarbeit mit Manfred Görtemaker, Machtwechsel. Die Ära Brandt-Scheel, Stuttgart 1982, S. 27 ff.; Wolfgang Jäger, Die Innenpolitik der sozial-liberalen Koalition 1969–1974, in: Karl Dietrich Bracher/ Wolfgang Jäger/Werner Link, Republik im Wandel 1969–1974. Die Ära Brandt (= Geschichte der Bundesrepublik Deutschland, Bd. 5/I), Stuttgart 1986, S. 15–160 (Zitat Wehner: 16); Knorr, Entscheidungsprozeß (Anm. 13), S. 219. – Zum Begriff «Strategie des begrenzten Konflikts»: Horst Ehmke, Mittendrin. Von der Großen Koalition zur Deutschen Einheit, Berlin 1994, S. 93; das Zitat von Ahlers in: Klaus Hoff, Kurt Georg Kiesinger. Die Geschichte seines Lebens, Frankfurt 1969, S. 152.

15 Protokoll der Verhandlungen des VII. Parteitages der Sozialistischen Einheitspartei Deutschlands, 17. bis 22. April 1967 in der Werner-Seelenbinder-Halle zu Berlin, Berlin 1967, Bd. 2, S. 308–326 (Ulbrichts Schlußansprache; zur «sozialisti-

schen Menschengemeinschaft»: 323), Bd. 4, S. 261 (Bericht des ZK: Rücknahme des Konföderationsgedankens); Walter Ulbricht, Die Bedeutung des Werkes «Das Kapital» für die Schaffung des entwickelten gesellschaftlichen Systems des Sozialismus in der DDR und den Kampf gegen das staatsmonopolistische Herrschaftssystem in Westdeutschland, in: ders., Zum ökonomischen System des Sozialismus in der DDR, Berlin 1968, S. 530–533 (Zitat: 530 f.); ders., Die Bedeutung und die Lebenskraft der Lehren von Karl Marx für unsere Zeit (Rede vom 2. 5. 1968), Berlin 1968, S. 42 (Formel vom «Sozialismus in einem modernen, industriell hochentwickelten Lande»); 20 Jahre Deutsche Demokratische Republik. Thesen, in: ND, 16. 1. 1969; Weber, DDR (Anm. 6), S. 67 ff. (Ulbrichts Äußerungen zum Sozialismus und zur DDR 1967/68: 74); ders. (Hg.), DDR (Anm. 6), S. 156–163 (Auszüge aus der Verfassung vom 7. 10. 1949), 297 f. (Ulbricht, 12. 9. 1967), 298 f. (Auszug aus dem Strafgesetzbuch vom 12. 1. 1968), 299–303 (Auszüge aus der Verfassung vom 6. 4. 1949), 306 (Ulbricht, 22. 3. 1969); Kleßmann, Zwei Staaten (Anm. 6), S. 368 ff. (Zitat: 369); Schroeder, SED-Staat (Anm. 6), S. 181 ff. (Zahlen zur Verfolgung von 1968: 187); Kaiser, Machtwechsel (Anm. 6), S. 133 ff. (Ulbrichts Plan eines Briefes an Heinemann: 312); Armin Mitter u. Stefan Wolle, Untergang auf Raten. Unbekannte Kapitel der DDR-Geschichte, München 1993, S. 367 ff. (Parteibericht vom 12. 12. 1968: 463); Falco Werkentin, Politische Strafjustiz in der Ära Ulbricht, Berlin 1995, S. 287 ff.; Neubert, Geschichte (Anm. 6), S. 163 ff.; Gerhard Besier, Der SED-Staat und die Kirche. Der Weg in die Anpassung, München 1993, S. 421 ff.; ders., Der SED-Staat und die Kirche. Die Vision vom «Dritten Weg», Berlin 1995, S. 21 ff.; Ilko-Sascha Kowalczuk, «Wer sich in Gefahr begibt...». Protestaktionen gegen die Intervention in Prag und die Folgen von 1968 für die DDR-Opposition, in: Klaus-Dietmar Henke u. a. (Hg.), Widerstand und Opposition in der DDR, Köln 1999, S. 257–274; Roger Engelmann u. Paul Erker, Annäherung und Abgrenzung. Aspekte deutsch-deutscher Beziehungen 1956–1969, München 1993. – Zum Gespräch Brandt-Gromyko, 22. 9. 1969: AAP 1969, Bd. II: 1. Juli bis 31. Dezember 1969, München 2000, S. 1057–1063.

16 Zeittafel (Anm. 14), S. 172 (Aufwertung der DM), 175 (Stabilitätsprogramm, 22. 1. 1970), 185 (Stabilitätsprogramm, 9. 5. 1971), 187 (Studentenzahlen und Hochschulbau); Sten. Ber. (Anm. 2), 6. Wahlperiode, Bd. 71, S. 20–34 (Regierungserklärung Brandts vom 28. 19. 1969); Kleßmann, Zwei Staaten (Anm. 6), S. 260 ff. (Picht, Dahrendorf); Brandt, Begegnungen (Anm. 8), S. 293 ff.; ders., Erinnerungen (Anm. 4), S. 214 f. (Warschauer Kniefall), 219 (Prager Vertrag); JöM 5 (1968–1973), S. 525 (Meinungsumfragen zur Oder-Neiße-Linie); Detlef Nakath, Erfurt, Kassel und die Mächte. Zum Beginn des deutsch-deutschen Dialogs im Frühjahr 1970, in: DA 33 (2000), S. 216–222; Werner Link, Außen- und Deutschlandpolitik in der Ära Brandt 1969–1974, in: Bracher u. a., Republik (Anm. 14), S. 163–282 (bes. 163 ff.); Jäger, Innenpolitik, ebd., S. 27 ff.; Baring, Machtwechsel (Anm. 14), S. 197 ff.; Löwenthal, Vom kalten Krieg (Anm. 1), S. 681 ff. (zum Berlin-Abkommen: 687 f.); Bahr, Zeit (Anm. 4), S. 268 ff.; Vogtmeier, Bahr (Anm. 4), S. 118 ff.; Potthoff, Schatten (Anm. 1), S. 73 ff. (zu Bahrs geheimem «Kanal»: 82 f., 97 f.); Kaiser, Machtwechsel (Anm. 6), S. 332 ff.; Peter Bender, Die «Neue Ostpolitik» und ihre Folgen. Vom Mauerbau bis zur Vereinigung, München 1995, S. 155 ff.; Benno Zündorf, Die Ostverträge. Die Verträge von Moskau, Warschau, Prag, das Berlin-Abkommen und die Verträge mit der DDR, München 1979, S. 17 ff. – Zum Briefwechsel Ulbricht-Heinemann: Texte (Anm. 13), 4 (1970), S. 143 ff., zum Briefwechsel Brandt-Stoph:

277 ff., zum Treffen in Erfurt: 327 ff.; zum Treffen in Kassel: ebd., 5 (1970), S. 96 ff.; zum Moskauer Vertrag: ebd., 6 (1970/71), S. 74 ff., zum Warschauer Vertrag: 215 ff., Brandts Fernsehrede vom 7. 12. 1970: 263–265; zum Viermächteabkommen über Berlin 1971: ebd., 8 (1971), S. 371 ff. Das Urteil des Bundesverfassungsgerichts vom 29. 5. 1973 in: Entscheidungen des Bundesverfassungsgerichts (= BverfGE), Bd. 35, Tübingen 1974, S. 79–170.

17 Pionierleistungen für unseren Sieg im Klassenkampf, in: ND, 24. 2. 1970 (Ulbricht, 23. 2. 1970); Texte (Anm. 13), 4 (1970), S. 256–274 (Ulbricht, 19. 1. 1970); ebd., 6, S. 291–296 (Ulbricht, 17. 12. 1970); Protokoll der Verhandlungen des VIII. Parteitages der Sozialistischen Einheitspartei Deutschlands. 15. bis 19. Juni 1971 in der Werner-Seelenbinder-Halle zu Berlin, 1. bis 3. Beratungstag, Berlin 1971, S. 34–121 (Bericht des ZK; zur «sozialistischen Nation»: 56; zu den Zielen der Wirtschaftspolitik: 62, 64); Peter Przybylski, Tatort Politbüro (Bd. 1). Die Akte Honecker, Reinbek 1992, S. 101 ff., 280–238 (Breschnew-Honecker, 28. 7. 1970), 289–296 (Delegationen von SED und KPdSU, 20. 8. 1970); ders., Bd. 2: Honecker, Mittag und Schalck-Golodkowski, Berlin 1992, S. 20 ff., 340–345 (Breschnew, 20. 8. 1970); Kaiser, Machtwechsel (Anm. 6), S. 324 ff. (Honeckers Aufzeichnungen über sein Gespräch mit Breschnew, 28. 7. 1970: 379 f.; Ulbrichts Äußerung vom 21. 8. 1970: 395); Stefan Wolle, Die heile Welt der Diktatur. Alltag und Herrschaft in der DDR 1971–1989, Berlin 1998, S. 40 ff. (Zitate: 41, 45); Weber (Hg.), DDR (Anm. 6), S. 323–325 (Hager, 14. 10. 1971); ders., DDR (Anm. 6), S. 77 ff. (8. Parteitag: 77); Schroeder, SED-Staat (Anm. 6), S. 206 ff. (zu Ulbrichts Haltung zur Frage der Nation, 1970/71: 207; 8. Parteitag von 1971: 210 f.); Jochen Staadt, Walter Ulbrichts letzter Machtkampf, in: DA 29 (1996), S. 686–700 (Breschnews Brief an Ulbricht, 21. 10. 1970: 694); Erich Honecker, Reden und Aufsätze, Bd. 1, Berlin 1975, S. 431–441 (Rede vom 6. 1. 1972; Zitat: 438); Karl-Heinz Schmidt, Dialog über Deutschland. Studien zur Deutschlandpolitik von KPdSU und SED (1960–1979), Baden-Baden 1998; Alfred Kosing/Walter Schmidt, Zur Herausbildung der sozialistischen Nation in der DDR, in: Einheit 29 (1974), S. 179–188; Jens Hacker, SED und nationale Frage, in: Ute Spittmann (Hg.), Die SED in Geschichte und Gegenwart, Köln 1987, S. 43–64; Ulrich Neuhäußer-Wespy, Nation neuen Typs. Zur Konstruktion einer sozialistischen Nation in der DDR, in: Deutschland-Studien 32 (1975), S. 357–365; Gottfried Ziegler, Die Haltung von SED und DDR zur Einheit Deutschlands, Köln 1988; Heinrich August Winkler, Nationalismus, Nationalstaat und nationale Frage in Deutschland seit 1945, in: ders. u. Hartmut Kaelble (Hg.), Nationalismus, Nationalitäten, Supranationalität. Europa nach 1945, Stuttgart 1993, S. 12–33.

18 Texte (Anm. 13), 9 (1972), S. 548 f. (Bundesausschuß der CDU, 24. 1. 1972); Sten. Ber. (Anm. 2), 6. Wahlperiode, Bd. 79, S. 9 764 (Barzel, 23. 2. 1972), S. 10704 f. (Scheel, 27. 4. 1972), 10711 (Brandt, 27. 4. 1972); Brandt, Begegnungen (Anm. 8), S. 560 ff.; ders., Erinnerungen (Anm. 4), S. 283 ff.; Bahr, Zeit (Anm. 4), S. 381 ff.; Rainer Barzel, Auf dem Drahtseil, München 1978, S. 59 ff.; Walter Leisler Kiep, Was bleibt ist große Zuversicht. Erfahrungen eines Unabhängigen. Ein politisches Tagebuch, Berlin 1999, S. 53–69 (Aufzeichnungen 23.2.–17. 5. 1972); Henry A. Kissinger, Memoiren 1968–1975 (amerik. Orig.: Boston 1979), München 1979, S. 437 ff.; Markus Wolf, Spionagechef im geheimen Krieg. Erinnerungen, München 1997, S. 261 f.; Stephan Fuchs, «Dreiecksverhältnisse sind immer kompliziert». Kissinger, Bahr und die Ostpolitik, Hamburg 1999; Hubertus Knabe, Die unterwanderte Republik.

Stasi im Westen, Berlin 1999, S. 15 ff. (Fälle Steiner und Wienand); Gerd Lotze, Karl Wienand. Der Drahtzieher, Köln 1995, S. 91 ff.; Baring, Machtwechsel (Anm. 14), S. 396 ff., 580 ff.; Link, Außen- und Deutschlandpolitik (Anm. 16), S. 206 ff.; Jäger, Innenpolitik (Anm. 14), S. 67 ff. (Text der Gemeinsamen Erklärung zu den Ostverträgen vom 17. 5. 1972: 210); Löwenthal, Vom kalten Krieg (Anm. 1), S. 688 ff. Zum Fall Wagner: CSU-Spion enttarnt, in: Der Spiegel, Nr. 48, 27. 11. 2000.

19 Zeittafel (Anm. 4), S. 192 (Washingtoner Währungskonferenz, 17./18. 12. 1971), 193 («Radikalenerlaß»), 195 («Währungsschlange»); Bahr, Zeit (Anm. 4), S. 393 ff.; Vogtmeier, Bahr (Anm. 4), S. 152 ff.; Baring, Machtwechsel (Anm. 14), S. 355 ff. («Löwenthal-Papier»: 358), 373 ff. (Terrorismus), 494–496 (Grundlagenvertrag), 497 (Fernsehdiskussion vom 15. 11. 1972), 664 ff. (Rücktrittsbrief Schillers: 673–676); Link, Außen- und Deutschlandpolitik (Anm. 16), S. 241 ff.; Jäger, Innenpolitik (Anm. 14), S. 77 ff. (Zahlen zum Linksextremismus: 77); Winkler, Linke (Anm. 12), S. 107 ff.; Potthoff, Schatten (Anm. 1), S. 104 ff.; Texte (Anm. 13), 11 (1972), S. 259 ff. (Materialien zum Grundlagenvertrag). Die Erklärung von Historikern und Politikwissenschaftlern zur Ostpolitik in: FAZ, 15. 4. 1972. – Zur korporatistischen Faschismusinterpretation vgl. u. a. Agnoli, Transformation (Anm. 12), S. 7 ff.

20 Sten. Ber. (Anm. 2), 7. Wahlperiode, Bd. 81, S. 121–134 (Brandts Regierungserklärung, 18. 1. 1973); Willy Brandt, Über den Tag hinaus. Eine Zwischenbilanz, Hamburg 1974, S. 57 ff. («Neue Mitte»); Klaus Harpprecht, Im Kanzleramt. Tagebuch der Jahre mit Willy Brandt, Reinbek 2000, S. 19 ff.; BVerfGE, Bd. 36, Tübingen 1974, S. 1–36 (Urteil vom 31. 7. 1973: Zitate: 1 f., 26); Link, Außen- und Deutschlandpolitik (Anm. 16), S. 83 ff.; Löwenthal, Vom kalten Krieg (Anm. 1), S. 690 ff.; Potthoff, Schatten (Anm. 1), S. 104 ff.; Hans Buchheim, Deutschlandpolitik 1949–1972. Der politisch-diplomatische Prozeß, Stuttgart 1984, S. 163 ff.

4. Annäherung und Entfremdung:
1973–1989

1 Willy Brandt, Begegnungen und Einsichten. Die Jahre 1960–1975, Hamburg 1976, S. 473 ff.; Egon Bahr, Zu meiner Zeit, München 1996, S. 429 ff.; Andreas Vogtmeier, Egon Bahr und die deutsche Frage. Zur Entwicklung der sozialdemokratischen Ost- und Deutschlandpolitik vom Kriegsende bis zur Vereinigung, Bonn 1996, S. 180 ff.; Werner Link, Außen- und Deutschlandpolitik in der Ära Brandt 1969–1974, in: Karl Dietrich Bracher/Wolfgang Jäger/Werner Link, Republik im Wandel 1969–1974. Die Ära Brandt (= Geschichte der Bundesrepublik Deutschland, Bd. 5/1), Stuttgart 1986, S. 163–282 (227 ff., Brief Brandts an Breschnew vom 30. 12. 1973: 231 f.); Heinrich Potthoff, Im Schatten der Mauer. Deutschlandpolitik 1961 bis 1990, Berlin 1999, S. 121 ff.; Arnulf Baring in Zusammenarbeit mit Manfred Görtemaker, Machtwechsel. Die Ära Brandt-Scheel, Stuttgart 1982, S. 601 ff. (Wehners Moskaureise u. Brandts Reaktion: 616 ff.); Klaus Wiegrefe u. Carsten Tessmer, Deutschlandpolitik in der Krise. Herbert Wehners Besuch in der DDR 1973, in: DA 27 (1994), S. 600–627 (Dokumente zu Wehners Besuch in der DDR am 30./31. 5. 1973: 616–627). – Die Titelgeschichte zu Wehners Moskaureise: «Was der Regierung fehlt, ist ein Kopf», in: Der Spiegel, Nr. 4, 8. 10. 1973. Das Kommuniqué zum Besuch Breschnews in der Bundesrepublik in: Texte zur Deutschlandpolitik 12 (1973), S. 569–575. Zum Prager Vertrag: AdG 43 (1973), S. 17988–17990, 18373 f.

2 Willy Brandt, Über den Tag hinaus. Eine Zwischenbilanz, Hamburg 1974, S. 170 ff.; ders., Erinnerungen, Frankfurt 1989, S. 315 ff.; «Von zentraler Bedeutung: die Rolle Herbert Wehners». Die Aufzeichnungen Willy Brandts über die Umstände seines Rücktritts im Mai 1974, in: FAZ, 26. 1. 1994; Klaus Harpprecht, Im Kanzleramt. Tagebuch der Jahre mit Willy Brandt, Reinbek 2000, S. 540 ff.; Hans-Dietrich Genscher, Erinnerungen, Berlin 1995, S. 194 ff.; Günther Nollau, Das Amt. 50 Jahre Zeuge der Geschichte, München 1978, S. 253 ff.; Wolfgang Jäger, Die Innenpolitik der sozial-liberalen Koalition 1969–1974, in: Bracher u. a., Republik (Anm. 1), S. 15–160 (91 ff., Brandt im Parteivorstand, 9. 9. 1973: 100; Zitat Zundel: 111); Baring, Machtwechsel (Anm. 1), S. 541 ff. («Aprilthesen»: 715, 717), 722 ff. (Affäre Guillaume; Zitat aus dem Rücktrittsgesuch: 754); Manfred Görtemaker, Geschichte der Bundesrepublik Deutschland. Von der Gründung bis zur Gegenwart, München 1999, S. 475 ff. (Zitat: 475); Richard Löwenthal, Vom kalten Krieg zur Ostpolitik, in: ders. u. Hans-Peter Schwarz (Hg.), Die zweite Republik. 25 Jahre Bundesrepublik Deutschland – eine Bilanz, Stuttgart 1974, S. 604–699 (Zitat: 604). Brandts Zehn-Punkte-Erklärung u. a. in: SZ, 3. 4. 1974.

3 Hubertus Knabe, Die unterwanderte Republik. Stasi im Westen, Berlin 1999, S. 9 ff. (Zahlen der «IM»: 10), 42 ff.; ders., West-Arbeit des MfS. Das Zusammenspiel von «Aufklärung» und «Abwehr», Berlin 1999, S. 9 ff.; Patrick Major, The Death of the KPD. Communism and Anti-Communism in West-Germany, 1945–1956, Oxford 1997, S. 294 ff.; Klaus Schroeder unter Mitarbeit von Steffen Alisch, Der SED-Staat. Geschichte und Strukturen der DDR, München 1998, S. 223 ff.; Hermann Weber, Die DDR 1945–1990, München 1993², S. 83 ff.; ders. (Hg.), DDR. Dokumente zur Geschichte der Deutschen Demokratischen Republik 1945–1985, München 1986, S. 345–347 (Verfassungsänderungen 1974); Kurt Hager, Die Lösung der nationalen Frage im Sozialismus (15. 3. 1973), in: Texte zur Deutschlandpolitik 12 (1973), S. 233–243; ders., Rede auf der 9. Tagung des ZK der SED (29. 5. 1973), ebd., S. 661–664; Hermann Axen, Zur Entwicklung der sozialistischen Nation in der DDR, Berlin 1973; Alfred Kosing/Walter Schmidt, Zur Herausbildung der sozialistischen Nation in der DDR, in: Einheit 29 (1974), S. 179–188 (183 f., 187 f.); Walter Schmidt, Das Zwei-Nationen-Konzept der SED und sein Scheitern. Nationsdiskussionen in der DDR in den 70er und 80er Jahren. Hefte zur DDR-Geschichte, Nr. 38, Berlin 1996; Erich Kitzmüller, Heinz Kuby u. Lutz Niethammer, Der Wandel der nationalen Frage in der Bundesrepublik Deutschland, in: APZ 1973, Nr. 33, S. 3–33; Nr. 34, S. 3–31; Gebhard Schweigler, Nationalbewußtsein in der BRD und der DDR, Düsseldorf 1973 (These von der «Bi-Nationalisierung»); Ulrich Neuheußer-Wespy, Nation neuen Typs. Zur Konstruktion einer sozialistischen Nation in der DDR, in: Deutschland-Studien 32 (1975), S. 357–365; Gottfried Ziegler, Die Haltung von SED und DDR zur Einheit Deutschlands, Köln 1988. Zu Ulbricht siehe oben S. 292 ff.

4 Reden der deutschen Bundespräsidenten Heuss, Lübke, Heinemann, Scheel. Eingeleitet von Dolf Sternberger, München 1979, S. 190–201 (Heinemann, 24. 5. 1974; Zitate: 190–193), 209–217 (Scheel, 1. 7. 1974; Zitat: 215); Verhandlungen des Deutschen Bundestages. Stenographische Berichte (= Sten. Ber.), 7. Wahlperiode, Bd. 88, S. 6593–6605 (Schmidt, 17. 5. 1974), Bd. 93, S. 11 782 f. (Schmidt, 25. 4. 1975); Deutscher Bundestag, 7. Wahlperiode, Drucksache 7/3885 (Entschließungsantrag der Fraktion der CDU/CSU, 25. 7. 1975); Texte zur Deutschlandpolitik, Reihe II, 3 (1975), S. 330–407 (Schlußakte von Helsinki); Helmut Schmidt, Menschen und

Mächte, Berlin 1987[1], S. 51 ff. (Besuch in Moskau, Oktober 1974), 72 ff. (Helsinki), 210 (Absprache mit Ford); ders., Weggefährten. Erinnerungen und Reflexionen, Berlin 1996, S. 225 ff. (zu Giscard d'Estaing); Henry A. Kissinger, Memoiren 1968–1973 (amerik. Orig.: Boston 1979), München 1979, S. 779 ff.; Politische Zeittafel 1949–1979. Drei Jahrzehnte Bundesrepublik Deutschland, Bonn 1981[2], S. 226 f., 238 (Terrorismus); Detlef Nakath/Gerd-Rüdiger Stephan (Hg.), Die Häber-Protokolle. Schlaglichter der SED-Westpolitik 1973–1985, Berlin 1999, S. 96, 98 (Kiep, 26. 6. 1975); Potthoff, Schatten (Anm. 1), S. 134 ff.; Christian Hacke, Die Außenpolitik der Bundesrepublik Deutschland. Weltmacht wider Willen?, Berlin 1997, S. 197 ff.; Gregor Schöllgen, Geschichte der Weltpolitik von Hitler bis Gorbatschow 1941–1991, München 1996, S. 309 ff.; Werner Link, Außen- und Deutschlandpolitik in der Ära Schmidt 1974–1982, in: Wolfgang Jäger/Werner Link, Republik im Wandel 1974–1982. Die Ära Schmidt (= Geschichte der Bundesrepublik Deutschland, Bd. 5/II), Stuttgart 1987, S. 275–432 (290 ff.); Wolfgang Jäger, Die Innenpolitik der sozial-liberalen Koalition 1974–1982, ebd., S. 9–272 (Bruttoinlandsprodukt 1974/75: 14; Zitat Jäger: 19; Strauß, Sonthofener Rede: 37 f.); ders., Innenpolitik (Anm. 2), S. 127 ff. Zu den Wirtschaftsdaten 1974/75: Ralf Rytlewski u. Manfred Opp de Hipt, Die Bundesrepublik Deutschland in Zahlen 1945/49–1980. Ein sozialgeschichtliches Arbeitsbuch, München 1987, S. 141 (Arbeitslosigkeit), 135 (Preise). – Die Sonthofener Rede von Strauß: Aufräumen bis zum Rest dieses Jahrhunderts, in: Der Spiegel. Nr. 11, 10. 3. 1975. – Die «Watergate-Affäre» begann mit einem, von Mitarbeitern Nixons veranlaßten, mit Wissen des Präsidenten erfolgten Einbruch im Wahlkampfhauptquartier der Demokratischen Partei in Washington am 17. 6. 1972 und fand ihre Fortsetzung in der Vertuschung des Vorfalls durch Nixon. Am 9. 8. 1974 trat Nixon zurück. Sein Nachfolger Gerald Ford befreite ihn von jeder Strafverfolgung. Zum Hochschulrahmengesetz vgl. oben S. 281 f.

5 Schroeder, SED-Staat (Anm. 3), S. 219 ff. (Wirtschaftsdaten: 220 f.), 233 ff. (MfS-Zitate: 236, 240), 474 ff. (Kirchenpolitik; Eisenacher Synode: 479 f.); Weber, DDR (Anm. 3), S. 87 ff.; Roland Berbig u. a. (Hg.), In Sachen Biermann. Protokolle, Berichte und Briefe zu den Folgen einer Ausbürgerung, Berlin 1994; Karl Wilhelm Fricke, MfS intern. Macht, Strukturen, Auflösung der DDR-Staatssicherheit, Köln 1991, S. 93–136 (MfS-Richtlinien Nr. 1/76: «Bearbeitung Operativer Vorgänge»; Zitate: 126 f.); Stefan Wolle, Die heile Welt der Diktatur. Alltag und Herrschaft in der DDR 1971–1989, Berlin 1998, S. 41 ff., 241 ff.; Gerhard Besier, Der SED-Staat und die Kirche 1969–1990. Die Vision vom «Dritten Weg», Berlin 1995, S. 65 ff. – Zur «Einheit von Wirtschafts- und Sozialpolitik»: Protokoll der Verhandlungen des IX. Parteitages der Sozialistischen Einheitspartei Deutschlands im Palast der Republik in Berlin, 18. bis 22. Mai 1976, Berlin 1976, Bd. 1, S. 51–69. Das Programm der SED: ebd., S. 209–266 (Zitate: 231, 251, 254, 263).

6 Sten. Ber. (Anm. 4), 8. Wahlperiode, Bd. 100, S. 31–52 (Schmidt, 16. 12. 1976), Bd. 102, S. 3756–3760 (Schmidt, 20. 10. 1977); Bulletin. Presse- und Informationsamt der Bundesregierung, Nr. 35, 14. 4. 1977, S. 322 f. (Schmidt, 13. 4. 1977), Nr. 104, 20. 10. 1977 (Scheel, 18. 10. 1977); Zeittafel (Anm. 4), S. 243–248 (Terrorismus); Jäger, Innenpolitik (Anm. 4), S. 63 ff. (Rentenkrise: 64; Mogadischu: 80; Erklärung der Entführer Schleyers vom 19. 10. 1977: 81; Zitat «Mescalero»: 82); Görtemaker (Anm. 2), S. 584 ff.; Alf Mintzel, Geschichte der CSU. Ein Überblick, Opladen 1977, S. 402 ff. – Strauß' «Wienerwaldrede»: «Kohl ist total unfähig zum Kanzler», in: Der Spiegel, Nr. 49, 29. 11. 1976.

7 Hermann Rudolph, Die Herausforderung der Politik. Innenansichten der Bundesrepublik, Stuttgart 1985, S. 209 ff.; Dennis Meadows u. a., Die Grenzen des Wachstums. Bericht des Club of Rome zur Lage der Menschheit (amerik. Orig.: New York 1972), Stuttgart 1972; Erhard Eppler, Ende oder Wende. Von der Machbarkeit des Notwendigen, Stuttgart 1975[1]; Genscher, Erinnerungen (Anm. 2), S. 403 ff.; Schmidt, Menschen (Anm. 4), S. 222 ff. (Zitate: 231 f.); Herbert Wehner, Deutsche Politik auf dem Prüfstand, in: NG 26 (1979), Heft 2 (Februar), S. 92–94 (93); Wehner: Die sowjetische Rüstung ist defensiv. Konflikt mit Schmidt über Mittelstreckenraketen, in: FAZ, 5. 2. 1979; Vogtmeier, Bahr (Anm. 1), S. 222 ff.; Christian Hacke, Zur Weltmacht verdammt. Die amerikanische Außenpolitik von Kennedy bis Clinton, Berlin 1997, S. 213 ff.; Jäger, Innenpolitik (Anm. 4), S. 89 ff. (Brokdorf: 90 ff.; das Zitat aus der «Zeit» vom 19. 11. 1976: 91; Brandt, 4./5. 9. 1977: 106; SPD-Parteitag 1979: 113 f.; Bundespräsidentenwahl 1979: 122; Programm der Grünen, März 1986: 156); Link, Außen- und Deutschlandpolitik (Anm. 4), S. 310 ff. (Bahr zur Neutronenbombe: 314; Doppelbeschluß: 318); Identität und Zukunft der SPD. Die sechs Thesen Richard Löwenthals, in: FAZ, 7. 12. 1981; Richard Löwenthal, Identität und Zukunft der Sozialdemokratie, in: NG 28 (1981), S. 1085–1089; Lilian Klotzsch u. Richard Stöß, Die Grünen, in: Richard Stöß (Hg.), Parteien-Handbuch. Die Parteien der Bundesrepublik Deutschland 1945–1980, 2 Bde., Opladen 1983/84, Bd. 2, S. 1509–1599; Hans-Werner Lüdke u. Olaf Dinné (Hg.), Die Grünen. Personen – Projekte – Programme, Stuttgart 1980, S. 211–244 (Saarbrücker Programm, Kurzfassung), 245–264 (Wahlplattform, 12. 6. 1980; zur Verteidigungspolitik: 253); Helga Haftendorn, Sicherheit und Entspannung. Zur Außenpolitik der Bundesrepublik Deutschland 1955–1982, Baden-Baden 1986[2], S. 232 ff.; dies., Sicherheit und Stabilität. Außenbeziehungen der Bundesrepublik zwischen Ölkrise und NATO-Doppelbeschluß, München 1986, S. 92 ff. (Schmidt in London, 28. 10. 1977: 25 f.); Frank Fischer, «Im deutschen Interesse». Die Ostpolitik der SPD von 1969 bis 1989, Husum 2001, S. 58 ff. (Wehner, Februar 1979: 74, Besprechung vom 19. 5. 1979: 75); Herbert Dittgen, Deutsch-amerikanische Sicherheitsbeziehungen in der Ära Helmut Schmidt. Vorgeschichte und Folgen des NATO-Doppelbeschlusses, München 1991, S. 110 ff.; Dan Diner, Verkehrte Welten. Antiamerikanismus in Deutschland. Ein historischer Essay, Frankfurt 1993; Richard Herzinger/Hannes Stein, Endzeit-Propheten oder die Offensive der Antiwestler. Fundamentalismus, Antiamerikanismus und Neue Rechte, Reinbek 1995; Jeffrey Herf, War by Other Means: Soviet Power, West German Resistance, and the Battle of the Euromissiles, New York 1991; David Gress, Peace and Survival – West Germany, the Peace Movement, and European Security, Stanford 1985. – Zur Besprechung im Kanzleramt vom 19. 5. 1979: Horst Ehmke, Mittendrin. Von der Großen Koalition zur Deutschen Einheit, Berlin 1994, S. 308; Hans Apel, Der Abstieg. Politisches Tagebuch 1979–1988, Stuttgart 1990, S. 82 f. (zu Bahr). – Das «Spiegel»-Gespräch mit Schmidt: «Das Bewußtsein von Nächstenliebe stärken», in: Der Spiegel, Nr. 43, 18. 10. 1976. Der Text der Londoner Rede Helmut Schmidts vom 28. 10. 1977 «Politische und wirtschaftliche Aspekte der westlichen Sicherheit», in: Bulletin. Presse- und Informationsamt der Bundesregierung, Nr. 112, 8. 11. 1977. Der (ergänzte) Leitantrag des Parteivorstands der SPD «Sicherheitspolitik im Rahmen der Friedenspolitik» in: Parteitag der Sozialdemokratischen Partei Deutschlands vom 3. bis 7. Dezember 1979 (Bonn 1980), Bd. 2, S. 1228–1244 (1243). Bahrs «Konzeptionen der europäischen Sicherheit» vom 27. 6. 1968 in: Akten zur Auswärtigen Poli-

tik der Bundesrepublik Deutschland 1968, Bd. I: 1. Januar bis 30. Juni 1968, München 1999, S. 796–814.

8 Schmidt, Menschen (Anm. 4), S. 99 ff. (120: Carter, 2.7. 1980), 235 ff. (240–243: Brzezinski und Carter zur «Bestrafung» der Sowjetunion; 245 f.: Gespräch mit Cyrus Vance); Klaus Bölling, Die fernen Nachbarn. Erfahrungen in der DDR, Hamburg 1983, S. 122 ff. (Absage von Schmidts Reise in die DDR, August 1980); Hacke, Außenpolitik (Anm. 4), S. 245 ff. (Erklärung Giscard-Schmidt, 5.2. 1980: 246); Heinrich Potthoff, Bonn und Ost-Berlin 1969–1982. Dialog auf höchster Ebene und vertrauliche Kanäle. Darstellung und Dokumente, Bonn 1997, S. 520 ff. (Planung eines Besuchs von Schmidt in der DDR, Sommer 1980); ders., Schatten (Anm. 1), S. 168 ff.; Schöllgen, Geschichte (Anm. 4), S. 350 ff.; Link, Außen- und Deutschlandpolitik (Anm. 4), S. 321 ff.; Jäger, Innenpolitik (Anm. 4), S. 166 f. (Wahlslogan der Union: 168); Richard Löwenthal, Die Krise von Entspannung und Gleichgewicht: Können sie gerettet werden?, in: ders., Weltgeschichtliche Betrachtungen. Essays aus zwei Jahrzehnten, Göttingen 1983, S. 218–234; Jerzy Holzer, «Solidarität». Die Geschichte einer freien Gewerkschaft in Polen, München 1985, S. 110 ff. (Zitat aus den Danziger Vereinbarungen vom 31.8. 1980: 129); Hartmut Kuehn, Das Jahrzehnt der Solidarność. Die politische Geschichte Polens 1980–1990, Berlin 1999, S. 15 ff. – Zu den «21 Bedingungen» der Komintern von 1920 vgl. Bd. 1, S. 431; zur «Papstrevolution» Gregors VII. ebd., S. 10 f.

9 Weber, DDR (Anm. 3), S. 89 ff.; ders. (Hg.), DDR (Anm. 3), S. 370–372 (Treffen Honecker-Kirchenführung, 6.3. 1978); Schroeder, SED-Staat (Anm. 3), S. 231 (Franke, 3.7. 1980), 241 ff. (Havemann, Bahro, Berg), 246 ff. (Wirtschaftsentwicklung), 250 ff. (Zitate zur Polenkrise); Wolle, Welt (Anm. 5), S. 209 f.; Knabe, Republik (Anm. 3), S. 31 ff., 443 f. (Fall Berg); Link, Außen- und Deutschlandpolitik (Anm. 4), S. 353 ff. (innerdeutscher Handel: 358 f.; Verkehrsvereinbarungen: 366, 374; Breschnew, 6.10., Honecker, 1.12. 1979: 371; Honecker, 13.12. 1979: 372); Potthoff, Schatten (Anm. 1), S. 156 ff. (Schmidt im Bundestagswahlkampf 1980: 173); ders., Bonn (Anm. 8), S. 469 ff. (Planung eines Kanzlerbesuchs in der DDR, November/Dezember 1979), 504–515 (Mittag bei Schmidt, 17.4. 1980), 516–534 (Treffen Schmidt-Honecker in Belgrad, 8.5. 1980), 546 f. (Schmidt an Honecker, 5.10. 1980), 548–561 (Gespräch Honecker-Gaus, 3.11. 1980); Detlef Nakath u. Gerd-Rüdiger Stephan (Hg.), Von Hubertusstock nach Bonn. Eine dokumentierte Geschichte der deutsch-deutschen Beziehungen auf höchster Ebene 1980–1987, Berlin 1995, S. 22 ff., 43–50 (Mittags Bericht vom 22.4. 1980 im Politbüro über sein Gespräch mit Schmidt sowie Bewertung durch Stoph/Krolikowski); Monika Tantzscher, «Was in Polen geschieht, ist für die DDR eine Lebensfrage!» – Das MfS und die Polnische Krise 1980/81, in: Materialien der Enquete-Kommission «Aufarbeitung von Geschichte und Folgen der SED-Diktatur in Deutschland». Bd. V/3: Deutschlandpolitik, innerdeutsche Beziehungen und internationale Rahmenbedingungen, Baden-Baden 1995, S. 2601–2760 (Mielke, 2.10. 1980: 2625); Michael Kubina/Manfred Wilke (Hg.), «Hart und kompromißlos durchgreifen»: Die SED contra Polen 1980/81. Geheimakten der SED-Führung über die Unterdrückung der polnischen Demokratiebewegung, Berlin 1995, S. 83 (Analyse der ZK-Abteilung Internationale Beziehungen, Ende September 1980), 97 (Äußerungen Joachim Hermanns gegenüber M. V. Zimjanin, 27. u. 31. 10. 1980), 111 (Unterredung Honecker-Olszowski, 20. 11. 1980), 122 (Honecker an Breschnew, 26. 11. 1980), 197–200 (Befehl des Ministeriums für Nationale Verteidigung, 6. 12. 1980), 204 (Honecker an

Hoffmann, 10.12. 1980), 204–206 (Befehl Honeckers vom 10.12. 1980); Peter Przybylski, Tatort Politbüro (Bd. 1): Die Akte Honecker, Berlin 1991[1], S. 340–344 (Krolikowskis Notiz vom 16.12. 1980), 345–348 (Krolikowskis Notiz vom 13.11. 1980 über ein Gespräch Stoph-Mielke). Zu den Zahlen Frankes: 13 000 DDR-Häftlinge seit 1964 vorzeitig freibekommen, in: FAZ, 4.7. 1980. Die Geraer Rede Honeckers in: Erich Honecker, Reden und Aufsätze, Bd. 7, Berlin 1982, S. 430–433.

10 Sten. Ber. (Anm. 4), 9. Wahlperiode, Bd. 117, S. 25–41 (Regierungserklärung Schmidts, 24.11. 1980); Schmidt, Menschen (Anm. 4), S. 288 ff.; Apel, Abstieg (Anm. 7), S. 180 ff. (Kirchentag Hamburg); Brandt, Erinnerungen (Anm. 2), S. 353 ff.; Link, Außen- und Deutschlandpolitik (Anm. 4), S. 336 ff.; Jäger, Innenpolitik (Anm. 4), S. 188 ff. (Hamburger Kirchentag 1981: 188; Wirtschaftsdaten 1980/81: 194; Sozialdaten und Ausländerfeindlichkeit: 198; Brandt, 18. 5. 1981: 205); Rytlewski/Opp de Hipt, Bundesrepublik (Anm. 4), S. 47 f. (Ausländerstatistik); Schöllgen, Geschichte (Anm. 4), S. 372 (Reagan, März 1983: 374); Hacke, Weltmacht (Anm. 7), S. 283 ff.; Knabe, Republik (Anm. 3), S. 243 ff. (Friedensbewegung); Fischer, Interesse (Anm. 7), S. 98 ff. (Entwicklung in der SPD; Bielefelder Erklärung, Dezember 1980: 103; Bonner Friedensdemonstration, 10. 10. 1981: 111). – Brandts Würdigung seiner Moskaureise: «Breschnew zittert um den Frieden», in: Der Spiegel, Nr. 28, 6.7. 1981.

11 Robert Michels, Zur Soziologie des Parteiwesens in der modernen Demokratie. Untersuchungen über die oligarchischen Tendenzen des Gruppenlebens (1911), Neuausgabe, Stuttgart 1957, S. 342 ff.; Genscher Erinnerungen (Anm. 2), S. 445 ff. (zum «Wendebrief»: 446 ff.); Apel, Abstieg (Anm. 7), S. 313 f. (zur Flick-Affäre); AdG 51 (1981), S. 24977–24980 (Friedensbewegung, Oktober 1981); Erwin K. u. Ute Scheuch, Cliquen, Klüngel und Karrieren. Über den Verfall der politischen Parteien – eine Studie, Reinbek 1992, S. 116 ff. (117); Jäger, Innenpolitik (Anm. 4), S. 208 ff. (Fraktionssitzung der SPD, 8. 9. 1981: 210 f.; Parteispenden- und Flick-Affäre: 226 ff.; Zitat Jäger: 229); Rolf Ebbighausen u. a., Die Kosten der Parteienfinanzierung. Studien und Materialien zu einer Bilanz staatlicher Parteienfinanzierung, Opladen 1996, S. 15 ff. (zur Friedrich-Ebert-Stiftung: 265 f.); Peter Lösche unter Mitarbeit von Anna Otto-Hallensleben, Wovon leben die Parteien? Über das Geld in der Politik, Frankfurt 1984, S. 38 ff. (Parteienfinanzierung seit 1949), 53 f. («HS 30»-Affäre). – Genschers «Wendebrief» in: Joseph Bücker u. Helmut Schlimbach, Die Wende in Bonn. Deutsche Politik auf dem Prüfstand, Heidelberg 1983, S. 14–17. Zum Umfang der Zahlungen der Staatsbürgerlichen Vereinigung: Die gepflegte Landschaft, in: Der Spiegel, Nr. 50, 13. 12. 1999. Zu den schwarzen Auslandskonten der CDU: CDU-Protokolle belasten Kohl schwer, in: SZ, 5./6. 2. 2000. Zum Bruch der Großen Koalition im März 1930 vgl. Bd. 1, S. 485 ff.

12 Jerzy Holzer, Drohte Polen 1980/81 eine sowjetische Intervention? Zur Verkündung des Kriegsrechtes in Polen am 13. 12. 1981, in: Forum für osteuropäische Ideen- und Zeitgeschichte 1 (1997), S. 197–230; ders., Solidarität (Anm. 8), S. 163 (Mitgliederzahl von Solidarność, 270 f. (Brief des ZK der KPdSU, 5. 6. 1981), 296 f. (Kania, 20. 7. 1981), 315 (Solidarność-Kongreß in Danzig; Geremek: 319), 364 (4. Plenum, 18. 10. 1981), 391 ff. (6. Plenum, Reaktion von «Solidarność», Brief Glemps); Kubina/Wilke (Hg.), Hart (Anm. 9), S. 38 f. (Information Breschnews über sein Treffen mit Kania und Jaruzelski, August 1981), 387–389 (Treffen der Verteidigungsminister des Warschauer Pakts in Moskau, 1.–4. 12. 1981), 389–391

(Informationen zur Vorbereitung des Kriegszustands in Polen, 4.–6. 12. 1981), 392 f.
(Telefonat Honecker-Jaruzelski, 16. 12. 1981); Potthoff, Schatten (Anm. 1), S. 188 ff.;
ders., Bonn (Anm. 8), S. 621–632 (Telefonat Schmidt-Honecker, 30. 10. 1981),
652–697 (Treffen am Werbellin- und Döllnsee, 11.–13. 12. 1981; Zitate: 670, 672 f.),
698–714 (Telefonat Schmidt-Honecker, 12. 1. 1982; Zitat: 698 f.); Nakath/Stephan
(Hg.), Hubertusstock (Anm. 9), S. 55 ff.; Helmut Schmidt, Die Deutschen und ihre
Nachbarn. Menschen und Mächte II, Berlin 1990, S. 64 ff. (Besuch in der DDR, De-
zember 1982); ders., Menschen (Anm. 4), S. 315 (Zitat zum moralischen Dilemma);
Bölling, Nachbarn (Anm. 8), S. 126 ff. (Zitat: 142); Schroeder, SED-Staat (Anm. 3),
S. 266 f. (Güstrow); Sten. Ber. (Anm. 4), 9. Wahlperiode, Bd. 120, S. 4289, 4293
(Schmidt, 18. 12. 1981), 4295 f. (Kohl, 18. 12. 1981); Schmidt berichtet dem Bundes-
tag, in: SZ, 15. 12. 1981 (mit den Äußerungen von Strauß); Militär unterdrückt
Streiks in Warschau und Danzig, in: SZ, 17. 12. 1981 (zur Zahl der Verhafteten);
Historiker greift Schmidt an, in: FR, 14. 10. 1993; Der Angriff gegen mich offen-
sichtlich allein auf SED-Aufzeichnungen gestützt, in: FR, 25. 10. 1993 (Leserbrief
Helmut Schmidts); Entspannungspolitik ohne Kaltschnäuzigkeit (Interview mit
Willy Brandt), in: Die Zeit, 5. 2. 1982; Markus Wolf, Spionagechef im geheimen
Krieg. Erinnerungen, Düsseldorf 1997, S. 214 f., 493 f. (Gespräche Herbert Wehners
mit Wolfgang Vogel, 7.–10. 8. 1981; Tagebuchaufzeichnung vom 24. 8. 1981); Egon
Bahr, Was wird aus den Deutschen? Fragen und Antworten, Reinbek 1982, S. 22 f.;
Günter Gaus, Polen und die westliche Allianz oder Ein Plädoyer für die Entspan-
nungspolitik, in: Heinrich Böll u. a. (Hg.), Verantwortlich für Polen?, Reinbek 1982,
S. 109–118 (113 ff.; Hervorhebung im Original des «Zeit»-Artikels); Peter Bender,
Da wird Nachdenken zur politischen Pflicht, ebd., S. 27–42 (41 f.); Heinrich August
Winkler, Die Polenkrise als Prüfstein. Streit um die Ostpolitik oder Sind die Deut-
schen Nationalisten? (ursprünglich in: Die Zeit, 29. 1. 1982), ebd., S. 204–212;
Timothy Garton Ash, Im Namen Europas. Deutschland und der geteilte Kontinent
(engl. Orig.: London 1993), München 1993, bes. S. 457 ff. – Das Zitat von Schmidt
in einem Fernsehinterview mit Friedrich Nowottny vom 13. 12. 1981 wird zitiert
nach dem vom Hauptstadt-Studio der ARD am 28. 4. 2000 mitgeteilten Wortlaut. –
Zum Augsburger Religionsfrieden von 1555 vgl. Bd. 1, S. 19 f.

13 SPD-Parteitag, 19.–23. April 1982, München. Dokumente. Beschlüsse zur
Außen-, Friedens- und Sicherheitspolitik, Bonn 1982, S. 3–7; Beschlüsse zur Wirt-
schafts- und Beschäftigungspolitik, ebd., S. 3–14; Die «Münchner Erklärung» im
Wortlaut, in: SZ, 24./25. 4. 1982; Schmidt, Menschen (Anm. 4), S. 302 ff. (Besuch in
Washington, Januar 1982; das Zitat aus dem «Wall Street Journal»: 304); Ostpolitik
or Illusion?, in: The New York Times, 28. 12. 1981; Jäger, Innenpolitik (Anm. 4),
S. 214 ff.; Link, Außen- und Deutschlandpolitik (Anm. 4), S. 341 ff.; Schöllgen, Ge-
schichte (Anm. 4), S. 376 ff.; Dittgen, Sicherheitsbeziehungen (Anm. 7), S. 231 ff.;
Bücker/Schlimbach, Wende (Anm. 11), S. 22 f. (die Zitate aus der «Neuen Zürcher
Zeitung» vom 29. 4. 1982: 47, aus der «Zeit» vom 30. 4. 1982: 49); Klaus Bohnsack,
Die Koalitionskrise 1981/82 und der Regierungswechsel 1982, in: Zeitschrift für
Parlamentsfragen 14 (1983), S. 5–32.

14 Wie will denn die Partei vor sich selbst bestehen?, in: FR, 22. 7. 1982 (Reden
Helmut Schmidts in der sozialdemokratischen Bundestagsfraktion vom 22. u.
30. 6. 1982); «Mein Sozi für die Zukunft», in: Stern, Nr. 29, 15. 7. 1982 (Äußerungen
Lafontaines); Karl-Heinz Janzen, Das Maß an Zumutungen ist voll. Zu den Haus-
haltsbeschlüssen 1983, in: NG 29 (1982), S. 775–777 (777); Sten. Ber. (Anm. 4),

9. Wahlperiode, Bd. 122, S. 6745–6761 (Schmidt, 9. 9. 1982), 7072–7077 (Schmidt, 17. 9. 1982), 7159–7166 (Schmidt, 1. 10. 1982), 7167 f. (Barzel, 1. 10. 1982), 7181 (Mischnick, 1. 10. 1982), 7194 f. (Baum, 1. 10. 1982), 7196 (Hamm-Brücher, 1. 10. 1982), 7201 (Abstimmung, 1. 10. 1982), 7202 (Vereidigung, 1. 10. 1982); Klaus Bölling, Die letzten Tage des Kanzlers Helmut Schmidt. Ein Tagebuch, Hamburg 1982, S. 14 (Schmidts Bezugnahme auf den Bruch der Großen Koalition im März 1930, 31. 8. 1982), 107 (FDP-Fraktion, 28. 9. 1982); Genscher, Erinnerungen (Anm. 4), S. 445 ff.; Peter Glotz, Kampagne in Deutschland. Politisches Tagebuch 1981–1983, Hamburg 1986, S. 212 f. (Brandt, 26. 19. 1982); Klaus Dreher, Helmut Kohl. Leben mit der Macht, Stuttgart 1998, S. 239 ff.; Jäger, Innenpolitik (Anm. 4), S. 234 ff. (Breit: 240; Fraktion u. Parteivorstand der FDP, 17. 9. 1982: 252 f.; Brandt am 26. 9.: 257); Bohnsack, Koalitionskrise (Anm. 13), S. 16 (Genscher, 15. 8. 1982), 19 (Lambsdorff, 31. 8. 1982); Bücker/Schlimbach, Wende (Anm. 11), S. 60–70 (Memorandum Lambsdorffs vom 9. 9. 1982). Zum «Fall Borm»: Knabe, Republik (Anm. 3), S. 67 ff.

15 Sten. Ber. (Anm. 4), 9. Wahlperiode, Bd. 122, S. 7207 (Vereidigung, 1. 10. 1982), 7215–7229 (Regierungserklärung, 13. 10. 1982), Bd. 123, S. 8938–8939 (Kohl, 17. 12. 1982), 8939–8948 (Brandt, 17. 12. 1982), 8960–8962 (Schmidt [Kempten], 17. 12. 1982), 8962–8964 (Schuchardt, 17. 12. 1982), Bd. 124, S. 56–74 (Kohl, 4. 5. 1983); Jürgen Busche, Helmut Kohl. Anatomie eines Erfolgs, Berlin 1998, S. 146 ff. (Zitat: 149); Jürgen Leinemann, Helmut Kohl. Die Inszenierung einer Karriere, Berlin 1998; Alexander Gauland, Helmut Kohl. Ein Prinzip, Berlin 1994; Karl Carstens, Erinnerungen und Erfahrungen, Boppard 1993, S. 551 ff.; Dreher, Kohl (Anm. 14), S. 272 ff. (Carstens-Kohl, 10. 11. 1982: 299 f.); Bücker/Schlimbach, Wende (Anm. 11), S. 167 ff. (das Zitat von Sommer: 175; die Rede von Carstens vom 7. 1. 1983: 201–203; das Urteil des Bundesverfassungsgerichts vom 16. 2. 1983 und sein Echo: 208–221); Entscheidungen des Bundesverfassungsgerichts, Bd. 62, Tübingen 1983, S. 1–116 (Urteil vom 16. 2. 1983); Hans-Jochen Vogel, Nachsichten. Meine Bonner und Berliner Jahre, München 1996, S. 151 ff.; Apel, Abstieg (Anm. 7), S. 225 ff. (Schmidt, 26. 10. 1982: 229; Apel über Vogel: 233); Glotz, Kampagne (Anm. 14), S. 211 ff. (Wahlkampfmotto der SPD: 278; Schlußslogan der CDU: 285; Raketenanzeige der SPD: 290; Geißler: 291); AdG 52 (1982), S. 26161 (Schmidts Ausführungen vor der SPD-Fraktion, 26. 10. 1982), 26162 (Nominierung Vogels); ebd., 53 (1983), S. 26303–26305 (Mitterrand im Bundestag, 20. 1. 1983). – Zum «Brief zur deutschen Einheit» vgl. oben S. 286 f.

16 Eberhard von Brauchitsch, Der Preis des Schweigens. Erfahrungen eines Unternehmers, Bonn 1999, S. 208 ff. (Kohl, Schily u. Geißler 1985/86: 250 ff.); Walther Leisler Kiep, Was bleibt ist große Zuversicht. Erfahrungen eines Unabhängigen. Ein politisches Tagebuch, Berlin 1999, S. 311 ff.; Rainer Burchardt u. Hans-Jürgen Schlamp (Hg.), Flick-Zeugen. Protokolle aus dem Untersuchungsausschuß, Reinbek 1985 (zu Brauchitsch: 64 ff., Zitat Brauchitsch: 72 f.); Hans Werner Kilz u. Joachim Preuss, Flick. Die gekaufte Republik, Reinbek 1983; Ebbighausen u. a., Kosten (Anm. 11), S. 103 ff. (Spendenskandale, Zahlen zu den Flick-Spenden: 104), 141 ff. (Gesetzgebung und Urteile des Bundesverfassungsgerichts); Lösche, Wovon (Anm. 11), S. 38 ff., 105 ff.; CDU-Protokolle belasten Kohl schwer, in: SZ, 5./6. 2. 2000; Uwe Lüthjes Notizen zu Kohl – Orginalauszüge, ebd.; Hans Leyendecker, Lügen für Kohl, ebd. 1./2. 7. 2000; In Gelddingen ist nicht nur Kohl zugeknöpft, in: FAZ, 10. 2. 2000 (zur «Sammelspende» Naus). – Zur staatlichen Partei-

enfinanzierung seit 1982 insgesamt: Peter Schindler, Datenhandbuch zur Geschichte des Deutschen Bundestages 1983 bis 1991, Baden-Baden 1994, S. 129 ff. Zum Fall Steiner vgl. oben S. 298 f.

17 AdG 53 (1983), S. 27192 f. (SPD-Parteitag in Köln); Brandt, Erinnerungen (Anm. 2), S. 367 (Bonner Friedenskundgebung, 22. 10. 1983); Oskar Lafontaine, Angst vor den Freunden. Die Atomwaffen-Strategie der Supermächte zerstört die Bündnisse, Reinbek 1983, S. 81 ff. (Zitat: 121); Sten. Ber. (Anm. 4), 10. Wahlperiode, Bd. 126, S. 2506, 2509 (Brandt, 22. 11. 1983); Zur Lage und Zukunft der Sozialdemokratie. Zehn Professoren üben Kritik am gegenwärtigen Kurs der Partei, in: FAZ, 28. 5. 1983; Karl Kaiser, Die SPD und ihre Glaubwürdigkeit. Die Diskussion um die Nachrüstung und die Prioritäten sozialdemokratischer Außen- und Sicherheitspolitik, Teil I, in: Vorwärts, Nr. 41, 6. 10. 1983; Teil II: ebd., Nr. 42, 13. 10. 1983; Egon Bahr, Die Priorität bleibt der Friede, ebd., Nr. 43, 20. 10. 1983; Karl Kaiser, National im anti-nuklearen Gewande. Egon Bahr und die Rückkehr zur sicherheitspolitischen Nationalstaatsidee, in: Die Zeit, 30. 3. 1984; Heinrich August Winkler, Wohin treibt die SPD? Die Bundesrepublik braucht eine regierungsfähige Opposition, in: Die Zeit, 11. 11. 1983; Jürgen Maruhn u. Manfred Wilke (Hg.), Wohin treibt die SPD? Wende oder Kontinuität sozialdemokratischer Sicherheitspolitik, München 1984 (Texte u. a. von Kaiser, Schwan, Winkler; Schmidts Rede vom 19. 11. 1983: 129–164; Zitate: 162 ff.); Helmut Herles, Machtverlust oder Das Ende der Ära Brandt, Stuttgart 1983 (Professorenerklärung: S. 148–156); Peter Glotz, Das Flügelchen oder Antikommunismus aus Identitätsangst. Über die Kritik der Akademischen Rechten in und an der SPD, in: NG 31 (1984), S. 266–275; Karsten D. Voigt, Schrittweiser Ausstieg aus dem Rüstungswettlauf. Nach dem Berliner Parteitag der SPD, ebd. 27 (1980), S. 47–51 (Zitat: 48); Klaus Moseleit, Die «Zweite» Phase der Entspannungspolitik der SPD 1983–1989. Eine Analyse ihrer Entstehungsgeschichte, Entwicklung und der konzeptionellen Ansätze, Frankfurt 1991, S. 1 ff. (zu Voigt: 1); Dieter Dowe (Hg.), Die Ost- und Deutschlandpolitik in der SPD in der Opposition 1982–1989, Bonn 1993; Peter Bender, Das Ende des ideologischen Zeitalters. Die Europäisierung Europas, Berlin 1981, S. 429 ff.; ders., Deutsche Parallelen. Anmerkungen zu einer gemeinsamen Geschichte zweier getrennter Staaten, Berlin 1989, S. 217 ff.; Marko Martin, Orwell, Koestler und all die anderen. Melvin J. Lasky und «Der Monat», Asendorf 1999; Ulrike Ackermann, Sündenfall der Intellektuellen. Ein deutsch-französischer Streit von 1945 bis heute, Stuttgart 2000, S. 52 ff.; Heinrich Potthoff, Die «Koalition der Vernunft». Deutschlandpolitik in den 8oer Jahren, München 1995, S. 47 ff.; Vogtmeier, Bahr (Anm. 1), S. 241 ff.; Fischer, Interesse (Anm. 7), S. 169 ff. – Zum «Löwenthal-Papier» vom 14. 11. 1970 vgl. oben S. 302 f.; zu Bahrs europäischer Sicherheitsplanung S. 354 f. Das Heine-Zitat in: Heinrich Heines sämtliche Werke in zwölf Bänden, Berlin o. J., 2. Bd., S. 136 (Deutschland. Ein Wintermärchen. Kaput VI).

18 Sten. Ber. (Anm. 4), 10. Wahlperiode, Bd. 124, S. 56 (Kohl, 4. 5. 1983); Potthoff, Koalition (Anm. 17), S. 94–100 (Gespräch Carstens/Genscher-Honecker in Moskau, 14. 11. 1982), 267–288 (Gespräch Honecker-H. J. Vogel, 14. 3. 1984; hier, S. 278, auch die Übernahme der Begriffe «Sicherheitspartnerschaft» und «Verantwortungsgemeinschaft» durch Honecker), 305–310 (Treffen Kohl-Honecker in Moskau, 12. 3. 1985); Nakath/Stephan (Hg.), Hubertusstock (Anm. 9), S. 144–146, 132–144 (Gespräch Honecker-Strauß, 24. 7. 1983; Zitat: 134 f.), 145 f. (Honecker an Kohl, 5. 10. 1983), 150–155 (Kohl an Honecker, 24. 10. 1983), 155–159 (Kohl an

Honecker, 14.12. 1983; Zitate: 155, 157), 159–170 (Telefongespräch Kohl-Honecker, 19.12. 1983; Zitate: 168, 170), 170–175 (Treffen Honecker-Kohl in Moskau, 13.2. 1984); Franz Josef Strauß, Die Erinnerungen, Berlin 1989, S. 521 ff. (Zitat: 527 f.); Alexander Schalck-Golodkowski, Deutsch-deutsche Erinnerungen, Reinbek 2000, S. 284 ff.; Deutsche Geschichte und politische Bildung. Öffentliche Anhörungen des Ausschusses für innerdeutsche Beziehungen des Deutschen Bundestages 1981, Bonn 1981, S. 19 (Thadden); Schroeder, SED-Staat (Anm. 3), S. 269 ff.; Przybylski, Tatort (Anm. 9), Bd. 1, S. 351 (Krolikowski, 30. 3. 1983); Dieter Grosser, Das Wagnis der Währungs-, Wirtschafts- und Sozialunion. Politische Zwänge im Konflikt mit ökonomischen Regeln (= Geschichte der deutschen Einheit in vier Bänden, Bd. 2), Stuttgart 1998, bes. S. 25 ff.; Karl-Rudolf Korte, Deutschlandpolitik in Helmut Kohls Kanzlerschaft. Regierungsstil und Entscheidungen 1982–1989 (= Geschichte der deutschen Einheit in vier Bänden, Bd. 1), Stuttgart 1998, S. 161 ff. (zum Begriff «Verantwortungsgemeinschaft»: 201, 569; zu Schäubles Besuch in Ost-Berlin, 5./6. 12. 1984: 213 ff.; zur «Moskauer Erklärung»: 219 ff.); Karl Lamers, Zivilisationskritik, deutsche Identitätssuche und die Deutschlandpolitik, in: ders. (Hg.), Suche nach Deutschland. Nationale Identität und die Deutschlandpolitik, Bonn 1983, S. 21–59 (Kohl-Zitat, Wahlkampf 1983: 45); Potthoff, Schatten (Anm. 1), S. 202 ff. Der Beschluß des Bundestags vom 9. 2. 1984 in: Texte zur Deutschlandpolitik, Reihe III, Bd. 2, S. 45–47. Der Text der «Moskauer Erklärung» u. a. in: Innerdeutsche Beziehungen zwischen der Bundesrepublik Deutschland und der Deutschen Demokratischen Republik 1980–1986. Eine Dokumentation, Bonn 1986, S. 212.

19 Offener Brief an den Vorsitzenden des Präsidiums des Obersten Sowjet der UdSSR, Leonid Breschnew, in: SZ, 21./22. 11. 1981; Rainer Eppelmann, Fremd im eigenen Haus. Mein Leben im anderen Deutschland, Köln 1993, S. 171 ff.; Ehrhart Neubert, Geschichte der Opposition in der DDR 1949–1989, Bonn 1997, S. 335 ff. (Reaktionen auf «Solidarność»: 384 ff.; «Schwerter zu Pflugscharen»: 398 ff.; «Berliner Appell»: 408; Fall Jahn: 433 ff., 486 ff.); Detlef Pollack, Politischer Protest. Politisch alternative Gruppen in der DDR, Opladen 2000, S. 62 ff.; Eberhard Kuhrt u. a. (Hg.), Opposition in der DDR von den 70er Jahren bis zum Zusammenbruch der SED-Herrschaft, Opladen 1999, S. 139 ff.; Aufruf zum 30. Jahrestag der Gründung der Deutschen Demokratischen Republik (beschlossen vom ZK der SED, Staatsrat und dem Ministerrat der DDR sowie dem Nationalrat der Nationalen Front der DDR), in: ND, 18. 11. 1977; Interview Erich Honeckers mit der BRD-Zeitschrift «Lutherische Monatshefte»: DDR-Lutherehrung Manifestation der Humanität und des Friedens, in: ND, 6. 10. 1983; Alles zum Wohl des Volkes – dafür leben, dafür arbeiten, dafür kämpfen wir. Aus dem Schlußwort von Erich Honecker auf der Bezirksdelegiertenkonferenz Berlin, in: ND, 16. 2. 1981; Ingrid Mittenzwei, Friedrich II. von Preußen, Berlin 1979; Ernst Engelberg, Bismarck. Urpreuße und Reichsgründer, Berlin 1985; Walter Schmidt, Zur Entwicklung des Erbe- und Traditionsverständnisses in der Geschichtsschreibung der DDR, in: ZfG 33 (1985), S. 195–212; Bernd Riebau, Geschichtswissenschaft und Nationale Frage in der Ära Honecker, in: DA 22 (1989), S. 533–542; Johannes Kuppe, Die Geschichtsschreibung der SED im Umbruch, ebd., 18 (1985), S. 278–294; 70 Jahre Kampf für Sozialismus und Frieden, für das Wohl des Volkes. Thesen des Zentralkomitees der SED zum 70. Jahrestag der Gründung der Kommunistischen Partei Deutschlands. Beschluß der 6. Tagung des Zentralkomitees der Sozialistischen Einheitspartei Deutschlands, 9./10.

Juni 1988, in: Einheit 43 (1988), S. 586–629; Dietrich Eichholtz, Geschichte der deutschen Kriegswirtschaft, 1939–1945, Bd. 1: 1939–1941, Berlin 1971², S. 9 (als Beispiel für die Nichterwähnung der jüdischen Opfer der nationalsozialistischen Ausrottungspolitik); Raina Zimmerling, Mythen in der DDR. Ein Beitrag zur Erforschung politischer Mythen, Opladen 2000, S. 169 ff.; Hans-Ulrich Thamer, Nationalsozialismus und Faschismus in der DDR-Historiographie, in: APZ 1987, Nr. 13, S. 27–37; Angelika Timm, Hammer, Zirkel, Davidstern. Das gestörte Verhältnis der DDR zu Zionismus und Staat Israel, Bonn 1997; Michael Wolffsohn, Die Deutschland Akte. Juden und Deutsche in Ost und West. Tatsachen und Legenden, München 1996²; Studienplan für die Fachrichtung Geschichte in der Grundstudienrichtung Geschichtswissenschaften zur Ausbildung an Universitäten und Hochschulen der DDR, Berlin 1984, S. 5 f.; Gerhard Besier, Der SED-Staat und die Kirche 1983–1991. Höhenflug und Absturz, Berlin 1995, S. 1 ff.; ders., SED-Staat (Anm. 5), S. 79 ff. – Das Zitat aus der «Deutschen Ideologie» in: Karl Marx, Die Frühschriften. Hg. v. Siegfried Landshut, Stuttgart 1953, S. 346. Das Wort «Schwerter zu Pflugscharen» stammt aus Micha, Kapitel 4, Vers 3: «Sie werden ihre Schwerter zu Pflugscharen und ihre Spieße zu Sicheln machen.» – Zum «Swing» vgl. oben S. 365.

20 Edgar Wolfrum, Geschichtspolitik in der Bundesrepublik Deutschland. Der Weg zur bundesrepublikanischen Erinnerung 1948–1990, Darmstadt 1999, S. 211 ff. (17. Juni); Dolf Sternberger, Verfassungspatriotismus (1979), in: ders., Verfassungspatriotismus. Schriften, Bd. 10, Frankfurt 1990, S. 13–16 (13); ders., Verfassungspatriotismus. Rede bei der 25-Jahr-Feier der «Akademie für Politische Bildung» (1982), ebd., S. 17–31 (19, 21 f., 30 f.); Die Elbe – ein deutscher Strom, nicht Deutschlands Grenze, in: Die Zeit, 30. 1. 1981 (Interview mit Günter Gaus; das im Original fehlende Wort «eintreten» im letzten Zitat habe ich eingefügt, H. A. W.); Hans Mommsen, Nationalismus und transnationale Integrationsprozesse in der Gegenwart, in: APZ 1980, Nr. 9, S. 3–14; ders., Aus Eins mach zwei. Die Bi-Nationalisierung Rest-Deutschlands, in: Die Zeit, 6. 2. 1981 (im Original «Schrecken von Holocaust» statt «Schrecken des Holocaust», «besagt aus» statt «sagt aus», H. A. W.); Egon Bahr, Gegen die Pharisäer, ebd.; Peter Bender, Reden reicht nicht, ebd.; Heinrich August Winkler, Nation – ja, Nationalstaat – nein. Die deutschen Gewinner von 1945 stehen in der Schuld der Verlierer, in: Die Zeit, 13. 2. 1981 (Hervorhebungen im Original); ders., Nationalismus, Nationalstaat und nationale Frage in Deutschland seit 1945, in: ders. u. Hartmut Kaelble (Hg.), Nationalismus – Nationalitäten – Supranationalität, Stuttgart 1993, S. 12–33; M. Rainer Lepsius, Die unbestimmte Identität der Bundesrepublik, in: Hochland 60 (1967/68), S. 562–569 (569); Jürgen C. Heß, Die Bundesrepublik auf dem Weg zur Nation?, in: NPL 26 (1981), S. 292–324; Heinrich Best, Nationale Verbundenheit und Entfremdung im zweistaatlichen Deutschland. Theoretische Überlegungen und empirische Befunde, in: KZSS 42 (1990), S. 1–19; Kitzmüller u. a., Wandel (Anm. 3), Nr. 33, S. 3 ff., Nr. 34, S. 3 ff.; Schweigler, Nationalbewußtsein (Anm. 3); Karl Dietrich Bracher, Die deutsche Diktatur. Entstehung, Struktur, Folgen des Nationalsozialismus, Köln 1979⁶, S. 544; ders., Politik und Zeitgeist. Tendenzen der siebziger Jahre, in: ders. u. a., Republik (Anm. 1), S. 285–406 (405 f.); Markus Meckel/Martin Gutzeit, Opposition in der DDR. Zehn Jahre kirchliche Friedensarbeit – kommentierte Quellentexte, Köln 1994, S. 266–274 («Der 8. Mai 1945 – unsere Verantwortung für den Frieden», Februar/April 1985; Zitat: 272); Florian Roth, Die Idee der Nation im politischen Diskurs. Die Bundesrepublik Deutschland zwischen neuer Ostpolitik und Wiederver-

einigung (1969–1990), Baden-Baden 1995, S. 109 ff. – Der Beschluß der Kultusministerkonferenz vom 23. 11. 1978: Die Deutsche Frage im Unterricht, in: GWU 30 (1979), S. 343–356. Zur «Hochland»-Debatte vgl. oben S. 243 ff.; zu Ulbrichts Formel «Überholen ohne einzuholen» vgl. S. 290; zu Thomas Abbt vgl. Bd. 1, S. 34, 47 f.; zum Staatsangehörigkeitsgesetz von 1913 ebd., S. 327 f.

21 Heinz Werner Hübner, «Holocaust», in: Guido Knopp u. Siegfried Quandt (Hg.), Geschichte im Fernsehen. Ein Handbuch, Darmstadt 1988, S. 135–138 (die Zahl der Zuschauer: 17); Richard von Weizsäcker, Der 8. Mai 1945–40 Jahre danach, in: ders., Von Deutschland aus, Berlin 1985, S. 11–36 (15 f., 18, 22, 33 f.); Wortlos reichen sich die Generäle in Bitburg die Hand, in: FAZ, 6. 5. 1985 (Zahlen zu Bitburg); Feingefühl, allerseits, ebd., 28. 2. 1986; Übler als Fledderei, ebd., 24. 4. 1986; Ernst Nolte, Der Faschismus in seiner Epoche. Die Action Française. Der italienische Faschismus. Der Nationalismus, München 1963¹; ders., Der europäische Bürgerkrieg 1917–1945. Nationalsozialismus und Bolschewismus, Berlin 1987; ders., Vergangenheit, die nicht vergehen will. Eine Rede, die geschrieben, aber nicht gehalten werden konnte, in: «Historikerstreit». Die Dokumentation der Kontroverse um die Einzigartigkeit der nationalsozialistischen Judenvernichtung, München 1987, S. 39–47 (45 f.; Hervorhebungen im Original); Jürgen Habermas, Eine Art Schadensabwicklung. Die apologetischen Tendenzen in der deutschen Zeitgeschichtsschreibung, ebd., S. 62–76 (71, 73, 75 f.; ursprünglich in: Die Zeit, 11. 7. 1986; Hervorhebung im Original); Christian Meier, Eröffnungsrede zur 36. Versammlung deutscher Historiker in Trier, 8. Oktober 1986, ebd., S. 204–214 (zum Begriff «Geschichtspolitik»: 204); Heinrich August Winkler, Auf ewig in Hitlers Schatten? Zum Streit um das Geschichtsbild der Deutschen, ebd., S. 256–263 (ursprünglich in: FR, 14. 11. 1986; der Begriff «Geschichtspolitik» und die zitierten Passagen: 262 f.); ders., Ein europäischer Bürger namens Hitler. Ernst Noltes Entlastungsoffensive geht weiter, in: Die Zeit, 4. 12. 1987 (Rezension von Noltes «Europäischem Bürgerkrieg»); ders., Kehrseitenbesichtigung. Zehn Jahre danach: Ein Rückblick auf den deutschen Historikerstreit, in: FR, 29. 10. 1996; ders., Lesarten der Sühne, in: Der Spiegel, Nr. 35, 24. 8. 1998; Hans-Ulrich Wehler, Entsorgung der deutschen Vergangenheit? Ein polemischer Essay zum «Historikerstreit», München 1988; Charles S. Maier, Die Gegenwart der Vergangenheit. Geschichte und die nationale Identität der Deutschen (amerik. Orig. Cambridge/Mass. 1988), Frankfurt 1992; Richard J. Evans, In Hitler's Shadow. West German Historians and the Attempts to Escape from the Nazi Past, New York 1989; Herzinger/Stein, Endzeit-Propheten (Anm. 7), S. 63 ff. – Zu Jenningers Rede: Sten. Ber. (Anm. 4), 11. Wahlperiode, Bd. 146, S. 7270–7276; Eklat im Bundestag bei der Rede Jenningers zum Jahrestag der Pogrom-Nacht, in: FAZ, 11. 11. 1988; Das mildeste Urteil lautet: Gut gemeint, aber nicht gekonnt, ebd. – Der wohl früheste Beleg für Auschwitz als «Ursprungsmythos» der Bundesrepublik ist: Hanno Loewy, Auschwitz als Metapher, in: taz, 25. 1. 1997. – Das Zitat aus Bismarcks «Gedanken und Erinnerungen» lautet richtig: «Die geschichtliche Logik ist noch genauer in ihren Revisionen als unsere Oberrechenkammer.» Fürst Otto von Bismarck, Die gesammelten Werke (Friedrichsruher Ausgabe), Berlin 1924 ff., Bd. 15, S. 393. – Der Begriff der «posthumen Adenauerschen Linken» erstmals bei: Heinrich August Winkler, Wollte Adenauer die Wiedervereinigung?, in: Die Zeit, 7. 10. 1988.

22 Friedrich Engels, Die preußische Militärfrage und die deutsche Arbeiterpartei (1865), in: Karl Marx/Friedrich Engels, Werke, Bd. 16, Berlin 1962, S. 37–78 (77);

Michail Gorbatschow, Ausgewählte Reden und Aufsätze, Bd. 4: Juli 1986-April
1987, Berlin 1988, S. 397 (Schlußwort auf dem Plenum des Zentralkomitees der
KPdSU); ders., Erinnerungen, Berlin 1995, S. 700 ff.; Manfred Hildermeier, Geschichte der Sowjetunion 1917–1991. Entstehung und Niedergang des ersten sozialistischen Staates, München 1998, S. 1014 ff.; Rafael Biermann, Zwischen Kreml und
Kanzleramt. Wie Moskau mit der deutschen Einheit rang, Paderborn 1997 (zum Begriff des «gemeinsamen europäischen Hauses», der auf Breschnew zurückgeht und
seit dem Herbst 1985 von Gorbatschow aufgegriffen wurde: S. 85 ff.); Hannes Ado-
meit, Imperial Overstretch: Germany in Soviet Policy from Stalin to Gorbachev. An
Analysis Based on New Archival Evidence, Memoirs, and Interviews, Baden-Baden
1998, S. 191 ff.; Grosser, Wagnis (Anm. 18), S. 25 ff.; Schöllgen, Geschichte (Anm. 4),
S. 390 ff.; Hacke, Weltmacht (Anm. 7), S. 305 ff.; Garton Ash, Namen (Anm. 12),
S. 160 (Gespräch Kohls mit «Newsweek»); Genscher, Erinnerungen (Anm. 2),
S. 493 ff. (Gorbatschow-Genscher, 21. 7. 1986; zur Rede in Davos und deren Echo:
526 f.; zum Moskaubesuch des Bundespräsidenten, 6.–11 1987: 543 ff.); Sten. Ber.
(Anm. 4), 11. Wahlperiode, Bd. 141, S. 51–73 (Regierungserklärung Kohls,
18. 3. 1987); Richard von Weizsäcker, Vier Zeiten. Erinnerungen, Berlin 1997,
S. 341 ff. (343, 346); Der Streit der Ideologien und die gemeinsame Sicherheit. Das
gemeinsame Papier der Grundwertekommission der SPD und der Akademie für
Gesellschaftswissenschaften beim Zentralkomitee der SED, in: FAZ 28. 8. 1987;
Dowe (Hg.), Ost- und Deutschlandpolitik (An. 17), S. 57 ff. (zum «Streitkulturpapier»); Harald Neubert, Zum gemeinsamen Ideologiepapier von SED und SPD
aus dem Jahre 1987. Hefte zur DDR-Geschichte, Nr. 18, Berlin 1994; Helmut
Schmidt, Einer unserer Brüder. Zum Besuch Erich Honeckers, in: Die Zeit,
24. 7. 1987; «Er läßt auch fünfe gerade sein». Der stellvertretende SPD-Vorsitzende
Oskar Lafontaine über den DDR-Staatsratsvorsitzenden, in: Der Spiegel, Nr. 35,
24. 8. 1987; Potthoff, Koalition (Anm. 7), S. 340–359 (Gespräch Honecker-Brandt,
19. 9. 1985; Zitat zu Salzgitter: 355), 453–459 (Gespräch Honecker-Bahr, 5. 9. 1986),
564–668 (Besuch Honeckers in der Bundesrepublik, 7.–11. 9. 1987; Gespräch mit
Weizsäcker: 576–581; mit Kohl, Schäuble u. a.: 582–606; mit Vogel: 614, 617; mit
Dregger und Waigel: 620 f.; mit Schoppe u. a.: 628 ff.; mit Kelly und Bastian: 634 f.;
mit Brandt: 637; mit Rau: 640; mit Lafontaine: 653 f.; mit Strauß: 657–661), 662–668
(Gespräch Honeckers mit Dohnanyi, Lafontaine und Wedemeier, 23. 10. 1987);
ders., Schatten (Anm. 1), S. 243 ff. (Zitat Rau, 18. 9. 1986: 256); Schroeder, SED-Staat
(Anm. 3), S. 292 f. (Zitat Reagan, 12. 6. 1987: 292); Korte, Deutschlandpolitik
(Anm. 18), S. 324 ff. (zu den Besucherzahlen: 359 f.; Meinungsumfragen zum Besuch
Honeckers: 388); Nakath/Stephan (Hg.), Hubertusstock (Anm. 9), S. 338–344
(MfS-Auswertung der Reaktionen auf den Besuch Honeckers, 16. 9. 1987); Willy
Brandt, Deutsche Wegmarken. Berliner Lektion am 11. September 1988, in: Berliner
Lektionen, Berlin 1989, S. 71–88 (Zitate: 73–77); Heiner Sauer u. Hans-Otto
Plumeyer, Der Salzgitter-Report. Die Zentrale Erfassungsstelle berichtet über Ver-
brechen im SED-Staat, Esslingen 1991. – Zu Weizsäckers Besuch in Moskau,
6.–11. 7. 1987: AdG 57/II (1987), S. 31236–31246; die Tischreden von Kohl und
Honecker vom 7. 9. 1987: ebd., S. 31408–31410; zur Revolution von 1918/19 vgl.
Bd. 1, S. 378 ff., zur Sozialistischen Arbeiterpartei ebd., S. 498.

23 Hans Georg Lehmann, Deutschland-Chronik 1945 bis 1995, Bonn 1996,
S. 320 ff. (Europapolitik); Desmond Dinan, Ever Closer Union. An Introduction to
the European Community, London 1994, S. 129 ff.; Genscher, Erinnerungen

(Anm. 2), S. 381 ff. (Zitat über Th. Stoltenberg: 592; Würdigung der Brüsseler «Lance»-Entscheidung: 621); AdG 58 (1988), S. 32679–32684 (Besuch Kohls in Moskau, 24.–27. 10. 1988), 59 (1989), S. 33465–33 468 (Madrider EG-Gipfel, 26.–27. 6. 1989); EA 44 (1989), Dokumente, S. 237–256 (Schlußdokumente des Brüsseler NATO-Gipfels, 29./30. 5. 1989; Zitate: 238, 253); Texte zur Deutschlandpolitik, Reihe III, 6 (1989), S. 262 f. (Kommuniqué zum Axen-Bahr-Papier, 7. 7. 1988); Kuehn, Jahrzehnt (Anm. 8), S. 365 ff.; Detlef Nakath/Gerd-Rüdiger Stephan, Countdown zur deutschen Einheit. Eine dokumentierte Geschichte der deutschdeutschen Beziehungen 1987–1990, Berlin 1996, S. 80–82 (Kohl an Honecker, 4. 5. 1988), 125–145 (Gespräch Honeckers mit A. Bondarenko, 30. 10. 1988 mit Bericht über Kohls Besuch in Moskau); «Vorwärts immer, rückwärts nimmer!» Interne Dokumente zum Zerfall von SED und DDR 1988/89. Hg. u. eingel. von Gerd-Rüdiger Stephan unter Mitarbeit von Daniel Küchenmeister, Berlin 1994, S. 53–57 (MfS-Bericht vom 30. 11. 1988 zum «Sputnik»-Verbot; Zitat: 54); «Jedes Land wählt seine Lösung». Der DDR-Ideologe Kurt Hager über Gorbatschows Reformkurs, in: Stern, Nr. 16, 9. 4. 1987; Werner Weidenfeld, Außenpolitik für die deutsche Einheit. Die Entscheidungsjahre 1989/90 (= Geschichte der deutschen Einheit in vier Bänden, Bd. 4), Stuttgart 1998, S. 138 ff. (Währungsunion); Timothy Garton Ash, Ein Jahrhundert wird abgewählt. Aus den Zentren Mitteleuropas 1980–1990 (engl. Orig.: New York 1989/Cambridge 1990), München 1990, S. 43 ff.; ders., Namen (Anm. 12), bes. S. 189 ff. (Brandt in Warschau, 7./8. 12. 1985: 448); Fred Oldenburg, Die Implosion des SED-Regimes. Ursachen und Entwicklungsprozesse (= Berichte des Bundesinstituts für ostwissenschaftliche und internationale Studien), Köln 1991, Nr. 10, S. 22 ff. (Pop-Festival, Juni 1987: 23); Schöllgen, Geschichte (Anm. 4), S. 402 ff.; Potthoff, Schatten (Anm. 1), S. 272 ff. (bundesrepublikanische Reaktionen auf die Krise in der DDR); Schroeder, SED-Staat (Anm. 3), S. 288 ff. («Sputnik»-Verbot: 295); Neubert, Geschichte (Anm. 19), S. 629 ff.; Kuhrt u. a. (Hg.), Opposition (Anm. 19), S. 427 ff. – Zu Gorbatschows Abkehr von der Breschnew-Doktrin: Daniel Küchenmeister/Gerd-Rüdiger Stephan, Gorbatschows Entfernung von der Breschnew-Doktrin, in: ZfG 42 (1994), S. 713–721. Zum Harmel-Bericht vgl. oben S. 263; zu dem Zitat von Rosa Luxemburg siehe Bd. 1, S. 357.

24 Korte, Deutschlandpolitik (Anm. 18), S. 398 ff. (Wilms, 25. 1. 1988: 399; Entwurf Geißlers: 401); «Wiedervereinigung vor Einheit Europas». Ein Gespräch mit dem CDU-Abgeordneten Todenhöfer, in: FAZ, 16. 3. 1988: «Wiedervereinigung in Freiheit ist das vordringlichste Ziel». CDU-Präsidium ändert Entwurf zur Deutschlandpolitik, ebd., 13. 4. 1988; Peter Hintze (Hg.), Die CDU-Parteiprogramme. Eine Dokumentation der Ziele und Aufgaben, Bonn 1995, S. 479–511 (Wiesbadener Beschluß zur Deutschlandpolitik usw.; Zitat: 482); Fritz René Allemann, Bonn ist nicht Weimar, Köln 1956, S. 119; Golo Mann, Gedanken zum Grundvertrag, in: Neue Rundschau 84 (1973), S. 1–8 (zum Begriff «Lebenslüge»: 3); Reden über das eigene Land: Deutschland, München 1984, S. 57–70 (Willy Brandt, 18. 11. 1984: Zitat: 63); Brandt, Wegmarken (Anm. 22), S. 81 f.; «Ein Notdach, unter dem der Rechtsstaat sich entwickeln konnte» (Auszüge aus Brandts Bonner Rede vom 14. 9. 1988), in: FR, 15. 9. 1988 (Hervorhebung im Original); Vogtmeier, Bahr (Anm.), S. 287 ff. (zum Begriff «Lebenslüge»); Potthoff, Koalition (Anm. 7), S. 340–359 (Gespräch Honecker-Brandt, 19. 9. 1985; Zitate: 350, 355); Egon Bahr, Zum europäischen Frieden. Eine Antwort auf Gorbatschow, Berlin 1988, S. 84 ff. (87, 92, 95, 99 f.); Sten. Ber. (Anm. 4), 11. Wahlperiode, Bd. 147, S. 8094–8100 (Kohl,

1.12. 1988), 8100–8103 (Vogel, 1.12. 1988), 8106–8109 (Lippelt, 1.12. 1988), 8118–8121 (Heimann, 1.12. 1988); Oskar Lafontaine, Die Gesellschaft der Zukunft. Reformpolitik in einer veränderten Welt, Hamburg 1988, S. 155 ff. (Zitate: 174, 186–193); Friedrich Meinecke, Weltbürgertum und Nationalstaat (1. Aufl. München 1907), Werke, Bd. V, München 1962; Günter Grass, Die kommunizierende Mehrzahl, in: ders., Deutscher Lastenausgleich. Wider das dumpfe Einheitsgebot. Reden und Gespräche, Berlin 1990, S. 89–107 (104, 106 f.); Silke Jansen, Zwei deutsche Staaten – zwei deutsche Nationen? Meinungsbilder zur deutschen Frage im Zeitablauf, in: DA 22 (1989), S. 1132–1143 (Umfragedaten; Zitat: 1139); Gerhard Herdegen, Perspektiven und Begrenzungen. Eine Bestandsaufnahme der öffentlichen Meinung zur deutschen Frage, Teil I: Nation und deutsche Teilung, ebd., 20 (1987), S. 1259–1273; Teil II: Kleine Schritte und fundamentale Fragen, ebd., 21 (1988), S. 391–403; Jens Hacker, Deutsche Irrtümer. Schönfärber und Helfershelfer der SED-Diktatur im Westen, Berlin 1992, S. 352 ff. (zu Golo Mann: 382); Winkler, Nationalismus (Anm. 20), S. 23 ff. – Das Zitat von Henrik Ibsen aus: ders., Die Wildente. Schauspiel in fünf Akten, Stuttgart 1991, S. 102; das Zitat aus den «Xenien»: Deutscher Nationalcharakter (Xenien), in: Johann Wolfgang von Goethe, Werke, Weimarer Ausgabe, München 1987, Bd. 5, S. 218. Vgl. dazu Bd. 1, S. 37 ff. Zur «felix culpa»: Ernst Dassmann, Ambrosius, in: Theologische Realenzyklopädie, Bd. 2, New York 1978, S. 362–385. Zur Denkfigur der «felix culpa» beim deutschen Umgang mit den Verbrechen der nationalsozialistischen Diktatur auch schon Angelo Bolaffi, Die schrecklichen Deutschen. Eine merkwürdige Liebeserklärung, Berlin 1995, S. 33. Zu Freudenfeld, Scheel und der «Hochland»-Debatte von 1967/68 vgl. oben S. 243 ff.; zu Kants Schrift «Zum ewigen Frieden» von 1795 siehe Bd. 1, S. 43 f. Zu Plessner ebd., S. 221, 236.

25 Der Anfang auf dem Weg zur parlamentarischen Demokratie. Ergebnisse der Verhandlungen am «runden Tisch» in Warschau. Politische Reformen und Gewerkschaftspluralismus, in: FAZ, 11.4. 1989; AdG 59 (1989), S. 33207–33213, 33386–33389, 33465–33468, 33577–33581, 33690–33705, 33776–33779 (Entwicklung in Polen), 33409–33417 (Besuch Gorbatschows in der Bundesrepublik, 12.–15.6. 1989; Zitate: 33411, 33415); 33518–33521 (Gipfel des Warschauer Pakts in Bukarest, 8.7. 1989); Dokumente zur Deutschlandpolitik. Deutsche Einheit. Sonderedition aus den Akten des Bundeskanzleramtes 1989/90. Bearb. von Hans Jürgen Küsters u. Daniel Hofmann, München 1998, S. 276–299 (Gespräche Kohl-Genscher, 12./13.6. 1989), 339–345 (Gespräch Kohl-Geremek, 7.7. 1989); EA 44 (1989), S. 257 (Zitat aus der Rede von Bush in Mainz, 31.5. 1989); Kühn, Jahrzehnt (Anm. 8), S. 399 ff.; Schroeder, SED-Staat (Anm. 3), S. 281 ff. (Daten zu den Kommunalwahlen: 284; Aussetzung des Schießbefehls: 295); Neubert, Geschichte (Anm. 19), S. 810 ff. (Kommunalwahlen, Mai 1989); «Deutsche haben Recht auf Selbstbestimmung». Gorbatschow-Berater Sagladin verknüpft Wiedervereinigung mit Europa, in: SZ, 5.6. 1989; Waigel bekundet Willen zur Wiedervereinigung, ebd., 3.7. 1989 (Rede vom 2.7. 1989); Hermann Rudolph, Die DDR – doppelt belagert, ebd., 18.7. 1989; Sten. Ber. (Anm. 4), 11. Wahlperiode, Bd. 149, S. 11296–11301 (Eppler, 17.6. 1989); Gorbatschow, Erinnerungen (Anm. 22), S. 700 ff. (Zitat: 711), 928 ff.; Daniel Küchenmeister (Hg.), Honecker-Gorbatschow. Vieraugengespräche, Berlin 1993, S. 208–239 (210, 218, 222, 227); ders., Wann begann das Zerwürfnis zwischen Honecker und Gorbatschow? Erste Bemerkungen zu den Protokollen ihrer Vier-Augen-Gespräche, in: DA 26 (1993), S. 30–40; Vorwärts (Anm. 23), S. 75–88

(Gespräch Honecker-Schewardnadse, 9. 6. 1989; Zitat: 85); Die «sozialistische Identität» der DDR. Überlegungen von Otto Reinhold in einem Beitrag für Radio DDR am 19. August 1989 (Auszug), in: Blätter für deutsche und internationale Politik 34 (1989), S. 1175. – Das Zitat aus Kurt Schumachers Rede «Student und Politik» vom 4. 9. 1946 auf dem Gründungskongreß des SDS in Hamburg, in: ders., Reden – Schriften – Korrespondenzen 1945–1952. Hg. v. Willy Albrecht, Berlin 1985, S. 463–474 (469).

5. Einheit und Freiheit:
1989/90

1 Dokumente zur Deutschlandpolitik. Deutsche Einheit. Sonderedition aus den Akten des Bundeskanzleramtes 1989/90. Bearb. von Hanns Jürgen Küsters und Daniel Hofmann, München 1998, S. 377–382 (Gespräch Kohl/Genscher-Németh/Horn, 25. 8. 1989); Richard Kiessler/Frank Elbe, Ein runder Tisch mit scharfen Ecken. Der diplomatische Weg zur deutschen Einheit, Baden-Baden 1993, S. 33 ff.; Hans-Dietrich Genscher, Erinnerungen, Berlin 1995, S. 13 ff., 637 ff.; Helmut Kohl, «Ich wollte Deutschlands Einheit». Dargestellt von Kai Diekmann u. Ralf Georg Reuth, Berlin 1996, S. 65 ff.; Karl-Rudolf Korte, Deutschlandpolitik in Helmut Kohls Kanzlerschaft. Regierungsstil und Entscheidungen 1982–1989 (= Geschichte der deutschen Einheit in vier Bänden, Bd. 1), Stuttgart 1998, S. 438 ff. (Zahlen zur Fluchtbewegung: 450); Wolfgang Jäger in Zusammenarbeit mit Michael Walter, Die Überwindung der Teilung. Der innerdeutsche Prozeß der Vereinigung (= Geschichte der deutschen Einheit in vier Bänden, Bd. 3), Stuttgart 1998, S. 252 ff.; Walter Süß, Staatssicherheit am Ende. Warum es den Mächtigen nicht gelang, 1989 eine Revolution zu verhindern, Berlin 1999, S. 177 ff.; Armin Mitter u. Stefan Wolle (Hg.), Ich liebe euch doch alle! Befehle und Lageberichte des MfS Januar-November 1989, Berlin 1990, S. 46–75 (Information vom 1. 6. 1989; Zahlen: 47), 161 f. (Aufruf der Initiativgruppe «Sozialdemokratische Partei in der DDR», 12. 9. 1989), 162–164 (Aufruf des «Neuen Forums», 9. 9. 1989), 165–169 (Aufruf von «Demokratie Jetzt», 12. 9. 1989), 182 f. (Aufruf des «Demokratischen Aufbruchs», 2. 10. 1989), 212 (Gründungsurkunde der SDP, 7. 10. 1989), 212 f. (Gemeinsame Erklärung, 4. 10. 1989); Stefan Wolle, Der Weg in den Zusammenbruch: Die DDR vom Januar bis zum Oktober 1989, in: Eckhard Jesse/Armin Mitter (Hg.), Die Gestaltung der deutschen Einheit. Geschichte – Politik – Gesellschaft, Bonn 1992, S. 73–110 (Zitat Wolle; Ablehnung des Zulassungsantrags des Neuen Forums: 98 f.); Karsten Timmer, Vom Aufbruch zum Umbruch. Die Bürgerbewegung in der DDR 1989, Göttingen 2000; Klaus Schroeder unter Mitarbeit von Steffen Alisch, Der SED-Staat. Geschichte und Strukturen der DDR, München 1998, S. 297 ff. (IM in der Initiative Frieden und Menschenrechte: 312); Martin Gutzeit, Die Stasi – Repression oder Geburtshilfe?, in: Dieter Dowe in Zusammenarbeit mit Rainer Eckert (Hg.), Von der Bürgerbewegung zur Partei. Die Gründung der Sozialdemokratie in der DDR, Bonn 1993, S. 41–52 (MfS-Zitat: 45); Wolfgang Herzberg u. Patrik von zur Mühlen (Hg.), Auf den Anfang kommt es an. Sozialdemokratischer Neubeginn in der DDR. Interviews u. Analysen, Bonn 1993; Wolfgang Gröf, «In der frischen Tradition des Herbstes 1989». Die SDP/SPD in der DDR: Von der Gründung über die Volkskammerarbeit zur deutschen Einheit, Bonn 1996², S. 9 ff.;

Gero Neugebauer, Die SDP/SPD in der DDR: Zur Geschichte und Entwicklung einer unvollendeten Partei, in: Oskar Niedermayer/Richard Stöss (Hg.), Parteien und Wähler im Umbruch, Opladen 1994, S. 75–104; Ute Haese, Katholische Kirche in der DDR. Geschichte einer politischen Abstinenz, Düsseldorf 1998, bes. S. 40 ff.; Ralf Georg Reuth, IM «Sekretär». Die «Gauck-Recherche» und die Dokumente zum «Fall Stolpe», Frankfurt 1992²; Clemens Vollnhals, Die kirchenpolitische Abteilung des Ministeriums für Staatssicherheit, in: ders., (Hg.), Die Kirchenpolitik von SED und Staatssicherheit. Eine Zwischenbilanz, Berlin 1996, S. 79–119; Ehrhart Neubert, Zur Instrumentalisierung von Theologie und Kirchenrecht durch das MfS, ebd., S. 329–352; ders., Geschichte der Opposition in der DDR 1949–1989, Bonn 1997, S. 825 ff.; ders., Vergebung oder Weißwäscherei. Zur Aufarbeitung des Stasi-Problems in den Kirchen, Freiburg 1993; ders., Eine protestantische Revolution, Osnabrück 1990; Beatrice Jansen-de Graaf, Eine protestantische Revolution? Die Rolle der ostdeutschen evangelischen Kirchen in der ›Wende‹ 1989/90, in: DA 32 (1999), S. 264–270; Trutz Rendtorff (Hg.), Protestantische Revolution? Kirche und Theologie in der DDR: Ekklesiologische Voraussetzungen, politischer Kontext, theologische und historische Kriterien, München 1993; Claudia Lepp, Wege des Protestantismus im geteilten Deutschland, in: GWU 51 (2000), S. 173–191; Günther Heydemann/Lothar Kettenacker (Hg.), Kirchen in der Diktatur. Drittes Reich und SED-Staat, Göttingen 1993; Gerhard Besier, Der SED-Staat und die Kirche 1983–1991. Höhenflug und Absturz, Berlin 1995, S. 360 ff.; Friedrich Wilhelm Graf, Eine Ordnungsmacht eigener Art. Theologie und Kirchenpolitik im DDR-Protestantismus, in: Hartmut Kaelble u. a. (Hg.), Sozialgeschichte der DDR, Stuttgart 1994, S. 295–321; Mary Fulbrook, Anatomy of a Dictatorship. Inside the GDR 1949–1989, Oxford 1995, S. 87 ff.; Christian Joppke, East German Dissidents and the Revolution of 1989. Social Movement in a Leninist Regime, Houndsmills 1995; Eberhard Kuhrt u. a. (Hg.), Opposition in der DDR von den 70er Jahren bis zum Zusammenbruch der SED-Herrschaft, Opladen 1999, S. 381 ff.; Hartmut Zwahr, Ende einer Selbstzerstörung. Leipzig und die Revolution in der DDR, Göttingen 1993, S. 19 ff. (Demonstrationen in Leipzig, 4.–12. 9. 1989; Montagsgebet vom 25.9.: 23 f.).

2 Verhandlungen des Deutschen Bundestages. Stenographische Berichte (= Sten. Ber.), 11. Wahlperiode, Bd. 150, S. 11633–11637 (Brandt, 1. 9. 1989; Zitate: 11636); Günter Gaus, Die Zeichen erkennend, in: Der Spiegel, Nr. 36, 4. 9. 1989 (Hervorhebungen im Original); «Wenn alle gehen wollen, weil die Falschen bleiben». Norbert Gansel fordert von SPD Umdenken in der Deutschlandpolitik: Statt «Wandel durch Annäherung» «Wandel durch Abstand», in: FR, 13. 9. 1989; Heinrich August Winkler, Die Mauer wegdenken. Was die Bundesrepublik für die Demokratisierung der DDR tun kann, in: Die Zeit, 11. 8. 1989; Jäger, Überwindung (Anm. 1), S. 142 f. (Rühe, 25. 9. 1989); Detlef Nakath/Gerd-Rüdiger Stephan (Hg.), Die Häber-Protokolle. Schlaglichter der SED-Westpolitik 1973–1985, Berlin 1999, S. 83–91 (Gespräch Sagladin-Kiep, 6. 2. 1975; Zitat: 87 f.); Klaus Dreher, Helmut Kohl. Leben und Macht, Stuttgart 1998, S. 388 ff. (Bremer Parteitag: 440); Kohl, Ich wollte (Anm. 1), S. 75 ff.; Korte, Deutschlandpolitik (Anm. 1), S. 463 ff. – Zu Bahrs Formel «Wandel durch Annäherung» vom Juli 1963 vgl. oben S. 218. Das von Gaus apostrophierte Zitat von Bismarck lautet: «Man kann nicht selber etwas schaffen; man kann nur abwarten, bis man den Schritt Gottes durch die Ereignisse hallen hört; dann vorspringen und den Zipfel seines Mantels zu fassen – das ist Alles.» Arnold

Oskar Meyer, Bismarcks Glaube. Nach neuen Quellen aus dem Familienarchiv, München 1933, S. 7, 63 f.

3 Zwahr, Ende (Anm. 2), S. 39–41 (Hervorhebungen im Original), 79 ff. (zum «Aufruf der Sechs»: 82 ff.); Mitter/Wolle (Hg.), Ich liebe (Anm. 1), S. 190 f. (Information des MfS vom 3. 10. 1989; falsche Schreibweise von Straßennamen in der Wiedergabe korrigiert); Daniel Küchenmeister unter Mitarbeit von Gerd-Rüdiger Stephan (Hg.), Honecker – Gorbatschow. Vieraugengespräche, Berlin 1993, S. 240–251 (Gespräch Honecker-Gorbatschow, 7. 10. 1989), 252–266 (Treffen Gorbatschow-Politbüro der SED, 7. 10. 1989); Valentin Falin, Politische Erinnerungen, München 1993, S. 484 ff.; Rafael Biermann, Zwischen Kreml und Kanzleramt. Wie Moskau mit der deutschen Einigung rang, Paderborn 1997, S. 200 ff. (Festrede Gorbatschows, 5. 7. 1989: 201–203; interne Gespräche: 204–208; zum «geflügelten Wort»: 204); Eine von Hochgefühl, Stolz und Glück erfaßte Bevölkerung. Wie das DDR-Fernsehen die Jubiläums-Feiern zeigte. Von Ralf-Georg Reuth, in: FAZ, 9. 10. 1989 (Gorbatschows Äußerungen zu Journalisten; Kranzniederlegungen); Den uniformierten Betriebskampfgruppen schallt es entgegen: Arbeiter-Verräter. Über die Demonstrationen in Ost-Berlin berichtet Monika Zimmermann, ebd.; Michail Gorbatschow, Erinnerungen, Berlin 1995, S. 933 f.; Wolle, Weg (Anm. 1), S. 105 ff. (Berliner Ereignisse vom 7./8. 10. 1989, Bericht der Untersuchungskommission: 106; Leipziger Montagsdemonstration vom 9. 10. 1989: 107); Zwahr, Ende (Anm. 1), S. 61 ff.; Mitter/Wolle (Hg.), Ich liebe (Anm. 1), S. 200 (Honeckers Weisung vom 8. 10. 1989); Egon Krenz, Wenn Mauern fallen. Die Friedliche Revolution: Vorgeschichte – Ablauf – Auswirkungen, Wien 1990, S. 11 ff., 122 ff.; Wjatscheslaw Kotschemassow, Meine letzte Mission, Berlin 1994, S. 164 ff.; Günter Schabowski, Das Politbüro. Ende eines Mythos. Eine Befragung. Hg. v. Frank Sieren u. Ludwig Koehne, Reinbek 1990, S. 71 ff.; ders., Der Absturz, Reinbek 1991, S. 236 ff.; Sich selbst aus unserer Gesellschaft ausgegrenzt, in: ND, 2. 10. 1989; Volker Gransow u. Konrad Jarausch (Hg.), Die deutsche Vereinigung. Dokumente zu Bürgerbewegung, Annäherung und Beitritt, Köln 1991, S. 76 f. (Leipziger Aufruf der Sechs vom 9. 10. 1989).

4 AdG 59 (1989), S. 33885–33890 (Machtwechsel in der SED, Fernsehrede Krenz' vom 18. 10. 1989; Reaktionen auf die Wahl von Krenz), 33937–33 946 (Entwicklung in der DDR, 24.10.–8. 11. 1989); Krenz, Mauern (Anm. 3), S. 34 ff. (Erklärung des Politbüros vom 11. 10. 1989: 34 f.); Schabowski, Politbüro (Anm. 3), S. 87 ff.; Hans-Hermann Hertle/Gerd-Rüdiger Stephan (Hg.), Das Ende der SED. Die letzten Tage des Zentralkomitees, Berlin 1997, S. 49 ff., 103–133 (9. Tagung des ZK, 18. 10. 1989), 135–437 (10. Tagung des ZK, 8.–10. 11. 1989; Krenz zur Ausreiseregelung, 9.11.: 303–306; Ehrensperger, 9.11.: 363–369; Schürer, 10.11.: 382–388; Kayser, 10.11.: 422); Iwan Kusmin, Die Verschwörung gegen Moskau, in: DA 28 (1995), S. 286–290; Heinrich Potthoff (Hg.), Die «Koalition der Vernunft». Deutschlandpolitik in den 80er Jahren, München 1995, S. 975–981 (Telefonat Kohl-Krenz, 26. 10. 1989); Zwahr, Ende (Anm. 1), S. 103 ff.; ders., Die Revolution in der DDR im Demonstrationsvergleich. Leipzig und Berlin im Oktober und November 1989, in: Manfred Hettling u. Paul Nolte (Hg.), Nation und Gesellschaft in Deutschland. Historische Essays. Hans-Ulrich Wehler zum 65. Geburtstag, München 1996, S. 335–350; Massenflucht – Reformzusagen – Forderungen, in: FAZ, 6. 11. 1989; Klaus Hartung, Der Fall der Mauer, in: taz, 6. 11. 1989; Schürers Krisen-Analyse, in: DA 25 (1992), S. 1112–1120 (1119); Gerd-Rüdiger Stephan, Die letzten Tage des Zentralkomitees

der SED 1988/89. Abläufe und Hintergründe, ebd., 26 (1993), S. 296–325; Hans-Hermann Hertle, Der ökonomische Untergang des SED-Staates, ebd., 25 (1992), S. 1019–1039; ders., Der Fall der Mauer. Die unbeabsichtigte Selbstauflösung des SED-Staates, Opladen 1996, S. 163 ff. (Pressekonferenz Schabowskis, 9. 11. 1989, mit Echo); ders., Chronik des Mauerfalls. Die dramatischen Ereignisse um den 9. November 1989, Berlin 1996, S. 75 ff.; Sten. Ber. (Anm. 2), 11. Wahlperiode, Bd. 151, S. 13221–13223 (Seiters, Vogel, Dregger, Lippelt, Mischnick, 9. 11. 1989); Jäger, Überwindung (Anm. 1), S. 43 (Bundestag, 9. 11. 1989); Bilanz der Todesopfer des DDR-Grenzregimes. Bilanz der letzten Mauerreste. Text und Zusammenstellung: Rainer Hildebrandt. 121. Pressekonferenz der Arbeitsgemeinschaft 13. August am Mittwoch, den 11. August 1999, 11 Uhr, im Haus am Checkpoint Charlie (Manuskript), Berlin 1999, S. 3; Walter Momper, Grenzfall. Berlin im Brennpunkt deutscher Geschichte, München 1991², S. 144 ff.; Verhandlungen des Bundesrates 1989. Stenographische Berichte von der 597. Sitzung am 10. Februar 1989 bis zur 608. Sitzung am 21. Dezember 1989, S. 453 (Momper, 10. 11. 1989).

5 Zwahr, Ende (Anm. 1), S. 50; Crane Brinton, Die Revolution und ihre Gesetze (amerik. Orig.: New York 1938¹, 1952²), Frankfurt 1959, S. 99 f.; Markus Wolf, Spionagechef im geheimen Krieg. Erinnerungen, Düsseldorf 1997, S. 423 ff.; Süß, Staatssicherheit (Anm. 1), S. 301 ff.; Mitter/Wolle (Hg.), Ich liebe (Anm. 1), S. 148–150 (Information des MfS vom 11. 9. 1989), S. 204–207 (Information vom 8. 10. 1989); Hertle/Stephan (Hg.), Ende (Anm. 4), S. 387 (Schürer), 427 (Krenz); Kusmin, Verschwörung (Anm. 4), S. 288 f. (Verbindung Stoph-Gorbatschow); Eckhard Jesse, War die DDR totalitär?, in: APZ 1994, B 40, S. 12–23; Albert O. Hirschmann, Exit, Voice, and the Fate of the German Democratic Republic: An Essay in Conceptual History, in: World Politics 45 (1993), S. 173–203 (zur Dialektik von Exodus und Opposition); Charles S. Maier, Das Verschwinden der DDR und der Untergang des Kommunismus (amerik. Orig.: Princeton 1997), Frankfurt 1999, S. 36 ff.; Konrad H. Jarausch, Die unverhoffte Einheit 1989–1990, Frankfurt 1995, S. 29 ff.; Elizabeth Pond, Beyond the Wall. Germany's Road to Unification, Washington 1993, S. 1 ff.; Klaus-Dieter Opp u. a., Die volkseigene Revolution, Stuttgart 1993; Hans Joas u. Martin Kohli (Hg.), Der Zusammenbruch der DDR, Frankfurt 1993; Sigrid Meuschel, Legitimation und Parteiherrschaft. Zum Paradox von Stabilität und Revolution in der DDR 1945–1989, Frankfurt 1992, S. 306 ff.; Robert Darnton, Der letzte Tanz auf der Mauer. Berliner Journal 1989–1990 (amerik. Orig.: New York 1991), München 1991¹; Heinrich August Winkler, 1989/90: Die unverhoffte Einheit, in: Carola Stern u. Heinrich August Winkler (Hg.), Wendepunkte deutscher Geschichte 1848–1990, Frankfurt 1994¹, S. 193–226.

6 Helmut Kohl, Bilanzen und Perspektiven. Regierungspolitik 1989–1991, Bd. 1, Bonn 1992, S. 251–253 (Rede vor dem Schöneberger Rathaus, 10. 11. 1989; Hervorhebungen im Original); ders., Ich wollte (Anm. 1), S. 125 ff.; Horst Teltschik, 329 Tage. Innenansichten der Einigung, Berlin 1991, S. 11 ff. (Polen- und Berlinbesuch Kohls, 9.–14. 11. 1989); Gespräch mit Willy Brandt. In der DDR wird nichts mehr so sein, wie es vor Jahren war, in: Berliner Morgenpost, 11. 11. 1989; Willy Brandt, «... was zusammengehört». Über Deutschland, Bonn 1993², S. 33–38 (Rede vom 10. 11. 1989 mit dem nicht gesprochenen, aber nachträglich eingefügten Satz «Jetzt wächst zusammen, was zusammengehört», S. 36); Bernd Rother, Gilt das gesprochene Wort? Wann und wo sagte Willy Brandt «Jetzt wächst zusammen, was zusammengehört»?, in: DA 33 (2000), S. 90–93 (hier die Zitate vom 10. 11. 1989 u.

12.8. 1964); Genscher, Erinnerungen (Anm. 1), S. 657 ff.; Momper, Grenzfall (Anm. 4), S. 156 ff.; Markus Meckel/Martin Gutzeit, Opposition in der DDR. Zehn Jahre kirchliche Friedensarbeit – kommentierte Quellentexte, Köln 1994, S. 379–396 (Vortrag Meckels vom 7. 10. 1989; Zitate: 394 f.); Sten. Ber. (Anm. 2), Bd. 151, S. 13 016 f. (Kohl, 8. 11. 1989), 13 022 (Vogel, 8. 11. 1989 mit den Zitaten aus den Aufrufen des Neuen Forums und des Demokratischen Aufbruchs); Hartmut Zwahr, Die Revolution in der DDR, in: Manfred Hettling (Hg.), Revolution in Deutschland? 1789–1989. Sieben Beiträge, Göttingen 1991, S. 122–143 («Wende in der Wende»: 132 ff.); ders., Vertragsgemeinschaft, Konföderation oder Vereinigung? Die Übergänge zur nationaldemokratischen Revolution in der DDR im Herbst 1989, in: Uwe John u. Josef Matzerath (Hg.), Landesgeschichte als Herausforderung und Programm. Karlheinz Blaschke zum 70. Geburtstag, Stuttgart 1997, S. 709–729 (Transparent vom 4. 12. 1989: 729); ders., Die demokratische Revolution in Sachsen. Das Ende der DDR und die Wiedergründung des Freistaates, Dresden 1999, S. 23–58 (Demonstrationsparolen vom Oktober und November 1989: 35 f.); ders., Ende (Anm. 1), S. 136 ff.; Bernd Lindner, Die demokratische Revolution in der DDR 1989/90, Bonn 1990; ders., Der Herbst '89 in der DDR und die Kommunikationsstrukturen der Straße, in: Kurt Imhof u. Peter Schulz (Hg.), Kommunikation und Revolution, Zürich 1998, S. 435–452; Mitter/Wolle (Hg.), Ich liebe (Anm. 1), S. 219 (Leipziger Flugblatt vom 9. 10. 1989); Jäger, Überwindung (Anm. 1), S. 60, 539 (Hinweis auf Artikel-Überschrift in «Bild» vom 11. 11. 1989: »,Wir sind das Volk‹ rufen sie heute. ›Wir sind ein Volk‹ rufen sie morgen»); Neues Forum Leipzig. Jetzt oder nie – Demokratie. Herbst '89. Zeugnisse, Gespräche, Dokumente, Leipzig 1989, S. 203 ff.

7 Joschka Fischer, Jenseits von Mauer und Wiedervereinigung. Thesen zu einer neuen grünen Deutschlandpolitik. Gekürzter Beitrag für den Strategiekongreß der Grünen am Wochenende in Saarbrücken, in: taz, 16. 11. 1989; Diese Regierung wird eine Regierung des Volkes und der Arbeit sein. Erklärung von Hans Modrow, in: ND, 18./19. 11. 1989; Charles Schüddekopf (Hg.), «Wir sind das Volk!» Flugschriften, Aufrufe und Texte einer deutschen Revolution, Reinbek 1990, S. 240 f. (Aufruf vom 26. 11. 1989); Chronik der Ereignisse in der DDR, hg. v. Ilse Spittmann u. Gisela Helwig, Köln 1990⁴, S. 26 (ADN-Meldung vom 19. 11. 1989), 30 (Leipziger Montagsdemonstration, 27. 11. 1989); Jäger, Überwindung (Anm. 1), S. 58 ff. (Meinungsumfragen November 1989: 61, 63; Lafontaine, 3. 12. 1989: 69, 541); Teltschik, 329 Tage (Anm. 6), S. 40 ff. (ZDF-Umfrage vom 20. 11. 1989: 41); Sten. Ber. (Anm. 2), Bd. 151, S. 13 479–13 488 (Vogel, 28. 11. 1989), 13 502–13 512 (Kohl, 28. 11. 1989), 13 514–13 516 (Voigt, 28. 11. 1989); Hans-Jochen Vogel, Nachsichten. Meine Bonner und Berliner Jahre, München 1996, S. 306 ff.; Dokumente (Anm. 1), S. 59 ff., 594 f. (Schamir, 15. 11. 1989; Kohl an Schamir, 1. 12. 1989); Werner Weidenfeld mit Peter M. Wagner u. Elke Bruck, Außenpolitik für die deutsche Einheit. Die Entscheidungsjahre 1989/90 (= Geschichte der deutschen Einheit in vier Bänden, Bd. 4), Stuttgart 1998, S. 97 ff. (Zitate Gorbatschow u. Schewardnadse, 5. 11. 1989: 123); Philip Zelikow/Condoleezza Rice, Sternstunde der Diplomatie. Die deutsche Einheit und das Ende der Spaltung Europas (amerik. Orig.: Cambridge, Mass. 1995), Berlin 1997, S. 176 ff.; James A. Baker, Drei Jahre, die die Welt veränderten. Erinnerungen (amerik. Orig.: New York 1995), Berlin 1996, S. 149 ff.; Jacques Attali, Verbatim. Tome 3: Chronique des années 1988–1991, Paris 1995, S. 350 ff. (Reaktion Mitterrands auf Kohls Zehn Punkte); Genscher, Erinnerungen

(Anm. 1), S. 675 ff.; Kohl, Ich wollte (Anm. 1), S. 157 ff.; Michael Mertes, Zur Entstehung des Zehn-Punkte-Programms vom 28. November 1989, in: Heiner Timmermann (Hg.), Die DDR in Deutschland. Ein Rückblick auf 50 Jahre, Berlin 2001, S. 17–35; Karl Kaiser, Deutschlands Vereinigung. Die internationalen Aspekte. Mit den wichtigsten Dokumenten. Bearb. v. Klaus Becker, Bergisch Gladbach 1991, S. 171–173 (Erklärung des Europäischen Rates, 8./9. 12. 1989), 180 f. (Erklärung des Nordatlantikrats, 14./15. 12. 1989); ders., Die Einbettung des Vereinigten Deutschland in Europa, in: Die Internationale Politik 1989. Studienausgabe, hg. v. Wolfgang Wagner u. a., München 1993, S. 101–191; SZ-Gespräch mit Oskar Lafontaine über die DDR: «Nicht das Weggehen prämieren, sondern das Dableiben», in: SZ, 25./26. 11. 1989. – Zum «Brief zur deutschen Einheit» vgl. oben S. 286 f.

8 Hertle/Stephan (Hg.), Ende (Anm. 4), S. 461–481 (12. Tagung des ZK der SED, 3. 12. 1989); Gransow/Jarausch (Hg.), Vereinigung (Anm. 3), S. 105 f. (Erklärung des Runden Tisches, 7. 12. 1989), 110 f. (Dreistufenplan von Demokratie Jetzt, 14. 12. 1989); Lothar Hornbogen u. a. (Hg.) Außerordentlicher Parteitag der SED/PDS. Protokoll der Beratungen am 8./9. und 16./17. Dezember 1989 in Berlin, Berlin 1999, S. 51–65 (Gysi, 8. 12. 1989; Zitate: 51, 52 f., 61); Uwe Thaysen, Der Runde Tisch oder: Wo blieb das Volk? Der Weg der DDR in die Demokratie, Opladen 1990, S. 15 ff. (Zitat: 188); ders. (Hg.), Der Zentrale Runde Tisch der DDR. Wortprotokoll und Dokumente, 5 Bde., Wiesbaden 2000, Bd. 1, S. VIII, 1 ff.; Jäger, Überwindung (Anm. 1), S. 141 ff. («Berliner Erklärung» der SPD: 156 ff.; außerordentlicher Parteitag der SED/PDS: 206 ff.; Positionen de Maizières im November 1989: 220–222; Parteitag der CDU, 15./16. 12. 1989: 223; LDPD und Zitat Gerlach: 232–237; Rede Hartmanns, 17. 11. 1989: 247; Bahr, 9. 10. 1989: 258; Erklärung der SDP, 3. 12. 1989: 261; DA und Zitat Schorlemmer: 272 f.); Süß, Staatssicherheit (Anm. 1), S. 579 ff. (Fall de Maizière); Lothar de Maizière, Anwalt der Einheit, Berlin 1996, S. 130 ff.; Alexander Schalck-Golodkowski, Deutsch-deutsche Erinnerungen, Reinbek 2000, S. 309 ff.; Patrick Moreau/Viola Neu, Die PDS zwischen Linksextremismus und Linkspopulismus, Sankt Augustin 1994, S. 14 (Mitgliedszahlen der PDS), 49 (Mitgliedszahlen der Kommunistischen Plattform); Gero Neugebauer/Richard Stöss, Die PDS. Geschichte. Organisation. Wähler. Konkurrenten, Opladen 1996; Protokoll vom Programm-Parteitag Berlin. 18.–20. 12. 1989, Bonn 1990, S. 93 f. (Meckel), 127–130 (Brandt), 151–153 (Grass), 246–254 (Lafontaine), 539–545 (Berliner Erklärung «Die Deutschen in Europa»); Günter Grass, Lastenausgleich, in: ders., Deutscher Lastenausgleich. Wider das dumpfe Einheitsgebot. Reden und Gespräche, Berlin 1990, S. 7–12 (8–11); ders., Kurze Rede eines vaterlandslosen Gesellen. Rede in der Evangelischen Akademie in Tutzing, in: ders., Essays und Reden, III. 1980–1997 (= ders., Werkausgabe, Bd. 16), Göttingen 1997, S. 230–234 (233); Willy Brandt, Was Erneuerung heißen soll, in: ders., «... was zusammengehört» (Anm. 6), S. 49–56 (Rostocker Rede, 6. 12. 1989; Zitat: 54); Anke Fuchs, Mut zur Macht. Selbsterfahrung in der Politik, Hamburg 1991, S. 191 ff.; Dokumente (Anm. 1), 668–675 (Gespräch Kohl-Modrow, 19. 12. 1989); Kohl, Ich wollte (Anm. 1), S. 213 ff.; «Ziel bleibt die Einheit der Nation». Kohls Ansprache vor der Frauenkirche – Mehrere tausend Teilnehmer, in: Der Tagesspiegel, 20. 12. 1989. – Bundespräsident Richard von Weizsäcker hatte auf dem 21. Deutschen Evangelischen Kirchentag in Düsseldorf am 8. Juni 1985 in einem Vortrag zum Thema «Die Deutschen und ihre Identität» bemerkt: «In Berlin habe ich eine For-

mulierung gehört, die jeder verstehen kann: Die deutsche Frage ist so lange offen, als das Brandenburger Tor zu ist.» Zum Unterschied von «Kulturnation» und «Staatsnation»: Friedrich Meinecke, Weltbürgertum und Nationalstaat (1. Aufl. 1907). Werke, Bd. V, München 1962, S. 9–26. Zu Plessner vgl. Bd. 1, S. 221, 236. Zu Lafontaines Buch von 1988 vgl. oben S. 476 ff.

9 Schroeder, SED-Staat (Anm. 1), S. 335 ff. (Beschluß des Ministerrats vom 7. 12. 1989: 342); Chronik (Anm. 7), S. 50 ff. (Demonstration in Magdeburg, 14. 1. 1990: 53; Treffen Modrow-Gorbatschow, 30. 1. 1990, Pressekonferenz Modrow, 1. 2. 1990: 60 f.); Teltschik, 329 Tage (Anm. 6), S. 114 («Bild»-Interview mit Portugalow, 24. 1. 1990); Thaysen, Runder Tisch (Anm. 8), S. 64 ff. («Machtvakuum»: 77; Modrow, 15. 1. 1990: 79 f.; de Maizière, 25. 1. 1990: 84; Modrow, 28. 1. 1990: 90 f.); ders. (Hg.), Zentraler Runder Tisch (Anm. 8), Bd. 2, S. 408 f. (Berliner Ereignisse vom 15. 1. 1990); Süß, Staatssicherheit (Anm. 1), S. 465 ff.; Dieter Grosser, Das Wagnis der Währungs-, Wirtschafts- und Sozialunion. Politische Zwänge im Konflikt mit ökonomischen Regeln (= Geschichte der deutschen Einheit in vier Bänden, Bd. 2), Stuttgart 1998, S. 102 ff. (Zahl der Übersiedler, 10.11.–31. 12. 1989: 103); Hans Modrow, Aufbruch und Ende, Hamburg 1991, S. 65 ff.; ders., Die Perestrojka, wie ich sie sehe. Erinnerungen und Analysen eines Jahrzehnts, das die Welt veränderte, Berlin 1999; Michail Gorbatschow, Wie es war. Die deutsche Wiedervereinigung, Berlin 1999; Protokoll (Anm. 8), S. 252 (Lafontaine, 19. 12. 1989); Weidenfeld, Außenpolitik (Anm. 7), S. 224 ff. Die Zahl der Übersiedler im Januar 1990 in: Dokumente (Anm. 1), S. 796 (Gespräch Gorbatschow-Kohl, 10. 2. 1990).

10 Brandt, Erneuerung (Anm. 8), S. 55 (Rostocker Rede, 6. 12. 1989); Magdeburg: 65 000 jubelten Willy Brandt zu, in: Bild, 20. 12. 1989; Ingrid Matthäus-Maier, Signal zum Bleiben. Eine Währungsunion könnte den Umbau der DDR-Wirtschaft beschleunigen, in: Die Zeit, 19. 1. 1990; Grosser, Wagnis (Anm. 9), S. 151 ff. (Matthäus-Maier, 19. 1. 1990: 153; Roth, 2. 2. 1990: 155; Entscheidung für die Währungsunion: 174 ff.); Jäger, Überwindung (Anm. 1), S. 121 ff. (Entscheidung für Artikel 33, Besuch der DDR-Delegation in Bonn, 13. 2. 1990), 228 ff. (Gründung der «Allianz für Deutschland»); Dokumente (Anm. 1), S. 753–756 (Treffen Kohl-Modrow in Davos, 3. 2. 1990), 768–770 (Währungsunion mit Wirtschaftsreform, 7. 2. 1990; Zahl zum Abstand der Arbeitsproduktivität), 795–811 (Moskauer Gespräche Kohl-Gorbatschow, 10. 2. 1990; Zitate: 801, 805), 812 f. (Kohls Moskauer Erklärung, 10. 2. 1990), 814–826 (Besuch der DDR-Delegation in Bonn, 13. 2. 1990), 860–877 (Gespräche Bush-Kohl, 24./25. 2. 1990), 920 f. (Brief Thatchers an Kohl, 7. 3. 1990); Genscher, Erinnerungen (Anm. 1), S. 709 ff. (Kohls Interview vom 8. 1. 1990: 713; Tutzinger Rede: 713 ff.); Kaiser, Deutschlands Vereinigung (Anm. 7), 724 ff. (Ottawa; Zitat vom 13. 2. 1990: 729); Teltschik, 329 Tage (Anm. 6), S. 137 ff.; Falin, Erinnerungen (Anm. 3), S. 489 ff.; Eduard Schewardnadse, Die Zukunft gehört der Freiheit, Reinbek 1991, S. 233 ff.; Baker, Drei Jahre (Anm. 7), S. 180 ff.; Korte, Deutschlandpolitik (Anm. 1), S. 469 f. (Genschers Rede vor der UN vom 27. 9. 1989: 469 f.); Zelikow/Rice, Sternstunde (Anm. 7), S. 247 ff. (Bush über die sowjetische Haltung, 24. 2. 1990: 302); Pressekonferenz, 25. 2. 1990: 303); Weidenfeld, Außenpolitik (Anm. 7), S. 222 ff. Zur Entschließung des Bundestags vom 8. 3. 1990: AdG 60 (1990), S. 34305 f.

11 Jäger, Überwindung (Anm. 1), 161 ff. (Zitat Glotz, 6. 3. 1990: 163), 261 ff.; Beratungen über den Weg zur Einheit, in: FAZ, 14. 2. 1990 (zur Haltung der SPD);

Sozialdemokraten wollen «Rat der deutschen Einheit» bilden, in: FAZ, 26. 2. 1990; DDR-SPD beschließt «Fahrplan zur Einheit», in: SZ, 26. 2. 1990; Der schwierigste Balanceakt steht noch bevor, ebd. (zum Leipziger Parteitag der Ost-SPD); Vogel, Nachsichten (Anm. 7), S. 319 ff.; Verfassung der Deutschen Demokratischen Republik (Wortlaut des Entwurfs vom 4. April 1990), in: Blätter für deutsche und internationale Politik 35 (1990), S. 731–757; Thaysen, Runder Tisch (Anm. 8), S. 138 ff.; ders. (Hg.), Zentraler Runder Tisch (Anm. 8), Bd. 3, S. 708 f. (Ullmanns Vorstoß zur Schaffung einer Treuhandanstalt, 853–855 (Ablehnung des Beitritts); Grosser, Wagnis (Anm. 9), S. 117 ff. (Treffen Vogel-Lafontaine, 20. 2. 1990: 189); Treuhandanstalt. Das Unmögliche wagen. Forschungsbericht, hg. v. Wolfram Fischer u. a., Berlin 1993, S. 17 ff.

12 Hans Michael Kloth, Vom «Zettelfalten» zum freien Wähler. Die Demokratisierung der DDR 1989/90 und die «Wahlfrage», Berlin 2000; Jäger, Überwindung (Anm. 1), S. 213 (Wahlkampf der PDS), 307 f. (Bürgerrechtsgruppen), 405 ff. (Wahlkampf), 413 ff. (Wahlergebnis u. Wahlkampfanalyse); ders. u. Ingeborg Villinger (Hg.), Die Intellektuellen und die deutsche Einheit, Freiburg 1997; Peter Förster u. Günter Roski, DDR zwischen Wende und Wahl. Meinungsforscher analysieren den Umbruch, Berlin 1990, S. 138 ff. (Wahlumfragen in der DDR, Februar/März 1990); Jürgen Habermas, Der DM-Nationalismus. Weshalb es richtig ist, die deutsche Einheit nach Artikel 146 zu vollziehen, also einen Volksentscheid über eine neue Verfassung anzustreben, in: Die Zeit, 30. 3. 1990 (Hervorhebungen im Original); ders., Eine Art Schadensabwicklung, in: «Historikerstreit». Die Dokumentation der Kontroverse um die Einzigartigkeit der nationalsozialistischen Judenvernichtung, München 1987, S. 62–76 (75); Florian Roth, Die Idee der Nation im politischen Diskurs. Die Bundesrepublik Deutschland zwischen neuer Ostpolitik und Wiedervereinigung (1969–1990), Baden-Baden 1995; Tilman Mayer, Prinzip Nation. Dimensionen der nationalen Frage am Beispiel Deutschlands, Opladen 1986; Karl-Rudolf Korte, Der Standort der Deutschen. Akzentverlagerungen der deutschen Frage in der Bundesrepublik Deutschland seit den siebziger Jahren, Köln 1990; Anne-Marie Le Gloannec, La nation orpheline. Les Allemagnes en Europe, Paris 1989, S. 85 ff.; dies., Die deutsch-deutsche Nation. Anmerkungen zu einer revolutionären Entwicklung, München 1991. – Zur Revolution von 1918/19 vgl. Bd. 1, S. 378 ff. Zum «Historikerstreit» vgl. oben S. 443 ff.

13 Jäger, Überwindung (Anm. 1), S. 165 ff. (Haltung der SPD; Lafontaine am 22. 4. 1990: 166 f., am 20. 5. 1990: 169), 427 ff. (Kommunalwahlen, 6. 5. 1990), 431 ff.; Grosser, Wagnis (Anm. 9), S. 69 ff. (Wirtschaftsdaten der Bundesrepublik), 227 ff. (TASS-Meldung vom 29. 3. 1990: 238), 296 (Rentabilitätsschätzungen, Mai 1990), 330 ff. (Vermögensfragen; Erklärung vom 15. 5. 1990: 336–339), 368 ff. (Fonds Deutsche Einheit; Zitat Grosser: 372), 373 ff. (Verhandlungen über den Einigungsvertrag); Kaiser, Deutschlands Vereinigung (Anm. 7), S. 205–207 (Erklärung der Volkskammer vom 12. 4. 1990); Volkskammer der Deutschen Demokratischen Republik, 10. Wahlperiode, Bd. 27, S. 41–51 (Regierungserklärung de Maizières, 19. 4. 1990); Treuhandanstalt (Anm. 11), S. 32 ff.; Dokumente (Anm. 1), S. 1122–1125 (Besprechung Kohls mit den Regierungschefs der Länder, 16. 5. 1990), 1182–1184 (Verhandlungen der Bundesminister Schäuble u. Waigel mit Vertretern der SPD, 6. 6. 1990); Ulrike Fokken, Soll und Haben. Der Finanzminister und sein ehrgeiziges Ziel: Bis 2006 soll die Neuverschuldung Null betragen, in: Der Tagesspiegel, 4. 5. 2000 (Zahlen zur Staatsverschuldung, 1982–1990); Vogel, Nachsichten (Anm. 7),

S. 331 ff.; Horst Ehmke, Mittendrin. Von der Großen Koalition zur Deutschen Einheit, Berlin 1994, S. 403 ff.; Sten. Ber. (Anm. 2), Bd. 153, S. 17178 (Vollmer, 21.6. 1990), 17219 (Glotz, 21.6. 1990); Verhandlungen des Bundesrates 1990. Stenographische Berichte von der 609. Sitzung am 16. Februar 1990 bis zur 625. Sitzung am 14. Dezember 1990, S. 353 (Schröder, 22.6. 1990); Förster/Roski, DDR (Anm. 12), S. 78 f. (Übersiedlerzahlen); Hans-J. Misselwitz/Richard Schröder (Hg.), Mandat für Deutsche Einheit. Die 10. Volkskammer zwischen DDR-Verfassung und Grundgesetz, Opladen 2000; Birgit Lahann, Genosse Judas. Die zwei Leben des Ibrahim Böhme, Reinbek 1992[1]. – Das Zitat aus «Hyperion»: Friedrich Hölderlin, Sämtliche Werke. Kritische Textausgabe, hg. v. D. E. Sattler, Bd. 11: Hyperion, Darmstadt 1984, S. 46.

14 Gransow/Jarausch (Hg.), Vereinigung (Anm. 3), S. 160–162 (Chequers-Protokoll, 24.3. 1990); Timothy Garton Ash, Wie es eigentlich war. Ein Teilnehmer der Thatcher-Runde äußert sich, in: FAZ, 18.7. 1990; Norman Stone, Recht geredet. Was Frau Thatcher fragen mußte, ebd., 19.7. 1990; Fritz Stern, Die zweite Chance. Die Wege der Deutschen, ebd., 26.7. 1990; Gordon A. Craig, Die Chequers-Affäre von 1990. Beobachtungen zum Thema Presse und internationale Beziehungen, in: VfZ 39 (1991), S. 611–623 (Zitate Ridley, 14.7. 1990: 618 f.); Günther Heydemann, Partner oder Konkurrent? Das britische Deutschlandbild während des Wiedervereinigungsprozesses 1989–1991, in: Franz Bosbach (Hg.), Feindbilder. Die Darstellung des Gegners in der politischen Publizistik des Mittelalters und der Neuzeit, Köln 1992, S. 201–234 (das Zitat von O'Brien vom 31.10. 1989 mit der Hervorhebung im Original: 211; Thatchers Interview mit der «Sunday Times» vom 25.2. 1990: 212); Margaret Thatcher, Downing Street No. 10. Die Erinnerungen (engl. Orig.: London 1993), Düsseldorf 1993, S. 1 094 ff.; Kohl, Ich wollte (Anm. 1), S. 333 ff. (Gipfel in Dublin, 25./26.6. 1990: 408 ff.); Hans-Dietrich Genscher, Wir wollen ein europäisches Deutschland, in: ders., Unterwegs zur Einheit. Reden und Dokumente aus bewegter Zeit, Berlin 1991, S. 257–268 (Rede vor der WEU, 23.3. 1990); Teltschik, 329 Tage (Anm. 6), S. 147 ff. (Moskauer Gespräche vom 14.5. 1990: 230 ff.); Dokumente (Anm. 1), S. 1084–1090 (Gespräch Kohl-Schewardnadse, 4.5. 1990), 1090–1094 (Zwei-plus-Vier-Treffen, Bonn, 5.5. 1990), 1114–1118 (Gespräch Gorbatschow-Teltschik, 14.5. 1990), 1178–1180 (Brief Bushs an Kohl, 4.6. 1990), 1249–1265 (Zwei-plus-Vier-Treffen, Berlin, 22.6. 1990), 1309–1323 (NATO-Gipfel, London, 5./61990), 1340–1367 (Gespräche in Moskau und Archys, 15./16.7. 1990; Zitat Gorbatschow, 15.7. 1990); Falin, Erinnerungen (Anm. 3), S. 493 ff. (Zitat: 495); Kaiser, Deutschlands Vereinigung (Anm. 7), S. 208–210 (Dubliner Erklärung des Europäischen Rates, 28.4. 1990), 224 f. (Erklärung des Warschauer Pakts, Moskau, 7.6. 1990), 225 f. (Botschaft von Turnberry, 8.6. 1990), 231 f. (Entschließungen von Bundestag und Volkskammer zur deutsch-polnischen Grenze, 21.6. 1990), 241–246 (Londoner Erklärung der NATO, 5./6.7. 1990); Weidenfeld, Außenpolitik (Anm. 7), S. 312 ff. (Genscher vor der WEU, 23.3. 1990), 445 f. (Bahr, 18.6. 1990), 347 ff. (Schreiben von Mitterrand und Kohl an Haughey, 18.4. 1990: 409 ff.); Jäger, Überwindung (Anm. 1), S. 163 ff. (Bündnisdiskussion in der SPD); Zelikow/Rice, Sternstunde (Anm. 7), S. 314 ff. (Schewardnadse zum Artikel 23: 315; Litauenkrise: 356 ff.; Gorbatschow in Washington, 31.5.–3.6. 1990: 381 ff.; Erklärung Bushs, 3.6. 1990: 389), 417 ff. (Londoner NATO-Gipfel), 449 ff. (Verhandlungen Sowjetunion-Bundesrepublik), 497 ff. (Veränderung der Machtverhältnisse 1989/90).

15 Wolfgang Schäuble, Der Vertrag. Wie ich über die deutsche Einheit verhandelte, Stuttgart 1991, S. 123 ff., 265 ff. (Stasi-Unterlagen); AdG 60 (1990), S. 34808–34 814 (Entwicklung in der DDR, 27.7.–23. 8. 1990); Dokumente (Anm. 1), S. 195 ff.; Gransow/Jarausch (Hg.), Vereinigung (Anm. 3), S. 198 f. (Wahlvertrag, 3. 8. 1990); Kaiser, Deutschlands Vereinigung (Anm. 7), S. 252 (Beschluß der Volkskammer vom 23. 8. 1990), 253–255 (Genscher, Wien, 30. 8. 1990), 258–310 (Dokumente zum außenpolitischen Einigungsprozeß, 12.9.–1. 10. 1990); Sten. Ber. (Anm. 2), 6. Wahlperiode, Bd. 79, S. 9981 f. (Carlo Schmid, 25. 2. 1972), 11. Wahlperiode, Bd. 154, S. 17439–17443 (Kohl, 23. 8. 1990), 17443–17448 (Lafontaine, 23. 8. 1990); Volkskammer (Anm. 13), Bd. 28, S. 1382 (Gysi, 23. 8. 1990); BVerfGE, Bd. 82, Tübingen 1991, S. 322–352 (Urteil vom 29. 9. 1990 zum Wahlrechtsvertrag); Astrid Lange, Was die Rechten lesen. Fünfzig Zeitschriften. Ziele, Inhalte, Taktik, München 1993, S. 114 ff. («Nation und Europa»); Thomas Assheuer/Hans Sarkowicz, Rechtsradikale in Deutschland. Die alte und die neue Rechte, München 1992, S. 65 ff. («Nation Europa»); Schroeder, SED-Staat (Anm. 1), S. 440 ff. (Mitarbeiter des MfS; Zahlen für 1989: 442); Genscher, Erinnerungen (Anm. 1), S. 854 ff. (Wien, 30. 8. 1990: 861 ff.; Genscher u. Bush vor der KSZE, 1. 10. 1990: 882–884); Verträge zur deutschen Einheit, Bonn 1991, S. 41–78 (Einigungsvertrag), 83–90 (Vertrag über die abschließende Regelung in bezug auf Deutschland), 91 (Vereinbarte Protokollnotiz); Hinter den Türen der Volkskammer, in: taz, 1. 10. 1990 (Nennung von IM in der Sitzung vom 28. 9. 1990); Hannes Bahrmann u. Christoph Links, Chronik der Wende, 2: Stationen der Einheit. Die letzten Monate der DDR, Berlin 1995, S. 333 (Festakt der Volkskammer, 2. 10. 1990); Zelikow/Rice, Sternstunde (Anm.7), S. 486 ff.; Jäger, Überwindung (Anm. 1), S. 471 ff. – Zur rechtlichen Regelung des Schwangerschaftsabbruchs in der Bundesrepublik vgl. oben S. 335 f.

16 Geschichte erleben – so nah wie möglich, in: SZ, 4. 10. 1990 (Feier auf dem Platz der Republik, Rede Weizsäckers, 2./3. 12. 1990); Sie tanzen, singen und trinken auf das vereinigte Deutschland, in: FAZ, 4. 10. 1990; Texte zur Deutschlandpolitik, Reihe III, Bd. 8b, Bonn 1991, S. 708–711 (Bergmann-Pohl, 3. 10. 1990), 717–731 (Weizsäcker, 3. 10. 1990); Kaiser, Deutschlands Vereinigung (Anm. 7), S. 360–363 (Erklärung der NATO- und Warschauer-Pakt-Staaten, 19. 11. 1990), 368–375 (Charta von Paris, 21. 11. 1990); Gregor Schöllgen, Geschichte der Weltpolitik von Hitler bis Gorbatschow 1941–1991, München 1996, S. 428 ff.; Oskar Lafontaine, Deutsche Wahrheiten. Die nationale und soziale Frage, Hamburg 1990, S. 85 ff.; ders., Das Herz schlägt links, München 1999, S. 31 ff.; Archiv der sozialen Demokratie, Bonn: Oskar Lafontaine, Probleme und Perspektiven der Deutschlandpolitik, 17.9. 1990 (Manuskript); ebd., Willy-Brandt-Archiv, Bestand Unkel, Mappe 230: Sitzung des Parteivorstands der SPD, 3. 12. 1990); Vogel, Nachsichten (Anm. 7), S. 539 ff.; Peter Glotz, Der Irrweg des Nationalstaates. Europäische Reden an ein deutsches Publikum, Stuttgart 1990, S. 129 f.; Heiner Geißler, Der Irrweg des Nationalismus, Weinheim 1995, S. 34; Golo Mann, Deutsche Geschichte des XIX. Jahrhunderts, Frankfurt 1958, S. 358 ff.; Gerald Stourzh, Vom Reich zur Republik. Studien zum Österreichbewußtsein im 20. Jahrhundert, Wien 1990, S. 10 ff. (Kritik an «großdeutschen» Postulaten westdeutscher Historiker wie Karl Dietrich Erdmanns Formel «drei Staaten, zwei Nationen, ein Volk» [1985] und Wolfgang J. Mommsens These vom «deutschen Kernstaat» Bundesrepublik und «zwei weiteren Staaten ‹deutscher Nation›», der DDR und Österreich [1978]). – Zu Renan vgl. Bd. 1, S. 220.

17 Sten. Ber. (Anm. 2), 12. Wahlperiode, Bd. 157, S. 2746 f. (Schäuble, 20.6. 1991), 2754–2756 (Glotz, 20.6. 1991); Berlin – Bonn. Die Debatte. Alle Bundestagsreden vom 20. Juni 1991, Köln 1991; Klaus von Beyme, Hauptstadtsuche. Hauptstadt-funktionen im Interessenkonflikt zwischen Bonn und Berlin, Frankfurt 1991; Udo Wengst (Hg.), Historiker betrachten Deutschland. Beiträge zum Vereinigungspro-zeß und zur Hauptstadtdiskussion, Bonn 1992; ders., Wer stimmte für Bonn, wer für Berlin? Die Entscheidung über den Parlaments- und Regierungssitz im Bun-destag am 20. Juni 1991, in: Zeitschrift für Parlamentsfragen 22 (1991), S. 339–343; Ralf Sitte, Lobbying in der Hauptstadt-Debatte. Form und Möglichkeiten unkoor-dinierter Interessenvertretung, ebd., S. 535–554; Hans-Georg Lehmann, Deutsch-land-Chronik 1945–1995, Bonn 1996, S. 456 ff. (Verfassungswandel; Asylzahlen 1992: 456), 480 ff. (Europapolitik), 522 f. (Schwangerschaftsabbruch); Helge-Lothar Batt, Die Grundgesetzreform nach der deutschen Einheit, Opladen 1996, S. 55 f.; Norbert Konegen/Peter Nitschke (Hg.), Revision des Grundgesetzes? Ergebnisse der Gemeinsamen Verfassungskommission (GVK) des Deutschen Bundestages und des Bundesrates, Opladen 1997; Tatiana Paterna, Volksgesetzgebung. Analyse der Verfassungsdebatte nach der Vereinigung Deutschlands, Frankfurt 1995; Heinrich August Winkler, Separatismus auf Filzlatschen, in: Die Zeit, 15. 10. 1998. – Zur Kri-tik der organisatorischen Überfrachtung des Grundgesetzes, u. a. am Beispiel der Asylrechtsreform: Dieter Grimm, Parteiinteressen und Punktsiege. Wie man eine Verfassung verderben kann, in: FAZ, 12. 12. 1998. Das Urteil zum Schwanger-schaftsabbruch vom 28. 5. 1993 in: BVerfGE, 88. Bd., Tübingen 1993, S. 203–366.

18 Grosser, Wagnis (Anm. 9), S. 380 ff. (Zitat: 435; Tarifabschlüsse im 3. Quartal 1990: 457; Wachstumsraten: 466; Arbeitsproduktivität: 474; Arbeitslosenzahlen 1990: 477); Lehmann, Deutschland-Chronik (Anm. 17), S. 460 ff. (BGH-Urteil, 3. 11. 1992: 464); AdG 69 (1999) S. 43896 f. (BGH-Urteil vom 8. 11. 1999); Kaelble u. a. (Hg.), Sozialgeschichte (Anm. 1); Theo Pirker u. a., Der Plan als Befehl und Fik-tion. Wirtschaftsführung in der DDR. Gespräche und Analysen, Opladen 1995; Inga Markovits, Die Abwicklung. Ein Tagebuch am Ende der DDR-Justiz, Mün-chen 1993; Programm der Partei des Demokratischen Sozialismus, Berlin 1993, S. 16; Heinrich August Winkler, Kein Bruch mit Lenin. Die Weimarer Republik im Geschichtsbild von SED und PDS, in: ders., Streitfragen der deutschen Geschichte. Essays zum 19. und 20. Jahrhundert, München 1997, S. 107–122; Arnd Bauernkäm-per (Hg.), Gesellschaft ohne Eliten? Führungsgruppen in der DDR, Berlin 1997; ders. u. a. (Hg.), Doppelte Zeitgeschichte. Deutsch-deutsche Beziehungen 1945–1990, Bonn 1998; Martin Sabrow (Hg.), Geschichte als Herrschaftsdiskurs. Der Umgang mit der Vergangenheit in der DDR, Köln 2000; Heiner Timmermann (Hg.), Die DDR–Erinnerung an einen untergegangenen Staat, Berlin 1999; Richard Bessel/Ralph Jessen (Hg.), Die Grenzen der Diktatur. Staat und Gesellschaft in der DDR, Göttingen 1996; Antonia Grunenberg, Antifaschismus – ein deutscher My-thos, Reinbek 1995. – Zur Kirchenstatistik: Statistisches Jahrbuch der Deutschen Demokratischen Republik 1955, Berlin 1956, S. 33 (DDR, 1950); Statistisches Jahr-buch 1991 für das vereinte Deutschland, Wiesbaden 1991, S. 26, 108 u. 109 (1990); Statistisches Jahrbuch 1999 für die Bundesrepublik Deutschland, Wiesbaden 1999, S. 32 f., 96 f. (1997). Zu den Arbeitslosenquoten 1992 und 1998: ebd., S. 121. Zu den Arbeitslosenquoten vom Juni 2000: Niedrigste Arbeitslosigkeit seit November 1995, in: SZ, 7. 7. 2000. – Das Goethe-Zitat in: Johann Wolfgang von Goethe, Werke. Weimarer Ausgabe, München 1987, Bd. 2, S. 285.

19 Grüne grenzen sich ab, in: taz, 12. 9. 1990; Joschka Fischer, Vorwand und Anlaß, ebd., 14. 9. 1990; Marieluise Beck-Oberdorf u. a., Opposition bis ins Jahr 2000,
ebd., 21. 9. 1990 (Hervorhebung im Original); Oskar Lafontaine, Verzweifelte Aussichten, ebd., 9. 2. 1991; Peter Glotz, Der ungerechte Krieg, in: Der Spiegel, Nr. 9,
25. 2. 1991; Antje Vollmer, Maggies letzte Rache, in: taz, 21. 2. 1991; Hans-Ulrich
Klose, Die Deutschen und der Krieg am Golf – eine schwierige Debatte, in; FAZ,
25. 1. 1991; Cora Stephan, Der anständige Deutsche – zum Fürchten, in: SZ, 9./
10. 2. 1991; Jürgen Habermas, Wider die Logik des Krieges, in: Die Zeit, 15. 2. 1991
(Hervorhebung im Original); Hans Magnus Enzensberger, Hitlers Wiedergänger,
in: Der Spiegel, Nr. 6, 4. 2. 1991; Dan Diner, Der Krieg der Erinnerungen und die
Ordnung der Welt, Berlin 1991; Richard Herzinger/Hannes Stein, Endzeit-Propheten oder Die Offensive der Antiwestler. Fundamentalismus, Antiamerikanismus
und Neue Rechte, Reinbek 1995; Klaus Bittermann (Hg.), Liebesgrüße aus Bagdad.
Die «edlen Seelen» der Friedensbewegung und der Krieg am Golf, Berlin 1991; Ulrike Ackermann, Sündenfall der Intellektuellen. Ein deutsch-französischer Streit
von 1945 bis heute, Stuttgart 2000, S. 19 ff.; Günter Verheugen, Politik nicht auf
Bundeswehreinsätze reduzieren, in: Vorwärts, Nr. 8, August 1995; Heinrich August
Winkler, Rücksichtslos gewaltfrei. Der Balkan, die SPD und die politische Moral,
in: FAZ, 7. 8. 1995; Ernst-Otto Czempiel, Besinnungslos gewaltsam? Über einen
neuerdings erhobenen kriegerischen Ton: Antwort auf Heinrich August Winkler,
ebd., 15. 8. 1995; Sten. Ber. (Anm. 2), 12. Wahlperiode, Bd. 175, S. 21165–21169 (Kinkel, 22. 7. 1994); BVerfGE, 88. Bd., Tübingen 1994, S. 173–185 (Urteil vom
8. 4. 1993; Zitat: 183); 90. Bd., Tübingen 1994, S. 286–394 (Urteil vom 12. 7. 1994);
AdG 63 (1993), S. 37740 f. (AWACS-Einsatz); ebd. 65 (1995), S. 40171 f. (Bosnien-
Einsatz); Genscher, Erinnerungen (Anm. 1), S. 899 ff.; Lehmann, Deutschland-
Chronik (Anm. 17), S. 472 f.; Helmut Hubel, Der zweite Golfkrieg in der interna-
tionalen Politik. Mit ausgewählten Dokumenten, Bonn 1991; Lawrence Freedman
u. Efraim Karsh, The Gulf Conflict 1990–1991. Diplomacy and War in the New
World Order, Princeton 1995; Marie-Janine Calic, Krieg und Frieden in Bosnien-
Herzegowina, Frankfurt 1995[1]; Schöllgen, Geschichte (Anm. 16), München 1991,
S. 452 ff.; Manfred Hildermeier, Geschichte der Sowjetunion 1917–1991. Entste-
hung und Niedergang des ersten sozialistischen Staates, München 1998, S. 1052 ff.
– Zu Norbert Elias: Norbert Elias über sich selbst. A. J. Heerma van Voss u. A. van
Stolk, Biographisches Interview mit Norbert Elias. Norbert Elias, Notizen zum Le-
benslauf, Frankfurt 1990; ders., Studien über die Deutschen. Machtkämpfe und Ha-
bitusentwicklung im 19. und 20. Jahrhundert, Frankfurt 1989.

20 Elisabeth Noelle-Neumann, Wird sich jetzt fremd, was zusammengehört?, in:
FAZ, 19. 5. 1993; dies., Wir sind ein Volk, ebd., 15. 9. 1999; Steigende Identifikation
mit dem vereinten Deutschland, ebd., 16. 6. 2000 (Daten vom Herbst 1999); Peter
Glotz, Wider den Feuilleton-Nationalismus, in: Die Zeit, 19. 4. 1991; Klaus Hartung, Wider das alte Denken, ebd., 10. 5. 1991; Jürgen Habermas, Die andere Zerstörung der Vernunft, ebd., 10. 5. 1991 (Hervorhebung im Original); ders., Bemerkungen zu einer verworrenen Diskussion. Was bedeutet «Aufarbeitung der
Vergangenheit» heute, ebd., 3. 4. 1992; Richard Schröder, Es ist doch nicht alles
schlecht, ebd., 31. 5. 1991; Marion Gräfin Dönhoff u. a., Weil das Land Versöhnung
braucht, Reinbek 1993; Enquete-Kommission «Aufarbeitung von Geschichte und
Folgen der SED-Diktatur in Deutschland», Bd. 1: Die Enquete-Kommission «Aufarbeitung von Geschichte und Folgen der SED-Diktatur in Deutschland» im

Deutschen Bundestag, Baden-Baden 1995, S. 178–778 (Bericht), 779–789 (Entschließungsantrag, Zitate: 781 f.; Hervorhebung im Original); Hermann Rudolph, Schwierigkeiten mit einem Glücksfall, in: Der Tagesspiegel, 31.10.1993; Ralf Dahrendorf, Die Sache mit der Nation, in: Merkur 44 (1990), Nr. 500, S. 823–834 (827, 833); Dieter Grimm, Braucht Europa eine Verfassung?, in: Marie-Theres Tinnefeld u. a. (Hg.), Informationsgesellschaft und Rechtskultur, Baden-Baden 1995, S. 211–230; Georg Lukács, Die Zerstörung der Vernunft. Werke, Bd. 9, Neuwied 1962. – Heuss' Rede vom 12.9.1949 in: Theodor Heuss, Die großen Reden. Bd. 2: Der Staatsmann, Tübingen 1965, S. 88–98 (95). – Zu Richard Löwenthals, auf die KPD bezogenem Begriff der «abgeleiteten totalitären Partei»: ders., Rußland und die Bolschewisierung des deutschen Kommunismus, in: Werner Markert (Hg.), Deutsch-russische Beziehungen von Bismarck bis zur Gegenwart, Stuttgart 1964, S. 97–116 (105); zu Löwenthals These von 1965 vgl. oben S. 225. Zu Brachers Formel von der Bundesrepublik als «postnationaler Demokratie unter Nationalstaaten» siehe oben S. 438 ff.

Abschied von den Sonderwegen:
Rückblick und Ausblick

1 Paul Levi, Die «stille» Koalition, in: Sozialistische Politik und Wirtschaft 4 (1926) Nr. 46 (19.11.). Zu dem von George F. Kennan geprägten Begriff «Urkatastrophe dieses Jahrhunderts» für den Ersten Weltkrieg vgl. Bd. 1, S. 332.

2 Andreas Wirsching, Krisenzeit der «Klassischen Moderne» oder deutscher «Sonderweg»? Überlegungen zum Projekt Faktoren der Stabilität und Instabilität in der Demokratie der Zwischenkriegszeit: Deutschland und Frankreich im Vergleich, in: Horst Möller und Udo Wengst (Hg.), 50 Jahre zur Zeitgeschichte. Eine Bilanz, München 1999, S. 365–381.

3 Jakob Katz, Vom Vorurteil bis zur Vernichtung. Der Antisemitismus 1700–1933 (amerik. Orig.: Cambridge/Mass. 1980), München 1989, S. 21 ff. (zu Dühring: 272 ff.). Zu Dühring, de Lagarde (eigentl. Paul Anton Böttcher) und zum deutschen Antisemitismus nach 1871 vgl. Bd. 1, S. 226 ff.

4 Franz Bosbach u. Hermann Hiery (Hg.), Imperium, Empire, Reich. Ein Konzept politischer Herrschaft im deutsch-britischen Vergleich, München 1999; Emilio Gentile, Il culto del littorio, Rom 1993[1]; Hildegard Schaeder, Moskau das Dritte Rom. Studien zur Geschichte der politischen Theorien in der slawischen Welt (1929[1]), Darmstadt 1957[2].

5 Rudolf Stadelmann, Vom geschichtlichen Wesen der deutschen Revolutionen, in: Zeitwende 10 (1934), S. 109–116 (112 f., 115); ders., Das geschichtliche Selbstbewußtsein der Nation, Tübingen 1934, S. 20 f. (Hervorhebungen im Original). Zum Reichsmythos bei den Autoren der «Konservativen Revolution» vgl. Bd. 1, S. 524, 552 ff.

6 Vgl. oben S. 1 ff., 65 ff., 77 ff. Zu Hitlers Rede vom 30.1.1942: 95 f.

7 Karl Bosl, Geschichte des Mittelalters, München 1956[2] (1. Aufl. 1951), S. 190.

8 Karl Marx, Zur Kritik der Hegelschen Rechtsphilosophie. Einleitung, in: Karl Marx/Friedrich Engels, Werke, Berlin 1959 ff., Bd. 1, S. 378–391 (391; Hervorhebungen im Original).

9 Rudolf Stadelmann, Deutschland und die westeuropäischen Revolutionen, in:

ders., Deutschland und Westeuropa, Laupheim 1948, S. 11–33 (14, 27 f., 30 f.). Vgl. dazu Bd. 1, S. 44.

10 Marx, Kritik (Anm. 8), S. 391 (Hervorhebungen im Original).

11 M. Rainer Lepsius, Das Erbe des Nationalsozialismus und die politische Kultur der Nachfolgestaaten des «Großdeutschen Reiches» (1988), in: ders., Demokratie in Deutschland. Soziologisch-historische Konstellationsanalysen, Göttingen 1993, S. 229–245 (235).

12 Der Parlamentarische Rat 1948–1949. Akten und Protokolle, Bd. 9: Plenum, bearb. v. Wolfram Werner, München 1996, S. 190.

13 Vgl. oben S. 438 f.

14 Hanno Loewy, Auschwitz als Metapher, in: taz, 25. 1. 1997.

15 Maurice Halbwachs, Das Gedächtnis und seine sozialen Bedingungen (frz. Orig.: Paris 1925[1]), Frankfurt 1985, S. 19, 22, 368, 390.

16 Jan Assmann, Das kulturelle Gedächtnis. Schrift, Erinnerung und politische Identität in frühen Hochkulturen, München 1999[2], S. 48 ff.; Moshe Zuckerman, Zweierlei Holocaust. Der Holocaust in den politischen Kulturen Israels und Deutschlands, Göttingen 1998; Aleida Assmann/Ute Frevert, Geschichtsvergessenheit und Geschichtsversessenheit. Vom Umgang mit deutschen Vergangenheiten nach 1945, Stuttgart 1999.

17 Robert Musil, Der Mann ohne Eigenschaften. Gesammelte Werke in Einzelausgaben, hg. v. Adolf Frisé, Hamburg 1952, S. 1122 f.

18 Vgl. oben S. 476 ff.

19 Jan Roß, Unschuld an der Macht, in: FAZ, 18. 2. 1991.

20 Carl Schmitt, Politische Theologie. Vier Kapitel zur Lehre von der Souveränität, München 1934[2], S. 11.

21 Stéphane Courtois u. a., Das Schwarzbuch des Kommunismus. Unterdrückung, Verbrechen und Terror (frz. Orig.: Paris 1997), München 1998; Stefan Reinecke, Don't touch my Holocaust, in: taz, 25. 6. 1998; Peter Novick, The Holocaust and Collective Memory. The American Experience, London 2000; Zygmunt Bauman, Dialektik der Ordnung. Die Moderne und der Holocaust (engl. Orig.: Cambridge 1989), Hamburg 1992; ders., Ist der Holocaust wiederholbar?, Wiesbaden 1994.

22 Peter Glotz, Der Irrweg des Nationalstaats. Europäische Reden an ein deutsches Publikum, Stuttgart 1990, S. 151.

23 Evangelische Kirche und freiheitliche Demokratie. Der Staat des Grundgesetzes als Angebot und Aufgabe. Eine Denkschrift der Evangelischen Kirche in Deutschland, Gütersloh 1985, S. 9.

24 Salomon Korn, Die zweigeteilte und die gemeinsame Erinnerung. Was es in Israel heißt, des Holocaust zu gedenken, und was in Deutschland, in: ders., Geteilte Erinnerung. Beiträge zur «deutsch-jüdischen» Gegenwart, Berlin 1998, S. 99–108 (105).

25 Angelo Bolaffi, Die schrecklichen Deutschen. Eine merkwürdige Liebeserklärung, Berlin 1995, S. 13.

Personenregister

Abbt, Thomas (1738–1766) 432 f.
Abelein, Manfred (geb. 1930) 471
Abendroth, Wolfgang (1906–1985) 249, 309
Abrassimow, Pjotr Andrejewitsch (geb. 1912) 235
Abusch, Alexander (1902–1982) 185, 228
Achenbach, Ernst (1909–1991) 168
Achromejew, Sergej F. (1923–1991) 581
Ackermann, Anton (1905–1973) 141, 187
Adenauer, Konrad (1876–1967) 122, 126, 132, 135–138, 142–152, 158–168, 174, 176, 179–186, 192–202, 206–217, 220–223, 230, 232, 236 f., 240, 242, 258, 261, 270, 324, 376, 401, 403, 414, 417, 422, 431, 445, 471, 473, 478 f., 517, 594, 609, 631, 636, 651 f.
Adorno, Theodor W. (1903–1969) 15, 249
Ahlers, Conrad (1922–1980) 209 f., 239, 241, 261, 268
Ahrendt, Lothar (geb. 1936) 544
Albertz, Heinrich (1915–1993) 425
Albrecht, Ernst (geb. 1930) 456, 485, 571
Allemann, Fritz René (1910–1996) 142, 472
Altmann, Rüdiger (1922–2000) 233
Ambrosius (339–397) 478
Anderson, Sascha (geb. 1953) 425
Andreotti, Giulio (geb. 1919) 525
Andropow, Jurij Wladimirowitsch (1914–1984) 423
Antonescu, Ion (1882–1946) 97
Apel, Erich (1917–1965) 225 f.
Apel, Hans (geb. 1932) 328, 348, 355, 373, 379, 408
Arendt, Walter (geb. 1915) 274, 343
Arndt, Adolf (1904–1974) 447
Arndt, Ernst Moritz (1769–1860) 26, 78, 185, 434

Arnold, Karl (1901–1958) 137
Assmann, Jan (geb. 1938) 653
Aubin, Hermann (1885–1969) 74
Augstein, Josef (1909–1984) 209
Augstein, Rudolf (1923–2002) 209 f., 267
Axen, Hermann (1916–1992) 367, 461, 469, 507, 528

Baader, Andreas (1943–1977) 252, 303 f., 337, 346
Bach, Johann Sebastian (1685–1750) 112
Bachmann, Ingeborg (1926–1973) 223
Bachmann, Josef (1945–1970) 251
Bahr, Egon (geb. 1922) 218 f., 286 f., 296, 301, 307 f., 310 f., 313, 315–317, 327, 329, 343, 352–355, 386, 389, 417–419, 421, 437, 460, 469, 471–473, 479, 497, 536, 583
Bahro, Rudolf (1935–1997) 363
Baillie, Hugh (1890–1966) 69
Baker, James A. (geb. 1930) 464 f., 524, 548–550, 579 f., 583, 585, 598
Barbe, Angelika (geb. 1951) 493
Barlach, Ernst (1870–1938) 383 f.
Barre, Siad (1919–1995) 346 f.
Bartoszewski, Wladyslaw (geb. 1922) 360
Barzel, Rainer (geb. 1924) 211, 237, 239, 268, 281, 297–300, 307, 309, 312 f., 330, 400, 404, 409, 411
Bastian, Gert (1923–1992) 373
Baum, Gerhart Rudolf (geb. 1932) 355, 397, 400, 404
Becher, Johannes R. (1891–1958) 295, 520
Beck, Józef (1894–1944) 49, 63
Beck, Ludwig (1880–1944) 56 f., 99, 103
Beck (-Oberdorf), Marieluise (geb. 1952) 622, 629
Becker, Hans Detlev (geb. 1921) 209
Becker, Jurek (1937–1997) 340

Becker, Kurt (1920–1987) 370
Beethoven, Ludwig van (1770–1827)
112
Benda, Ernst (geb. 1925) 257
Bender, Peter (geb. 1923) 218 f., 246,
388 f., 418 f., 437
Benesch, Eduard (1884–1948) 58–61
Benn, Gottfried (1886–1956) 45
Berg, Fritz (1901–1979) 376
Berg, Hermann von (geb. 1933) 364
Bergengruen, Werner (1892–1964) 45
Berghofer, Wolfgang (geb. 1943)
532, 542
Bergmann-Pohl, Sabine (geb. 1946)
566, 600 f.
Berija, Lawrentij (1899–1953) 156 f.
Besson, Waldemar (1929–1971)
246, 433
Best, Werner (1903–1989) 46, 65, 76,
79, 168
Beumelburg, Werner (1899–1963) 45
Bevin, Ernest (1881–1951) 128
Bidault, Georges (1899–1983) 162
Biermann, Wolf (geb. 1936) 223, 226,
339 f., 363
Binding, Karl (1841–1920) 72
Birthler, Marianne (geb. 1948) 507
Bismarck, Otto von (1815–1898) 5 f.,
42, 55, 78, 109, 111, 126, 159, 173 f.,
183, 186, 220, 271, 294, 428, 434–437,
445, 471, 473 f., 477, 497, 521, 540 f.,
605 f., 609, 621, 638, 640 f., 644 f.,
647 f.
Blank, Theodor (1905–1972) 146, 166
Bloch, Ernst (1885–1977) 189
Blomberg, Werner von (1878–1946) 34,
39, 52 f.
Blücher, Franz (1896–1959) 143
Blüm, Norbert (geb. 1935) 404, 608
Blum, Léon (1872–1950) 41
Blunck, Hans Friedrich (1888–1961) 45
Böhme, Hans-Joachim (geb. 1929) 618
Böhme, Ibrahim (eigtl. Manfred Böh-
me) (1944–1999) 494, 564 f., 593
Böll, Heinrich (1917–1985) 347
Bölling, Klaus (geb. 1928) 370, 383,
390, 394, 397
Börner, Holger (geb. 1931) 322, 394

Bohley, Bärbel (geb. 1945) 455, 491 f.,
506
Bolaffi, Angelo (geb. 1946) 657
Bolz, Lothar (1903–1968) 139, 196
Bonhoeffer, Dietrich (1906–1945) 25,
99, 104
Bonn, Moritz Julius (1873–1965) 15
Borm, William (1895–1987) 401
Bormann, Martin (1900–1945) 89, 108
Born, Max (1882–1970) 182
Bose, Herbert von (1893–1934) 36
Bosl, Karl (1908–1993) 647
Bouhler, Philipp (1899–1945) 72
Bowie, Robert R. (geb. 1909) 151
Bracher, Karl Dietrich (geb. 1922)
212 f., 309, 438, 440, 638, 652
Brackmann, Albert (1871–1952) 74
Bradfisch, Otto (1903–1994) 88
Bräutigam, Hans-Otto (geb. 1931) 390
Brahms, Johannes (1833–1896) 112
Brandt, Karl (1904–1948) 72
Brandt, Willy (1913–1992) 158,
198–201, 206 f., 211, 214, 217–220,
228, 231 f., 235, 240–242, 257–269,
273 f., 279–288, 291, 296–301,
305–312, 315–325, 327–330, 332, 337,
347, 349–352, 354 f., 364, 374 f., 378,
384, 386, 389, 393, 399, 401, 406 f.,
411, 414–419, 431, 455, 460–462, 469,
471–473, 479, 496 f., 511, 518 f.,
527 f., 536–538, 541 f., 546 f., 555,
558, 572, 603–606, 608, 636, 652
Brauchitsch, Eberhard von (geb. 1926)
379, 410, 412
Brauchitsch, Walther von (1881–1948)
53, 56 f., 70
Brauer, Max (1887–1973) 198
Braun, Otto (1872–1955) 16
Braun, Volker (geb. 1939) 340, 522
Brecht, Bertolt (1898–1956) 15
Bredow, Ferdinand von (1884–1934)
36, 170
Breit, Ernst (geb. 1924) 394
Breitscheid, Rudolf (1874–1944)
42, 123
Brentano di Tremezzo, Heinrich von
(1904–1964) 166, 184, 196, 207, 216,
220

Breschnew, Leonid Iljitsch (1906–1982) 225, 230, 265, 286, 291–296, 307, 315, 319 f., 332 f., 353, 358 f., 365, 368, 372, 374, 380 f., 392, 419, 423, 425, 448, 635
Briand, Aristide (1862–1932) 297
Brinton, Crane (1898–1968) 514, 517
Brockdorff-Ahlefeldt, Walter Graf von (1887–1943) 56
Broek, Hans van den (geb. 1936) 550
Brokaw, Tom (geb. 1940) 511
Broszat, Martin (1926–1989) 33
Brüning, Heinrich (1885–1970) 13, 41
Brüsewitz, Oskar (1929–1976) 340
Brunn, Anke (geb. 1942) 604
Brzezinski, Zbigniew (geb. 1928) 352, 358 f.
Buback, Siegfried (1920–1977) 344, 347
Bucher, Ewald (1914–1991) 237
Buchheim, Hans (geb. 1922) 246, 433
Bülow, Andreas von (geb. 1937) 370
Buisson, Ferdinand (1841–1932) 297
Bulganin, Nikolaj Alexandrowitsch (1895–1965) 165, 180
Busche, Jürgen (geb. 1944) 403
Bush, George (geb. 1924) 464, 483, 523–525, 548, 550 f., 577, 580 f., 586, 594, 599
Bussche, Axel Freiherr von dem (1919–1993) 101 f.
Byrnes, James F. (1879–1972) 128

Callaghan, James (geb. 1912) 354
Canaris, Wilhelm (1887–1945) 56
Carstens, Karl (1914–1992) 312, 347, 355, 397, 405–407, 412, 419, 471
Carter, Jimmy (geb. 1924) 352–354, 358 f., 372
Cassirer, Ernst (1874–1945) 115
Castro, Fidel (geb. 1927) 202
Ceausescu, Nicolae (1918–1989) 260, 368, 514
Chamberlain, Arthur Neville (1869–1940) 57–61, 66, 79
Chemnitzer, Johannes (geb. 1929) 504
Cheney, Richard B. (geb. 1941) 464
Chnoupek, Bohuslav (geb. 1925) 319

Chruschtschow, Nikita Sergejewitsch (1894–1971) 180, 187–189, 192–198, 201–204, 207–209, 223, 225, 229 f., 289
Churchill, Winston (1874–1965) 79, 90, 105, 117, 144, 162, 442
Chvalkovsky, Frantisek (1885–1945) 64
Claus, Rudolf (1893–1935) 42
Clausewitz, Carl von (1780–1831) 185
Clay, Lucius D. (1897–1978) 120, 204, 217
Craig, Gordon A. (geb. 1913) 576
Crispien, Arthur (1875–1946) 16
Crummenerl, Siegfried (1892–1940) 19
Czaja, Herbert (1914–1997) 552

Däubler-Gmelin, Herta (geb. 1943) 554, 572
Dahlem, Franz (1892–1981) 187
Dahlgrün, Rolf (1908–1969) 237
Dahrendorf, Lord Ralf (geb. 1929) 247 f., 281, 639
Daladier, Edouard (1884–1970) 59–61
Dannecker, Theodor (1913–1945) 86
Darré, Richard Walther (1895–1953) 19, 28
De Michelis, Gianni (geb. 1940) 550
Degrelle, Léon (1906–1994) 78
Dehio, Ludwig (1888–1963) 172
Dehler, Thomas (1897–1967) 143, 150, 166, 193
Delors, Jacques (geb. 1925) 463, 577
Delp, Alfred (1907–1945) 99
Dibelius, Otto (1880–1967) 11, 25, 145
Dickel, Friedrich (1913–1993) 510
Diehl, Rudolf (geb. 1920) 410
Diels, Rudolf (1900–1957) 10
Diestel, Peter-Michael (geb. 1952) 565, 591
Dietrich, Hermann Robert (1879–1954) 12
Diewerge, Wolfgang (geb. 1906) 168
Dimitroff, Georgi (1882–1949) 68
Dingeldey, Eduard (1886–1942) 23
Dirks, Walter (1901–1991) 177–179
Dittmann, Wilhelm (1874–1954) 16
Dohnanyi, Hans von (1902–1945) 57

Dohnanyi, Klaus von (geb. 1928) 310, 328 f., 460 f., 603
Dollfuß, Engelbert (1892–1934) 36
Dollinger, Werner (geb. 1918) 404
Dregger, Alfred (geb. 1920) 455, 473 f., 511
Drenkmann, Günter von (1910–1974) 337
Dryander, Ernst von (1843–1922) 11
Dubček, Alexander (1921–1992) 264 f., 316, 367
Dühring, Eugen (1833–1921) 645
Dulles, John Foster (1888–1959) 158, 162, 195 f.
Dumas, Roland (geb. 1922) 549, 552, 577, 579, 585
Dutschke, Rudi (1940–1979) 251 f., 254, 270, 351
Duve, Freimut (geb. 1936) 629

Ebeling, Hans-Wilhelm (geb. 1934) 565, 591
Eberle, Rudolf (1926–1984) 379
Ebermann, Thomas (geb. 1951) 351
Ebert, Friedrich (1871–1925) 247, 462
Eden, Anthony (1897–1977) 162
Ehlers, Hermann (1904–1954) 145
Ehmke, Horst (geb. 1927) 252, 273, 306, 310, 322, 328, 354, 572
Ehrenberg, Herbert (geb. 1926) 343, 390
Ehrensperger, Günter (geb. 1931) 509
Ehrhardt, Arthur (1896–?) 595
Ehrman, Riccardo (geb. 1929) 511
Eichmann, Adolf (1906–1962) 94, 440
Einstein, Albert (1879–1955) 14
Eisenhower, Dwight D. (1890–1969) 158, 161, 188, 197, 202, 266
Eisler, Hanns (1898–1962) 295, 520
Elias, Norbert (1897–1990) 625
Elser, Georg (1903–1945) 106
Engelberg, Ernst (geb. 1909) 428
Engelhard, Hans A. (geb. 1934) 404
Engels, Friedrich (1820–1895) 186, 199, 252, 430, 448, 458, 531, 650
Engholm, Björn (geb. 1939) 397
Ensslin, Gudrun (1940–1977) 252, 303 f., 346

Enzensberger, Hans Magnus (geb. 1929) 624
Eppelmann, Rainer (geb. 1943) 425 f., 469, 492, 559, 565, 634
Eppler, Erhard (geb. 1926) 183 f., 274, 306, 329, 350 f., 373 f., 390, 408, 452, 469, 484–487, 508, 603
Erhard, Ludwig (1897–1977) 127, 129 f., 137, 184 f., 197 f., 206, 214, 216, 220 f., 228–240, 242, 257 f., 262, 309, 312, 323, 376, 379
Erler, Fritz (1913–1967) 200 f., 211, 231, 240, 244
Ertl, Josef (1925–2000) 273, 397, 404
Eschenburg, Theodor (1904–1999) 309
Etzel, Franz (1902–1970) 185
Euler, August Martin (1908–1966) 123, 184

Falin, Valentin Michailowitsch (geb. 1926) 299, 581, 588
Falkenhausen, Alexander von (1878–1966) 79
Falkenhorst, Nikolaus von (1885–1968) 167 f.
Fechner, Max (1892–1973) 187
Fechter, Peter (1944–1962) 207
Fest, Joachim (geb. 1926) 445
Feuchtwanger, Lion (1884–1958) 15, 28
Fichte, Johann Gottlieb (1762–1814) 185
Field, Noel H. (1903–1970) 154
Fischer, Fritz (1908–1999) 247, 309
Fischer, Joschka (geb. 1948) 351, 521, 622, 630, 655
Fischer, Oskar (geb. 1923) 423, 490
Flach, Karl-Hermann (1929–1973) 298
Flick, Friedrich Karl (geb. 1927) 379, 409 f.
Focke, Katharina (geb. 1922) 310, 343
Ford, Gerald (geb. 1913) 332–334, 353
Fraenkel, Ernst (1898–1975) 309
Franco, Francisco (1892–1975) 50
Frank, Hans (1900–1946) 75, 85, 93
Franke, Egon (1913–1995) 274, 364
Frankfurter, David (1909–1982) 48
Frantz, Constantin (1817–1891) 173
Franzel, Emil (1901–1976) 172 f.

Freisler, Roland (1893–1945) 104f.
Freud, Sigmund (1856–1939) 15, 248
Freudenfeld, Burghard (1918–1998)
  243–246, 433, 438, 472
Freyer, Hans (1887–1969) 45, 171
Frick, Wilhelm (1877–1946) 10, 20, 22,
  32f.
Friderichs, Hans (geb. 1931) 310, 318,
  348, 379, 410, 412
Friedrich II. der Große, König von
  Preußen (1712–1786) 5, 11, 71, 109,
  114, 185, 428, 621
Friedrich Wilhelm I. der Soldatenkö-
  nig, König in Preußen (1688–1740)
  111
Frisch, Max (1911–1991) 223
Fritsch, Werner Freiherr von
  (1880–1939) 52f.
Fromm, Erich (1900–1980) 15
Fromm, Friedrich (1888–1945) 103
Fromme, Karl Friedrich (geb. 1930)
  442
Fuchs, Anke (geb. 1937) 390
Fuchs, Jürgen (1950–1999) 340
Fücks, Ralf (geb. 1951) 622
Fühmann, Franz (1922–1984) 340
Führer, Christian (geb. 1943) 495
Funk, Walther (1890–1960) 53

Gaitskell, Hugh (1906–1963) 193
Galen, Clemens August Graf von
  (1878–1946) 82, 84f.
Gansel, Norbert (geb. 1940) 497f., 629
Ganzer, Karl Richard (1909–1943) 77
Garton Ash, Timothy (geb. 1955) 576
Gauck, Joachim (geb. 1940) 595
Gaulle, Charles de (1890–1970) 76, 152,
  195, 197, 213–217, 230f., 235f., 243,
  253, 257f., 261f., 267, 284
Gaus, Günter (1929–2004) 365, 370,
  387–389, 434–437, 497
Gehlen, Arnold (1904–1976) 45
Geißler, Heiner (geb. 1930) 404, 409,
  411, 470f., 473, 498, 606
Genscher, Hans-Dietrich (geb. 1927)
  273, 322f., 328, 333, 350, 355, 374,
  378, 392–401, 404, 408, 419, 450–452,
  455f., 464–466., 489f., 518f., 524,

548–552, 558f., 577, 579f., 582f.,
  585, 589, 597–599, 602f., 608, 623,
  629
Gentz, Friedrich von (1764–1832) 173
George, Stefan (1868–1933) 102
Georghiu-Dej, Gheorghe (1901–1965)
  260
Gerassimow, Gennadij (geb. 1933) 501
Geremek, Bronislaw (geb. 1932) 360,
  380, 466, 486
Gerlach, Manfred (geb. 1928) 507, 529,
  534
Gersdorff, Rudolf-Christoph Freiherr
  von (1905–1980) 102
Gerstenmaier, Eugen (1906–1986) 145,
  173, 220, 239, 243–245
Gierek, Eduard (geb. 1913) 333, 367
Gilcher-Holtey, Ingrid (geb. 1952) 253
Giscard d'Estaing, Valéry (geb. 1926)
  333–335, 354, 358, 360, 362, 401, 464
Glemp, Józef (geb. 1929) 381
Globke, Hans (1898–1973) 176, 196
Glotz, Peter (geb. 1939) 407, 417, 555,
  573, 606, 608f., 624, 631, 656
Gnädinger, Fritz-Joachim (geb. 1938)
  378
Gneisenau, August Graf Neidhardt
  von (1760–1831) 185
Goebbels, Joseph (1897–1945) 9,
  14–17, 28, 30, 35, 40, 45, 48, 77f., 83,
  87, 90–93, 96, 98, 106, 450, 452
Goerdeler, Carl (1884–1945) 99–101,
  104, 212
Göring, Hermann (1893–1946) 9, 16f.,
  20, 36, 38, 45, 51–53, 57, 70, 79, 86,
  89, 118, 169
Görtemaker, Manfred (geb. 1951) 323
Goethe, Johann Wolfgang von
  (1749–1832) 111–113, 118, 479, 614
Götting, Gerald (geb. 1923) 507, 532
Goldenbaum, Ernst (1898–1990) 139
Gollwitzer, Helmut (1908–1993) 165,
  347, 425
Gomulka, Wladyslaw (1905–1982) 187,
  280
Gorbatschow, Michail Sergejewitsch
  (geb. 1931) 424, 448–452, 455, 457,
  461f., 465–470, 472, 476, 483–487,

500–502, 506, 514–516, 518, 524, 546–551, 554, 575, 577, 580–582, 585–589, 594, 597, 602, 627 f.
Grabert, Horst (geb. 1927) 322
Gradl, Johann Baptist (1904–1988) 159
Graf, Willi (1918–1943) 106
Grass, Günter (geb. 1927) 240, 309, 347, 479 f., 537 f., 540 f.
Grassmann, Peter (1873–1939) 18
Gregor VII., Papst (um 1015–1085) 361
Grewe, Wilhelm (1911–2000) 181
Grimm, Hans (1875–1959) 45 f.
Gromyko, Andrej A. (1909–1989) 197, 279, 286, 315, 359, 424, 452
Grosser, Dieter (geb. 1929) 574, 614 f.
Grósz, Károly (1930–1996) 466
Grotewohl, Otto (1894–1964) 124 f., 139 f., 147, 258
Gruhl, Herbert (1921–1993) 351
Gruhn, Margarete (geb. 1911) 53
Grundmann, Herbert (1902–1970) 83
Grynszpan, Herschel F. (geb. 1921) 48
Grzesinski, Albert (1879–1947) 16
Gscheidle, Kurt (geb. 1924) 328, 370, 390
Gueffroy, Chris (1968–1989) 482, 513
Guillaume, Christel (geb. 1927) 321, 324 f.
Guillaume, Günter (1927–1995) 321–325
Gustloff, Wilhelm (1895–1936) 48
Guttenberg, Karl Theodor Freiherr von und zu (1921–1972) 214
Gutzeit, Martin (geb. 1952) 439, 493
Gysi, Gregor (geb. 1948) 507, 528, 531 f., 594

Haack, Dieter (geb. 1934) 349
Haber, Fritz (1868–1934) 14 f.
Habermas, Jürgen (geb. 1929) 249, 444 f., 477, 562–564, 573, 625 f., 632 f., 636
Hacha, Emil (1872–1945) 64
Häber, Herbert (geb. 1930) 338 f., 423, 618
Haeften, Hans-Bernd von (1905–1944) 104

Haeften, Werner Karl von (1908–1944) 103 f.
Hager, Kurt (1912–1998) 294, 325, 468, 507
Hahn, Otto (1879–1968) 182
Haig, Alexander M. (geb. 1924) 372
Halbwachs, Maurice (1877–1945) 653
Halder, Franz (1884–1972) 56, 70, 80 f.
Halifax, Edward Lord (1881–1959) 57
Hallstein, Walter (1901–1982) 181, 231, 239
Hamm-Brücher, Hildegard (geb. 1921) 400
Hammerstein-Equord, Kurt von (1878–1943) 8
Harich, Wolfgang (1923–1995) 189
Harmel, Pierre (geb. 1911) 263, 464
Harpprecht, Klaus (geb. 1927) 311
Hartmann, Günter (geb. 1930) 533
Hartog, Leendert J. (geb. 1924) 94
Hartung, Klaus (geb. 1940) 508, 631 f.
Hassel, Kai-Uwe von (1913–1997) 211, 230, 296, 298
Hassell, Ulrich von (1881–1944) 100
Haubach, Theodor (1896–1945) 99, 123
Hauff, Volker (geb. 1940) 349, 370
Haug, Wolfgang Fritz (geb. 1936) 249
Haughey, Charles J. (geb. 1925) 577
Haußleiter, August (1905–1989) 351
Havemann, Katja (geb. 1947) 491
Havemann, Robert (1910–1982) 226, 363, 425, 491
Heck, Bruno (1917–1989) 241, 300
Heckel, Johannes (1889–1963) 27
Hegel, Georg Wilhelm Friedrich (1770–1831) 7 f., 433, 646, 648, 651
Heidegger, Martin (1889–1976) 15, 45, 121
Heilmann, Ernst (1881–1940) 21 f., 43, 123
Heimann, Gerhard (geb. 1934) 474 f.
Heimpel, Hermann (1901–1988) 83, 177, 309
Hein, Christoph (geb. 1944) 507
Heine, Heinrich (1797–1856) 15, 415
Heinemann, Gustav (1899–1976) 144–146, 149 f., 161, 165, 193, 231,

241, 269–271, 273, 279, 284, 300, 306 f., 323, 327 f., 442, 469, 484
Heisenberg, Werner (1901–1976) 182
Heller, Hermann (1891–1933) 15
Helms, Wilhelm (geb. 1923) 298
Hempel, Johannes (geb. 1929) 455
Henderson, Sir Neville Meyrick (1882–1942) 69
Henkels, Walter (1906–1987) 221
Henlein, Konrad (1898–1945) 56, 58, 172
Henrich, Rolf (geb. 1944) 491
Herder, Johann Gottfried (1744–1803) 541
Herger, Wolfgang (geb. 1935) 503
Hermlin, Stephan (1915–1997) 340
Herrmann, Joachim (1928–1992) 367, 505
Herrnstadt, Rudolf (1903–1966) 157
Herter, Christian A. (1895–1966) 196
Hertz, Gustav (1887–1975) 14
Hertz, Paul (1881–1961) 42
Heß, Jürgen C. (geb. 1943) 438
Heß, Rudolf (1894–1987) 19, 33, 118
Heuss, Theodor (1884–1963) 12, 123, 138, 152, 159, 161, 166, 169–171, 174, 197, 330, 638
Heydrich, Reinhard (1904–1942) 49, 86 f., 89, 92–94
Heym, Stefan (geb. 1913) 340, 507, 522
Hickmann, Hugo (1877–1955) 153
Hieronymus, Sophronius Eusebius (um 347–420) 647
Hilberg, Raul (geb. 1926) 86
Hildebrand, Klaus (geb. 1941) 444
Hildebrandt, Regine (1941–2001) 565
Hilferding, Rudolf (1877–1941) 16, 40–42, 123
Hillegaard, Heinz (1911–1975) 337
Hillgruber, Andreas (1925–1989) 79, 444
Hilsberg, Stephan (geb. 1956) 493, 629
Himmler, Heinrich (1900–1945) 36, 38, 43, 53, 62–65, 73 f., 78, 80, 85–88, 92–95, 104, 107
Hindenburg, Oskar von Beneckendorff und von (1883–1960) 38

Hindenburg, Paul von Beneckendorff und von (1847–1934) 11, 14, 22, 35, 38 f., 111, 323, 642 f.
Hintze, Otto (1861–1940) 111
Hirsch, Werner (1899–1941) 9
Hitler, Adolf (1889–1945) 1–119, 122, 136, 141, 162, 167–171, 175 f., 186, 247 f., 319, 324, 428, 442–444, 447, 462, 479, 513, 521, 524, 541, 576, 624, 633, 635, 643–648, 652, 656
Ho Chi Minh (1890–1969) 163, 229, 250
Hoche, Alfred (1865–1943) 72
Hochhuth, Rolf (geb. 1931) 440
Hodann, Max (1894–1946) 9
Hölderlin, Johann Christian Friedrich (1770–1843) 567
Hölscher, Friedrich-Wilhelm (geb. 1935) 401
Hoepner, Erich (1886–1944) 81, 104
Hoffmann, Heinz (1910–1985) 227, 368
Holzer, Jerzy (geb. 1930) 466
Homann, Heinrich (geb. 1911) 507
Honecker, Erich (1912–1994) 203, 226, 291–296, 316 f., 326, 333, 340 f., 360–370, 381–384, 388, 391, 418–424, 427 f., 431, 438, 453–461, 467, 469, 471, 476, 486 f., 500–506, 509, 517, 528, 536, 573, 617
Honecker, Margot (geb. 1927) 507
Hopf, Volkmar (1906–1997) 210
Horkheimer, Max (1895–1973) 15, 249
Horn, Gyula (geb. 1932) 481, 489
Hoßbach, Friedrich (1894–1980) 52
Huber, Antje (geb. 1924) 343, 390
Huber, Kurt (1893–1943) 106
Huch, Ricarda (1864–1947) 45
Hugelmann, Karl Gottfried (1879–1959) 65
Hugenberg, Alfred (1865–1951) 11 f., 19, 22
Hupka, Herbert (geb. 1915) 297, 485
Hurd, Douglas (geb. 1930) 549, 576, 579
Husák, Gustav (1913–1991) 368
Hussein, Saddam (geb. 1937) 615, 623–627

Ibsen, Henrik (1828–1906) 472

Jaeger, Lorenz (1892–1975) 82
Jäger, Wolfgang (geb. 1940) 331, 355, 378
Jahn, Friedrich Ludwig (1778–1852) 185
Jahn, Gerhard (1927–1998) 274
Jahn, Günther (geb. 1930) 504
Jahn, Roland (geb. 1953) 426
Janka, Walter (1914–1994) 189
Janzen, Karl-Heinz (geb. 1926) 394
Jaruzelski, Wojciech (geb. 1923) 379–385, 388 f., 466, 469, 481 f., 632
Jaspers, Karl (1883–1969) 110 f., 174 f., 267
Jelzin, Boris N. (geb. 1931) 627
Jenninger, Philipp (geb. 1932) 447
Jens, Walter (geb. 1923) 425
Jesus Christus 7, 25, 107 f.
Joachim von Fiore (um 1130–1202) 7
Johannes, Verfasser der Apokalypse 7, 647
Johannes Paul II., Papst (1920–2005) 361
Johnson, Lyndon B. (1908–1973) 204, 229, 231, 236, 257 f.
Jünger, Ernst (1895–1998) 45
Jung, Edgar (1894–1934) 35 f.
Just, Gustav (geb. 1921) 189

Kaas, Ludwig (1881–1952) 12 f., 23
Kádár, János (1912–1989) 188, 368, 455, 466
Kaehler, Siegfried A. (1885–1963) 76
Kästner, Erich (1899–1974) 15
Kahr, Gustav Ritter von (1862–1934) 36
Kaisen, Wilhelm (1887–1979) 198
Kaiser, Jakob (1888–1961) 99, 125 f., 135, 137, 143, 149, 159
Kaiser, Karl (geb. 1934) 415, 417
Kania, Stanislaw (geb. 1927) 367, 380 f.
Kant, Immanuel (1724–1804) 329, 472
Kanther, Manfred (geb. 1939) 414
Karl der Große, röm. Kaiser und König der Franken (747–814) 646

Karl V., röm.-dt. Kaiser (1500–1558) 646
Karry, Heinz Herbert (1920–1981) 411
Kastner, Hermann (1886–1957) 140
Katzer, Hans (1919–1996) 241
Kaufmann, Karl (1900–1969) 168
Kautsky, Karl (1854–1938) 15, 40
Kayser, Karl (1914–1995) 510
Keitel, Wilhelm (1882–1946) 53, 118
Kelly, Petra (1947–1992) 373, 455
Kelsen, Hans (1881–1973) 15
Kennan, George F. (1904–2005) 194
Kennedy, John F. (1917–1963) 202–204, 207–209, 214–220, 229
Kerr, Alfred (1867–1948) 15, 28
Kershaw, Ian (geb. 1943) 50
Kesselring, Albert (1885–1960) 167
Keßler, Heinz (geb. 1920) 617
Keynes, Lord John Maynard (1883–1946) 242, 255
Kiechle, Ignaz (geb. 1930) 409
Kienbaum, Gerhard (geb. 1919) 297 f., 306
Kiep, Walther Leisler (geb. 1926) 338 f., 378, 412, 498
Kiesinger, Kurt Georg (1904–1988) 238–243, 254–262, 266 f., 271, 273, 312, 316, 323
Kilz, Hans Werner (geb. 1943) 410
Kinkel, Klaus (geb. 1936) 629
Kirchner, Martin (geb. 1949) 532
Kirsch, Sarah (geb. 1935) 340
Kisch, Egon Erwin (1885–1948) 9
Kissinger, Henry A. (geb. 1923) 266, 285, 296, 331
Kiszczak, Czeslaw (geb. 1925) 466, 482
Kittel Gerhard (1888–1948) 27
Klasen, Karl (1909–1991) 305
Klausener, Erich (1885–1934) 36
Kleiber, Günther (geb. 1931) 528, 618
Klein, Dieter (geb. 1931) 522
Kleist, Heinrich von (1777–1811) 185
Kleist-Schmenzin, Ewald Heinrich von (geb. 1922) 102
Kleßmann, Christoph (geb. 1938) 275
Klier, Freya (geb. 1950) 468
Klimmt, Reinhard (geb. 1942) 572

Klopstock, Friedrich Gottlieb (1724–1803) 185
Klose, Hans Ulrich (geb. 1937) 425, 624 f., 629
Koch, Erich (1896–1986) 89
Koch, Thilo (geb. 1920) 174
Köhler, Oskar (1909–1996) 24
Körner, Theodor (1791–1813) 185
Kogon, Eugen (1903–1987) 179, 309
Kohl, Helmut (geb. 1930) 312 f., 338 f., 342, 371, 378, 385, 394–414, 419–424, 431, 441, 450–452, 455–460, 463 f., 469–471, 473, 475 f., 483, 486, 489, 496, 498 f., 501, 506, 511, 517–519, 522–528, 533 f., 542 f., 545, 547–553, 555, 558 f., 562, 568–571, 576–583, 585–590, 592, 594, 597 f., 600, 602 f., 608 f., 615, 639
Kohl, Michael (1929–1981) 301, 307, 311, 313
Konjew, Iwan S. (1897–1973) 179
Kopper, Hilmar (geb. 1935) 581
Korber, Horst (1927–1981) 228
Kordt, Theodor (1893–1962) 57, 70
Korn, Salomon (geb. 1943) 656 f.
Koschnick, Hans (geb. 1929) 603 f.
Koselleck, Reinhart (geb. 1923) 309
Kosing, Alfred (geb. 1928) 326
Kossygin, Alexej Nikolajewitsch (1904–1980) 230, 359
Kotschemassow, Wjatscheslaw (geb. 1918) 503
Krack, Erhard (geb. 1931) 543
Kraft, Waldemar (1898–1977) 162, 184
Krause, Günther (geb. 1953) 590–592, 595
Krawczyk, Stephan (geb. 1955) 468
Krenz, Egon (geb. 1937) 503–507, 510, 512, 517, 528 f., 618
Kroesen, Frederick James (geb. 1923) 372
Krolikowski, Werner (geb. 1928) 366, 369, 420, 528
Krone, Heinrich (1895–1989) 220
Krusche, Günter (geb. 1931) 522
Kube, Wilhelm (1887–1943) 89
Kühlmann-Stumm, Knut Freiherr von (1916–1977) 297 f., 306

Kühn, Heinz (1912–1992) 269
Külz, Wilhelm (1875–1948) 125
Kulikow, Viktor G. (geb. 1921) 380
Kumm, Otto 169
Kumpfmüller, Joseph (1869–1949) 82
Kunert, Günter (geb. 1929) 340
Kurras, Karl-Heinz (geb. 1928) 251
Kwizinski, Julij A. (geb. 1936) 392, 518

Lafontaine, Oskar (geb. 1943) 374, 390, 393, 417, 454, 458, 460 f., 476–479, 526–528, 538–542, 547, 555, 558, 563–565, 571 f., 574, 592, 594, 600, 603–606, 608, 623 f., 654
Lagarde, Paul de (eigtl. Paul Anton Bötticher) (1827–1891) 85, 108, 645
Lahnstein, Manfred (geb. 1937) 370, 379, 390, 397
Lambsdorff, Otto Graf (geb. 1926) 348, 378 f., 394–399, 404, 410–412, 534, 547, 600, 608
Lamers, Karl (geb. 1935) 471, 475
Lammers, Hans Heinrich (1879–1962) 32
Landahl, Heinrich (1895–1971) 12
Landsbergis, Vytautas (geb. 1932) 580
Lange, Bernd-Lutz (geb. 1944) 502
Laniel, Joseph (1889–1975) 163
Lanz, Josef Adolf (Pseud. Jörg Lanz von Liebenfels) (1874–1954) 3
Lasky, Melvin J. (1920–2004) 417
Laue, Max von (1879–1960) 182
Lauritzen, Lauritz (1910–1980) 274, 306
Leber, Georg (geb. 1920) 241, 274, 306, 348
Leber, Julius (1891–1945) 16, 43, 99, 104, 123
Lec, Stanislaw Jerzy (1909–1966) 495
Lederer, Emil (1882–1939) 15
Leipart, Theodor (1867–1947) 17 f.
Lemmer, Ernst (1898–1970) 12, 125 f., 211
Lenin, Wladimir Iljitsch (1870–1924) 187, 189, 275, 360, 531, 627
Lepsius, M. Rainer (geb. 1928) 245, 437, 651
Leuschner, Wilhelm (1890–1944) 99

Leussink, Hans (geb. 1912) 274, 310
Levi, Paul (1883–1930) 642 f.
Ley, Robert (1890–1945) 18
Liberman, Jewsej G. (1897–1983) 224
Lichtenberg, Bernhard (1875–1943) 98
Lieberknecht, Christine (geb. 1958) 532
Ligatschow, Jegor K. (geb. 1920) 586
Lippelt, Helmut (geb. 1932) 474–476,
    511 f., 629
Lipski, Józef (1894–1958) 63
Litten, Hans (1903–1938) 9
Litwinow, Maxim M. (1876–1951) 67,
    69
Löbe, Paul (1875–1967) 19, 21 f., 138
Loewenheim, Walter (Pseud. Miles)
    (1896–1977) 40
Löwenthal, Richard (1908–1991) 40,
    208 f., 219, 225, 258, 302 f., 309, 324,
    351, 417, 635
Loewy, Hanno (geb. 1961) 653
Lohse, Hinrich (1896–1964) 89
Lorenz, Peter (1922–1987) 337
Lorenz, Siegfried (geb. 1930) 503, 618
Louis Philippe, französischer König
    (1773–1850) 557
Lubbe, Marinus van der (1909–1934) 9
Ludz, Peter Christian (1931–1979) 224,
    516
Lübbe, Hermann (geb. 1926) 175 f.
Lübke, Heinrich (1894–1972) 198, 232,
    240, 268–270, 324, 431
Lücke, Paul (1914–1976) 210, 241, 257
Lueger, Karl (1884–1910) 3
Lüthje, Uwe (geb. 1931) 412
Luft, Christa (geb. 1938) 556
Lukács, Georg (1885–1971) 633
Luther, Martin (1483–1546) 109, 112 f.,
    185, 426–428, 621, 645–648
Luxemburg, Rosa (1870–1919) 468

Mackensen, Eberhard von (1889–1969)
    167
Macmillan, Harold (1894–1986) 195,
    214
Maetzke, Ernst-Otto (geb. 1924) 443
Maier, Reinhold (1889–1971) 12, 123
Maihofer, Werner (geb. 1918) 310, 328,
    355

Maizière, Lothar de (geb. 1940) 532 f.,
    545, 564–568, 573, 585, 591–593,
    597 f., 600 f.
Major, Patrick (geb. 1964) 325
Malenkow, Georgij M. (1902–1988)
    153, 156
Mann, Golo (1909–1994) 309, 472, 606
Mann, Heinrich (1871–1950) 15, 42
Mann, Thomas (1875–1955) 112–114,
    118
Mannheim, Karl (1893–1947) 15
Manstein, Erich von (1887–1973) 88,
    167 f.
Mao Zedong (1893–1976) 204, 230
Marahrens, August (1875–1950) 82
Marcuse, Herbert (1898–1979) 249
Martin, Alfred (geb. 1915) 209
Marshall, George C. (1880–1959) 128
Marx, Karl (1818–1883) 15, 107, 186,
    191, 199, 249, 252, 275, 303, 426, 430,
    448, 458, 531, 648, 650 f.
Maschke, Erich (1900–1982) 83
Massu, Jacques (geb. 1908) 253
Masur, Kurt (geb. 1927) 502
Matthäus-Maier, Ingrid (geb. 1945)
    401, 547, 629
Matthöfer, Hans (geb. 1925) 328, 349,
    379, 390, 410
Mazowiecki, Tadeusz (geb. 1927) 360,
    380, 466, 482, 552, 575
McCloy, John Jay (1895–1989) 144,
    167
Meckel, Markus (geb. 1952) 439, 493,
    519, 536, 565, 579, 583 f., 589, 629,
    634
Mehlhorn, Ludwig (geb. 1950) 492
Meinecke, Friedrich (1862–1954) 76,
    111 f., 479, 541
Meinhof, Ulrike (1934–1976) 303 f.,
    337
Meins, Holger (1941–1974) 304, 337
Mende, Erich (1916–1998) 206 f., 210 f.,
    228, 232, 237, 240, 269, 297
Mendès-France, Pierre (1907–1982)
    163
Menzel, Walter (1901–1963) 132 f.
Merekalow, A. 67
Merker, Paul (1894–1969) 154, 187

Mertz von Quirnheim, Albrecht Ritter (1905–1944) 103
Metternich, Clemens Lothar Graf (seit 1813 Fürst) (1773–1859) 646
Meyer, Kurt (General der Waffen-SS) (1910–1961) 168
Meyer, Kurt (SED-Bezirkssekretär) (geb. 1935) 502
Meyer, Thomas (geb. 1953) 452
Michels, Robert (1876–1936) 376
Middelhauve, Friedrich (1896–1966) 168
Mielke, Erich (1907–2000) 189, 295, 367, 369 f., 503 f., 507, 528, 543, 617 f.
Mierendorff, Carlo (1897–1943) 43, 99, 123
Milošević, Slobodan (geb. 1941) 628
Mirbach, Andreas von (1931–1975) 337
Mischnick, Wolfgang (1921–2002) 316, 318, 400, 512
Misselwitz, Hans-Jürgen (geb. 1950) 589
Mitscherlich, Alexander (1908–1982) 248
Mitscherlich, Margarete (geb. 1917) 248
Mittag, Günter (1926–1994) 292, 363, 366, 503–505, 528
Mittenzwei, Ingrid (geb. 1929) 428
Mitterrand, François (1916–1996) 391, 408, 463 f., 524–526, 575, 577 f., 580, 585, 587, 594
Mock, Alois (geb. 1934) 481
Modrow, Hans (geb. 1928) 504, 509, 515, 521–523, 530, 532 f., 542–550, 555–558, 565, 569, 575
Möller, Alex (1903–1985) 274, 283
Möller, Irmgard (geb. 1947) 346
Moeller van den Bruck, Arthur (1876–1925) 6 f.
Molotow, Wjatscheslaw M. (1890–1986) 67 f., 80, 128, 156, 162, 165, 179
Moltke, Helmuth James Graf von (1907–1945) 99, 103 f., 145
Mommer, Karl (1910–1990) 202
Mommsen, Hans (geb. 1930) 309, 435–438
Mommsen, Theodor (1817–1903) 435

Momper, Walter (geb. 1945) 513, 518 f., 543
Monnet, Jean (1888–1979) 143, 146
Morgenthau, Henry (1891–1967) 261
Mozart, Wolfgang Amadeus (1756–1791) 112
Mückenberger, Erich (1910–1998) 507
Mühsam, Erich (1878–1934) 9
Müller, Günther (1934–1997) 297, 306
Müller, Heiner (1929–1995) 340, 507
Müller, Hermann (1876–1931) 274, 375, 394
Müller, Karl Alexander von (1882–1964) 27
Müller, Ludwig (1883–1945) 25
Müller-Armack, Alfred (1901–1978) 127
Müntzer, Thomas (um 1490–1525) 427
Münzenberg, Willi (1889–1940) 42
Musil, Robert (1880–1942) 653
Mussert, Anton Adrian (1894–1946) 78
Mussolini, Benito (1883–1945) 1 f., 36 f., 54, 58, 60, 67, 70, 81, 106, 304, 644

Nagy, Imre (1896–1958) 187 f., 481
Napoleon I. Bonaparte (1769–1821) 81, 112, 186, 646
Nasser, Gamal Abd el (1918–1970) 230
Nau, Alfred (1906–1983) 299, 378, 410 f.
Naumann, Friedrich (1860–1919) 123
Naumann, Werner (1909–1982) 168
Németh, Miklós (geb. 1948) 466, 489, 594
Nemitz, Manfred (geb. 1926) 379, 410
Nenni, Pietro (1891–1980) 266
Neubauer, Horst (geb. 1936) 490
Neumann, Alfred (1909–2001) 507
Neurath, Konstantin Freiherr von (1873–1956) 52 f.
Ngo Dinh Diem (1901–1963) 229
Nickels, Christa (geb. 1952) 622
Niemöller, Martin (1892–1984) 25, 43, 110, 145 f., 165
Niethammer, Lutz (geb. 1939) 438
Nietzsche, Friedrich Wilhelm (1844–1900) 633

Nipperdey, Thomas (1927–1992) 309
Nitze, Paul H. (geb. 1907) 392
Nixon, Richard M. (1913–1994) 266,
 273, 285, 296, 331 f.
Nollau, Günther (1911–1991) 322
Nolte, Ernst (geb. 1923) 443–446
Norden, Albert (1904–1982) 185
Nuschke, Otto (1883–1957) 126, 140

Oberländer, Theodor (1905–1998) 162,
 176, 184 f.
O'Brien, Conor Cruise (geb. 1917) 575
Oelßner, Fred (1903–1977) 189
Offergeld, Rainer (geb. 1937) 349
Ohnesorg, Benno (1941–1967) 251
Olbricht, Friedrich (1888–1944) 103
Ollenhauer, Erich (1901–1963) 123,
 142, 146, 161, 165, 198, 201, 207, 211,
 231
Olszowski, Stefan (geb. 1931) 368
Ossietzky, Carl von (1889–1938) 9, 15,
 297
Oster, Achim H. (1914–1983) 209
Oster, Hans (1888–1945) 56
Oswald, Lee Harvey (1939–1963) 229

Pahlewi, Mohammad Reza
 (1919–1980) 251
Palme, Olof (1927–1986) 418
Papen, Franz von (1879–1969) 9, 23,
 35–38, 118
Paulus, Apostel (ca. 1. Hälfte d.
 1. Jhdt.) 107 f.
Pétain, Henri Philippe (1856–1951) 76
Peter II., König von Jugoslawien
 (1923–1970) 81
Pferdmenges, Robert (1880–1962) 376
Pflugbeil, Sebastian (geb. 1947) 491,
 522
Picht, Georg (1913–1982) 281
Pieck, Wilhelm (1876–1960) 139 f., 203
Pinochet, Augusto (geb. 1915) 386
Plessner, Helmuth (1892–1985) 15, 540
Pleven, René (1901–1993) 146
Pohl, Gerhard (geb. 1937) 565, 593
Pol Pot (1925–1998) 655
Pollack, Peter (geb. 1930) 593
Pommert, Jochen (geb. 1929) 502

Pompidou, Georges (1911–1974) 284,
 301, 334
Ponto, Jürgen (geb. 1923–1977) 344,
 348
Popitz, Johannes (1884–1945) 100 f.,
 104
Poppe, Gerd (geb. 1941) 425, 629
Poppe, Ulrike (geb. 1953) 492, 522
Popper, Sir Karl R. (1902–1994) 329
Portugalow, Nikolaj (geb. 1928) 523 f.,
 546
Powell, Sir Charles (geb. 1941) 576
Pozsgay, Imre (geb. 1933) 466
Preuss, Joachim (geb. 1945) 410
Probst, Christoph (1919–1943) 106

Quidde, Ludwig (1858–1941) 297
Quisling, Vidkun (1887–1945) 78

Rackl, Michael (1883–1948) 82
Rademacher, Franz (1906–1973) 85
Raeder, Erich (1876–1960) 52
Rakowski, Mieczyslaw (geb. 1926) 501
Rapacki, Adam (1909–1970) 193
Rasch, Harold (geb. 1903) 267
Raspe, Jan-Carl (1944–1977) 304, 346
Rath, Ernst vom (1909–1938) 48
Rathenow, Lutz (geb. 1952) 425
Rau, Johannes (geb. 1931) 183, 407,
 450, 455, 460, 469, 571, 608
Rauch, Christian Daniel (1777–1857)
 428
Ravens, Karl (geb. 1927) 323, 328, 349
Reagan, Ronald (1911–2004) 359,
 372 f., 388, 391 f., 408, 414, 441, 449,
 457, 464
Reich, Eva (geb. 1943) 491
Reich, Jens (geb. 1939) 491, 507
Reiche, Steffen (geb. 1960) 493, 536
Reichenau, Walter von (1884–1942) 88
Reichenbach, Klaus (geb. 1945) 565
Reinecke, Stefan (geb. 1959) 654
Reinhold, Otto (geb. 1925) 452, 487 f.
Reißig, Rolf (geb. 1940) 452
Remarque, Erich Maria (1898–1970) 15
Renan, Ernest (1823–1892) 605
Renger, Annemarie (geb. 1919) 310,
 316 f., 355, 511

Renn, Ludwig (1889–1979) 9
Renner, Karl (1870–1950) 55
Renthe-Fink, Cecil von (1885–1964) 76, 79
Reuter, Ernst (1889–1953) 130, 132, 198
Ribbentrop, Joachim von (1893–1946) 33, 53, 63, 66, 68, 71, 80, 83, 118
Richert, Ernst (1912–1976) 224 f.
Richter, Edelbert (geb. 1943) 492, 535
Ridgway, Matthew (1895–1993) 441
Ridley, Nicholas (1929–1993) 576
Riemer, Horst-Ludwig (geb. 1933) 379, 410
Riesenhuber, Heinz (geb. 1935) 404
Ringstorff, Harald (geb. 1939) 554
Rinner, Erich (1902–1982) 22
Ritter, Gerhard (1888–1967) 212 f.
Röhm, Ernst (1887–1934) 33–38
Röller, Wolfgang (geb. 1929) 581
Röpke, Wilhelm (1899–1966) 15, 109, 111
Rörig, Fritz (1882–1952) 83
Rohde, Helmut (geb. 1925) 328, 349
Rohden, Peter Richard (1891–1942) 77
Roosevelt, Franklin Delano (1882–1945) 67, 79, 90, 92 f., 105, 117, 261
Romberg, Walter (geb. 1928) 565, 569, 593
Rommel, Erwin (1891–1944) 81
Rosenberg, Alfred (1893–1946) 26, 33, 89, 118
Roth, Wolfgang (geb. 1941) 547
Rothfels, Hans (1891–1976) 170, 309
Rudolph, Hermann (geb. 1939) 487, 637 f.
Rühe, Volker (geb. 1942) 471, 475, 498 f., 533
Runciman, Lord Walter (1870–1949) 58
Ryschkow, Nikolaj I. (geb. 1929) 581

Sagladin, Wadim (geb. 1927) 484, 498
Savigny, Friedrich Carl von (1779–1861) 6
Schabowski, Günter (geb. 1929) 503 f., 507, 510–512, 618

Schacht, Hjalmar (1877–1970) 47, 51–53, 57, 118, 169
Schäffer, Fritz (1888–1967) 185
Schäuble, Wolfgang (geb. 1942) 423, 455, 471, 533, 590 f., 595, 608–610
Schalck-Golodkowski, Alexander (geb. 1932) 420, 423, 528
Scharf, Kurt (1902–1990) 425
Scharnhorst, Gerhard von (1755–1813) 185
Schdanow, Andrej A. (1896–1948) 129
Scheel, Walter (geb. 1919) 237 f., 245 f., 257, 269, 272 f., 281, 285, 287, 298, 307, 316, 319, 323, 330, 346, 355, 478
Scheidemann, Philipp (1865–1939) 16, 513
Schelling, Friedrich Wilhelm Joseph von (1775–1854) 633
Schelsky, Helmut (1912–1984) 161
Schenkendorf, Max von (1783–1817) 185
Scheuch, Erwin K. (geb. 1928) 376
Scheuch, Ute (geb. 1943) 376
Schewardnadse, Akaki (1920–1941) 582
Schewardnadse, Eduard (geb. 1928) 450, 452, 486, 490, 524, 549 f., 554, 575, 579–586, 598
Schieder, Theodor (1908–1984) 74
Schiffer, Eugen (1860–1954) 125
Schiller, Friedrich (1759–1805) 479
Schiller, Karl (1911–1994) 231, 241 f., 255, 267, 271, 273 f., 283, 304–306, 309, 329
Schily, Otto (geb. 1932) 411, 425
Schirdewan, Karl (1907–1998) 187, 189
Schiwkow, Todor (1911–1998) 368
Schlei, Marie (1919–1983) 343, 349
Schleicher, Kurt von (1882–1934) 7 f., 36, 170
Schleiermacher, Friedrich Daniel Ernst (1768–1834) 6
Schleyer, Hanns Martin (1915–1977) 344–348, 355
Schlüter, Leonhard (geb. 1921) 177
Schmelz, Hans (1917–1987) 218
Schmid, Carlo (1896–1979) 132–135, 198, 201, 231, 241, 594

Schmidt, Hansheinrich (1922–1994) 406

Schmidt, Helmut (geb. 1918) 231, 240, 244–246, 268, 273 f., 302, 306, 310, 316, 323, 325, 327–339, 343–362, 365–367, 370–375, 381–385, 388–403, 407 f., 414–420, 422, 431, 454, 464, 475

Schmidt, Walter (geb. 1930) 326

Schmitt, Carl (1888–1985) 27, 37, 45, 65, 67, 121, 132 f., 654

Schmorell, Alexander (1917–1943) 106

Schmude, Jürgen (geb. 1936) 184, 349, 378, 397, 469

Schneider, Oscar (geb. 1927) 404

Schneider, Reinhold (1903–1958) 45

Schneider, Rolf (geb. 1932) 340

Schnur, Wolfgang (geb. 1944) 494, 559

Schoeler, Andreas von (geb. 1948) 401

Schönerer, Georg Ritter von (1842–1921) 3, 5

Schönherr, Albrecht (geb. 1911) 278, 364 f.

Scholl, Hans (1918–1943) 106

Scholl, Sophie (1921–1943) 106

Scholz, Hans (1911–1988) 440

Scholz, Rupert (geb. 1937) 464

Schoppe, Waltraud (geb. 1942) 455, 629

Schorlemmer, Friedrich (geb. 1944) 492, 507, 522, 534 f.

Schrader, Karl (1868–?) 17

Schröder, Gerhard (CDU) (1910–1989) 184, 207 f., 214 f., 220, 228, 230, 232 f., 239, 241, 251, 260, 269, 300

Schröder, Gerhard (SPD) (geb. 1944) 356, 460, 555, 571–573, 604, 630, 655

Schröder, Richard (geb. 1943) 565, 572, 593, 633 f.

Schubert, Franz (1797–1828) 112

Schuchardt, Helga (geb. 1939) 401, 406

Schüler, Manfred (geb. 1932) 370

Schürer, Gerhard (geb. 1921) 226, 363, 509, 516

Schütz, Klaus (geb. 1926) 317

Schuhmann, Jürgen (1940–1977) 345

Schuhmann, Walter (1898–1956) 18

Schukow, Georgij K. (1896–1974) 82

Schulenburg, Fritz Dietlof Graf von der (1902–1944) 57

Schulz, Klaus-Peter (geb. 1915) 297

Schumacher, Kurt (1895–1952) 20, 22, 43, 123 f., 126, 135, 138, 142 f., 146, 149, 152, 161, 169, 198, 310, 478, 486, 594, 631

Schuman, Robert (1886–1963) 143

Schuschnigg, Kurt von (1897–1977) 54, 59

Schwalber, Josef (1902–1969) 132 f.

Schwan, Gesine (geb. 1943) 415

Schwanitz, Wolfgang (geb. 1930) 543

Schwarz, Hans-Peter (geb. 1934) 160, 183, 216, 471

Schwarz-Schilling, Christian (geb. 1930) 404

Schwarzschild, Leopold (1891–1950) 28

Schweigler, Gebhard (geb. 1943) 438

Schwerin von Schwanenfeld, Ulrich Wilhelm Graf (1902–1944) 104

Seebohm, Hans-Christoph (1903–1967) 135, 185

Seibt, Gustav (geb. 1959) 625

Seiters, Rudolf (geb. 1937) 490, 511

Sethe, Paul (1901–1967) 150

Seyß-Inquart, Arthur (1892–1946) 54, 79

Shamir, Yitzhak (geb. 1915) 524

Shultz, George (geb. 1920) 424

Sindermann, Horst (1915–1990) 341, 454, 528

Sinzheimer, Hugo (1875–1945) 15

Sitarjan, Stepan Aramaisowitsch (geb. 1930) 588

Skubiszewski, Krzysztof (geb. 1926) 589, 602

Smirnow, Andrej A. (1905–1982) 193, 206, 208

Sokolowski, Wassilij D. (1897–1968) 129

Sollmann, Wilhelm (1881–1951) 16

Sommer, Theo (geb. 1930) 407

Späth, Lothar (geb. 1937) 498 f.

Speer, Albert (1905–1981) 44, 118

Spira, Steffie (1908–1995) 507

Spöri, Dieter (geb. 1943) 604

Springmann, Baldur (geb. 1912) 351

Srbik, Heinrich Ritter von (1878–1951) 77

Stadelmann, Rudolf (1902–1949) 646–650

Stahl, Friedrich Julius (1802–1861) 27

Stalin, Josef W. (1879–1953) 41 f., 61 f., 67–71, 82, 89, 115 f., 128–131, 138–141, 146–154, 156, 159, 187, 223, 225, 292, 304, 340, 547, 624, 627, 635

Stammberger, Wolfgang (1920–1982) 210

Stampfer, Friedrich (1874–1957) 19

Stapel, Wilhelm (1882–1954) 26 f.

Starke, Heinz (1911–2001) 297

Stauffenberg, Berthold Schenk Graf von (1905–1944) 104

Stauffenberg, Claus Schenk Graf von (1907–1944) 102–104, 169, 171, 621

Stein, Karl Reichsfreiherr vom und zum (1757–1831) 185

Steiner, Julius (1924–1997) 298 f., 320, 411

Steinhoff, Johannes (1913–1994) 441

Stelling, Johannes (1877–1933) 22

Stephan, Cora (geb. 1951) 625

Stern, Fritz (geb. 1926) 576

Sternberger, Dolf (1907–1989) 432–434, 445

Stinnes, Hugo jr. (1897–1982) 168

Stoecker, Adolf (1835–1909) 98

Stoiber, Edmund (geb. 1941) 362

Stolpe, Manfred (geb. 1936) 278, 494, 602

Stoltenberg, Gerhard (geb. 1928) 404, 550 f.

Stoltenberg, Thorvald (geb. 1931) 465

Stone, Norman (geb. 1941) 576

Stoph, Willi (1914–1999) 258, 284 f., 292, 341, 366, 369 f., 504–506, 509 f., 528, 617 f.

Strasser, Gregor (1892–1934) 7, 18, 36

Strasser, Otto (1897–1974) 7

Strauß, Franz Josef (1915–1988) 182, 184, 209–211, 214, 220, 230, 232, 237–243, 246, 255, 261 f., 267, 271, 300, 314, 338, 342, 347, 356, 362, 371, 378, 384, 399, 410, 420 f., 423, 458 f., 464, 473, 485

Strauß, Walter (1900–1976) 210

Streicher, Julius (1885–1946) 13 f.

Streletz, Fritz (geb. 1926) 617

Stresemann, Gustav (1878–1929) 23, 297

Strougal, Lubomir (geb. 1924) 319

Stücklen, Richard (geb. 1916) 401 f.

Stürmer, Michael (geb. 1938) 444

Süssmuth, Rita (geb. 1937) 447, 498 f., 601, 608

Süsterhenn, Adolf (1905–1974) 651

Teltschik, Horst (geb. 1940) 471, 522–524, 546, 550, 581

Terboven, Josef (1898–1945) 76, 79

Thadden, Rudolf von (geb. 1932) 422

Thälmann, Ernst (1886–1944) 9, 43

Thant, Sithu U (1909–1974) 220

Thatcher, Margaret (geb. 1925) 391, 464, 524 f., 552 f., 575–577, 586, 594

Thaysen, Uwe (geb. 1940) 530, 544

Thedieck, Franz (1900–1995) 173

Thierse, Wolfgang (geb. 1943) 593, 604, 608

Tillich, Paul (1886–1965) 15

Timoschenko, Semjon (1895–1970) 82

Tisch, Harry (1927–1995) 507, 528

Tiso, Josef (1887–1947) 65

Tito (urspr. Josip Broz) (1892–1980) 131, 366

Todenhöfer, Jürgen (geb. 1940) 471

Tönnies, Ferdinand (1855–1936) 6

Tresckow, Henning von (1901–1944) 102 f.

Treviranus, Gottfried (1891–1971) 41

Trevor-Roper, Hugh R. Baron Dacre of Glanton (geb. 1914) 576

Trott zu Solz, Hans Adam von (1909–1944) 100

Trotzki, Leo Dawidowitsch (1879–1940) 69

Truman, Harry S. (1884–1972) 128

Tschernenko, Konstantin Ustinowitsch (1911–1985) 423 f.

Tschiche, Hans-Jochen (geb. 1929) 425, 491

Tucholsky, Kurt (1890–1935) 15, 28

Tuka, Voitech (1880–1946) 64
Tulpanow, Sergej I. (1902–1984) 139

Ulbricht, Walter (1893–1973) 124 f.,
  139 f., 144, 154, 157, 187–196, 203,
  218, 223, 225 f., 230, 234 f., 244,
  264 f., 275, 277–279, 284, 290–294,
  326, 340–342, 438 f., 505 f.
Ullmann, Wolfgang (geb. 1929) 492,
  556 f., 600, 608
Ulrich, Bernd (geb. 1960) 622
Urban, George (geb. 1921) 576

Vance, Cyrus (geb. 1917) 358
Verheugen, Günter (geb. 1944) 401,
  629 f.
Vogel, Bernhard (geb. 1932) 458
Vogel, Hans-Jochen (geb. 1926) 310,
  328, 378, 397, 407 f., 418, 422, 455,
  469, 473 f., 511, 520, 523, 526 f., 536,
  554 f., 571 f., 574, 600, 604, 608
Vogel, Wolfgang (geb. 1925) 316, 365,
  386, 423
Voigt, Karsten (geb. 1941) 416, 523,
  527, 629
Vollmer, Antje (geb. 1943) 573, 622,
  624

Wagner, Leo (geb. 1919) 298
Wagner, Richard (1813–1883) 114
Waigel, Theo (geb. 1939) 485, 547, 550,
  569, 571, 588
Waldheim, Kurt (geb. 1918) 443
Walesa, Lech (geb. 1943) 360, 380 f.,
  383, 466, 469, 482
Walser, Martin (geb. 1927) 425
Warnke, Jürgen (geb. 1932) 404
Weber, Hermann (geb. 1928) 155, 190
Weber, Max (1864–1920) 376
Wedemeier, Klaus (geb. 1944) 461
Wehner, Herbert (1906–1990) 159, 169,
  196, 200 f., 207, 210 f., 231, 240 f.,
  268 f., 273 f., 298 f., 316–318, 322 f.,
  354 f., 386, 389
Weidenfeld, Werner (geb. 1947) 471
Weiß, Konrad (geb. 1942) 492, 522
Weisskirchen, Gert (geb. 1944)
  425, 469

Weizsäcker, Ernst Freiherr von
  (1882–1951) 14, 57, 67, 70, 167, 442
Weizsäcker, Richard Freiherr von
  (geb. 1920) 300, 327, 407, 441 f., 446,
  451 f., 454 f., 543, 592, 601, 608
Wels, Otto (1873–1939) 12, 16 f.,
  19–21, 35, 41, 123
Wendt, Erich (1902–1965) 228
Wenger, Paul Wilhelm (1912–1983)
  172–175
Wessel, Helene (1898–1969) 184
Westphal, Heinz (1924–1998) 390
Weyer, Willi (1917–1987) 269
Weyrauch, Horst (geb. 1932) 412
Wicht, Adolf (geb. 1910) 209
Wiechert, Ernst (1887–1950) 45
Wieczorek-Zeul, Heidemarie
  (geb. 1942) 604
Wienand, Karl (geb. 1926) 298 f., 320
Wilhelm, Deutscher Kronprinz und
  Prinz von Preußen (1882–1951) 57
Wilms, Dorothee (geb. 1929) 404,
  469–471
Wilson, Harold (1916–1995) 333
Wilson, Thomas Woodrow
  (1856–1924) 217
Wippermann, Wolfgang (geb. 1945) 654
Windelen, Heinrich (geb. 1921) 409
Winkler, Heinrich August (geb. 1938)
  415, 436 f., 445
Wirth, Joseph (1879–1956) 41, 162
Wischnewski, Hans-Jürgen (geb. 1922)
  274, 346, 390
Wittram, Reinhard (1902–1973) 84, 309
Witzleben, Erwin von (1881–1944) 56,
  104
Wörner, Manfred (1934–1994) 404,
  464, 550
Wötzel, Roland (geb. 1938) 502
Wolf, Christa (geb. 1929) 223, 340, 507,
  522
Wolf, Markus (geb. 1923) 373, 386, 507,
  514
Wolff, Theodor (1868–1943) 15
Wolfrum, Edgar (geb. 1960) 159
Wolle, Stefan (geb. 1950) 293, 295, 364,
  493
Wollweber, Ernst (1898–1967) 189

Wonneberger, Christoph (geb. 1944)
495, 506
Wünsche, Kurt (geb. 1929) 565, 593
Wundt, Max (1879–1963) 27
Wurm, Theophil (1868–1953) 98, 110

Yorck von Wartenburg, Peter Graf
(1904–1944) 99, 104

Zahl, Peter-Paul (geb. 1944) 425
Zaisser, Wilhelm (1893–1958)
153, 157

Zarapkin, Semjon K. (1906–1984) 265
Zimjanin, Michail W. (geb. 1914) 367
Zimmermann, Friedrich (geb. 1925)
404
Zimmermann, Peter (geb. 1944) 502
Zöger, Heinz (1915–2000) 189
Zoglmann, Siegfried (geb. 1913) 297
Zundel, Rolf (1928–1989) 321, 390
Zwahr, Hartmut (geb. 1936) 499, 513,
520
Zweig, Arnold (1887–1967) 15
Zwerenz, Gerhard (geb. 1925) 425